J'élève
mon enfant

LAURENCE PERNOUD

J'élève mon enfant

édition 2012 2013

Mis à jour sous la direction d'**Agnès Grison**

HORAY

DU MÊME AUTEUR, CHEZ LE MÊME ÉDITEUR :

J'attends un enfant

22 Bis Passage Dauphine - 75006 Paris
ISBN 978-2-7058-0505-0
editions@horay-editeur.fr
lpernoud@horay-editeur.fr
www.horay-editeur.fr

Sommaire

Un enfant entre dans votre vie...   1

Bien nourrir votre enfant   2

2 Bien nourrir votre enfant (SUITE)

3 La vie d'un enfant

La vie d'un enfant (SUITE) 3

L'enfant à la découverte du monde 4

Ce chapitre est la colonne vertébrale du livre : mois après mois, de la naissance à l'école, il raconte ce qui se passe dans la tête et le cœur de l'enfant, ce qui le pousse à faire tel geste, ce qui provoque telle attitude, ce qui crée tel besoin.

5   Grandir et s'épanouir : l'éducation

Ce chapitre propose quelques réflexions sur des questions éducatives ou qui nous tiennent à cœur, sur certains faits de société et sur quelques situations difficiles.

Grandir et s'épanouir : l'éducation (SUITE)

5

Un enfant en bonne santé

6

7

Mémento pratique

SOMMAIRE DES TABLEAUX

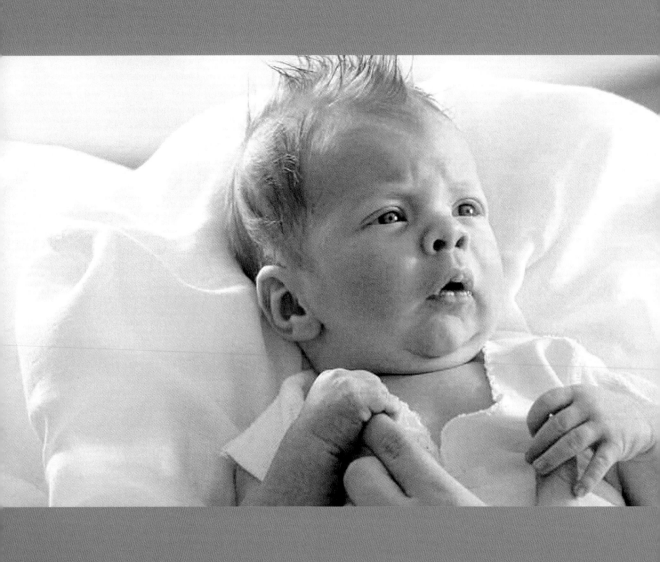

Voici l'édition 2012 de *J'élève mon enfant*, le « Laurence Pernoud », un livre écrit pour vous, chers parents, pour vous donner confiance dans vos capacités à élever votre enfant, à tisser avec lui des liens profonds, dans un climat de tendresse.

Ce livre est ambitieux. Il voudrait que chaque fois que vous vous posez une question, vous trouviez la réponse, en le feuilletant, en regardant le sommaire, en consultant l'index. Certains chapitres sont très concrets, l'alimentation, la vie quotidienne, la santé, les différentes formalités... Comment installer la chambre de bébé ? Quand donner le bain ? Quels aliments peut-on proposer à huit mois ? À un an ? L'obésité peut-elle se prévenir ? Et l'allergie ? Comment réagir devant une fièvre qui monte ? Etc. D'autres chapitres sont plus psychologiques et éducatifs. Mais vous verrez que bien souvent ces différentes parties alternent et se complètent. Tout au long de *J'élève mon enfant*, concret et affectif s'entrecroisent, à l'image de la vie.

Le chapitre 4 est le cœur du livre, celui que les parents lisent et relisent ; il raconte le développement psychomoteur et relationnel des premières années. Vous découvrirez que le jeu si connu de « Coucou ! » est une

véritable manifestation de l'intelligence, comme un peu plus tard l'apparition de « Bravo ! » ; et que dire « Non » puis « À moi ! À moi ! » sont des étapes fondatrices de la construction de la personnalité de l'enfant. Lorsque l'enfant refuse de manger, c'est souvent une façon d'exercer son pouvoir sur les adultes, de tester leurs réactions ; et s'il proteste pour aller se coucher, c'est également pour s'imposer mais aussi pour dire qu'il est difficile de se retrouver seul dans sa chambre.

Ces informations et ces repères vont vous permettre de mieux comprendre votre enfant, de l'aider à s'épanouir, de l'élever plus facilement. Vous vous apercevrez qu'il est important d'adapter vos attitudes éducatives à l'âge de l'enfant, à son développement : souplesse et indulgence sont la règle avec le tout-petit pour respecter sa fragilité émotionnelle, son besoin de découverte. Puis, au fur et à mesure que l'enfant grandit, il faudra savoir à certains moments faire preuve de fermeté et d'autorité.

Cette édition de *J'élève mon enfant* est fidèle aux principes de qualité et de rigueur qui nous ont toujours animées Laurence Pernoud et moi-même. J'ai eu la grande chance de travailler avec Laurence pendant de nombreuses années. Nous mettions sur pied la nouvelle édition, décidions des sujets à traiter, discutions chaque nouveau chapitre jusqu'à ce qu'il ait pris sa forme définitive, recherchions des photos, etc. Nous choisissions les nouveaux collaborateurs de notre équipe qui, au fil des années, s'est étoffée. Nous répondions à l'abondant courrier des lecteurs, dont les témoignages et les suggestions ont enrichi notre expérience. Lorsqu'elle s'est peu à peu mise en retrait, Laurence Pernoud a souhaité que je poursuive son œuvre, celle de toute une vie. Je continue aujourd'hui ce travail, entourée de notre équipe, avec le même enthousiasme.

Au seuil de cette aventure unique que vous allez vivre maintenant, j'ai envie de reprendre la suggestion que Laurence Pernoud aimait faire aux nouveaux parents : « Essayez de bien " profiter " de votre enfant, ce que nos amis anglais appellent *enjoy*, prendre de la joie. Votre enfant va grandir plus vite que vous ne l'imaginez aujourd'hui. Ne laissez pas passer l'enfance : profitez au maximum de ces années précieuses. »

AGNÈS GRISON

Lorsque vous regarderez le sommaire, vous verrez qu'il y a beaucoup à dire sur ces premières années qui vont de la naissance à l'école. Pour traiter tous les sujets, nous avons, peu à peu, rassemblé une équipe. Elle s'est constituée au fur et à mesure des éditions, des besoins, des rencontres faites lors de colloques tant en France qu'à l'étranger, des affinités personnelles, de l'évolution des techniques, des travaux et des découvertes sans cesse renouvelées autour de l'enfant. Le courrier, qui s'est développé de plus en plus venant des quatre coins du monde, notamment grâce à internet, élargit encore un peu plus notre horizon. Nous répondons le mieux possible à tous les messages reçus.

L'habitude adoptée de faire une nouvelle édition chaque année apporte une grande souplesse. Nous sommes toujours prêts à répondre à l'importance de l'actualité. C'est ainsi que nous avons, chaque année, pu intégrer les urgences, les nouveautés, les nouvelles lois.

L'ŒUVRE D'UNE ÉQUIPE

Nous avons aussi eu la satisfaction d'être rejoints par différentes personnalités qui considèrent qu'une voie sûre pour transmettre aux parents un message important est de passer par nos livres, *J'attends un enfant* aussi bien que *J'élève mon enfant*.

Voici l'équipe qui m'entoure et participe à la mise à jour annuelle : DANIELLE RAPOPORT, psychanalyste, psychologue, ancienne titulaire de l'Assistance Publique-Hôpitaux de Paris, est fondatrice de l'association « Bien-traitance formation et recherches ». Son expérience de psychologue à l'hôpital et dans des collectivités de jeunes enfants, enrichie par son travail permanent de recherche et son enthousiasme à communiquer, nous rend sa collaboration très précieuse. Avec elle nous avons en particulier approfondi les difficultés concernant l'enfant porteur de handicap et celles de la mère qui élève seule son enfant, le sujet si douloureux de la maltraitance faite aux enfants et aujourd'hui celui de la « bien-traitance ».

Le docteur ÉRIC OSIKA a rejoint notre équipe. Pédiatre de ville, attaché à l'hôpital Trousseau, il met ses compétences variées au service de nos lecteurs. Il se charge des nombreux courriels qui nécessitent l'avis d'un spécialiste. Nous apprécions sa contribution pertinente et constructive et le regard attentif qu'il porte sur les enfants.

MARIE-NOËLLE BABEL, sage-femme, est consultante en lactation et titulaire du diplôme interuniversitaire « allaitement maternel », un sujet que nous développons chaque année à la demande des lectrices.

BRIGITTE COUDRAY, diététicienne-nutritionniste, s'intéresse tout particulièrement à l'alimentation des enfants et des familles et aux conseils de prévention et d'éducation qui peuvent leur être donnés.

DOMINIQUE FAVIER, cadre socio-éducatif à l'Assistance Publique-Hôpitaux de Paris, chargée de formation, s'occupe du *Mémento pratique*. Les lecteurs apprécient qu'on les aide à se retrouver dans le dédale des formalités et qu'on leur donne tous les renseignements utiles.

Dans cette équipe, MICHELLE GRIES est responsable en particulier des nombreuses relations extérieures et de la communication.

Nous remercions également les personnalités que nous avons consultées sur leur spécialité :

le professeur T. BERRY BRAZELTON sur les « compétences » du bébé et les interactions précoces

le docteur NADIA BRUSCHWEILER-STERN, pédiatre et pédopsychiatre, spécialiste du développement du tout-petit

MARIE-CLAIRE BUSNEL sur l'éveil sensoriel du nouveau-né

le docteur JEAN-VITAL DE MONLÉON, pédiatre, spécialiste de l'adoption

le docteur LUC GABRIELLE, spécialiste de la médecine d'urgence

DELPHINE VIGNEAU, professeure des écoles

AUDE WEILL-RAYNAL, avocate, spécialisée en droit de la famille

et le très regretté RENÉ ZAZZO au sujet des jumeaux dont il reste le grand spécialiste.

Cette année nous remercions particulièrement :

BARBARA ABDELILAH-BAUER, linguiste et psychosociologue, spécialisée dans l'étude du bilinguisme, pour sa contribution à ce sujet

Le professeur THIERRY DEBILLON, néonatologiste, pour sa relecture des pages consacrées aux premiers jours de vie du bébé

SYLVIE MORIETTE, psychologue clinicienne, pour ses nombreuses et intéressantes réflexions sur les relations parents-enfants aujourd'hui.

Cette maquette de *J'élève mon enfant* a été réalisée avec talent par PHILIPPE et NICOLAS MARCHAND qui ont su allier sens artistique et exigences professionnelles. Nous apprécions qu'ils aient donné à notre livre cette allure fraîche et colorée.

Enfin, nous sommes heureux de terminer ces remerciements en rendant un hommage particulier au professeur ROBERT DEBRÉ, fondateur de la pédiatrie française moderne et dont on a donné le nom au plus grand hôpital pédiatrique de Paris. Le professeur Debré a été le premier à croire au succès de *J'élève mon enfant* et l'a soutenu dès la première édition en acceptant de le préfacer.

Un enfant entre dans votre vie... et soudain tout change

Un enfant entre dans votre vie et soudain tout change

A vrai dire, depuis neuf mois, la plupart de vos projets tournaient autour de l'attente de votre bébé. Mais, aujourd'hui, le nouveau-né dans la maison va réellement bousculer vos jours, vos nuits, votre vie à deux. Les parents sont étonnés par ce que suscite la présence de leur bébé : il est si petit et pourtant il tient tellement de place, il provoque tant d'émotions, de questions, il se manifeste avec une telle vigueur. Vous avez envie de le comprendre, de savoir ce qu'il exprime, ce qu'il ressent, de deviner ses besoins pour y répondre au mieux. En un mot, de le connaître. C'est ce que nous vous proposons de faire au début de ce chapitre. Puis nous parlerons du bien-être de votre bébé, toilette, changes, layette, aménagement de son espace : tout cet environnement pratique qui contribue au confort d'un tout-petit.

Des instants privilégiés

Votre bébé, dont vous avez attendu la naissance avec tellement d'impatience, est enfin là, près de vous et vous allez maintenant faire connaissance. Comme les premières semaines il va dormir beaucoup, se remettant lui aussi du bouleversement émotionnel et physique de la naissance, les échanges que vous aurez avec lui se feront lorsqu'il sera réveillé, lorsque vous le nourrirez, lui ferez sa toilette, ou le sortirez. Les tétées, le bain, les sorties, deviendront des moments privilégiés de rencontre entre vous et votre enfant où, à travers chaque geste, vous vous découvrirez l'un l'autre. En parlant avec lui lorsque vous le changerez, il reconnaîtra votre voix qu'il entendait avant la naissance. Dans vos bras, il sentira votre présence et sera rassuré par ce contact.

Pour les parents, les joies de la découverte vont se révéler peu à peu. Pour le nouveau-né, dès les premiers instants, plaisir et besoin sont étroitement associés : l'enfant naît et avant toute nourriture, ce qu'il cherche en arrivant au monde, c'est d'abord que des bras l'entourent, qu'on lui parle tendrement, qu'un regard rencontre son regard. Sentir qu'il est aimé, qu'il est accueilli, va lui donner la confiance dont il a besoin pour s'ouvrir à ce qui l'entoure.

Ces rencontres que vous aurez avec votre bébé seront l'occasion de suivre ses progrès – ils sont très rapides –, d'observer les changements de mine ou d'humeur, reflets du bien-être et de la santé. Elles vous permettront aussi de réagir à l'ambivalence que provoque toute naissance : plaisir de s'occuper du bébé, lassitude devant la répétition des soins, prise de conscience des responsabilités présentes et à venir. Voir ainsi votre bébé progresser au fil des jours vous étonnera, vous ravira, vous donnera confiance dans vos capacités à vous occuper de lui, et vous rendra encore plus proches l'un de l'autre.

LES PREMIERS TÊTE-À-TÊTE D'UNE MÈRE AVEC SON BÉBÉ

Au retour de la maternité, la première fois que vous vous retrouverez à la maison avec votre bébé, vous apprécierez cette intimité, le plaisir d'être à nouveau chez vous. Votre enfant retrouvera également ses habitudes : *in utero*, avant la naissance, lui aussi avait monté les escaliers ou pris l'ascenseur, ou avait entendu le bruit de la clé dans la serrure.

Mais vous aurez peut-être un moment d'inquiétude, loin du personnel de la maternité qui pouvait vous conseiller. Votre mari, qui pourrait vous rassurer, n'est pas toujours là, vous avez peut-être aussi de ces accès de découragement particuliers à l'après-naissance qui sont si fréquents et dont nous avons parlé dans *J'attends un enfant*.

Tout cela fait que ce moment tant attendu du retour à la maison est parfois un peu difficile au début, et que vous risquez de douter de votre habileté à répéter les gestes et les soins appris à la maternité. C'est normal, chaque mère devant son premier enfant se sent maladroite et comme intimidée.

Dites-vous alors que le bain n'a pas d'importance si vous n'avez pas envie de le donner, que la tétée peut attendre s'il ne le réclame pas ; ce qui importe pour le moment c'est que vous vous habituiez à cette présence, que vous fassiez connaissance avec votre enfant, qu'il vous sente près de lui, détendue.

Pour mieux faire connaissance avec votre enfant, mettez-le bien contre vous : ce contact sera réconfortant pour tous les deux. Puis, si vous vous sentez calme, et si cela plaît à votre bébé, avant, après le bain, massez-le légèrement le long de la colonne vertébrale, en remontant le long des jambes, derrière la nuque, etc. ; vous verrez comme vous en serez heureux tous les deux.

Le repas terminé, gardez votre bébé un bon moment près de vous. Même si d'autres occupations vous appellent dans la maison, oubliez-les, rien n'est plus important pour le moment que ce contact, ce dialogue, cette confiance qui vous rassureront tous les deux.

SI VOTRE BÉBÉ EST PRÉMATURÉ OU MALADE

En parlant de ces premières relations parents-bébé, nous avons conscience des regrets qu'elles peuvent donner aux parents si leur bébé est loin d'eux. Heureusement, dans la plupart des services de néonatologie, des dispositions sont prises pour que les parents puissent venir régulièrement voir leur bébé, le toucher pour qu'il sente leurs mains, lui parler pour qu'il entende leur voix et ainsi le lien n'est pas rompu. Les parents peuvent donner le biberon, changer leur bébé, le retour à la maison est alors plus facile (p. 257 et suivantes).

SI LÉGER DANS LES BRAS DE SON PÈRE

Pendant des mois, vous avez senti votre bébé, sous vos mains, bouger dans le ventre de sa maman. Vous connaissiez les moments de la journée où il était le plus actif, et ceux où il dormait. Vous l'avez vu sur l'écran de l'échographe, et vous avez entendu, avec quelle émotion, battre son cœur.

Maintenant le grand moment tant attendu est arrivé. Il est là, cet enfant de vos rêves et de vos espoirs. Il est là, à la fois si léger dans vos bras et si fragile. Rassurez-vous. Très vite, vous verrez votre petit bébé réagir avec une vigueur dont vous l'auriez cru incapable un instant auparavant.

Avec cet enfant va commencer une longue histoire et un dialogue bien particulier ; l'intensité de sa présence vous émeut et vous attendrit. Laurent s'arrange pour passer à la maternité avant de partir pour son travail. « J'ai remis la même cravate rouge qu'hier, dit-il à sa femme, j'ai vu qu'elle avait plu à Elisa. »

Vous vous surprenez à revenir plus tôt le soir à la maison, et le matin vous êtes souvent le premier réveillé pour embrasser votre bébé. Profitez au maximum de ces moments, les sourires et les expressions d'un bébé changent très vite. Et les quelques jours du congé de paternité sont particulièrement bienvenus pour que vous découvriez votre enfant, et réciproquement. C'est précieux.

UNE ADAPTATION RÉCIPROQUE

Les premiers mois, la plupart des bébés réclament une tétée la nuit. Les parents se lèvent, parfois plusieurs fois, l'énergie de la journée s'en ressent, la fatigue s'accumule au fur et à mesure des semaines. Toute la vie quotidienne tourne autour du bébé : les tétées, les changes, les moments d'éveil, les sorties, la visite chez le pédiatre, etc. Les parents sont souvent désemparés par la place que prend l'enfant dans la maison. Ils ont l'impression qu'ils n'auront jamais plus une minute à eux.

Les nouveaux parents ne savent pas tous que les premiers mois avec un bébé ne sont pas toujours faciles. Ils ne savent pas qu'ils vont passer par une période d'adaptation réciproque qui demande un peu de temps. Avant la naissance, blotti dans le ventre de sa maman, l'enfant était nourri en permanence, il était bercé, il dormait et se réveillait quand il le voulait. Maintenant, pour répondre à ses besoins, il est totalement dépendant des adultes qui l'entourent. Et il réclame, lorsqu'il a faim, soif, envie d'être porté. Il est important de répondre à ces appels : à cet âge si tendre, **le bébé ne fait pas de caprices** mais il demande qu'on l'aide à s'adapter à sa nouvelle vie. Lorsque les parents sont avertis de cela, ils comprennent les demandes de leur bébé et les supportent mieux ; ils peuvent répondre à ses appels et combler ses besoins, sans se sentir tyrannisés par lui. Ils prennent confiance en eux.

Rassurez-vous, tous les parents passent par cette période d'adaptation. Si vous la trouvez vraiment difficile à supporter, voyez avec votre entourage, famille, amis, comment vous pouvez vous faire aider. Cela vous permettra également de partager les expériences et de relativiser les difficultés en voyant que d'autres parents les ont vécues. Parlez-en aussi avec votre pédiatre.

Au bout de quelques mois, votre enfant va trouver le rythme qui lui convient, s'intéresser à ce qui l'entoure, il va commencer à apprendre à attendre. En même temps, vous aurez le plaisir d'avoir avec lui des échanges plus nombreux et plus variés ; en observant ses progrès, vous serez touchés de voir apparaître ses goûts, se dessiner sa personnalité. Un couple avec un bébé, c'est vraiment une autre vie, une nouvelle vie.

DES MOMENTS PARFOIS DIFFICILES

En général, la connaissance réciproque des parents et de l'enfant se passe bien. L'émotion si forte de la naissance se transforme en un profond sentiment d'attachement qui se développe peu à peu. Plus rarement, mais cela arrive, des difficultés apparaissent, qui s'installent et durent. Nous en parlons plus loin (p. 185). Il nous a semblé important d'en dire un mot dès maintenant pour que les parents ne restent pas seuls et se fassent aider.

Certains parents sont fatigués, énervés par leur bébé qui pleure beaucoup. Ou bien ils sont angoissés et inquiets de la fragilité de leur nouveau-né et ne se sentent pas capables d'y faire face. Ou encore ils ne parviennent pas à s'intéresser à leur bébé. Il est important de pouvoir parler de ces difficultés au pédiatre, au médecin de PMI, à la puéricultrice, au médecin de famille, à une psychologue… Dans certaines villes, des lieux d'accueil parents-enfants existent : demandez autour de vous.

Les premiers mois après la naissance, surtout lorsqu'il s'agit d'un premier enfant, sont une période de grande fragilité pour certains parents. Au moment où se crée la nouvelle famille, de nombreux souvenirs remontant jusqu'à la toute petite enfance des parents - et surtout de la maman - reviennent à la mémoire. Beaucoup d'émotions, d'inquiétudes, peuvent alors se manifester. D'autant plus qu'une maman seule dans la journée, ou complètement seule, peu aidée, stressée, a tendance a être un peu déprimée, elle a du mal à s'adapter à la personnalité de son bébé, à trouver sa place dans sa relation avec lui et avec son conjoint. Pour qu'une sérénité bénéfique pour tous puisse s'instaurer, la maman peut avoir besoin de raconter à un tiers, en présence du bébé, et parfois du papa, sa grossesse, l'accouchement, les premiers jours après la naissance, les soucis familiaux… Ne pas refouler ses sentiments, prendre l'habitude de partager, d'échanger dans le couple et avec un professionnel, va permettre de diminuer progressivement les fortes émotions suscitées par la naissance.

Le bien-être
de votre enfant

Ce premier chapitre est consacré à des informations pratiques sur les changes, la toilette, les soins à donner au bébé, la layette, la chambre. C'est normal car c'est par le corps du bébé, par la manière qu'on a de s'occuper de lui, de le porter, de l'habiller, de l'installer dans la maison, que vont passer les sensations de sécurité, de confort, qui vont lui donner confiance en lui, en vous. « Être bien dans sa peau », cette expression que nous utilisons souvent, prend ses racines dans ces premiers moments de l'enfance. Et le climat de tranquillité que crée le bien-être du bébé se ressent dans toute la maison.

LA TOILETTE : DES MOMENTS D'ÉCHANGE ENTRE LES PARENTS ET L'ENFANT

Ce qui suit a pour but de répondre aux questions pratiques que les parents se posent. C'est important d'avoir ce qu'il faut sous la main, et d'être bien installé. Cela vous aidera à être détendu ; vous serez ainsi disponibles pour que les gestes de la toilette soient, d'emblée, des moments d'échange. De plus, les progrès si rapides du bébé provoqueront chez vous étonnement, émerveillement, complicité, évitant ainsi à la routine de s'installer.

Le bébé n'est pas aussi fragile qu'on le croit en général, mais il faut au début prendre quelques précautions pour bien le tenir afin qu'il se sente à l'aise. Que vous le teniez droit, ou horizontalement, vous soutiendrez bien la tête du bébé et vous aurez toujours une main sous ses fesses : il se sentira ainsi en sécurité dans son corps, dans ses mouvements.

Dans la plupart des maternités, le bébé est baigné soit dès la naissance, soit dans les heures qui suivent. Il est donc possible de donner le bain dès le retour à la maison. Le bain n'est pas seulement le meilleur moyen de laver le bébé, mais surtout une merveilleuse occasion pour lui de se décontracter, de se déplier, de s'étirer, ce qu'il ne fait pas encore facilement dans son lit. On peut baigner le bébé même si le cordon ombilical n'est pas tombé, à condition qu'il n'y ait pas d'infection. Ne vous inquiétez pas si vos premiers essais sont malhabiles, votre technique va vite s'améliorer.

LES PRODUITS DE TOILETTE

Pour donner le bain, le plus pratique est d'utiliser une baignoire spéciale pour bébé. En plus de la baignoire, vous pouvez avoir une petite cuvette en matière plastique pour laver le siège de votre bébé chaque fois que vous le changerez.

Vous aurez besoin en outre pour sa toilette des objets et produits suivants :

• Savon en gel ou pain, sans parfum ni colorant. Vous pouvez utiliser le même produit pour le corps et le visage. Pour les premiers mois, choisissez plutôt un produit spécial pour nourrissons (en pharmacie ou parapharmacie). En cas de peau particulièrement sèche ou sensible, il existe des gels et pains sans savon.

• Pommade pour le siège

• Chlorexidine aqueuse (antiseptique pour nettoyer le cordon)

• Sérum physiologique

• Crème hydratante sans parfum

• Coton

• Les lingettes sont pratiques pour la toilette du siège de bébé lorsque vous vous déplacez. Préférez les lingettes sans parfum. À la maison, utilisez plutôt l'eau et le savon ; l'usage prolongé et répété des lingettes est à déconseiller chez les bébés à la peau fragile.

• L'huile d'amandes douces est aujourd'hui déconseillée à cause du risque d'allergie. Si besoin, mettez à votre bébé un peu de crème hydratante.

• D'une façon générale, pour la peau de votre bébé, n'abusez pas des produits cosmétiques et utilisez les plus simples (sans parfum, ni colorant) : ce sont souvent les meilleurs.

• C'est à dessein que nous ne mentionnons pas l'eau de Cologne ; il est préférable de ne pas utiliser d'alcool, même faible, sur la peau du bébé.

Vous aurez également besoin de :

• Un thermomètre de bain

• Deux ou trois gants de toilette (bien sûr, ne pas utiliser le même gant pour le siège et pour le reste du corps)

• Deux serviettes-éponges assez grandes pour envelopper votre enfant lorsqu'il sort de son bain, ou un burnous de bain en éponge

• Une paire de petits ciseaux spéciaux pour couper les ongles

• Une brosse à cheveux

• Un thermomètre médical (à utiliser si vous trouvez votre bébé grognon ou chaud).

LES SOINS DE L'OMBILIC

À la naissance, le médecin, ou la sage-femme, coupe le cordon ombilical et le ligature ; le demi-centimètre qui reste attaché au bébé met environ 7 jours à se dessécher ; en tombant il laisse une petite plaie, l'ombilic ou nombril, qui met quelques jours à se cicatriser : pendant 24 ou 48 heures l'ombilic est humide et suinte un peu, mais, au bout d'une semaine maximum, il est parfaitement sec. En attendant, il importe d'en prendre soin. Rassurez-vous, cela ne fait pas mal au bébé. Nettoyez doucement, avec de la chlorhexidine aqueuse, la base humide du cordon, au besoin en le tirant légèrement. Si vous utilisez une compresse, il existe des petits filets qui aident à la maintenir.

Tout suintement prolongé, toute rougeur de l'ombilic et autour de l'ombilic, toute odeur inhabituelle, toute cicatrisation longue à se faire doivent être signalés au médecin.

LES CHANGES DE LA JOURNÉE

La peau du nouveau-né est mince et fragile, elle est pleine de petits plis, la sueur et le frottement peuvent l'irriter, c'est pourquoi il est important qu'elle soit propre et bien séchée à chaque change. Changez le bébé à chaque repas ; changez-le également si vous pensez qu'il s'est sali car les selles sont irritantes pour la peau.

Pour nettoyer les fesses – le siège – de votre bébé : si nécessaire ôtez les selles avec des mouchoirs en papier ou du papier hygiénique ; ensuite nettoyez le siège et les cuisses à l'eau et au savon (avec un gant ou du coton) d'avant en arrière, rincez. Éventuellement servez-vous de lingettes. Lorsque les fesses sont propres, si nécessaire, mettez une couche épaisse de pommade pour le siège (type pâte à l'eau, en pharmacie).

Des changes fréquents sont la meilleure prévention des fesses rouges (*Érythème fessier*, voir ce mot au chapitre 6).

LE BAIN DE BÉBÉ

Le bain est un moment privilégié dans la vie de l'enfant ; on peut comprendre pourquoi. Avant de naître, il a vécu dans un milieu aquatique (et même très spacieux jusqu'au septième mois), dans une eau enveloppante, protectrice, qui filtrait et amortissait les bruits. Après la naissance, ces sensations agréables et sécurisantes, le bébé les retrouvera dans le bain. Il les retrouvera tout au long de l'enfance, et même plus tard. Ajoutons qu'à tout âge, le bain aide l'enfant énervé à se calmer.

Le bain est un moment privilégié pour le bébé, pour vous aussi d'ailleurs, dès que vous y serez bien habitué. Prenez votre temps, rien ne presse, faites vos gestes lentement, n'hésitez pas à les accompagner de ces mots qui viennent spontanément aux lèvres lorsqu'on est dans une relation affective et tendre, où l'on commente chaque détail à haute voix. Ce « bain » de paroles fait plaisir à l'enfant et le rassure.

Le bain est bon pour l'enfant, mais c'est en même temps l'occasion de voir si tout va bien : en baignant votre enfant, en le voyant tout nu, vous pouvez avoir le regard attiré par une rougeur, par un gonflement suspect ou par une attitude anormale.

LE BAIN : QUELQUES PRÉCISIONS

Chez le nouveau-né
On peut lui donner un bain, même si le cordon n'est pas tombé. Ne vous inquiétez pas si un peu d'eau entre dans les oreilles.

Les premiers bains
Le premier jour, et surtout pour le premier enfant, vous aurez certainement peur de mettre votre bébé dans l'eau. Mais rassurez-vous, tous les parents font la même expérience, très vite vous prendrez autant de plaisir à donner le bain que le bébé lui-même en aura à le prendre. Pour que tout se passe bien :
• préparez avec soin et placez à portée de main tout ce qu'il faut pour le bain (voir pages suivantes)
• si vous le pouvez, donnez le premier bain en présence d'un tiers qui vous passera la serviette oubliée, le cas échéant
• mettez peu d'eau dans la baignoire et vérifiez la température de l'eau (37°) avant d'y plonger bébé
• tant que vous n'êtes pas très sûrs de votre « technique », procédez comme indiqué page 28 : savonnez l'enfant avant de le mettre dans l'eau, puis ôtez soigneusement tout savon sur vos mains, ainsi vous tiendrez votre bébé fermement
• au début vous aurez hâte de sortir le bébé de l'eau ; après, tout en le soutenant, laissez-le gigoter, il sera ravi.

A quel moment donner le bain ?
Vous verrez ce qui vous arrangera le plus. En général, les premières semaines, le bain est donné le matin. Plus tard, c'est souvent le soir qui est le moment le plus pratique, en revenant de la crèche ou de chez la nourrice. Si votre bébé pleure beaucoup en fin de journée, le bain pourra aider à le détendre.

Combien de temps laisser Bébé dans son bain ?
Pas trop longtemps s'il a la peau sèche, plus si tout va bien.

La baignoire

Pour éviter d'avoir mal au dos en donnant le bain, installez une planche en travers de la grande baignoire et posez la baignoire de bébé sur cette planche. Vous pouvez aussi trouver dans le commerce des modèles s'adaptant à la grande baignoire. Il existe des petites baignoires avec siphon de vidange que l'on peut poser sur une table, ou qui s'adaptent sur certaines tables à langer.

L'enfant a grandi, sa baignoire est devenue trop petite ; les fabricants proposent différents systèmes pour installer l'enfant dans la grande baignoire : transat, anneau de bain, coussin, etc. Aucun de ces systèmes ne nous paraît satisfaisant, ni pour la sécurité de l'enfant, ni pour le confort de l'adulte qui donne le bain. Nous conseillons de mettre au fond de la baignoire un tapis anti-dérapant, et surtout de ne jamais laisser l'enfant seul dans son bain. Ayez le réflexe de ne pas répondre au téléphone à ce moment-là.

Changer Bébé, faire sa toilette, lui donner son bain, vous est maintenant raconté en images dans les pages qui suivent.

BAIN, CHANGES ET TOILETTE DE BÉBÉ

Avant de donner le bain, vérifiez que la salle de bains est suffisamment chaude pour que le bébé se sente à l'aise : il doit y avoir au moins 22°. Préparez ce dont vous aurez besoin : matelas à langer recouvert d'une serviette éponge, coton, savon, gant de toilette, brosse ; et ce qu'il faut pour habiller bébé : body, vêtement, change, etc. Puis faites couler l'eau du bain, d'abord l'eau froide, puis l'eau chaude, par prudence. Avec un thermomètre, vérifiez la température de l'eau, le mélange doit être agréable (environ 37°).

TRÈS IMPORTANT

Quand le bébé est sur la table à langer, ne le lâchez jamais ; **ayez toujours une main posée sur lui.** *Il suffit d'une seconde où vous avez le dos tourné pour que le bébé, même tout petit, tombe.*

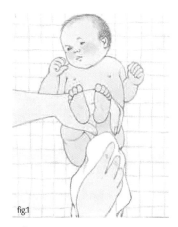

fig.1

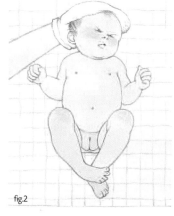

fig.2

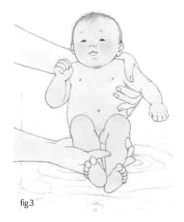

fig.3

1- Ôtez les couches puis nettoyez le siège de bébé, d'abord avec les coins de la couche, puis avec un coton mouillé (toujours d'avant en arrière) : le siège de l'enfant doit être bien nettoyé avant le bain pour que l'eau ne soit pas salie. Le body ôté, voici le bébé prêt pour le bain.

2 - Maintenant, savonnez bébé, d'abord le corps, puis les cheveux. Au début, servez-vous d'un gant de toilette, cela glisse moins. Lorsque vous vous sentirez plus habile, vous pourrez savonner bébé directement avec la main. C'est d'ailleurs plus agréable pour le bébé . N'ayez pas peur de savonner la tête, la fontanelle n'est pas fragile : la peau est fine mais cache une membrane robuste qui supporte parfaitement une pression normale.

3 - Avant de plonger bébé dans l'eau, rincez votre main pleine de savon, vérifiez la température de l'eau avec le coude (c'est un point très sensible de la peau). Soulevez bébé en passant votre main gauche sous la nuque et votre main droite sous les chevilles, et mettez-le doucement dans l'eau. Si à ce moment-là, votre bébé est un peu contracté (le bébé se contracte fréquemment à tout changement de position), parlez-lui, votre voix accompagnant tendrement vos gestes va vite le détendre.

fig.4

fig.5

fig.6

4 - Maintenant, de la main gauche, tenez ferme le bébé, et de la droite rincez-le, sans oublier les cheveux et le derrière des oreilles. Mettez-lui l'arrière de la tête et les oreilles quelques instants dans l'eau. Dès que vous serez bien habitué à tenir bébé dans l'eau et qu'il aimera son bain, laissez-le gigoter un moment.

5 - Au bout de quelques jours, lorsque vous serez bien à l'aise pour tenir bébé dans l'eau, vous pourrez le mettre sur le ventre : les bébés aiment souvent cette position.

6 - Sortez bébé du bain en le tenant comme tout à l'heure (voir fig. 3) et posez-le sur la serviette-éponge. Essuyez-le soigneusement en commençant par les cheveux, séchez bien tous les plis, sous les bras, aux plis de l'aine, aux cuisses, aux genoux, etc. Pour sécher bébé, tapotez-lui légèrement la peau sans frictionner. Puis comme il est tout heureux d'être propre, laissez-le un peu gigoter tout nu.

fig.7

fig.8

fig.9

7 - Enfilez à bébé le haut de son body puis mettez la couche ; c'est simple mais les parents inexpérimentés sont heureux d'avoir une petite explication.
Bébé étant allongé sur le dos, installez-le sur l'arrière de la couche et remontez-la entre ses jambes.

8 - Fixez les deux parties du change avec l'adhésif. Et n'hésitez pas à serrer un peu, sinon la couche va bâiller.

9 - Mettez bébé sur le ventre pour rentrer le haut de la couche afin d'éviter les « fuites ».

Pour finir sa toilette

Le visage

Si nécessaire, mettez un peu de crème.

Les oreilles

Nettoyez-les avec un morceau de coton que vous roulerez avec les doigts. Nettoyez le pavillon, la partie externe, mais pas le fond : le conduit interne de l'oreille est fragile et fonctionne par « auto-nettoiement », c'est-à-dire que les petits poils poussent la cire au-dehors. Si vous souhaitez utiliser des bâtonnets, choisissez ceux faits spécialement pour les bébés : leur gros bout rond ne peut entrer dans le conduit auditif interne. La peau derrière l'oreille se fendille parfois. Dans ce cas, mettez-y un peu de crème hydratante.

Le nez

Là aussi de minuscules petits poils repoussent à l'extérieur mucosités et poussières. Si nécessaire, vous pouvez mettre quelques gouttes de sérum physiologique dans chaque narine.

Les yeux

Les premiers jours, il peut y avoir des petites saletés. Pour les ôter, passez sur les paupières un coton imbibé de sérum physiologique en allant de l'angle interne de l'œil vers l'angle externe (il est conseillé d'utiliser un coton différent pour chaque œil).

Voilà votre bébé propre, net, joli pour le coup de brosse final.

QUELQUES QUESTIONS SUR LA TOILETTE ET LE BAIN

Faut-il faire une toilette spéciale au petit garçon ?

Elle n'est plus conseillée aujourd'hui. Les pédiatres préconisent d'attendre que le *décalottage* (voir ce mot au chapitre 6) se fasse tout seul, parfois seulement vers 3-4 ans.

En ce qui concerne la toilette locale des petites filles, il n'est pas recommandé de trop nettoyer entre les petits plis.

Bébé a peur de l'eau, est-ce normal ?

Oui, les premiers jours, il peut être surpris. Assurez-vous que l'eau n'est pas trop chaude (ou trop froide). Encouragez votre bébé en lui parlant doucement. Au bout de quelques jours l'enfant sera habitué et appréciera beaucoup son bain.

Faut-il baigner un enfant tous les jours ?

Oui, cela en vaut certainement la peine, non seulement pour l'hygiène, mais aussi pour la détente que le bain procure : les enfants aiment beaucoup l'eau. En cas d'eczéma important, certains dermatologues conseillent de ne donner le bain qu'un jour sur deux.

Quand peut-on mettre un bébé dans la grande baignoire ?

Pas avant qu'il sache rester bien assis. Mettez au fond de la baignoire un tapis antidérapant pour éviter les glissades parfois dangereuses. Cela dit, **ne laissez jamais un enfant seul**, même un instant, si bien installé soit-il dans la baignoire. Il peut se noyer dans 15 cm d'eau, ou ouvrir le robinet d'eau chaude.

Faut-il laver les cheveux du bébé tous les jours ?

Oui, au début, pour éviter la formation des croûtes car le cuir chevelu du bébé est parfois gras. S'il y avait quand même des croûtes, le médecin vous conseillera une crème spéciale. À partir de 3-4 mois, il suffit de laver les cheveux tous les 2 ou 3 jours. Se servir d'un shampooing spécial pour bébé, qui ne pique pas les yeux.

Faut-il couper les ongles ?

Si tout va bien, il est possible d'attendre la fin du premier mois, date à laquelle les ongles sont un peu plus durs et plus faciles à couper. Si le bébé se griffe, coupez les ongles plus tôt, en choisissant une période où il est calme, ou pendant qu'il dort. On peut aussi limer les ongles avec une lime en carton.

Faut-il faire faire de la « gymnastique » au bébé ?

Ce n'est pas indispensable mais cela peut être une façon de jouer avec votre bébé, de communiquer avec lui. Après le bain, si vous avez le temps et si votre bébé n'est pas fatigué, vous pouvez lui faire faire quelques mouvements des jambes : bébé sur le dos, mettez une main sur le ventre, de l'autre levez doucement les jambes à la verticale, puis rabaissez-les, et ainsi plusieurs fois de suite. Ou bien, installez votre bébé sur le ventre quelques instants, vous le verrez relever la tête, ce qui améliorera son tonus. Tout cela est à faire comme un jeu qui amusera votre enfant et vous fera plaisir à tous les deux, et non comme un exercice d'éducation physique. Sa « gymnastique », votre enfant la fera tout seul, en bougeant, gigotant, se déplaçant ; il suffit de favoriser ses mouvements.

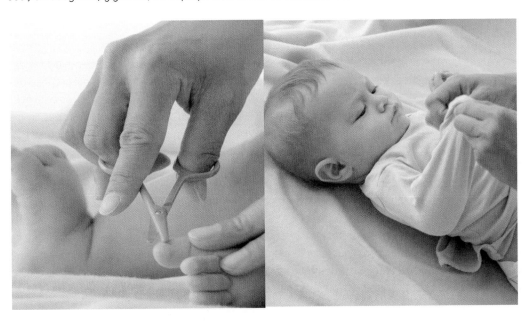

LA LAYETTE

La manière et le moment d'acheter le trousseau sont révélateurs d'une personnalité. Certains achètent tout avant, d'autres attendent la naissance par superstition ; certains choisissent la tradition du bleu ou du rose, d'autres préfèrent des couleurs plus vives. Mais quels que soient les choix, ces achats sont affectifs, on voit le bébé, on l'imagine, on est attendri. Bras dessus, bras dessous, le jeune couple qui choisit la layette le fait à deux, comme on accomplit un acte important. Mais avant d'entrer dans un magasin, il faut penser - sous peine de trop acheter - aux besoins de l'enfant.

AU DÉBUT, VOTRE ENFANT VA GRANDIR ET GROSSIR TRÈS VITE

Le poids et la taille d'un enfant changent si vite que l'on divise les six premiers mois en trois tailles : 1 mois, 3 mois et 6 mois. Voyez page suivante le tableau sur la « layette de base » qui propose des vêtements pour ces trois tailles.

Pour faire vos achats, tenez donc bien compte de la croissance d'un bébé, et n'achetez pas trop à l'avance pour ne pas risquer de vous retrouver avec des vêtements devenus vite trop petits. Certaines marques proposent une taille « naissance ». Cette taille peut être bien adaptée à certains bébés, par exemple à des jumeaux qui sont souvent de petit poids. Mais cette taille « naissance » risque de ne pas servir longtemps à un bébé de poids moyen. Pour lui, il vaut mieux prévoir la taille « 1 mois ». Quant aux bébés prématurés, on trouve dans les magasins de puériculture, toute une layette adaptée à leur poids et à leur taille.

Par ailleurs, avant de faire vos achats, sachez que la manière d'indiquer les tailles n'est pas la même dans toutes les marques et pour tous les vêtements. Mais le plus souvent, les âges sont indiqués ainsi que la taille en centimètre. En plus, vous vous familiariserez vite avec les différentes marques : celles qui taillent plutôt petit, celles qui taillent un peu grand.

Combien de pyjamas, de bodys, de salopettes ?

Vous adapterez, bien sûr, cette layette, à la saison où naîtra l'enfant et à la région que vous habitez. Vous pourrez y ajouter un petit peignoir de bain, avec capuchon pour essuyer la tête du bébé. Et pour les sorties, un nid d'ange (petit sac avec capuche) ou une combinaison-pilote seront pratiques car ils enveloppent bien le bébé.

LA LAYETTE DE BASE

	1 MOIS	3 MOIS	6 MOIS
Bodys en coton	6	6	6
Brassière de laine	1		
Pyjamas	4	4	4
Surpyjamas ou turbulettes	1	2	2
Combinaisons	4	4	4
Robes ou salopettes		2	2
Cardigans en laine ou vestes en laine	1	1	1
Cardigans en coton (molletonné)	1	1	1
Chaussons ou chaussettes	4	4	4
Serviettes (pour les repas)	3	3	3
Bonnet (ou chapeau)	1	1	1

Des mamans nous ont demandé quelques explications sur les modèles de base.

Le **body** est devenu l'incontournable de la layette du bébé : à manches longues ou courtes, façon débardeur ou à fines bretelles, blanc ou coloré, rayé ou à motifs, il devient un vêtement à lui tout seul lorsqu'il fait chaud. Toujours en coton, il est agréable à porter et couvre bien le ventre puisqu'il se ferme à l'entrejambe (voyez les dessins p. 35). On peut utiliser les bodys dès la naissance car certains se croisent et se ferment par des petits liens ou des pressions : on n'a pas à les enfiler par la tête, ce que n'aime pas un nouveau-né.

La **turbulette**, ou **gigoteuse**, est un petit sac de couchage avec emmanchures et s'enfile sur le pyjama. Elle remplace la couette, déconseillée chez le bébé. Vous la choisirez plus ou moins épaisse, selon la saison. Le surpyjama est un peu plus chaud que la turbulette puisqu'il a des manches.

La **combinaison**, avec entrejambe à pressions qui facilite le change, est pratique en toute saison : avec ou sans manches, version longue ou courte, en coton léger ou plus épais. Elle peut être remplacée par un pantalon ou une jupe et une blouse, une barboteuse, une robe et un caleçon, etc.

Ce que vous pourrez faire vous-même

Presque tout si vous aimez coudre, tricoter, et si vous avez du temps : robes, salopettes, peignoir de bain ; tout ce qui est en laine : brassières, vestes, chaussons, bonnets, etc. Vous trouverez des modèles dans les albums spéciaux de layette, ou dans les magazines féminins.

Les vêtements de cette liste vous serviront tant que votre bébé restera couché dans son berceau. Lorsqu'il se mettra à ramper dans son parc, vous l'habillerez autrement. L'habillement de l'enfant qui marche est simplifié. Il est inutile de vous donner une liste ; vous ferez vos achats selon votre budget et vos goûts ; rappelez-vous seulement que les vêtements d'un enfant doivent être :

• faciles à enfiler : de larges encolures et emmanchures vous éviteront une bataille quotidienne pour habiller votre enfant

• pratiques : les salopettes et les combinaisons fermées par des pressions à l'entre jambe facilitent les changes

• peu fragiles, sinon vous serez tenté de dire sans cesse « ne te traîne pas par terre, tu vas te salir ». Ce qu'il fera quand même.

PAS TROP COUVERT ...

Les bébés trop couverts sont beaucoup plus nombreux que ceux qui ne le sont pas assez. En voyant leur enfant si petit, en apparence si fragile, les parents ont peur qu'il ne puisse réagir contre le froid. Ils pensent que sa température va s'abaisser et se rassurent en l'emmitouflant de plusieurs épaisseurs.

Or, dès sa naissance, le nouveau-né est capable de réguler sa température corporelle. S'il est né à terme, son système de régulation thermique, thermostat très perfectionné, peut fonctionner : la température de son corps est maintenue à 37°, malgré les variations extérieures. Ce système n'est pas encore mature chez le prématuré, c'est pourquoi on le place dès sa naissance dans une couveuse.

Il n'est donc pas nécessaire de beaucoup couvrir un nouveau-né ou un bébé. Mais pour l'habiller, il faut néanmoins tenir compte de quelques particularités.

• Le bébé, remuant peu, ne bénéficie pas de la chaleur apportée par une activité physique. Pour compenser, vous pouvez ajouter à son habillement une épaisseur par rapport à ce que vous portez. Couvrez-le comme une personne qui ne bouge pas, par exemple comme vous aimeriez l'être si vous restiez assis pendant une longue période. Contrairement à une idée répandue, couvrir beaucoup un enfant, ne l'empêche pas de « prendre froid » ; les rhumes, angines, otites ont une autre origine.

• Chez le bébé, la surface de la peau est très importante par rapport à son poids. S'il fait froid et si l'enfant est normalement couvert, il n'y a pas de problème. En revanche, s'il fait chaud, la surface de peau exposée à la chaleur est considérable, ce qui peut favoriser une évaporation et donc entraîner un déficit en eau. En cas de forte chaleur, soyez particulièrement attentifs avec votre bébé, encore plus s'il est nouveau-né :

- ne lui mettez qu'un body et une couche, et même n'hésitez pas à le laisser nu

- gardez-le le plus possible dans un endroit frais

- évitez de le sortir aux moments chauds de la journée

- veillez à lui proposer régulièrement à boire de l'eau plate ; si vous allaitez, buvez suffisamment pour pouvoir lui donner fréquemment le sein ; en effet, proposer systématiquement de l'eau au bébé risque de perturber l'allaitement.

• Enfin, puisque le bébé ne peut pas dire s'il a trop froid ou trop chaud, c'est à vous de veiller à ce que son habillement soit bien adapté à la chaleur et au lieu où il se trouve. Les parents le font sponta-nément pour passer du chaud au froid (par exemple pour sortir en hiver), mais ne pensent pas néces-sairement à déshabiller leur bébé lorsqu'ils entrent dans un espace chauffé. Et même si votre bébé naît en été, il est bon de prévoir un petit lainage. Il ne faut pas hésiter, plusieurs fois au cours de la journée, à lui enfiler ou à lui ôter une petite veste en laine ou en coton.

L'enfant plus grand

Éviter de trop couvrir un enfant est valable aussi lorsqu'il est plus âgé. Dehors, s'il est trop couvert et qu'il court, il transpire et n'est pas à son aise. De même à la maison, si l'appartement est trop chauffé. Enfin, lorsque vous habillez votre enfant, rappelez-vous que d'une façon générale, les enfants sont moins frileux que les adultes et remuent davantage.

DE LA TÊTE AUX PIEDS : QUELQUES DÉTAILS

Bonnet et chapeau

Porter un bonnet est confortable pour le bébé car son crâne, peu protégé par les cheveux, est d'une surface importante par rapport au reste du corps. Mais ne l'embarrassez pas avec un bonnet trop couvrant ou trop volumineux : les modèles les plus simples feront très bien l'affaire.

En revanche, le chapeau - ou la casquette - est indispensable en cas de soleil, quel que soit l'âge de l'enfant. Grâce à leur visière, les chapeaux et casquettes protègent mieux les yeux que les foulards ou bandanas.

Les couches

Les couches se perfectionnent tous les jours, hier, roses pour les filles, bleues pour les garçons, aujour-d'hui compactes et unisexes, demain on trouvera certainement une nouvelle proposition. On peut aussi trouver en pharmacie des couches jetables tout en coton, utiles en cas d'érythème fessier.

• Les couches en tissu ne sont pratiquement plus utilisées aujourd'hui comme change pour le bébé. Mais certains parents continuent à les préférer pour une question de budget ; et aussi pour préser-ver l'environnement en lavant les couches au lieu de les jeter. À part la question du change, avec un petit bébé, on a souvent besoin de couches en tissu (appellées parfois lange) : pour la mettre sur l'épaule quand il fait ses renvois, pour la mettre sous sa tête, dans son berceau, et qu'il soit ainsi tou-jours au propre et au sec ; et demain la couche sera peut-être le « doudou » bien-aimé, etc.

Coton ou synthétique ?

Il est recommandé de ne pas mettre de tissus en matière synthétique directement sur la peau d'un bébé, de ne pas les utiliser avant 3 ou 4 mois, enfin, de s'en servir avec précaution, c'est-à-dire sans insister dès qu'apparaît une réaction. Pour ces raisons, il semble plus simple d'acheter des articles en coton ou en laine pour la layette du bébé et de réserver le synthétique pour les vêtements que l'enfant portera plus tard.

L'entretien du linge

• **Coton**. Lavage dans une machine : c'est évidemment la solution la plus pratique.

Lavage à la main : savon de Marseille ou en paillettes ; toujours bien rincer. Et si on tient à mettre de l'eau de Javel, rincer encore plus. Attention aux produits de lessive trop puissants qui peuvent irriter la peau du bébé. Pour cette raison, il est déconseillé d'utiliser des produits adoucissants.

• **Lainages**. La plupart peuvent être lavés à la machine, à basse température bien sûr. Mais certaines mamans préfèrent laver les lainages à la main pour être sûres qu'ils ne feutrent ni ne rétrécissent. Nous vous rappelons les précautions à prendre : laver à l'eau tiède, presser les lainages entre les mains, ne pas les tordre, ni les frotter. Rincer, deux fois, trois fois, dans une eau à même température que l'eau de lavage. Rouler les lainages dans une serviette (ou bien les essorer dans la machine), faire sécher à plat. Si nécessaire, les repasser, légèrement humides, avec un fer à vapeur.

Les chaussures

Lorsque l'enfant ne marche pas encore, on peut lui mettre des chaussons ou des bottines, pour qu'il n'ait pas froid aux pieds. Certains, en peau retournée, sont très confortables en hiver. Les chaussures sont inutiles si, pour sortir, vous mettez à votre bébé une combinaison avec pieds. C'est plus confortable pour l'enfant qui ne marche pas encore.

Quand il marchera, quelles chaussures lui mettre ? Choisissez des chaussures :
• qui assurent un bon maintien de la voûte plantaire et de la cheville
• qui aient un contrefort interne pour bien soutenir le pied
• qui, en même temps, laissent une certaine liberté aux pieds.
• Enfin, essayez les chaussures à l'enfant avant de les acheter.

C'est un faux calcul hélas, de vouloir acheter des chaussures trop grandes par mesure d'économie. Dans des chaussures trop grandes, l'enfant tombe plus facilement. Il prend une mauvaise posture. Mieux vaut prendre des chaussures moins chères, mais à la taille de votre enfant, c'est-à-dire dont la longueur intérieure dépasse seulement d'un centimètre le bout du gros orteil quand l'enfant est debout. Et choisissez-les de préférence à bout large et rond pour laisser les orteils remuer librement.

Évitez, si vous le pouvez, de faire porter les chaussures d'un frère ou d'une sœur aînée si elles sont usées ; leur précédent propriétaire leur a donné une certaine forme. Il n'est pas dit que cette forme soit celle qui convienne aux pieds du cadet.

Les pieds de l'enfant grandissent vite ; ces premières chaussures seront bientôt trop petites. Vous devez vous assurer souvent qu'il y est à l'aise, et, quand vous constaterez que le gros orteil touche le bout (en sentant, avec votre index, sa marque à l'intérieur de la chaussure), il faudra malheureusement acheter une nouvelle paire de chaussures...

À la maison, s'il fait suffisamment chaud et s'il ne risque pas de se blesser (attention aux échardes), laissez l'enfant pieds nus ou en chaussettes. Être en contact avec le sol est bon pour lui, tant pour

la prise de conscience de son corps que pour le contrôle de son équilibre. Les adultes eux aussi aiment se déchausser et marcher pieds nus.

Une dernière recommandation : ne mettez pas à votre enfant (au moins jusqu'à 3-4 ans), d'une manière régulière et prolongée, des petites bottes en caoutchouc. Ces bottes retiennent la transpiration.

LA CHAMBRE DU BÉBÉ

Si vous pouvez consacrer une chambre à votre bébé, pensez à l'installer suffisamment tôt. Si vous avez des peintures à y faire, laissez-leur le temps de bien sécher. Si vous avez acheté de nouveaux meubles, installez-les bien avant la naissance. La peinture et les meubles peuvent dégager des substances toxiques pour le bébé. Il est raisonnable de terminer les travaux de rénovation et d'aménagement plusieurs semaines avant la naissance et d'aérer le plus souvent possible avant l'arrivée du bébé.

Si vous ne disposez pas d'une chambre pour votre enfant, réservez-lui un coin dans une pièce. Vous y réunirez ce dont il a besoin : lit, meuble à langer, etc. Installez ce coin dans la chambre la plus tranquille. Votre enfant aura besoin de calme les premiers mois. Si dans la journée le bébé doit dormir dans votre chambre, il vaut mieux pour la nuit que vous rouliez son lit dans une autre pièce, passés les premiers mois ; votre sommeil et le sien seront meilleurs. Et à ce sujet, lisez aussi la page 115 qui parle précisément de l'enfant qui dort dans la chambre de ses parents.

DANS LA MÊME CHAMBRE
Votre bébé va peut-être partager la chambre de l'aîné. Pour l'y installer, les parents pensent souvent qu'il faut attendre que le bébé fasse ses nuits. En fait, les pleurs du plus jeune n'empêchent pas nécessairement le plus grand de dormir. Et la présence de l'aîné peut rassurer le bébé, ce qui l'aide à trouver son rythme.

LE BERCEAU, LE LIT

Pour coucher votre enfant, vous aurez le choix entre le classique berceau, que vous achèterez tout garni ou que vous garnirez vous-même, et un vrai petit lit en bois.

Si vous n'avez pas déjà un lit ou un berceau, et que vous hésitez à acheter l'un plutôt que l'autre, choisissez plutôt le lit. Dans un berceau, le bébé ne peut dormir que quelques mois ; dans un lit, il peut rester jusqu'à 2 ans, mais si vous avez la possibilité qu'on vous prête un berceau, ne le refusez pas ! De tout temps, les berceaux ont bercé les bébés, et cela leur plaît beaucoup : ils s'y retrouvent entourés comme ils l'étaient dans le corps de leur maman, et cette continuité les apaise.

Une solution intermédiaire : le lit en toile monté sur tube métallique, qui est économique, facile à transporter, mais qui sert moins longtemps.

Quelle que soit la solution que vous adoptiez, choisissez un lit ou un berceau qui soit :
• d'un entretien aisé : s'il est en bois laqué, vous le savonnerez facilement ; s'il est entièrement garni de tissu, il faut que la garniture soit détachable et facile à laver
• stable et répondant à toutes les normes de sécurité. Si le lit a des barreaux, l'espace entre ceux-ci doit être compris entre 45 et 65 mm (c'est la norme européenne).

Et si vous décidez d'avoir tout de suite un vrai lit, achetez-le avec de hauts barreaux (lit anglais) : c'est d'ailleurs le grand classique des fabricants de lits, c'est le modèle le plus souvent proposé.
• **L'enfant plus grand**
C'est vers 2 ans - 2 ans 1/2 que l'enfant peut dormir dans un « lit de grand ». À cet âge, certains enfants cherchent à enjamber les barreaux de leur lit car ils ne supportent plus d'y être « enfermés ». Choisissez un modèle de lit assez bas.

La literie

Dans les lits d'enfant, il n'y a pas de sommier, le matelas est posé directement sur un simple châssis de bois.
• Choisissez un **matelas ferme, bien adapté aux dimensions du lit** (pour éviter le risque que le bébé se coince entre le matelas et la paroi du lit).

Pour protéger le matelas, il y a deux solutions : l'alèze molletonnée en coton imperméabilisé, douce, pratique, qui est confortable et qui peut bouillir, ou l'alèze en caoutchouc, que l'on recouvre d'un molleton et d'un drap de dessous.

Quand le lit est à barreaux ou en bois, mettez un tour de lit en tissu molletonné : les bébés aiment que leur tête touche le bord du lit. Cet entourage peut aussi empêcher un bébé qui remue beaucoup d'aller glisser son pied ou sa jambe entre les barreaux, et de les coincer. Veillez à ce que le tour de lit soit bien attaché aux montants. Il existe des « réducteurs de lit », modulables en longueur. Ce sont des sortes de boudins en tissu qui évitent au bébé de glisser au fond du lit ; cela crée autour de lui un petit nid douillet.
• **Ne mettez pas d'oreiller** (le bébé risquerait d'y enfouir son nez)
• **Ni de couverture ou de couette** (le bébé pourrait glisser dessous).
• Limitez le nombre d'objets ou de peluches dans le lit de votre bébé.

Pour couvrir votre bébé, mettez-lui une turbulette ou une gigoteuse (petit sac de couchage avec emmanchures à enfiler par-dessus le pyjama), ou un surpyjama.

COMMENT COUCHER VOTRE BÉBÉ ?
Toujours sur le dos : c'est important, voyez page 117.

Vers 2 ans, l'enfant mettra seulement un pyjama, ou une chemise de nuit, et il appréciera alors d'avoir une couette - ou un drap et une couverture - comme les grands.

Si votre bébé doit naître en été, prévoyez une moustiquaire.

LE MEUBLE À LANGER

Pour changer votre enfant, vous avez plusieurs possibilités.

Vous pouvez utiliser une table à langer. Il en existe de nombreux modèles, à différents prix : pliantes, ou murales, à encombrement minimum, ou au contraire ayant une vaste surface, avec ou sans étagère de rangements, etc. Le modèle le plus simple consiste en un matelas à langer posé sur un support soutenu par des tubes métalliques. Si vous pouvez installer la table à langer près d'un lavabo, ce sera plus pratique au moment de changer Bébé.

Vous pouvez aussi utiliser une commode : soit spécialement prévue à cet effet (on en trouve dans tous les magasins de puériculture), soit une commode que vous possédez déjà. Les tiroirs serviront à ranger les vêtements de l'enfant. Et, sur le dessus, vous placerez le matelas à langer. Il en existe de nombreux modèles (rembourrés, avec des poches, etc.), dans des coloris variés. Posez sur le matelas à langer une serviette-éponge ou une couche en tissu : le contact du plastique est désagréable et peut faire pleurer le bébé. N'oubliez pas de prévoir une bonne lumière pour éclairer le meuble sur lequel vous changerez votre bébé.

ATTENTION !
*Sur une table à langer ou une commode, **ayez toujours une main posée sur votre bébé** ; il suffit d'un instant d'inattention pour que l'enfant, même tout petit, tombe. C'est une cause fréquente d'accidents.*

SIÈGES ET TRANSATS

Le siège-coque (appelé parfois « cosy ») est pratique et confortable. Il permet d'emmener Bébé en balade sans même le réveiller : d'abord siège-auto, il se transforme en poussette (en le fixant sur un châssis à roulettes), puis peut être porté à bout de bras car il est muni d'une anse. Le transat lui aussi évolue : classique ou à balancelle, en passant par le pouf rempli de billes, il permet à Bébé, bien attaché en tout sécurité, de découvrir le monde qui l'entoure ou le mobile juste à sa portée.

Mais siège-coque ou transat sont à utiliser pendant des périodes courtes : en empêchant le bébé de bouger ou de se déplacer, ils gênent son développement moteur. Ces petits fauteuils sont donc à utiliser avec modération, à certains moments de la journée. En période d'éveil, installez plutôt votre bébé sur un tapis de jeux et mettez-le sur le ventre. Ce sera l'occasion d'un excellent exercice et contribuera à diminuer l'aplatissement de l'arrière de la tête (appelé plagiocéphalie), très fréquent aujourd'hui puisque tous les bébés sont couchés sur le dos pour dormir.

UNE CHAMBRE SAINE

Une chambre saine, c'est une chambre propre, fraîche, sèche et régulièrement aérée.

La poussière, les acariens peuvent provoquer des réactions allergiques, surtout s'il y a une prédisposition dans la famille. Évitez, si possible, tapis et moquettes de laine ; installez plutôt un revêtement lavable ou du parquet. Pour la même raison, préférez les couettes, couvertures et oreillers en matière synthétique, lavables en machine. Lavez régulièrement les peluches.

Mais les personnes, les animaux, peuvent aussi apporter microbes et maladies. Il est important de mettre le petit enfant à l'abri des microbes car si le corps humain dispose de certains mécanismes de défense, encore faut-il que ces mécanismes fonctionnent. Or leur mise en route est plus ou moins longue et délicate. Aussi le bébé est-il d'autant plus vulnérable qu'il est petit. Parmi ces microbes, le plus redoutable pour le nouveau-né est le staphylocoque : prudence si vous souffrez notamment de furoncles ; veillez à les nettoyer soigneusement à l'aide d'une solution antiseptique type chlorexidine à 0,5 % et à bien vous laver les mains avant de vous occuper de votre bébé.

Les personnes peuvent aussi transmettre des microbes et des virus au bébé en s'approchant de lui si elles ont un rhume, une grippe, ou toute autre maladie infectieuse. Si vous êtes grippé, ou fortement enrhumé, lavez-vous bien les mains avant de vous occuper de votre bébé. Si les aînés sont enrhumés, expliquez-leur que ce n'est pas le moment de faire des câlins au bébé.

Les animaux peuvent également transmettre des maladies. Tant que l'enfant est encore un petit bébé, la présence d'un animal dans la chambre est vraiment déconseillée. Cela peut aussi être dangereux (p. 159).

Pages 140 et suivantes, vous trouverez les précautions à prendre pour que l'environnement de l'enfant soit sans danger.

Une chambre saine, c'est aussi

• Une chambre où il y a peu de bruit ; le bruit perturbe le nourrisson. Baissez le son des appareils de radio, de télévision. Choisissez des jouets qui soient peu bruyants et peu lumineux : ils peuvent énerver le bébé et le gêner pour s'endormir.
• Une chambre chauffée le jour à 19-20°.
• Une chambre régulièrement aérée (au moins 15 mn par jour) dans laquelle on laisse entrer le soleil.
• Une chambre où l'on ne fume pas. D'ailleurs on ne doit pas fumer dans un appartement où séjourne l'enfant car on sait aujourd'hui que la fumée est nocive pour ceux qui fument mais aussi pour ceux qui les entourent. C'est le « tabagisme passif ». C'est pourquoi on prend tant de mesures pour protéger les poumons de la population. Pensez aux poumons tout frais, tout neufs, de votre enfant (article *Tabagisme*, dans le dictionnaire du chapitre 6).

EN CAS DE FORTE CHALEUR
Pensez à donner à boire à votre bébé et à le dévêtir (p. 34). Fermez les volets pour maintenir un peu de fraîcheur. S'il y a une période de canicule, il n'y a pas de contre-indication à utiliser un petit ventilateur dans la chambre. Il en est de même pour le climatiseur à la maison ou en voiture : utilisé dans des conditions normales d'hygiène et d'entretien, il ne présente pas de danger particulier.

POUR SORTIR BÉBÉ

Landaus et poussettes

Le grand landau classique a disparu de la panoplie de bébé : même s'il était très confortable, il était devenu trop encombrant et peu pratique pour la vie quotidienne. Aujourd'hui, pour faire des courses, aller à l'école chercher l'aîné, prendre l'air au jardin, rendre visite à des amis, passer une journée à l'extérieur, on emmène bébé dans un combiné « landau-poussette ». Celui-ci peut être très sophistiqué, et faire à la fois : « landau-poussette-nacelle-siège-auto ». Il y a aussi des modèles plus simples : une poussette dans laquelle le bébé peut être installé en position allongée au début, et qui, par la suite, se transforme en poussette classique.

Un conseil pratique : avant d'acheter un modèle, assurez-vous qu'il tient bien dans le coffre de votre voiture, que vous pouvez facilement le ranger chez vous, et qu'il n'est pas trop encombrant pour pouvoir l'utiliser éventuellement dans les transports en commun.

Voici quelques indications générales, à chaque saison, il y a des nouveautés et des perfectionnements. C'est vraiment une question de goût et surtout de budget.

Le sac porte-bébé

C'est une solution appréciée des parents. Ils sont heureux, c'est visible, de porter ainsi leur bébé, de sentir sa chaleur, de lui communiquer la leur. C'est la solution à bien des problèmes de déplacement. Et souvent les parents ne peuvent pas faire autrement : en particulier lorsqu'il faut emmener bébé à la crèche ou chez sa nourrice, si le trajet est long ou s'il faut prendre un moyen de transport.

Quant au bébé, il se sent bien également : le contact, on l'a souvent dit ici-même, est bon pour lui. Être porté ainsi répond aux besoins de proximité, « d'accrochage » du petit bébé ; il retrouve des sensations éprouvées avant la naissance, le balancement, la chaleur du corps et cette continuité le rassure. Lors de votre achat, assurez-vous que votre bébé sera bien blotti contre vous.

On trouve dans le commerce des sacs porte-bébés classiques, et aussi des porte-bébés hamacs, des porte-bébés adaptés au portage sur la hanche, inspirés de ce qui se fait dans d'autres cultures. Certains parents préfèrent porter leur bébé dans une écharpe, ils le trouvent plus à l'aise et mieux maintenu que dans un sac.

DES LIVRES POUR EN SAVOIR PLUS...
Comme nous vous le disions au début de ce chapitre, c'est au cours des soins quotidiens que se nouent peu à peu les liens avec le bébé. Voici quelques livres qui vous en diront plus :
• Sur les interactions entre les parents et le bébé, nous vous conseillons les livres de T. Berry Brazelton, notamment **Points Forts,** *paru chez Stock et en livre de poche.*
• Sur les interrelations précoces, vous pouvez lire **Lorsque l'enfant paraît,** *de Françoise Dolto, Points-Seuil.*
• Sur l'attachement parents-bébé, de nombreux ouvrages ont paru. Le premier était celui de René Zazzo, **L'Attachement,** *Delachaux et Niestlé. Ce livre (actuellement épuisé) reste un classique. Parmi les plus récents, signalons celui de Nicole et Antoine Guedeney :* **L'Attachement, concepts et applications,** *Masson. Les auteurs étudient comment se constituent les liens qui unissent l'enfant à sa mère et les troubles de l'attachement. Ils étendent leur analyse à l'adulte, au couple et à la famille. Un livre intéressant, plutôt destiné à un public d'étudiants ou de professionnels.*
• Sur le massage des bébés, voici un livre plein de poésie et de tendresse, sur une technique venue de l'Inde : **Shantala, un art traditionnel, le massage des enfants,** *de Frédérick Leboyer, éditions du Seuil.*
Nous nous sommes assurés que les livres cités dans **J'élève mon enfant** *étaient bien disponibles. Nous avons quand même maintenu les références de certains ouvrages épuisés, car vous pouvez les consulter en bibliothèque.*

2

Bien nourrir
votre enfant

« Il faut manger pour grandir. » Nous avons tous entendu cette phrase et personne ne la conteste. Mais l'importance de l'alimentation dans le développement de l'enfant ne se réduit pas à cette fonction vitale.

Manger fait plaisir : ce qu'on mange, être nourri par ceux qu'on aime. Plaisir à deux, parent-bébé, puis plaisir partagé par toute la famille. Plaisir qui durera toute la vie : on n'imagine pas une fête sans un repas.

Se nourrir est pour le tout petit une source infinie de sensations et de découvertes : couleurs, odeurs, goûts. C'est le carrefour de nombreux progrès physiques, moteurs, intellectuels : tenir son biberon, se servir d'une cuillère, d'une fourchette, manger tout seul, faire manger sa poupée, participer à la préparation du repas...

La nourriture peut aussi servir de terrain d'affrontement entre enfant et parents : opposition de l'un, souplesse, fermeté ou rigidité des autres. L'éducation a toute sa place dans le domaine alimentaire.

Mais revenons au quotidien et aux questions que vous vous posez sur l'alimentation de votre enfant, depuis les premières tétées ou premiers biberons jusqu'aux repas variés des plus grands, en passant par des idées de menus aux différents âges et les difficultés qui surviennent parfois.

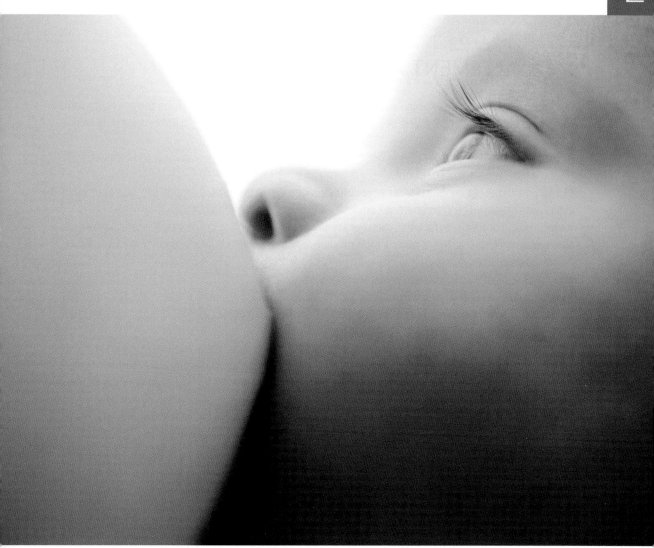

Sein ou biberon : comment choisir?

Vaut-il mieux allaiter son enfant ou lui donner le biberon ? Dans ce livre, nous avons toujours été pour l'allaitement maternel, nous l'avons défendu avec conviction, mais souvent avec difficulté, car pendant longtemps les opposants ont été plus nombreux que les partisans. Aujourd'hui, la tendance s'est inversée. Tant mieux. Mais il y a des mères qui ne veulent ou ne peuvent allaiter. Et certaines n'ont pas encore pris leur décision : la présence du bébé, ou l'ambiance de la maternité où d'autres mères allaitent, peuvent modifier leur choix. Sein ou biberon ? Voici des informations sur ces deux modes d'allaitement pour vous aider à vous décider.

L'ALLAITEMENT AU SEIN

• Le lait de chaque espèce est bien adapté au petit de l'espèce correspondante, et tous ces laits sont complètement différents les uns des autres. Ainsi c'est le lait maternel humain qui est le mieux adapté au bébé humain.

• Plus le bébé est prématuré, plus le lait maternel est important pour lui : son système digestif est fragile, il est sensible aux infections.

• Le lait maternel est facile à digérer et les intolérances n'existent pratiquement pas. Son goût varie avec l'alimentation de la maman et sa composition change au cours de la tétée.

• Avec le lait maternel, l'enfant est mieux protégé contre les allergies qui se manifestent parfois. Un allaitement exclusif d'au moins quatre mois diminue le risque d'allergie chez le nourrisson. Et le risque d'obésité diminue également.

• Le fer que le lait maternel contient est bien absorbé.

• Le lait maternel protège l'enfant contre de nombreuses infections en lui apportant les anticorps maternels. Il assure ainsi une protection naturelle pendant la durée de l'allaitement et même au-delà.

• C'est pratique : pas de biberons à préparer. Et économique.

• L'allaitement maternel est profitable à la mère et favorise le retour à la normale de l'appareil géni-tal : il y a une connexion étroite entre les glandes mammaires et l'utérus. Lorsque l'enfant tète, il déclenche un réflexe qui provoque des contractions utérines. Celles-ci aident l'utérus à revenir à ses dimensions normales.

• Les tétées sont des moments heureux pour la mère et pour l'enfant. Les mères parlent d'un plaisir partagé, d'un « corps à corps » exceptionnel qui leur apporte des sensations uniques.

LE PÈRE ET L'ALLAITEMENT AU SEIN
Le père a toute sa place lorsque la mère allaite : en la confortant dans son choix ; en la rassurant lors des moments un peu délicats ; en l'aidant à s'installer bien confortablement pendant la tétée. En dehors des tétées, les moments d'échange père-bébé sont nombreux : le contact peau à peau, le bercement, le bain, la sieste...

L'ALLAITEMENT AU BIBERON

• De grands progrès ont été réalisés dans la fabrication des laits infantiles (cependant, ils sont tous pré-parés à partir de lait de vache ou de protéines de soja).

• Une autre personne peut remplacer la maman pour nourrir le bébé. C'est d'ailleurs un des avantages que certains pères trouvent aux biberons, ils apprécient ce contact supplémentaire qu'ils peuvent avoir avec leur bébé.

• Le biberon permet de garder une certaine distance avec le bébé ; la relation paraît moins fusion-nelle à la maman.

• Une expérience précédente difficile d'allaitement au sein, ou de sevrage, peut faire hésiter une maman à recommencer. Mais peut-être n'avait-elle, à ce moment-là, pas eu tous les conseils néces-saires ? Peut-être qu'avec ce nouveau bébé, cela va se passer différemment ?

• Le biberon est une alternative lorsque l'allaitement se complique : sein douloureux, bébé peu coopé-ratif. Cette alternative est soit provisoire, soit une façon de sevrer l'enfant.

• Avec le biberon, les horaires et les quantités sont plus faciles à prévoir : cela rassure certaines mamans.
• Enfin, même si les sensations éprouvées par la mère qui donne un biberon sont différentes de celles que ressent la mère qui allaite, des relations fortes et profondes s'établissent tout naturellement entre la maman et l'enfant.

RÉPONSES À QUELQUES QUESTIONS

L'allaitement abîme-t-il la poitrine ?

Certaines mères posent la question. En fait ce n'est pas l'allaitement, mais la grossesse qui modifie la poitrine, puisqu'elle provoque une augmentation suivie d'une diminution du volume des glandes mammaires. En empêchant la brusque diminution de ces glandes, l'allaitement serait plutôt bénéfique. Pour la même raison, arrêter la montée de lait sans précautions suffisantes peut abîmer la poitrine.

Ce qui peut également l'abîmer, c'est de trop manger, d'avoir un régime qui fait grossir (pâtisseries, etc.), ce qui est le cas chez les femmes qui pensent qu'une alimentation « riche » améliorera la qualité de leur lait. C'est alors le poids de la graisse qui fait tomber les seins. Mais si l'on porte un bon soutien-gorge et si l'on a une alimentation équilibrée, on a les meilleures chances de retrouver rapidement sa poitrine d'avant la grossesse. Cela dit, il y a des tissus plus fermes que d'autres. Certaines femmes ayant allaité plusieurs enfants gardent une poitrine parfaite. D'autres ont des seins tombants et ver-geturés sans avoir jamais allaité. Et puis il y a la gymnastique faite avant et après l'accouchement et le sport (la natation en particulier) qui contribuent à la fermeté des muscles soutenant les seins.

Comment la femme qui travaille peut-elle allaiter ?

L'allaitement est possible jusqu'à la fin du congé de maternité. Ensuite, vous pouvez continuer à allaiter en tirant votre lait : soit sur votre lieu de travail, soit chez vous, et vous donnerez à la crèche ou à l'assistante maternelle des biberons de votre lait. Vous pouvez aussi choisir un allaitement mixte : tétées au sein lorsque vous êtes avec votre bébé et biberons de lait infantile lorsque votre enfant est gardé.

Enfin, puisqu'il est possible de reporter 3 semaines du congé prénatal sur le congé postnatal, cela peut permettre d'allaiter plus longtemps avant la reprise du travail.

Comment allaiter discrètement ?

Certaines mamans ne souhaitent pas allaiter devant des tiers, par pudeur. Rassurez-vous, vous allez vite apprendre à mettre facilement votre bébé au sein. Au bout de quelques jours, vous ne serez plus obligée de regarder ce qu'il fait, vous le glisserez sous votre tee-shirt, ou sous un foulard couvrant le sein, et bébé arrivera tout seul à prendre le sein. En attendant, si vous souhaitez allaiter discrètement à la maternité, demandez à l'équipe de faire sortir les visiteurs.

Peut-on devenir enceinte si on allaite ?

Oui, c'est possible : une ovulation peut survenir avant la fin de l'allaitement et même avant le retour de couches. Mais elle ne survient pas avant 6 semaines lorsque le bébé ne prend que le sein, sans complément d'eau ni de lait, tète aussi la nuit au moins toutes les 6 heures. Si le bébé espace ses tétées, ou si vous donnez des compléments, une ovulation devient possible. Demandez au médecin ou à la sage-femme quelle contraception est adaptée à votre cas.

FAUT-IL PRENDRE UN MÉDICAMENT SI L'ON SOUHAITE EMPÊCHER LA MONTÉE DU LAIT ?

Il existe des médicaments qui permettent de bloquer la lactation. Mais ces traitements hormonaux, qui arrêtent la synthèse de prolactine, sont de moins en moins utilisés car leurs effets secondaires (palpitations, vertiges) sont parfois gênants. De plus, ils sont contre-indiqués en cas d'hypertension ou de dépression. Médecins et sages-femmes préfèrent aujourd'hui donner un traitement homéopathique, généralement efficace. Pour tarir progressivement la lactation, on peut utiliser une autre méthode, très pratiquée dans les pays scandinaves. Le bébé est mis occasionnellement au sein, uniquement pour soulager d'éventuelles tensions mammaires. La maman peut aussi se masser les seins pour faire couler un peu de lait lorsqu'ils sont tendus. Il s'agit en fait d'un allaitement mixte dans lequel l'enfant prend beaucoup plus de biberons qu'il ne tète.

Y a-t-il des contre-indications médicales à l'allaitement maternel ?

Elles sont rares :

• pour l'enfant, l'intolérance au lactose (qui est le sucre contenu dans le lait) et l'intolérance au galactose (qui est un composant du lactose), ou galactosémie ; ce sont des maladies exceptionnelles et qui imposent, de toute façon, un lait spécifique prescrit par le médecin

• pour la mère, un cancer avec chimiothérapie.

Le risque de transmission d'une maladie virale (sida) est également une contre-indication à l'allaitement.

Il peut y avoir des contre-indications temporaires, par exemple si la mère prend certains médicaments ou souffre d'une affection particulière. Dans ces cas, si la mère désire allaiter, elle verra avec le médecin comment cela est possible.

VOUS HÉSITEZ ENCORE

Sein ou biberon ? Même si après cette lecture, vous avez de la peine à prendre une décision, voici une suggestion : pourquoi ne pas aller dans une association d'aide à l'allaitement (adresses page suivante) ? Vous y rencontrerez des mamans qui allaitent, elles pourront vous faire part de leur expérience, vous verrez concrètement ce qu'est l'allaitement.

Une autre suggestion si vous hésitez : commencez à allaiter, quitte à vous arrêter par la suite, ce qui sera toujours possible. En revanche, si vous avez commencé à donner le biberon, vous aurez de la peine à vous mettre à allaiter quelques jours plus tard.

Et sachez que, quelle que soit votre décision, vous entendrez probablement des critiques : « Ton bébé pleure beaucoup, tu es sûre que tu as assez de lait » ? Ou bien : « Tu n'allaites pas ? C'est dommage pour ton bébé. » L'allaitement provoque souvent des réactions de l'entourage. C'est mieux de le savoir à l'avance pour ne pas se sentir déstabilisée ou culpabilisée et pour prendre ces commentaires avec philosophie.

Vous trouverez toutes les informations sur l'enfant nourri au biberon pages 66 et suivantes.

POUR FAVORISER L'ALLAITEMENT

Une loi interdit la distribution d'échantillons gratuits de laits infantiles dans les maternités. Et l'Unicef participe au programme « Hôpitaux amis des bébés » : ce label est donné aux maternités qui respectent la charte des 10 points essentiels pour la promotion de l'allaitement maternel.

Les débuts de l'allaitement

L'allaitement au sein n'a pas le côté rationnel de l'allaitement au biberon. Les quantités que boit l'enfant ne sont pas inscrites sur des graduations, c'est le bébé lui-même qui tète la quantité de lait dont il a besoin. Cet allaitement implique donc une certaine aventure, une certaine incertitude, c'est-à-dire finalement une certaine philosophie, un certain optimisme.

Vous allez ensemble, petit à petit, trouver votre rythme. Ayez confiance en vous et en votre bébé, installez-vous bien et profitez de ces moments uniques.

AVEC D'AUTRES MÈRES

Les débuts de l'allaitement peuvent exiger patience, persévérance et volonté. Certaines mamans se découragent dès les premiers jours et abandonnent alors qu'elles sont encore à la maternité : trop de conseils contradictoires, trop de visites (c'est parfois difficile d'allaiter en public) ; ou bien elles arrêtent peu après le retour à la maison. C'est dommage car si elles étaient soutenues, elles reprendraient confiance en elles-mêmes et pourraient allaiter leur bébé.

Il existe de nombreuses associations qui aident les mères désirant allaiter. Nous indiquons ci-contre quelques adresses. N'hésitez pas à contacter ces associations (certaines mamans le font avant la naissance), elles ont des correspondants dans toute la France. Vous pouvez aussi demander à la sage-femme, ou à la PMI, s'il y a un groupe d'aide à l'allaitement dans votre ville. Dans ces groupes, les mamans trouvent encouragements, soutiens et conseils.

> **POUR LES MAMANS QUI ALLAITENT, VOICI DES ADRESSES UTILES**
> • *Leche League*
> BP 18 78620, L'Étang-la-Ville.
> Tél. : 0 139 584 584, www.lllfrance.org
> • *Solidarilait*
> Tél. : 01 40 44 70 70
> www.solidarilait.org
> • *Vous pouvez aussi vous adresser à la* **Coordination française pour l'allaitement maternel (COFAM)** : www.coordination-allaitement.org
> • *www.consultants-lactation.org pour les coordonnées d'une consultante en lactation*

INSTALLEZ-VOUS CONFORTABLEMENT

Pour donner le sein, au début, choisissez un endroit calme sans trop d'allées et venues autour de vous. C'est pour l'enfant un instant privilégié, où il se détend, il s'épanouit, il s'éveille. Lorsque l'un et l'autre vous serez bien habitués aux tétées, vous pourrez allaiter n'importe où, sans gêne, ni pour l'un ni pour l'autre. Pour allaiter, profitez d'un moment où votre bébé est éveillé et calme.

Ensuite installez-vous bien, c'est essentiel. La maman mal installée se fatigue, elle rend l'allaitement responsable de sa fatigue et attend avec impatience qu'il se termine. Et les tétées deviennent autant d'épreuves.

Au début, vraisemblablement, vous allaiterez dans votre lit, couchée ou assise. Ensuite, vous allaiterez assise dans un fauteuil, ou un canapé. Mais dans tous les cas, pour être à l'aise, pour ne pas vous fatiguer, l'important est d'amener la tête du bébé vers votre sein, et de ne pas avoir à vous pencher en avant. Page suivante, voyez comment vous installer. Vous trouverez peut-être la description trop détaillée, mais il faut être précis car d'une bonne position dépend la production du lait. Exercez-vous à cette installation avant d'allaiter bébé. Vous verrez qu'en fait, c'est simple.

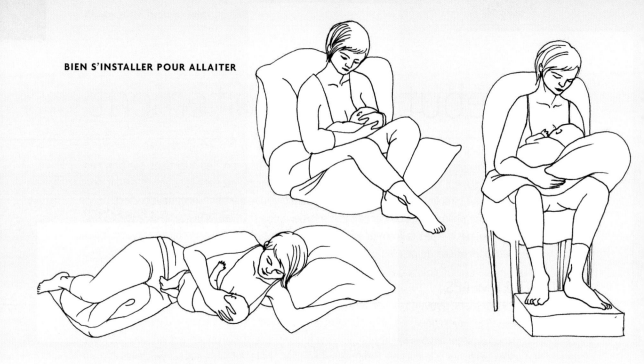

Si vous allaitez allongée

Tournez-vous sur le côté et posez bébé à côté de vous (voyez le dessin). Votre tête repose sur un ou deux coussins pour soulager votre épaule. Bébé est contre vous, « **ventre contre ventre** », le nez à hauteur du mamelon. Le bras sur lequel vous reposez ne doit pas gêner la tête de bébé. De l'autre main (celle du bras du dessus), vous soutenez son dos et ses fesses. Vous lui chatouillez la lèvre supérieure avec le mamelon.

Alors, au contact de cette peau douce, lorsque votre bébé sent l'odeur du lait, il remue les lèvres et ouvre la bouche. Amenez-le vers le sein avec la main qui est contre son dos. Le mamelon se place alors au fond de la bouche. À ce moment-là, bébé se met à téter... comme s'il l'avait fait toute sa vie. Ce réflexe est présent à la naissance. En fait, il l'est même avant. Certains enfants naissent ayant déjà sucé leur pouce. Cela se voit au fait qu'ils ont le doigt tout rouge (d'ailleurs pendant la grossesse, on voit parfois lors d'une échographie le bébé sucer son pouce).

Si vous allaitez assise

Si vous êtes dans votre lit, mettez un – ou, si nécessaire, deux – coussins sous le coude, de manière que bébé ait son visage près de votre sein, sans que vous ayez besoin de vous pencher vers lui. Vous pouvez aussi, après vous être assise et avoir bien calé votre dos, poser un oreiller sur vos genoux, installer votre bébé dessus, afin que sa bouche soit à la hauteur de votre mamelon.

Dans le commerce, il existe de gros **coussins d'allaitement** (genre polochon) que la mère peut installer autour d'elle pour être à l'aise, pour allaiter ou pour se reposer.

Lorsque vous allaitez assise sur un siège, sachez que votre confort dépendra du siège dans lequel vous vous assiérez. Pour ne pas être obligée de vous pencher en avant, si vous avez une chaise basse, c'est parfait ; vous vous appuierez bien au dossier et vous serez bien installée. Ainsi, placé sur vos genoux, votre enfant aura la tête sur votre avant-bras, et, sans effort, le visage tout près de votre sein. Essayez, vous verrez. Si vous n'avez pas de chaise basse, mettez un petit tabouret sous les pieds. Le modèle le plus simple – par exemple celui qui sert aux enfants à atteindre le lavabo – fera très bien l'affaire.

Enfin, lorsque vous allaitez assise sur un siège, votre bras au creux duquel l'enfant pose la tête, doit être soutenu sinon il se fatiguera vite. Pour cela, choisissez un siège qui ait des accoudoirs (ou l'angle d'un canapé) ou bien soutenez votre coude par un coussin.

Un bébé bien installé

Vous êtes assise, installée bien confortablement, occupons-nous maintenant de votre bébé. Placez-le en position semi-verticale, la tête un peu plus haute que les pieds ; sa tête se trouve sur votre avant-bras, et vous maintenez ses fesses ou sa cuisse avec la main du même bras ; c'est tout le corps du bébé, et pas seulement la tête, qui doit être tourné vers vous. Là aussi, il est « ventre contre ventre », la tête presque enfouie dans votre sein.

Avec votre main libre, soutenez votre sein, pouce au-dessus, les autres doigts en dessous ; chatouillez la lèvre de votre bébé avec votre mamelon et lorsque bébé ouvre grand la bouche, amenez-le contre votre sein avec le bras qui le soutient. Faites en sorte que bébé prenne dans la bouche tout le mamelon et le maximum de l'aréole (la partie brune autour du mamelon). Vous pouvez appuyer un peu sur le sein pour que le lait sorte. Bébé se met à téter.

Si le nez de l'enfant touche le sein pendant la tétée et si vous avez l'impression qu'il a du mal à respirer, installez votre bébé un peu plus bas, sa tête se relèvera et le nez se dégagera tout seul.

Au début de la tétée, l'enfant suce très vigoureusement ; puis par intermittence avec des pauses ; à la fin, il s'endort repu, satisfait. Mais si, lorsqu'il a fini de boire, il suçote et mordille le sein, arrêtez-le. Cela ramollit les bouts, d'où risque de crevasses.

Lorsque l'enfant est bien installé, la tétée ne doit pas faire mal ; éventuellement vous pouvez ressentir un petit pincement au début, mais cette sensation ne doit pas durer ; si au bout de trente secondes, vous avez encore mal, enlevez votre bébé du sein, et recommencez la mise au sein, en faisant en sorte qu'il prenne et garde dans la bouche la plus grande partie possible de l'aréole.

COMMENT SAVOIR SI VOTRE BÉBÉ TÈTE BIEN ?
- *sa bouche est bien ouverte, plaquée sur une grande partie de l'aréole qui est comme aspirée*
- *les mouvements de succion sont bien rythmés*
- *ainsi que la déglutition*
- *la maman a soif en cours de tétée*
- *le bébé urine beaucoup : les couches sont très mouillées, entre 4 et 6 fois par jour*
- *le 1er mois, les selles sont quotidiennes et contiennent des "grains"*

L'après-tétée

Il est habituel qu'un bébé allaité ne fasse pas de rot après la tétée, surtout pendant le premier mois car il avale très peu d'air. Si, après la tétée, le bébé rejette un peu de lait, ne vous inquiétez pas : cette régurgitation est normale. Le bébé en fait souvent car chez lui le cardia, c'est-à-dire le système de fermeture qui se trouve entre l'estomac et l'œsophage, ne fonctionne pas encore très bien. D'ailleurs ne croyez pas que l'enfant rejette une partie importante de ce qu'il a bu : il élimine le "trop-plein". Si vous le changez, faites-le en le remuant le moins possible.

Après la tétée, laissez les bouts de sein sécher naturellement ; si vous perdez du lait entre les tétées, placez sur les mamelons des coussinets d'allaitement, vous les renouvellerez s'ils sont humides. Vous pouvez aussi placer sur les bouts de sein des petites coupelles en plastique (vendues en pharmacie). Ces coupelles recueillent le lait s'écoulant entre les tétées ; elles sont tout à fait efficaces contre les engorgements qui peuvent se produire dans les débuts de l'allaitement, mais elles ne sont pas à conserver toute la journée car elles peuvent trop stimuler le sein.

LES PREMIERS JOURS DE L'ALLAITEMENT

En général, on met le bébé au sein le plus tôt possible après l'accouchement, en choisissant un moment où il est bien éveillé. C'est en effet la succion du bébé qui stimule la production de lait : **plus et mieux le bébé tète, plus il y a de lait**.

En tétant précocement après la naissance, le nouveau-né profite du colostrum. Ce premier lait a une grande valeur nutritive et contient sous un faible volume tous les éléments dont le bébé a besoin. Son goût et son odeur, proches du liquide amniotique, sont aussi des repères rassurants. Quelques jours après l'accouchement, la montée de lait survient. Elle correspond à une fabrication de lait plus importante ; les seins sont souvent plus tendus pendant quelques heures. Mais elle peut aussi passer inaperçue. Vous vous rendrez compte que la montée de lait a eu lieu à l'attitude de votre bébé : il déglutit de façon répétée pendant plusieurs minutes ; il s'endort repu ; ses couches sont plus mouillées, ses selles plus abondantes, grumeleuses et jaunes, et sa prise de poids reprend.

Pendant les premiers jours, et même les premières semaines, **la durée et le nombre des tétées** sont variables et déterminés par les demandes du bébé et de la maman. Par exemple, si votre bébé s'agite beaucoup, vous pouvez le mettre au sein aussi souvent et aussi longtemps qu'il se manifeste, tant que vous n'avez pas les mamelons trop sensibles et si vous vous sentez disponible. Si les tétées sont trop rapprochées à votre goût, le bébé peut être bercé ou porté pour le faire patienter. Si votre bébé dort trop (plus de 4 heures le jour ou 6 heures la nuit la première semaine), vous pouvez le stimuler doucement, en le prenant contre vous, en lui changeant sa couche. Rassurez-vous, cette « anarchie » du début (8 à 12 tétées par jour, parfois plus) ne va pas durer. C'est une période d'adaptation : vous allez tous les deux trouver un rythme qui permettra une meilleure organisation de la journée.

Sur la durée et les horaires des tétées, voyez également pages 56 et 57.

Une maman bien installée, un bébé heureux de téter : c'est un merveilleux moment d'intimité, un moment fait de chuchotements, de jeux de doigts, de mimiques, de regards, de sourires, de caresses. Les échanges de regards sont parfois si intenses que le bébé devient de plus en plus actif et éveillé au cours de la tétée et sa main se pose sur le sein.

PREMIÈRES TÉTÉES :
QUELQUES INCIDENTS POSSIBLES

Lorsque les mamans sont confrontées à des difficultés au début de l'allaitement, elles se découragent souvent, arrêtent d'allaiter… et le regrettent par la suite. C'est pourquoi nous vous parlons tout de suite des incidents qui peuvent survenir : ainsi vous les reconnaîtrez, vous saurez comment réagir et éventuellement vous faire aider par un professionnel. Le soutien des proches, d'une association d'aide à l'allaitement, évite les arrêts précoces non souhaités. Votre bébé et vous-même pourrez alors bien profiter de l'allaitement.

Les bouts de seins sont petits, peu saillants, voire rétractés vers l'intérieur

Cela n'empêche pas la mise au sein puisque, pour téter, le bébé étire avec sa langue toute la partie du mamelon et de l'aréole et maintient cette partie bien en place dans sa bouche. Mais le bébé peut avoir un peu de difficulté à placer sa bouche et sa langue. Il est donc important de le mettre au sein à un moment où il est bien calme. Si votre mamelon est vraiment rétracté, vous pouvez avant la tétée l'aider à ressortir par des effleurements.

L'enfant ne peut pas téter

Il n'en a pas la force, parce qu'il est trop faible (cas notamment du grand prématuré). Comme il a tout particulièrement besoin du lait de sa maman pour se fortifier, on tire le lait et on le donne au bébé au biberon, à la tasse, ou à la seringue.

> ### LE TIRE-LAIT
> IL EN EXISTE DIFFÉRENTS MODÈLES : ÉLECTRIQUE, SEMI-ÉLECTRIQUE, MANUEL. ON PEUT L'ACHETER OU LE LOUER (EN PHARMACIE). LE MATÉRIEL SERA STÉRILISÉ. SUR PRESCRIPTION MÉDICALE, L'ASSURANCE MALADIE PARTICIPE AUX FRAIS DE LOCATION DU TIRE-LAIT ÉLECTRIQUE.

Il peut avoir des difficultés à téter parce qu'il est gêné par une malformation (bec-de-lièvre, fente palatine) ou par un frein de langue très court, ou parce qu'il coordonne mal les succions -déglutitions, place mal sa langue, etc. Dans le cas du frein de langue trop court, la section de cette petite membrane, placée sous la langue du nourrisson, peut être effectuée par le pédiatre à la maternité ou à son cabinet. La section n'est pas douloureuse et elle permet une amélioration immédiate de la qualité de succion du bébé. De nombreuses mamans peuvent témoigner que les douleurs aux mamelons ont disparu instantanément.

Dans les autres cas, le bébé va devoir apprendre à téter ; la sage-femme ou le pédiatre de la maternité vous conseillera. Vous pouvez aussi vous entourer des conseils d'une spécialiste de l'allaitement maternel.

L'enfant ne veut pas téter

Il est né à terme, mais il est somnolent et n'a pas l'air d'avoir faim. Ce cas est fréquent, et lorsqu'il se présente, il ne sert à rien de vouloir stimuler l'enfant par diverses manœuvres. L'enfant se « réveille » au bout de deux ou trois jours, et tète normalement. En attendant, pour que la sécrétion lactée se fasse, on peut utiliser un tire-lait, porter des coupelles (dont nous avons parlé plus haut) pour stimuler les seins ; ces petites coupes en plastique (pas très esthétiques mais très utiles) ont une double action : en appuyant sur le sein, elles favorisent la sécrétion du lait ; en plus elles le recueillent et permettent ainsi d'éviter l'engorgement.

La sécrétion du lait est très lente et insuffisante

• Tout d'abord ne pas se faire de souci car il y a un rapport certain entre le moral et la sécrétion du lait, spécialement pendant les premières semaines où la sécrétion de lait est encore irrégulière : plus la mère se fait de souci, moins la sécrétion se fait bien. Et l'influence de l'état d'esprit est si directe que, pour certains médecins, vouloir forcer une mère à allaiter, c'est courir à l'échec ; au contraire, pour celle qui veut allaiter, tous les espoirs sont permis.

• D'autre part, se rappeler que la fatigue et la douleur diminuent la sécrétion du lait. En ce moment, vous avez besoin de repos.

• Ensuite, se souvenir qu'un moyen efficace pour stimuler la lactation est de mettre l'enfant au sein des deux côtés. On peut aussi porter des coupelles.

• Enfin, attendre le plus longtemps possible pour compléter l'allaitement au sein : le biberon est plus facile à prendre, l'enfant risque de s'y habituer et de refuser le sein, ce qui arrêterait définitivement une lactation déjà difficile.

Et s'il était nécessaire de compléter par un biberon, choisissez une tétine à petit trou pour que le lait ne vienne pas trop facilement ni trop vite. Mieux encore, vous pouvez donner le lait à la tasse ou à la seringue, ce qui se fait pour certains prématurés. Cela prend un peu de temps, mais en vaut la peine.

Lorsqu'une maman prend ces précautions, il est rare que la lactation ne se mette pas en route. Et pourtant, au bout de cinq à dix jours d'essais infructueux, bien des mamans abandonnent, ce qui est dommage, car on peut voir des démarrages d'allaitement très lents : la sécrétion lactée ne se fait régulièrement qu'au bout de quinze jours, voire même trois semaines. Ajoutons enfin que, même avec des seins petits, une maman peut avoir beaucoup de lait. Seins abondants et abondance de lait ne sont pas synonymes.

Si vous trouvez que l'allaitement ne démarre pas très bien, ne désespérez pas, rien n'est perdu ; prenez contact avec une association de soutien à l'allaitement (adresses p. 49). Ou adressez-vous à une sage-femme libérale qui peut se déplacer ou à une spécialiste de l'allaitement.

Le lait s'écoule par un sein

Lorsque le bébé tète un sein, du lait s'écoule par l'autre : ne vous inquiétez pas, c'est normal et très fréquent. Mettez une coupelle ou une compresse sur le sein.

L'enfant a le hoquet

C'est également normal. Si le hoquet dure, donnez-lui un peu d'eau à la cuillère ou à l'aide d'une pipette, ou remettez-le à téter ; et… câlinez-le jusqu'à ce que ça passe. Ce n'est ni grave, ni un signe de mauvaise digestion.

Le démarrage de l'allaitement est douloureux

Votre installation pour donner le sein, ainsi que celle de votre bébé, sont peut-être à corriger (p. 49 « Installez-vous confortablement »). Veillez à ce que bébé prenne bien l'aréole et ne vous fasse pas mal en tétant. En fin de tétée, étalez une goutte de votre lait sur le mamelon (le lait maternel est antiseptique et cicatrisant). Laissez sécher. Gardez les mamelons au sec entre les tétées et demandez conseil en pharmacie pour une crème, il y en a de très efficace.

Vos seins sont engorgés

Ils sont tendus, douloureux, si vous les pressez peu de lait en sort. C'est peut-être le moment de donner une tétée. Mais que faire si votre bébé n'arrive pas à boire ? Méthode inattendue mais efficace : mettez-vous sous une douche chaude, ce qui favorise l'écoulement du lait. Pour vous soulager, vous pouvez aussi vous masser doucement les seins. C'est moins traumatisant que le tire-lait qu'on évite aujourd'hui d'utiliser dans ce cas.

Et voici un autre moyen efficace pour soulager en cas d'engorgement : mettre pendant 20 minutes des compresses d'eau chaude. Recommencer plusieurs fois dans la journée. Certaines femmes préfèrent le froid et mettent des gants bien froids sur les seins.

L'engorgement des seins est un incident passager mais, s'il dure, il peut être suivi d'une baisse transitoire de la lactation. Consultez le médecin ou la sage-femme s'il n'y a pas d'amélioration en 24 heures.

" L'enfant vorace "

Certains bébés avalent autant d'air que de lait, ils s'étouffent, éternuent, toussent, puis, en faisant leur rot, rejettent beaucoup de lait. C'est souvent parce que le lait arrive trop vite dans leur bouche : le réflexe d'éjection (la sortie du lait) est trop fort. Essayez d'arrêter votre bébé une ou deux fois au cours de la tétée pour lui faire faire un rot.

PREMIÈRES TÉTÉES : QUELQUES PRÉCISIONS

Soins des seins

Lorsqu'on allaite, il faut prendre quelques précautions pour éviter les crevasses, ces petites fentes de la peau des mamelons sont très douloureuses. Pour cela :
• bien s'installer et veiller à ce que bébé prenne bien l'aréole du sein et la garde dans la bouche pendant toute la tétée ; c'est la position « ventre contre ventre »
• entourer la tétée d'une bonne hygiène ; tout ce qui est en contact avec les seins doit être propre, c'est essentiel ; pour les seins, la même hygiène que pour le reste du corps suffit, une toilette quotidienne avec un savon neutre, sans parfum
• porter un soutien-gorge en coton, les tissus synthétiques favorisant souvent les crevasses,
• éviter la macération des seins, par exemple, en changeant régulièrement les coussinets d'allaitement.

Faut-il changer l'enfant avant ou après la tétée ?

Avant, disent les uns, l'enfant serait plus à l'aise pour téter ; si on le change après, on le remue et on risque de le faire vomir. Après, disent les autres, car dès qu'il a bu il a souvent une selle ; vous l'aurez changé, il sera alors plus confortable pour dormir ; de plus, certains bébés sont très impatients de boire. Une bonne solution est de le changer pendant la pause, avant de passer au deuxième sein. Vous verrez ce qui conviendra le mieux à votre bébé.

Un sein ou les deux ?

Pendant les premiers jours, jusqu'à ce que la sécrétion lactée soit bien établie, on peut proposer les deux seins si le bébé arrête de lui-même de téter un sein. Par la suite, essayez d'alterner les seins, en donnant un sein à une tétée, l'autre à la suivante. En effet, la composition du lait varie au cours de la tétée. Au début, le lait est léger, désaltérant ; et au fur et à mesure que la tétée avance, le lait contient des éléments plus gras. Si vous changiez de sein trop vite, le bébé risquerait de ne pas être rassasié. Ce système d'alterner les seins a en plus l'avantage de laisser un sein au repos à chaque tétée, ce qui est d'ailleurs conseillé si vous avez des gerçures ou des crevasses.

Lorsque la maman a peu de lait, il est conseillé de donner les deux seins à chaque fois et de commencer par le plus tendu. Si la maman a trop de lait, laisser le bébé téter un sein complètement, et soulager l'autre sein en mettant une coupelle pendant la tétée.

Le meilleur sein : il arrive qu'un sein ait plus de lait que l'autre ; dans ce cas, si vous allaitez chaque fois des deux, commencez par le moins « bon » : au début de la tétée, l'enfant tète avec vigueur, cela stimulera ce sein.

Durée de la tétée

Elle est variable selon les moments de la journée. La durée moyenne est d'une vingtaine de minutes, elle peut aller jusqu'à une demi-heure. Cela dépend des enfants, de leur besoin de succion, de votre réflexe d'éjection (la sortie du lait). L'enfant s'interrompt, rêve, s'amuse ? Tant mieux : ces moments sont pour lui des moments de bonheur parfait. Il est heureux, et en même temps il fait des progrès immenses : il vous découvre, et il découvre le monde à travers vous.

Comment allaiter des jumeaux ?

L'idéal, au début, est de faire téter les bébés simultanément car cela stimule la lactation. Pour être bien installée, le coussin d'allaitement (genre polochon de relaxation, p. 50) est très utile. Par exemple, en position assise, vous pouvez installer les bébés face à vous, leur dos calé par le coussin. Ou bien les bébés sont placés dans le creux de chacun de vos coudes, leurs pieds se croisant sur votre ventre : dans ce cas, le coussin d'allaitement vous entoure la taille et vous soutient les coudes.

Mais ce n'est pas toujours facile de trouver seule la bonne position, si importante pour votre confort et le bon déroulement de la tétée. À la maternité, demandez à la sage-femme de bien vous montrer comment vous installer. Si ce sont vos premiers enfants, voyez si vous pouvez prolonger un peu votre séjour pour que l'allaitement ait le temps de bien démarrer. De retour à la maison, n'hésitez pas à faire appel à une sage-femme libérale, ou à une association d'aide à l'allaitement (adresses p. 49) ou à une spécialiste de l'allaitement maternel.

Si au bout de quelques semaines vous passez à l'allaitement mixte, donnez un sein à un des bébés, un biberon à l'autre et inversez à la tétée suivante.

Vitamine D, vitamine K, fluor

Même les bébés nourris au sein en ont besoin. Le médecin prescrira à votre bébé :
• de la vitamine D
• de la vitamine K ; il est conseillé d'en donner pendant les premières semaines si l'allaitement est exclusif. La vitamine K est administrée sous forme d'ampoules à prendre une fois par semaine
• éventuellement du fluor.

LES HORAIRES DES TÉTÉES

Horaire fixe ou à la demande

La question a été discutée longtemps : le bébé doit-il prendre ses tétées à heures fixes (6 h, 9 h, 15 h...), ou doit-on le nourrir chaque fois qu'il le demande ? Aujourd'hui l'accord s'est fait sur un horaire souple qui tient compte à la fois des désirs de l'enfant et des possibilités des parents. La question se pose d'ailleurs essentiellement pendant les premières semaines ; en effet, au début l'enfant demande souvent et irrégulièrement, ce qui oblige la maman à être assez disponible ; elle est parfois amenée à donner jusqu'à 10 ou 12 tétées par jour. Mais au bout de quelques semaines, le bébé réclame à des heures plus régulières : dans la majorité des cas, à des intervalles de trois à quatre heures, rarement inférieurs à deux heures ou supérieurs à six heures. Il n'y a pas de risques de suralimentation car le bébé prend ce qu'il veut ; en outre le lait maternel se digère très vite.

À noter : le lait maternel peut être conservé au réfrigérateur (pas plus de 48 h) dans la partie la plus froide (+4°). Il peut aussi être congelé. Cela permet d'être un peu moins dépendant des horaires des tétées.

CONSERVATION ET CONGÉLATION DU LAIT MATERNEL
Pour conserver le lait maternel, voici comment procéder.
Chaque biberon rempli avec le tire-lait est mis au réfrigérateur. Lorsque le lait est refroidi (environ 1 heure), vous pouvez le mélanger au biberon précédent. Vous notez la date et l'heure de remplissage du premier biberon (le jour et l'heure où vous avez tiré votre lait pour commencer à remplir le premier biberon). Le biberon se conserve 48 heures au frais à partir de l'heure notée.
Le biberon se conserve plusieurs mois au congélateur : il faut le congeler avant 48 heures comptées à partir du premier « tirage ». Le lait est mis à décongeler au réfrigérateur au moins 6 heures avant sa consommation. Une fois décongelé, il peut être conservé au réfrigérateur 24 heures maximum.

Faut-il donner une tétée la nuit ?

Dès le moment où on admet le principe de l'horaire souple, il est évident qu'on est amené à donner une ou plusieurs tétées que pratiquement tous les enfants réclament. Le bébé a besoin d'un peu de temps pour trouver le rythme nuit-jour. De plus, les tétées de nuit sont importantes pour maintenir la lactation. C'est en général vers 3 mois que le bébé espace les tétées de nuit. En principe, c'est lorsqu'il pèse environ 5 kg qu'un enfant peut dormir cinq ou six heures d'affilée. Les tétées de nuit sont une question de temps et de patience (voir le début du chapitre 3, *Le sommeil*).

COMBIEN DE TEMPS ALLAITER ?

En même temps qu'on observe un retour vers l'allaitement maternel, la durée pendant laquelle les femmes allaitent s'allonge un peu. Hier, pour encourager les mères, on leur disait : « Allaitez, mais dès 3 mois vous pouvez sevrer le bébé. » Aujourd'hui, les recommandations officielles du PNNS (Programme National de Nutrition Santé) sont un allaitement exclusif jusqu'à l'âge de 4 mois, voire si possible jusqu'à 6 mois.

Allaiter même pour une période courte est bénéfique pour l'enfant. Vous pouvez allaiter un mois, six mois, ou plus. Cela dépend de votre bébé, de vous, du temps dont vous disposez. En général, à partir de 2 mois 1/2 à 3 mois d'un allaitement exclusif, la production du lait devient « automatique », la lactation n'a alors plus besoin d'être entretenue. À partir de ce moment, la mère peut diminuer le nombre des tétées et allaiter pendant aussi longtemps qu'elle le désire.

Si vous avez envie de continuer à allaiter votre enfant assez longtemps, vous commencerez peu à peu, à partir de 5-6 mois, à introduire des aliments variés, ce n'est pas incompatible avec l'allaitement maternel. Quels aliments ? Voyez pages 76 et suivantes, tout est indiqué pour chaque âge.

L'allaitement du « grand bébé »

Allaiter un « grand bébé », celui qui marche, manifeste une certaine indépendance, commence à dire quelques mots, fait parfois débat dans les familles et au-delà. L'enfant qui, au square, revient vers sa maman pour sa tétée-goûter, ou pour une tétée-câlin, ou pour se réconforter après un conflit autour du toboggan, déclenche parfois des regards et des réflexions difficiles à entendre pour les mères. Soyez rassurée sur la « normalité » de votre enfant « encore » au sein. Ce n'est pas parce qu'il aura été allaité jusqu'à 18 mois- 2 ans qu'il aura de la peine à devenir indépendant. Il saura prendre son envol, comme tout enfant élevé dans un climat de confiance et de sécurité affective.

LE RÉGIME DE LA MAMAN QUI ALLAITE

Les premières semaines après la naissance, vous sentirez un grand besoin de repos et de calme car s'occuper d'un nouveau-né fatigue. Dormez en même temps que votre bébé, marchez tous les jours, éventuellement nagez si l'eau n'est pas trop froide, ne pratiquez pas de sports violents.

En ce qui concerne l'alimentation de la maman qui allaite, les nouvelles recommandations sont de n'augmenter ni la quantité de nourriture, ni celle des boissons. Continuez à avoir la même alimentation que pendant la grossesse, avec des aliments variés. Vous n'avez pas besoin de manger plus et ne suivez pas de régime amaigrissant : toute restriction alimentaire est contre-indiquée pendant la période d'allaitement. Une alimentation équilibrée et la reprise d'une activité physique quotidienne et progressive vous aideront à retrouver votre poids d'avant la grossesse.

Pendant l'allaitement, faites 3 repas par jour (un bon petit déjeuner, un déjeuner, un dîner) complétés par un goûter.

Vous entendrez peut-être dire qu'il ne faut pas manger d'aliments pouvant donner un goût au lait,

PRÉVENIR L'ALLERGIE
Si le papa, ou l'un des frère et sœur de l'enfant, ou vous-même, êtes allergique, votre enfant risque alors d'être allergique. La meilleure prévention est l'allaitement exclusif jusqu'à l'âge de 6 mois révolus. Pendant la grossesse et l'allaitement, la maman s'abstiendra de manger des aliments contenant de l'arachide : cacahuètes, beurre d'arachide, certaines pâtisseries ou biscuits industriels. Pour s'assurer que le produit ne contient pas d'arachide, il suffit de lire l'étiquette : l'étiquetage des allergènes, tels l'arachide est en effet obligatoire. Paradoxalement, l'huile d'arachide n'est pas contre-indiquée dans cette prévention car elle ne contient pratiquement pas de protéines allergisantes.

tels que chou-fleur, ail, curry, etc. Maintenant, on sait que le bébé a été habitué *in utero* à ces différentes saveurs grâce au liquide amniotique qui prend le goût de ce que mange la maman. Les aliments à goût fort ne sont donc pas à éviter, au contraire ils permettent l'éducation au goût des enfants.

Il était habituellement conseillé d'augmenter la quantité des boissons. En fait, il suffit de boire à sa soif : eau plate ou gazeuse, tisanes, lait, éventuellement de temps en temps des jus et boissons sucrées (ce qui représente environ 1 litre 1/2 de liquide par jour).

Pendant l'allaitement, il reste **quelques précautions** à prendre :

• pas de médicaments sans prescription du médecin (en dehors du paracétamol) ; en cas de constipation, ne pas prendre de laxatifs qui dérangeraient l'enfant, mais des crudités, des fruits, des salades, du pain complet

• pas d'alcool (vin, bière, apéritifs, digestifs, premix), éviter le tabac, car l'alcool et la nicotine passent dans le lait maternel

• limiter la consommation de caféine qui passe aussi dans le lait de la maman. On trouve la caféine dans le café et le thé (pas plus de 3 tasses par jour), dans certaines boissons au cola et boissons énergisantes

• ne pas consommer de produits (margarines, boissons, yaourts...) contenant des phytostérols. Ceux-ci sont réservés aux personnes qui ont trop de cholestérol ; même si c'est votre cas, il est préférable de ne pas les consommer le temps de l'allaitement

• limiter la consommation de produits à base de soja à maximum 1 par jour (boissons, tofu, desserts...) car les phyto-estrogènes qu'ils contiennent passent dans le lait maternel ; or ces substances pourraient avoir des effets néfastes sur la fertilité future du bébé.

En revanche, il est possible de manger de la viande saignante et du fromage au lait cru car la toxoplasmose et la listériose ne représentent pas un risque pendant l'allaitement ; il n'y a donc plus de contraintes alimentaires liées à ces maladies.

Y a-t-il vraiment des produits qui peuvent augmenter la sécrétion du lait ?

Des produits à base de malt peuvent être efficaces, ainsi que le galactogyl (granulés à base de plantes). Mais, contrairement à une idée reçue, la bière (sans alcool) n'augmente pas la sécrétion lactée. Les tisanes à base de fenouil, d'anis, de cumin donnent sans doute au lait un goût qui plait au bébé et le poussent à téter plus efficacement. Ce qui est certain, c'est que la fatigue ne favorise pas la sécrétion lactée. Si vous le pouvez, reposez-vous avant et après la tétée, un bon quart d'heure. Surtout au début.

Les soins de beauté pendant la grossesse et l'allaitement

Aujourd'hui des études scientifiques attirent l'attention sur le risque possible provoqué par la présence de substances chimiques dans les cosmétiques, ces produits qu'on se met sur la peau ou sur les cheveux : certaines de ces substances pourraient être des « perturbateurs endocriniens », c'est-à-dire qu'elles pourraient avoir des effets indésirables sur le développement du futur bébé, notamment sur sa maturation sexuelle. C'est pourquoi, par précaution, il est conseillé aux futures mamans et à celles qui allaitent : d'utiliser le moins possible de produits cosmétiques, de lotions, et de choisir des produits non parfumés ; d'éviter le parfum ; d'éviter les produits contenant des huiles essentielles, même naturelles ; de ne pas se colorer les cheveux (même avec des colorants naturels comme le henné) ; d'éviter les produits en sprays (déodorants par exemple).

VOTRE ENFANT EST-IL ASSEZ NOURRI ?

Comment le savoir ? En l'observant, en le pesant, en regardant ses selles.

Aspect et comportement du bébé

L'enfant bien nourri a la peau ferme. Après la tétée, il a l'air rassasié et satisfait. Il dort bien. Il a des moments d'éveil calme où il reste attentif pendant quelques minutes.

Poids

Lorsqu'un enfant est assez nourri, sa courbe se rapproche sensiblement de la courbe moyenne (pp. 332 et suivantes). Un bébé grossit d'environ 100 à 200 g par semaine les six premiers mois. Dans certains cas (par exemple début d'allaitement un peu difficile, inquiétude de la maman), il peut être souhaitable de contrôler (en pharmacie ou à la PMI) la prise de poids du bébé, une fois par semaine le premier mois puis une fois par mois.

Urines

Un enfant qui boit suffisamment mouille ses couches régulièrement, au moins 5 fois par jour. Si la couche reste sèche 2 ou 3 tétées consécutives, c'est signe que l'enfant ne boit pas assez. Demandez conseil à un professionnel ou une association d'aide à l'allaitement pour relancer la lactation.

Selles

Chez le bébé nourri au sein, les selles sont couleur jaune d'or ; elles verdissent à l'air ; elles sont liquides ou semi-liquides, avec des « grains ».

Leur **nombre** est très variable. Au début une par tétée, puis leur nombre diminue le plus souvent ; une à quatre selles par jour à la fin du premier mois. Des selles rares le premier mois (moins d'une par jour) sont un signe de ration insuffisante. Mettez votre bébé plus souvent au sein.

Ce rythme de une à quatre selles par jour peut persister tant que dure l'allaitement. Parfois, le nombre de selles peut diminuer encore, passant à une ou deux par semaine après 1 mois. Ceci est dû au fait que le lait maternel laisse peu de résidus : il faut plusieurs jours pour que la quantité de résidus soit suffisante pour déclencher une selle.

• Si votre bébé a des selles blanches, il faut en parler au médecin (voir l'article *Selles* chapitre 6).

• **Constipation.** Chez l'enfant nourri au sein, elle est exceptionnelle. Ce n'est pas parce qu'un enfant a une selle par semaine, voire moins, qu'il est constipé. Il n'y a pas à s'inquiéter tant que ce sont des selles molles, émises sans difficulté, contenant des grains ; et tant que la prise de poids est régulière et l'état général bon.

Le bébé dont l'aspect, le comportement, les selles et le poids correspondent à ceux décrits ci-dessus est un bébé bien nourri. Si, en revanche, le bébé a l'air d'avoir encore faim après la tétée – il cherche le sein, il tète dans le vide, il pleure, ou au contraire il s'endort au bout de 2 à 3 minutes sur le sein –, s'il a de la peine à s'endormir, s'il se réveille au bout d'une heure, surtout s'il ne prend pas assez de poids, c'est, le plus souvent, que quelque chose est à revoir dans la technique de l'allaitement : votre position, la fréquence des tétées, la succion du bébé, etc. Il est important alors de consulter le médecin ou la PMI, ou de contacter une association d'aide à l'allaitement.

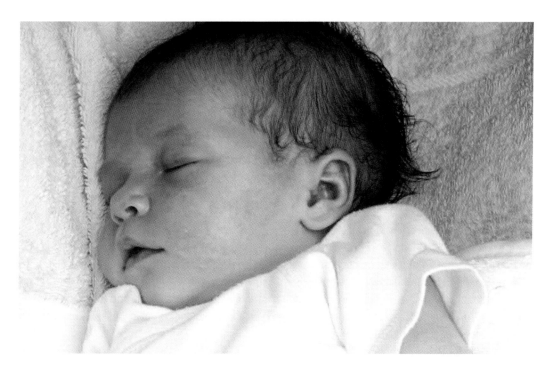

VOUS ALLAITEZ : LES AUTRES QUESTIONS QUE VOUS VOUS POSEZ PEUT-ÊTRE

Mon lait ne convient pas au bébé

C'est un cas rarissime, vous l'avez vu. Pratiquement, on peut dire qu'il n'y a pas d'intolérance au lait de la mère.

J'ai trop de lait

Ne le jetez pas, mais donnez-le. En donnant votre lait, vous augmenterez peut-être les chances de survie d'un bébé fragile ou prématuré. Un lactarium – centre de collecte du lait maternel – sera heureux de le recevoir. La plupart de ces centres ont tellement besoin de lait maternel qu'on vient même le prendre à domicile sur un simple coup de téléphone. Pour trouver les coordonnées du lactarium de votre région, consultez le site officiel des réseaux de périnatalité www.perinat-france.org

Bébé a soif. Puis-je lui donner un peu d'eau ?

En général un bébé exclusivement nourri au sein n'a pas besoin d'eau en plus. Si votre bébé semble avoir soif, proposez-lui plutôt le sein.

Bébé tète si énergiquement qu'il a une ampoule à la lèvre supérieure

Ce n'est rien, la petite peau qui recouvre l'ampoule va sécher et s'éliminer toute seule. Mais c'est peut-être le signe que votre bébé serre trop les lèvres : dans ce cas, vos bouts de seins sont sensibles et la prise de poids du bébé est souvent un peu juste. Faites-vous aider par un professionnel ou une association d'allaitement.

J'ai des crevasses

Les crevasses (ou gerçures) ont pour origine essentielle le fait que le petit bout sensible du sein, le mamelon, n'est pas à sa place dans la bouche du bébé. Au lieu d'être au fond, il est un peu en avant et copieusement « raboté » entre la langue et le palais. Il est donc important que votre installation et celle du bébé soient bonnes ; veillez notamment à ce que bébé prenne dans la bouche l'aréole du sein et la garde pendant toute la tétée.

Si la succion est trop douloureuse, essayez d'utiliser transitoirement un « bout de sein » (vendu en pharmacie). Vous pouvez appliquer sur le mamelon douloureux un peu de votre lait (il est antiseptique et cicatrisant) ou une crème (en pharmacie). Laissez les bouts de sein à l'air entre les tétées.

La lymphangite (ou mastite)

Si vous avez mal à l'intérieur du sein, si vous avez de la fièvre, si vous avez une rougeur sur le sein, il peut s'agir d'une lymphangite, due le plus souvent à un canal galactophore (transportant le lait) qui se bouche ou s'enflamme ; elle ne nécessite pas l'arrêt de l'allaitement, mais consultez le médecin ou la sage-femme. Ils vous indiqueront le traitement à suivre et surveilleront qu'il n'y ait pas d'infection. En attendant, pour calmer la douleur, vous pouvez prendre du paracétamol. Continuez à faire téter votre bébé en commençant par le côté douloureux, cela vous soulagera, et reposez-vous. C'est un incident ponctuel qui se résout en 24 à 48 heures.

Allaiter me fatigue

Au début, c'est bien normal, la grossesse et l'accouchement sont un gros « travail » et il faut quelque temps pour récupérer. En plus, s'occuper d'un bébé demande du temps et de l'énergie. Respectez vos besoins de sommeil. La maman qui allaite a besoin de dormir souvent : des périodes courtes et fréquentes permettent en général de bien récupérer. Par ailleurs, prenez-vous le temps de prendre vos repas ? Vérifiez aussi que vous êtes bien installée. Si, malgré tout, vous êtes très fatiguée, avant d'envisager le sevrage, parlez-en au médecin, il peut s'agir d'un manque de vitamines et de fer.

Puis-je continuer d'allaiter en cas de retour de couches ?

Oui, car même si vous vous sentez un peu fatiguée par la réapparition des règles, votre lait garde toutes ses qualités. Si vous avez l'impression d'en avoir un peu moins (il y a parfois une baisse transitoire de quantité), essayez d'augmenter le nombre des tétées avant de compléter par un lait infantile.

... et en cas de maladie ?

Il n'y a pas de réponse standard. Par exemple, en cas de rhume et de fièvre, on peut continuer à allaiter, d'autant plus que dans les maladies virales, la mère transmet à son bébé des anticorps. Il est possible de prendre du paracétamol et recommandé de boire beaucoup. La maman peut avoir un peu moins de lait à cause de la fatigue liée à la fièvre, mais tout rentrera dans l'ordre en quelques jours. Avant de s'occuper du bébé, bien penser à se laver les mains et, en cas grippe, porter un masque. Exceptionnellement, il faut arrêter et tirer le lait régulièrement pour pouvoir reprendre l'allaitement après la guérison.

Quelle contraception pendant l'allaitement ?

Il est possible de prendre une pilule qui ne contient que de la progestérone. Au début, la maman peut avoir un peu moins de lait. En mettant le bébé au sein plus souvent pendant quelques jours, la lactation se rétablira. Le stérilet, les spermicides, le préservatif peuvent également être utilisés.

En cas de difficulté, à qui s'adresser ?

Si l'allaitement a de la peine à démarrer, si vous n'arrivez pas à bien placer votre bébé pour qu'il tète efficacement, si vos seins sont engorgés, si vous avez des crevasses, etc., contactez une association d'aide à l'allaitement qui pourra vous conseiller (p. 49), ou la maternité où vous avez accouché, ou bien une sage-femme, ou bien une spécialiste de l'allaitement.

Vous n'arrivez pas à allaiter, malgré votre désir, malgré tous vos efforts

Vous aviez très envie d'allaiter et cela n'a pas marché. Vous vous sentez coupable vis-à-vis de votre bébé et vous vivez cette situation comme un échec. Ce sentiment de culpabilité est parfois accentué par le fait que l'allaitement au sein est aujourd'hui valorisé.

Vous n'avez pas à être honteuse d'avoir arrêté parce que vous avez eu mal ou parce que vous avez eu des complications. Vous avez fait tout ce que vous avez pu et vous n'avez peut-être pas trouvé l'aide dont vous aviez besoin. Ne soyez pas démoralisée, cela peut arriver. Autant que l'allaitement, ce qui compte pour le bébé c'est d'avoir établi avec sa maman un lien étroit dès le départ.

VOUS CESSEZ D'ALLAITER : LE SEVRAGE

Le sevrage est le passage de l'allaitement à une autre forme d'alimentation. Selon le moment, et donc l'âge de votre bébé, il s'agira soit de lait infantile, soit d'une alimentation diversifiée en complément du lait maternel, jusqu'à ce que vous décidiez de l'arrêt complet des tétées au sein.

Avant de commencer le sevrage, n'oubliez pas qu'il y a certaines contre-indications : grosse chaleur, percée d'une dent, maladie (même simple rhino-pharyngite) sont autant de conditions qui risquent de rendre l'enfant plus fragile, moins en forme pour un changement d'alimentation, qui exige de la part de son organisme un effort d'adaptation. Par ailleurs, le sevrage n'est pas qu'un changement de lait : dans la vie affective de l'enfant c'est un événement important (voir chapitre 4). Pour ces raisons, avant de commencer le sevrage parlez-en avec le médecin, la sage-femme ou à la puéricultrice du centre de PMI.

Vous-même, au moment du sevrage, éprouverez peut-être le besoin d'être encouragée, car c'est une séparation pour vous aussi : un groupe d'aide à l'allaitement, une amie expérimentée pourront vous aider. Parfois les mères trouvent elles-mêmes le bon moment pour commencer à sevrer leur bébé. Certaines choisissent une baisse de la lactation, d'autres sentent que c'est le bébé qui se détache peu à peu du sein. Le moment du sevrage fait partie de l'histoire personnelle de la famille, il dépend des habitudes, de la culture. Mais la décision revient à la mère.

Vous avez décidé de sevrer votre bébé, comment procéder ? Sachez tout d'abord que le sevrage doit être progressif ; sevrer brutalement peut provoquer des troubles digestifs et affectifs chez le bébé, et créer une gêne pour la maman (engorgement des seins).

Pratiquement, voici comment vous pouvez procéder.

Votre bébé a moins de 3 mois

Les premières semaines, le mécanisme de l'allaitement repose sur une stimulation régulière de la glande mammaire. Vous percevez des « montées de lait » et lorsque vous mettez votre bébé au sein la tension diminue peu à peu. Le rythme des montées de lait est variable d'un allaitement à l'autre, parfois même d'un jour à l'autre. Si vous « sautez » une tétée, vos seins sont tendus voire douloureux. Pour sevrer, il est donc conseillé de supprimer une tétée, et de la remplacer par un biberon de lait, à une heure de la journée où la montée de lait n'est pas trop importante : c'est souvent l'après-midi, mais ne supprimez pas la dernière tétée.

Quant à vos seins, vous prendrez soin de les détendre en les massant doucement sous la douche, ou bien avec un gant de toilette bien chaud, ou au contraire bien froid, aussi souvent que nécessaire jusqu'à la prochaine tétée.

Au bout de quelques jours, vous pourrez introduire le deuxième biberon, en alternance avec une tétée, en gardant de préférence la tétée du matin et celle du soir.

Vous continuerez à remplacer une tétée par un biberon, jusqu'à la suppression de l'allaitement. Cela peut prendre de une à trois semaines. En procédant ainsi, la lactation se tarit en général toute seule.
• **À noter :** vous souhaitez poursuivre l'allaitement, mais vous devez vous absenter ponctuellement et donner votre bébé à garder. À l'heure habituelle, essayez de tirer votre lait pour maintenir la stimulation. Pour ce faire, un tire-lait manuel est tout à fait suffisant.

Votre bébé a plus de 3 mois

Autour de 3 mois, le mécanisme de la lactation change : il n'y a plus de montées de lait, les seins répondent à la demande, à la stimulation du bébé. C'est confortable pour la maman qui n'éprouve pratiquement plus de tension dans les seins. Si c'était le cas, une douche chaude, ou une application froide sur les seins, vous soulagerait. Remplacez progressivement les tétées, comme indiqué ci-dessus. Et si vous souhaitez faire un sevrage tout en douceur, gardez la tétée du matin et celle du soir ; c'est possible pendant plusieurs semaines et même plusieurs mois.

Votre bébé a de la peine à abandonner le sein

S'il refuse catégoriquement le biberon, ne vous inquiétez pas : un bébé ne se laisse jamais mourir de faim. Les bébés se rendent bien compte de l'ambivalence de leur maman qui a envie d'arrêter de donner le sein et en même temps de continuer. Voici quelques suggestions.
• Tout d'abord, expliquez à votre bébé la nécessité de ce passage au biberon, par exemple la reprise du travail. Parlez doucement à votre bébé, en confiance, il vous comprendra.
• Faites donner le biberon par une autre personne que vous-même et sortez de la pièce. S'il vous sent proche, le bébé risque d'attendre le sein.
• Si l'enfant doit aller chez une nourrice ou à la crèche, c'est bien que la personne qui va s'occuper de lui puisse lui donner le biberon de temps en temps pendant la période d'adaptation.
• Si c'est vous qui donnez le biberon, ne prenez pas le bébé contre vous, il sentirait l'odeur du lait ; installez-le dans un petit siège en face de vous.
• Essayez différentes tétines (silicone ou caoutchouc, débit variable ou continu).
• Le bébé a parfois de la peine à s'habituer à la tétine du biberon. Aidez-le en lui donnant le lait à la tasse. Comme jusqu'à 6 mois l'enfant ne sait pas déglutir sans sucer, voici comment procéder : penchez la tasse pour que le lait affleure au bord, sans verser le lait dans la bouche. Ainsi le bébé tètera le bord de la tasse et donc le lait. Après 6 mois, la déglutition se fait sans avoir besoin de la succion : le bébé commence à savoir boire normalement à la tasse.
• À partir de 4-5 mois, certains bébés préfèrent passer directement à la cuillère.

Le sevrage du « grand bébé »

Lorsqu'un enfant mange de tout, marche, parle, soulève le tee-shirt de sa maman pour chercher le sein, la question du sevrage se pose un peu différemment.

Votre bébé ne veut plus téter et cela vous chagrine. Vous vous sentez peut-être rejetée et la séparation est parfois plus durement ressentie que lorsque l'enfant est plus jeune. N'hésitez pas à vous faire aider, comme nous en parlons plus haut.

C'est vous qui souhaitez sevrer mais votre bébé l'accepte mal. Et à son âge, il a plus de volonté, plus de capacité à exprimer son refus que le tout-petit. Il a besoin de votre soutien pour accepter la séparation. Préparez-lui les plats qu'il préfère et jouez sur la décoration : un sourire dessiné sur la purée, c'est encourageant ! Son papa peut l'aider en le faisant participer à de nouvelles activités. Comme toujours, le sevrage sera progressif. Par exemple, en supprimant d'abord les tétées de la journée, ensuite celle du soir. Le coucher sera alors fait par le papa, cela se passe souvent mieux.

Enfin, les tétées peuvent s'espacer et s'arrêter d'elles-mêmes à l'occasion d'événements particuliers : un voyage, une absence, l'entrée à la crèche ou à l'école… Vous-même et votre enfant étiez prêts ensemble à franchir l'étape du sevrage.

Sevrage brusqué (en cas de maladie, d'absence, etc.)

Les seins peuvent être très douloureux. Ne laissez pas la douleur s'installer. Pour la calmer, certaines femmes préfèrent le froid, d'autres le chaud. Selon votre goût, appliquez sur le sein douloureux de la glace, toujours enveloppée dans un linge, ou bien un gant de toilette tiède. Vous pouvez aussi, si vous êtes dans une pièce bien chauffée, tremper le sein douloureux dans un récipient d'eau tiède : assez chaude pour être agréable, pas trop pour ne pas vous brûler.

Si la douleur persiste, consultez le médecin ou la sage-femme. En ce qui concerne votre bébé, soyez attentive à ce qu'il soit entouré de beaucoup de tendresse.

Soins après le sevrage

Quand vous n'allaiterez plus, vous soignerez ainsi vos seins : douches fraîches tous les jours et exercices de gymnastique faisant travailler les muscles qui soutiennent les seins (les pectoraux). La natation est un excellent sport pour la poitrine, même pendant l'allaitement.

Alimentation de l'enfant après le sevrage

S'il a moins de 4 mois, reportez-vous à la deuxième partie de ce chapitre : « L'enfant nourri au biberon » ; s'il a plus de 4 mois, à la quatrième partie du même chapitre : « Vers une alimentation variée ».

Comme dans les autres chapitres de ce livre, nous évoquons toutes les questions qui peuvent se poser et les difficultés éventuelles. Mais il ne faudrait pas que cette énumération vous rebute. Une mère nous a écrit : « Si c'est si difficile, je ne me lance pas dans cette aventure. » Rassurez-vous. De nombreux allaitements se passent sans incident. Et précisément si une difficulté survient, nous espèrons que les pages qui précèdent vous aideront à la résoudre le plus vite possible, afin que vous puissiez profiter pleinement de ces moments exceptionnels. C'est ce que nous a écrit une maman : « Ces pages m'ont montré que je n'étais pas un cas isolé, que d'autres mères avaient des difficultés. Je relisais ces pages pendant les moments de découragement, et tout s'est bien passé. »

L'enfant nourri au biberon

L'heure du biberon est un moment privilégié entre tous, où dans les bras de sa maman l'enfant retrouve la chaleur, la tendresse, l'intimité dont il a tant besoin, où la mère et l'enfant se font mutuellement plaisir. Le père apprécie également de donner le biberon ; c'est une des choses qu'il fait d'ailleurs le plus volontiers, et dont il s'acquitte fort bien, même si les premières fois la mère se fait un peu de souci à propos de son habileté… Le plaisir là aussi est mutuel, et tout avantage pour le père et pour l'enfant.

Vous consulterez régulièrement le médecin au sujet de l'alimentation de votre enfant. En particulier, il est bon de retourner voir le médecin au cours du premier mois pour revoir le régime donné à la sortie de la maternité. C'est plus nécessaire que dans le cas du bébé nourri au sein. L'enfant qui tète sa maman prend la quantité qui lui convient d'un lait adapté à son organisme. Pour le bébé nourri au biberon, on a besoin d'être conseillé : il faut d'abord choisir le lait, voir comment l'enfant l'accepte – il y a parfois des incidents –, éventuellement changer les rations, etc., toutes choses que des parents inexpérimentés hésitent à faire seuls.

LES DIFFÉRENTS LAITS POUR BÉBÉS

Le lait de vache non modifié a une composition mal adaptée aux capacités de digestion et aux besoins de l'enfant, au moins jusqu'à 12 mois. C'est pourquoi les laits infantiles, qui sont préparés à partir de lait de vache, ont subi des modifications qui tendent à les rapprocher le plus possible du lait de femme. Ce sont les préparations pour nourrisson dits laits 1er âge.

Ces laits 1er âge sont en général des laits en poudre ; il en existe aussi vendus en petites briques, donc sous forme liquide, très pratiques lors des déplacements. Ils assurent l'essentiel de l'alimentation dans les quatre à six premiers mois, jusqu'au début de la diversification. Le relais sera pris par des préparations de suite, dits laits 2e âge, jusqu'à la fin de la première année.

Mais il convient de rappeler que par rapport au lait de femme, le lait 1er âge présente des différences importantes, il manque en particulier d'anticorps protecteurs contre les infections. D'autre part, l'alimentation exclusive au lait 1er âge peut entraîner des difficultés de digestion : coliques, constipation, ou au contraire selles liquides, régurgitation, faim non calmée. C'est pourquoi il existe aujourd'hui toute une panoplie de laits 1er âge ayant subi des modifications pour atténuer ces petits troubles : lait anti-reflux ou « confort » contre les régurgitations importantes, lait « transit » contre la constipation, lait « acidifié » contre les coliques. Ces laits sont vendus en pharmacie, grandes surfaces, épiceries, etc. C'est le médecin qui vous conseillera sur l'utilité, ou non, de changer de lait.

La composition des laits infantiles est soumise à une réglementation. Les laits 1er et 2e âge sont enrichis en vitamines et en acides gras essentiels. Ils sont également supplémentés en vitamine D, mais en quantité insuffisante pour couvrir les besoins. Pour la prévention du rachitisme, l'administration quotidienne de vitamine D doit donc être maintenue (p. 73). Le lait 2e âge contient en plus du fer.

Cas particuliers

Certains laits ont une composition très différente des laits 1er âge car ils ont une fonction particulière. Ils ne sont d'ailleurs vendus qu'en pharmacie :
• Les laits pour bébés prématurés sont vendus uniquement sur prescription médicale.
• Les laits hypoallergéniques sont donnés lorsqu'il y a des allergies familiales.
• Les laits à protéines hydrolysées sont utilisés en cas d'allergie au lait. Ce lait coûte cher. Il est aujourd'hui remboursé par la Sécurité sociale lorsqu'il est prescrit par le médecin.
• D'autres laits sont utilisés ponctuellement chez le bébé. Ainsi les laits sans lactose sont mieux tolérés par l'intestin lors d'une diarrhée. Après guérison, l'enfant reprend le lait 1er ou 2e âge qu'il buvait auparavant.

LA PRÉPARATION DES BIBERONS

Jusqu'à récemment, on conseillait de stériliser les biberons pendant les premiers mois. Les nouvelles recommandations du ministère de la Santé disent qu'il n'est plus nécessaire de le faire. Les biberons doivent être préparés au dernier moment car le lait, lorsqu'il a été reconstitué, est un milieu de culture favorable pour les microbes et champignons. Si le lait reconstitué est consommé rapidement, il n'y a pas de risque à utiliser des biberons propres, même non stériles.

Avant de préparer les biberons, il faut toujours se laver les mains et bien nettoyer tous les accessoires.
Biberons : brosser soigneusement l'intérieur avec le goupillon, de l'eau chaude et du produit de vaisselle. Bien rincer. Laisser sécher sans essuyer.
Protège-tétines : les frotter, les rincer.
Tétines : les retourner comme un doigt de gant, éventuellement utiliser un petit goupillon, et, lorsqu'elles sont propres, s'assurer que les trous ne sont pas bouchés.

• Des biberons gradués (éviter le biberon de 330 ml car l'enfant risque de trop boire)
• Des biberons à large goulot, de forme cylindrique pour pouvoir facilement les nettoyer
• Les protège-tétines et les tétines sont fournis avec les biberons ; le modèle le plus pratique de tétine est celui qui comporte une fente.
• Une brosse longue – goupillon – pour nettoyer les biberons. Il existe, pour les tétines, un petit modèle de goupillon.
Si vous stérilisez les biberons, vous trouverez dans le commerce toute une gamme de stérilisateurs, à tous les prix : à vapeur (électrique), à micro-ondes, à froid.
Vous rendront également service :
• Un thermos à biberon.
• Un chauffe-biberon électrique.
• Un mixer, car il permet en un minimum de temps d'obtenir un maximum de finesse pour les purées, la viande, le poisson, etc.
• Un autocuiseur-vapeur-mixer (p. 101).

Une précaution indispensable : lorsque la tétée est terminée, bien rincer le biberon et les accessoires à l'eau froide. Sinon, le lait séché colle et rend le nettoyage ultérieur plus difficile. Et surtout les germes vont se développer très vite si on laisse le fond du biberon à température ambiante.

Vous pouvez mettre dans le lave-vaisselle biberons, tétines (sauf celles en caoutchouc) et protège-tétines, en programmant un lavage à 65°.

Sans stériliser systématiquement les biberons, certains parents souhaitent le faire de temps en temps. Voici comment procéder.

Stérilisation à chaud

Installez dans le stérilisateur les biberons propres ainsi que les tétines et les protège-tétines. La durée de la stérilisation va de 30 minutes, parfois moins, pour les stérilisateurs à vapeur (électrique) à 10 minutes pour les stérilisateurs à micro-ondes. Vous pouvez soit laisser les biberons fermés dans le stérilisateur jusqu'à la tétée, soit les vider encore bien chauds, les égoutter et les fermer dès qu'ils sont secs.

Stérilisation à froid

Pour cette stérilisation on se sert d'un bac de stérilisation et d'un produit vendu en pharmacie, à base de chlore, qui se présente soit sous forme liquide, soit sous forme de comprimés. On remplit le bac d'eau froide, on ajoute le produit, on met les biberons propres dans l'eau, on referme le bac et on laisse tremper (bien suivre les indications).

Pour se servir des biberons ainsi stérilisés, on les égoutte et on les rince soigneusement à l'eau.

Biberons en plastique et bisphénol A

Le bisphénol A, ce composant des matières plastiques qui pourrait avoir un retentissement sur l'organisme et perturber l'équilibre hormonal, est aujourd'hui interdit dans la fabrication des biberons dans toute l'Union Européenne.

PRÉPARATION DU LAIT EN POUDRE

Voici maintenant comment préparer le lait en poudre qui doit être reconstitué avec de l'eau.

Quelle eau choisir ?

Vous pouvez vous servir soit d'eau minérale, soit de l'eau du robinet.

• Choisissez une eau peu minéralisée, ou une eau de source en bouteille, portant sur l'étiquette la mention « convient aux nourrissons » et ouverte depuis moins de 24 heures.

• L'eau du robinet convient également, sauf avis contraire de la mairie, car elle est bien surveillée sur le plan bactériologique et chimique. Pour remplir le biberon, utiliser l'eau froide (l'eau chaude a pu séjourner dans les tuyaux), après l'avoir laissé couler quelques secondes. Ne pas utiliser d'eau adoucie ou filtrée.

Comment procéder

Le lait en poudre se vend avec une mesure qui, arasée mais sans être bombée, contient 5 g de poudre. Pour reconstituer le lait, il faut ajouter à 30 ml d'eau une mesure de lait en poudre. Il est important de respecter cette proportion pour éviter une concentration trop élevée de lait (ce qui est une cause fréquente de constipation). Cela veut dire qu'à 30 ml d'eau vous ajouterez une mesure de lait ; à 60 ml, 2 mesures ; à 90 ml, 3 mesures, et ainsi de suite. Selon l'âge de votre bébé, préparez un biberon de 60, 90 ou 120 ml ; il boira ce dont il a besoin. Arasez la poudre avec le dos de la lame d'un couteau. Ne tassez pas le lait dans la mesurette, cela reviendrait à augmenter la dose.

Pratiquement : mettez dans un biberon l'eau nécessaire, faites tiédir dans le chauffe-biberon – la poudre se dissout mieux que dans l'eau froide –, ajoutez le nombre de mesures de lait correspondant à la quantité d'eau ; fermez le biberon et secouez. S'il y a quand même des grumeaux, secouez de nouveau. Remettez quelques secondes le biberon à chauffer pour que le lait soit à la température convenable, environ 35°. Vérifiez la température du lait en en versant un peu sur l'intérieur du poignet ou le dos de la main. **Attention** au four à micro-ondes qui chauffe parfois trop le contenu du biberon alors que le biberon lui-même reste froid. Le biberon peut également être donné à température ambiante (p. 71).

Lorsque pour une sortie, ou en voyage, vous emportez un biberon, n'ajoutez la poudre qu'au moment du repas. Il existe des laits liquides 1er et 2e âge, bien pratiques quand on doit se déplacer.

Le lait en poudre est déjà sucré. Lorsqu'une boîte n'a pas été ouverte, elle peut se conserver plusieurs mois (une date limite d'utilisation est indiquée sur la boîte). Ouverte, la boîte se conserve une quinzaine de jours dans un endroit sec ; ensuite, le lait devient rance et inutilisable.

Après un an, l'enfant a en général une alimentation diversifiée, le lait ne représente plus la totalité de son alimentation. Il en boit le matin, plus une petite quantité utilisée pour la préparation des purées et des potages.

Faut-il sucrer le lait ? Non car l'enfant a en général une alimentation suffisamment sucrée, et il est préférable de l'habituer au goût naturel des aliments.

HORAIRES ET QUANTITÉS

Avec les laits 1er âge, on peut envisager de nourrir l'enfant sinon à la demande du moins avec un horaire souple mais un intervalle minimum de deux heures entre deux biberons est indispensable. Nous vous renvoyons à l'allaitement au sein pour cette question (p. 57). Voyez également à cet endroit pour les tétées de nuit. Voilà pour la question horaires, nous allons maintenant voir de plus près les rations qu'il est courant de donner à un bébé selon son âge.

IMPORTANT

Ces chiffres sont donnés à titre indicatif. Ils ont une précision qui ne correspond pas à la réalité. À certains bébés, il faudra plus, ou plus souvent, à d'autres moins. Le médecin indiquera les rations habituellement nécessaires à votre enfant en fonction de son âge, de son poids, de sa constitution.

Voici les quantités de lait qui sont en général conseillées pour chaque âge à un bébé de poids moyen

ÂGE DU BÉBÉ	QUANTITÉ DE LAIT ET NOMBRE DE BIBERONS
Le 1er jour	Début de l'alimentation lactée
1ere semaine	6 à 8 biberons de 30 à 90 millilitres*
2e semaine	6 à 7 biberons de 60 à 120 ml
3e et 4e semaine	5 à 7 biberons de 90 à 150 ml
2 mois	4 à 6 biberons de 150 à 180 ml
3 et 4 mois	4 à 5 biberons de 150 à 210 ml
* 30 millilitres = 30 grammes	

Mais votre enfant aura aussi son mot à dire, il est le meilleur juge de ses propres besoins. En fait, il n'y a pas de régime standard convenant à tous, sans distinction. Entre les biberons, l'intervalle est en général de deux à quatre heures et les quantités prises à chaque repas peuvent varier car l'enfant prend la quantité dont il a besoin. Il ne faut donc pas le forcer, en particulier ne pas le réveiller pour boire mais ne pas non plus refuser avant l'heure ; tous les cas sont possibles, entre les bébés qui ont beaucoup d'appétit et ceux qui en ont peu, entre ceux qui spontanément et rapidement réduisent leur nombre de repas à cinq et même quatre, et ceux qui réclament huit ou dix repas par jour ; pour ces derniers, il s'agit plus souvent d'une simple période d'adaptation des premières semaines.

L'ALIMENTATION DES PREMIÈRES SEMAINES

À la maternité, le lait est tout préparé dans des petits biberons appelés « nourettes ». Chaque nourette contient 90 ml. Le bébé boit à volonté, et la nourette est jetée après chaque repas. Les quantités bues par le bébé sont souvent variables d'un biberon à l'autre. Pendant la première semaine, on vérifie que le bébé augmente ses rations tous les jours, même si c'est un « petit mangeur ».

Au retour à la maison, les biberons sont préparés avec du lait 1er âge. Préparez 90 ml de lait par repas, l'enfant prenant une dose variable entre 60 et 90 ml. Les « gros mangeurs » peuvent passer à 120 ml à partir de la 3e semaine, voire la 2e semaine.

Les premières semaines, les bébés ont parfois un peu de peine à boire les biberons du matin. Ils boivent souvent mieux la nuit. Il ne faut donc pas chercher à éviter les biberons de nuit tant que les rations de la journée sont un peu justes. Votre bébé fera une nuit plus longue quand il sera plus « gourmand » pendant la journée.

Pour que le bébé digère bien, il est important de lui donner des rations équilibrées pendant la journée : ne donnez pas à votre bébé 150 ml de lait sous prétexte qu'il a moins bu que d'habitude, ou qu'il pleure beaucoup, alors que sa ration habituelle est encore de 90 ml par repas.

L'HEURE DU BIBERON : UN PLAISIR PARTAGÉ

Comme pour l'enfant nourri au sein, le moment du biberon est un merveilleux moment d'intimité : petits « bavardages » chuchotés, jeux de doigts et de mains de plus en plus élaborés. Bientôt le bébé va reconnaître son biberon, d'abord en le palpant, le touchant, puis en essayant de le prendre. Il cherche le regard de sa maman ; il s'arrête comme s'il attendait un petit mot tendre ou un encouragement. Sa maman, son papa, lui répondent. C'est vraiment un plaisir partagé.

C'est le moment du repas. Lavez-vous bien les mains. Puis, préparez le biberon comme indiqué plus haut (p. 67). Vérifiez que la tétine coule bien. Parfois le trou est trop large, parfois il est trop étroit ; parfois il est bouché. Parfois le lait ne coule pas parce qu'il n'y a pas de passage pour l'air : il ne faut pas visser le bouchon à fond.

Installez-vous dans une chaise ou un fauteuil bas avec des accoudoirs, pour être plus à l'aise. Placez le bébé au creux de votre bras et en position assez verticale. Puis mettez la tétine dans sa bouche ; vous verrez, il saura tout de suite téter. Tenez le biberon de telle sorte que la tétine soit toujours pleine de lait, sinon le bébé avalerait de l'air, et faites attention de ne pas appuyer la tétine contre son nez, sinon il ne pourrait pas respirer. Si vous voyez que la tétine s'aplatit, dévissez légèrement le bouchon pour qu'un peu d'air entre dans la bouteille : la tétine reprendra aussitôt sa forme.

Comment s'assurer que l'enfant tète bien ? En vérifiant que des petites bulles montent dans le biberon. C'est pratique : on se rend ainsi tout de suite compte s'il n'y a pas un grumeau par exemple qui empêche l'enfant de boire. Normalement, le repas dure entre 15 et 20 minutes. Et d'ailleurs, s'il ne tenait qu'à lui, l'enfant le prolongerait : pour lui ce moment est important, il est heureux et vous le sentirez vous-même.

Certains nourrissons font naturellement une « pause renvoi » à la moitié du biberon. Si ce n'est pas le cas, vous pouvez proposer cette pause à votre bébé. Ne laissez pas un bébé boire seul son biberon, c'est dangereux. Il peut boire trop vite, s'étouffer, avaler trop d'air.

Le repas terminé, faites faire à votre bébé ses renvois, puis changez-le. Après la tétée, l'enfant nourri au biberon a fréquemment des régurgitations, c'est-à-dire qu'il rejette du lait. Ne vous inquiétez pas, mais pensez à mettre une couche sur votre épaule. Rappelez-vous que plus l'enfant boit vite, plus il a de renvois et plus il rejette de lait (voir au chapitre 6 les articles *Régurgitation, Rot*).

RÉPONSES À QUELQUES QUESTIONS

CHAUD OU FROID ?

La tradition et l'habitude veulent que le biberon soit donné tiède, un peu en dessous de la température corporelle (entre 30 et 35°) ; mais l'expérience montre que bien des nourrissons acceptent des biberons à température inférieure. D'où la tendance de plus en plus répandue en maternité, dans les crèches et les services hospitaliers de donner le biberon à température ambiante (entre 15 et 20°) ; cela simplifie la préparation des biberons et élimine tout risque de brûlure. On évitera cependant d'utiliser le biberon (ou l'eau de préparation) sorti directement du réfrigérateur. Les mamans qui préfèrent réchauffer les biberons peuvent le faire, des chauffe-biberons sont en général disponibles dans les maternités.

BOIT-IL ASSEZ ?

C'est certainement une des questions que se posent le plus souvent les parents d'autant que les bébés, au début de leur vie, pleurent pas mal et qu'on croit toujours que c'est de faim.

Boit-il assez ? C'est une question à laquelle il est peut-être difficile de répondre lorsqu'il s'agit d'un enfant nourri au biberon : car lorsqu'un enfant tète sa maman, il prend lui-même la quantité dont il a besoin – l'expérience vous enseignera d'ailleurs que, d'une manière générale, les enfants savent mieux que quiconque ce qui leur est nécessaire. Mais avec l'enfant nourri au biberon, on n'est pas sûr que les rations de lait qu'on a décidé de lui donner (parce qu'elles correspondaient théoriquement à l'âge ou au poids de l'enfant) soient adaptées à ses besoins. Au même poids et pour le même âge, certains bébés ont besoin de plus de nourriture, quelquefois un tiers en plus.

Comment, dans ces conditions, savoir si votre enfant est bien nourri ?
• S'il prend régulièrement du poids (200 g par semaine les trois premiers mois, 150 g les trois suivants, 100 g entre 6 mois et 1 an)
• si ses selles sont normales (une à deux par jour), plutôt fermes, jaune clair et grumeleuses ; mais avec le lait infantile, les selles se rapprochent de celles de l'enfant qu'on allaite (p. 60). Si votre bébé a des selles blanches, il faut en parler au médecin (voir l'article *Selles* chapitre 6)
• s'il a bon teint et bonne mine
on peut raisonnablement conclure que le bébé est bien nourri. D'ailleurs, dans ce cas, il ne réclame pas ; il pleure et crie peu ; il dort bien ; en un mot, il a l'air satisfait de son sort.

On consultera le pédiatre lorsque le bébé ne finit pas ses biberons de façon régulière, car à côté de causes passagères (un rhume, une affection de la bouche, comme le muguet), il existe d'autres causes à l'origine de l'insuffisance d'appétit que seul l'examen médical pourra déceler.

Lorsque vous rentrerez de la maternité, vous constaterez que votre bébé prend un peu moins bien ses biberons ; pour diverses raisons, le retour à la maison s'accompagne souvent d'une période de flottement qui se traduit chez le bébé par une baisse d'appétit. Mais si cela vous inquiète, parlez-en au pédiatre qui vous conseillera peut-être de surveiller le poids de votre bébé en le faisant peser à la PMI.

LES DIGESTIONS DIFFICILES

Les premiers mois d'un bébé sont parfois inconfortables sur le plan digestif, entre les régurgitations, les reflux, les coliques, les troubles du transit (diarrhée ou constipation). Si ces troubles ne durent pas et ne semblent pas affecter votre bébé, ils font partie de l'adaptation digestive normale des premiers mois.

Dans le cas contraire, voyez dans le dictionnaire médical (chapitre 6) les articles correspondant aux différents troubles digestifs : *Coliques, Constipation, Diarrhée, Reflux gastro-œsophagien, Régurgitation, Vomissements.*

FESSES ROUGES

Sauf en cas de diarrhée, les fesses rouges (érythème fessier) n'ont pas de rapport avec l'alimentation ; elles sont le plus souvent la conséquence de changes pas assez fréquents, d'une éruption dentaire. Lisez l'article *Érythème fessier* (chapitre 6).

HOQUET, ENFANT QUI NE VEUT OU NE PEUT PAS TÉTER, ENFANT « VORACE »

Nous avons parlé de ces trois cas à propos de l'enfant nourri au sein, vous pouvez vous y reporter (pp. 54 et suivantes). Pour l'enfant « vorace », nous vous conseillons en outre une tétine à petits trous.

VITAMINES, FER ET FLUOR

Pour couvrir tous les besoins de l'enfant, il manque au lait de vache certains éléments, c'est pourquoi les laits infantiles sont enrichis en vitamines D et C, en acides gras essentiels et en fer (pour le 2e âge).

Le fer

L'enfant, s'il est né à terme, en a une réserve suffisante dans son organisme pour « tenir » quatre mois, réserve qu'il tient de sa mère, et qu'il s'est constituée en fin de grossesse. Le lait de femme et le lait de vache n'en contiennent que de faibles quantités, mais le fer du lait maternel est bien assimilé par l'enfant, donc suffisant. La plupart des laits 1er âge et tous les laits 2e âge sont enrichis en fer pour couvrir les besoins du bébé. Et après 6 mois, d'autres aliments apportent du fer (poisson, viande, etc.).

La vitamine D

Les laits 1er et 2e âge sont enrichis en vitamine D, mais de façon insuffisante ; c'est pourquoi il est important d'en donner dès la naissance au bébé. La vitamine D prévient le *rachitisme* (voir ce mot au chapitre 6). Elle permet l'assimilation du calcium et sa fixation sur les os.

Prenez l'habitude de donner régulièrement à votre enfant une préparation contenant de la vitamine D, comme le médecin vous le prescrira, c'est-à-dire tous les jours ; elle lui est indispensable. Si vous croyez ne pas pouvoir donner régulièrement de la vitamine D à votre enfant, dites-le au médecin, il prescrira des doses plus élevées à donner en une fois, tous les trois mois, ou tous les six mois, jusqu'à l'âge de 18 mois-2 ans, puis à la fin de l'hiver jusqu'à 5 ans (et faites-le inscrire sur le carnet de santé). Il ne faut pas donner des doses élevées sans prescription : il peut y avoir intoxication.

La vitamine D sera donnée directement dans la bouche. Ne la donnez pas dans un biberon, elle risquerait de rester au fond.

Le fluor

Il est donné sous forme de gouttes ou de comprimé. Il est en général donné jusqu'à 2 ans. Après cet âge, la prescription du médecin tiendra compte d'éventuels apports de fluor par l'eau de boisson, les dentifrices, etc. Il existe aujourd'hui des formules qui combinent vitamine D et fluor.

La vitamine K

À la naissance, le bébé reçoit de la vitamine K pour prévenir le risque d'hémorragie ; la supplémentation est poursuivie tout le temps de l'allaitement au sein. Si l'enfant est nourri au lait infantile, il ne recevra de vitamine K que les premiers jours, les préparations pour nourrissons étant déjà enrichies en vitamine K.

Surtout pas d'automédication : des apports excessifs en vitamines ou minéraux peuvent avoir des effets nocifs.

PEUT-ON DONNER UN BIBERON COMMENCÉ ?

10 à 15 minutes après la tétée, oui. Mais il ne faut pas conserver un biberon réchauffé plus d'une 1/2 heure et un biberon donné à température ambiante plus d'1 heure.

QUAND AUGMENTER LA RATION ?

Lorsque vous constatez que votre bébé n'est plus rassasié : il pleure et cherche à continuer à téter alors que le biberon est terminé depuis quelques minutes.

LES TÉTINES

Il y a un petit problème pratique qui tracasse souvent les parents, celui des tétines. Il y a celle qui coule trop vite, celle qui coule trop lentement. Comment être sûr que la tétine est convenablement percée ? Pour le savoir, renversez le biberon : il doit s'en échapper un goutte-à-goutte assez rapide. S'il s'en échappe franchement un jet, c'est que la tétine est trop percée. Le bébé boira trop vite, et il avalera autant d'air que de lait, ce qui le fera vomir. (Gardez les tétines trop percées pour les repas plus épais.) Si en revanche le débit est trop lent, l'enfant se fatiguera et n'arrivera pas à finir son biberon. Il y a enfin le cas de la tétine normalement percée et d'où le lait ne coule pas : c'est une question d'air. Il faut que l'air entre dans le biberon (p. 71).

Les tétines à fente réglable sont pratiques aussi bien pour les bébés voraces que pour les bébés endormis ; suivant la position de la tétine, le débit du lait est lent, moyen ou fort. Achetez des tétines de la même marque que les biberons car ils sont faits pour aller ensemble. Les tétines ramollissent vite, changez-les souvent.

L'ALLAITEMENT MIXTE

Il y a des cas où l'enfant n'a pas assez de lait de sa maman ; il faut alors lui donner en plus, à titre transitoire ou définitif, du lait infantile. C'est ce régime de deux laits que l'on appelle l'allaitement mixte. On peut le pratiquer de deux manières.

• Soit en complétant chaque tétée

La mère donne le sein, puis elle propose à l'enfant un biberon. Pour les quantités à donner à chaque âge, reportez-vous au tableau page 70. L'enfant boira ce dont il a besoin. En tétant six fois par jour, l'enfant stimule la sécrétion du lait. C'est pourquoi on applique surtout cette méthode au début, quand la sécrétion est lente à s'établir.

Un conseil : préparez avant la tétée un biberon que vous garderez au chaud, soit dans un chauffe-biberon, soit enveloppé dans une serviette. Lorsque le bébé aura fini de téter, il sera pressé de boire son biberon.

• Soit en alternant tétées et biberons

On remplace complètement une ou plusieurs tétées par un biberon. Il est bien recommandé de ne pas supprimer la première tétée, la meilleure, ni la dernière, pour que l'intervalle entre les tétées ne soit pas trop long. Cette deuxième méthode est appliquée en général au bout de deux ou trois semaines, lorsqu'on sait que l'allaitement mixte devra être poursuivi. Certaines mamans se sentent coupables de ne pas donner à leur bébé autant de lait qu'elles le voudraient. Nous leur disons que tout ce que leur bébé prend au sein est déjà très bon pour lui.

Avec l'allaitement mixte, les selles ressemblent alternativement à celles de l'enfant nourri au sein et à celles de l'enfant nourri au lait infantile : c'est normal, ne vous inquiétez donc pas de ce changement d'aspect. L'allaitement mixte est difficile à maintenir sur une longue période. En fait cet allaitement constitue le plus souvent la première étape d'un sevrage progressif.

Vers une
alimentation variée

La **diversification** désigne le fait d'introduire d'autres aliments que le lait. C'est un moment très attendu des parents et qui pose souvent mille questions : « Quand proposer les légumes ? Et la viande ? Puis-je donner de l'œuf ? En quelles quantités ? » Les pages suivantes sont là pour répondre à ces interrogations. Cependant, en les lisant, vous verrez que les conseils de base sont souvent accompagnés d'options et que plusieurs possibilités s'offrent à vous. Ces choix vont dépendre du caractère et des goûts de votre enfant mais aussi de vous. Telle maman apprécie de garder encore son bébé dans les bras et préfère mélanger les légumes au lait du biberon. Tel papa prend plaisir à voir son bébé ouvrir grand la bouche pour manger à la cuillère. Il n'y a pas une seule mais plusieurs façons de diversifier l'alimentation. Les conseils qui suivent sont donc des indications et, à l'exception de quelques règles importantes, ils ne sont pas à appliquer à la lettre mais à adapter en fonction de chaque enfant, de chaque famille. Ils tiennent à la fois compte des recommandations du PNNS (Programme National Nutrition Santé) émis par le ministère de la Santé, ainsi que d'autres avis plus récents, et ils complèteront les conseils du médecin qui connaît votre enfant. Essayez, explorez, le moment du repas sera un nouveau moment de joie à partager avec votre enfant.

À QUEL ÂGE COMMENCER LA DIVERSIFICATION ?

L'âge du début de la diversification a souvent varié ces dernières années et il est encore en débat. Ceci peut expliquer que votre médecin ou votre entourage n'aient pas tous le même avis. C'est aussi pourquoi les conseils donnés ici ont évolué. Certains principes semblent cependant se dessiner :
- le début de la diversification se fait entre 4 et 6 mois chez les bébés nourris au lait infantile, ou ayant un allaitement mixte (lait de la maman et lait infantile), jamais avant 4 mois
- en cas d'allaitement, les bébés peuvent être exclusivement nourris au sein jusqu'à 6 mois ; la diversification peut aussi débuter entre 4 et 6 mois, jamais avant 4 mois.

Si votre bébé présente un risque allergique, voyez à la fin de ce chapitre (p. 109).

DE 4-6 MOIS À 8 MOIS : LE DÉBUT DE LA DIVERSIFICATION

Comme pour tous les âges que nous indiquons, il s'agit de mois révolus, par exemple 4 mois signifie le début du 5e mois. Si l'allaitement est exclusif jusqu'à 6 mois, vous introduirez les aliments avec un décalage d'1 à 2 mois. Par exemple, vous proposerez les légumes après l'âge de 6 mois.

Au cours de cette période, des événements et des nouveautés importants : d'abord l'enfant a vraiment des horaires de grand puisqu'il va passer progressivement à quatre repas. Ce passage à quatre repas dépend du bébé. Puis l'enfant va peu à peu faire connaissance avec des saveurs et des consistances nouvelles. Il peut aussi commencer à manger à la cuillère. Essayez avec une purée de légumes ou de fruits pendant un jour ou deux mais si votre enfant refuse, n'insistez pas : vous ferez un nouvel essai quelques jours plus tard.

Les avancées se poursuivront petit à petit, de manière souple. Plutôt que « manger de tout », il est préférable de dire que l'enfant doit « goûter de tout ». Les nouveautés (aliments, cuillère) seront introduites par petites touches « d'essai », sans insister en cas d'opposition, car la contrainte est le meilleur moyen de créer des refus et des dégoûts durables.

Le régime du bébé de 4 mois, à base de lait, va s'enrichir progressivement de légumes et de fruits cuits. Ensuite la viande, le poisson, les œufs seront peu à peu introduits.

LE LAIT

C'est toujours la base de l'alimentation et la base de chacun des quatre repas.

• Quelles quantités donner ?

Les premiers temps, on donne les rations habituelles (180-240 ml) auxquelles sont ajoutés un peu de fruits ou de légumes. Dans un deuxième temps, lorsque les quantités de ces aliments augmentent, on diminue le volume de lait mais il faut continuer à en donner à chacun des quatre repas (120-150 ml).

• Lait 1er ou 2e âge ?

Le lait 2e âge a une composition très proche de celle du lait 1er âge ; simplement, ses principaux composants sont plus concentrés. Il contient donc un peu plus de protéines, vitamines, acides gras, etc., que le lait 1er âge. C'est pourquoi le lait 2e âge est introduit quelques semaines après le début de la diversification, lorsque les quantités de lait consommées ont franchement diminué avec la prise des légumes et des fruits.

• Faut-il ajouter de la farine ?

Il n'est plus conseillé aujourd'hui d'ajouter systématiquement de la farine comme on le faisait aupara- vant dans le biberon du matin et surtout dans le biberon du soir pour tenter « d'améliorer » les nuits. Un ajout trop important de farine les premiers mois risque de provoquer une diminution du volume de lait et de trop augmenter les apports caloriques. En revanche, vers 8-9 mois, quelques cuillères à café rases de farine peuvent permettre un maintien du biberon en changeant un peu le goût du lait.

• Que faire si votre bébé ne veut plus de lait après la compote de fruits ?

Commencez par le biberon de lait, c'est un apport qu'il faut essayer de maintenir le plus longtemps possible. Une autre possibilité est de mélanger lait et fruit dans le biberon.

LES LÉGUMES

Une grande nouveauté est l'introduction progressive des légumes cuits au repas de midi.

• Quels légumes proposer ?

La plupart des légumes peuvent être utilisés. Seuls certains légumes contenant beaucoup de fibres, et de ce fait susceptibles d'être plus difficiles à digérer, sont proposés un peu plus tard. Pour cette rai- son, les légumes secs (haricots blancs, lentilles, pois chiches) sont déconseillés durant la première année et on préfère commencer par les légumes les plus pauvres en fibres : carotte, haricot vert, épi- nard, courgette, brocolis, artichaut, potiron, blanc de poireau, petits pois. Si vous trouvez que votre bébé a un peu de peine à digérer, restez dans cette gamme de légumes ; sinon vous pouvez lui propo- ser d'autres légumes, en petites quantités : chou-fleur, vert de poireau, poivron, salsifis, chou, etc.

Sur le plan nutritionnel, on sait aujourd'hui qu'il n'est pas obligatoire d'introduire un seul légume à la fois ou d'attendre plusieurs jours entre chaque introduction d'un nouveau légume. Certains bébés passeront sans inconvénient d'un légume à un autre, d'un jour à l'autre. D'autres bébés auront besoin de plus de temps pour découvrir ces nouvelles saveurs et vouloir changer trop vite risque de conduire à un refus de la cuillère. Vous verrez ce qui convient à votre bébé.

• Quelles quantités donner ?

Il n'y a pas de quantité obligatoire à atteindre : certains bébés apprécient rapidement les légumes, d'autres sont plus long à s'habituer à ces nouveaux aliments. Commencez par quelques cuillères et augmentez la quantité selon l'appétit de votre bébé. Cependant, dans un premier temps, limitez-vous à l'équivalent d'un petit pot de 60 g.

• Comment les préparer ?

Vous pouvez utilisez des légumes frais ou surgelés, que vous mixerez bien pour une consistance lisse. Un peu de pomme de terre peut être ajouté comme liant. Vous pouvez aussi utiliser des petits pots du commerce. En revanche, il est préférable d'éviter les conserves pour adultes : elles sont trop salées.

• Que puis-je ajouter ?

Il est recommandé de ne pas saler les légumes. Par ailleurs, avec l'introduction de nouveaux goûts, cer- tains bébés abandonnent rapidement leur biberon de lait ce qui risque de diminuer de façon trop impor- tante l'apport d'acides gras essentiels contenus dans le lait. Dans ce cas, il est conseillé d'ajouter des lipides dans les légumes, sous forme d'une noisette de beurre ou d'une petite cuillère à café d'huile dans les légumes cuisinés maison, surgelés ou en petits pots : de préférence huile de colza ou de soja (particulièrement riches en oméga 3).

• Puis-je mettre les légumes dans le biberon?

Si votre bébé ne semble vraiment pas apprécier la cuillère après plusieurs essais, ajoutez et mélangez quelques cuillères à café de légumes à son biberon de lait. Vous proposerez de nouveau la cuillère quelques jours plus tard.

LES FRUITS

Une autre grande nouveauté est l'introduction des fruits cuits en compote.

• Quels fruits proposer?

On peut cuisiner la plupart des fruits (pomme, banane, poire, pêche, abricot, nectarine). Les fruits secs à coque (amande, noix, noisette, cacahuète) sont surtout déconseillés en raison des risques de fausse route ; s'il y a des allergies dans la famille, voyez p. 109. Contrairement à une idée largement répandue, les fruits rouges peuvent être proposés dès les premiers mois. On donne au bébé des fruits bien mûrs, épluchés, cuits et mixés.

• À quel moment les donner?

Deux possibilités : soit vous les introduisez à quatre heures avec le biberon du goûter, soit à midi après les légumes. Dans ce cas, le goûter ne sera constitué que de lait.

Il est recommandé de ne pas ajouter de sucre. Essayez, vous verrez que votre bébé prendra vite l'habitude de manger « nature », un exemple à suivre pour les plus grands...

• Quelles quantités donner?

Comme pour les légumes, il n'y a pas de règle et la souplesse est de mise : commencez par quelques cuillères à café et observez la réaction de votre bébé.

• Puis-je proposer du jus de fruit en milieu de matinée?

Non, il est préférable de ne rien donner entre les repas et l'eau est l'unique boisson conseillée, éventuellement proposée au moment des repas. À partir de 6-7 mois, le bébé peut boire au verre ou à la tasse. Mais n'insistez pas si le verre ne lui plait pas, vous réessaierez plus tard.

Exemple de menu à 6 mois

Matin • tétée ou un biberon de lait 1er âge (180-240 ml)
option : ajouter deux cuillères à café rases de farine infantile

Midi • une purée de légumes à la cuillère (60-120 g) puis un biberon de lait (150-210 ml)
option : mélanger les légumes au lait et donner au biberon

Goûter • une compote de fruits (60-120 g) et un biberon de lait (120-210 ml) ou une tétée
option : à remplacer par une tétée ou un biberon de lait de 210 ml

Soir • tétée ou un biberon de lait (180-240 ml)
option 1 : ajouter trois à quatre cuillères à soupe de purée de légumes dans 180 ml de lait
option 2 : ou bien ajouter deux cuillères à café rases de farine de légumes

Les quantités sont données à titre indicatif :
vous les adapterez, en un peu plus ou un peu moins, à l'appétit de votre bébé.

VIANDE, POISSONS, ŒUFS, ABATS

Ces aliments peuvent être introduits dans l'alimentation environ un mois après les légumes et les fruits, soit entre 5 et 7 mois.

• Quelles viandes et quels poissons ?

Il est préférable de commencer par les viandes de bœuf, veau, cheval, poulet, dinde mais rapidement toutes les viandes peuvent être proposées. Ainsi que tous les poissons, qu'ils soient maigres ou gras. Certains poissons sont particulièrement riches en acides gras essentiels (oméga 3) : le saumon mais aussi le maquereau, le hareng et la sardine.

À l'exception du jambon blanc sans couenne, la charcuterie doit rester exceptionnelle. Quant aux abats, il est possible d'en proposer de temps en temps, notamment du foie, riche en fer.

Viandes et poissons seront mixés. Vous pouvez les présenter à part des légumes pour que votre bébé différencie saveurs et consistances.

• Faut-il limiter les quantités de viande ou de poisson ?

Oui, cela est préférable : ces aliments ne seront proposés qu'au repas de midi, pas le soir. De 6 à 8 mois, on recommande de ne pas dépasser environ 10 g de viande ou de poisson, soit l'équivalent de deux cuillères à café rases.

• Comment donner de l'œuf ?

Un quart d'œuf peut être proposé cuit et entier (il est inutile de séparer le jaune et le blanc comme conseillé auparavant), en remplacement de la viande.

Vous trouverez plus loin (p. 100) quelques conseils de cuisson et préparation pour les légumes, viandes et poissons.

BOISSON

À partir du moment où votre bébé prend un repas sans lait, proposez-lui à boire, de l'eau bien sûr. Ce n'est pas une obligation, certains bébés boivent à chaque repas, d'autres non. L'alimentation apporte déjà beaucoup de liquide, il est inutile d'aromatiser ou de sucrer l'eau pour faire boire l'enfant.

	Exemple de menu à 8 mois
Matin	• tétée ou un biberon de lait 2ᵉ âge (210-240 ml) *option* : ajouter trois à quatre cuillères à café rases de farine
Midi	• une purée de légumes et deux cuillères à café rases de viande ou poisson puis une compote de fruits *option* : un petit pot légumes/viande (200 g)
Goûter	• une compote de fruits et un biberon de lait (150-180 ml) ou une tétée
Soir	• une purée de légumes (120 à 150 g) et un biberon de lait (150-180 ml) ou une tétée *option 1* : à remplacer par un biberon de lait avec des légumes (certains bébés sont fatigués le soir et préfèrent un biberon) *option 2* : si bébé a encore faim après le biberon, proposez-lui une compote de fruits

Les quantités sont données à titre indicatif :
vous les adapterez, en un peu plus ou un peu moins, à l'appétit de votre bébé.

DE 9 À 12 MOIS :
LA POURSUITE DE LA DIVERSIFICATION

L'enfant va commencer à manger des petits morceaux. Progressivement, au lieu de donner les pommes de terre en purée, écrasez-les à la fourchette, d'abord finement puis en morceaux plus gros, suivant la manière dont l'enfant mastique ou avale. Essayez aussi un petit morceau de banane ou de camembert, c'est-à-dire un aliment qui « fond » ; la viande en morceaux sera pour plus tard. C'est au fur et à mesure que les dents sortent et que l'enfant va commencer à mastiquer que vous passerez de la consistance mixée à la consistance normale. Pour aider l'enfant, préparez dans une assiette des petits morceaux qu'il saisira lui-même avec les doigts. Le bébé aime porter tout seul des aliments à la bouche. Au début il fait beaucoup de saletés, il prend un morceau, l'écrase, le met dans sa bouche, le ressort, c'est sa façon de s'habituer aux nouveaux goûts et consistances. Peu à peu il mangera de mieux en mieux.

Entre 9 et 12 mois, c'est aussi le moment d'introduire de nouveaux aliments ou des aliments sous une forme nouvelle.

LES PRODUITS LAITIERS

Ce sont certains produits issus du lait : yaourt, fromage blanc, petit suisse et aussi les fromages.

• Quand les introduire ?

Les produits laitiers vont peu à peu remplacer le biberon de lait et ne sont pas donnés en même temps que lui : on ne donne pas du lait et un petit suisse au même repas. C'est pourquoi il est préférable de proposer un produit laitier si votre bébé n'a pas envie de son biberon habituel. C'est le plus souvent le lait du goûter qui va être remplacé. Mais essayez de maintenir le biberon du matin le plus longtemps possible : outre son intérêt nutritionnel, il apporte l'hydratation dont le bébé a besoin après une nuit de sommeil.

• Laitages nature ou « croissance » ?

Il existe une multitude de laitages proposés. De façon générale, il est préférable de choisir l'aliment le plus simple : un yaourt nature, tout simplement. Les laitages infantiles (dits « croissance » ou « spécial bébé ») sont intéressants parce qu'ils sont enrichis en fer et en vitamine D mais ils sont aussi sucrés. Si votre bébé s'accommode des laitages sans sucre, autant garder cette bonne habitude, si au contraire vous devez sucrer le moindre yaourt, préférez les laitages infantiles. De même si votre bébé boit peu de lait 2e âge, privilégiez les laitages infantiles afin de maintenir des apports adéquats en fer et en acides gras essentiels.

• Et le fromage ?

C'est un produit laitier intéressant par sa teneur en calcium mais qui apporte également beaucoup de protéines : à proposer de temps en temps, en petites quantités (1 ou 2 lamelles).

À l'exception des fromages au lait cru (et ils sont nombreux en France), il est possible de donner tous les types de fromages, y compris les plus goûteux. Préférez les fromages traditionnels aux produits fabriqués, type pâte à tartiner. Une pincée de fromage râpé peut être ajoutée dans la purée ou dans la soupe.

LES PRODUITS CÉRÉALIERS : RIZ, PÂTES, SEMOULE

Nous avons parlé plus haut (p. 77) des farines infantiles dont on conseille de modérer l'utilisation les premiers mois. Avec l'introduction des morceaux, il va être possible d'introduire des céréales sous d'autres formes.

• A partir de quand introduire le riz ou les pâtes ?

Ils peuvent être proposés bien cuits et mixés dès que votre bébé est prêt pour les morceaux. C'est une façon de varier les repas quand l'enfant commence à se lasser des légumes. Essayez et voyez comment bébé réagit. L'introduction de cette nouvelle texture peut être surprenante pour lui, surtout si vous mélangez ces aliments à la purée de légumes traditionnelle, bien veloutée, à laquelle votre enfant est habitué. Comme d'habitude, agissez progressivement et ne forcez pas bébé si cela ne semble pas lui plaire. Proposez-lui alors des petites pâtes bien cuites (type « petites lettres ») afin que votre bébé s'aperçoive qu'il s'agit d'un aliment différent et ajoutez une noisette de beurre.

• Et le pain ?

Le pain est un excellent aliment céréalier. Il est possible de faire manger la mie « à la becquée », en petites quantités. Le croûton de pain peut être proposé pour faire patienter bébé. Mais soyez vigilant, il existe toujours un risque important de fausse route : pas de croûton de pain durant un trajet en voiture lorsque l'enfant est dans le siège-auto !

LES AUTRES ALIMENTS

• Peut-on donner des fruits crus ?

Bien sûr, les fruits crus bien mûrs, écrasés à la cuillère, peuvent remplacer la compote, par exemple au goûter avec un yaourt.

• Et de la viande le soir ?

On ne donne habituellement pas de viande le soir. Les quantités recommandées de viande ou de poisson sont environ de 20 g, soit quatre cuillères à café rases (ou un demi-œuf) par jour à 12 mois (trois cuillères à café rases à 10 mois) et proposées en une fois à midi. Si vous tenez à donner de la viande à midi et le soir, donnez encore moins de viande à chacun des repas.

• Peut-on mettre de l'huile, du beurre dans les légumes ?

Oui, c'est possible, avec modération : soit une cuillère à café d'huile, soit une noisette de beurre dans l'une des purées de la journée.

• Des recommandations récentes déconseillent de donner du miel aux enfants de moins d'un an.

Exemple de menu à 10 mois

Matin • tétée ou un biberon de lait 2e âge (210-240 ml)
option : ajouter cinq cuillères à café rases maximum de farine

Midi • une purée de légumes et trois cuillères à café rases de viande ou poisson plus un peu de beurre ou d'huile, puis une compote de fruits
option : un petit pot légumes/viande (200 g)

Goûter • une compote de fruits et un biberon de lait (150-180 ml) ou une tétée

Soir • une purée de légumes et un laitage
option 1 : à remplacer par un biberon de soupe épaisse et un laitage (certains bébés sont fatigués le soir et préfèrent un biberon)
option 2 : ajouter une compote de fruits si bébé a encore faim

Boisson • eau

Les quantités sont données à titre indicatif :
vous les adapterez, en un peu plus ou un peu moins, à l'appétit de votre bébé.

ENTRE 12 ET 24 MOIS

12 mois marque le début d'une étape importante dans le développement de l'enfant : il fait ses premiers pas, ce qui l'amène à bouger davantage ; avec ses dents, de plus en plus nombreuses, il arrive à mastiquer des morceaux plus fermes ; grâce à la maturité digestive, il peut maintenant manger presque de tout. L'alimentation de l'enfant devient proche de celle de toute la famille à condition qu'elle soit équilibrée et variée. Restent quelques différences : les quantités sont moindres, la consistance passe progressivement du haché vers les petits morceaux.

Vers 12-18 mois, parfois plus tard, le repas peut devenir un moment d'opposition, de conflit entre l'enfant et ses parents (voir p. 107).

LES CRUDITÉS
Les légumes crus peuvent être introduits à partir de 12 mois sous la forme de petits morceaux.
• Quelles crudités choisir ?
Vous pouvez proposer en salade : carottes râpées, betterave rouge cuite, radis coupés en toutes petites rondelles, tomate pelée et épépinée, concombre débarrassé des pépins, salade en très fines lamelles ou un peu d'avocat. Choisissez des légumes de saison, les plus frais possibles, préparez-les rapidement après achat. Pour l'assaisonnement, utilisez une huile riche en oméga 3 : colza ou soja. L'huile de noix est également riche en oméga 3 mais elle a un goût plus prononcé. Un peu de citron ou un yaourt nature peuvent aussi servir d'assaisonnement. N'oubliez pas de saler le moins possible.

LES LÉGUMES SECS
Lentilles, pois cassés ou flageolets sont des légumes riches en amidon, protéines et en sels minéraux mais aussi en fibres, ce qui les rend plus difficiles à digérer.

On les propose d'abord soit incorporés en petites quantités dans une soupe de légumes variés, soit sous la forme d'une purée bien cuite, mélangée à une purée de pommes de terre (par exemple 1/3 légumes secs, 2/3 pommes de terre).

LES PRODUITS LAITIERS
Trois portions de produits laitiers sont recommandées chaque jour sous forme de lait, laitages et fromages. Les yaourts et fromages blancs sont à donner sans sucre ou avec peu de sucre. Si vous les achetez déjà sucrés, choisissez ceux qui en contiennent le moins (à vérifier sur les étiquettes).
• Faut-il donner du lait de croissance ?
Oui il est préférable de donner un lait spécifique jusqu'à 18 mois-2 ans. Le lait de croissance est en effet enrichi en fer et en acide gras essentiels, tout en limitant les apports en protéines. Ceci est particulièrement important si votre enfant est un petit mangeur. Si vous n'avez pas de lait de croissance, utilisez du lait de vache entier.
• Puis-je maintenant donner du fromage au lait cru ?
Non, le lait cru et ses dérivés ne doivent pas être consommés par les enfants de moins de 3 ans en raison du risque de contamination bactérienne. Tous les produits laitiers doivent être pasteurisés.

LES AUTRES ALIMENTS

• Quand peut-on donner de la pizza ? Et des chips ?

La pizza faite maison (pâte, fond de tomate, fromage et garniture de légumes) peut de temps en temps tenir lieu d'un repas de midi, entre 18 et 24 mois. De façon générale, évitez les produits issus de processus industriels (pizzas, poissons panés, etc.) : ils sont souvent trop salés, utilisent des huiles de mauvaise qualité et toutes sortes d'additifs.

Les chips sont très riches en graisses, en sel et en calories et n'ont pas leur place dans l'alimentation d'un enfant de moins de deux ans.

• Quels féculents donner ?

Du pain, des pommes de terre, des pâtes, du riz, de la semoule, des légumes secs. Il est bien de donner un féculent à chaque repas ; par exemple, avec les légumes verts de midi, privilégiez le pain ou la pomme de terre ; et le soir, choisissez riz, pâtes ou semoule. Si c'est compliqué pour vous de donner à chaque repas féculents et légumes cuits, pensez à alterner féculents et légumes au repas de midi et du soir.

• Quelle quantité de viande ou de poisson donner ?

On recommande de modérer les apports de protéines. Les apports proposés sont par exemple de 20 g à 1 an (environ 4 cuillères à café rases), 30-35 g à 2 ans (environ 6 cuillères à café rases). Comme durant la première année, il est préférable de ne pas donner trop souvent d'autre charcuterie que le jambon cuit sans couenne ; il peut alors remplacer la viande.

Exemple de menu entre 12 et 24 mois

Matin	• 250 ml de lait de croissance et trois cuillères à soupe de céréales instantanées ou une tartine de pain avec beurre et/ou confiture.
	• proposez un jus de fruit frais (1/2 verre sans ajout de sucre) ou un petit fruit
Midi	• quelques morceaux de crudités en salade
	• 25-30 g de viande ou poisson ou un demi-œuf
	• un mélange féculent (pomme de terre par exemple) et légumes cuits et une noix de beurre
	• un fruit ou une compote
	Éventuellement, si l'enfant a encore faim, un laitage ou un fromage
Goûter	• 200 ml de lait de croissance ou un yaourt nature non sucré
	• une tartine de pain avec beurre ou confiture ou une compote
Soir	• un mélange féculent (pâtes, riz, semoule par exemple) et légumes cuits et une noix de beurre ou deux cuillères à café d'huile
	• un laitage
	• un fruit ou une compote (inverser par rapport au repas de midi)
Boisson	• eau

ENTRE 2 ET 3 ANS

Vers 2 ou 3 ans, la plupart des enfants traversent une période d'opposition et de refus de ce qui est nouveau. C'est normal, cela fait partie de leur développement. Si votre enfant refuse un plat, n'en concluez pas trop vite qu'il ne l'aime pas. Continuez à le lui présenter de temps en temps sous une autre forme. L'expérience montre qu'il faut laisser le temps à l'enfant de se familiariser avec les aliments nouveaux pour qu'il les apprécie. Ce sera d'autant plus facile qu'il verra ses parents, frères et sœurs manger de tout. Il suivra l'exemple.

Entre 2 et 3 ans, l'alimentation des enfants se rapproche de celle des plus grands mais ils ont encore besoin d'aliments adaptés à leur âge.

LES PRODUITS LAITIERS

Même lorsque l'enfant a une alimentation variée, il doit continuer à boire du lait et à prendre des laitages.

• Quel lait donner ?

Il est préférable de donner du lait entier. La plupart des acides gras ont été ôtés du lait demi-écrémé alors que votre enfant en a encore besoin.

• Faut-il proposer un produit laitier à chaque repas ?

Oui. Afin d'apporter les quantités de calcium nécessaires à une bonne croissance osseuse, il est recommandé de proposer à l'enfant 3 produits laitiers par jour.

Si possible, privilégiez le lait et les yaourts, préférez les fromages traditionnels aux différentes « spécialités laitières et fromagères », type pâte à tartiner qui sont plus riches en graisses. De même les desserts lactés, crèmes desserts et équivalents sont souvent plus gras et plus sucrés qu'un produit laitier simple (yaourt, fromage blanc ou petit suisse).

CÉRÉALES, PAIN, PÂTES, LÉGUMES SECS

• Peut-on donner des céréales au petit déjeuner ?

Bien sur, les céréales font partie d'un petit déjeuner équilibré. Choisissez les plus simples ; certaines, notamment les céréales chocolatées, contiennent des proportions non négligeables de graisses et surtout de sucre : à consommer occasionnellement.

• Faut-il limiter le pain et les pâtes ?

Oui et non. Oui car il ne faut pas donner l'habitude à l'enfant de grignoter entre les repas, notamment du pain ou des gâteaux. Non car il est bien de proposer un produit céréalier (pain, pâtes, semoule) ou un féculent (riz, pomme de terre, légumes secs) à chaque repas, selon l'appétit. Le pain peut être consommé à chaque repas, surtout si celui-ci ne comporte pas de plat de féculents. On recommande aujourd'hui de proposer à midi et le soir des légumes cuits et des produits céréaliers ou féculents ou légumes secs. Si c'est compliqué pour vous de donner à chaque repas féculents et légumes cuits, nous vous faisons la même recommandation qu'au stade précédent : pensez à alterner féculents et légumes au repas de midi et du soir.

N'oubliez pas les légumes secs, d'ailleurs les enfants les apprécient souvent : les lentilles ou la purée de pois cassé ont une grande valeur nutritionnelle.

LES FRUITS ET LES LÉGUMES

Comme pour les enfants plus grands, et les adultes, on recommande de consommer au moins 5 fruits et légumes par jour : un à chaque repas, en variant les choix. Ils seront mangés crus ou cuits selon vos goûts et ceux de la famille. Les légumes peuvent se préparer en crudités, en soupes et aussi en salade ou en gratin. Les fruits se prêtent également à des préparations variées : en compote, au four, gratinés, en salade...

Quand vous le pouvez, privilégiez les fruits et légumes frais, mais les surgelés nature peuvent être aussi utilisés car ils sont presque équivalents sur le plan nutritionnel. Ils ont l'avantage d'être rapides à cuisiner et permettent de varier les menus.

Exemple de menu à 3 ans

Matin
- 250 ml de lait entier, nature ou chocolaté, et 2 tartines de pain avec du beurre et/ou de la confiture

option : à remplacer par 250 ml de lait, ou un yaourt, avec 4 cuillères à café de céréales instantanées (ou deux petites poignées de céréales non chocolatées peu sucrées)
- 1 jus de fruit frais ou 1 fruit

Midi
- 1 ou 2 cuillères à soupe de crudités assaisonnées d'huile
- 30-40 g de viande, poisson ou 1 œuf
- légumes cuits et féculents et une noisette de beurre
- 1 laitage nature peu sucré ou du fromage (20-25 g)
- 1 compote ou 1 fruit

Goûter
- 1 yaourt et 1 tartine de pain avec du beurre et/ou de la confiture + éventuellement 1 fruit

option 1 : à remplacer par un morceau de pain et de fromage + éventuellement 1 fruit
option 2 : à remplacer par 200 ml de lait entier et une compote ou fruit

Soir
- 4 à 5 cuillères à soupe de féculents cuits (riz, pâtes, semoule) assaisonnées (gruyère, sauce tomate).

option 1 : à remplacer par une purée de pommes de terre (ou légumes secs) et légumes et une noisette de beurre
option 2 : à remplacer par une soupe de légumes et une cuillère à café de crème fraîche et un morceau de pain
- 1 laitage (différent de celui du midi)
- 1 compote ou 1 fruit

Boisson • eau

VIANDES ET POISSONS

Au repas de midi ou à celui du soir, il est préférable de ne pas dépasser des quantités encore modérées : environ 30 à 40 g par jour ce qui correspond à 2 cuillères à soupe rases. Vous voyez qu'on est loin des portions adultes !

Quel que soit le type de viande, préférez les morceaux les moins gras: poulet sans la peau, escalopes de volaille et de veau, filet de porc, bavette, steak haché à 5 à 10 % de matière grasse, jambon blanc sans couenne... Le poisson sera proposé au moins 2 fois par semaine. Contrairement aux viandes, choisissez plutôt les poissons les plus gras : les graisses qu'ils contiennent peuvent avoir des effets protecteurs sur la santé, notamment celles des poissons gras riches en oméga 3 (saumon, maquereau, sardine, hareng...).

QUE DONNER AU GOÛTER ?

Laissez votre enfant choisir un ou deux aliments parmi les groupes suivants : fruits, lait et produits laitiers, produits céréaliers. Par exemple :

• à la maison : pain et carré de chocolat (ou confiture ou miel) et un verre de lait ;
ou bien : 1 yaourt, 2 biscuits et de l'eau
• à la sortie de l'école : 1 ou 2 clémentines, 1 ou 2 biscuits secs et de l'eau ;
ou bien : 1 pomme, 1 tranche de pain d'épices et de l'eau
• le week-end : une crêpe au sucre, un petit-suisse et de l'eau ; ou bien : une petite viennoiserie, de la salade de fruits et de l'eau.

Même si c'est pratique, évitez au quotidien les barres et biscuits chocolatés et fourrés ainsi que les viennoiseries.

Y A T-IL ENCORE DES ALIMENTS DÉCONSEILLÉS ?

Il faut continuer à bien cuire la viande et ne pas donner de lait cru ou de fromage au lait cru. Les fruits à coques entiers (type cacahuètes à l'apéritif) sont déconseillés en raison des risques de fausse route. Certains aliments sont à limiter : charcuterie (sauf jambon), fritures, boissons gazeuses, sodas et boissons sucrées.

Quatre repas par jour - petit déjeuner, déjeuner, goûter, dîner -, vous voyez que c'est un rythme pris très tôt dans l'enfance. C'est une bonne habitude à garder : elle permet d'équilibrer l'alimentation et évite de grignoter entre les repas.

Pages 98 et 99, vous trouverez quelques idées de menus pour la semaine.

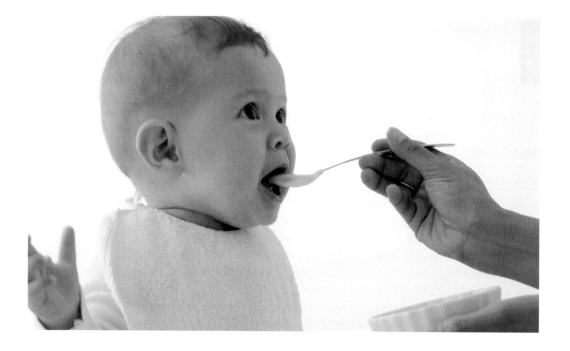

CE QU'APPORTENT LES DIFFÉRENTS ALIMENTS

LE LAIT ET LES PRODUITS LAITIERS

Le lait est un aliment de base aux multiples qualités. Il est le grand fournisseur de calcium, si important dans la croissance de l'enfant. Il apporte également protéines, sucre et graisses. Il peut être transformé en des produits aussi différents que le yaourt ou le fromage.

Nous avons parlé au début de ce chapitre du lait maternel (p. 46) et des laits infantiles (p. 66)

Les laits de croissance

Leur composition est proche de celle des laits 2ᵉ âge. Ils sont enrichis en fer, appauvris en protéines, riches en acides gras essentiels. Ils sont recommandés jusqu'à l'âge de 18 mois-2 ans pour éviter une carence en fer.

Le lait entier et demi-écrémé

Il est conseillé de donner du lait entier car la plupart des acides gras essentiels dont a encore besoin l'enfant ont été ôtés du lait demi-écrémé. Après 3 ans environ, on passe au lait demi-écrémé. Choisissez du lait pasteurisé, ou microfiltré, ou UHT longue conservation mais pas de lait cru avant 3 ans.

Faut-il sucrer le lait ? Non car l'enfant a en général une alimentation suffisamment sucrée et il est préférable de l'habituer au goût naturel des aliments.

Des laits qui n'en sont pas

Certaines boissons végétales fabriquées à partir de graines ou de céréales (soja, amandes, châtaignes...) sont souvent improprement dénommées « laits » végétaux. Elles ne répondent pas à la règlementation des préparations pour nourrissons qui en fixe la composition nutritionnelle pour se rapprocher au mieux du lait maternel et faire face aux besoins de l'enfant. Le risque concerne essentiellement le calcium : remplacer le lait par une boisson végétale entraîne des carences qui peuvent être dangereuses, en particulier chez l'enfant en pleine croissance. Ces boissons ne peuvent donc pas se substituer au lait maternel ou infantile et il est déconseillé de les utiliser pour nourrir un bébé.

Il est toutefois possible de donner certains laits infantiles à base de protéines de soja dans des conditions particulières et après avis médical.

Les **laits de chèvre**, d'ânesse ou de jument n'ont aucune place à aucun moment dans l'alimentation du tout-petit car ils ne sont pas adaptés à ses besoins nutritionnels.

Les produits laitiers

Ils comprennent les yaourts, fromages blancs, petits suisses, et tous les types de fromage. Issus de la transformation du lait, ce sont des aliments riches en calcium et en protéines. En revanche, ils contiennent peu de fer et d'acides gras essentiels. Si vous le pouvez, maintenez le plus longtemps possible le biberon de lait 2ᵉ âge : c'est lui qui apporte à votre bébé le plus de fer et d'acides gras essentiels, sans trop de protéines. Lorsque votre bébé boira moins de lait, vous lui donnerez des produits laitiers en les variant selon les jours et les repas.

Un produit laitier remplace habituellement un biberon de lait : ne proposez pas au même repas du lait et un laitage ou une portion de fromage.

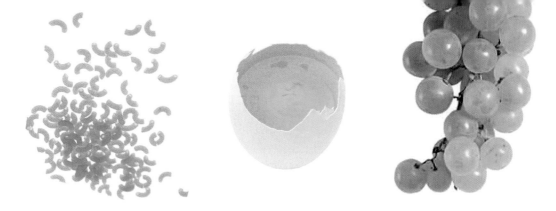

Le **yaourt** est obtenu à partir de la fermentation du lait de vache : c'est le produit laitier (en dehors du lait) qui apporte le plus de calcium pour le moins de protéines. Essayez de le donner non sucré à votre bébé.

Les **fromages blancs** et **petits suisses**, comme les **fromages**, sont plus riches en protéines que le yaourt. Ils sont intéressants pour leur apport de calcium mais il faut tenir compte de l'apport de protéines et ne pas donner de trop grosses portions. À l'inverse, si votre nourrisson est plus difficile, ou si sa courbe de poids peine un peu, pensez à ajouter du gruyère râpé dans ses légumes.

Les **crèmes desserts** sont beaucoup plus sucrées et grasses que le yaourt nature. Essayez d'en limiter l'utilisation.

Les **produits laitiers « spécial bébé »** sont fabriqués à partir du lait 2ᵉ âge ou de croissance : ils sont plus riches en fer et en acides gras essentiels et plus pauvres en protéines que les produits laitiers de type « adulte ». Ils sont particulièrement utiles si vous avez été obligé de supprimer précocement le biberon de lait du soir ou de 16 heures : ils compensent la baisse d'apport de fer et d'acides gras essentiels.

Les **fromages** peuvent aussi être proposés en remplacement du lait. S'ils apportent des quantités notables de calcium, ce sont les produits laitiers qui apportent le plus de protéines. Essayez d'en modérer la consommation (pas plus d'une fois par jour). Attention aux fromages au lait cru (fromage de chèvre, certains camemberts, etc.) : ils ne sont pas recommandés avant l'âge de 3 ans en raison des risques de contamination bactérienne (listéria).

Lait et calcium

Il est habituel de dire qu'il faut maintenir un apport de lait d'environ 500 ml par jour jusqu'à l'âge de 3 ans, ce qui représente 500 mg de calcium. Si votre bébé boit cette quantité de lait, c'est très bien. S'il a de plus en plus de mal à finir son biberon du goûter, essayez d'ajouter quelques cuillères de compote de fruits. Sinon ne vous inquiétez pas, les autres produits laitiers peuvent fournir à votre enfant tout le calcium dont il a besoin. On recommande en général de proposer un produit laitier à trois des quatre repas. En veillant à varier le type de produit laitier proposé à ces trois repas, vous serez sûr d'apporter au moins les 500 mg de calcium recommandés.

Le lait est-il vraiment bon pour la santé ? Certains se posent la question en entendant ou en lisant des affirmations qui régulièrement mettent en doute l'innocuité du lait. Les pédiatres de la Société française de pédiatrie et l'Académie de médecine ont répondu par la publication d'avis rappelant la place essentielle du lait et des laitages dans l'alimentation de tous et en particulier des enfants.

CE QU'APPORTENT LES LÉGUMES

On insiste aujourd'hui beaucoup sur les multiples intérêts de ce groupe d'aliment pour la santé : leur richesse en fibres, en minéraux et en certains micronutriments, en font de véritables « alliés santé ».

Les légumes verts

Les légumes verts (épinard, chou, carotte, navet, artichaut, tomate, courgette, etc.) apportent de l'eau, des sels minéraux et des vitamines, tout en étant peu caloriques. Ils sont aussi riches en micro-nutriments qui, à l'âge adulte, auront des effets bénéfiques sur la santé (prévention du vieillissement cellulaire, de certains cancers ou des maladies cardio-vasculaires). Cela peut paraître une préoccupation précoce alors qu'on parle de l'alimentation du petit enfant mais il est préférable de prendre tôt les meilleures habitudes et, sans hésitation, celle de manger des légumes.

• À partir de quand les donner ?

Les légumes verts sont les premiers à introduire au début de la diversification, entre 4 et 6 mois. Ils sont d'abord proposés cuits, en purée fine, puis écrasés à la cuillère. Les crudités désignent les légumes consommés sans avoir été cuits : c'est sous cette forme qu'ils apportent au mieux sels miné-raux, fibres et vitamines. On les donne en petits morceaux et leur âge d'introduction dépend de la façon dont votre bébé mange les morceaux.

À noter : il est normal que les selles de l'enfant qui a mangé des carottes en contiennent de petits fragments, que les selles du bébé qui a mangé des épinards soient vertes ; et qu'après les betteraves, les selles et les urines soient rouges.

• Frais, surgelés ou en petits pots ?

Choisissez les légumes de saison, si possible d'une production locale, bien frais, cuisinez-les rapide-ment après l'achat et donnez-les à votre enfant tout aussi rapidement. On sait par exemple que la tomate perd près de 50 % de ses vitamines une semaine après sa cueillette.

Il est possible d'utiliser des légumes surgelés. Toujours prêts, à teneur équivalente en vitamines aux produits frais, c'est une solution qui allie rapidité et équilibre nutritionnel et qui permet de varier les menus. Les produits surgelés peuvent être mélangés entre eux ou à des produits frais (par exemple de la viande hachée dans la purée de légumes frais). Choisissez les légumes surgelés nature, non cuisinés.

Les légumes peuvent également provenir de petits pots. Leur coût est nettement supérieur aux légumes frais et surgelés. Mais ils ont des avantages. Leur qualité est très contrôlée : production sans pesticides, engrais, nitrates ; teneur règlementée en sel, en sucre (pour les petits pots de fruits), en protéines (pour ceux qui contiennent viande ou poisson). Ne rajoutez pas de sel (ou de sucre) même si le goût paraît fade.

Attention : un petit pot ouvert doit être consommé dans les 24 heures, même s'il a été conservé au réfrigérateur.

Les conserves de légumes sont également intéressantes du point de vue nutritionnel, mais leur teneur en sel oblige à ne les proposer qu'après 1 an.

• Comment respecter la richesse en vitamines des légumes frais ? Peut-on consommer leur peau ?

La peau des légumes frais (comme celle de beaucoup de fruits) est particulièrement concentrée en minéraux, vitamines, tout comme la partie extérieure de la chair. L'épluchage élimine donc une grande

partie des micronutriments. Mais la peau concentre également les éventuels pesticides.

Si vous utilisez des légumes bio, n'hésitez pas à garder la peau : ne faites pas d'épluchures trop épaisses et grattez simplement les carottes, navets et pommes de terre à l'aide d'un couteau ; épluchez les courgettes et le concombre en laissant une partie de la peau (on obtient des rayures décoratives). Si les fruits et légumes ne sont pas issus de l'agriculture biologique, il est conseillé de bien les laver avant de les éplucher.

Plus les légumes sont colorés (rouge, orange...), plus ils contiennent de vitamines.

• Comment préserver au maximum les sels minéraux ?

Ne pas laisser tremper les légumes dans l'eau de lavage (pour réduire le temps de contact) ; les rincer rapidement sous l'eau du robinet avant l'épluchage et le découpage (on limite ainsi la surface de contact avec l'eau) ; les cuire à la vapeur (pas de fuite dans l'eau d'égouttage), ou les consommer en potage ; manger des légumes sous forme de crudités plusieurs fois par jour (pas de perte à la cuisson).

CE QU'APPORTENT LES LÉGUMES SECS

Les légumes secs sont de la même famille que les féculents. Leur faible teneur en eau permet de les conserver longtemps à l'abri de l'humidité. Ils sont essentiellement représentés par les légumineuses : fève, haricot, lentille, pois cassé, pois chiche, soja.

Ce sont des aliments particulièrement riches en fibres, en protéines, en fer, ce qui leur donne un réel intérêt nutritionnel, et également en amidon. La présence des fibres risque d'être à l'origine de gaz et de ballonnements. C'est pourquoi on propose à l'enfant d'abord les légumes secs bien cuits, sous forme de purée ou de soupe : la cuisson va être à l'origine d'un broyage des fibres qui rendra ces légumes plus faciles à digérer. Dans un second temps, cet apport de fibres sera très bénéfique grâce à ses capacités à réguler le transit, y compris des intestins les plus paresseux.

• Quand les proposer ?

À cause de la présence importante de fibres, on ne propose les légumes secs qu'en deuxième partie de diversification, après un an en général.

• Les aliments à base de soja

Il existe des préparations à base de soja destinées aux enfants (des desserts par exemple). Or, ces aliments contiennent des phyto-estrogènes (hormones présentes naturellement dans le soja) qui pourraient avoir des conséquences néfastes sur la croissance, la puberté et la fertilité future des enfants. C'est pourquoi il est recommandé de ne pas donner aux enfants de moins de 3 ans des préparations à base de soja dont la teneur en phyto-estrogènes (ou isoflavones) est supérieure à 1mg/l de préparation reconstituée (à vérifier sur l'étiquette).

Ceci ne concerne pas les laits infantiles à base de soja donnés par le médecin dans des situations particulières (par exemple certaines diarrhées persistantes).

CE QU'APPORTENT LES FÉCULENTS

Les féculents regroupent les légumes particulièrement riches en amidon. C'est un groupe hétérogène qui comprend des tubercules comme la pomme de terre, et aussi le riz, le blé, le maïs et différentes légumineuses.

Comme tous les légumes, les féculents contiennent du magnésium, quelques vitamines mais c'est surtout la présence importante de sucres complexes, sous forme d'amidon, qui les rend particulièrement intéressants. Ces sucres fournissent des calories sous une forme particulière : elles mettent plusieurs heures à se « libérer », au contraire des calories issues des sucres simples (confiture, sucre en poudre...). De ce fait, les féculents sont des aliments qui donnent une bonne impression de satiété avec finalement assez peu de calories : c'est pourquoi on les recommande à chaque repas.

• Quand les proposer ?

Les féculents regroupent des aliments très différents, ils sont donc proposés à des âges variables. La pomme de terre peut être cuisinée dès le début de la diversification, entre 4 et 6 mois. Le riz, les pâtes, ou les autres céréales équivalentes sont proposés vers 9-10 mois, bien cuits et mixés dans une purée de légumes frais. Ils pourront être donnés de moins en moins mixés avec les progrès de votre bébé à manger les morceaux.

• Un cas particulier : les farines

Elles sont obtenues par broyage de céréales. Elles sont parfois proposées dès 4 mois dans le biberon du soir pour essayer d'aider le bébé « à faire ses nuits ». Mais cet ajout de farine va augmenter la richesse en calories du lait ce qui risque de conduire à une diminution du volume de lait bu. De plus, on sait aujourd'hui que la plupart des réveils nocturnes des bébés ne sont pas liés à la faim. On propose plutôt les farines en deuxième partie de diversification, vers 8-9 mois, dans des quantités raisonnables pour ne pas trop augmenter les apports caloriques ; ajoutées au biberon du matin par exemple, elles permettent de varier un peu le goût du lait.

Le **gluten** est une protéine contenue dans certaines céréales (blé, seigle, orge et avoine). Certains enfants peuvent manifester une intolérance au gluten entraînant des troubles pouvant perturber la croissance (voyez le mot *gluten* au chapitre 6). Si vous donnez des farines à votre bébé avant 6 mois, il est recommandé d'utiliser des farines infantiles sans gluten.

CE QU'APPORTENT LES FRUITS

Comme les légumes, les fruits sont des aliments d'origine végétale. Beaucoup des recommandations que nous avons faites pour les légumes s'appliquent donc aussi aux fruits. Il est préférable pour profiter au maximum des vitamines de consommer des fruits frais et de les laver sous l'eau avant de les éplucher. La peau des fruits bio peut être consommée. Les vitamines sont également conservées dans les fruits surgelés, ainsi qu'en petits pots (les taux de vitamines y sont même garantis).

• Qu'apportent les fruits ?

Ils apportent de nombreux micronutriments favorables à la santé : des vitamines (vitamine C bien sûr et bétacarotène), des fibres, des sels minéraux (potassium, magnésium, phosphore).

La **vitamine C**, entre autres qualités, permet de lutter contre les infections et elle aide à l'absorption du fer. Voici les fruits les plus riches en vitamine C : goyave, cassis, kiwi, papaye, fraise, orange, citron, pamplemousse, mangue, clémentine et groseille. Le kiwi est un véritable concentré de vitamines : ainsi avec un seul kiwi, on donne la totalité de l'apport nutritionnel en vitamine C conseillé chaque jour.

La **vitamine A** fait partie des vitamines majeures de l'alimentation de l'enfant. Elle a un rôle central, notamment dans la vision et dans les processus de défense immunitaire. Sans atteindre les niveaux des légumes champions dans ce domaine (poivron rouge, carotte, épinard, mâche et pissenlit), de nombreux fruits contiennent des quantités non négligeables de vitamine A (plus exactement de bétacarotène ensuite transformé en vitamine A). Ils sont faciles à repérer, ils sont orange : abricot, mangue, melon ou papaye.

Les **fibres** : on sait souvent que les légumes apportent des quantités importantes de fibres mais certains fruits en sont aussi pourvus de façon intéressante ; les agrumes et les pommes en contiennent près de 15 %. De plus, ces fibres permettent un équilibre de la fermentation intestinale, bénéfique au transit.

• Quand et comment proposer les fruits ?

Comme les légumes, les fruits sont les premiers aliments proposés au début de la diversification, entre 4 et 6 mois. Les premiers mois, les fruits sont cuits en compote, sans ajout de sucre. Il est possible de les cuire au four micro-ondes, ce qui préserve en partie leur richesse en minéraux et vitamines. On peut cuire ainsi pommes et poires émincées, bananes, ce qui donnera une compote, prunes, cerises ou abricots dénoyautés, coupés en petits morceaux.

Les fruits peuvent être rapidement proposés crus : dès les premiers mois sous forme de pomme râpée ou de banane bien mûre écrasée, dans les mois suivants en morceaux, selon les capacités de votre bébé à les manger ainsi.

Les fruits rouges peuvent être donnés dès le début de la diversification. En effet, contrairement à une idée répandue, ils ne sont pas particulièrement allergisants. Et ils sont très riches en fibres, en vitamine C et en oligo-éléments.

• Et des fruits à coque ?

Les fruits à coque (arachide, noisettes, noix et autres sortes de noix) contiennent des protéines potentiellement allergisantes. Mais surtout, les fruits à coque entiers sont susceptibles de provoquer des étouffements par fausse route, si l'enfant avale « de travers » : on les déconseille avant 4-5 ans et ensuite il faut être vigilant (attention aux cacahuètes de l'apéritif). Il en est de même pour les litchies, dont le noyau est très gros.

Ces restrictions faites, les fruits à coque sont des aliments de grand intérêt nutritionnel car très riches en acides gras essentiels, vitamines, magnésium, fer etc... À donner avec modération car ils sont également riches en calories.

CE QU'APPORTENT LA VIANDE, LE POISSON ET LES ŒUFS

Viande, poisson ou œuf, sont des sources importantes de **protéines** animales. Ces protéines sont essentielles à la construction de l'organisme, notamment des muscles. Elles apportent les acides aminés, indispensables à la fabrication de nouveaux tissus, ce qui ne peut pas être assuré par la consommation de protéines végétales. La viande et le poisson apportent des protéines équivalentes en quantité et en qualité. L'œuf est lui aussi riche en acides aminés essentiels, ce qui en fait une très bonne source d'apport de protéines. Ainsi un œuf apporte autant de protéines que 50 g de viande ou 50 g de poisson.

La teneur en **lipides** (graisses) des viandes varie selon l'espèce de l'animal et selon les morceaux. Le bœuf est une viande peu grasse. Certains morceux du porc sont également peu gras (le filet par exemple) ; sinon le gras du porc est surtout concentré dans la peau ; il est donc facile à enlever, avant ou après cuisson. Les viandes de veau, de poulet, de dindonneau et de lapin se caractérisent par des apports énergétiques très modérés et peu de lipides.

Les lipides des poissons, et des poissons gras en particulier, sont différents des graisses contenues dans les viandes : ils sont constitués d'acides gras polyinsaturés bénéfiques pour la santé, comme le sont certaines huiles végétales. Les poissons gras sont riches en oméga 3 qui sont bons pour l'organisme de l'enfant en train de se construire et qui jouent un rôle dans la prévention des maladies cardio-vasculaires (voir plus loin *Les graisses*). Parmi les poissons gras, on peut citer : le saumon, le flétan, les anchois, le maquereau, le hareng, la sardine. Il est donc recommandé de consommer fréquemment ces poissons. L'œuf contient des acides gras intéressants et peut remplacer la viande ou le poisson.

Les viandes, et particulièrement les viandes rouges, sont également une source importante de **fer**. Les poissons apportent de nombreux minéraux (fer, phosphore et iode) et aussi de la vitamine D, notamment les poissons gras.

• À partir de quand donner la viande, le poisson ou l'œuf ?

La viande ou le poisson sont généralement proposés un à deux mois après l'introduction des fruits et des légumes, soit aux environs de 5-6 mois. L'œuf est également donné à partir de 5-6 mois, en petites quantités ; il n'est pas nécessaire de séparer le blanc du jaune.

Jusqu'à l'âge de 30 mois, la consommation de certains poissons est à éviter du fait de leur teneur en mercure : marlin, espadon et siki. Cette recommandation concerne plus particulièrement les habitants de l'île de la Réunion.

• Quelles quantités donner ?

Les protéines animales sont indispensables à l'alimentation de l'enfant qui grandit car les légumes et les fruits ne peuvent apporter l'ensemble des acides aminés indispensables à tous les processus biologiques de croissance. Cependant une trop grande consommation de protéines est inutile, ne serait pas bonne pour le fonctionnement du rein et pourrait être un facteur d'obésité.

Chez l'enfant, on recommande de limiter les apports de protéines animales aux quantités proposées ci-dessous :

6-8 mois : environ 10 g soit deux cuillères à café rases ou un quart d'œuf dur

8-10 mois : environ 15-20 g soit trois cuillères à café rases ou un demi-œuf dur

10-12 mois : environ 20-25 g soit quatre cuillères à café rases

12-24 mois : environ 25-30 g soit une cuillère à soupe rase et demie ou un demi-œuf dur

2-3 ans : environ 30-40 g soit deux cuillères à soupe rases ou un œuf dur.

• Comment cuire la viande, le poisson et l'œuf ?

Les viandes et les poissons sont toujours donnés bien cuits, et en limitant le plus possible les ajouts de graisses. On pourra par exemple les faire griller après les avoir badigeonnés d'un peu d'huile. Le poisson pourra aussi être cuit à la vapeur ou en papillote. Les tartares crus de viande comme de poisson sont totalement déconseillés avant 3 ans.

L'œuf est cuit dur les premiers mois, à la coque à partir de un an, cru dans les préparations comme la mousse au chocolat vers 18 mois -2 ans en n'utilisant que des œufs extra-frais.

• Un cas particulier : la charcuterie

La charcuterie est un produit transformé qui peut comprendre une multitude d'ingrédients : de la viande, des graisses, du sel, parfois des nitrates et des colorants. Il est donc préférable d'en limiter l'utilisation. Retenons parmi les produits de charcuterie les plus pauvres en graisses : les jambons cuits, les jambons secs dégraissés, le bacon.

• Autre cas particulier : les crustacés

Cuits, les crustacés peuvent être proposés la première année.

• Régime végétalien, régime végétarien

Un régime végétalien, excluant non seulement la viande et le poisson, mais tous les produits d'origine animale (lait, fromage, œufs, etc.) et ne fournissant que des protéines d'origine végétale (soja, amandes, etc.) est totalement déconseillé pour l'enfant. Un être en pleine croissance ne peut se développer convenablement avec un régime aussi déséquilibré.

En revanche, il est possible d'assurer une nourriture équilibrée à un enfant avec un régime végétarien bien conduit, excluant la viande et le poisson, mais apportant des protéines d'origine animale sous forme de lait, fromage, œufs, complétées par des protéines végétales en mélangeant légumes secs et céréales.

LES GRAISSES : LE BEURRE ET LES HUILES

Les corps gras sont des aliments aux propriétés très variées : ils sont en premier lieu un apport important d'énergie essentielle au fonctionnement de l'organisme. Ils ont aussi un rôle dans le transport de certaines vitamines ou de certaines hormones dans le sang et ils entrent dans la constitution des membranes de toutes les cellules, notamment des cellules du cerveau. C'est pourquoi une alimentation équilibrée du jeune enfant doit comporter une part relativement importante de lipides, c'est-à-dire de matières grasses.

Toutes les graisses ont un intérêt nutritionnel à partir du moment où on ne les consomme pas en trop grandes quantités. Les graisses sont essentiellement composées d'acides gras. Certains de ces acides gras sont dits essentiels car ils sont indispensables à l'organisme mais celui-ci ne sait pas les fabriquer. Ils doivent donc absolument être apportés par l'alimentation. On parle beaucoup aujourd'hui de ces graisses sous le nom d'oméga 3 ou d'oméga 6. Des études ont montré qu'elles pourraient être un facteur protecteur des risques des maladies cardio-vasculaire à l'âge adulte. Les graisses faisant partie de la famille des oméga 3 se trouvent majoritairement dans les huiles végétales (colza, soja, noix) et dans certains poissons gras (saumon, hareng, sardines).

• Le beurre et la crème fraîche

Le beurre et la crème apportent en bonne quantité de la vitamine A (importante pour la croissance, dans la résistance aux infections, pour la vision) et de la vitamine D (qui favorise l'assimilation et la fixation du calcium sur les os). À consommer en petites quantités.

• Quand et comment utiliser les graisses

Durant les premiers mois, les acides gras essentiels sont apportés par le lait maternel et par les laits infantiles. Ensuite, après la diversification, si votre bébé continue de boire beaucoup de lait (maternel ou 2ᵉ âge), il n'est pas nécessaire d'ajouter des lipides à son alimentation ; vous n'utiliserez qu'un peu de beurre ou d'huile pour la cuisson, si nécessaire. Si en revanche votre bébé boit de moins en moins de lait, il est préférable d'ajouter un peu d'huile, par exemple une petite cuillère à café dans les légumes, et de privilégier les produits laitiers « spécial bébé » qui sont enrichis en acides gras essentiels.

• **Quelle huile végétale utiliser ?**

On recommande de varier les huiles (colza, olive, arachide, noix) puisqu'elles ont chacune des qualités différentes. Une autre solution peut être de mélanger les huiles.

• Les **aliments allégés**, en plat ou en dessert, ne sont pas recommandés dans l'alimentation du jeune enfant car ils ne répondent pas à ses besoins.

LES SUCRES ET LES ALIMENTS SUCRÉS

Les sucres, ou glucides, fournissent de l'énergie. On classe les aliments contenant des glucides en deux catégories : ceux qui contiennent des sucres simples : sucre, miel, confiture, etc. Ils sont à consommer pour le plaisir et avec modération. Et ceux qui contiennent des sucres complexes : on les trouve dans le riz, les pâtes, le pain et d'une manière générale dans tous les féculents. Ils fournissent une énergie qui dure, ce qui évite d'avoir faim entre les repas. Ils sont conseillés à chaque repas.

• **Les biscuits**

Ils sont pratiques à emporter à la sortie de l'école ou au square et permettent de varier les goûters. Choisissez les plus simples, type petit beurre ou boudoir. Les biscuits fourrés, chocolatés, sont en général gras et sucrés, de même que les viennoiseries : à donner occasionnellement.

• **Et les bonbons et les sucreries ?**

Les magasins offrent de multiples bonbons et autres sucreries aux couleurs acidulées ou décorés des héros préférés des enfants. Et il faut reconnaître que presque tous les enfants ont une attirance pour le sucré. Une consommation excessive de sucre favorise les caries dentaires et peut être un facteur d'obésité. Mais les produits sucrés ne sont pas néfastes pour la santé lorsqu'ils sont consommés de temps en temps et en quantité raisonnable.

Essayez de sucrer modérément les laitages. Au dessert, privilégiez les fruits frais, les salades de fruits (frais ou surgelés) ou les compotes peu sucrées, et limitez pâtisseries, viennoiseries, crèmes desserts et glaces.

Il peut être tentant d'interdire complètement les bonbons mais cela peut conduire à l'effet inverse et leur donner un parfum de « fruit défendu », irrésistible... Si vous donnez un bonbon, que ce soit à la fin d'un repas, en dessert : le pic de glycémie (responsable de la formation de graisse) provoqué par la prise de sucre est alors bien moindre que si elle a lieu entre les repas. De même, lors des goûters d'anniversaires, évitez de laisser la grande boite de sucreries ouverte et disponible à tous. Offrez des bonbons de temps en temps, cela fera plus plaisir aux enfants et leur évitera de repartir en ayant mal au cœur ou au ventre...

LE SEL

Le sel, ou chlorure de sodium, est nécessaire en petites quantités à l'organisme. Mais, aujourd'hui, on consomme trop de sel dans l'alimentation, et cet excès est considéré comme néfaste car il peut être à l'origine de l'hypertension artérielle de l'adulte. Il est recommandé de ne pas saler la nourriture du bébé la première année et ensuite de la saler modérément : en salant peu l'eau de cuisson et en ne rajoutant pas de sel à table. Manger peu salé fait partie des bonnes habitudes alimentaires à donner aux enfants. Et aux adultes : pourquoi ne pas essayer de manger moins salé ? Vous verrez, on s'y habitue.

LES BOISSONS

Les parents se demandent souvent comment reconnaître qu'un bébé a suffisamment bu. Vous n'avez pas de souci à vous faire à ce sujet : le nourrisson règle sa soif sur ses besoins en eau. Tant qu'il a accepte de boire, c'est qu'il en a besoin. Dès que ses besoins en liquide sont satisfaits, il cesse de boire. S'il refuse, ne le forcez pas.

N'oubliez pas de proposer fréquemment à boire à votre bébé lorsqu'il fait très chaud et lorsqu'il a de la fièvre.

• **Que donner à boire ?**

Pour le bébé et l'enfant plus grand, la seule boisson indispensable est l'eau plate. Lorsque l'enfant grandit, les sodas et autres boissons sucrées, y compris les eaux aromatisées, sont à consommer occasionnellement car ils sont riches en calories inutiles. D'ailleurs, pendant toute l'enfance, il est bien que l'eau plate soit la règle et les boissons sucrées l'exception.

LES ALIMENTS ISSUS DE L'AGRICULTURE BIOLOGIQUE

L'agriculture biologique (bio) est un mode de production visant à respecter la nature, l'environnement, les équilibres écologiques. Les agriculteurs doivent respecter un cahier des charges rigoureux (non utilisation de produits chimiques de synthèse, respect du bien-être des animaux....). Un règlement européen en définit les principes.

Le logo français AB (agriculture biologique) ou le logo européen – sur fond vert, une feuille dont les contours sont des petites étoiles –, mentionnés sur l'étiquette, garantissent que le produit alimentaire contient plus de 95 % d'ingrédients issus de l'agriculture bio. Les analyses réalisées sur ces produits montrent qu'ils apportent moins de résidus de pesticides que les produits non bio. En ce qui concerne les qualités nutritionnelles, la différence est moins nette, les produits bio ne sont globalement pas plus riches en vitamines ou en minéraux.

UNE ALIMENTATION VARIÉE ET ÉQUILIBRÉE

Vous avez lu dans les pages qui précèdent l'importance, pour l'enfant, d'une alimentation variée et équilibrée. Au début on n'a pas le choix, tétée ou biberon, le bébé ne boit que du lait.

Puis, peu à peu de nouveaux aliments sont introduits. Et vers 2-3 ans, l'enfant peut manger pratiquement de tout.

Les aliments se répartissent en plusieurs groupes selon leur richesse en protéines, graisses, sucres, sels minéraux et vitamines. Le régime de votre enfant doit comporter les uns et les autres. Le secret d'une bonne alimentation, c'est la variété.

En plus, s'il y a de nombreux aliments qui apportent des protéines, chacun d'eux a une spécialité utile à l'organisme : le foie est riche en fer, les fromages sont riches en calcium ; et si les légumes sont d'une manière générale source de vitamines et de sels minéraux, les uns apportent essentiellement du carotène, comme les carottes, les autres du potassium, comme les choux, etc. Ainsi un enfant qui mangerait tous les jours un bifteck et des carottes aurait-il bien sa ration de protéines, de fer et de carotène, mais son alimentation manquerait d'autres éléments nécessaires.

Il n'existe pas de menu complet idéal. L'idéal, c'est de varier et d'équilibrer les menus. Et ce principe est d'ailleurs valable pour toute la famille. Pour que les journées soient variées et équilibrées, reportez-vous à nos semaines de menus, pages suivantes.

Par exemple si vous donnez des légumes au repas de midi, vous équilibrerez avec des féculents le soir. Il est aussi possible de proposer à chaque repas légumes et féculents.

Autres exemples, essayez d'éviter : au même repas, chou et pruneaux : trop laxatif. À midi, un œuf à la coque, le soir un flan : trop d'œufs. Au même repas, purée suivie de riz au lait : trop de féculents. Potage aux légumes suivi de compote de fruits : trop de végétaux, etc. Pour que votre enfant ait tout ce qui lui est nécessaire, pensez à cette formule : semaine variée, journées équilibrées.

Quand l'enfant est à la crèche ou à l'école, consultez les menus de la semaine qui sont affichés pour en tenir compte à la maison : cela vous évitera ainsi de lui donner des pâtes le soir, s'il en a déjà mangé à midi. De même si l'enfant va chez une assistante maternelle.

Une remarque pour terminer : l'attitude des parents influence le comportement alimentaire des enfants. Plusieurs études ont montré que les parents très permissifs – l'enfant mange ce qu'il veut – et les parents très autoritaires – alimentation très contrôlée et restrictive – ont plus de risque d'avoir des enfants en surpoids ou souffrant de troubles alimentaires. Il est conseillé d'inciter les enfants à goûter de tout en montrant l'exemple, et de contrôler sans interdire.

L'ATMOSPHÈRE DES REPAS

Manger est un plaisir et il est agréable pour tous, même les tout-petits, que les repas se déroulent dans une atmosphère calme, détendue et à des heures régulières.

Lorsque l'enfant commence à manger seul à la cuillère, il faut un peu de patience. Le repas est plus long, c'est compréhensible, l'enfant fait connaissance de nouveaux goûts, des morceaux. Et il ne mange pas très proprement, il aime prendre un morceau, le goûter, le ressortir : c'est normal. Cela ne sert à rien de le bousculer (« Vite, dépêche-toi! »), ni de lui faire sans cesse des remarques (« Tu manges vraiment salement ! ») : le petit enfant ne les comprend pas, en plus elles lui gâchent le plaisir de manger.

C'est pourquoi, tant que l'enfant ne sait pas manger seul, c'est mieux de lui donner son repas avant le vôtre ; si vous voulez qu'il soit près de vous lorsque vous déjeunerez ou dînerez, vous l'installerez dans sa chaise haute.

Enfin, même si c'est une habitude très répandue, nous vous suggérons de ne pas prendre vos repas familiaux devant la télévision. Celle-ci empêche toute conversation, le bruit et les images peuvent inquiéter et énerver les plus jeunes, les plus grands ne font pas attention à ce qu'ils mangent, et on a tendance à manger plus. Nous vous proposons d'éteindre le poste pendant les repas, vous découvrirez ou redécouvrirez les joies de la conversation.

Des menus variés et

	9-12 mois		12-18 mois		18-24 mois
	DÉJEUNER	**DÎNER**	**DÉJEUNER**	**DÎNER**	**DÉJEUNER**
LUNDI	Jambon Purée de carottes Yaourt	Tapioca et lait 2e âge Banane pochée	Agneau Purée de pommes de terre Roquefort ou hollande Fruit	Potage de légumes Fromage blanc + biscuit	Tomates Riz cantonnais Fruit
MARDI	Escalope de dinde Purée de courgettes et pommes de terre Camembert ou roquefort	Céréales infantiles et lait 2e âge Compote de pêches	Poisson Artichaut Petit suisse Fruit	Vermicelle au lait Fruits au sirop	Carottes râpées Poisson Purée de pois cassés Fruit
MERCREDI	Un demi-œuf dur Purée de brocolis Dessert au lait 2e âge	Floraline + gruyère Pommes râpées	Œuf à la coque Carottes Yaourt Banane	Potage de légumes avec pâtes Pomme au four	Côte d'agneau Semoule et légumes du couscous Yaourt et fruit
JEUDI	Bifteck haché, purée de pommes de terre + gruyère râpé Compote pommes-pruneaux	Soupe au potiron + biscottes écrasées Petit suisse	Jambon Épinards Camembert ou gruyère Fruit	Potage avec flocons d'avoine Compote de fruits mélangés	Betterave rouge Poulet Haricots verts Flan
VENDREDI	Poisson bouilli Épinards béchamel Yaourt	Semoule au lait 2e âge Compote d'abricots	Pommes de terre vapeur et choucroute Yaourt Fruit	Potage de légumes Semoule au lait (sucrée)	Carottes râpées Poisson Jardinière de légumes Pruneaux
SAMEDI	Agneau Purée de chou-fleur Poire	Petites pâtes au beurre Port-salut ou Hollande	Blanc de poulet Haricots verts Fromage blanc Fruit	Petites pâtes Fruit de saison	Concombre (assaisonné de citron, huile, sel) Jambon-chou-fleur Fruit
DIMANCHE	Bifteck haché Salade cuite Fromage blanc	Floraline Pomme cuite	Bifteck haché Brocolis Yaourt Fruit	Potage de légumes Flan	Tomates Bifteck-frites Compote de fruits

équilibrés pour la semaine

18-24 mois	2-3 ans				
DÎNER	PETIT DÉJEUNER	DÉJEUNER	GOÛTER	DÎNER	
Potage de légumes Fromage Compote de fruits	Lait et céréales pour petit déjeuner	Avocat Filet de carrelet sauce blanche Purée pommes de terre-épinards Camembert et fruit de saison	Pain beurre Jus de fruits	Soupe de légumes et petites pâtes Fromage blanc au miel Pomme cuite	LUNDI
Purée de courgettes Petit suisse Fruit	Bouillie : lait et farine instantanée Petit fruit	Concombre au fromage blanc Poulet rôti-petits pois Yaourt et salade de fruits	Lait chocolaté Quatre-quarts	Semoule à la sauce tomate Emmental Fruit de saison	MARDI
Concombre au fromage blanc Pâtes au beurre Fruits au sirop	Pain et confiture Yaourt Eau	Carottes râpées Omelette au fromage Jardinière de légumes Fruit de saison	Petit fruit Lait	Lentilles au bacon Mâche Petit suisse Fruit de saison	MERCREDI
Potage à la Floraline Fromage fondu Fruit	Pain beurré Lait	Salade de riz Steack haché-haricots verts Fromage blanc et fruit au sirop	Pain d'épices Petit fruit	Tomates Gratin de pâtes Fruit de saison	JEUDI
Vermicelle Demi-avocat Fromage de chèvre	Yaourt à boire Pain viennois et confiture	Betteraves rouges Pizza maison au thon Yaourt Compote de fruits	Jus de fruits Pain et fromage	Soupe de pommes de terre et carottes Riz au lait Fruit de saison	VENDREDI
Potage avec flocons d'avoine Yaourt Fruit	Fromage blanc et céréales Petit fruit Eau	Céleri rave Filet mignon aux pommes-fruits et pommes-légumes Yaourt aux fruits	Brioche Lait	Boulghour et chou-fleur béchamel Cantal Fruit de saison	SAMEDI
Potage de légumes Riz au lait Fruit	Orange pressée Yaourt Pain et confiture	Taboulé Gigot-haricots beurre Petit suisse Tarte aux fruits	Lait chocolaté Biscuit	Salade mêlée Soupe pommes de terre, courgettes et fromage fondu Fruit de saison	DIMANCHE

LÉGUMES, VIANDES, POISSONS : COMMENT LES PRÉPARER POUR LES ENFANTS

Bouillon de légumes

Mettre dans 2,5 l d'eau froide, 2 pommes de terre et 2 carottes épluchées et de grosseur moyenne, 1 navet, 1 poireau, 4-5 feuilles de salade verte ou d'épinards, du persil, éventuellement du thym. Cuire 1 heure 1/2 à petit feu et couvert, ou 20 minutes en autocuiseur. Passer le bouillon et le conserver au frais. Le bouillon peut être utilisé comme eau de coupage de certains biberons. Il peut aussi servir de base de potage.

Pour faire un potage au bouillon de légumes, versez en pluie dans le bouillon chaud tapioca, Floraline ou petites pâtes, à raison d'une demi-cuillerée à soupe pour 100 g de potage. Temps de cuisson pour la Floraline, 2 minutes ; pour le tapioca et les petites pâtes, 5 minutes ; pour la semoule 15 minutes.

Attention : avant de donner du bouillon de légumes cuit la veille, goûtez-le, il tourne souvent au cours du réchauffage. Le bouillon de légumes ne doit pas être conservé plus de 24 heures au réfrigérateur.

Potage de légumes

Procédez comme indiqué à « Bouillon de légumes ». La cuisson terminée, passez les légumes à la mou-linette fine ou au mixer, ajoutez du bouillon jusqu'à la consistance désirée, une noisette de beurre, ou une demi-cuillère à café d'huile, et après 7 mois une pincée de fromage râpé.

Purée de légumes

Cuire les légumes. Les passer au mixer ou à la moulinette fine. Délayer la purée avec du lait ou de l'eau. Ajouter une noix de beurre. Si l'enfant est encore au lait 2ᵉ âge, utilisez-le pour la purée (ou toute autre préparation avec du lait). Vous pouvez aussi vous servir de lait entier de préférence, sinon demi-écrémé, si dans la journée votre bébé a une ration suffisante de lait 2ᵉ âge.

Purée de légumes en petits pots

Les réchauffer. Suivant la consistance, rajouter un peu de lait ; certains légumes s'accommodent bien de quelques gouttes de citron. Ne pas ajouter de sel. Il existe aussi des purées de légumes conge-lées, non salées : carottes, pommes de terre, artichauts, brocolis, épinards, céleri, etc.

La cuisson à la vapeur

C'est la cuisson qui préserve le mieux les vitamines des légumes, surtout si le temps de cuisson est court : chez les plus grands, préférerez la cuisson vapeur en autocuiseur et les légumes « al dente ».

Pour les mêmes raisons n'émincez pas les légumes avant cuisson mais coupez les en morceaux moyens ; laissez la peau lorsque c'est possible (pomme de terre, aubergine ...). Pour conserver la cou-leur du légume et limiter les phénomènes d'oxydation, arrosez de jus de citron frais en début de cuis-son (chou-fleur, endive, aubergine, artichaut ...). Chaque légume ayant un temps de cuisson précis, pour une cuisson « al dente », cuisez les légumes séparément.

On peut « blanchir » à la vapeur certains légumes pour améliorer leur digestibilité : après 3 à 4 minutes à la vapeur, ail, oignon ou chou auront une saveur moins prononcée mais une valeur nutritionnelle préser-vée. Certains légumes ne donnent pas de bons résultats à la vapeur : la tomate, trop riche en eau, ou les haricots en grains (ils restent fermes). Pour ces légumes, une cuisson à l'eau ou à l'étouffée est préférable.

La cuisson en papillote

Sans matière grasse et sans eau ajoutée, ce mode de cuisson respecte la valeur nutritionnelle des légumes tout autant que leur saveur. Il est recommandé de préparer les papillotes avec du papier sulfurisé plutôt qu'avec du papier d'aluminium. On peut obtenir un résultat similaire en disposant les légumes, ou les fruits, dans un petit plat en verre allant au four muni d'un couvercle.

Les légumes les mieux adaptés à la cuisson en papillote sont les tomates, oignons, poivrons, aubergines, fenouil, pommes de terre et choux émincés. On peut faire des papillotes végétales, ou y ajouter un filet de poisson, ou de la volaille. Les fruits peuvent également être cuits en papillote, en y ajoutant éventuellement un peu de chocolat.

Le temps de cuisson (25 minutes au four environ) sera d'autant plus court que les légumes auront été finement coupés. N'oubliez pas d'ajouter des tranches de citron, d'oignon, ainsi que des herbes fraîches, qui renforcent les apports en micronutriments. Dernier avantage du papier sulfurisé : il supporte bien le four à micro-ondes et permet d'obtenir des papillotes fondantes en 5 minutes environ.

La viande

Pour cuire la viande sans matières grasses, utilisez une poêle spéciale, prévue pour ce genre de cuisson ou bien utilisez le four à micro-ondes. Vous pouvez aussi la faire griller avec un peu d'huile.

Le bifteck haché n'est sain que s'il est consommé rapidement après avoir été haché.

Toutes les viandes doivent être bien cuites, à cœur. Le porc ne doit jamais être rose.

Le poisson

Pour le petit bébé, le poisson peut être poché, qu'il s'agisse de colin, de sole, de cabillaud. Mettre le poisson dans l'eau légèrement salée ou dans un court-bouillon, et lorsque l'eau frémit (attention de ne pas la laisser bouillir), laisser cuire 5 à 10 minutes. Retirer de l'eau, ôter soigneusement arêtes et peau ; passer à la moulinette fine ou au mixer, et mélanger à la purée. On peut aussi faire cuire le poisson au four à micro-ondes, à la vapeur, en papillote.

Lorsque l'enfant a un an, on peut lui donner le poisson sans le passer au mixer. L'assaisonner de beurre fondu, citron, persil, et le servir avec des pommes de terre blanches.

Après 2 ans on peut de temps en temps poêler le poisson : le passer dans du lait puis de la farine, faire chauffer un peu d'huile dans une poêle ; lorsque l'huile est chaude, y mettre le poisson à cuire 5 minutes de chaque côté. Retirer la peau si nécessaire. Assaisonner d'un jus de citron. Après 3 ans, on peut servir le poisson en sauce.

• **À propos du sel.** Comme nous l'avons dit plus haut, pendant la première année de l'enfant il est aujourd'hui recommandé de ne pas saler les aliments (légume, viande, poisson) ; et après 1 an, de les saler légèrement.

AUTOCUISEUR-VAPEUR-MIXER
Il existe un appareil qui cuit à la vapeur, mixe et réchauffe le repas de bébé, en un rien de temps. Un peu cher mais pratique et apprécié par les parents.

Mixer et micro-ondes

Grâce au mixeur, vous pourrez réduire tous les aliments – poisson, viande, légumes, fruits – en une purée fine et homogénéisée, facile à avaler par le bébé dès 5-6 mois. Pour faciliter le broyage, ajouter une cuillerée à soupe de liquide, ou deux, suivant la quantité, le genre d'aliments et la consistance désirée.

Légumes : ajouter eau de cuisson, eau ou lait. Pour les pommes de terre, ne faites fonctionner le mixer que quelques secondes ; sinon la purée sera collante.

Viande : c'est l'aliment le plus difficile à réduire en fine purée ; le plus simple est de la broyer en même temps que les légumes. Mais ne mettre dans le mixer qu'une petite quantité de légumes, sinon la viande sera perdue dans la masse. Si le bébé ne mange pas toute la purée passée, il n'aura pas sa ration de protéines. Si on ne veut pas mélanger viande et légumes, broyer la viande seule avec un peu d'eau.

Poisson : idem.

Fruits : grâce au mixer, on peut obtenir de la pulpe de cerises, pêches, poires, abricots, pommes, fraises, etc. Peler, épépiner ou dénoyauter les fruits. Suivant leur consistance, ajouter un peu d'eau.

Le four à micro-ondes

Il est très utile pour réchauffer biberons, petits pots, surgelés ou produits frais, mais **attention** : même si le récipient est tiède, le contenu peut être trop chaud et provoquer de graves brûlures. Il faut vérifier systématiquement la température du liquide (ou du pot), par exemple en déposant quelques gouttes sur le dos de la main.

POUR MESURER LA QUANTITÉ DES ALIMENTS

Pour vous aider à préparer les repas de votre bébé, voici le poids correspondant aux mesures couramment employées

LIQUIDES		
lait, eau, jus de fruit, etc	1 cuillerée à café	5 g
	1 cuillerée à dessert	10 g
	1 cuillerée à soupe	15 g
pour le lait en poudre	1 mesure de la boîte	5 g
SOLIDES (ALIMENTS NON CUITS)		
sucre en poudre	1 cuillerée à café arasée	5 g
	1 cuillerée à soupe arasée	10 g
sucre en morceaux	n° 2=10g-n°3=7g-n°4=5 g	
farine ordinaire, riz, pâtes	1 cuillerée à soupe	20 g
semoule, tapioca	1 cuillerée à soupe	15 g
farine ordinaire, gruyère râpé	1 cuillerée à café	5 g
SOLIDES (ALIMENTS CUITS)		
purée de légumes, pulpe de fruits	1 cuillerée à soupe	35 g
jaune d'œuf dur	1 cuillerée à café	5 g
poisson, viande	1 cuillerée à soupe	20 g
beurre	une noisette	3 g

Les cuillerées s'entendent « arasées » avec une lame de couteau, c'est-à-dire ni tassées, ni bombées, ce qui est très important pour le petit bébé. Exemple : une cuillerée à soupe de sucre arasée = 10 g, bombée = 15 g.

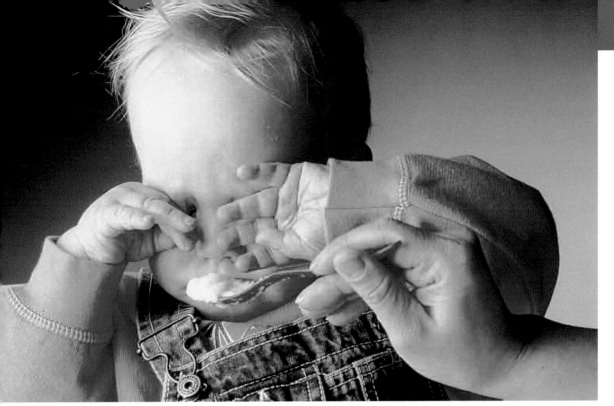

Quelques difficultés possibles de l'alimentation

Dans la vie d'un enfant, l'alimentation joue un grand rôle ; il est donc compréhensible qu'elle devienne une préoccupation importante des parents : a-t-il assez mangé ? A-t-il bien digéré ? Pleure-t-il de faim, ou pleure-t-il parce que les haricots verts ne passent pas ? Comment lui faire accepter les changements ? Mais pourquoi refuse-t-il de manger ? Ce sont autant de questions que, quotidiennement, se posent les parents. C'est pourquoi nous leur consacrons les pages qui suivent.

L'alimentation de l'enfant malade est traitée au chapitre 6, celle du bébé en voyage au chapitre 3.

POURQUOI PLEURE-T-IL ?

Au début, la difficulté est de savoir si les pleurs du bébé, qui semblent avoir un rapport avec la tétée, sont dus à la faim ou à une mauvaise digestion, sinon on risque de donner davantage à un enfant qui digère mal, ce qui aurait pour effet d'aggraver la situation.

Comment reconnaître qu'un bébé pleure de faim ?
À la **régularité** de ses pleurs : il réclame toujours un quart d'heure avant la tétée et en général tout de suite après ; à la **voracité** avec laquelle il se jette sur le sein ou le biberon ; à la **vigueur** de ses cris ; au **timbre particulier** de ses pleurs : vous le reconnaîtrez très vite.

Lorsqu'on a acquis la certitude que l'enfant pleure de faim, on peut :
• si l'enfant est au sein, proposer une tétée supplémentaire
• si l'enfant est au biberon, augmenter sa ration de 30 ml (1 mesure de lait).

Comment savoir qu'un enfant pleure parce qu'il a mal au ventre ?

Il remonte ses jambes contre son ventre ; il a des gaz ; son ventre est ballonné ; quelquefois, son visage devient pâle ; enfin, il pleure généralement à heures fixes. Voyez à l'article *Coliques*, chapitre 6.

Il peut y avoir d'autres raisons alimentaires aux pleurs du bébé

• Il a bu trop vite ; c'est surtout le cas du bébé nourri au biberon. Diminuez les trous de la tétine, interrompez la tétée deux ou trois fois pour que l'enfant avale moins d'air ; aidez-le à faire ses renvois.
• Il a soif : on est en été, ou bien la chambre est trop chauffée, ou encore l'enfant a de la fièvre. Donnez-lui à boire.

Il y a bien d'autres raisons possibles aux pleurs d'un bébé. Nous n'envisageons ici que les pleurs qui peuvent avoir rapport avec l'alimentation. Pour les autres, reportez-vous au chapitre 3, paragraphe « Il pleure ». Et à l'article *Cris du nourrisson*, au chapitre 6.

COMMENT FAIRE ACCEPTER LES CHANGEMENTS ?

Entre 3 et 12 mois, le bébé ne cesse de changer d'horaires : il passe de six à cinq, puis à quatre repas ; il change d'aliments : du « tout-lait », il passe à une alimentation diversifiée ; il tétait sa maman, il faut qu'il apprenne à sucer une tétine, puis à se servir d'une cuillère, puis à boire dans une timbale.

Or, le changement peut dérouter le bébé. De plus, entre 6 mois et 12 mois, il ne cesse de percer des dents, ce qui l'énerve, et le dispose mal à faire l'effort qu'exige cette adaptation continuelle à des nouveautés.

C'est pourquoi il y a certaines précautions à prendre pour introduire les changements ; vous les trouverez ci-après. Vous verrez aussi que faire lorsque le bébé refuse de changer ; cela arrive.

Quand changer ?

Voyons pour commencer quand il faut changer. Il y a d'abord les principes généraux adoptés pour les bébés de poids moyen : mis à la naissance à six repas, ils passent à cinq repas vers 3 mois, à quatre vers 4-5 mois. Ces chiffres donnent des indications, mais ils ne conviennent pas nécessairement à tous les bébés ; nous le répétons, mais ce n'est pas inutile ; c'est le médecin, qui verra si le bébé est prêt pour tel changement, s'il doit le devancer ou le retarder. Tel enfant sera mis à cinq repas dès 2 mois ; tel autre restera à cinq repas jusqu'à 5 mois. Et, bien sûr, le bébé saura aussi montrer ses désirs.

Comment changer ?

Le grand principe pour tout changement, c'est de le faire progressivement, qu'il s'agisse d'introduire un nouvel aliment ou d'augmenter la quantité d'un aliment déjà donné. C'est nécessaire pour adapter le goût autant que l'estomac de l'enfant. Autrement dit, tout changement doit se faire par paliers. La manière dont les légumes sont peu à peu introduits dans l'alimentation de l'enfant en est un bon exemple.

Ce principe de la progression sera appliqué à tous les aliments ; on donnera successivement une cuillère à café, puis deux, enfin une cuillère à soupe. De même lorsqu'on voudra apprendre à l'enfant à mastiquer : on donnera de tout petits morceaux, puis des morceaux de plus en plus gros.

Parfois le bébé a un peu de mal à changer, voici quelques conseils.

• Ne faites qu'un changement à la fois ; par exemple, vous ne donnerez pas et de la viande et des haricots verts, pour la première fois le même jour.

• Vous choisirez des circonstances favorables : pas d'innovation le jour où l'enfant est fatigué ou au moment où il perce une dent.

• Donnez-lui la nouveauté au repas où il a le plus faim.

• En cas d'échec, n'insistez pas, mais ne renoncez pas pour autant. Vous referez d'autres tentatives à un moment qui vous semblera plus propice.

• Enfin, suivez le rythme de l'enfant en faisant des essais de temps à autre.

Les changements : petits trucs pour petits problèmes

Même si vous suivez ces conseils, vous aurez peut-être des difficultés. Voici quelques petits « trucs » qui vous aideront probablement à les résoudre.

• Lorsque vous commencez l'alimentation à la cuillère, choisissez-en une petite et de préférence en matière plastique plutôt qu'en métal (le contact du métal peut faire mal). Et ne croyez pas, si le bébé recrache, qu'il refuse ; simplement, il est étonné par cet instrument nouveau. Pour aider votre bébé, ne mettez pas les aliments sur le bout de la langue, mais bien au milieu de la bouche. De toute manière, si l'enfant refuse la cuillère, n'insistez pas, mais recommencez un peu plus tard.

• Associez l'aliment nouveau à un aliment déjà bien accepté.

• Lorsqu'il en a envie, laissez votre enfant manger seul : dès 10-11 mois, le bébé peut prendre et mettre dans sa bouche des aliments qui fondent, comme la carotte cuite ou la banane. Commencez par un ou deux morceaux, puis augmentez les doses.

• Le jour où votre enfant voudra se servir de sa cuillère, choisissez, pour ce premier essai, une purée bien consistante. Mettez un bon plastique, une serviette bien enveloppante et laissez votre enfant se débrouiller seul ; il se salira sûrement, mais il apprendra mieux s'il a l'occasion d'essayer.

Il refuse tout changement

Il rejette tout ce qui est nouveau, qu'il s'agisse de l'aliment ou de l'instrument. Au début, c'est normal puisque le bébé aime rarement la nouveauté. Mais, s'il continue à refuser, peut-être avez-vous voulu aller trop vite soit en sautant trop brusquement du sucré au salé, soit en passant sans transition de la purée aux aliments en morceaux, soit en forçant l'enfant à manger à la cuillère.

Que faire ? Tout d'abord, ne pas vous énerver. La nervosité conduit à un échec certain dans l'immédiat, et représente une menace d'opposition permanente pour le futur.

Il refuse de boire à la timbale ? Avant de donner un biberon, insistez un peu. Le lendemain, le surlendemain, faites un nouvel essai, mais entre-temps laissez-lui la timbale vide pour qu'il joue avec elle. Il est à l'âge où il porte tout à sa bouche ; peu à peu il s'habituera à la forme, au contact de la timbale. Choisissez de préférence un gobelet en plastique, plutôt qu'en verre ou en métal.

Il ne veut pas de la cuillère ? Vérifiez d'abord qu'en la mettant dans la bouche vous ne heurtez pas une gencive gonflée par une dent qui perce ; c'est fréquent. Puis, après une ou deux tentatives, laissez la cuillère de côté, reprenez-la quelques jours plus tard.

Il refuse l'artichaut ? Là encore, c'est qu'il faut un délai. Lorsque, quelques jours plus tard vous ferez un nouvel essai, mettez, pour commencer, très peu d'artichaut dans beaucoup de purée.

Tant que le poids de l'enfant reste bon, les problèmes alimentaires sont sans gravité ; ils sont momentanés et finissent toujours par s'arranger. Pour l'enfant, c'est une question d'habitude à prendre, pour les parents de patience à garder.

À la crèche

Les parents sont tenus au courant de ce que le bébé mange ; d'ailleurs les menus sont affichés, ils sont différents selon les âges et ils ont été diététiquement composés par une professionnelle.

De toute manière, les enfants sont moins difficiles ensemble que devant une mère qu'ils sentent prête à céder à toute demande, ils comprennent vite qu'ils font partie d'un groupe, et qu'ils doivent s'adapter. Tel enfant un peu exigeant à la maison ne se fera pas prier pour goûter les carottes râpées de la petite section ou le couscous de la nourrice marocaine.

Bien entendu, si le bébé a un problème digestif, vous le signalerez et la crèche en tiendra compte.

IL NE VEUT PAS MANGER : QUE FAIRE ?

IL N'A PAS FAIM : QUAND S'INQUIÉTER ?
Le manque d'appétit est un symptôme fréquent à tout âge et il n'est bien sûr pas nécessaire d'appeler le médecin chaque fois que votre enfant mange un peu moins bien. Alors, quand faut-il s'inquiéter ? Lorsque votre enfant présente par ailleurs d'autres signes inhabituels : des cris persistants ou des signes de douleur, une gêne respiratoire, une fièvre élevée, des vomissements ou des diarrhées importantes. Dans ces conditions, le manque d'appétit est un signe de gravité et nécessite une consultation médicale rapide.

Votre enfant mange moins bien que d'habitude et rien d'autre ne peut faire penser qu'une maladie se prépare. Ne vous faites pas de souci. Il arrive à l'enfant ce qui nous arrive parfois. Il a moins faim que d'habitude, l'appétit des enfants est variable comme celui des adultes, d'un repas à l'autre, d'un jour à l'autre. Et, comme les adultes, les enfants ont leurs préférences pour certains aliments. De plus, leurs goûts changent. Les carottes qu'ils mangeaient hier avec plaisir, ils les refusent aujourd'hui. Parfois la fatigue est la raison du refus : l'enfant a plus sommeil que faim.

Enfin, chez tous les enfants, l'appétit fléchit à certaines périodes ou dans certaines circonstances.

Les premiers mois, en général le bébé mange bien et avec plaisir. Il peut sans raison apparente refuser une tétée ou un biberon mais c'est rare. Son appétit peut varier lors des sorties des premières dents, ou au moment de certains changements (sevrage, reprise du travail de la maman, entrée à la crèche...). Après la période d'adaptation qui peut durer quelques jours, le bébé mange à nouveau normalement.

Après un an, l'appétit de l'enfant se régularise. À cet âge, apparaît d'ailleurs l'appétit vrai, si l'on prend le mot dans son sens premier : goût pour certains aliments. Les goûts se manifestent souvent très tôt : Esther, 2 ans et demi, aime beaucoup la salade, ce qui n'est pas le cas de son grand frère. Lucas a montré très jeune son goût pour les clémentines et l'a gardé.

OPPOSITION ET CONFLIT

À partir de 12-18 mois, parfois un peu plus tard, il est fréquent que le repas devienne un moment d'opposition entre l'enfant et les parents, le plus souvent la mère. L'enfant affirme sa personnalité qui se développe chaque jour. Il teste les réactions des adultes et il choisit souvent le moment du repas pour exprimer son opposition. Il sent très bien les enjeux qu'il peut y avoir autour de la nourriture et il se rend compte du pouvoir qu'il a sur sa maman, très ennuyée qu'il ne mange pas. Il veut voir jusqu'où il peut aller.

Les mamans supportent difficilement cette situation, elles se sentent déstabilisées, coupables. « Qu'ai-je fait de mal pour qu'Adrien réagisse ainsi ? Je me fais du souci, et je m'énerve, parce qu'il ne mange pas ; hier soir, à la fin de son repas, nous étions tous les deux en larmes », nous a écrit Laura. Et comme, par ailleurs, l'enfant mange bien à la crèche ou chez l'assistante maternelle, les mamans se sentent encore plus fautives.

Rassurez-vous, c'est une situation très fréquente à cet âge et elle finit toujours par s'arranger avec fermeté, souplesse et patience.

Quelques suggestions

• Quand la « crise » est forte, l'important est d'abord de dédramatiser la situation et de lui ôter tout caractère conflictuel : il faut accepter que l'enfant mange très peu pendant quelques jours, puisque c'est ce qu'il a décidé. Cela ne présente pas de risque pour sa santé. L'enfant doit comprendre que s'il veut manger, c'est tant mieux, mais s'il ne le veut pas, il lui faudra attendre le repas suivant. Ce n'est bien sûr pas à présenter comme une punition. Il ne faut rien proposer à l'enfant en dehors des heures habituelles de repas. S'il a complètement refusé de manger au repas du soir, il peut se réveiller très tôt mais il devra attendre l'heure de son petit déjeuner.

Ces conseils peuvent sembler difficiles à suivre dans un premier temps. L'expérience montre que les résultats sont spectaculaires, en très peu de temps, alors que la situation semblait bloquée.

• Le conflit est moins aigu, l'enfant refuse de temps en temps de manger, ou n'accepte que le biberon. Là aussi, la fermeté et la souplesse sont de mise. Il veut boire un biberon ? Très bien. D'ailleurs, il se lassera vite de ne boire que du lait au biberon s'il n'y a plus de conflit. Il ne veut pas ce qui est dans son assiette ? N'y attachez pas d'importance et au bout de quelques minutes retirez son repas sans faire de remarques. Et ne proposez rien à manger en dehors des heures de repas. L'important est que le conflit autour de la confrontation tombe et que l'enfant comprenne que cela ne change rien à votre attitude s'il mange ou s'il ne mange pas.

• Si c'est possible, faites donner le repas par une autre personne (grand-mère, tante...) ou partagez le repas avec des enfants plus grands, qui mangent sans problème : cela fait souvent baisser la tension.

• N'essayez pas de faire manger l'enfant en lui promettant une récompense, en le menaçant de punitions, en faisant le clown pour le distraire. Lorsque l'enfant voit que son père veut bien faire semblant de donner à manger à ses dix peluches en échange d'une cuillère de soupe, il est ravi et les repas deviennent un vrai marchandage.

• Ne tombez pas dans le chantage aux aliments : « Si tu ne manges pas de légumes, tu n'auras pas de dessert. » Cela renforce le rejet du légume et l'attirance pour le sucré-récompense. Il ne faut pas s'entêter : l'enfant n'a pas faim, ou ne veut pas manger, il se rattrapera au repas suivant. Il est normal de respecter son appétit.

L'APPÉTIT CAPRICIEUX

Il y a aussi des enfants dont l'appétit est capricieux, cela dure un temps plus ou moins long : ils ne refusent pas de manger par principe mais ils mangent irrégulièrement. À un repas, rien ou presque, au suivant beaucoup. Cet enfant, il ne faut pas non plus le forcer, son appétit finira par se régulariser. Ce qui convient à un appétit capricieux ce sont des menus variés.

De temps en temps, commencez le repas par un fruit qui ouvrira l'appétit, donnez d'abord le fromage ou le yaourt, proposez une rondelle de saucisson et un cornichon, on laisse parfois trop longtemps le nourrisson au régime bébé un peu fade : tout en purée, tout en petits pots...

La maman de Nicolas, qui à 3 ans avait un très petit appétit, avait trouvé un petit « truc » : les sandwichs étrangers. Elle avait devant elle un peu de gruyère, de jambon, de fromage blanc, de salade, etc., et elle disait à Nicolas : « Je vais te faire un sandwich suisse, bouchée de pain, beurre, fromage ; maintenant, en voici un grec, bouchée de pain, fromage blanc, noix ; puis un russe, jambon, cornichon. » Nicolas se prenait au jeu, faisait son choix et mangeait...

Si vous ne trouvez pas d'aliment qui tente votre enfant, emmenez-le faire des courses, et c'est lui qui vous dira en voyant tel légume ou tel poisson : « J'en voudrais. » Autre « truc », mais valable seulement à partir de 2-3 ans : suggérez à votre enfant d'aider à préparer un plat. S'il tourne une sauce, bat des œufs ou écrase lui-même une banane, il sera très fier et mangera « sa » cuisine.

Mais si l'on peut laisser l'enfant dont l'appétit est capricieux manger avec fantaisie aux repas, il ne faut rien lui donner entre les repas, sinon vous ne vous en sortirez pas.

DEUX SITUATIONS PARTICULIÈRES : OBÉSITÉ ET ALLERGIE

QUELQUES CONSEILS POUR PRÉVENIR L'OBÉSITÉ

L'obésité des enfants augmente dans tous les pays et la France n'est pas épargnée : 14 à 16 % des enfants ont un excès de poids, soit deux fois plus en quinze ans. L'obésité est devenue un problème majeur de santé publique. Certains facteurs de risque sont connus : une alimentation déséquilibrée, excessive et une trop grande sédentarité, ces deux facteurs de risque étant souvent associés. La meilleure façon de prévenir l'excès de poids chez les enfants est de leur donner de bonnes habitudes alimentaires et de les habituer à bouger, à se dépenser. Voici quelques suggestions.

• Il faut d'abord respecter l'appétit de l'enfant. Quel que soit son âge, quand l'enfant montre qu'il ne veut pas finir son biberon ou son assiette, n'insistez pas, c'est qu'il a assez mangé. Il sait quand il n'a plus faim. Le forcer lui donne l'habitude de manger plus que ce dont il a besoin. D'autre part, les portions du commerce ne sont pas toujours adaptées aux besoins de l'enfant, qu'il s'agisse d'un yaourt ou d'une tranche de poisson.

• Il est important de faire quatre repas par jour (petit déjeuner, déjeuner, goûter, dîner). Cela permet de mieux équilibrer l'alimentation et de ne pas grignoter entre les repas.

• Apprenez à l'enfant à manger de tout : plus il goûtera à des aliments différents, surtout avant 2 ans, plus son alimentation restera variée et équilibrée plus tard. Cela ne veut pas dire qu'il faut forcer l'enfant, mais s'il voit que tout le monde apprécie un plat, il suivra l'exemple.

• À table ou entre les repas, l'eau est la boisson de base de tous les jours.

• Une recommandation importante, pas toujours facile à suivre, c'est d'éviter d'emmener l'enfant au supermarché : il a envie de tout, les parents ont de la peine à ne pas céder à sa demande.

• Attention au grignotage. Les enfants sont de plus en plus tentés par les produits sucrés, ou gras, très caloriques (biscuits, barres chocolatées, chips, sodas, etc.) qu'ils voient à la télévision. Le grignotage est un facteur important de risque d'obésité. Un inconvénient de l'excès de télévision est d'empêcher l'enfant de se dépenser.

• Bouger, marcher…. Dès que l'enfant marche, sortez-le de sa poussette, allez au square pour qu'il puisse courir. Plus grand, vous pourrez l'inscrire dans un club qui propose des activités adaptées à chaque âge. Emmenez-le à la crèche ou à l'école à pied. La meilleure façon d'inciter ses enfants à bouger, c'est de le faire avec eux.

Sur l'obésité, voir également pages 334 et 414.

Vous voyez que dans le domaine alimentaire, on retrouve des mots qui comptent dans l'éducation d'un enfant : l'exemple, la souplesse, la fermeté.

QUE FAIRE LORSQUE L'ENFANT EST À « RISQUE ALLERGIQUE » ?

Les recommandations sont en train d'évoluer de façon importante. Jusque là, on recommandait d'éviter de donner aux enfants à risque allergique certains aliments, ou de les introduire de façon plus tardive (un enfant est « à risque allergique » si l'un des parents, ou les deux, ou un frère ou une sœur, souffrent d'allergie). Certaines études remettent en cause ces principes et la tendance actuelle est plutôt d'introduire les aliments aux mêmes dates chez tous les bébés et de faire des tests cutanés en cas de signes d'allergie. Si votre bébé présente un risque allergique important, parlez-en rapidement avec votre pédiatre. Il sera peut-être nécessaire de prendre l'avis d'un pédiatre-allergologue.

En cas d'allergie confirmée

L'allaitement maternel est recommandé, sinon utiliser un lait hypoallergénique (HA), conseillé par le médecin ; éviter les formules au soja, le lait de chèvre, de brebis, les laits de jument, d'ânesse.

La cuisine faite à la maison est conseillée car les ingrédients sont connus tandis que les plats tout préparés peuvent contenir des ingrédients à risque allergique. Une nouvelle réglementation facilite les achats des produits alimentaires en rendant obligatoire, sur les étiquettes, la mention de la présence des allergènes les plus fréquents. Les aliments et dérivés concernés sont : les céréales contenant du gluten, les crustacés, les œufs, les poissons, l'arachide, le soja, le lait, les fruits à coque, le céleri, la moutarde, les graines de sésame, le lupin et les mollusques (les coquillages), l'anhydride sulfureux et les sulfites.

Ne vous inquiétez pas si votre enfant a une nourriture moins variée : une alimentation simple, associée à une quantité suffisante de lait, ou équivalent, apporte tous les éléments nécessaires à la croissance.

En cas d'allergie sévère, de nombreux aliments peuvent être interdits à l'enfant ; dans ce cas, le médecin lui prescrira les compléments qu'il juge utile.

• L'allergie aux protéines du lait de vache peut se manifester de façon précoce (p. 366). Si un de vos enfants a présenté une telle allergie, il faut le signaler au médecin dès la naissance d'un nouveau bébé. L'allaitement maternel est vivement recommandé. À défaut, on lui donnera un lait spécifique hypoallergénique.

• En cas d'antécédents d'allergie à l'arachide, prenez conseil auprès d'un pédiatre-allergologue.

Voyez aussi le mot *Allergie*, au chapitre 6.

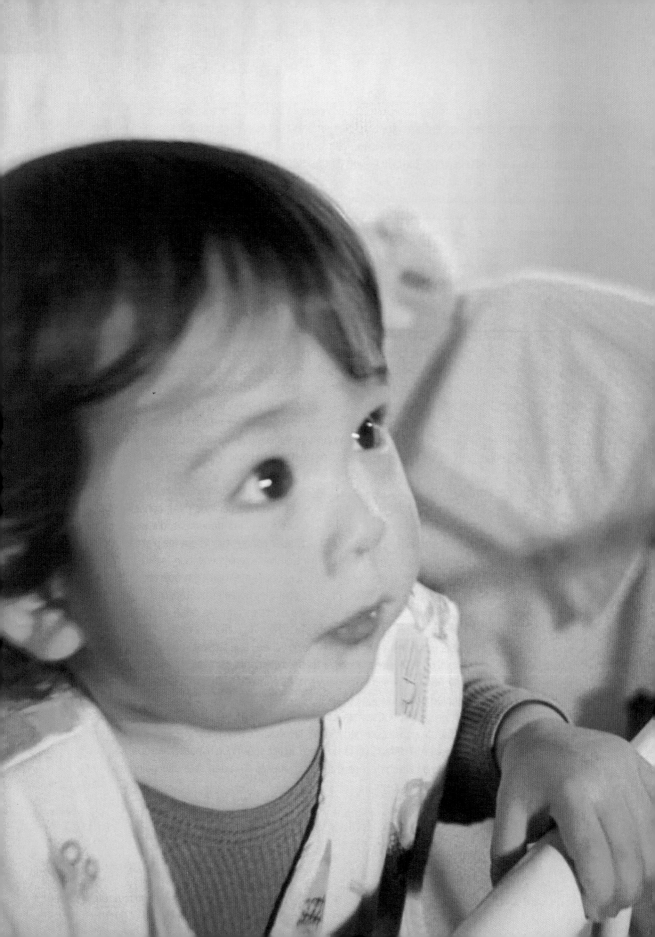

3

La vie d'un enfant

Avant de naître, bien blotti dans le corps
de sa maman, les besoins du bébé sont aussitôt
satisfaits : il est nourri à volonté, il dort quand
il veut, il n'a ni trop chaud, ni trop froid.
Tout change après la naissance. Bébé dépend
maintenant de l'extérieur pour que sa faim soit
calmée, pour être changé, pour être consolé.
Pendant les premiers mois, c'est à ses parents,
à l'entourage, de s'adapter aux rythmes de l'enfant,
de répondre à ses besoins, à ses demandes.
Avec la régularité des gestes et des soins de la vie
quotidienne, la douceur des paroles, la présence
rassurante des adultes qui l'entourent,
Bébé découvre le monde, il se construit peu à peu,
dans la confiance.
Puis, au fil des mois et des apprentissages,
l'enfant va devenir plus autonome.
La marche, les premiers mots, la propreté,
la possibilité de se souvenir des lieux et
des personnes, la prévision des situations qui
s'enchaînent au cours de la journée, tout ceci
va lui permettre de s'adapter à d'autres rythmes,
d'autres habitudes, d'apprécier l'imprévu.
La vie quotidienne devient plus souple.
En un mot, votre enfant grandit.

Une journée bien remplie : le sommeil, les pleurs, les jeux...

Au retour à la maison et dans les semaines qui suivent, le déroulement de la journée de votre bébé va être principalement déterminé par l'alternance des tétées ou biberons et des besoins en sommeil : au début tout au moins, un enfant consacre la plus grande partie de son temps à manger et dormir. Mais les repas apportent à l'enfant bien plus que des réponses à sa faim et à sa soif. Avec les échanges de regards, la reconnaissance de la voix de ses parents, chuchotée, chantonnée, les repères de leur odeur, de leurs bras, le bébé est rassuré, apaisé. Et, si courts soient-ils au début, les moments d'éveil sont intenses, pleins d'intérêt pour le monde extérieur, ce monde que déjà fœtus il avait commencé à percevoir. Puis, rapidement, à ces deux occupations principales, manger et dormir, s'en ajoutent d'autres, s'éveiller et communiquer de plus en plus, jouer, se baigner, se promener, aller à la garderie, etc. Ainsi la journée d'un enfant est-elle vite bien remplie. Au fil des jours, il va constituer des repères stables, reconnaître les moments familiers - les préparatifs et les gestes des repas, de l'endormissement, de la toilette, des sorties, il va les anticiper, et, un peu plus tard, il saura s'occuper tout seul et attendre... un peu.

LE SOMMEIL

« Au retour de la maternité, où installer notre bébé : sera-t-il mieux dans notre chambre ? Pourquoi est-ce important de le coucher sur le dos ? Quand va-t-il faire ses nuits ? Pourquoi pleure-t-il alors qu'il est si fatigué et qu'il a besoin de dormir ?... » Dès la naissance, les questions autour du sommeil affluent. Lorsque l'enfant sera plus grand, d'autres interrogations se poseront, notamment au moment des grandes découvertes, marche et langage : que faire lorsqu'il refuse d'aller se coucher, ou bien lorsqu'il se réveille plusieurs fois par nuit et pleure jusqu'à ce qu'on vienne ? Ces préoccupations font partie, à des degrés divers, de la vie de toutes les familles et c'est bien normal. Le sommeil tient une grande place dans la vie du tout-petit et un enfant qui dort bien participe au bon équilibre de tous.

OÙ DORT LE PETIT BÉBÉ ?

Les premiers mois, il est naturel et recommandé de faire dormir l'enfant dans la chambre de ses parents. Le petit lit est installé à côté du grand lit. Cette proximité des parents avec leur nouveau-né sont des moments de plaisir partagé. Le bébé allaité au sein peut être nourri à la demande, ainsi tout le monde se rendort plus facilement.

Outre que cette situation apporte au bébé sécurité et apaisement, les études ont prouvé que dormir dans la chambre des parents constituait un des facteurs de prévention de la mort subite du nourrisson : en effet, il semble que dans la chambre des parents, les temps de sommeil profond sont plus courts et peut-être moins profonds et ce sommeil plus léger diminue le risque de mort subite.

Que penser du **« cododo »** (le bébé dort dans le lit des parents) ? Cette méthode est préconisée par certains, pratiquée par beaucoup (surtout outre-mer et au Japon) et souvent déconseillée par le corps médical. Il semble que dans le lit des parents, le nouveau-né risque un peu plus l'étouffement, et/ou l'hyperthermie, ceci d'autant plus que la maman aura bu une boisson alcoolisée, ou pris un médicament pour dormir, ou, pire, fumé au lit. De plus, la nécessité de coucher le bébé sur le dos afin de diminuer le risque de mort subite est aujourd'hui bien connue (voyez ci-dessous). Dans le

« cododo », il est difficile de savoir lorsque tout le monde dort si le bébé est bien installé sur le dos. Et le lit parental comporte couette et oreillers, déconseillés dans le lit du nourrisson.

Pour ceux qui souhaitent que leur bébé soit très proche d'eux, une solution peut être d'avoir un petit lit attaché au grand lit : le lit de bébé se règle en hauteur et communique avec celui des parents car un des montants se baisse. Un modèle est aujourd'hui commercialisé. Bébé est ainsi tout à côté de ses parents sans être dans leur lit.

Mais, au-delà de 6 mois, la chambre des parents ne permet pas toujours un sommeil paisible. En effet, plus les mois avancent, plus on s'aperçoit que le bébé réagit aux heures de coucher de ses parents, à leurs allées et venues, à leurs relations sexuelles. C'est pourquoi, lorsque le bébé a acquis un rythme régulier de sommeil, il a besoin de calme et d'un espace à lui. Il en est de même pour ses parents : à chacun son domaine.

Il est des cas où les difficultés matérielles ou de logement sont telles qu'il n'est pas possible pour un couple ou une mère seule d'avoir plus d'une pièce. Dans ce cas, le mieux est d'isoler le coin et le lit de l'enfant, de le marquer d'un paravent, d'étagères, ou d'un rideau. Les voiles du berceau, ce n'était pas autre chose...

NORMALEMENT LE BÉBÉ DORT DANS UN PETIT LIT
Si, exceptionnellement, vous deviez le coucher dans un grand lit, soyez particulièrement attentifs : il peut – car un enfant qui ne dort pas dans son lit habituel a souvent un sommeil agité – tomber du lit. Faites un barrage de traversins pour limiter le lit. Ce n'est guère avant 2 ans- 2 ans 1/2 qu'un enfant peut, sans risque, dormir dans un grand lit.

COMMENT COUCHER VOTRE BÉBÉ ? SUR LE DOS

Si dans les années 1970, on a conseillé de coucher le bébé sur le ventre, de nombreuses études ont montré que cette position, associée à de mauvaises conditions de couchage (matelas mou, oreiller, couette), était souvent retrouvée dans les cas de mort subite du nourrisson (p. 411). L'abandon de la position sur le ventre dans les années 1990 a permis de fortement diminuer les chiffres de mort subite.

Il est aujourd'hui recommandé de **coucher le bébé sur le dos, sur un matelas ferme, sans couette ni oreiller** (p. 38). « Nous avons installé notre bébé sur le côté, calé avec des coussins prévus à cet effet, car nous avons réalisé qu'il dormait mieux ainsi que sur le dos » nous ont écrit des parents. Non, un bébé doit être absolument couché sur le dos pour dormir, c'est très important. En revanche, lors des périodes d'éveil, et cela dès les premières semaines, mettez régulièrement votre bébé sur le ventre pour qu'il découvre l'univers sous un autre angle et fortifie les muscles de son dos : « je dors sur le dos, je joue sur le ventre ». Après les premiers mois, votre enfant changera lui-même de position, il saura se retourner tout seul.

Lorsqu'on voit un bébé se coller la tête dans un coin de son lit, on a tendance à le redescendre en pensant qu'il sera plus confortable. C'est inutile car cette position est volontaire, le bébé cherche un contact, il a besoin de se retrouver entouré comme il l'était dans le ventre de sa maman.

Enfin, ne couvrez pas trop votre bébé (ses mains doivent rester fraîches) car l'hyperthermie peut être dangereuse et une température un peu basse ne gêne pas le sommeil, au contraire (p. 34).

« QUAND NOTRE BÉBÉ VA-T-IL FAIRE SES NUITS ? »

Tous les parents posent cette question au pédiatre, parfois dès la première consultation. C'est normal, après l'émotion et la fatigue de la naissance, ils ont envie de se reposer pour retrouver leur énergie. Le bébé, lui, va avoir besoin d'un peu de temps pour acquérir un rythme de sommeil qu'il n'avait pas dans le ventre de sa maman : souvenez-vous, il avait plutôt tendance à devenir actif au moment où vous vouliez vous détendre. Mais rassurez-vous, le sommeil de votre bébé va peu à peu se régulariser : en général autour de 3 mois, il pourra dormir la nuit plusieurs heures d'affilée.

Pendant les premiers mois, la vie du bébé s'organise autour du sommeil et des repas.

Les deux premiers mois

Les périodes de sommeil et de veille rythment nos journées et nos nuits. Chez les adultes, et les grands enfants, les 24 heures sont organisées autour de l'alternance jour-nuit. Chez le bébé, pendant les premiers mois, les rythmes veille-sommeil sont très courts (quelques heures) et se reproduisent plusieurs fois au cours des 24 heures : c'est un peu comme si le bébé enchaînait plusieurs journées.

> **BIEN NOURRIR VOTRE ENFANT**
> *Tout le chapitre 2 est consacré à l'alimentation : sein ou biberon, horaires et quantités, les repas de l'enfant plus grand, les éventuelles difficultés, etc.*

Cette alternance rapide des périodes de veille et de sommeil explique pourquoi un bébé ne fait aucune différence entre les périodes d'éveil de jour et de nuit : il se réveille toutes les 3-4 heures (parfois plus souvent), quel que soit le moment de la journée ou de la nuit. Pour la même raison, un bébé a besoin de parfois 8 repas, ou plus, par jour. Avoir 8 à 12 tétées ou biberons par 24 heures pendant les premières semaines, c'est tout à fait normal et nourrir l'enfant à la demande répond à un besoin physiologique.

DURANT LES DEUX PREMIERS MOIS
Dormir et se nourrir se répètent tour à tour, comme pour permettre au cerveau une maturation rapide. Il n'est pas possible de modifier les rythmes sommeil/veille de votre bébé, il est donc inutile – et déconseillé – d'essayer de le « régler ».

• Sommeil agité, sommeil calme

Le sommeil est organisé en cycles. Chaque cycle de sommeil est composé de deux phases : le sommeil agité et le sommeil calme. Chez le petit bébé, le sommeil agité est le premier sommeil, celui qui apparaît au moment de l'endormissement : c'est un sommeil léger, ponctué de divers mouvements et de toutes sortes de bruits. C'est cependant une phase de sommeil et il ne faut pas voir ces manifestations comme des signes d'agitation, de mal-être : prendre votre bébé dans vos bras à ce moment-là, c'est l'empêcher de passer en sommeil calme, voire risquer de le réveiller.

Il y a des bébés qui pendant les premières semaines de vie n'enchainent jamais plusieurs cycles de sommeil, surtout lorsqu'ils souffrent de troubles digestifs, type reflux, constipation ou coliques. Dans ce cas, ils ne dorment pas plus de 30 minutes consécutives et donnent l'impression de ne jamais dormir. Ne perdez pas patience, le sommeil de votre bébé va bientôt se régulariser.

Dès 3 semaines-1 mois, de nombreux bébés pleurent en fin de journée pour décharger les tensions accumulées (pp. 121 et suiv.). N'hésitez pas à bercer votre bébé, à le porter, par exemple dans un porte bébé ou une écharpe. Il se sentira en confiance et sera rassuré. Et même si, recouché, il pleure encore un peu, c'est qu'il continue à évacuer son trop-plein d'énergie.

Après 2 mois

Le rythme de 24 heures commence à se mettre en place, avec une alternance entre le jour et la nuit. Peu à peu, les phases d'éveil et d'endormissement vont s'organiser non plus uniquement grâce à la maturation cérébrale mais aussi en étroite interdépendance avec l'environnement : lumière du jour et obscurité de la nuit, régularité des repas, des moments d'échanges, de jeux, de promenades.

Comme nous vous le conseillons plus haut, lorsqu'au moment de l'endormissement votre bébé semble s'agiter, ne le prenez pas dans vos bras à ce moment-là, cela pourrait l'empêcher de s'endormir vraiment.

Après 3 mois

Après 3 mois, le sommeil s'organise différemment. Le bébé s'endort en sommeil lent, calme, de plus en plus profond ; puis intervient le sommeil paradoxal, appelé ainsi car bien que le corps ne bouge pas, on peut observer des mouvements des yeux, des sursauts, une respiration irrégulière. Les cycles de sommeil (léger, profond, paradoxal) se succèdent et s'enchaînent. À chaque fin de cycle complet, le bébé se réveille (parfois de façon imperceptible) et se rendort.

À cet âge, le bébé donne souvent l'impression de dormir assez peu dans la journée, il fait plusieurs siestes courtes (30 à 50 minutes) mais il peut dormir 6 à 8 heures d'affilée la nuit : il commence à « faire ses nuits ». Il n'est pas anormal qu'un bébé pleure avant de s'endormir : s'il est nourri, changé, rassuré, bien installé, c'est qu'il a besoin de cette « décharge » avant d'entrer dans le sommeil.

QUE FAIRE SI VOTRE BÉBÉ NE FAIT PAS ENCORE SES NUITS ?

C'est souvent à cette période, entre 2 et 4 mois, que se situe la reprise du travail de la maman et que s'organise la garde du bébé. Il est alors important que tout le monde puisse dormir ; on peut apprendre au bébé à patienter et à acquérir le rythme du sommeil de nuit. Comment faire ?

Vous l'avez lu plus haut, le bébé se réveille à chaque fin de cycle de sommeil et se rendort. Cette phase de ré-endormissement est très dépendante de ce qui se passe dans la journée : si votre bébé est habitué à s'endormir dans vos bras ou sur votre sein (ou en prenant son biberon), il cherchera la nuit à reproduire ce schéma d'endormissement. Il faut donc qu'il apprenne à s'endormir seul, dans son lit et, bien sûr, sur le dos. Car c'est ainsi qu'il sera au milieu de la nuit et qu'il devra se rendormir.

Les premiers jours, cela pourra vous sembler difficile : c'est si bon d'endormir son bébé en le berçant dans ses bras, rassasié et détendu. Mais, pour que votre bébé arrive à s'endormir seul, nous vous conseillons de procéder ainsi : vous le couchez encore éveillé dans son lit pour qu'il s'endorme par lui-même ; il risque de pleurer un peu les premiers temps. Si vous avez bien attendu les signes habituels de sommeil (il est grognon, se frotte les yeux..), laissez-le pleurer quelque temps ; si cela dure, vous le rassurez, sans le prendre dans les bras. Votre bébé finira par s'endormir tout seul et c'est grâce à vous qu'il aura acquis cette nouvelle compétence. Le jour suivant ses pleurs ne dureront que quelques minutes et le jour d'après il s'endormira sans un mot...

Si votre bébé se réveille au milieu de la nuit, vous agirez de même : vous le laissez pleurer quelque temps, éventuellement vous le rassurez mais sans le prendre dans les bras, sans allumer la lumière, ni lui donner à manger.

SE RENDORMIR SEUL
Apprendre à se rendormir seul entre deux cycles de sommeil est un grand progrès et la condition d'un bon sommeil dans le futur.

APRÈS 1 AN : LE SOMMEIL CHEZ L'ENFANT PLUS GRAND

Votre enfant grandit, il dort moins dans la journée, certaines siestes disparaissent. Par ailleurs, sa personnalité se développe, son caractère s'affirme. Certains enfants, qui jusque là se couchaient sans difficulté, maintenant protestent. D'autres se réveillent la nuit, parfois plusieurs fois, et refusent de se rendormir seul.

Les siestes

Les périodes de sommeil de la journée vont peu à peu diminuer. La sieste du matin disparait spontanément dans le courant de la première année, ainsi que celle de la fin de l'après-midi. Certains enfants ne font plus de sieste après le déjeuner alors qu'ils ont à peine 3 ans, tandis que d'autres en ont besoin jusqu'à 4 ans, et parfois même plus.

Rêves et cauchemars

Comme chez l'adulte, chez l'enfant le rêve est une période du sommeil durant laquelle les événements de la journée reviennent à la mémoire. Ils sont revécus par le cerveau, de façon involontaire. Ils sont reconstruits, et confrontés avec les événements déjà enregistrés de façon inconsciente. Ainsi est fabriqué petit à petit tout un monde, une vie, à partir des événements vécus, qui vont peupler et organiser la mémoire. C'est ainsi que le rêve joue un rôle important dans le développement de la mémoire.

Le rêve parfois est désagréable : c'est un cauchemar. Chez l'enfant entre 2 et 5 ans, les cauchemars sont fréquents. Le cauchemar est un événement normal, s'il ne se répète pas trop régulièrement (voir *Cauchemars et terreurs nocturnes*, au chapitre 6).

COMMENT AIDER L'ENFANT À ALLER SE COUCHER ?

Votre enfant grandit, les rythmes de la journée changent. Maintenant, il ne dort plus en fin d'après-midi, et lorsqu'il revient de la crèche ou de chez l'assistante maternelle, il est content de retrouver sa chambre, ses jouets. C'est le moment où la maison est animée, on prépare le dîner, les parents sont là, éventuellement les frères et sœurs, l'enfant commence à apprécier la vie en société. Et on lui demande d'aller dormir. Certains enfants n'en ont aucune envie, ils ne veulent pas quitter ceux qui les entourent ni se retrouver seuls dans le noir. C'est bien normal. Même l'enfant le moins anxieux aime rarement aller au lit. Là, comme ailleurs, ce n'est pas par la contrainte qu'on obtiendra que l'enfant se couche. Il vaut mieux essayer de comprendre ce qu'il ressent. Voici comment vous pouvez l'aider à aller se coucher.

D'abord, préparez-le à aller au lit. Rien de plus énervant pour l'enfant occupé à jouer que l'ordre subit de tout laisser en plan. Vous le prévenez : « Dans 5 minutes, tu vas te coucher. » Lorsque vous revenez, vous êtes ferme dans votre décision.

C'est le moment de se coucher : entourez votre enfant de calme. Respectez ses habitudes : musique douce, petite histoire, présence du doudou, veilleuse, porte entr'ouverte... Chaque enfant a

PETITS DORMEURS, GROS DORMEURS

Au fur et à mesure que l'enfant grandit, la durée du sommeil se raccourcit progressivement :
• entre 14 et 18 heures les 3 premiers mois
• entre 12 et 16 heures à la fin de la première année
• entre 10 et 14 heures vers 3 ans.
Ces chiffres sont des moyennes. D'une personne à l'autre, il existe de grandes variations qui peuvent se manifester très tôt : chez l'enfant, comme chez l'adulte, il y a des gros dormeurs et des petits dormeurs.
Votre enfant dort moins que la moyenne, mais il est de bonne humeur, il a bon appétit : il dort suffisamment. En revanche, s'il est grognon, fatigué, il manque de sommeil. C'est vraiment la vitalité de l'enfant dans la journée qui est le signe d'un sommeil suffisant en quantité et en qualité.

les siennes. En les retrouvant, l'enfant se sent rassuré. Le même scénario qui se répète tous les soirs lui donne l'assurance qu'au réveil tout sera pareil.

Lors de l'endormissement, certains enfants ont des mouvements rythmés qui par leur allure ou leur caractère répétitif peuvent surprendre. C'est le plus souvent un rite de bercement qui aide l'enfant au moment de s'endormir. Il faut le laisser faire : tel enfant secoue sa tête dans un mouvement de va et vient, un autre se balance d'avant en arrière ou tape sa tête contre le bord du lit. Ces phénomènes sont souvent surprenants pour les parents mais ils cessent quand l'enfant grandit (voir aussi p. 412).

Essayez de coucher l'enfant à des heures régulières. Pour l'enfant plus grand, se coucher et s'endormir sont deux choses différentes. On peut lui dire qu'il n'est pas obligé de dormir tout de suite mais qu'il peut regarder un livre.

Une fois que l'enfant est couché, il ne doit plus se relever, c'est une habitude à prendre, sinon tous les prétextes seront bons pour revenir : « J'ai trop chaud », « J'ai soif », « J'ai peur »… Soyez ferme quand vous le quittez.

ENTRE 12 ET 18 MOIS : LORSQUE L'ENFANT SE RÉVEILLE UNE OU PLUSIEURS FOIS PAR NUIT

Même chez les enfants qui dormaient bien jusque là, le sommeil peut être perturbé au moment des grandes découvertes : marche et langage qui coïncident en général avec des périodes d'opposition. Il faudra veiller encore plus au calme et à la tranquillité qui entourent le coucher et l'endormissement, à la présence des rituels apaisants (les doudous, le livre d'images ou d'histoires, les câlins…). Avec l'apprentissage de la marche, votre enfant découvre ses capacités à contrôler son entourage. Le bébé, si conciliant jusqu'alors, refuse ceci ou cela, fait des colères pour un « oui » ou un « non » et cette prise de conscience de son pouvoir, cette opposition, peuvent venir perturber les rythmes qui s'étaient peu à peu installés.

Lors des phases habituelles de micro-éveils entre chaque fin de cycle de sommeil (voyez plus haut), le processus de ré-endormissement peut avoir plus de mal à se faire et conduire à des réveils complets. Une fois votre enfant complètement réveillé, il lui sera difficile de se rendormir seul : il préférera vous appeler pour que vous l'aidiez à se rendormir. Et comme durant cette période d'opposition, il peut être particulièrement exigeant envers vous, les choses peuvent vite prendre une tournure délicate : certes vous réussissez à le calmer et à le rendormir (le plus souvent dans vos bras) mais il se réveille dès que vous le reposez dans son lit ou que vous franchissez la porte de sa chambre... Si les épisodes se répètent pendant la nuit, ou nuit après nuit, la fatigue va finir par s'installer.

Une nouvelle fois, comme chez le petit bébé, il va être nécessaire que votre enfant apprenne à se rendormir seul à chaque fin de cycle de sommeil, ce qu'il ne peut pas faire si vous le prenez dans vos bras chaque fois qu'il se réveille et appelle. Cet apprentissage de l'autonomie du sommeil peut prendre quelque temps (et donc quelques pleurs) mais c'est une acquisition essentielle pour le bien-être de l'enfant.

• **Que faire ?**

Lorsque votre enfant se réveille la nuit, nous vous conseillons de le laisser se rendormir sans intervenir, sans aller dans sa chambre, tout au plus en le rassurant de la voix, de loin.

La première nuit, soyons francs, risque d'être difficile car l'enfant est bien décidé à obtenir ce qu'il veut : faire venir sa maman pour se rendormir avec un câlin. Mais si vous (et son papa) ne cédez pas, il finira par s'endormir tout seul. Il réessayera probablement le lendemain, mais moins longtemps et la troisième nuit il se rendormira seul et pour toutes les nuits à venir. Trois petites nuits un peu difficiles pour acquérir un sommeil de qualité qui permettra à votre enfant d'être en pleine forme, cela vaut vraiment la peine d'essayer.

• **Laisser pleurer votre enfant vous semble trop difficile**

Commencez par une nuit de ce qu'on appelle le « cri minuté » : lorsque votre enfant appelle, allez le voir pour le rassurer mais quittez-le rapidement ; laissez passer dix minutes avant de retourner le voir, puis à l'épisode suivant laissez passer vingt minutes, et au suivant trente minutes. Le lendemain vous agirez de même, en espaçant plus vos interventions. Et le surlendemain, vous les espacerez encore plus. C'est mieux si c'est le papa qui agit, l'expérience montre que c'est toujours plus efficace. En général, après trois nuits, tout rentre dans l'ordre.

Dans les cas difficiles, lorsque l'enfant finit par dormir dans votre lit, il est préférable de s'obliger au petit matin à réinstaller l'enfant dans son lit pour que son réveil ait lieu à cet endroit.

• **Lorsque l'enfant dort dans la même chambre qu'un plus grand.** Prévenez l'aîné que vous êtes en train d'essayer d'apprendre à son petit frère (ou sœur) comment bien dormir toute la nuit : « Il risque de te réveiller une fois ou deux mais cela ne devrait pas durer longtemps. » L'expérience montre d'ailleurs que les aînés sont en général peu gênés par les pleurs des plus petits.

À plusieurs reprises, vous avez retrouvé le mot de « fermeté » dans ce chapitre sur le sommeil. C'est vrai, il en faut souvent, ce n'est pas toujours facile. Mais pour l'enfant, accepter cette séparation de la nuit, savoir se rendormir seul, sont des étapes importantes dans l'apprentissage de l'autonomie. Et il faut signaler que, heureusement, chez beaucoup d'enfants le moment du coucher et le sommeil de la nuit se passent sans problème. Certains enfants montrent très jeunes qu'ils apprécient d'aller se coucher et qu'ils aiment dormir.

Pour conclure

Le sommeil est une part fondamentale de notre vie. Il nous permet de nous reposer et de récupérer nos forces ; il est essentiel à notre équilibre. Après une bonne nuit, on se réveille frais et dispos ; c'est pareil chez l'enfant. Mais ce qui est propre à l'enfant, c'est que le sommeil joue un rôle important dans la croissance. C'est principalement au cours du sommeil qu'est sécrétée l'hormone de croissance. Et c'est pendant le sommeil paradoxal que s'inscrivent dans la mémoire les expériences, les découvertes, les acquis. C'est donc, en grande partie, au cours du sommeil que « se construit » le cerveau et se développe le corps. On connaît en général le rôle de la nourriture dans le développement, on est souvent moins averti du rôle du sommeil, pourtant essentiel, et de ce qu'il faut faire pour préserver sa qualité : régularité du moment du coucher, calme et tranquillité avant d'aller au lit, nombre d'heures à respecter, etc.

SUR LES TROUBLES DU SOMMEIL, VOIR PAGE 431 ET SUIVANTES.

LORSQUE VOTRE BÉBÉ PLEURE

Entendre pleurer un enfant est l'une des épreuves quotidiennes des parents : pourquoi pleure-t-il ? Est-il malade ? Les autres bébés pleurent-ils autant ? Faut-il le prendre dans les bras, ou au contraire est-ce la chose à ne pas faire sous peine d'être réduits en esclavage ? L'inquiétude, s'ajoutant à la fatigue, cause du stress chez bien des couples.

Voici d'abord une pensée rassurante : dans quelques semaines, vous saurez distinguer les pleurs qui sont des signes de fatigue, de faim ou d'énervement des « vrais » pleurs, qui manifestent un trouble physique. Vous oublierez alors vos angoisses passées, tant les pleurs de votre bébé parleront clairement à votre instinct maternel ou paternel. Mais du moment que vous avez cherché dans ce livre des explications sur les pleurs, c'est sans doute que ceux de votre nourrisson vous causent du souci. Essayons de les comprendre.

D'abord, **allez toujours voir un bébé qui pleure**. Assurez-vous qu'il n'est pas dans une mauvaise position, que ses vêtements ne sont pas trop serrés, qu'il n'a pas trop chaud, qu'il n'est pas gêné par la lumière ; un bruit (aspirateur, radio, télévision, chasse d'eau, sonnerie, avertisseur dans la rue) ne l'a-t-il pas réveillé. A-t-il bien fait son renvoi après sa dernière tétée ? Sa couche est-elle sale ? N'a-t-il pas les fesses rouges et irritées ? N'est-ce pas bientôt l'heure de la tétée ? N'avez-vous pas remarqué que l'enfant émettait des gaz, avec bruit ?

Supposons que tout soit normal, qu'aucune des raisons citées ne soit en cause : alors, il y a de grandes chances pour que votre enfant soit simplement en train de se « défouler » ; c'est le cas le plus courant des pleurs du nourrisson, celui dont nous allons vous parler.

LES PREMIERS MOIS : LES PLEURS NORMAUX DU BÉBÉ

Un bébé qui pleure est considéré comme un enfant qui se sent mal et chacun (surtout sa maman) s'attache à tout faire pour qu'il cesse de pleurer et retrouve le calme et la tranquillité qui conviennent à un bébé « bien portant ». Et pourtant un bébé bien portant est un bébé qui pleure. T.B. Brazelton, grand pédiatre américain auquel nous faisons souvent référence dans ce livre, a le premier mis en évidence cette activité si particulière du nouveau-né : il a montré qu'un bébé en bonne santé

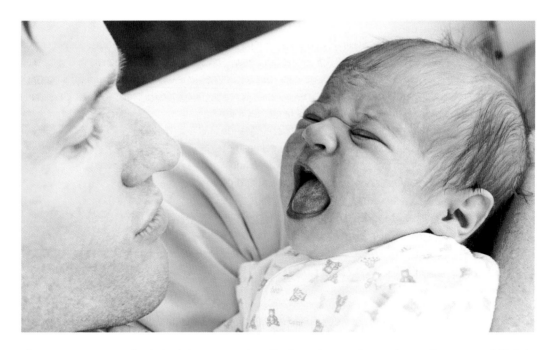

pleure en moyenne près de trois heures par jour. Tant que le nourrisson n'a pas d'autre possibilité de s'exprimer, les pleurs sont son seul langage, pas toujours facile à comprendre.

Vous le voyez, un bébé pleure beaucoup en comparaison des enfants plus grands : quand il a faim bien sûr, mais aussi quand il a un peu mal au ventre, quand quelque chose le gêne ou le dérange ; quand il est fatigué ou quand les tensions ou les stimulations sont trop fortes et l'empêchent de se détendre. Dans ce dernier cas, le mieux est de coucher votre bébé dans son lit, au calme. Il va pleurer encore un peu puis finir par s'endormir, alors que si vous le gardez dans vos bras, il continuera à ressentir des stimulations et il ne va pas réussir à se calmer. Pour certains bébés d'ailleurs cette petite période de pleurs est presque systématique avant l'endormissement.

Faut-il prendre dans les bras le bébé qui pleure ?

Avant de sortir l'enfant de son lit, il y a différents gestes qui peuvent le calmer. On peut lui parler avec douceur, le changer de position. On peut le distraire en fixant à son lit un mobile ou en poussant son berceau devant la lumière, ou encore en faisant marcher une petite boîte à musique, ou enfin en le berçant. Et la tétine ? Cela peut être une solution lorsque le bébé a un besoin de succion très intense, de même que de lui faire téter votre petit doigt. D'ailleurs on a remarqué que l'enfant qui suçait son pouce et les enfants dont les tétées duraient plus longtemps pleuraient moins que les autres.

Malgré cela, certains bébés sont inconsolables, ils ne se calment que lorsqu'ils sont portés. Les parents se demandent alors que faire. Laisser pleurer leur bébé leur semble cruel, c'est en plus irritant et fatigant. Des parents deviennent esclaves de cette exigence, prennent l'enfant au premier appel et n'arrivent pas à le recoucher puisqu'il pleure aussitôt. D'autres parents hésitent : prendre leur bébé dans les bras, n'est-ce pas risquer de le rendre capricieux, exigeant ? Et l'entourage abonde souvent dans ce sens : « Vous n'allez quand même pas vous laisser mener par le bout du nez... »

Nous pensons que la bonne façon de faire se trouve entre ces deux extrêmes, comme souvent en éducation : n'hésitez pas à prendre dans les bras votre bébé qui pleure si vous avez l'impression qu'il a mal au ventre ou s'il a besoin d'être consolé, et cela d'autant plus facilement que vous êtes disponible. Votre bébé s'adapte à sa nouvelle vie, ce n'est pas chose facile, **ce n'est pas par caprice qu'il pleure**. Songez-y : avant de naître, il était sans cesse bercé par les mouvements du corps de sa mère, il entendait les bruits du cœur qui lui tenaient compagnie, il était nourri sans avoir d'effort à faire, à la demande, et soudain le voici dans son berceau, dans un silence nouveau, et tout seul. Alors, s'il pleure et que rien d'autre ne le calme, prenez votre enfant dans vos bras sans arrière-pensée et bercez-le.

Lorsque votre bébé sera apaisé, installez-le sur son tapis d'éveil, ou dans son lit si vous pensez qu'il a sommeil ou besoin de calme. Vous pouvez lui expliquer ce qui se passe : « Je te laisse un peu pour préparer le repas de ta grande sœur qui va bientôt rentrer de l'école », ou : « Tu as sommeil, tu vas faire une petite sieste dans ton lit comme un grand garçon et ensuite on ira faire un tour au square ». Votre bébé sera sensible au ton calme et rassurant de votre voix. Il va pleurer un peu les premiers temps mais si vous agissez toujours de la même façon, en expliquant tranquillement ce que vous faites et en faisant ce que vous dites, votre bébé apprendra rapidement à patienter.

Il faut noter que, comme pour contrebalancer le sentiment d'impuissance qu'éprouvent parfois les parents devant les pleurs de leur bébé, son comportement les rassure : il mange bien, il s'intéresse au monde extérieur, il a bonne mine et est enjoué. Dans la majorité des cas, ses pleurs n'ont pas de conséquences sur l'ensemble de son adaptation à la vie.

Après trois mois

Passé trois mois, tout ira mieux. Les coliques vont disparaître ainsi que les périodes de défoulement. Bientôt capable de quelque occupation : jouer avec ses mains, attentif à la succession des heures – celle de la tétée, celle du bain, celle de la sortie -, le bébé va pouvoir se distraire et attendre plus calmement. Il va s'intéresser à ce qui l'entoure et sortir un peu de lui-même. Il ne deviendra pas silencieux tout à coup ; il pleurera encore, mais pour d'autres raisons.

Vers 7-8 mois, il va pleurer de chagrin, lorsqu'il vous verra partir ; il pleurera aussi d'inquiétude en voyant des visages étrangers. Puis il va découvrir la colère : lorsqu'il essaiera sans succès de se faire comprendre, lorsqu'il n'arrivera pas à saisir un objet. Un jour, il découvrira la peur, vers 2 ans. Et cette peur – de la nuit ou des animaux par exemple – le fera pleurer également. Mais au fur et à mesure qu'il grandira, qu'il fera des progrès pour s'exprimer, qu'il deviendra plus habile, qu'il aura acquis une plus grande maturité de son cerveau, il pleurera de moins en moins.

VOTRE BÉBÉ PLEURE BEAUCOUP

Nous avons parlé jusque-là des pleurs habituels du bébé. Mais, dans certains cas, les pleurs sont de toute autre nature. Il y a ceux qui sont accompagnés de signes évoquant une maladie : fièvre, éruption de boutons, écoulement de l'oreille, geignement, gêne respiratoire, etc. (pp.346-347). Dans ces cas, votre bébé doit être examiné sans tarder par un médecin, et d'autant plus rapidement qu'il est petit (voir chapitre 6)

CERTAINS BÉBÉS ONT PLUS DE BESOINS QUE D'AUTRES
Ils semblent ne jamais être satisfaits. Les raisons peuvent être multiples, venant du bébé, de la maman, des circonstances ayant entouré la grossesse ou l'accouchement, de l'environnement, etc. Ces bébés ont besoin d'être particulièrement rassurés et sécurisés pendant les six premiers mois. Il ne faut pas hésiter à les porter, à les bercer. C'est ce qui les aidera le mieux à supporter cette grande dépendance.

Les **coliques** sont une des causes principales de pleurs inhabituels et importants du nourrisson. On ne sait toujours pas quelles sont les causes de ces épisodes douloureux. Les différentes propositions pour calmer la douleur sont nombreuses et variées. Certaines ont un effet sur des bébés mais pas du tout sur d'autres. Nous en parlons à l'article *Coliques*, chapitre 6. Mais sachez que ces crises douloureuses, et les pleurs qu'elles provoquent, vont disparaître entre 3 et 4 mois.

Le **reflux gastro-œsophagien** (ou RGO) est une autre cause de douleur fréquente chez le bébé. Le contenu de l'estomac, très acide, remonte dans l'œsophage et provoque des brûlures extrêmement douloureuses : le nourrisson pleure de façon anormale pendant qu'il prend son biberon mais aussi en dehors des repas. Ces reflux s'accompagnent le plus souvent de remontées de lait (des régurgitations) mais chez certains bébés ces reflux sont limités à l'œsophage et il n'y a pas de régurgitations visibles. Si vous avez l'impression que c'est le cas de votre bébé (par exemple il a l'air d'avoir mal après chaque repas), parlez-en à votre pédiatre (voir l'article *Reflux gastro-œsophagien* chap. 6)

Dans tous les cas, si les pleurs du bébé sont importants, ils peuvent finir par devenir très éprouvants pour les parents, surtout pour la mère qui les premières semaines est souvent en tête-à-tête avec lui. Elle a beau savoir que certains bébés pleurent beaucoup même s'ils vont bien, même si on s'en occupe bien, elle ne peut s'empêcher de se sentir responsable de la situation. N'hésitez pas à sortir tous les jours avec votre enfant, dès la sortie de la maternité. Prendre l'air, être dans la poussette, calme souvent les bébés et fait donc du bien aux mamans.

Si malgré tout vous finissez par trouver les pleurs de votre bébé difficilement supportables, n'hésitez pas à vous faire aider, voyez avec vos parents et amis comment être soulagés, parlez-en aux professionnels de santé qui vous entourent, le pédiatre, la PMI.

LA TÉTINE

La tétine est encore très à la mode : dans la rue, dans le jardin, dans les trains, on en voit partout.

Nous n'avons jamais été tellement partisans de la tétine : parce qu'elle tombe par terre, ramasse la poussière, fait saliver... et aussi pour une autre raison que l'on peut souvent constater : l'enfant ne fait plus ni sourire, ni gazouillis, il est comme verrouillé. Cela dit, la tétine connaît actuellement un regain d'intérêt depuis qu'a été reconnu son rôle dans la prévention de la mort subite du nourrisson au cours de la première année.

Lorsqu'un bébé souffre de coliques et pleure à fendre l'âme, la tétine peut le soulager. Lorsqu'il a de la peine à dormir ou à se rendormir, la tétine peut l'aider à trouver le sommeil. Mais essayez de l'ôter dès que votre bébé est endormi. Certains bébés ont un besoin de succion très important. À cet âge où de la bouche viennent tous les plaisirs, la tétine peut apporter des moments de détente. D'ailleurs, aux États-Unis, la tétine s'appelle *pacifier*, un objet qui procure paix et calme.

Ces exemples se situent durant les premiers mois : la vie de l'enfant n'est pas encore bien organisée, il a peu de distraction, il n'est guère autonome. Lorsque l'enfant aura des intérêts ailleurs, lorsqu'il jouera, il ne pensera plus à la tétine. Et ce n'est pas parce qu'on la lui aura donnée petit bébé, qu'il la réclamera longtemps. Pas plus que si les premiers mois on prend dans ses bras le bébé qui pleure, on ne sera condamné à le porter jusqu'à l'âge de l'école.

En fait ce qu'il faudrait éviter, c'est de mettre automatiquement à la naissance une tétine dans la bouche du bébé (d'autant plus qu'elle peut perturber le démarrage de l'allaitement si le bébé fait une « confusion » sein-tétine et tète le mamelon comme la tétine) ; la tétine ne fait pas partie du trousseau de base. Et même si vous avez déjà donné la tétine en cas de crise, il ne faudrait pas la redonner automatiquement à l'enfant dès qu'il pleure un peu ou qu'il est fatigué : il faut bien qu'un enfant puisse s'exprimer d'une manière ou d'une autre. Les adultes peuvent libérer leurs tensions, par exemple, en faisant du sport ou en se mettant en colère ; les bébés ont bien le droit d'en faire autant et de pleurer.

Tout rapport avec l'enfant demande souplesse et tolérance, la tétine est un bon exemple.

LES SORTIES

Quand nous parlons de sorties, nous pensons ici à la sortie promenade : au jardin, en forêt. Il ne s'agit pas de la sortie obligatoire pour aller à l'école chercher l'aîné, ou pour aller chez le pédiatre. Les enfants aiment sortir, même tout bébé.

Le bébé

Il se rend très vite compte que l'heure de la promenade approche, il suit les préparatifs, il se montre impatient d'être dehors. Bien installé dans son porte-bébé ou dans son landau, il regarde les fleurs, les enfants qui jouent. Les sorties sont incontestablement un bon stimulant pour son développement. En même temps, la promenade apaise le nourrisson énervé. Si le temps le permet, le bébé peut sortir dès la première semaine.

Dans quels cas la promenade du nourrisson est-elle contre-indiquée ? S'il a été malade, le médecin vous aura probablement conseillé d'attendre quelques jours avant de sortir l'enfant. Le vent et le froid ne sont pas contre-indiqués, mais ne le sortez pas s'il pleut, s'il y a du brouillard.

L'enfant qui apprend à marcher

Il apprécie de s'exercer dehors, mieux que dans un appartement. Au jardin, il aime faire avancer sa poussette ce qui lui fait faire de rapides progrès. Et l'enfant qui marche bien a besoin de sortir, de se dépenser, il aime retrouver d'autres enfants.

Le tas de sable des jardins publics

Il est souvent anti-hygiénique : souillures d'animaux (chiens, chats, pigeons) et aussi des adultes qui y jettent mégots et papiers gras. Avant de laisser votre enfant jouer au sable, jetez-y un coup d'œil. Et si vous avez un tas de sable dans votre jardin, pensez à le recouvrir.

Quelques recommandations pour les sorties

Par temps chaud, ne laissez pas votre bébé dormir dans son landau capote levée en plein soleil. C'est ainsi que se produisent les coups de chaleur : mettez le landau à l'ombre et allez voir de temps en temps si le bébé n'a pas trop chaud.

• Ne laissez jamais le bébé dans votre voiture, ni au soleil ni à l'ombre (car celle-ci peut tourner). Voir l'article *Coup de chaleur* au chapitre 6. Ces recommandations vous semblent peut-être superflues ; en lisant les faits divers, vous verrez que régulièrement des parents les oublient, hélas !

• Lorsqu'il fait froid, pensez à mettre des moufles à l'enfant ; il ne les perdra pas si elles sont reliées par un lien passé dans la manche.

Si l'enfant est gardé par une assistante maternelle, assurez-vous auprès d'elle que les sorties figurent bien dans l'emploi du temps de sa journée.

LES JEUX ET LES JOUETS

Lorsqu'un enfant joue, le jeu n'est pas pour lui seulement une distraction. Quand vous et moi faisons une partie de cartes ou de tennis, nous cherchons une détente : jouer, c'est le contraire de travailler. Pour l'enfant, jouer c'est faire travailler son esprit et exercer ses forces. Le jeu est son activité normale, c'est un élément indispensable à son épanouissement. En jouant, l'enfant développe son imagination, sa créativité : il fait l'expérience d'une activité qui lui appartient ; il peut exprimer ses réactions, ses émotions. Lorsque Lisa gronde sévèrement sa poupée parce qu'elle a mouillé sa culotte, elle imite probablement la sévérité de ses parents. Axel a eu très peur car une voiture a dérapé devant la leur : pendant plusieurs jours, il a « rejoué » cet accident avec ses petites voitures. Sarah s'est beaucoup amusée à la kermesse de l'école ; avec ses peluches, elle refait les activités et les jeux qui lui ont particulièrement plu. Il est important que l'enfant ait du temps pour ces jeux libres, spontanés ; il n'a pas besoin d'être occupé en permanence à des activités qui peuvent paraître plus utiles ou avec des jouets sophistiqués.

LES PRÉFÉRENCES AUX DIFFÉRENTS ÂGES
Les parents ne savent pas toujours quels jouets donner à chaque âge. Et, lorsqu'ils entrent dans un magasin, c'est plus souvent pour demander « un jouet pour une petite fille de 2 ans, ou un petit garçon de 3 ans », qu'une poupée ou une auto. Or chaque âge a ses préférences. C'est pourquoi nous espérons vous être utile en vous indiquant ci-après une liste commentée des jouets qui feront plaisir à votre enfant de 1 mois à 4 ans. Mais comme toujours, nous faisons précéder cette liste de la mise en garde classique : s'il n'aime pas les jeux de construction ou les puzzles à l'âge où d'autres enfants s'y intéressent, n'en tirez pas des conclusions sur son développement, c'est qu'il a d'autres intérêts, vous les trouverez sûrement.

• 1 à 4 mois
Il découvre sons et couleurs. C'est l'âge des hochets : gros hochet à large poignée car un bébé a de la peine à saisir ; hochet à trois, quatre, cinq boules rouges, bleues, vertes ; boulier qui s'accroche au berceau ou au landau, etc. Vous pouvez également suspendre au berceau des animaux ; choisissez-les en caoutchouc, ou en tissu, donc lavables : bientôt votre bébé les portera à sa bouche. Vous pouvez

aussi suspendre un mobile, le bébé aime ce qui bouge. Il y a des poissons, des personnages, des oiseaux, de toutes les formes et de toutes les couleurs.

À signaler : déjà à cet âge l'enfant remarque la différence entre le dur et le mou, entre une poupée de chiffon et un hochet en plastique ; regardez-le faire, c'est très amusant.

• 4 à 8 mois

Votre bébé apprend à se servir de ses mains de toutes les manières : il palpe, gratte, tire, appuie, lâche. Installez l'enfant sur un tapis d'éveil : il aura ainsi l'occasion de faire les gestes qui le tentent à cet âge. Alternez les positions sur le ventre et sur le dos tant qu'il ne sait pas se retourner seul. Donnez-lui des animaux en caoutchouc, qui font du bruit lorsqu'on les presse, et des hochets plus savants qui lui procureront de nouvelles satisfactions comme le hochet musical. C'est aussi l'âge où l'enfant essaie de se soulever pour s'asseoir ; un petit portique accroché à son berceau ou à son parc l'amusera beaucoup. Et, le soir, une boîte à musique l'aidera à s'endormir.

• 8 à 12 mois

C'est l'âge d'installer votre enfant dans son parc, avec ses jouets autour de lui. Jeter les objets le plus loin et le plus souvent possible, non pour vous ennuyer, mais pour voir où ça tombe, voilà ce qui l'amuse le plus. Alors donnez-lui des jouets qui ne se cassent pas : animaux en caoutchouc, cubes en plastique, poupées en tissu, et toutes les peluches. Il aime aussi le jeu des perles et des spirales : il faut déplacer de grosses perles le long de plusieurs axes. Les jouets mécaniques que l'on remonte (ours qui danse, tortue qui bouge la tête) le font beaucoup rire.

Pour le bain, des animaux qui flottent : poissons, canards, grenouilles...

• 12 à 18 mois

Pousser devant lui un jouet qui roule, et sur lequel il a l'impression de s'appuyer, donne de l'assurance à l'enfant qui fait ses premiers pas : animal en bois, rouleau musical, etc. ; il va aussi aimer tirer des jouets au bout d'une ficelle. Lorsqu'il est assis, de ses mains désormais plus habiles, il empile et emboîte cercles et gobelets. C'est aussi l'âge des premiers pâtés de sable. Offrez-lui des moules, un seau, un arrosoir, et le moulin à eau ou à sable. Et des balles et des ballons en mousse.

• 18 mois à 2 ans

Il touche à tout, court partout, fait du bruit, déménage, transporte. Alors, pour satisfaire ces nouveaux intérêts, donnez-lui un cheval à roulettes, un train en bois qu'il traînera d'un bout à l'autre de sa chambre : pour lui, traîner est un progrès, c'est plus facile que pousser. Il sait aussi monter sur un camion et le faire avancer. Il aime renverser des quilles en plastique, remplir son camion de grandes briques en bois.

Et pour les moments de calme, donnez-lui de quoi exercer son adresse : puzzles en bois, œufs et tonneaux gigognes et « boîte aux lettres » (jouet en forme de boîte, dont le couvercle est percé de trous de différentes formes : des pièces correspondant à ces formes y sont jointes, l'enfant doit faire entrer chacune d'elles dans l'ouverture qui correspond). À cet âge, il aime aussi frapper sur un établi en bois avec un maillet, ou sur un xylophone. Enfin, et nous en reparlons plus loin, dès 18 mois, et même avant, un bébé apprécie les livres. Il aime bien qu'on lui raconte une histoire courte.

• 2 ans à 2 ans et demi

Jusqu'à cet âge, on propose généralement les mêmes jouets aux garçons et aux filles. Mais à partir de 2 ans-2 ans 1/2, les habitudes, l'environnement, font qu'on donne des poupées aux filles et des autos aux garçons. Et désormais chacun a maintenant son rayon chez le marchand de jouets : à cet âge il choisit un camoin de pompiers, un avion ; elle préfère un baigneur, une dinette, des perles de bois à enfiler.

Mais si l'un désire des jeux en général attribués à l'autre sexe, pourquoi les refuser ? Certaines filles apprécient de jouer aux petites voitures, comme certains garçons aiment s'occuper d'un ours ou d'une poupée. Les rôles masculins et féminins ont évolué, il est compréhensible que les jeux traditionnellement attribués aux filles ou aux garçons aient un peu suivi cette évolution.

À cet âge, garçons et filles ont en commun le village en bois, les animaux de la ferme, et, pour le jardin, une brouette. Pensez à proposer à vos enfants des gommettes, des feutres, des crayons de couleur, de la pâte à modeler (même si vous trouvez cela « sale » !), et plus tard des découpages avec des ciseaux (ronds et toujours en présence d'un adulte) : ces activités sont simples, peu onéreuses et pourtant beaucoup d'enfants arrivent à l'école sans avoir jamais eu en main ces objets.

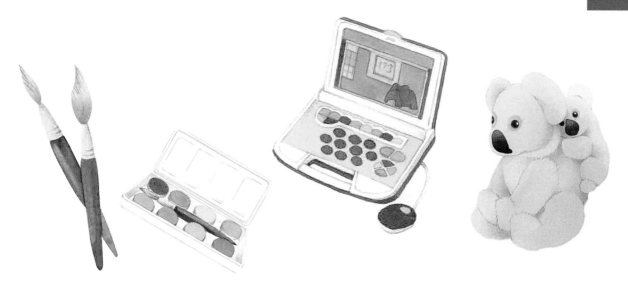

• 2 ans et demi à 3 ans

C'est l'âge où les enfants imitent vraiment les parents et les adultes qui les entourent : conduire une voiture, téléphoner, partir en voyage, faire la dînette, le ménage ou le marché et promener la poupée, habillée cette fois, dans une poussette. Pour prendre de l'exercice, ils aiment le tricycle, le cheval à bascule et, quand ils sont fatigués, regarder un livre d'images, pétrir de la pâte à modeler, dessiner, exercer leur adresse avec des boîtes gigognes.

• 3 ans

C'est l'âge de l'imagination. Une robe longue et une couronne transforment la petite fille en princesse ; avec un foulard et une cape, le petit garçon devient un pirate. Certains enfants adorent se déguiser, d'autres détestent. Le port d'un masque peut les impressionner. Garçons et filles soignent leur ours ou leur poupée avec une trousse de docteur. Les livres les intéressent de plus en plus : en regardant les images, ils inventent eux-mêmes des histoires. Ils aiment les jeux de construction, les gros puzzles, les premiers coloriages ; et au jardin, la balançoire.

Ils inventent aussi des histoires qui ont comme support des figurines, des animaux en plastique ou d'autres jouets. La petite fille aime toujours autant la poupée, elle sait très bien l'habiller. Chez le petit garçon, les petites voitures restent en faveur ; il aime particulièrement les bennes, grues, bulldozers, tracteurs. Également appréciés par les garçons de cet âge, les petits trains sur rails de plastique ou de bois faciles à monter et démonter.

L'imagination des enfants est également encouragée par la lecture d'histoires : tous les enfants aiment qu'on leur en raconte. Ce goût va durer toute l'enfance et même au-delà : histoires regardées dans les livres, histoires inventées par les parents, contes de fées, etc. Vous trouverez plus loin quelques titres de livres que les enfants aiment (pp. 135 et suiv.)

• Après 4 ans

Maintenant, comme les grands, ils font du vélo, de la trottinette, jouent au ballon qu'ils savent lancer, font des jeux de patience (lotos, puzzles), des jeux de construction plus minutieux ; ils écoutent des CD. Ils regardent de plus en plus de livres et les histoires qu'ils ont entendues, ils les racontent à leur tour à leur poupée, à leur ours, à un plus petit qu'eux.

Pour elle, vous choisirez des accessoires de poupée : elle sait donner à son baigneur un bain, puis le bercer en lui chantant des chansons. Le garçon s'intéresse toujours aux voitures, mais il les aime plus perfectionnées ; il aime aussi les jouets téléguidés.

Mais l'enfant ne joue pas qu'avec des jeux élaborés : un carton vide, une cuillère en bois et une casserole, un bout de ficelle ou un ruban de couleur peuvent l'occuper des heures durant. Inventorier le contenu d'un tiroir, imiter la personne qui fait le ménage, regarder les passants dans la rue sont autant d'occupations appréciées. Elles sont liées aux différents stades du développement de l'enfant dont nous vous parlons au chapitre 5.

« RANGE TES JOUETS »

Les parents le disent souvent à leur enfant. On les comprend. Ce n'est pas agréable de voir traîner partout des petites voitures ou des cubes, et ce n'est pas facile de faire le ménage dans ces conditions. En plus, quand l'appartement est petit, cela dérange tout le monde. L'enfant, lui, n'a pas les mêmes critères, il vit dans son monde, dont ses jouets font partie, le désordre ne le dérange pas et il trouve le plus petit objet dans le plus grand fouillis, c'est d'ailleurs intéressant et instructif à observer. En attendant que l'enfant découvre lui-même les bienfaits de l'ordre, ce qui arrivera un jour ou l'autre, comment concilier les désirs des parents et l'attitude de l'enfant ? De temps en temps, ranger la chambre avec lui, lui dire « aide-moi », lui donner des casiers, des paniers, des boîtes (un panier pour les peluches, une boîte pour les petites figurines, un rayonnage pour les livres, etc.). Mais la menace « Si tu ne ranges pas, je donnerai tes jouets » n'a jamais rien arrangé, d'autant plus qu'il est rare que les parents la mettent à exécution. Pensez à faire tourner les jeux et jouets : vous les mettez de côté pendant quelques semaines, ainsi la chambre est moins encombrée et les enfants les redécouvrent avec plaisir.

ATTENTION AUX JOUETS DANGEREUX

Devant le grand nombre d'accidents dus aux jouets, des normes de sécurité ont été rendues obligatoires. Les normes concernent la résistance au feu des jouets et leurs caractéristiques mécaniques et chimiques (matériau, toxicité, etc.). C'est un grand progrès, mais des jouets dangereux peuvent encore se trouver sur le marché, ceux qui sont encore importés plus ou moins clandestinement.

Aux parents d'être vigilants lorsqu'ils achètent le jouet le plus inoffensif. Les yeux des poupées, des ours, en verre ou en plastique, qui se brisent, peuvent blesser ou être avalés, les fils de fer qui arment les oreilles ou les pattes des animaux en peluche, les lunettes en plastique qui se cassent, les mobiles faits de petits éléments que l'enfant arrache et porte à sa bouche, un clou dans un jouet de bois, l'épingle qui sort d'un bonnet de poupée, une toupie ronflante qui perd son axe de fer, et voilà un accident grave. Beaucoup de jouets ne résistent pas aux coups, aux chocs, au mordillement ou à la succion d'un bébé. En se cassant, en se démoulant, en se décollant, leurs angles vifs deviennent de véritables armes. Attention aux ballons de baudruche : ils éclatent, les enfants peuvent en inhaler des morceaux, ce qui peut entraîner des accidents respiratoires graves.

Comment savoir que le jouet que vous achetez respecte les normes obligatoires ? La grande majorité des jouets est conforme aux normes officielles de sécurité ; vérifiez que le jouet comporte bien le marquage « CE » (le label CE est apposé par le fabricant qui dit se conformer à la législation européenne).

Il est conseillé d'acheter des jouets adaptés à l'âge de l'enfant ; de nombreux fabricants donnent d'ailleurs des âges d'utilisation. Ainsi, un jeu de construction destiné à un enfant de 5 ou 6 ans peut être dangereux lorsqu'il est manipulé par un bébé.

S'ajoute à cela la question de la taille : les petits jouets risquent d'être avalés par le bébé. Pensez à ce conseil : « à petit enfant, gros jouet ». Soyez vigilants avec les jeunes enfants lorsque les aînés jouent avec de petits objets, genre billes, figurines ou poupées miniatures. Enfin, pour tous les âges sont déconseillés : les revolvers à flèche, les fléchettes et les pétards.

> **OÙ SIGNALER UN RISQUE, UN DANGER AVEC UN JOUET OU UN AUTRE PRODUIT ?**
> *Commission de sécurité des consommateurs*
> *www.securiteconso.org.*
> *Direction générale de la concurrence, de la consommation et de la répression des fraudes : dans chaque préfecture.*

Un mot sur le traditionnel ours en peluche qui reste parfois pendant des années le compagnon de l'enfant : si un jour votre enfant tousse sans raison apparente, rappelez-vous que les jouets en peluche sont des nids à poussière, et peuvent être cause d'allergie. Le responsable de cette toux rebelle est peut-être l'ours bien-aimé. Pensez à laver régulièrement les peluches.

Attention aux piles-boutons. La multiplication des jouets utilisant des piles-boutons constitue un danger : le jeune enfant risque d'en avaler une. Dans ce cas, il faut conduire l'enfant à l'hôpital car la pile, qui contient des produits corrosifs et toxiques, doit être éliminée le plus vite possible.

JOUETS ET COMPOSANTS CHIMIQUES
Voici des gestes conseillés pour éliminer ou éviter des produits qui pourraient être dangereux pour la santé des enfants :
- Avant de donner un jouet à votre enfant, sortez-le de son emballage et laissez-le bien s'aérer.
- Lavez les jouets en tissu à 30° avant la première utilisation.
- Lorsque vous achetez des jouets en bois, préférez un bois brut non verni et, s'il est décoré, vérifiez que la peinture est de qualité alimentaire.
- Pour les nouveau-nés, préférez les jouets en matières naturelles, non traitées ou biologiques. Évitez le PVC.
Même si aujourd'hui des fabricants font des efforts pour produire des objets plus sûrs, et que la réglementation progresse, plusieurs associations ont attiré l'attention sur la présence dans les jouets de substances problématiques (plomb, phtalates, etc.). Vous trouverez de nombreux conseils et informations sur ce sujet sur le site **www.projetnesting.fr**

LA TÉLÉVISION

Que pensez-vous de la télévision pour les enfants ? Que peut-on leur laisser voir ? À partir de quel âge ? Pendant combien de temps ? Notre position a évolué ces dernières années, notamment à cause de la place de plus en plus grande des écrans, télévision et ordinateur, dans la vie des familles, du résultat de différentes études sur le sujet et de nos conversations avec le docteur Nadia Bruschweiler-Stern, spécialiste du développement du tout-petit. Tout cela nous a rendus plus fermes et certains lecteurs trouveront peut-être trop stricte notre opinion sur la télévision et les enfants. Il ne s'agit pas d'une opposition systématique, la télévision bien employée peut être source de découvertes et de divertissement pour les plus grands. Pour les jeunes enfants, des précautions s'imposent.

Parlons d'abord de l'âge

Avant 3 ans, la télévision est franchement déconseillée. Il existe aujourd'hui des chaînes dédiées aux tout-petits et certains parents peuvent croire que les émissions qui leur sont destinées, présentées comme «éducatives», recommandées pour leur développement, sont adaptées à leur jeune âge. Il n'en est rien : les images, le son, les bruits de toute émission ne sont pas bons pour l'équilibre nerveux et la vue d'un si jeune enfant. Une étude récente a montré les effets négatifs de la télévision à cet âge, même en bruit de fond : lorsque l'enfant joue dans une pièce où marche la télévision, les périodes de jeu sont moins longues, il se concentre moins longtemps. La télévision rend passif alors que le petit enfant a besoin pour s'épanouir d'échanges avec des adultes et de mouvement.

Si vous donnez à votre bébé son biberon ou sa purée en regardant vous-même la télévision, il se rendra compte que vous ne vous intéressez guère à lui ; il intégrera le fait que l'écran vous captive plus que lui et votre enfant risque de douter de ce qu'il représente pour vous.

Après 3 ans, voici quelques éléments à prendre en considération.

La durée

Le « temps » de la télévision a besoin d'être cadré, comme celui de toutes les activités, avec un « avant » et un « après » : l'enfant peut regarder la télévision pendant une certaine période et non pas de façon continue ou à tout moment. Après 3 ans et jusqu'à 4-5 ans, trois heures par semaine, réparties selon le souhait des parents, suffisent amplement. Et à partir de 5 ans, on ne devrait pas dépasser une heure par jour. Nous nous permettons de donner ce conseil : que le temps passé par l'enfant devant la télévision soit égal au temps d'attention, d'échanges (jeux, discussion, histoire racontée…) entre l'enfant et les parents. Ces derniers, pris par les occupations de la vie, oublient parfois les besoins d'un petit enfant ; celui-ci se construit, se développe en jouant avec des adultes et non pas avec les personnages virtuels d'un écran. Ces moments partagés créent des liens et ils permettent ensuite aux parents de poser des limites à l'enfant, sans culpabilité.

À noter. Ces remarques sur l'âge et la durée concernent tous les écrans, télévision et ordinateur, ainsi que les moments où l'enfant est gardé chez une assistante maternelle.

Si votre enfant a des difficultés pour s'endormir le soir, il est recommandé de ne pas le laisser

LA PLACE DU POSTE DE TÉLÉVISION
L'idéal serait d'avoir une pièce pour la télévision mais c'est rarement possible. Pourquoi ne pas mettre le poste dans la chambre des parents (ou le bureau si vous en avez un) plutôt que dans la salle de séjour ? Pour l'enfant, la tentation sera moins grande, surtout au moment des informations qui, malheureusement, apportent chaque jour leur lot de cadavres, de sang et de violence. Les petits ne regardent peut-être pas activement ces images, mais ils les voient inévitablement si leurs parents sont devant le poste.

regarder la télévision après 18 heures. Et même, pour certains enfants, il faudra la supprimer complètement. Les parents ont tendance à croire que la télévision calme : lorsque les enfants la regardent, on n'entend pas un bruit. Mais dès qu'on l'éteint, les enfants réagissent souvent par de l'agitation, de l'énervement, signes de la tension et des émotions qu'elle peut provoquer.

Évitez d'allumez le poste le matin avant de partir à la crèche ou à l'école. Être submergé par un flot d'images et de bruits, ce n'est vraiment pas un bon départ pour la journée. À cette heure-là, ce qui fait le plus de bien à l'enfant, c'est de prendre, sans être bousculé, un bon petit déjeuner dans une atmosphère détendue ; le matin est un moment précieux, on raconte ses rêves, on parle de la journée à venir.

Les programmes

Le choix n'est pas toujours facile. Les grandes chaînes ne proposent pas grand-chose pour les jeunes enfants. Et les responsables qui parviennent, malgré tout, à faire des émissions de qualité voient souvent leurs réalisations diffusées à des horaires (entre 7 h et 8 h le matin) qui ne sont pas adaptés à la vie des enfants. Vous pouvez enregistrer ces émissions et les montrer à un moment plus propice. Les familles qui reçoivent les chaînes câblées sont plus favorisées car elles bénéficient de programmes convenant aux enfants à différents moments de la journée.

Les DVD sont incontestablement le meilleur moyen de concilier la qualité des programmes et l'heure d'écoute. Les parents voient le DVD la première fois avec l'enfant, celui-ci peut poser des questions, en parler. Ensuite l'enfant apprécie de le revoir plusieurs fois, il se familiarise avec l'histoire, la connait, il s'en souvient et peut anticiper la suite. Il éprouve le même plaisir que lorsque vous lui racontez maintes et maintes fois la même histoire qu'il écoute sans se lasser. Avec la répétition des histoires, l'enfant met le monde à sa portée, il apprivoise et maitrise de mieux en mieux les événements et les émotions qui les accompagnent. Quant aux films, ils peuvent être vus en plusieurs épisodes, comme un feuilleton.

Si l'enfant regarde une émission, dans la mesure du possible, ne le laissez pas seul devant le téléviseur. Certaines images peuvent l'effrayer ; votre présence le rassurera et l'incitera peut-être à vous poser des questions. Beaucoup d'enfants gardent leurs angoisses pour eux, de peur d'être privés de leurs émissions. Votre enfant a parfois accumulé une forte tension ; vous pouvez l'encourager à parler de ce qu'il a vu ; cela lui apprend à ne pas rester un spectateur passif et vous permet de lui donner votre propre point de vue. Comme le dit Serge Tisseron : « Il est important que l'adulte donne son jugement sur les images, invite l'enfant à faire de même, afin que celles-ci deviennent un support d'échanges et non pas de fascination » (*Les dangers de la télé pour les bébés*, éditions Érès).

Dans les familles avec plusieurs enfants, il peut être difficile de concilier les envies de chacun et les limites que vous souhaitez établir. Essayez de faire comprendre aux enfants – surtout s'il y a une grande différence d'âge – que ce qui est possible pour l'aîné ne l'est pas pour le cadet. C'est une bonne occasion d'exercer votre autorité avec douceur et fermeté.

D'ailleurs, selon leur âge, et selon leur personnalité, les enfants n'ont pas le même intérêt pour la télévision. Certains abandonnent volontiers l'image pour retourner à leurs jeux ; d'autres aiment aller et venir devant l'écran, parfois en mimant l'action ; d'autres sont subjugués et on a toutes les peines du monde à briser l'envoûtement provoqué par le spectacle. Ils s'irritent dès que l'adulte rompt le charme par une remarque. Camille, prudente, s'assurait du silence de sa maman : «Tu restes, mais tu ne parles pas » disait-elle. Quoi qu'il en soit de vos enfants, laissez-les regarder leur programme comme ils l'entendent. Ne les forcez pas à rester immobiles s'ils ont envie de participer, ou de jouer en même temps. Quand c'est leur moment de télévision, ils peuvent en profiter à leur gré.

Vous le voyez, la question de la télévision et des enfants relève de choix éducatifs et aussi d'un choix dans la manière de vivre. Nous vous invitons à y réfléchir entre parents **avant** que le problème se pose. Dans ce domaine, comme dans les autres, votre comportement sera déterminant : plus vous regarderez la télévision devant votre enfant, plus votre enfant en aura envie. Mais ce qui est supportable pour un adulte ne l'est pas pour un enfant, surtout à ces âges si tendres. Finalement ce qui gêne le plus dans la télévision, c'est le temps précieux qu'elle ôte, celui de l'échange réel, des jeux, de l'imagination, tout ce qui construit un enfant.

L'ORDINATEUR

L'ordinateur fait aujourd'hui partie de la vie de nombreuses familles. Les parents se demandent alors à partir de quel âge leur enfant peut en comprendre le maniement. En fait, même très jeune – autour de 4 ans- un enfant est capable de s'y intéresser et de s'en servir. D'ailleurs, dans de nombreuses écoles maternelles, il y a maintenant des ordinateurs qui permettent aux enfants de se familiariser avec ces appareils.

Parmi les CD-Roms disponibles, certains sont destinés aux jeunes enfants, qui peuvent y jouer après que l'adulte leur a montré comment le faire. Il faut, par exemple, reconnaître les couleurs, ou les cris d'animaux, ou encore savoir à qui appartiennent ces traces de pas dans la neige. Avec la « souris » l'enfant apprend à se déplacer dans l'espace, à contrôler son mouvement, à « cliquer » au bon endroit.

Un peu plus grand, l'enfant apprécie de trouver sur Internet (toujours avec l'aide d'un adulte) des sites faits pour lui, renouvelés fréquemment.

Comme pour la télévision, il y a un bon usage de l'ordinateur : pas trop tôt, pas trop longtemps, et avec un adulte pas trop loin pour aider, participer, et aussi surveiller : que le petit enfant ne fasse pas de fausse manœuvre, que l'enfant plus grand ne tombe pas, avec Internet, sur un site inapproprié. Il est possible d'installer sur l'ordinateur un « filtre » (souvent dénommé « contrôle parental ») empêchant d'accéder à certains sites. Renseignez-vous auprès de votre fournisseur d'accès à Internet.

Voici quelques CD-Roms, sites et DVD pour enfants :

• *Le pique-nique de Loulou le pou*, d'après Antoon Krings (Gallimard Jeunesse) : il faut cueillir des framboises, trouver les couleurs de l'arc-en-ciel, décorer des pains d'épices...

• Les CD-Roms *Clic d'Api* (pour se les procurer, consulter www.bayardweb.com) : avec *Petit Ours Brun*, des jeux d'adresse et de stratégie...

• La collection *Adiboud'chou* (Coktel) propose plusieurs CD-Roms : à la mer, à la campagne, sur la banquise, dans la jungle... Il faut placer les images dans le bon ordre, reconnaître des formes, écouter de la musique, trouver les instruments, etc.

• Le site www.clicdapi.com (accessible par abonnement) est celui de Bayard Presse destiné aux 3-7 ans : sur ce site, il y a tous les mois, de nouvelles histoires et de nouveaux jeux.

• Les enfants aiment les DVD mettant en scène leur vie quotidienne : *Mimicracra, Léo et Popi, Franklin la tortue*. Ils apprécient aussi *Barbapapa, Dora, Bob le Bricoleur, Petit Vampire*...

QUELQUES SPECTACLES

Il reste enfin à dire un mot de quelques spectacles appréciés des enfants – cirque, marionnettes, cinéma – bien qu'ils soient peu à peu remplacés par la télévision.

Le cirque

Aujourd'hui, il y a encore quelques beaux cirques, mais la plupart ont malheureusement dû renoncer devant le coût et les difficultés des spectacles. Il n'empêche que chaque fois qu'un cirque est annoncé, à grand renfort de porte-voix dans les rues, les enfants demandent à y aller, et sont toujours un public chaleureux, enthousiaste, émerveillé par les numéros de clowns ou d'acrobates. N'hésitez pas à emmener vos enfants au cirque, mais quand même pas avant 3 ans, la musique, les applaudissements, les animaux peuvent leur faire peur.

Les marionnettes

Si vous avez la possibilité d'emmener vos enfants voir un spectacle de marionnettes, ils seront ravis : à partir de 3 ans, les enfants sont en général fascinés. Ces personnages qui ont la taille de leur poupée ou de leur ours et qui évoluent dans un théâtre miniature sont tout à fait à leur mesure. Les enfants sont toujours très actifs à un spectacle de marionnettes : ils rient, manifestent bruyamment leur joie ou leur déception et, en s'identifiant aux personnages, participent réellement au spectacle.

Le cinéma

Le vrai film est déconseillé avant 5-6 ans. Et même à cet âge, l'attention de l'enfant tombe vite lorsqu'il est livré, passivement et dans le noir, à une projection un peu longue.

LE GOÛT DES LIVRES SE PREND TRÈS TÔT

Il ne s'agit pas de vous pousser à faire lire précocement votre enfant mais de vous encourager à l'élever très tôt dans une ambiance où le livre ait sa place. C'est cela qui peu à peu lui donnera le goût des livres, puis l'envie de les lire ; l'enfant découvrira le plaisir que procure la lecture. La vie d'un enfant ne saurait se passer de livres, cette évidence s'impose de plus en plus, heureusement car le livre amuse, instruit, distrait à tout âge ; les crèches ont une bibliothèque à la disposition des petits ; ceux-ci, dès leur plus jeune âge, s'habituent au contact, à la présence des livres. Ils tournent eux-mêmes les pages, ils sont sensibles aux couleurs, on leur raconte les histoires. Les livres stimulent l'imagination des enfants, ce que ne fait pas la télévision qui les laisse passifs.

La production de livres pour la jeunesse est de plus en plus importante. Parmi cette abondance, voici quelques titres qui plaisent aux enfants et qui sont de qualité. Nous remercions Aurélie Le Meur, libraire à *L'humeur vagabonde*, de nous avoir conseillés dans notre choix.

LES PETITS ENFANTS

Ils aiment un bel imagier colorié, facile à manipuler car il est en tissu : *Gros Doudou* (Albin Michel). Et aussi *L'Imagier des bébés*, avec des illustrations qui ressemblent à de la pâte à modeler (Fleurus). Toujours pour les petits, voici d'autres livres à toucher :
• *Mon grand imagier à toucher*, Xavier Deneux, (Milan)
• *Dix petites coccinelles*, E. de Galbert et L. Huliska-Beith (Quatre fleuves)
• La collection « Comptines à toucher » pour découvrir les histoires les plus classiques de façon ludique : *Si le loup y était* ou *Une souris verte*, P. Jalbert (Milan)

• Des livres sonores : *Le livre des bruits*, Soledad Bravi, et des imagiers par thèmes : *Les petits mots, Les papas...* Bisinski-Sanders (Loulou et Cie-L'École des loisirs).

À PARTIR D'1 AN

• Les enfants aiment très tôt et très longtemps les albums du Père Castor : *Poule rousse, La chèvre et les biquets, Boucle d'or et les 3 ours, Perlette*, etc. (Flammarion), des classiques toujours renouvelés
• À signaler pour sa qualité le célèbre *Imagier du Père Castor* que les enfants peuvent regarder dès 12 mois. Le succès de L'imagier a donné naissance à : *Mon imagier à la mer, à la ferme, au zoo*, etc. (Flammarion)
• *L'imagier français-anglais*, Junko Yoshida (Bayard)
• *L'imagier des petits bonheurs*, M.A. Gaudrat et H. Oxenbury (Bayard)
• *Tout un monde*, le monde en vrac, K. Couprie et A. Louchard (Thierry Magnier)
• Des petits imagiers sonores : *La nature, Les jouets, La ferme* ... On appuie sur une image et cela provoque un son. (Gallimard)

DÈS 18 MOIS

• Le très classique *Petit Ours Brun* : *Petit Ours Brun joue dans la neige, Petit Ours Brun veut aider, Petit Ours Brun et son mouchoir chéri...*, de Danièle Bour (Bayard)
• Toute la série de Jeanne Ashbé : *Coucou !, On ne peut pas, Bonne nuit, À ce soir* (Pastel-L'École des loisirs). De très jolis livres pour les petits, avec peu de texte pour illustrer les rituels de la journée
• Également de Jeanne Ashbé : *Et dedans il y a...* et *Et après il y aura...* pour parler à l'aîné d'une prochaine naissance (Pastel-L'École des loisirs)
• Les livres de Thierry Laval pour découvrir les couleurs, les animaux, l'heure : des petites pièces à détacher et replacer, comme un puzzle (Hatier)
• La collection des Mimi (à partir de 2 ans) : *La maison de Mimi, Mimi va dormir...*, de Lucy Cousins (Albin Michel). Le petit lecteur doit aider Mimi en tirant sur des languettes, en soulevant des rabats
• Le principe de la collection permet aux enfants de retrouver leur petit héros, ou héroïne, dans des situations variées : *Tchoupi* (Nathan), *Mimi-Cracra* (Hachette), *Cachatrou* (L'École des loisirs), etc.
• Les enfants apprécient les drôles de petites bêtes d'Antoon Krings : *Barnabée le scarabée, Mireille l'abeille, Belle la coccinelle*, etc. (Gallimard)
• La collection « Mine de rien », de Catherine Dolto. Des petits livres à feuilleter avec les enfants pour parler facilement de certains sujets : *La nuit et le noir, Les bêtises, On s'est adoptés, Polis pas polis, Gentil méchant, Les grands-parents, Ça fait mal la violence, La peur, L'amitié*, etc.
• Les livres de Jacques Duquennoy *Les petits fantômes* ont peu de texte et plaisent aux petits comme aux plus grands ; ils existent en DVD (chaque histoire dure 10 minutes).

À PARTIR DE 3 ANS
Les enfants aiment :
• *Arc-en-Ciel*, de Marcus Pfister (Nord-Sud)
• *Elmer*, de David Mackee (Kaléidoscope)
• *Petit Bleu, Petit Jaune et Frédéric* de Léo Lionni
• *Babar*, Jean de Brunhoff, (Hachette) et tous les Babar
• Tous les *Barbapapa*
• La série des *Tromboline et Foulbazar*, Claude Ponti (L'École des loisirs)
• *Petit poisson n'est pas content*, Guido Van Genechten (Mijade)
• *L'École maternelle* (Gallimard) : à regarder ensemble pour préparer la rentrée. Et chez Milan, un livre sur le même thème de l'école, illustré par des photos
• Les ouvrages de Stéphanie Blake : *Non pas dodo ! Caca boudin, Poux ! Je ne veux pas aller à l'école...* (L'École des loisirs)
• *C'est à moi ça* et *C'est pas grave*, Michel Van Zeveren (Pastel-École des loisirs)
• *Mes premières découvertes* (Gallimard). Cette collection est destinée aux 3-6 ans. Ce sont de vrais petits livres d'art, sur l'arbre, la coccinelle, le chat, les couleurs, etc.

De nombreux livres illustrent des situations de la vie de tous les jours
Pour aider à aller se coucher :
• *C'est l'heure de dormir*, M. d'Allancé (L'École des loisirs)
• *Tu ne dors pas petit ours ?*, Finth (L'École des loisirs)
• *Encore un bisou*, A. Hest et A. Jeram (Albin Michel jeunesse)
• *Ferme les yeux*, K. Banks et G. Hellensleben (Gallimard)
Et encore :
• *Le petit déjeuner de la famille souris*, Inamura
• *Grosse colère et Non, non et non*, M. d'Allencé (L'École des loisirs)
• *Sur le pot*, M. Borgardt et M. Chambliss (Albin Michel), *Tchoupi sur le pot* (Nathan)
• *Vous êtes tous mes préférés*, S. Mac Bratney et A. Geram (Pastel), sur la rivalité et la jalousie.

ET VOICI QUELQUES LIVRES POUR LES PLUS GRANDS, À PARTIR DE 4-5 ANS
• *Loulou*, Grégoire Solotareff (L'École des loisirs)
• *Timothée va à l'école*, Rosemary Well (L'École des loisirs)
• *Hulul et Porculus*, Arnold Lobel (L'École des loisirs)
• *Le géant de Zéralda, Les trois brigands* (il existe en DVD et est très fidèle au livre)*, Flix*, Tomi Ungerer (École des loisirs)
• *Max et les maximonstres*, Maurice Sendak (École des loisirs)
• *Quand tu seras petite*, de Anne Herbauts et Stephan Levy-Kuentz (Casterman) : c'est ce que peuvent dire à leur maman les enfants à qui on répète si souvent « quand tu seras grand »
• Toute la série des Pomelo : *Pomelo voyage, Pomelo rêve...* B. Chaud et R. Bàdescu (Albin Michel)
• Les livres de M. Ramos : *Tout en haut, C'est moi le plus beau, C'est moi le plus fort* (L'École des loisirs)
• La série des *comptines* (pour Noël, pour mon nounours...) chez Actes Sud Junior, une collection soignée et gaie. Et aussi : *Petites chansons pour tous les jours* (Nathan, livre et cassette ou livre seul) ; *101 poèmes pour les petits* (Bayard jeunesse)

• Les livres de Philippe Corentin (L'École des loisirs) : *L'Afrique de Zygomar, Mademoiselle Sauve-qui-peut*
• *Le petit chaperon de ta couleur*, Vincent Malone, Jean-Louis Cornalba, Chloé Sadoun (livre plus CD) : le célèbre conte est revisité de façon loufoque, ce qui amuse les plus grands (Seuil).

LES LIVRES MUSICAUX

(un livre plus un CD).
• Pour les petits, ce sont des « images sonores » avec, par exemple, les cris des animaux, les bruits de la ville ou de la maison. Ensuite, ce sont les histoires racontées (*Les 3 Petits Cochons, Boucle d'or...*), les comptines, les chansons
• La série des *comptines et berceuses du monde entier*, avec CD, un livre par continent ou par pays : *Baobab, Babouchka, Olivier...*(Didier). *Pommes de reinette et pomme de nuit* (livre + CD), *des comptines pour le jour et pour la nuit* (Milan)
• Pour les plus grands, une collection pour découvrir en musique l'enfance, la vie et les œuvres des grands musiciens : Mozart, Bach, Schubert... Une autre collection permet d'explorer les musiques du monde : Cuba, les Tziganes, la musique celte, le raï, le reggae... (Gallimard)
• *Piccolo, Saxo et Compagnie*, raconté par François Périer, illustrations de Pef, une histoire des instruments de musique (Thierry Magnier)
• Le très classique, et qui plait toujours, *Pierre et le loup*, un conte musical de Serge Prokofiev, raconté par Gérard Philipe (Le Chant du Monde).

MÉDIATHÈQUE

N'HÉSITEZ PAS À EMMENER VOS ENFANTS, MÊME LES PLUS JEUNES, DANS UNE MÉDIATHÈQUE. VOUS VERREZ, CELA LEUR PLAIRA BEAUCOUP. LES MÉDIATHÈQUES PROPOSENT SOUVENT UN MOMENT PARTICULIER, APPELÉ PARFOIS « L'HEURE DU CONTE » : LES ENFANTS VIENNENT À UNE CERTAINE HEURE ET UN ADULTE LES AIDE À CHOISIR DES LIVRES ET LES LEUR LIT. À SIGNALER L'EXISTENCE DES LUDOTHÈQUES QUI PRÊTENT JEUX ET JOUETS.

LES REVUES

• Les tout-petits (à partir de 18 mois) ont leur première revue, *Popi*. Pour les plus grands (à partir de 3 ans), *Pomme d'Api*. Pour tous : une histoire à raconter aux plus jeunes ou à faire lire aux plus grands : *Les belles histoires*. Ces revues sont publiées chez Bayard
• Il y a aussi les publications de Fleurus presse : *Papoum* pour les tout-petits, *Abricot* à partir de 2 ans, *Pirouette* ou *Les petites princesses* à partir de 4-5 ans, etc...
• Il y a également *Les petites histoires* et *Histoires pour les petits* (Milan jeunesse).
  Ces publications sont vendues en kiosque. Et par abonnements : les enfants adorent recevoir leur journal.

Il y a une catégorie de livres à mettre à part, les contes de fées et les contes traditionnels. Certains enfants aiment qu'on leur en raconte très tôt (*Cendrillon, La Belle au bois dormant*, etc.) ; les garçons souvent préfèrent Grimm et les filles préfèrent Perrault (chez Albin Michel). Et de nombreux adultes trouvent un réel plaisir à lire ces contes à leurs enfants. Si c'est votre cas, cela vous intéressera peut-être de lire *Psychanalyse des contes de fées*, de Bruno Bettelheim (Livre de poche) qui donne un éclairage inhabituel sur des contes classiques.

Attention danger !

La vie d'un enfant, à partir du moment où il commence à circuler dans la maison ou dehors, est semée d'embûches, parfois même de dangers. On constate hélas que les accidents, à la maison, ou à l'extérieur, tuent plus que toutes les maladies contagieuses réunies. Entre 1 an et 4 ans, les accidents constituent la première cause de décès.

De plus, les statistiques montrent que c'est entre 18 mois et 3 ans que le pic des risques d'accident est le plus élevé ; on le comprendra en lisant au chapitre 4 que, entre ces deux âges, le développement psychomoteur de l'enfant le pousse à toutes les découvertes alors qu'il n'a pas encore conscience des dangers qu'elles comportent.

Ce sera à vous de trouver l'équilibre entre tout interdire et tout permettre, entre la surprotection et l'absence de limites. Et vous prendrez vite l'habitude de prévoir le danger, de tourner la poignée d'une casserole ou de ranger médicaments et produits dangereux, ces gestes deviennent familiers quand il y a un enfant dans la maison.

LA MAISON DANGEREUSE

Voici les principales fautes contre la sécurité, celles qui, d'après les statistiques, causent le plus d'accidents d'enfants.

ATTENTION !
• Le bébé qui est sur une table à langer et dont on s'est éloigné
C'est le risque numéro un. Ayez toujours une main posée sur lui.
• La casserole dont la queue est tournée vers l'extérieur
En outre, cette casserole pleine, en débordant, peut éteindre le gaz, créant le risque d'asphyxie.
• L'oreiller ou la couette sur le lit du bébé
Le risque est l'étouffement, ainsi que le coup de chaleur.
• La fenêtre sans barreaux ni grillage
• L'enfant laissé seul dans son bain : il peut se noyer dans 15 cm d'eau
• L'eau qui sort trop chaude du robinet : elle peut brûler
Régler l'eau chaude à moins de 50°
• L'armoire à pharmacie à portée des enfants
• Les produits d'entretien mêlés aux comestibles
Ou mis dans des emballages de comestibles (l'eau de Javel dans une bouteille de soda, etc.), ou rangés dans un placard accessible à l'enfant.
• La prise de courant non protégée
On peut mettre des cache-prises ou, mieux, installer des prises dans lesquelles un obturateur empêche l'enfant d'introduire un objet ; de telles prises sont systématiquement posées lors d'une nouvelle installation électrique.
• Le radiateur électrique non protégé
• Le fil du rasoir électrique, ou du sèche-cheveux qui pend près de la baignoire
L'enfant risque de jouer avec pendant son bain : danger de mort !
• La rallonge restée dans la prise après avoir débranché un appareil ménager
Cette rallonge qui traîne par terre, l'enfant risque de la mettre dans la bouche.
• Le fer à repasser oublié sur la planche
• Les appareils de chauffage défectueux

• Les intoxications provoquées par des émanations d'oxyde de carbone sont fréquentes. Vérifiez que votre appareil de chauffage (bois, charbon, gaz, chauffe-eau à gaz) marche bien, en le faisant contrôler tous les ans ; et faites ramoner (une fois par an pour le chauffage au gaz, deux fois par an pour le chauffage au fuel, charbon ou bois) les conduits, c'est d'ailleurs exigé par les assureurs. Pour savoir à qui vous adresser pour faire ce contrôle, renseignez-vous auprès du vendeur de l'appareil. Le grand danger de l'oxyde de carbone c'est que c'est un gaz inodore, incolore, se diffusant facilement ; l'intoxication survient sournoisement, elle est parfois mortelle.

• Certaines circonstances favorisent les accidents : la faim d'abord (l'enfant qui a faim avale n'importe quoi) ; la nervosité de l'entourage ; les problèmes que peut avoir l'enfant, les jalousies secrètes par exemple. Tout ce qui trouble la sécurité de l'enfant peut être mauvais : l'enfant qui a assisté à une dispute violente entre ses parents peut sortir en courant de la maison et traverser sans regarder.

• Enfin les parents sont parfois négligents ; il ne faut pas répondre au téléphone quand le bébé est dans son bain ; et on ne doit pas demander à un grand avant l'âge de 10 ans d'être responsable de son petit

IL NE FAUT JAMAIS LAISSER UN ENFANT SEUL À LA MAISON,
qu'il ait 4 mois ou 4 ans, ni la nuit ni le jour. Tout peut arriver : la lecture des journaux le prouve. Le nouveau-né qui s'étouffe ; l'incendie ; l'enfant qui pousse une chaise devant la fenêtre pour voir rentrer sa maman et qui tombe dans la rue ; celui qui avale un médicament croyant que c'est un bonbon, celui qui joue avec le fusil de papa, ou plus simplement celui qui joue avec des boutons, des haricots secs, des cacahuètes et avale « de travers ». Songez encore que l'enfant laissé seul à la maison peut faire un cauchemar, s'éveiller, appeler ses parents et, dans la maison vide, connaître le premier désespoir de sa vie.

frère pendant que les parents font des courses. Ne pas laisser à la portée des enfants de moins de 4 ans des cacahuètes, noix, noisettes. Les cas d'enfants qui s'étouffent sont fréquents, surtout le samedi soir, jour où les parents offrent à leurs amis un verre.

Maintenant voici plus en détail quelques précautions à prendre selon l'âge : pour le tout-petit, puis pour l'enfant plus grand.

AVANT 1 AN

La chute est, vous l'avez vu, l'accident le plus fréquent, et les statistiques précisent que, dans la majorité des cas, cette chute se produit à partir de la table à langer. Il n'est pas inutile de redire qu'un bébé ne doit jamais être laissé seul sur la table à langer. Il faut avoir le réflexe de prendre le bébé avec soi si on doit quitter la pièce, par exemple si le téléphone sonne. D'ailleurs lorsqu'on change le bébé, ou qu'on lui donne son bain, le répondeur est bien utile. Toujours pour éviter les chutes, il faut penser à attacher l'enfant : dans sa chaise haute (et ne pas y laisser l'enfant sans surveillance), dans son petit siège inclinable (et ne pas le poser sur une table mais sur le sol), dans sa poussette.

Attention également à tout ce qui peut **brûler** le petit enfant :
• Le biberon réchauffé dans le micro-ondes : malgré les recommandations, on oublie trop souvent que le liquide peut être brûlant, même si le récipient est froid. Si vous utilisez le four micro-ondes, agitez

le contenu et vérifiez systématiquement la température du liquide (ou du petit pot), par exemple en déposant quelques gouttes sur le dos de la main.

• Le bol de lait ou l'assiette de soupe que l'enfant renverse sur lui.

• L'eau chaude : lorsqu'elle sort trop chaude des robinets de la salle de bains (lavabo, mais surtout baignoire et douche), elle peut créer de graves accidents. De l'eau à 60° provoque une brûlure au troisième degré en moins d'une seconde. Si vous avez un chauffage individuel, réglez la température de l'eau à moins de 50° – température de sécurité. Si vous le pouvez (c'est un peu cher), équipez vos robinets de mélangeurs thermostatiques. Pour les précautions à prendre avant le bain du bébé, voyez le chapitre 1.

Enfin méfiez-vous de tout ce qui risque d'**étouffer** le bébé : pas d'oreiller, ni de couette (l'enfant risque en plus un coup de chaleur). Attention au chat qui peut monter dans le berceau, et prudence avec les chaînes de cou.

POUR L'ENFANT QUI COMMENCE À MARCHER

Il part à la découverte du monde qui l'entoure. En le protégeant dans cette exploration, vous l'aidez à faire connaissance avec chaque chose et à en éviter les dangers. Comme votre enfant est curieux et pas encore conscient du danger, des précautions s'imposent.

Attention aux intoxications

• Rangez hors de sa portée tous les médicaments. La solution préventive est d'avoir une armoire à pharmacie hors de la portée des enfants, fermée à clé, et d'y ranger tous les médicaments, même ceux en cours d'utilisation. Pour éviter tout risque d'erreur, séparez les médicaments pour enfants de ceux pour adultes. Méfiez-vous de votre sac à main qu'un enfant aime s'approprier, et au fond duquel il peut trouver un tube de médicaments. Vous ayant vu en avaler, il risque de chercher à vous imiter.

• Mettez hors d'atteinte les produits d'entretien : certains sont des poisons.

Les intoxications ne sont jamais l'effet du hasard : des enquêtes montrent que, dans 60 % des cas, le toxique incriminé était à portée de main des enfants. Heureusement certains produits particulièrement toxiques (déboucheurs d'évier par exemple), disposent de fermetures de sécurité qui ne peuvent être ouvertes par les enfants. Ne les transvasez jamais dans un autre récipient (par exemple, l'eau de Javel diluée à partir d'un berlingot dans une ancienne bouteille de jus de fruit).

• Mettez aussi hors de sa portée les produits de jardinage (désherbant, insecticides, engrais, etc.), certains sont très toxiques.

Les intoxications par les médicaments (surtout tranquillisants et antidépresseurs) et les produits ménagers représentent 85 % des intoxications chez l'enfant (60 % pour les médicaments, 25 % pour les produits ménagers). Parce qu'en général, passé les premiers mois, la vigilance se relâche. Et les parents les plus attentifs au début laissent traîner des médicaments à portée de la main des enfants.

Attention aux brûlures
• Ne posez jamais sur le sol des récipients contenant de l'eau très chaude.
• Tournez vers le mur la queue des casseroles qui sont sur le feu.
• Jamais de bouilloire posée sur le bord d'une table.
• On peut fixer autour de la cuisinière une petite grille qui empêche l'enfant de toucher les plaques électriques qui restent chaudes longtemps.
• La porte du four est dangereuse car elle est brûlante et juste à hauteur de l'enfant.
On peut la protéger par une grille ou par une porte supplémentaire (beaucoup de marques en proposent). Il faut penser à refermer immédiatement la porte après avoir sorti un plat. Mais l'idéal est que le four soit en hauteur, c'est d'ailleurs plus pratique pour les adultes et moins dangereux pour les enfants.
• En ce qui concerne le petit appareillage électroménager, il y a aussi des précautions à prendre : le grille-pain peut brûler, le couteau électrique couper, etc.
• La cuisine est une pièce dangereuse : il ne faut pas y laisser un enfant seul.
• Attention aux lampadaires halogènes : ils ne sont pas stables, et l'enfant peut les faire facilement tomber.
• Voyez plus haut les précautions à prendre à propos de l'eau chaude qui sort des robinets.

Attention aux chutes
• La chute par la fenêtre n'est pas un accident rare. Si vous laissez une fenêtre ouverte, surveillez votre enfant. Il existe des barrières de sécurité extensibles.
• Une chute fréquente est celle de l'enfant qui tombe d'un chariot à roulettes dans une grande surface : si on y installe l'enfant, il faut le surveiller. Les sièges de voiture « dos à la route » ne doivent pas être posés sur un chariot. Des accidents graves sont arrivés.
• Un enfant qui tombe d'un lit superposé, cela arrive souvent : il vaut donc mieux éviter les lits superposés. Et si vous ne pouvez faire autrement, sachez qu'il ne faut pas installer dans le lit supérieur un enfant de moins de 4 ans.
• Ne laissez pas traîner de sac en plastique : l'enfant peut se le mettre sur la tête et s'étouffer.
• Pour les portes, deux idées parfois utiles : vous pouvez installer dans les chambranles des portes, des barrières permettant à l'enfant de rester dans son coin, tout en ne se sentant pas isolé. Pour éviter que votre enfant ne se pince les doigts, vous pouvez fixer la porte avec un crochet.
• Ne laissez pas votre enfant utiliser seul les escaliers tant qu'il ne sait pas se servir de la rampe.
• Un mot sur les plantes d'appartement. Certaines sont dangereuses. Une précaution : apprendre à l'enfant, même très petit, qu'on ne touche pas aux plantes, et surtout qu'on ne les mange pas.
• Si malgré toutes ces mises en garde un accident se produit, voyez les articles *Brûlures*, *Chutes*, *Intoxications*, au chapitre 6.

RANGER, SURVEILLER, ÉDUQUER

Au fur à mesure que l'enfant grandit, des précautions s'imposent toujours, mais vous devez l'exercer, et surtout le laisser s'exercer, à utiliser les objets usuels. Ce n'est pas en lui en interdisant l'usage que vous le rendrez adroit de ses mains : faites les lui manier à votre exemple. Peu à peu, il s'initiera à sa propre protection. Donc, très peu de « Défense de toucher » quand vous êtes auprès de lui... mais donnez-lui le bon exemple en respectant les règles simples de la sécurité : remettez chaque chose à sa place ; prenez les précautions voulues avant certains gestes, certaines actions : pas de portes ouvertes brusquement, ne vous retournez pas soudainement si vous portez un objet qui, en tombant, pourrait blesser l'enfant, etc. Un des médecins du Centre antipoisons de Paris nous a dit : il y a trois mots qu'il faut répéter sans cesse pour prévenir les intoxications, c'est ranger, surveiller, éduquer. Cette phrase peut d'ailleurs s'appliquer à la prévention de la plupart des accidents domestiques.

Les morts d'enfants par accidents de la vie courante ont diminué depuis quelques années. Grâce à de nouvelles normes de fabrication (par exemple les bouchons de sécurité pour les produits toxiques). Grâce aussi aux campagnes d'information faites auprès des parents. Peut-être aussi grâce aux conseils de prévention que nous préconisons depuis des années dans ce livre. Mais les chiffres restent encore élevés. Ils peuvent baisser si l'effort se poursuit.

LES DANGERS HORS DE LA MAISON

Ils peuvent survenir au jardin, dans la rue, à la campagne.

La piscine

Il y a de plus en plus d'accidents car il y a de plus en plus de piscines privées. Les parents ne sont pas suffisamment conscients du danger, ils ne se rendent pas compte à quel point l'accident se produit vite, ils ne savent pas que les conséquences sont le plus souvent dramatiques. Ces accidents sont d'autant plus graves qu'ils ne sont pas découverts dès leur survenue et que, en conséquence, les secours ne peuvent intervenir rapidement. Les dispositifs de sécurité sont obligatoires mais ne dispensent pas de surveiller en permanence les petits enfants (p. 156).

Le barbecue

Un enfant sur cinq, brûlé par flamme, l'a été par barbecue et les brûlures ainsi observées sont nettement plus graves que la moyenne. Saute de vent, courant d'air, ou feu mourant que l'on ranime imprudemment avec de l'alcool à brûler, chemisette de nylon, et voilà l'enfant transformé en torche vivante. Des barbecues placés au ras du sol, éloignés des enfants, et l'interdiction absolue de tout liquide inflammable pour ranimer leur flamme, permettraient d'éviter ces drames.

La tondeuse à gazon

Des accidents arrivent fréquemment : les enfants doivent toujours être tenus à l'écart d'une tondeuse à gazon.

Les accidents de circulation

Les plus fréquents arrivant aux jeunes enfants sont des accidents de piétons :

• l'enfant a traversé la route sans regarder

• il a lâché la main qui le tenait pour rattraper son ballon

• il jouait avec des petits amis, et il est descendu sur la chaussée.

Donc, dès que l'enfant sera en âge de comprendre, il faudra lui apprendre à traverser la rue. Mais jusqu'à l'âge qui nous intéresse ici (4-5 ans), seuls comptent la main qui tient bien fermement la sienne, et l'exemple : en vous voyant regarder à gauche et à droite avant de traverser, votre enfant apprendra à faire de même. Sur le trottoir, marchez côté rue, en lui donnant la main.

Lorsque vous traversez la rue avec votre enfant dans sa poussette, soyez vigilant, il est le premier exposé. Par ailleurs, sur les dangers de l'enfant en voiture et la nécessité de le mettre dans un siège adapté, voyez page 152.

LA CAMPAGNE AUSSI A SES DANGERS

Poisons : le laurier-rose, les fruits noirs produits par les plants de pommes de terre après leur floraison ; le figuier : le suc des tiges et des feuilles peut donner des brûlures de la peau et de la bouche ; le muguet : toutes les parties de la plante sont toxiques ainsi que l'eau du vase dans laquelle elle a été placée.

Dans les prés : le colchique (fleurs roses et violettes), l'aconit (fleurs bleues, jaunes ou violettes, en pyramide), le genêt (fleurs jaunes).

Dans les terrains vagues : la ciguë qui ressemble au persil, la jusquiame (fleurs jaunes rayées de pourpre, plante comportant une seule tige), la stramoine (grandes fleurs blanches striées de violet, fruit couvert de piquants), la belladone (fleurs pourpres, baies noires grosses comme des cerises).

Pour que vous reconnaissiez plus facilement ces plantes, d'autant plus dangereuses qu'elles sont souvent jolies, nous vous les présentons en couleurs dans les pages suivantes. D'ailleurs, vous verrez que certaines de ces plantes sont très répandues, même en ville.

Pour les fruits toxiques et les champignons, la surveillance et l'éducation sont les meilleurs moyens d'éviter les accidents.

Serpents. Voir au chapitre 6 l'article *Morsures* : morsures de vipère.

Arbres aux branches cassantes, le cerisier particulièrement. Là encore, il ne s'agit pas de faire vivre l'enfant dans un univers sans danger, ni de le faire vivre dans la crainte, mais de l'avertir du danger. Son esprit, très réceptif à l'idée de la maladie et de la mort, enregistrera vos avertissements ; et pour toujours l'image de l'endroit où il y a des vipères, de la fleur qui fait mourir, de l'arbre sur lequel il ne faut pas monter, restera gravée dans son esprit.

BELLES, MAIS DANGEREUSES

DIGITALE POURPRÉE, DOIGT DE SORCIÈRE

On la trouve à la lisière des forêts, dans les clairières, sur les talus, etc. Des feuilles inférieures s'élève, de juin à août, une hampe florale de 50 cm à 1,50 m. Les fleurs, pourpres, en forme de doigt, sont disposées d'un même côté de la tige. Leur intérieur est ponctué de taches rouge sombre, bordées de blanc. Toute la plante est vénéneuse : elle renferme un violent poison pour le cœur.

JUSQUIAME

Plante à pilosité visqueuse des sols riches en azote, des décombres et friches. Elle est peu commune en France car, étant fort dangereuse, elle est détruite au voisinage des lieux habités. Ses fleurs jaunes veinées de violet, apparaissant entre mai et septembre, forment une crosse terminale (hauteur : entre 30 et 60 cm).

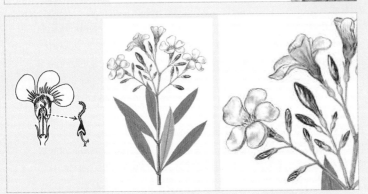

LAURIER-ROSE

Petit arbuste ornemental (2 à 3 m de haut), cultivé dans les régions chaudes du sud de l'Europe. Les fleurs d'un rose vif apparaissent l'été et ses feuilles particulièrement dures sont groupées par trois. Toutes les parties de la plante sont toxiques mais, en plus, le miel que font les abeilles avec les fleurs du laurier-rose, est toxique également.

GRANDE CIGUË

Plante très vénéneuse commune en Europe, dans les friches, chemins, talus des lieux humides (1,5 à 2 m de haut). Reconnaissable à sa tige cannelée, maculée à la base de taches pourpres, et à ses feuilles très découpées. Ses fleurs sont groupées en ombelles composées. Ses graines, typiques, sont pourvues de dix côtes légèrement ondulées.

STRAMOINE

Plante des décombres répandue en France, très vénéneuse, de 30 à 60 cm de hauteur, à grandes fleurs blanches solitaires en forme d'entonnoir plissé, apparaissant entre juin et août. Son fruit épineux ressemble à celui du marronnier, mais il est très redoutable.

SOLANUM

C'est le nom scientifique de la pomme de terre. Il s'agit donc d'une plante très commune et très répandue, en France comme ailleurs. Les tiges souterraines forment des tubercules comestibles : les pommes de terre. Les fleurs de cette plante apparaissent en juillet et donnent des baies verdâtres très toxiques qu'il ne faut pas confondre avec les très jeunes baies de tomates.

COLCHIQUE D'AUTOMNE

Plante à bulbe profondément enraciné dans le sol humide des prés (20 cm). Les feuilles sortent au printemps : lorsqu'elles sont fanées apparaissent les fleurs entre août et septembre. Le fruit s'ouvre alors et laisse apparaître les graines très toxiques. C'est une plante très dangereuse et difficile à éliminer. Diffère du crocus par son nombre d'étamines : 6 chez le colchique, 3 chez le crocus.

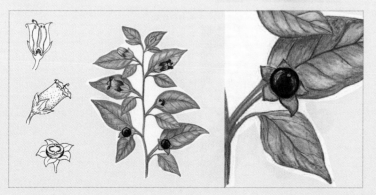

BELLADONE

Pousse dans toute l'Europe, dans les clairières, bois, sur sols calcaires. Plante à fleurs veloutées, pourpre sombre ou verdâtre, en forme de doigt de gant, qui apparaissent entre juin et septembre (environ 60 cm de hauteur). Sa baie ronde, noire, entourée d'une collerette verte et d'aspect engageant pour un jeune enfant est très vénéneuse.

BELLES, MAIS DANGEREUSES

ACONIT

Plante connue depuis l'Antiquité pour sa toxicité. Répandue dans les lieux humides des régions montagneuses de toute l'Europe. La plante se termine par une grappe allongée (60 cm environ) de fleurs bleues ou violettes ayant la forme d'un casque, qui apparaissent entre mai et septembre. Toute la plante est toxique : l'ingestion d'un petit fragment de racine est mortelle.

IF

Arbre au feuillage vert foncé, persistant, atteignant parfois 20 m de hauteur. On le trouve souvent planté dans les parcs, jardins, bien que toute la plante soit vénéneuse. Les aiguilles sont disposées sur un même plan horizontal. À la base des rameaux, des baies apparaissent sur la face inférieure, constituées d'une graine brune, extrêmement toxique, entourée d'une enveloppe charnue, rouge à maturité (octobre).

POMMIER D'AMOUR, CERISIER D'AMOUR, FAUX POIVRE

Petit arbuste de 50 cm à 1,20 m de hauteur, à feuillage foncé, souvent cultivé en plante d'intérieur. Les fleurs blanches, sans attrait ornemental, produisent des fruits rouges en forme de petites pommes de la grosseur d'une cerise. L'ingestion de ces baies entraîne de nombreux troubles chez les jeunes enfants attirés par leur couleur.

HOUX

Arbuste ou arbre à feuilles alternes, persistantes, coriaces, à pétiole court – et bords très ondulés et dentés. Les fruits, toxiques, sont des drupes orange ou rouges renfermant quatre graines oblongues. On le trouve dans les sous-bois, hêtraies, de contrées humides (Ouest surtout).

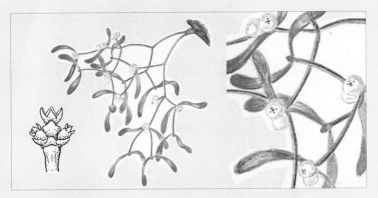

GUI
Plante parasite formant des « boules » sur les branches des arbres sur lesquels elle s'implante (souvent le pommier et le peuplier). Les fruits en forme de baies sphériques, de la grosseur d'un pois, mûrissent en hiver (décembre-février). Blanchâtres, translucides, les baies contiennent une seule graine entourée d'une pulpe visqueuse. L'ingestion de 10 à 20 baies provoque des accidents graves – parfois mortels.

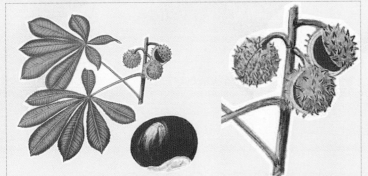

MARRONNIER D'INDE
Grand arbre souvent planté dans les villes. Les feuilles atteignant parfois 20 cm de long et sont irrégulièrement dentées. Les fleurs sont dressées en pyramide. Le fruit, toxique, est une capsule vert pâle, garnie d'épines molles et contenant une à trois graines d'un brun luisant portant une cicatrice hilaire blanchâtre.

BUISSON ARDENT
Arbrisseau touffu à rameaux épineux. La persistance de ses feuilles vert foncé et de ses grappes de baies rouges, apparaissant en septembre jusqu'au printemps, sont à l'origine de son nom. Cet aspect décoratif durant tout l'hiver entraîne sa culture dans de nombreux jardins (haies, massifs). Les fruits, toxiques et globuleux, ne dépassent pas 1 cm de diamètre.

ARUM TACHETÉ, GOUET, PIED-DE-VEAU.
Plante à rhizome de 20 à 50 cm de haut, vivace, située dans les bois humides. Les feuilles foncées, en forme de fer de lance ou de pied de veau, portent souvent des taches brunes. Elles apparaissent dès le printemps. Les fruits, très toxiques (mûrs de mai à octobre) sont portés par une tige isolée ; ils sont globuleux et contiennent une seule graine ronde.

Voyages et vacances

BON VOYAGE

En voyage, vous aurez à nourrir, à distraire et éventuellement à changer votre enfant. Voyons un peu comment ne rien oublier.

Nourrir

Votre bébé est petit et vous l'allaitez, donc rien à emporter sauf, en plein été, un biberon d'eau, il risque d'avoir soif. Emportez aussi suffisamment d'eau pour vous, vous savez combien l'allaitement donne soif.

Il est nourri avec un lait infantile : emportez de quoi préparer le biberon à l'étape (eau, lait en poudre, ou encore du lait liquide, prêt à l'emploi). Ne préparez pas le biberon à l'avance. La poudre doit être ajoutée à l'eau au dernier moment. Ayez un biberon supplémentaire et de l'eau : les voyages en été, que ce soit en voiture ou en train, donnent soif.

Si votre enfant est à l'âge des purées, emportez des purées en petits pots, ainsi vous aurez son déjeuner tout prêt dans votre sac, un yaourt, une compote en petit pot également, une bouteille d'eau minérale, sa timbale et sa cuillère. N'oubliez pas sa serviette.

À partir de l'âge où votre enfant mange de tout, il aura la même alimentation que vous, aussi bien si vous pique-niquez que si vous allez au restaurant. D'ailleurs de nombreux snacks, cafeterias, restaurants proposent des menus spéciaux pour enfants.

Avant le départ, l'excitation coupe généralement l'appétit des enfants ; mais à peine ont-ils fait quelques kilomètres que déjà ils disent : « Maman, j'ai faim ! » Des petits en-cas seront appréciés, nourrissants sans être bourratifs : fruits frais, compotes, yaourts. Pour boire : de l'eau, ou des petites briques avec paille (jus de fruit, lait, etc.). Pour essuyer la bouche et les mains, des lingettes.

Distraire

Si vous voyagez en voiture, essayez au maximum que ce soit pendant les heures de sommeil. Prévoyez des jeux : petites figurines, autos, animaux, jeux de société... Pas de lecture, ni d'images pour l'auto : elles bougent et fatiguent les yeux ; en revanche elles seront les bienvenues pour le voyage en train ; les crayons de couleur également. Vous emporterez aussi les jouets préférés : l'ours, la poupée, etc. Ils feront d'ailleurs plaisir pendant toutes les vacances. Ainsi que des CD de chansons, de musique ou d'histoires (il en existe pour tous les âges). Mais votre esprit inventif sera une bonne ressource : les parents savent chanter, raconter, inventer, lorsque l'agitation grandit.

Pour ne pas imposer à l'enfant une tension trop longue en train, emmenez-le de temps à autre se promener dans le couloir ou au bar ; en voiture, toutes les deux heures – plus si nécessaire, c'est à vous d'apprécier -, arrêtez-vous. Faîtes un vrai arrêt-promenade, où vous emmènerez l'enfant, un bon moment, courir en pleine nature, ou bien se détendre sur une aire de jeux, il y en a de plus en plus sur les autoroutes. Ces pauses sont d'ailleurs indispensables pour le conducteur.

Changer

Pas de problème avec les couches. L'enfant plus âgé, qui n'a plus besoin d'être changé, devra quand même en route faire un brin de toilette si le voyage doit être long : ici aussi les lingettes seront très utiles.

LE MAL DES TRANSPORTS

Il est courant qu'un enfant ait mal au cœur en voiture. Avant de chercher le médicament miracle, pensez à ceci :

L'enfant a besoin de calme : si vous lui parlez de son mal au cœur, s'il a un souci, subi des reproches, en un mot s'il est nerveux, l'enfant risque d'avoir mal au cœur.

Avant le départ, un repas léger : partir à jeun, avoir fait (la veille ou le jour même) un repas lourd, avoir expédié en vitesse une tasse de chocolat et des tartines dans l'agitation du départ, sont autant de causes de mal au cœur. Avant de partir, il faut un repas nourrissant mais léger : jus de fruit ou infusion, miel, fruits.

Ne fumez pas dans la voiture. L'odeur du tabac donne d'ailleurs mal au cœur à tout le monde et le petit cubage d'une voiture augmente la gravité des conséquences du tabagisme passif.

Vous pouvez donner une demi-heure à une heure avant le départ des médicaments tels que Nautamine, Cocculine en homéopathie, etc. Le médecin ou le pharmacien vous indiqueront la dose. Si l'enfant refuse le médicament par la bouche, bien qu'on puisse toujours camoufler un comprimé dans du miel ou un autre aliment, donnez-lui un suppositoire. Et il existe des produits qui pénètrent par la peau, demandez au pharmacien. Cela dit, deux précautions valent mieux qu'une : munissez-vous quand même de sacs en papier fort, pour le cas où l'enfant vomirait.

CONSEILS DE SÉCURITÉ POUR LE VOYAGE EN VOITURE

Pour que toute la famille arrive à bon port, attention à la fatigue du conducteur. Il est conseillé de faire un arrêt toutes les deux heures, de se relayer au volant. Si des signes de fatigue apparaissent chez la personne qui conduit (baillements, picotements des yeux, crampes dans la nuque, tête qui tombe en avant), il faut s'arrêter et céder sa place, ou se reposer un peu.

Dans la voiture, arrimez bien tous les bagages, utilisez les ceintures de sécurité et installez vos enfants sur des sièges adaptés. L'usage de ces sièges (appelés officiellement « dispositifs de retenue pour enfants » -DRE) est obligatoire pour les enfants de moins de 10 ans. Cette obligation est heureuse, car leur utilisation évite à l'enfant d'être éjecté, amortit le choc et protège les parties du corps les plus vulnérables : tête, cou, colonne vertébrale. Une place = une ceinture = une personne : c'est maintenant la règle. Finies les demi-places : chaque enfant doit occuper une place et être obligatoirement installé dans son siège.

Il est important de choisir un dispositif de retenue correspondant au poids et à la taille de l'enfant.
• De la naissance à 9 kg, choisissez un siège « dos à la route » qui sera installé à l'avant ou à l'arrière de la voiture. Certains de ces sièges vont jusqu'à 13 kg. Si la voiture est équipée d'un airbag passager, il doit être désactivé.

POUR EN SAVOIR PLUS
LES ASSOCIATIONS DE CONSOMMATEURS FONT RÉGULIÈREMENT DES TESTS SUR LES MEILLEURS SIÈGES POUR ENFANTS :
QUE CHOISIR, 01 43 48 55 48
WWW.QUECHOISIR.ORG
60 MILLIONS DE CONSOMMATEURS, 01 45 66 20 20
WWW.60MILLIONS-MAG.COM
VOUS POUVEZ AUSSI CONTACTER LA LIGUE CONTRE LA VIOLENCE ROUTIÈRE, 01 45 32 91 00
WWW.VIOLENCEROUTIÈRE.ORG

• De 9 à 18 kg, l'enfant est installé à l'arrière de la voiture, face à la route, soit dans ce qui s'appelle un siège bouclier, soit dans un siège avec harnais 5 sangles. Mais le plus sûr est d'utiliser jusqu'à 3 ans des sièges dos à la route ; des modèles sont aujourd'hui disponibles.
• De 15 à 36 kg (à partir de 3-4 ans), l'enfant est installé sur un siège réhausseur. Il vaut mieux choisir un modèle équipé d'un dossier muni d'appui-tête et de protections latérales.
• Au-delà de 36 kg (environ 10 ans), l'enfant, comme l'adulte, utilise la ceinture de sécurité.
• Le système « isofix » permet de fixer plus facilement et plus efficacement le siège à la voiture ; ce dispositif est conseillé, malgré son prix, car il est le plus sûr.

À chaque départ, attention à la petite main qui s'accroche à la portière ! Ce n'est pas nous qui le disons, ce sont les compagnies d'assurances : les cas d'enfants rendus handicapés pour la vie parce qu'on a claqué une portière un peu trop vite ne sont pas rares.

Enfin, assurez-vous que les portières arrière sont bien fermées, et que les enfants ne peuvent pas les ouvrir. Aujourd'hui les voitures sont équipées d'un système de fermeture spécial pour enfants.

Quand vous vous arrêtez au bord de la route, ne laissez jamais un enfant seul dans la voiture, même

POUR LA SÉCURITÉ DE VOS ENFANTS
N'achetez que du matériel homologué, fixez-le correctement en suivant les instructions du constructeur et veillez à ce que l'enfant soit bien maintenu. Sauf l'exception du bébé protégé dans son siège spécial, nous vous rappelons qu'il est interdit d'installer un enfant de moins de 10 ans à l'avant de la voiture. Ces conseils concernent tous les déplacements, surtout ceux que l'on fait tous les jours : les 2/3 des accidents mortels surviennent à moins de 15 km du domicile. Soyez prudents, trop d'enfants voyagent encore en voiture sans être attachés.

endormi : l'enfant peut se réveiller, ouvrir la portière, être happé par une voiture avant que vous n'ayez eu le temps de vous en apercevoir. Faites toujours descendre les enfants du côté du trottoir et non pas du côté de la chaussée.

Rappelez-vous enfin que le soleil frappant le toit d'une voiture à l'arrêt en fait une fournaise. Des bébés sont morts par déshydratation dans une voiture arrêtée en plein soleil, ou quand l'ombre a tourné.

L'ENFANT TRANSPORTÉ SUR UN VÉLO

Se déplacer en famille et en vélo est un moyen agréable de joindre transport et activité physique. Mode de déplacement peu coûteux, silencieux, non polluant, le vélo doit rester sûr. Pour cela, il faut :
• Utiliser si possible des pistes et voies cyclables (qui ne sont malheureusement pas encore très nombreuses) ou des rues à vitesse réduite ; les voies de halage sont bien adaptées à la pratique du vélo en famille : interdites aux voitures, elles sont souvent ombragées et il y a peu de dénivelé
• Respecter le code de la route
• Être entraîné à la pratique du cyclisme, redoubler de prudence et utiliser un vélo en bon état (freinage...)
• Faire porter un casque à l'enfant ... et à l'adulte, pour donner l'exemple ; et portez tous, enfants et adultes, des chasubles fluorescentes
• Utiliser les moyens adaptés à l'âge de l'enfant.

Il est dangereux, donc déconseillé, de transporter un enfant de moins d'un an. Jusqu'à 4-5 ans, une remorque est préférable car elle se renverse rarement. Les sièges sont moins sûrs car l'enfant tombe de plus haut en cas de chute. Pour cette raison également, il vaut mieux choisir un siège qui s'installe à l'arrière du vélo plutôt qu'à l'avant. Ne pas utiliser un siège si l'enfant dort.

Et la moto ou le scooter ?

Sur un deux-roues à moteur, le code de la route dispose qu'un enfant de moins de 5 ans doit être transporté dans un siège fixé à la moto, être attaché et casqué. Un enfant passager sera muni de vêtements protecteurs, comme tout usager de la moto : vêtements en tissu épais, couvrant bras et jambes et chaussures fermées. Le nombre d'enfants accidentés comme passagers de moto s'accroît, rançon du succès des deux-roues à moteur en ville. C'est pourquoi il faut être particulièrement prudent lorsqu'on transporte un enfant.

PEUT-ON FAIRE VOYAGER UN BÉBÉ EN AVION ?

Rien ne s'y oppose, dès la 2e ou 3e semaine, si l'enfant va bien. Pendant le voyage, veillez bien à ce que votre enfant n'ait pas trop chaud et, si c'est le cas, faites-le boire un peu plus qu'en temps normal.

Au décollage et à l'atterrissage, donnez à boire au bébé quelques gorgées d'eau ou de lait de temps en temps : comme le bonbon que vous offre l'hôtesse, le liquide provoquera des mouvements de déglutition qui favoriseront l'entrée ou la sortie d'air de l'oreille et éviteront d'avoir mal aux oreilles au moment des changements de pression atmosphérique.

En cas de rhino-pharyngite, de végétations importantes, d'otite en évolution, il est préférable de prendre l'avis d'un médecin ORL avant de faire voyager un bébé en avion ; de même s'il s'agit d'un bébé prématuré.

Un conseil pour finir. Si votre enfant est en âge d'apprécier ce cadeau, offrez-lui, la veille du départ, une petite valise, ou un petit sac à dos. Il sera très heureux d'y mettre ses affaires et les trésors qu'il voudra emporter avec lui.

BONNES VACANCES

Il y a des parents qui, dans leur hâte de voir leur enfant « profiter », entreprennent, dès le premier jour des vacances, un programme d'exercice intensif. Ils oublient qu'être en vacances, c'est d'abord se reposer. C'est vrai même pour le jeune enfant : la seule adaptation à un nouveau climat exige quelques jours de détente, et cela d'autant plus que le changement d'habitudes crée de l'excitation chez les enfants. Même par la suite, quand cette « entrée en vacances » sera passée, vous ne devez pas oublier que le jeune enfant est vite fatigué. N'allez pas, sous prétexte de sport, l'entraîner dans des marches trop longues : à l'âge qui nous occupe, il n'y a pas vraiment de sport, il n'y a que des jeux.

À la mer

Nous vous parlons plus loin du soleil, de ses bienfaits et de ses dangers. En ce qui concerne la mer, vous devez savoir que le bord de mer immédiat, ce qu'on appelle « les pieds dans l'eau », est excitant. Si vous avez un enfant un peu sensible, vous pouvez vous attendre à de nombreuses nuits perturbées. Cela dit, le climat marin est excellent pour la plupart des enfants. Il y a quand même quelques précautions à prendre.

• Avant 6 mois, il est déconseillé d'emmener un bébé sur la plage : à cause de la chaleur, du vent, du sable, du soleil. Si vous ne pouvez vraiment pas faire autrement, une heure de plage par jour est un grand maximum pour votre nourrisson. Mais ne l'emmenez pas aux heures les plus chaudes ; ne le laissez pas dans son landau en pleine chaleur ; donnez-lui à boire régulièrement. Et installez-le à l'ombre.

• Entre un an et 4 ans, le risque numéro un est la noyade. Un enfant peut se noyer dans 20 cm d'eau. S'il tombe et qu'il a le visage dans l'eau, il risque de ne pas se relever. Donc, laissez-le barboter, mais sans le quitter des yeux et mettez-lui des brassards.

• Pas de séjour prolongé dans l'eau, surtout les premiers jours. À l'âge qui nous intéresse, le bain de mer n'est pas vraiment baignade, mais barbotage.

D'ailleurs, laissez-le faire : vous le verrez entrer dans l'eau, s'asseoir, se relever et courir sur la plage, faire des pâtés, retourner se tremper, etc. C'est bien suffisant.

• Votre enfant a peur de l'eau ? C'est bien normal : la mer, c'est grand, c'est dangereux et cela fait du bruit. Pas de méthode brutale. Habituez votre enfant à l'eau en jouant avec lui tout au bord de l'eau à la balle, en creusant un canal dans le sable, etc. Un beau jour sans se rendre compte, votre enfant sera dans l'eau, sans que vous l'ayez forcé.

• Méduses : l'enfant a touché une méduse. S'il est agité, incommodé, fiévreux, emmenez-le chez un médecin : il s'agit d'un tempérament allergique (voyez l'article *Allergie* au chapitre 6).

• Un enfant qui a été longtemps exposé à la chaleur, ou qui transpire beaucoup, doit entrer progressivement dans l'eau car il risque une *hydrocution* (voir ce mot au chapitre 6).

> VOYAGER DANS UN PAYS LOINTAIN DES PRÉCAUTIONS SONT À PRENDRE POUR LA SANTÉ DE L'ENFANT. REPORTEZ-VOUS À L'ARTICLE *VOYAGES* AU CHAPITRE 6.

NATATION
On peut familiariser l'enfant avec l'eau très jeune, et lui apprendre à nager vers 4-5 ans : à cet âge, il peut commencer à coordonner ses mouvements et sa respiration, ainsi il saura bien nager vers 6-7 ans. Sur les bébés nageurs voir p. 157

À la montagne

L'enfant en bonne santé supporte très bien le changement d'altitude et cela quel que soit son âge, même s'il s'agit d'un nourrisson. Pensez à faire des paliers à la montée et à la descente en voiture. Les conséquences de la raréfaction de l'oxygène en altitude n'apparaissent qu'au-delà de 2 000-2 500 m ; les séjours occasionnels, plus ou moins prolongés, en moyenne montagne ne posent donc pas de problème d'adaptation, les stations climatiques ou de sports d'hiver dépassant rarement 2 000 m. Par ailleurs, l'air non pollué de la montagne a un effet très bénéfique chez les enfants asthmatiques ou qui ont des infections ORL à répétition. Mais attention au soleil : l'enfant doit porter des lunettes, être protégé par une crème solaire (indice maximum) et porter un chapeau ou une casquette à large visière.

L'enfant et le ski. À quel âge commencer, on nous le demande régulièrement. 5-6 ans, c'est une bonne moyenne, l'enfant peut déjà bien s'amuser. Certains apprécient de commencer plus tôt, vers 3-4 ans. Mais ne pas oublier cependant que l'enfant se fatigue et se refroidit vite. Certains parents portent sur leur dos leur bébé, même tout petit, qu'il s'agisse de ski de piste ou de ski de fond. Ceci est tout à fait déconseillé parce que, même bien couvert, l'enfant risque d'avoir très froid puisqu'il ne bouge pas. Ainsi, en Suisse, de grands panneaux rappellent que c'est interdit. Il y a eu des accidents (pieds gelés). Par ailleurs, le port du casque est fortement recommandé pour les enfants sur les pistes.

À la campagne

Les vacances, cela ne signifie pas nécessairement mer ou montagne. Tout changement d'air est bon pour le petit enfant des villes. Un séjour à la campagne lui fera le plus grand bien. Peut-être plus que des vacances dans le Midi, où la foule et la circulation sont les mêmes qu'en ville, et dont le climat finit par fatiguer, si l'on abuse de la plage. La campagne, c'est une basse-cour, des prés, des vaches, des bruits ou des odeurs inconnus. On peut courir dans les chemins creux et grimper aux arbres. Vos enfants apprécieront de partir avec vous à la découverte. Ils vous sentiront disponibles, loin du stress de la vie de tous les jours.

Mais la campagne a aussi ses dangers. Le plus grand : le bain de rivière ; outre le risque de noyade, bien des rivières sont polluées, renseignez-vous auprès de la mairie.

Si vous êtes dans une région à vipères, et si vous emmenez vos enfants se promener dans des terrains broussailleux, mettez-leur des bottes. Cela les protégera également des morsures de tiques.

À NE PAS OUBLIER

Si vous confiez votre enfant à des amis, donnez-leur le carnet de santé où sont inscrits les vaccins que l'enfant a reçus. Il faut penser à la blessure qui peut faire redouter le tétanos. Donnez-leur également une autorisation d'opérer, signée et datée, en cas d'intervention chirurgicale d'extrême urgence.

LE SOLEIL : BIENFAITS ET DANGERS

La peau a besoin de respirer, le grand air lui est indispensable, le soleil aussi : la vitamine D se forme sous l'action des rayons ultraviolets, c'est elle qui contribue à la croissance des os. De plus le soleil donne une sensation de plaisir, de bien-être, il est bon pour le moral. Mais le bronzage est devenu synonyme de santé, de dynamisme, de bonnes vacances, de réussite sociale. À cause de cela, bien des gens en abusent et pour eux-mêmes et pour leurs enfants. C'est grave, car on sait que des expositions solaires répétées et excessives durant l'enfance, suivies de coups de soleil, sont un facteur d'apparition à l'âge adulte de cancers cutanés (mélanome malin).

Les recommandations sans cesse répétées vis-à-vis de ces effets nocifs du soleil n'ont hélas pas convaincu les fanatiques du bronzage. Ils ont, en outre, souvent oublié combien fragile était la peau des petits, en particulier celle des plus jeunes.

Le nombre de mélanomes malins est en progression constante. Plus que jamais les dermatologues se sont inquiétés et mobilisés, ainsi que les pouvoirs publics et des laboratoires pour faire de nouvelles mises en garde. C'est pourquoi nous renforçons encore les recommandations de prudence que nous faisons depuis longtemps déjà.

DES LUNETTES DE SOLEIL
AU BORD DE LA MER ET À LA MONTAGNE, IL EST RECOMMANDÉ DE FAIRE PORTER DES LUNETTES DE SOLEIL, MÊME AUX BÉBÉS : C'EST UNE BONNE PROTECTION POUR MAINTENANT ET UNE PRÉVENTION IMPORTANTE POUR PLUS TARD. LES LUNETTES DOIVENT RÉPONDRE AUX NORMES EUROPÉENNES (CE).

• En dessous de 6 mois, pas de bébés au soleil, même pas sous un parasol : le sable réfléchit les rayons dangereux.

• Entre 12 et 16 h, évitez l'exposition au soleil, c'est l'heure où il est le plus dangereux, c'est le moment de faire la sieste, ou de rester à l'ombre.

• Protégez vos enfants : utilisez des écrans solaires d'un indice de protection maximum. Ces recommandations sont encore plus importantes pour les enfants à peau claire qui ont la peau plus fragile. En cas de baignade, renouvelez l'application de crème toutes les heures.

• L'enfant arrivant en vacances sera dévêtu progressivement, il ne sera laissé torse nu qu'au bout de quelques jours.

• En cas d'exposition prolongée (promenade en bateau par exemple), la meilleure protection est vestimentaire : laissez à l'enfant un tee-shirt.

• Pour les enfants à la peau sensible, il existe des combinaisons anti-uv, fabriquées dans la même matière que les maillots de bain. L'enfant peut se baigner avec la combinaison et elle sèche sur lui en quelques minutes.

• Le petit enfant ne restera pas immobile au soleil, il doit bouger, aller de temps en temps à l'ombre, ne pas s'étendre en position de bain de soleil.

• De toute manière, l'enfant aura un tee-shirt, un chapeau et des lunettes de soleil. C'est une habitude à prendre.

• Enfin, sachez que l'action des rayons solaires est plus puissante à la montagne à cause de la pureté de l'air, et à la mer à cause de la réverbération. Vous serez donc encore plus vigilants.

Vous allez peut-être trouver ces précautions exagérées. Elles se justifient à cause du nombre d'enfants qu'on voit encore sur les plages, ou à la montagne, sans chapeau, sans tee-shirts, en plein soleil. **Des précautions contre la chaleur**. Pour le bébé : bains rafraîchissants et biberon d'eau fraîche offert fréquemment ; s'il n'en a pas besoin, il le refusera. Ne pas changer de lait – sauf prescription du médecin – pendant les chaleurs. Pour l'enfant plus grand : douches fraîches et boissons, l'enfant a de faibles réserves d'eau. Donnez-lui une alimentation d'été : crudités, fruits, fromages, laitages, etc. Voir aussi p. 40.

L'ENFANT À LA PISCINE
Pendant les vacances, parents et enfants aiment profiter ensemble de la piscine, un bon endroit pour se détendre et s'amuser en famille. Mais quand on parle de piscine, on est obligé de mettre aussitôt en garde contre les dangers possibles.

Les piscines privées

La piscine privée est le lieu où se produisent le plus fréquemment les accidents d'enfants de moins de 5 ans. Pour les éviter, il y a des précautions importantes à prendre.

Toutes les piscines privées doivent obligatoirement être équipées d'un dispositif de sécurité afin de prévenir les risques de noyades des jeunes enfants. Dans le cadre de cette réglementation, quatre dispositifs peuvent être installés : barrière, couverture de sécurité, abri ou alarme. Ces protections sont indispensables tant que les enfants ne savent pas nager. L'association « Sauve-qui-Veut » recommande une barrière de sécurité aux normes (hauteur d'au moins 1,10 m entre deux points d'appui, portillon) et rappelle que les équipements individuels de protection (bracelets, colliers, ceintures...) constituent uniquement des aides à la vigilance. Cette association met en garde contre les alarmes à détection par immersion (certaines ne se déclencheraient pas). En cas de non-respect de la loi, les propriétaires encourent des amendes pouvant aller jusqu'à 45 000 €.

> **SAUVE-QUI-VEUT**
> *Cette association, créée par Laurence Perouème, a pour objet la prévention de la noyade chez le jeune enfant et l'assistance des familles de victimes. Elle donne aux parents différents conseils et informations. Internet : sauvequiveut.asso.fr. Courriel : Perouemefamily@aol.com*

Même avec un système de sécurité, il est important de surveiller les enfants. Ne laissez jamais seul un enfant (ou plusieurs, même sachant nager) autour de la piscine ou dans l'eau. Ne confiez jamais la surveillance des petits à des enfants plus âgés. L'accident arrive très vite, souvent par méconnaissance du danger. Un enfant se noie en quelques secondes, sans aucun bruit : il suffit de 20 cm d'eau pour mourir noyé en moins de trois minutes. Si la loi sur la sécurité des piscines ne concerne pas les bassins hors-sol, les pataugeoires et autres piscines gonflables, elles sont tout aussi dangereuses et la même vigilance est donc de mise. Il faut absolument retirer l'échelle d'accès en dehors des heures de baignade et il est fortement recommandé d'installer une barrière de sécurité autour du bassin.

La vigilance constante et rapprochée des adultes est essentielle mais pas suffisante, parce qu'elle peut être prise en défaut (un oubli, un instant d'inattention, une erreur de jugement) ; en plus, à cet âge, l'enfant découvre et explore le monde, il est attiré par l'eau sans avoir conscience du danger, il se déplace vite et son comportement est souvent imprévisible. C'est pourquoi, afin de prévenir ces accidents, les adultes doivent être conscients du danger et mettre en place des gestes et des mesures de prévention simples : familiarisation précoce avec l'eau, apprentissage de la natation dès le plus jeune âge, port de brassards dès que l'enfant se trouve dans l'aire de la piscine (même au bord de l'eau), sensibilisation des enfants au risque de noyade, installation de dispositifs de sécurité, numéro d'urgence — 15 et 18 ou bien le 112, recommandé par les secouristes, c'est le numéro européen qui regroupe le 15 et le 18 et envoie les secours les plus proches — sur un portable à côté de la piscine, bouée et perche à proximité du bassin, connaissance des premiers gestes de secours.

Les piscines publiques

Une tendance actuelle est d'emmener les enfants à la piscine dès leur plus jeune âge. Vous avez sûrement vu des reportages sur des **bébés nageurs** de quelques semaines qui évoluent dans l'eau avec plaisir, sous la direction de moniteurs compétents et qualifiés (1). Ces séances de bébés nageurs peuvent être commencées dès la deuxième injection de vaccin, si le nourrisson

> *1. Pour avoir des adresses, écrivez à la Fédération des activités aquatiques d'éveil et de loisirs (FAEL), 5, cité Griset, 75011 Paris (joindre une enveloppe timbrée à son nom). Tél. : 01 43 55 98 76 www.fael.asso.fr*

n'est pas sujet aux otites à répétition ou aux rhino-pharyngites. Les bébés peuvent rester sous l'eau grâce au réflexe d'apnée qui arrête la respiration lorsque l'eau est au contact du nez et du pharynx.

Attention à ce terme de bébés nageurs : cet apprentissage précoce aux plaisirs de l'eau est une familiarisation au milieu aquatique et un plaisir à partager avec les parents. Mais ces enfants devront apprendre à nager eux aussi, d'autant plus vite d'ailleurs qu'ils n'ont pas peur de l'eau et qu'ils peuvent prendre plus de risques.

En dehors des séances de bébés nageurs, la piscine n'est pas un bon endroit pour le petit enfant avant l'âge de 2 ans, en raison du bruit, de la bousculade, de la chaleur, de la foule, de la javellisation de l'eau. Dans les piscines publiques, la surveillance est assurée par les Maîtres Nageurs Sauveteurs. Par prudence, ne perdez jamais de vue votre enfant tant qu'il ne sait pas nager.

VACANCES ET PREMIÈRES SÉPARATIONS

Dès que leur enfant entre à l'école, parfois même avant, l'organisation des vacances pose des problèmes à bien des parents. La plupart n'ont pas autant de vacances que leurs enfants, la crèche peut être fermée ou l'assistante maternelle en congé. Les parents se demandent alors s'ils peuvent confier leur enfant à ses grands-parents pour une, voire deux semaines. Tout dépend de son âge.

Les connaissances actuelles en psychologie indiquent que pour un petit enfant, jusqu'à 2 ans 1/2 - 3 ans, il n'est pas souhaitable d'être séparé de ses parents plus d'une semaine. Si l'enfant connaît bien ses grands-parents, s'il les voit régulièrement, il s'adapte en général facilement. Lorsque l'enfant ne connaît pas bien ses grands-parents, ces derniers choisissent souvent de venir le garder au domicile des parents. Ou bien les parents établissent une continuité, par exemple en restant deux ou trois jours chez les grands-parents avant de leur confier leur enfant.

D'une façon générale, lorsque vous confiez votre enfant, soyez détendus, ne le faites pas à la va-vite, et essayez de ne pas transmettre trop d'émotions au moment du départ. De même, à votre retour, les retrouvailles se feront en douceur : qu'elles se fassent chez vous, ou chez les grands-parents, laissez à votre enfant le temps de vous retrouver et de quitter ceux qui l'ont gardé. Si c'est possible, donnez de vos nouvelles pendant votre absence : entendre votre voix au téléphone rassurera votre enfant. Cependant, une fois passés les premiers mois, il est normal et même souhaitable que les parents puissent se retrouver le temps d'une soirée ou d'un week-end. C'est nécessaire pour l'équilibre du couple. N'hésitez pas à faire appel à l'un ou l'autre des grands- parents.

L'ENFANT ET L'ANIMAL

Le monde de l'enfance est peuplé d'animaux, très tôt et sous toutes leurs formes ; dès la naissance, on donne à l'enfant des animaux en peluche, ce lapin ou cet ours qui accompagneront toute son enfance. Dans son bain, très jeune, il s'amuse avec un canard et des poissons. Les premiers livres d'images qu'il regarde représentent des animaux dont il demande qu'on lui raconte l'histoire et qu'on imite les cris qu'il répète à son tour. À la campagne, tout ce qui bouge l'intéresse, de la fourmi au cheval en passant par les animaux de la basse-cour, et aucun ne l'effraie. On peut lui raconter, sans que jamais il ne se lasse, *Les Trois Petits Cochons, Le Loup et les sept chevreaux*. La cruauté du loup ne l'arrête pas, il aime ce qui fait peur.

Mais il arrive un jour où l'enfant demande un animal, un vrai, pour lui. Faut-il le donner ? Faut-il le refuser ? Les parents sont souvent bien embarrassés. Voici quelques éléments qui vous permettront peut-être de décider.

Du côté des avantages, pédagogie d'abord, le sens de la responsabilité. En fonction de son âge, l'enfant s'occupera de l'animal qui lui est confié ; il apprendra à le respecter et à ne pas lui faire mal, à ne pas le faire obéir à tort et à travers, pouvoir tentant pour un enfant. Aimer un animal, se sentir aimé, renforce la confiance que l'enfant a en lui. Mais il ne faut pas croire qu'un animal puisse remplacer un frère ou une sœur, les liens fraternels sont de toute autre nature.

Décider de donner à l'enfant un hamster, un poisson ou une perruche est facile. Ce sont des animaux peu exigeants, peu encombrants. La question est plus délicate pour un chien ou un chat, ces animaux familiers qui deviennent de vrais compagnons.

Avoir un chat, c'est pouvoir le porter dans ses bras, l'observer quand il se nourrit, quand il fait sa toilette, quand il dort. Le chien est l'ami fidèle, toujours présent, joueur, le confident, celui qui console.

Mais il y a des réserves. Les risques d'allergie, et des griffures pour les chats. Et surtout les risques des morsures de chiens (si vous avez un animal, il sera bien sûr vacciné). Le petit enfant peut avoir des gestes brusques, ou inappropriés, envers un chien, et celui-ci va réagir en mordant, non parce qu'il est aggressif, mais pour se défendre. C'est pourquoi il ne faut jamais laisser un petit enfant seul avec un chien. Cet animal peut aussi avoir un comportement inattendu : bouleversé par la naissance d'un bébé, il peut par jalousie mordre l'aîné. Il faut être vigilant. De toute façon, il est bien d'apprendre à un enfant qu'on ne caresse jamais un chien qu'on ne connaît pas, sauf en présence du propriétaire de l'animal. Il y a une limite au contact ou à l'intimité : l'animal dans le lit de l'enfant, c'est déconseillé et dangereux.

Enfin, il faut penser à la contrainte que représente un chien ou un chat : il n'est pas toujours possible de l'emmener en vacances.

Avoir un animal, c'est joyeux et vivant dans une famille, mais ce sont des responsabilités que et les parents et les enfants doivent connaître.

La vie d'un enfant lorsque ses parents travaillent

À qui allez-vous confier votre enfant pendant la journée : à une assistante maternelle (que les parents appellent encore parfois « nourrice »), à une crèche, à une personne qui viendra chez vous ? La question ne se pose pas vraiment en ces termes car vous avez peut-être des préférences mais votre choix est limité par les possibilités qu'offre votre quartier. Quoi qu'il en soit voici les différentes caractéristiques de ces modes de garde.

CHEZ UNE ASSISTANTE MATERNELLE

L'assistante maternelle propose aux parents que leur enfant ait chez elle une vie semblable à celle qu'il aurait dans sa famille au point de vue alimentation, sortie, jeux... Elle habite souvent près du domicile des parents, ses horaires sont souples, ce sont des avantages appréciables.

Il est conseillé de choisir une assistante maternelle agréée (détails chapitre 7). Vous aurez ainsi des garanties sur la façon dont elle s'occupera de votre enfant.

Malheureusement il n'y a pas assez d'assistantes maternelles et certaines ne sont pas agréées, donc pas surveillées. Si vous ne pouvez pas faire autrement, et en attendant une meilleure solution, choisissez alors une personne qui ne prenne que deux ou trois enfants, dans des bonnes conditions d'accueil : aération, espace pour jouer, espace pour se reposer, etc.

Une des premières questions à se poser pour le choix d'une assistante maternelle est : aime-t-elle les enfants ? Est-elle prête à accepter leurs différents rythmes ? Vous verrez aussi comment l'assistante maternelle accueillera votre bébé lors de la semaine d'adaptation progressive qui est conseillée avant la reprise du travail.

> **63 %**
> DES ENFANTS ÂGÉS DE MOINS DE 3 ANS SONT GARDÉS PRINCIPALEMENT PAR LEURS PARENTS ; 18 % SONT CONFIÉS À UNE ASSISTANTE MATERNELLE ; 10 % À UNE CRÈCHE ; 4 % AUX GRANDS-PARENTS ; 2 % À UNE GARDE D'ENFANTS À DOMICILE ; 2 % À L'ÉCOLE. (DREES, Direction de la Recherche, des Études, de l'Évaluation et des Statistiques)

Observez votre enfant au bout de quelques jours : s'il continue à bien dormir, « bien profiter de la vie », s'il ne pleure plus en franchissant la porte de l'assistante maternelle, s'il lui sourit, s'il accepte d'être porté dans ses bras, s'il paraît détendu au moment des retrouvailles, si elle vous fait part de détails de la journée avec gaieté et gentillesse, c'est gagné, faites-lui confiance. Si un enfant pleure en arrivant, cela ne signifie pas forcément qu'il y a un problème mais que la séparation est encore difficile avec sa maman ou son papa. Par la suite veillez à ce que l'assistante maternelle accompagne et suscite les progrès de l'enfant, échangez vos idées sur l'éducation : donnez-lui des idées, et elle vous en donnera. Et de temps en temps prêtez-lui ce livre...

Mais si votre bébé est triste et grognon, ou au contraire s'il est agressif sans raison, ou bien s'il a des difficultés de sommeil ou d'alimentation, vous vous demanderez peut-être si votre enfant est heureux dans la journée. Rien ne vous empêche de venir une fois à l'improviste, ou d'interroger des parents qui viennent chercher leur enfant plus tôt et voient comment se comporte votre bébé. Cette « surveillance » peut paraître un peu gênante à exercer, mais il est normal d'être vigilant lorsqu'on confie son enfant.

Si votre enfant doit changer d'assistante maternelle, ou la quitter, par exemple pour entrer à l'école, conservez des liens avec elle pendant quelque temps, en allant la voir ou en lui téléphonant. Les enfants apprécient de retrouver leur « nounou », ils n'ont pas le sentiment d'avoir été abandonnés par elle ni de l'avoir abandonnée.

DANS UNE CRÈCHE

Les crèches sont conçues et aménagées pour accueillir des enfants de moins de 3 ans. C'est un mode de garde collectif qui se différencie de celui, plus individuel, de l'assistante maternelle. C'est parfois un critère de choix des parents pour choisir l'un ou l'autre de ces modes de garde.

Voici comment est organisée la structure d'encadrement de la crèche. Il y a d'abord une puéricultrice diplômée d'État (DE), qui, après ses études d'infirmière, s'est spécialisée durant une année supplémentaire. C'est elle qui, comme directrice de la crèche, est responsable de la santé et du développement psychomoteur des enfants. À ses côtés, les auxiliaires de puériculture s'occupent des soins quotidiens des bébés. Il n'est pas rare qu'à partir de 2 ans, ce rôle soit tenu par une éducatrice (ou un éducateur) de jeunes enfants. Un pédiatre vient une à deux fois par semaine pour la surveillance médicale. Souvent un psychologue est également attaché à la crèche, aussi bien pour répondre aux difficultés individuelles d'un enfant et de sa famille, que pour aider l'établissement à répondre aux besoins psychologiques de l'ensemble des enfants.

En effet, la vie collective à un si jeune âge nécessite certaines précautions psychologiques. Car même si l'on s'occupe bien de votre enfant à la crèche, et même si l'enfant n'a pas de problèmes particuliers pour s'adapter à un nouveau cadre, à un autre rythme que celui de sa famille, la collectivité porte en elle-même certaines caractéristiques que l'enfant a parfois de la peine à accepter.

Pour atténuer les effets de la collectivité, chaque enfant est confié à une puéricultrice « référente » : c'est avec elle que l'enfant a le plus d'échanges et c'est également elle qui a une relation privilégiée avec les parents.

Il peut arriver que certains bébés aient de la peine à s'habituer au nombre d'enfants, aux différents adultes. Les parents perçoivent ce sentiment d'insécurité, ils s'en inquiètent car ils ont l'impression que leur enfant est perdu dans le groupe. Il peut aussi y avoir des difficultés si la mère a des réticences envers la reprise de son travail et n'accepte pas vraiment que l'enfant soit gardé dans une collectivité. En général, la directrice de la crèche, l'auxiliaire qui s'occupe particulièrement de l'enfant, parviennent à rassurer les parents et aider l'enfant à franchir ce cap délicat. C'est d'ailleurs pour éviter ces réactions que l'intégration à la crèche se fait toujours progressivement, en une à deux semaines, avant la fin du congé de maternité.

Enfin, pour éviter que des difficultés surviennent lorsque les enfants changent de section, c'est-à-dire passent de leur groupe à un groupe plus âgé, et alors changent de cadre et d'auxiliaires de puériculture, on les fait changer de section également de façon progressive et par petits groupes. Il existe même des crèches où le décloisonnement des âges est tout à fait réalisé : les enfants sont répartis en petits groupes d'âges mélangés. Il y a aussi des crèches où les auxiliaires de puériculture et les éducatrices suivent leur groupe d'enfants de leur arrivée à leur départ. N'hésitez pas à parler de ces différentes organisations avec la directrice qui vous accueillera.

Dans la majorité des cas, la crèche est stimulante grâce à l'environnement varié qui entoure l'enfant, à la socialisation précoce dont il bénéficie et à la compétence du personnel.

UNE JOURNÉE À LA CRÈCHE
Lorsque vous aurez fermé la porte de la crèche et que vous aurez dit à votre enfant : « À ce soir », vous vous demanderez peut-être ce qu'il va faire. Dans les grandes lignes, voici une journée à la crèche.

Le petit nourrisson dort encore beaucoup
Il fait de longues siestes. Les puéricultrices vont respecter ses besoins en sommeil, ses horaires, ses habitudes ; elles vont organiser autour de lui la vie la plus calme possible. Il en est de même pour les repas : elles s'efforcent de respecter pour chaque enfant les variations de son appétit et de ses goûts.

C'est avec son auxiliaire « référente » que le bébé a le plus d'échanges, faits de contacts, de paroles, au moment des changes, de la toilette, du bain, des repas. Cette auxiliaire est l'interlocutrice privilégiée des parents : elle est le porte-parole de ce que le personnel a observé du bébé, de son développement, de ses réactions.

Pour stimuler les progrès sensori-moteurs des enfants, tout un matériel est mis à leur disposition : mobiles musicaux, objets de couleurs vives à palper, à tirer, à encastrer. Un effort est fait par le personnel de la crèche pour être disponible et attentif aux enfants, pour établir avec chacun d'eux une relation affective.

Chez les enfants plus grands

Des objectifs plus précis sont mis en avant : apprentissage de la vie en collectivité, de l'autonomie, perfectionnement de l'expression (langage, dessins) ; pour les plus grands, la crèche est une préparation à l'école maternelle. Le sommeil se limite souvent à la sieste de l'après-midi, il est variable en durée d'un enfant à l'autre. Les repas deviennent de plus en plus un moment de plaisir auquel contribuent le confort (petites tables à leur taille), la diversité des menus (self-service) et la présentation (goûts et couleurs) : on trouve là l'occasion d'une véritable éducation du « bien manger » et du goût dont on espère qu'elle s'ancrera profondément dans le comportement

> **SI VOUS VOULEZ EN SAVOIR PLUS**
> *vous pouvez lire :* Crèches, nounous et Cie *de Anne Wagner et Jacqueline Tarkiel, Albin Michel. Ce livre explique aux parents ce qu'ils peuvent attendre de la crèche et des autres modes de garde afin d'en tirer parti au mieux.* La bien-traitance envers l'enfant, des racines et des ailes, *de Danielle Rapoport, donne un autre éclairage sur les modes de garde (Belin).*

de l'enfant. Les goûters sont souvent l'occasion de réjouissances où l'on célèbre fêtes et anniversaires (préparation de gâteaux, cadeaux...).

Les activités proposées deviennent plus élaborées : exercices sensoriels et de psychomotricité variés ; rondes, comptines, « ateliers » de peinture, collage, projections de diapositives, déguisements... De plus la crèche s'ouvre sur l'extérieur grâce à des sorties diverses organisées pour les plus grands : ludothèques, bibliothèques, spectacles, promenades en campagne et en forêt, visite de ferme... Et quand ils le peuvent, les parents sont invités à participer à ces animations.

Une des préoccupations majeures de la crèche est de respecter le milieu familial et culturel, et l'histoire de chaque enfant ; celui-ci sent ainsi qu'il existe une continuité réelle entre le personnel, et notamment son auxiliaire ou éducatrice "référente", et ses parents. Cette continuité trouve ses temps forts au moment de l'arrivée et du départ de l'enfant : de nombreuses informations utiles sont échangées entre parents et personnel de la crèche. Certaines puéricultrices notent sur un cahier des informations sur l'enfant, ce qu'il aime, ce qu'il n'aime pas : les parents apprécient ces échanges.

Lorsqu'un enfant est malade, peut-il aller à la crèche ?

C'est une question à aborder au moment de l'inscription, car les crèches n'ont pas toutes les mêmes habitudes. Certaines par exemple acceptent les enfants ayant jusqu'à 38° de fièvre, s'ils ne sont pas contagieux. D'autres crèches sont moins tolérantes. De toute façon, il faut prévoir une solution de remplacement pour le cas où l'enfant serait malade, ce qui est fréquent les premières années. La loi prévoit des jours de congé, non rémunérés, en cas de maladie de l'enfant (voir le chapitre 7). Et certaines conventions collectives ont des dispositions analogues.

Si votre bébé est malade, essayez de vous arrêter de travailler un jour ou deux pour qu'il puisse rester à la maison. Ou, si c'est possible, confiez-le à ses grands-parents ou à une assistante maternelle qui puissent le garder dans le calme, surveiller sa température, lui donner ses médicaments. Lorsqu'un bébé, ou un jeune enfant malade a de la fièvre, il a besoin de tranquillité, de repos et de beaucoup dormir, surtout au début de sa maladie. Il guérira d'autant plus vite que ces besoins auront été respectés.

LA CRÈCHE FAMILIALE

Elle se situe entre l'assistante maternelle et la crèche collective. Il s'agit d'un réseau d'assistantes maternelles encadrées par une petite équipe (puéricultrice, pédiatre, etc.) et qui est installée dans un local, un appartement privé, ou appartenant à la mairie.

La crèche familiale s'occupe du recrutement des assistantes maternelles, de leur formation, de l'accueil des parents, du paiement, des locaux, du matériel. C'est un système plus souple que la crèche collective puisque les enfants y sont peu nombreux. À partir de 18 mois, les enfants sont regroupés un à deux jours par semaine pour des séances de jeux et d'éveil collectifs.

LES CRÈCHES PARENTALES

Ces crèches sont organisées sous la responsabilité des parents, ce sont eux qui prennent l'initiative de leur création et qui en assurent la gestion, mais en association avec des professionnels.

LES HALTES-GARDERIES

Elles ont pour vocation d'accueillir, pour une durée maximale de 10 jours par mois, les enfants (de 2 mois à 3 ans) dont les mères n'exercent pas d'activité professionnelle. Certaines haltes-garderies acceptent des enfants dont les mères travaillent à temps partiel ; c'est en effet difficile de trouver un mode de garde à mi-temps. Le mode d'accueil est différent d'une halte-garderie à l'autre : âge d'accueil, horaire, conditions d'admission, etc. Certaines équipes acceptent des enfants dont la santé est fragile ou qui ont un handicap. Pour certains enfants, les haltes-garderies sont le premier endroit où ils ont un contact avec d'autres personnes que la famille. Les enfants font ainsi en douceur l'apprentissage de la séparation.

• Quel que soit le mode de garde choisi, l'adaptation de l'enfant va dépendre de l'accueil qui lui est fait, de son tempérament, de la manière dont la séparation a été préparée, de la façon dont les parents la ressentent. C'est surtout cela qui compte, et qui permet à l'enfant de s'habituer quel que soit son âge.

L'ENFANT GARDÉ À LA MAISON

Une autre solution est d'avoir à la maison une personne qui sait s'occuper d'un bébé. Cette personne peut être la grand-mère de l'enfant, si vous vous entendez bien avec elle. Cependant, il faudra penser souvent à la fatigue de la grand-mère, et à la responsabilité que vous lui confiez.

Si vous choisissez une personne qui vienne à la maison, assurez-vous de ses qualités humaines, de sa compétence et de son état de santé. Il est souhaitable qu'elle vienne chez vous avant que vous ne repreniez votre travail, afin que l'enfant s'habitue peu à peu à elle, et qu'il sente aussi qu'elle a votre confiance : c'est important pour lui.

Cette personne va s'occuper de votre enfant toute la journée, sans avoir la visite régulière d'un membre de l'équipe de PMI, comme c'est le cas chez l'assistante maternelle. Il est donc particulièrement important de prendre des références sérieuses. D'autant plus que lorsqu'une personne est engagée, on ne peut s'en séparer si facilement.

Grand-mère ou aide à domicile, cette solution a l'avantage de laisser l'enfant dans son cadre habituel. Mais l'aide à domicile est une solution onéreuse, c'est pourquoi, souvent deux familles en partagent les frais.

LES JEUNES FILLES AU PAIR
Cela ne peut être qu'une solution d'appoint - car le temps de travail est plafonné - et qui convient mieux à des enfants d'âge scolaire : confier des petits enfants à des jeunes filles en général inexpérimentées, c'est les charger d'une trop grande responsabilité.

Ainsi, certains parents font le choix de la **garde partagée**. L'employée de maison garde les enfants de deux familles. Elle vient en alternance à chaque domicile, une semaine (ou une quinzaine) sur deux. Cette solution permet à l'enfant d'être gardé par la même personne, d'avoir le même camarade de jeux, d'être souvent à la maison . C'est souple pour l'enfant et pour les horaires de travail des parents. Ce choix demande une bonne entente entre les deux familles car toute tension ou tout conflit se trouvent majorés par le changement de territoire et d'habitudes. Il est important de bien préciser au départ les engagements et les tolérances de chacun.

LORSQUE PLUSIEURS PERSONNES GARDENT UN ENFANT
Par exemple, le papa ou la maman amènent leur bébé à la crèche et c'est la grand-mère qui vient le chercher le soir. Il est parfois difficile pour le jeune enfant d'avoir plusieurs figures d'attachement, et il n'est pas rare de le voir passer d'un visage à l'autre, comme s'il hésitait, lorsqu'on vient le reprendre. Il est important de laisser s'installer les retrouvailles dans un rythme tranquille, de laisser aux uns et aux autres le temps de se reconnaître, sans rivalité ou tensions.

Pour d'autres renseignements pratiques sur les modes de garde, consultez le chapitre 7.

De plus en plus autonome

Lorsque, au début, les parents vivent en symbiose avec leur enfant, dans un état quasi fusionnel (c'est particulièrement vrai de la mère pendant les premières semaines), ils rêvent parfois à ces moments où l'enfant commencera à se débrouiller seul, où il sera moins dépendant pour chaque acte de sa vie. Pourtant, lorsque peu à peu l'autonomie se dessine, et une certaine indépendance, les parents ont souvent la crainte que l'enfant puisse se passer d'eux, se détacher d'eux.

Cette inquiétude – souvent inconsciente – pousse parfois les parents dont l'enfant veut faire seul tel ou tel geste, par exemple pour s'habiller, à faire tout à sa place sous prétexte que l'enfant n'y arrivera pas. C'est normal, c'est humain, c'est affectif, mais c'est une crainte infondée : votre enfant aura toujours besoin de vous, même très longtemps, mais différemment. Laissez-le faire seul ses expériences et ses preuves.

Un autre obstacle fréquent sur le chemin de l'autonomie, c'est le fait que les parents sont pressés, ils trouvent que cela va plus vite de faire les choses eux-mêmes, ils n'ont pas la patience d'attendre. Il faut accepter de laisser faire les enfants, même si cela prend un peu plus de temps. Rien ne sert de les bousculer, ils apprendront par eux-mêmes, à leur rythme. Bien des parents sont surpris à l'entrée de leur enfant à l'école maternelle quand l'enseignante leur demande de laisser l'enfant se débrouiller - ce qu'ils n'avaient pas fait jusqu'alors - pour se déshabiller, accrocher son blouson au portemanteau, mettre ses chaussures seul. L'autonomie s'acquiert par soi-même en fonction du développement de la compréhension, des progrès du langage, de la possibilité de nouveaux gestes, avec le développement de toutes les perceptions, visuelles, auditives, avec l'acquisition de la marche, etc. Ce lent, progressif, passionnant développement psychomoteur, nous en parlons au chapitre 4. Lisez-le en parallèle avec cette vie de tous les jours, et avec les détails qui vont suivre dans ces pages.

« À quel âge un enfant peut-il faire ceci ou cela ? » demandent souvent les parents. Voici quelques indications d'âges. Mais nous vous rappelons le leitmotiv qui court tout au long de ce livre : aucun enfant ne ressemble à un autre ; chacun apprend à son heure ; il faut essayer de ne pas faire de comparaisons. Ajoutons qu'un élément risque de bousculer un peu le schéma que nous donnons ci-après : certains enfants, trouvant qu'on ne s'occupe pas assez d'eux, font longtemps « le bébé » alors qu'ils pourraient faire bien des choses tout seul.

L'ENFANT VA PEU À PEU MANGER SEUL

Dès 4-5 mois, le bébé montre le plaisir qu'il a à mettre la main sur le biberon et à le palper, et un peu plus tard à sentir la cuillère et à se familiariser avec elle. Vers 6-7 mois, confortablement installé sur vos genoux, il commence à boire à la timbale, au début il en tète le bord. À 8 mois, il tient bien assis et peut saisir les objets : il apprécie d'être dans sa chaise haute, très à l'aise d'être « à table ».

• 9 mois

Il sait tenir son biberon, le met dans sa bouche tout seul, le retire quand il est terminé. Au début, surveillez-le pour qu'il ne boive pas trop vite et ne risque pas de s'étouffer. Si on lui donne un biscuit, il le tient avec les cinq doigts, le suçote avec grand plaisir, mais en se salissant beaucoup. Prendre les aliments avec les doigts, ce que le bébé aime de plus en plus à cet âge, et bien au-delà, ne peut aller sans éclaboussures mais l'enfant le fera avec de plus en plus d'adresse et de précision.

• 12 mois

Il tient le biscuit entre le pouce et l'index ; il sait retirer un objet de sa bouche : c'est rassurant quand on lui donne un croûton de pain. Il reconnaît les plats, en refuse certains.

• 15 mois

Il montre du doigt ce qu'il désire manger, parfois juste pour le goûter et le reposer ensuite. Il peut tenir seul sa timbale des deux mains et essaie de se servir seul de la cuillère, mais la tient souvent à l'envers.

• 18 mois

Il se sert d'une cuillère pour les aliments solides, arrive à tenir un verre, ce qui est plus difficile qu'une timbale, mais le renverse fréquemment. Il aime manger seul une partie du repas, mais il se fatigue au bout d'un moment et veut qu'on l'aide.

• 21 mois

Maintenant il peut manger seul de tout, mais pas encore très proprement, cela n'a pas d'importance, il faut le laisser faire. Il apprécie de piquer les morceaux avec une petite fourchette.

• 2 ans

Il fait de grands progrès. Jusque-là, il fallait une serviette par repas ; il arrive maintenant que la serviette soit presque propre à la fin du repas. Mais attention : même lorsque l'enfant mange bien un jour, le lendemain c'est beaucoup moins maîtrisé. Dans ce domaine comme dans les autres, l'acquisition n'est pas définitive.

À remarquer : dès qu'il veut qu'on s'occupe de lui, il fait semblant de ne plus savoir manger seul et veut qu'on le nourrisse comme un petit bébé. Lorsque votre enfant vous demande de le faire manger, ne refusez pas sous prétexte qu'il est grand. D'ailleurs, au bout de quelques cuillerées, il voudra probablement manger seul ; mais il voudra aussi s'assurer qu'il peut compter sur vous le cas échéant.

À cet âge, il peut tenir sa timbale d'une seule main.

Son goût du rite se manifeste également à table : il aime que les repas se déroulent toujours de la même manière, que les objets se retrouvent à la même place, timbale, serviette, etc. Ne vous étonnez pas : dans ce domaine, comme dans d'autres (par exemple pour ses jouets dans le bain ou ses peluches le long du lit), l'enfant de cet âge aime retrouver ses repères habituels.

• 2 ans et demi

Il manie bien la fourchette. Pour la purée, il lui faut encore une cuillère. Il veut se servir lui-même dans le plat, cela lui donne quelques difficultés ; mais laissez-le faire : il sera si fier ! Et plus tôt vous le laisserez faire, plus vite il y arrivera. C'est d'ailleurs vrai dans de nombreux domaines. À l'école maternelle, les enseignantes voient arriver des enfants très différents : certains dégourdis et autonomes, d'autres qui ne savent rien faire seuls.

• 3 ans

À partir de cet âge, il commence à se tenir correctement à table, vous pouvez l'emmener déjeuner avec vous chez des amis, ou même au restaurant, car il devient de plus en plus habile.

• 4 ans

Il se sert d'un couteau pour faire des tartines de beurre ou couper son fromage, mais n'a pas assez de force pour couper sa viande et les fruits durs. Il n'y arrivera pas avant 6 ou 7 ans. Il aime aider à mettre le couvert et à préparer le repas.

L'ENFANT VA PEU À PEU S'HABILLER SEUL

Il faudra plusieurs années à votre enfant pour apprendre à se déshabiller et surtout à s'habiller tout seul (c'est plus facile d'ôter que de mettre) et chaque fois qu'il fera un progrès il en concevra une grande fierté : mettre une veste, fermer une boutonnière ou une fermeture à glissière et surtout lacer ses chaussures seront pour lui de grandes satisfactions. Il est donc important de ne pas l'en priver. Il ne faut pas non plus lui demander des efforts trop tôt.

Même lorsqu'il est tout petit, parlez à votre enfant de ce que vous faites lorsque vous l'habillez. Il aime participer à son habillement, par exemple en tendant une jambe, mettez-vous à son rythme sans le presser.

Il faut prendre d'infinies précautions avec un bébé dans les six premiers mois de sa vie car son corps est hypersensible aux retournements et aux gestes brusques. Par exemple, de nombreux bébés de quelques semaines pleurent encore lorsqu'on leur passe des vêtements serrés par la tête : on pense que le nouveau-né, le nourrisson, a en mémoire le passage si étroit du col de l'utérus pour naître, et les premières sensations de la prise d'air et du premier cri qui déploie ses poumons. D'ailleurs, de nombreux adultes gardent cette sensation d'étouffer en passant un pull-over étroit. Mais à partir de 6 mois, avec la tenue de la tête et le début de la station assise, tout change.

• 7 mois
Il s'amuse à ôter ses chaussettes pour aussitôt les porter à sa bouche. Dans les mois qui suivent, il va coopérer à la séance d'habillage et anticiper lui-même les gestes adaptés : à 1 an, il glisse son bras dans la manche qu'on lui tient, tend la jambe pour qu'on enfile son pantalon, et son pied pour qu'on lui mette sa chaussette.

• 15 mois
Trois vêtements l'intéressent plus particulière-ment : le bonnet, les chaussures, la culotte. Quand il va sortir, il fait le geste de mettre son bonnet ; quand il a sommeil, celui d'ôter ses chaussures pour se coucher ; et quand il s'est sali, celui de retirer sa culotte.

Il n'arrive pas à enfiler des moufles, mais souvent parvient à les ôter. Cela dit, il est à l'âge où l'habiller donne souvent lieu à des scènes ; il faut alors impo-ser son autorité ou le distraire : « Coucou où est la petite main ? », « Voilà le pied ! ».

• 18 mois
Il arrive à défaire une fermeture à glissière large.

• 2 ans
Jusque-là, il fallait habiller l'enfant, même s'il aidait la personne qui lui enfilait ses vêtements.

Maintenant il commence à vouloir s'habiller seul. Mais sans succès : il met les deux pieds dans la même jambe du pantalon, place son bonnet de travers, etc.

• 2 ans et demi

Il aime qu'on l'habille et le déshabille dans le même ordre. Il peut ôter ses vêtements, si on les a déboutonnés au préalable. Il commence à mettre seul chaussettes et pantoufles sans brides ou sans lacets.

• 3 ans

Il arrive à déboutonner une veste sans arracher les boutons ; il enfile seul sa robe de chambre ou son manteau, mais ne sait pas encore les fermer. Si on le lui demande, il aide à ranger ses vêtements, les plie, les met en tas.

• 3 ans et demi

Il se déshabille pratiquement seul (si on le lui demande) ; les obstacles qui lui donnent encore du mal sont l'encolure, les manches et surtout les boutons.

• 4 ans

Il peut s'habiller presque sans aide, car il distingue le dos du devant ; il sait boutonner les gros boutons, mettre correctement son bonnet et enfiler ses gants ; les lacets de chaussures représentent encore un obstacle, il ne saura les nouer que vers 5-6 ans. Et ce qui l'amuse, c'est de choisir lui-même les vêtements qu'il va porter : lorsque Noé, 4 ans 1/2, peut les choisir, c'est sa tenue de footballeur qui est élue...

L'APPRENTISSAGE DE LA PROPRETÉ

Vous le verrez au chapitre 4, la période 18-24 mois est l'âge où la propreté peut s'acquérir (p. 227 et suiv). Chaque enfant a son calendrier. La vie affective y joue son rôle, qu'il s'agisse d'une naissance ou de tout autre événement ou perturbation de la vie familiale. La propreté s'apprend par degrés : l'évacuation de l'intestin se maîtrise en général avant celle de la vessie, l'enfant se mouille encore la nuit après qu'il ait appris à ne plus se mouiller le jour.

Votre attitude aura aussi une influence : selon que vous serez impatients ou détendus, votre enfant apprendra plus ou moins facilement, plus ou moins vite à être propre.

Pour vous aider, le mieux est de vous dire ce qui se passe dans le corps et dans l'esprit d'un enfant à l'âge où l'on devient propre.

Être propre, cela signifie, en somme :
• se rendre compte qu'on a besoin de vider son intestin ou sa vessie
• être capable d'attendre pour satisfaire ce besoin
• accepter de faire plaisir à ses parents en devenant propre
• accepter de renoncer à cette couche si confortable.

Pour cela, il faut :
• que le cerveau et le système nerveux aient atteint un certain degré de développement qui, normalement, se situe vers 18 mois - 2 ans, en tout cas après que l'enfant sait bien marcher, monter et descendre les escaliers

• que la vie affective de l'enfant ne soit pas troublée, voir au chapitre 4

L'apprentissage de la propreté commence en général autour de 2 ans. Mais un enfant qui apprend à être propre à partir de 2 ans 1/2 n'est pas en retard pour autant.

Il vaut mieux mettre l'enfant sur un pot indépendant, c'est-à-dire qui ne soit pas encastré dans un petit fauteuil pour qu'il ne confonde pas s'asseoir pour s'amuser ou se reposer, et s'asseoir pour faire dans son pot. Certains enfants préfèrent utiliser le siège des WC ; on peut installer sur la cuvette un « réducteur » qui permet d'être bien assis.

Observez l'enfant : peut-être demande-t-il à sa manière ? Souvent, l'enfant coopère de lui-même : quand il a un besoin à satisfaire, n'a-t-il pas un mot, une mimique, une attitude particulière ? Certains grognent, d'autres s'accroupissent, un autre tire sur sa culotte, etc.

Combien de temps laisser l'enfant sur le pot ?

Proposez à l'enfant d'aller sur le pot régulièrement, par exemple après chaque repas. Si au bout de quelques minutes il n'a pas fait dans son pot, n'insistez pas.

Ne faites pas du pot une menace, une brimade. Ne mettez pas l'enfant sur le pot pour le faire tenir tranquille. Enfin, lorsque votre enfant est installé, n'intervenez pas ; s'il vous voit attendre un résultat, il sera contracté et ne fera rien.

Ôtez peu à peu les couches pour mettre à l'enfant une culotte ; mouiller sa culotte est plus gênant que mouiller des couches qui retiennent une humidité tiède. Cela peut l'inciter à vous alerter à temps par crainte d'être mal à l'aise. Commencez par lui mettre une culotte le matin (après être allé sur le pot). Si l'essai réussit, mettez-lui de nouveau une culotte après la sieste.

La culotte est pour l'enfant une promotion dont il est fier (« tu n'es plus un bébé ») et il se rend vite compte du rôle qu'il peut jouer lui-même pour rester sec. Félicitez-le chaque fois qu'il aura réussi à rester sec jusqu'à ce qu'il aille sur son pot.

À partir de 2 ans 1/2- 3 ans, le petit garçon peut uriner debout : il en sera fier, et cela peut faciliter l'apprentissage de la propreté.

L'acquisition de la propreté est variable d'un enfant à l'autre. Certains enfants sont propres presque du jour au lendemain, parfois la nuit et le jour en même temps. Chez d'autres, ce sera plus long, avec des rechutes. La perspective attendue de l'entrée à l'école encourage souvent les plus réticents. Les parents mettent en général à profit les vacances d'été pour que cet apprentissage se fasse plus facilement.

Si l'enfant va à la crèche, les attitudes éducatives, l'âge de l'apprentissage, la tolérance peuvent être différents de ce qui se passe à la maison. Habituellement, l'apprentissage se fait au cours de la dernière année, même si les enfants n'ont pas tous le même âge en dernière section. Les crèches sont équipées de toilettes adaptées à la taille des enfants, ce qu'ils apprécient. L'important est qu'il n'y ait pas de conflit entre vos demandes et celles du mode de garde qui l'accueille. En général, le cas de chaque enfant est traité de façon individuelle : l'adulte « référent » discute avec les parents et respecte leurs souhaits. En même temps, l'effet de groupe, le mimétisme donnent souvent à l'enfant envie de faire comme les autres.

Il en est de même si l'enfant va chez une assistante maternelle, vous confronterez vos expériences, vos réactions, et vous vous mettrez sûrement d'accord.

Faut-il lever l'enfant la nuit ?

L'enfant devient propre tout seul lorsqu'il a atteint un degré suffisant de maturité. C'est donc inutile et même nuisible de lever l'enfant, car non seulement il n'apprend rien, mais souvent il n'arrive pas à se rendormir. Beaucoup d'enfants deviennent spontanément propres la nuit entre 2 ans 1/2 et 3 ans, quelques-uns le sont plus tard ; mais on ne peut pas parler d'énurésie avant 5 ans (p. 387).

L'enfant qui refuse de faire dans son pot

Il arrive parfois que des enfants refusent absolument de faire dans leur pot. C'est bien sûr inutile de les forcer. Il s'agit simplement de cesser les séances du pot pendant quelque temps, puis d'essayer de nouveau et prudemment (seulement une ou deux fois par jour). C'est une question de patience...

L'enfant qui se retient

Un peu plus tard, vers 3 ans, lorsque l'enfant se laisse totalement prendre par ses jeux, par ses occupations, il lui arrive de ne pas pouvoir s'en détacher, et de préférer se retenir plutôt que d'être dérangé en allant aux toilettes. Au lieu de sans cesse le « rappeler à l'ordre », et de créer une opposition inutile (« Va aux toilettes », « J'ai pas envie »), on peut expliquer à l'enfant, à un autre moment, l'importance des selles et la nécessité de les éliminer pour être en bonne santé. On est parfois étonné que l'enfant comprenne si bien des notions qui paraissent difficiles pour son âge.

Il en est de même pour l'enfant qui « s'oublie » parce qu'il attend le dernier moment pour aller faire pipi. On peut lui expliquer l'importance de vider sa vessie pendant la journée, ce qui sera d'ailleurs plus confortable pour lui.

• « As-tu pensé à te laver les mains ? » Dans la vie d'un enfant, l'apprentissage de la propreté a le sens particulier dont nous venons de parler : la maîtrise de la vessie et des intestins. Mais au sens strict du mot, l'apprentissage de la propreté doit aussi concerner les règles élémentaires d'hygiène. C'est bien de donner l'habitude à l'enfant de se laver régulièrement les mains. Aujourd'hui les Français aiment se laver les cheveux, ils les ont brillants, soyeux, agréables à regarder. Pour les mains, c'est moins évident... Il est nécessaire de rappeler aux enfants qu'on se lave les mains en sortant des WC, avant de passer à table, en rentrant du jardin, etc. et de leur montrer l'exemple. Ce sont des habitudes à prendre très jeune, en les associant au plaisir d'être propre.

L'ÉCOLE MATERNELLE

De tous les signes d'indépendance : s'habiller seul, manger seul et être propre, c'est ce dernier qui est indispensable pour aller à l'école maternelle et c'est compréhensible. L'entrée à l'école – qui est la marque la plus concrète de l'autonomie de l'enfant –, ses modalités, ce qui s'y passe, nous en parlons au chapitre 4 qui concerne le développement psychomoteur de l'enfant. En effet, la vie à l'école maternelle a des conséquences aussi bien psychologiques qu'affectives et intellectuelles.

ET SI L'ENFANT NE VA PAS À L'ÉCOLE MATERNELLE

Il peut y avoir différentes raisons qui empêchent les parents de mettre leur enfant à l'école maternelle à 3 ans : trajets trop importants, santé de l'enfant, parents vivant à l'étranger, etc. Les parents se demandent alors si leur enfant ne va pas « être en retard pour ses études » et s'ils ne peuvent rien faire à la maison pour remplacer l'école.

Il s'agit de questions à la fois différentes et pourtant liées. L'école maternelle n'est pas directement une préparation à la grande école, cette préparation ne se fait qu'en dernière section, c'est-à-dire lorsque l'enfant a entre 5 et 6 ans. Mais il est exact, les statistiques le montrent, qu'un enfant qui n'a pas du tout été à l'école maternelle est moins prêt à aborder le cours préparatoire. Parce que tout ce qui est fait à l'école maternelle stimule l'enfant, développe sa personnalité, le prépare à la vie sociale, et lui offre un matériel pédagogique varié et adapté à ses progrès. Ainsi par ces expériences et ces acquisitions, l'enfant est plus apte à la vie scolaire. Donc, si votre enfant ne va pas à l'école maternelle dès 3 ans, c'est cet apprentissage de la vie sociale, cet éveil, que vous chercherez à développer chez lui.

Déjà, rien qu'en participant avec vous à la vie de la maison, votre enfant va s'éveiller, s'épanouir. Quand il vient avec vous au marché, lorsqu'il vous voit faire la cuisine, il découvre tout : les fruits, les légumes, les fleurs, leurs couleurs différentes, leurs formes, leurs odeurs. Tout est pour lui nouveau, ce dont une grande personne se rend difficilement compte : un poisson, son odeur, un lapin ou un poulet qui pend à l'étal du boucher. Quelle meilleure leçon de choses ? Et ce ne sont pas simplement des objets qu'il va découvrir, mais des gens qui seront nouveaux pour lui : le postier, le boucher, le cordonnier, etc.

Plus tard, à l'école, il apprendra à emboîter, déboîter, visser, dévisser. En attendant, tous ces gestes qui le rendront adroit et lui donneront la notion de grandeur, l'enfant pourra s'y habituer à la maison en empilant une série de casseroles, en mettant ensemble cuillères, fourchettes, etc., en un mot, en vous regardant agir et en vous imitant. Laissez-le faire même si au début il vous semble un peu maladroit. La vie de tous les jours lui apporte donc beaucoup, à condition bien entendu que vous le fassiez participer à certaines de vos activités en l'y intéressant, mais allons plus en détail.

Vous trouverez mille idées dans différents endroits de ce livre. D'abord, dans les pages consacrées au jeu, c'est le principe même de l'école d'apprendre en jouant. Ensuite, vous trouverez, au stade 3 ans (chapitre 4), tout ce qu'il aime, et surtout, pour 3 et 4 ans, le programme détaillé de ce qui est fait à l'école maternelle dans la section des petits et dans la section des moyens : par exemple à 3 ans (pp. 272-273), de la pâte à modeler, des perles, des coloriages. Évidemment cela suppose que vous consacriez le temps nécessaire pour montrer à votre enfant ce qu'il peut faire. Enfin, vous pourrez également trouver du matériel éducatif correspondant aux âges de la crèche et de la maternelle chez différents éditeurs et fabricants.

Pour le langage, il ne s'agit pas d'apprendre des mots difficiles, il s'agit avant tout de parler avec l'enfant, de prendre le temps, d'avoir des petites conversations. Les sujets sont faciles à trouver, un livre regardé, des gens aperçus, etc. Il faut lire le plus possible à ses enfants. Pages 135 et suivantes, vous trouverez quelques suggestions de titres. Ce qui éveillera aussi votre enfant, c'est que vous lui racontiez des histoires.

N'oubliez pas la musique : dans une école maternelle, elle tient une grande place sous forme de CD, de danse rythmique, de chansons. Enfin, pensez aux amis : la socialisation apporte des rencontres nouvelles et variées, l'envie d'imiter, le désir de faire aussi bien et même mieux que les autres. Là, surtout si votre enfant est unique, il est important qu'il rencontre des petits amis. La plus grande attention que vous puissiez lui porter ne remplacera pas les camarades de son âge. Saisissez toutes les occasions de faire faire à votre enfant la connaissance d'autres enfants.

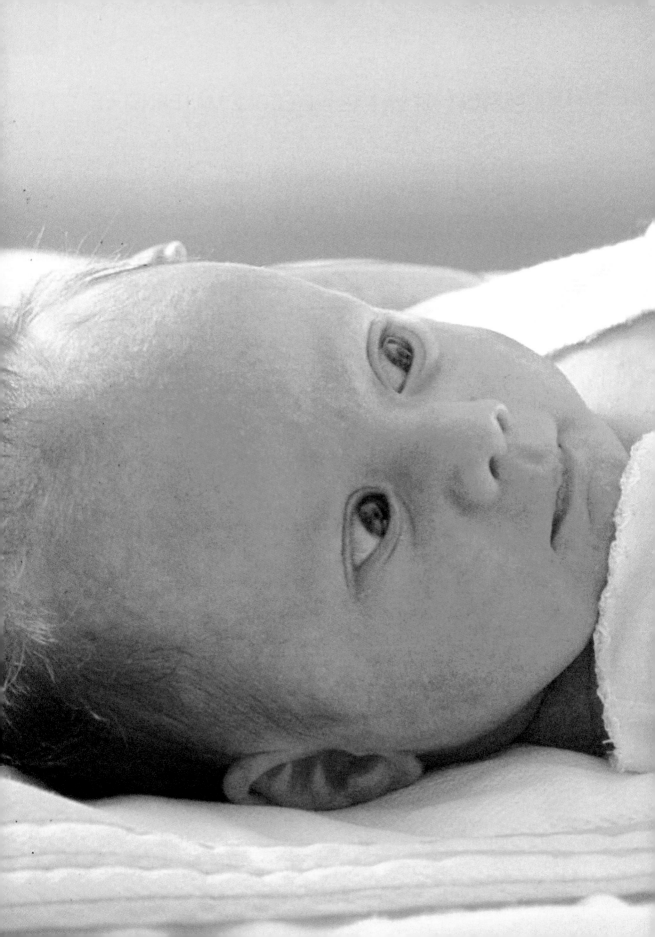

L'enfant à la découverte du monde

DE 1 JOUR À 3 ANS ET PLUS :
PREMIERS SOURIRES, PREMIERS MOTS,
PREMIERS JEUX EN FAMILLE, LA MARCHE,
LA PROPRETÉ...

SI VOTRE BÉBÉ EST PRÉMATURÉ

LES JUMEAUX

L'ÉCOLE MATERNELLE

Ce chapitre est la colonne vertébrale du livre : mois après mois, de la naissance à l'école, il raconte ce qui se passe dans la tête et le cœur de l'enfant, ce qui crée tel besoin, ce qui le pousse à faire tel geste, ce qui provoque telle réaction. Ainsi, vous y lirez qu'il est normal qu'à neuf mois, un enfant jette vingt fois son jouet par terre, qu'à quinze mois il touche à tout, qu'à dix-huit mois, il rêve déjà de liberté. Connaître ses goûts, ses besoins, permet de mieux comprendre son enfant, de l'aider à s'épanouir, de l'élever plus facilement, d'y prendre plus de plaisir. Ce chapitre est divisé en différents âges. Chacun est illustré par des dessins montrant le développement et les acquisitions de l'enfant.

De 1 jour à 1 mois

ÉCHANGES ET ATTACHEMENT

Et l'enfant naît et sa petite tête mal fermée encore
Se met à penser dans le plus grand secret
Parmi les grandes personnes tout occupées de lui.
Jules Supervielle

« Pendant quelques secondes, j'ai eu une impression étrange : je croyais voir triple ; depuis des années j'avais dans la tête un enfant, celui dont je rêvais ; depuis neuf mois j'avais dans le ventre un bébé, celui qui remuait ; je lui parlais, je lui chantais ; lorsqu'il ne bougeait plus, je caressais fort mon ventre comme pour le « réveiller ». Tout à coup, c'est le silence, et voici que dans le berceau je vois un nouveau-né qui ne ressemble pas à l'enfant que j'imaginais, qui ne bouge plus comme l'enfant dans mon ventre ! Je le regarde avec étonnement et curiosité. Ah ! vite, qu'il ouvre les yeux, qu'il me reconnaisse et que se renoue le dialogue. »

Plus ou moins confuse, plus ou moins consciente, plus ou moins fugitive, cette impression est souvent présente à la naissance. Même si l'image vue sur l'écran de l'échographe a apporté une nouvelle dimension dans la perception de l'enfant avant la naissance, presque toute femme éprouve cette sensation d'étrangeté avec les « retrouvailles ».

« Que voit-il ? », « que sent-il ? » se demande la mère dès que l'enfant est là. La réponse aujourd'hui est différente de celle d'hier. Encore plus d'avant-hier : le nouveau-né était alors considéré comme passif, n'ayant ni sensibilité ni sensations, en un mot démuni pour communiquer avec son entourage. Mais les mères ne croyaient probablement pas à cette théorie du nouveau-né purement végétatif. Elles savaient que le bébé qu'elles tenaient dans les bras éprouvait des sensations et des émotions. Et cela a été vrai à toutes les époques. Lisez ce récit qu'une jeune mère fait à son amie de son premier contact avec son enfant :

« Quels regards un enfant jette alternativement de notre sein à nos yeux ! Quels rêves on fait en le voyant suspendu par les lèvres à son trésor ! Il ne tient pas moins à toutes les forces de l'esprit qu'à toutes celles du corps, il emploie et le sang et l'intelligence, il satisfait au-delà des désirs. Cette adorable sensation de son premier cri, qui fut pour moi ce que le premier rayon de soleil a été pour la terre, je l'ai retrouvée en sentant mon lait lui emplir la bouche ; je l'ai retrouvée en recevant son premier regard, je viens de la retrouver en savourant dans son premier sourire sa première pensée. Il a ri, ma chère. Ce rire, ce regard, cette morsure, ce cri, ces quatre jouissances sont infinies : elles vont jusqu'au fond du cœur, elles y remuent des cordes qu'elles seules peuvent remuer ! »

Elle ne pensait pas, Renée de l'Estorade, tenir dans ses bras un petit être insensible. Renée est une des deux jeunes mariées dont Balzac raconte les mémoires. Avouez que ce texte écrit par un homme il y a plus de 160 ans est inattendu. On peut alors se demander pourquoi la mère ne parlait pas de ses certitudes. Mais qu'aurait valu sa conviction intime de femme en face des affirmations catégoriques des hommes ?

Maintenant, on le sait : dès la naissance, et en continuité avec la vie intra-utérine, le bébé est prêt à entrer en relation avec ceux qui l'accueillent ; il est « compétent », c'est-à-dire capable de répondre et d'échanger avec son entourage ; il peut communiquer par tous les pores de sa peau, par l'audition, par l'odorat ; il est même, dans une certaine mesure, « acteur de son développement », comme le dit Hubert Montagner.

Ainsi, le nouveau-né naît équipé pour faire la conquête du monde, à commencer par celle de sa mère et de son père. Nous allons accompagner cette découverte, cette conquête pendant les premières années.

Pour le moment ce qui vous importe probablement le plus, c'est de connaître les conclusions auxquelles on est arrivé, de savoir d'après les observations faites ce que peut ressentir votre nouveau-né, ce qu'il attend de vous, ce que vous pouvez attendre de lui, ce que vous pouvez lui demander et ce que vous pouvez lui apporter.

L'ÉVEIL DES SENS

Pour faciliter la compréhension, chaque sens va être décrit séparément, mais n'oublions pas que tous les sens participent ensemble à la reconnaissance par le bébé de ce qui l'entoure et aux émotions qui s'y rattachent.

La vision et le regard

Lorsqu'une mère demande « que voit-il ? », c'est surtout « me voit-il ? » sa vraie question. C'est un des premiers signes de reconnaissance qu'elle attend avec impatience.

Oui, votre bébé vous voit, assez distinctement : vous l'appelez, vous insistez doucement ; sensible à votre voix, il tourne la tête du côté d'où elle vient, et il ouvre les yeux. On peut dire que son premier regard est associé au son de votre voix. Votre visage l'attire, il le fixe quelques secondes, s'en détourne, y revient et ainsi plusieurs fois de suite, et l'enfant semble dire « regarde-moi ». Le contact est établi. Dès la naissance, le bébé s'oriente vers la voix maternelle. Il la connaît déjà et il découvre son visage qu'il va associer à la voix. Les travaux du chercheur Louis Sander montrent qu'il reconnaît le visage maternel vers le 10e jour.

Lorsque vous tenez votre bébé dans les bras, votre visage est juste à la distance, 20 cm, où l'enfant le voit le mieux, car il ne sait pas encore bien accommoder, c'est-à-dire accorder sa vision à la distance. Au-delà de 50 cm, il voit très flou, mais en deçà, il peut distinguer vos expressions.

S'ils ne sont pas éblouis par une lumière trop vive en salle de travail, la majorité des bébés ont les yeux grand ouverts à la naissance, semblant interroger le monde. Cette phase peut durer seulement quelques minutes, ou beaucoup plus, parfois une heure.

Au début, le bébé est plus attiré par les contrastes (c'est-à-dire qu'il regardera d'abord la ligne de séparation visage-cheveux, les yeux et la bouche) et les formes arrondies plutôt que plates. En un mot, il est « programmé » pour s'intéresser aux visages. Mais il y a bien d'autres moyens de reconnaître que par les yeux : par l'odeur, par la voix, par le toucher. La vision n'est peut-être pas le sens le plus développé à la naissance car il n'est pas fonctionnel pendant la vie intra-utérine mais il complète la reconnaissance de votre voix et de votre odeur. D'ailleurs toutes les perceptions sont si étroitement mêlées qu'il est difficile d'en isoler une.

De la vision nous pourrions ajouter ceci : le nouveau-né fait la différence entre le jour et la nuit ; en pleine lumière il ferme les yeux pour les rouvrir à la pénombre ; ne l'éblouissez pas avec des lumières trop violentes et trop proches ; une lumière vive, un flash lui font baisser les paupières ; dès la naissance ce qui est rouge, les contrastes noir et blanc, ce qui brille, l'attire.

La vision fera des progrès rapides ; vers 6 semaines l'enfant distinguera entre plat et volumineux ; vers 10 semaines, entre convexe et concave et à 3 mois, il accommodera aussi bien qu'un adulte.

La recherche d'un échange par le regard est très précoce aussi bien chez le bébé que chez la maman. On ne reconnaît pas encore suffisamment l'importance du premier échange visuel à la naissance. Et pourtant, le célèbre pédiatre et psychanalyste D. W. Winnicott parle de l'enfant qui « se regarde dans la prunelle des yeux de sa mère qui le regarde », et l'expression « J'y tiens comme à la prunelle de mes yeux » est bien connue. En plus il semble que cet échange par le regard (« se regarder dans les yeux ») soit spécifique à l'espèce humaine.

L'audition

Le nouveau-né entend, il entendait déjà avant de naître. Sur l'audition prénatale, de nombreuses recherches et constatations ont été faites. Et la musique de Pierre et le loup a été si souvent au centre des tests d'audition prénatale que le petit héros du livre de François Weyergans en parle de cette manière amusante et ironique :

« Ma mère vient de mettre Pierre et le loup ! Est-ce qu'elle a regardé l'heure qu'il est ? Elle croit me calmer en m'assommant avec ce disque que je connais par cœur. Le chat, c'est la clarinette. Le grand-père, le basson. Les coups de fusil des chasseurs : timbales, grosse caisse. "Un beau matin, le petit Pierre ouvrit la grille du jardin..." Bientôt, le loup va attraper le canard et il n'en fera qu'une bouchée. Je déteste écouter cette histoire. Pour qui me prend-on ? C'est de la musique pour enfants. » (*La Vie d'un bébé*, Gallimard).

Puisque avant de naître, dès le 5ᵉ mois de grossesse, le bébé entend, lorsqu'il naît son audition est déjà aiguisée. C'est facile de s'en rendre compte : il se tourne vers la voix qui l'appelle, un bruit soudain le fait sursauter. Des chercheurs ont démontré que le bébé reconnaît la musique entendue avant la naissance et la préfère à des musiques inconnues. Qu'il reconnaît et préfère sa langue maternelle. Et qu'il distingue même les émotions à travers les intonations de la voix, à condition que ce soit dans la langue parlée par sa mère.

Le goût

Le Pr Steiner, de l'université de Jérusalem, a fait des photos devenues des classiques : au sucré, le bébé tout juste né sourit ; au salé, il fait la grimace ; avec une odeur d'ail, il prend vraiment une mine dégoûtée (vous pouvez voir ces photos dans *J'attends un enfant*, au chapitre 17).

Plus récemment, le chercheur Benoist Schaal a, par différents tests, constaté ceci : le nouveau-né reconnaît et préfère l'odeur de son propre liquide amniotique ; il reconnaît et préfère également l'odeur du colostrum de sa mère. S'il est nourri au biberon, il lui faudra quelques jours pour préférer le lait de son biberon à son liquide amniotique. En d'autres termes, l'enfant reconnaît et préfère les sons, les goûts et les odeurs qu'il a connus avant de naître.

L'odorat

Les observations ont depuis longtemps montré que l'odorat se développe tôt chez le bébé et qu'il joue un rôle important dans la reconnaissance par l'enfant de sa mère et dans leur attachement réciproque. Pour Hubert Montagner et Benoist Schaal, le bébé peut reconnaître cette odeur dès le 3ᵉ jour.

La reconnaissance de l'odeur de la mère par le bébé peut même avoir une valeur thérapeutique. Benoist Schaal rapporte qu'un neurologue marseillais a utilisé les propriétés apaisantes des odeurs maternelles pour traiter des troubles du sommeil. Grâce à l'odeur d'un mouchoir porté par leur mère et placé sur l'oreiller, certains enfants ont réappris à s'endormir sans médicament. De même, des enfants prématurés sont calmés par l'odeur du sein maternel, comme par l'audition de sa voix ou de son rythme cardiaque.

Le toucher

Le nouveau-né est très sensible à la manière dont on le touche, aux manipulations. Certains gestes le calment, d'autres au contraire l'agitent. Cela, les parents le découvrent vite car l'enfant exprime très bien plaisir et déplaisir. En observant ses mimiques, ses gestes, l'ouverture ou la fermeture de ses mains, la détente ou la crispation de son corps, les parents sauront aussitôt ce qu'apprécie leur bébé. De leur côté, par des observations très fines, les chercheurs ont remarqué à quel point le bébé était sensible à l'émotion qui entourait ces contacts.

Cette sensibilité de la peau et du toucher remonte très loin dans la vie de l'enfant : dans le ventre de sa maman, il a senti le liquide l'entourer ; il s'est frotté aux parois de l'utérus ; au moment de l'accouchement, ce n'est que par une action violente et répétée des contractions sur son corps, que l'enfant a pu sortir du ventre de sa mère.

Pendant les premiers mois, le bébé est dans un monde de sensations qui lui procurent des émotions agréables ou désagréables. C'est pourquoi il est si important que les contacts et les échanges par les sens soient de qualité. Le bébé peut ainsi se développer dans la confiance.

Autrefois, lorsqu'on emmaillotait un bébé, c'était bien sûr pour qu'il soit au chaud, mais aussi pour qu'il sente autour de lui un cocon l'entourer, comme lorsqu'il était dans l'utérus. C'est ce que fait instinctivement une mère en prenant son bébé contre elle, en l'enveloppant doucement de ses bras. Et les petits berceaux ronds qui reviennent à la mode prolongent ces sensations rassurantes. En revanche, il est très désagréable pour le bébé qu'on lui appuie fortement la tête contre le sein, par exemple lorsqu'on veut aider la maman au début de l'allaitement.

À moins d'une raison médicale particulière, on sait qu'il est important de ne pas séparer le bébé de sa maman à la naissance. La maman peut garder son nouveau-né contre elle, peau contre peau, bien installé sur le côté, dès la fin de l'expulsion. Le bébé sera séché avec douceur pour ne pas prendre froid, une aspiration douce des fosses nasales pourra éventuellement être faites si celles-ci paraissent très encombrées. La pesée et autres mesures pourront attendre. Ainsi, sur le ventre de leur maman, dans une délicate reptation, la plupart des nouveau-nés cherchent spontanément le sein.

DE L'ÉCHANGE À L'ATTACHEMENT

Voilà ce que « sait » en général le bébé en arrivant au monde. T. B. Brazelton le montre très bien lorsqu'il pratique les tests de son examen sur le nouveau-né, avec douceur, sans élever la voix, il passe en revue toutes les réactions du nouveau-né, tous ses réflexes, tous ses sens. Le bébé suit des yeux une balle rouge, il réagit à une petite sonnette, à un hochet, il cherche des lèvres les doigts qui les ont caressées, il rampe vers le sein, etc.

Cela, c'est un examen fait par un pédiatre en une seule fois, comportant de nombreux tests pour mettre au jour les possibilités de l'enfant car certaines ne se révèlent que si on les recherche expressément. Vous, les parents, vous ferez vos découvertes tranquillement jour après jour.

Ce qui vous importe c'est de connaître les possibilités « globales » d'un bébé à la naissance ; de savoir que par tous ses sens, par les yeux, par les oreilles, par l'odorat, par le toucher, par la bouche, il est prêt à vous rencontrer. C'est cela que l'on a appelé la compétence, les compétences du bébé : l'enfant est capable de provoquer chez l'adulte qui s'intéresse à lui les réponses dont il a besoin.

Votre enfant est prêt à communiquer, il n'y a plus qu'à lui répondre. Alors commencera le dialogue, ce dialogue inépuisable, fait de caresses, de paroles, de sourires, de vocalises, de jeux de miroirs. L'enfant appelle et la mère réagit, l'enfant vocalise et la mère répond. Le père parle doucement à son bébé « Voilà, tu es dans les bras de papa », puis reprend ses gazouillis « areu...gligli », tendrement ; alors, s'il sait attendre, le nouveau-né, délicatement, presque imperceptiblement, réagit, clignote d'un œil, soulève légèrement un coin de lèvre. Comment le père ne serait-il pas bouleversé, et aussi conforté dans son rôle ?

Être avertis des possibilités du nouveau-né multiplie pour les parents les occasions d'un plaisir partagé : attendris, le père et la mère en deviennent encore plus attentifs ; écouté, le bébé gazouille de plus en plus et s'épanouit ; chaque nouveau geste, chaque nouveau baiser lui apporte un nouvel échange, une nouvelle sensation. Ceci est valable même si l'enfant est prématuré, comme en témoignent les travaux si intéressants du docteur A. Grenier et l'examen neurologique qu'il a mis au point : soutenant d'une certaine façon la nuque de bébés nés avant terme, leur « motricité libérée », leur éveil et leurs compétences sont là, même si ces bébés sont plus sensibles et ont un rythme plus lent que les bébés nés à terme.

« À quoi sert de raconter la compétence du nouveau-né, m'a demandé une lectrice, cela se voit vite. » Pas toujours : certains parents sont intimidés, et leur dire que le nouveau-né est prêt à les écouter, qu'il attend leurs gestes, les aide à se manifester. Certains parents sont maladroits dans leurs sollicitations : cela peut arriver lorsque l'enfant n'a pas l'air très réceptif ; et connaître la sensibilité de l'enfant peut encourager les parents à se rapprocher de lui, à s'intéresser à lui, à lui parler.

Tous les bébés sont compétents puisque c'est inscrit dans la nature ; mais on ne l'a pas toujours su, sinon on aurait moins souvent séparé les mères de leur enfant. Aujourd'hui, heureusement, on ne sépare plus l'enfant de sa mère, sauf cas exceptionnels, et en prenant des précautions, car c'est de la qualité des échanges, des interactions, que vont se créer des liens, et que va naître l'attachement. Il n'y a aucune justification à ce que les nouveau-nés passent la nuit en nurserie pendant le temps du séjour à la maternité. C'est au contraire en vivant ensemble, et le plus souvent possible en peau à peau dans ces premiers jours, que la maman et le bébé pourront s'adapter l'un à l'autre et, petit à petit, trouver un rythme commun. Cette manière de procéder rassure le bébé. Il peut ainsi, dès la naissance, construire sa « sécurité de base » qui lui permettra, par la suite, d'accepter les séparations inévitables.

À CHACUN SON RYTHME

Dès la naissance, les bébés sont très différents les uns des autres. Chacun a son rythme, certains sont plus éveillés, certains moins réceptifs. Dès les premiers jours, il y a le lent, le rapide, le « moyen ». À âge égal, les bébés sont déjà tous différents. Et pour chaque bébé, cet éveil plus ou moins grand dépend du moment de la journée : s'il a soif, faim, sommeil ou digère mal, il sera moins éveillé, et donc moins réceptif. Il y a aussi des enfants sensibles, et des enfants résistants, qui, par exemple, pleureront plus ou moins facilement.

DE 1 JOUR À 1 MOIS

La position spontanée du nouveau-né est proche de celle qu'il avait avant la naissance, jambes et bras repliés vers le corps. Il était enroulé sur lui-même, entouré et contenu par l'enveloppe utérine. Certains nouveau-nés supportent mal le déroulement et l'absence de limites du monde extérieur, ils peuvent gesticuler de manière désorganisée, à la recherche d'appui. Ils seront rassurés, calmés, en se sentant entourés, tenus. C'était d'ailleurs le but de l'emmaillotement, qui retrouve son intérêt aujourd'hui.

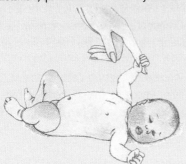

Si vous touchez les mains de votre bébé, vous sentirez ses doigts se refermer sur les vôtres. Le nouveau-né peut serrer si fort que ses doigts en deviennent blancs. Il retrouve ici le geste familier qu'il avait dans l'utérus lorsqu'il saisissait le cordon ombilical et c'est peut-être pourquoi, un peu plus grand, il aimera tellement attraper le cou de sa petite girafe en caoutchouc.
Le même réflexe existe à la plante des pieds.
Le nouveau-né a plusieurs autres réflexes : marcher si on le maintient sur ses pieds, téter si on touche ses lèvres, etc.
Le médecin vérifie ces différents réflexes pour s'assurer que tout est normal.

Le tissage des liens

Mais revenons à votre nouveau-né : quand vont se passer vos premiers échanges ? Avec la tétée, et dans les moments qui suivent, lorsque le bébé en général encore éveillé est prêt à vous écouter ou à parler. Pour le moment il dort, allons le regarder.

Il dort d'un sommeil calme et profond, si profond d'ailleurs qu'il en est inquiétant, rien ne bouge des traits du bébé, on se penche pour vérifier qu'il respire... Puis soudain changement total : l'enfant s'agite, tressaille, grimace, soupire, sourit ; un mauvais rêve l'agite ? Il plisse le front et fronce les sourcils, pleurniche, mâchonne, ronchonne, suce son pouce... On le croit en train de se réveiller, on est tenté de le prendre, il faut bien s'en garder, il est dans cette phase du sommeil qu'on dit précisément paradoxal, où il a l'air éveillé tout en étant encore endormi. Non, il n'a pas faim, laissez-le poursuivre son sommeil, le moment venu il saura bien le dire en pleurant assez fort jusqu'à ce que vous veniez.

Puis il retombe dans un sommeil profond, et ainsi plusieurs fois de suite il passe par ces différentes phases du sommeil, jusqu'au moment où il réclamera brusquement sa tétée. C'est le moment qu'il faut attendre pour prendre le bébé, afin de ne pas risquer de dérégler son sommeil, ce qui troublerait ses nuits et les vôtres. C'est cette habitude de prendre l'enfant au premier soupir, en fait en plein sommeil, qui est souvent à l'origine de troubles du sommeil.

À l'approche du sein ou de la tétine, l'enfant tremble d'excitation. Alors ce bébé qui paraît encore si fragile tète avec vigueur jusqu'au moment où véritablement épuisé il ferme les yeux, apaisé, avec aux lèvres un sourire de béatitude. C'est vraiment cela le sourire aux anges : l'expression du bien-être. La tétée représente un maximum d'échanges entre la mère et son bébé car tout y participe : les gestes, l'odorat, la bouche, les mots, le regard.

Après la tétée, parfois le bébé se rendort aussitôt ; il lui arrive aussi de rester éveillé quelques instants, heureux. Son expression est « alerte », il semble dévisager sa mère et attendre quelques signes, quelques mots ; lorsqu'ils lui parviennent, l'enfant s'agite, cligne des yeux, semble se concentrer encore plus fort pour suivre à la fois le visage et la voix. Et il peut se montrer complètement absorbé pendant quelques minutes. Au bout d'un moment, fatigué, il tourne la tête comme pour dire : « C'est fini, je n'en désire pas plus... » Il faut respecter ce désir et attendre, pour reprendre la conversation, que l'enfant spontanément la recherche. Il le montrera par son expression à nouveau « alerte ».

Ce qui vient aux lèvres de la mère lorsqu'elle voit son bébé attentif, éveillé, c'est bien souvent tout l'éventail de la tendresse et des petits mots câlins. « Ma fée, ma biche, mon poussin », etc., ou tout autre mot complètement inventé, mais tous chargés d'affectivité et de tendresse. Les premiers jours, l'état alerte du bébé ne dure que quelques minutes. Au fur et à mesure que les jours passent, les périodes d'attention s'allongent, l'éventail des échanges s'étend par l'œil, les mots, les gestes, les caresses, les chansons. Tout s'invente et se découvre. On guette chaque changement ; le bébé a de nouveaux « mots », de nouveaux cris, il ouvre plus souvent les yeux, il cherche, il me cherche sûrement, il s'agite, on dirait qu'il sourit, on note, on interprète.

Les liens deviennent chaque jour plus forts et déjà l'inquiétude mesure l'attachement. Il y a souvent des malentendus et des pleurs, mais peu à peu l'ajustement se fait ; « l'enfant fait la mère » pour reprendre la célèbre phrase du professeur Juan de Ajurriaguerra, et la mère fait l'enfant.

Le père et son bébé

Vous voyez surtout le mot « mère » dans tous ces échanges. C'est certain qu'elle est la personne privilégiée, au début, pour des raisons évidentes : elle porte le bébé, elle accouche, elle allaite, c'est ainsi que naturellement, elle est plus près de l'enfant que le père.

Mais le père est là aussi. Bien avant la naissance, il a été bouleversé par l'annonce de sa paternité. Il a vu avec émotion l'image de son enfant sur l'écran de l'échographe : ce cœur qui se soulève, ces membres qui bougent lui révèlent une présence. Il a parfois participé à des séances de préparation à l'accouchement. Certains pères ont été intéressés par une approche haptonomique. Beaucoup étaient présents à la naissance de leur enfant, ils ont peut-être coupé le cordon, assisté aux premiers soins, pris le bébé peau contre peau. Ainsi l'homme a pu se sentir père avant la naissance. Lorsque son bébé est là, sa paternité peut s'exprimer dans les gestes et les échanges de la vie quotidienne. Dans cette continuité, le père prend naturellement sa place auprès de l'enfant, il le change, le lave, le câline, lui parle.

Les pères qui attendent que leur enfant marche ou parle pour s'occuper vraiment de lui sont de plus en plus rares. Ils ne savent pas le plaisir dont ils se privent. Ces hommes n'ont en général pas connu dans leur petite enfance un père proche de son tout jeune bébé. D'autres ont peur de la fragilité que représente un nouveau-né, ou bien ils voient dans cette paternité le poids de nouvelles responsabilités. Dans bien des cas, la mère et l'entourage peuvent aider le père à occuper la place qui lui revient dans le trio familial, et à découvrir les joies de s'occuper de son bébé, de lui apporter l'amour, la sécurité, un autre dialogue.

Ajoutons que, bien souvent, l'enfant vit ses premières années dans un monde essentiellement féminin : mère, nourrice ou puéricultrice à la crèche, puis institutrice à la maternelle ; il est important pour l'enfant qu'une présence masculine prenne place très tôt dans sa vie.

Les débuts dans la vie du bébé prématuré

Entre les parents et leur bébé, les liens se tissent dans les échanges quotidiens, dans les interactions partagées. Comment l'attachement parent-enfant, mais aussi enfant-parent, peut-il éclore lorsque le bébé est prématuré et séparé de ses parents ? Comment faire la connaissance d'un bébé alors qu'il est en réanimation ou en néonatologie ? Les équipes hospitalières sont très sensibilisées à ces problèmes de séparation, elles font tout ce qu'elles peuvent pour en atténuer les effets. Voyez à la fin de ce chapitre *Si votre bébé est prématuré* (p. 257).

LES DIFFICULTÉS DE L'ATTACHEMENT

Vous l'avez vu, l'attachement naît et se développe au cours d'une succession d'événements, en général heureux. Mais des difficultés peuvent retarder l'adoption réciproque des parents et du bébé.

Parfois le sentiment d'étrangeté qu'éprouve la mère, sentiment dont nous avons parlé et qui est fréquent à la naissance, persiste : que vais-je faire de cet inconnu qui en plus me persécute par ses cris, se demande la maman. Elle a l'impression que son bébé l'agresse.

Parfois, tout simplement, le bébé est lent à s'éveiller, moins mature qu'on ne l'imaginait, il déçoit ses parents : pourquoi ne tient-il pas encore sa tête ? Pourquoi crache-t-il ? Pourquoi pleure-t-il toujours ? Le bébé qui pleure souvent – et il y en a – énerve beaucoup.

Ou bien la mère refuse de changer son bébé, l'odeur la dégoûte, elle attend le père et rend l'enfant responsable de la mésentente qui peut s'installer alors dans le couple.

Parfois, la mère est si déprimée après l'accouchement qu'elle ne s'intéresse pas à son bébé, qu'elle n'arrive pas à s'occuper de lui. Elle est dans le brouillard total, et le bébé manque de stimulations.

Dans ces divers cas, l'enfant en fait mal accepté n'est pas traité comme il le voudrait ; cela l'empêche de dormir, le fait pleurer et lui donne mal au ventre : il en perd sa capacité à attirer la sympathie et les bonnes réponses. L'enfant ne va pas bien, les parents non plus, c'est le cercle vicieux.

Certains parents s'attendent à ce que dès les premiers jours, ou les premières semaines, le bébé « fasse ses nuits », tête à heures régulières et ne pleure plus. Comme c'est rarement ce qui se passe, ces parents s'énervent, deviennent de plus en plus exigeants. Alors que si les adultes comprennent qu'un bébé a besoin de temps pour s'adapter à sa nouvelle vie, l'enfant va acquérir peu à peu les rythmes du quotidien dans un climat de détente.

Dans d'autres cas, le nouveau-né est loin des parents, il a dû être hospitalisé d'urgence dans un service de prématurés, nous en parlons plus loin.

À l'éloignement s'ajoute une autre difficulté à surmonter lorsque l'enfant naît avec un handicap, une malformation, petite ou grande, qui nécessite des soins particuliers. Contre toute raison la mère se croit coupable et parfois refuse d'aller voir l'enfant. La situation est particulièrement difficile pour le père qui doit soutenir sa femme et rendre visite au bébé. Aujourd'hui, heureusement, les parents ne sont plus seuls face à ces problèmes : l'équipe de la maternité est prête à les soutenir, à les aider.

Se faire aider

Lorsque se présentent ces difficultés, ou d'autres, elles empêchent les parents de profiter des premiers mois de la maternité et de la paternité et le bébé en souffre. Il est important de ne pas rester seuls et de faire appel à des professionnels de l'enfance. Une travailleuse familiale peut soulager dans les tâches matérielles. Une puéricultrice de PMI peut venir à domicile et donner des conseils. Le pédiatre peut aider à comprendre ce qui se passe et éventuellement conseiller de voir un psychologue. Il ne faut pas hésiter à contacter d'autres parents : par le biais de la PMI, par Internet, en rejoignant des associations, notamment celles regroupant des parents d'enfants ayant le même handicap ou la même maladie. Ainsi les parents ne sont plus seuls face à des souffrances qui risquent d'entraîner culpabilité, agressivité ou refus d'accepter la réalité. On sait aujourd'hui que la prévention de difficultés ultérieures plus importantes commence par des aides d'autant plus efficaces qu'elles sont plus précoces.

Les retards, les difficultés ne signifient pas pour autant que l'attachement ne se fera pas. Les premières semaines représentent une période privilégiée certes, mais pas une période au-delà de laquelle tout est fini. Rien n'est jamais ni joué, ni perdu, il faut en être particulièrement convaincu lorsqu'on a un enfant ; les possibilités d'adaptation de l'être humain sont immenses.

Au chapitre 6, au mot *Handicap*, nous consacrons un article à l'enfant porteur d'un handicap, à son accueil, aux aides pour lui et ses parents, à une bibliographie. Voir également p. 360.

CE QUI FERA PLAISIR À VOTRE NOUVEAU-NÉ

• Son plus grand plaisir, c'est d'être avec vous, dans vos bras. Il aime la tétée, être bercé, être changé, être baigné, et, après le bain, pouvoir remuer librement ses jambes avant d'être rhabillé, tout en vous écoutant lui raconter des histoires. Quand il gigote ainsi, il aime que l'on participe à sa joie. Il aime votre voix, le contact de votre main.

• Il aime le calme, la lumière douce.

• Si vous voyez votre bébé « contracté » – les poings très serrés, ou se tortillant sans pouvoir se détendre – essayez de l'apaiser par quelques massages légers, par des effleurements, des tapotements très doux, en le berçant dans vos bras. Vous verrez, cela lui fera grand plaisir, à vous aussi d'ailleurs.

Dans ce domaine également l'interaction joue : l'enfant nerveux irrite ceux qui s'en occupent, l'enfant calme les détend. Lorsqu'un bébé pleure beaucoup, il est important de prendre sur soi pour rester calme et ainsi transmettre cet apaisement au bébé.

Ce qui lui sera désagréable

• Avoir faim et soif. Être trop ou pas assez couvert. Avoir des vêtements serrés, les élastiques en particulier.

• Être porté sous les bras sans être soutenu sous les fesses.

• Qu'on le fasse sauter en l'air, car à cet âge le risque est grand du « syndrome du bébé secoué » (voir ce mot chap. 6).

• Les allées et venues bruyantes dans sa chambre, les éclats de voix, la radio, la télévision, les portes qui claquent, la fumée de cigarette.

Et ne dites pas, s'il pleure la nuit, qu'il est capricieux et exigeant : il ne fait pas encore de différence entre le jour et la nuit et surtout, dans le ventre de sa mère, il a été nourri à volonté ; il ne peut pas encore rester à jeun plusieurs heures. Il va avoir besoin de plusieurs mois pour s'adapter.

• Des lecteurs nous ont demandé s'il était possible d'utiliser un flash pour photographier leur bébé : oui, mais de façon limitée, car d'une façon générale il est recommandé d'éviter toute agression répétée de la rétine (c'est pourquoi les lunettes de soleil sont conseillées, même aux jeunes enfants).

POUR EN SAVOIR PLUS...

La « compétence » du nouveau-né est un des grands messages de *La Naissance d'une famille*, de T. B. Brazelton (Stock et Points-Seuil).

Dans *Trois Bébés dans leur famille* vous verrez, exemples à l'appui, à quel point les enfants peuvent être différents les uns des autres (T.B. Brazelton, Stock et Livre de Poche).

De 1 à 4 mois

LES PREMIERS SOURIRES

Incipe parve puer risu cognoscere matrem.
Petit enfant, connais ta mère à son sourire.
Virgile

À 1 mois on peut dire que tous les bébés voient bien les ombres, les lumières, les contours, les visages, certaines couleurs ; c'est beaucoup. Avec plus ou moins d'intérêt, plus ou moins de vivacité, le bébé ne cesse d'exercer sa vue. Inlassablement, jusqu'à ce que ses yeux se ferment de fatigue, il regarde tout : le bord de son lit, les objets que l'on agite au-dessus de sa tête, ses mains, les feuilles des arbres lorsqu'on le promène. À exercer ainsi son regard sur toutes choses, ce regard s'aiguise, il devient plus expressif. Aux environs du 3e mois, ses yeux changeront de couleur, ils prendront leur couleur définitive (beaucoup d'enfants ont les yeux gris bleu à la naissance,

cela dure parfois jusqu'à 1 an). Dans les yeux, autre nouveauté : les larmes. De vraies larmes.

Très tôt, les bébés sont capables de tourner la tête ; alors, ils explorent leur horizon en tous sens. Mais il est vrai que tous les enfants ne réagissent pas aussi vivement aux mêmes excitations. Les bébés ne sont pas tous sensibles à ce qui les entoure de la même manière. Ce qui ne signifie pas que ceux qui réagissent moins rapidement à ce qu'ils voient soient moins éveillés ; ils se montreront peut-être plus précoces pour d'autres acquisitions (marche, langage).

L'enfant examine avec soin l'entourage, scrute avec attention les visages, et voilà tout à coup un événement important : parmi les objets que le bébé regarde, un jour, l'un d'eux lui paraît justement plus intéressant que les autres. Cet « objet » émet des sons, des sons qui lui rappellent beaucoup de bons souvenirs. Intensément, le bébé fixe les yeux dans sa direction. Et, un jour, le miracle se produit.

Ce visage qui se penche au-dessus du sien, « comme c'est curieux, semble dire l'enfant, ça bouge, les lèvres remuent, les yeux se plissent ». L'enfant essaie d'en faire autant. Sur le visage d'en face, le sourire s'étend, la bouche s'ouvre, il en sort un cri de joie. L'enfant a souri, sa mère aussi.

Qui a commencé ? Nul ne le sait. On peut bien appeler cela « une réponse par imitation » : pour la mère, pour le père, c'est simplement le bonheur. Leur enfant leur montre qu'il les reconnaît vraiment. Ce n'est pas la première fois qu'il sourit. Mais avant c'était « aux anges », aujourd'hui c'est à eux. Cette fois ils en sont sûrs.

Du premier sourire aux premières paroles, il se passera plusieurs mois. Qu'importe ! Il y aura d'autres manières de se « parler », de communiquer : des vocalises, des roulades, des éclats de rire, quelques syllabes, la musique, des chansons. Ce dialogue ne sera d'ailleurs pas le privilège des parents. Il en sera de même pour toutes les personnes de l'entourage du bébé : frères, sœurs, assistante maternelle, etc.

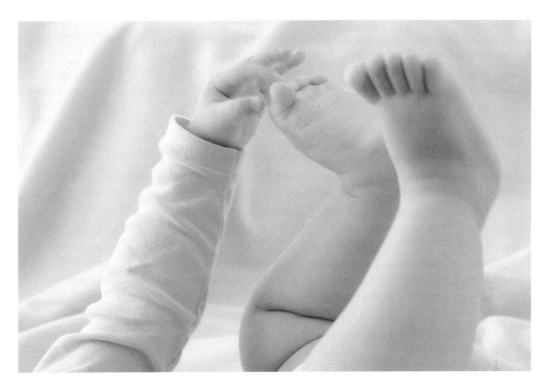

LES JOURNÉES S'ORGANISENT

Au cours de cette deuxième étape de sa vie, l'enfant va donner des nuits calmes à ses parents que, jusque-là, il avait peut-être empêchés de dormir. Car peu à peu, entre 1 et 4 mois, les pleurs diminuent.

Les pleurs d'un petit bébé alertent toujours les parents : « Que se passe-t-il ? Tu as trop chaud mon bébé ? ». Mais ces pleurs peuvent aussi épuiser les adultes qui se sentent agressés : « Ça suffit maintenant, tu es vraiment pénible. ». Si un petit enfant pleure, c'est un moyen de communiquer, c'est sa manière d'appeler pour qu'on le prenne dans les bras, ou de dire que quelque chose le dérange : il est trop couvert ou – c'est plus rare – pas assez ; il a faim et la tétée ne vient pas ; il a des coliques, ses nerfs sont à fleur de peau, tout le fait sursauter, et, comble de malchance, il n'arrive pas à sombrer dans le sommeil profond qui lui ferait oublier tous ses malheurs. Il ne lui reste plus qu'un recours, appeler en pleurant pour qu'on vienne (voir p. 121 et suiv.).

Si, entre 3 et 4 mois, tout s'arrange, c'est que peu à peu l'enfant arrive à bien faire deux choses essentielles : dormir et manger, et qu'ainsi ses occupations principales ne lui donnent plus de soucis. La somnolence quasi-permanente du début fait peu à peu place à des périodes de vrai sommeil, à d'autres de vrai réveil, surtout en fin de journée. Dormant mieux, l'enfant dort moins. Le sommeil léger et fragile du début fait place à un vrai sommeil, détendu et profond, dont six à sept heures d'affilées, la nuit. Même la séance de pleurs de la fin de la journée, si régulière chez certains nourrissons, cède vers 3 mois. Car à cette date disparaissent ces maux de ventre (coliques) qui tourmentent bien des bébés.

Tout d'ailleurs dans la digestion du bébé s'améliore : les vomissements et les renvois disparaissent pratiquement, en partie parce que le bébé ne se jette plus sur le sein ou le biberon avec la voracité des premières semaines, voracité qui lui faisait avaler autant d'air que de lait. Il commence par attendre sagement l'heure de son repas (sauf le matin, où il pleure encore parfois), trouve facilement le sein ou la tétine, prend le temps de bien téter sans s'étrangler, certains jours même s'offre le luxe de refuser une tétée.

Ainsi, pleurant moins, dormant mieux, mangeant bien, l'enfant de 3 mois atteint déjà un certain équilibre. En plus, on remarque qu'à cet âge, lorsqu'il est réveillé, il commence à s'intéresser vraiment à ce qui se passe autour de lui.

Les "tableaux"

À cet âge, la vie d'un bébé est bien réglée : les tétées sont suivies de changes, les changes de siestes, puis il y a les sorties, le bain, et cela recommence. Et à chaque fois, les mêmes gestes, les mêmes personnes, et la régularité est d'autant plus grande qu'il s'agit d'un premier enfant. À travers ces scènes et cette répétition, l'enfant va peu à peu se constituer une vision du monde cohérente et stable et cela va lui apporter un élément indispensable, on en reparlera, la sécurité affective. Ce sont ces scènes que Jean Piaget[1], a appelé des tableaux : pour le petit bébé de 5 ou 6 semaines, les personnes et les objets apparaissent comme des taches et des couleurs assemblées sur une toile. Mais ces taches et ces couleurs bougent continuellement : ces tableaux sont des tableaux vivants.

Bien sûr, les premiers jours, l'enfant ne distingue pas bien les « tableaux », et encore moins leurs détails ; il lui faut du temps pour bien voir et tout voir. Mais à force de voir les mêmes tableaux reparaître avec régularité, il finit par distinguer les uns des autres, chacun accompagné de ses sensations particulières.

Il y a le « tableau tétée » : les bras, le sein, la chaleur, le parfum de maman, le plaisir de téter qui se prolonge bien au-delà de la faim apaisée, et puis la « conversation » qui suit. La maman sourit, parle à son bébé, le bébé lui répond et fait des roulades.

Il y a le « tableau biberon » : papa s'installe, il sait tout de suite trouver le rythme qui convient, le bébé est comblé.

Il y a le « tableau bain » : le bruit de l'eau qui coule, l'eau tiède dans laquelle on est si bien, le plaisir de gigoter un moment tout nu après le bain.

Il y a le « tableau sortie » : la porte qui s'ouvre, maman qui porte un manteau, papa qui me met dans le landau au balancement que j'aime ; dans la rue, il y a beaucoup de bruit, mais cela me distrait ; au jardin, je regarde les feuilles bouger au-dessus de ma tête.

Il y a le tableau « crèche » ou « nounou » : maman me déshabille, elle raconte à l'auxiliaire de puériculture mon réveil ; le soir, papa vient me chercher et j'entends « Tatie » lui raconter ma journée.

Pour l'enfant de cet âge, la vie est donc essentiellement une succession de tableaux centrés autour des mêmes personnes ; ils se reproduisent selon un rythme et des rites bien établis. Ces tableaux deviennent des habitudes, des repères qui rassurent l'enfant, qui lui permettent de se retrouver. En effet, l'enfant peut prévoir ce qui va se reproduire dans sa journée, il peut ainsi attendre son repas – évidemment s'il n'a pas trop faim – car il sait qu'il va arriver. Et c'est tout cela qui va créer la confiance qui le rassure. Mais si les repères sont brouillés, si les habitudes changent, l'enfant est désorienté.

Quelle conclusion pratique en tirer ?

Que quel que soit le déroulement de la journée du bébé – chacun a sa manière de vivre – ce déroulement ne doit pas trop varier.

1. Sur Jean Piaget, son œuvre et ses princiaux livres, reportez-vous page 197

Par exemple :

• qu'il n'y ait pas trop de changement parmi les personnes qui s'occupent de l'enfant

• que l'enfant ait un coin à lui, si petit soit-il, afin que son cadre soit le même

• que le bain et la sortie soient réguliers, qu'ils se fassent sans précipitation

• que la personne qui s'en occupe soit si possible la même.

Pourquoi privilégier une telle stabilité ? C'est elle qui va donner à votre bébé la continuité des repères dont il a besoin pour se sentir en sécurité, pour apprendre tout doucement à anticiper ce qui va se passer au fil de ses journées, pour avoir confiance dans les adultes et pouvoir les attendre sans angoisse.

De même, si vous ne pouvez éviter qu'il y ait plusieurs personnes qui s'occupent de votre bébé, faites en sorte qu'il n'y ait pas de conflit entre elles. Certes, chacun a sa façon de communiquer avec le bébé, de prendre soin de lui. Mais si ces personnes s'entendent bien, sont en harmonie, le bébé se sentira rassuré et il pourra plus facilement constituer ses propres repères et s'adapter.

Bien sûr, au fur et à mesure que votre enfant grandira et que sa personnalité s'affirmera, il sera capable d'apprécier la nouveauté, il la recherchera même. Mais pour le moment il a besoin de régularité.

Et lorsqu'un changement est nécessaire, il faut le préparer. Justement, si vous allaitez votre bébé, vous allez, dans quelques semaines, introduire dans sa vie un changement considérable, le sevrage.

DE 1 À 4 MOIS

Il a desserré les poings. Ses mains commencent à lui obéir ; il sait les amener devant ses yeux, jouer longuement avec elles, agiter ses doigts, palper, griffer ou gratter. S'il voit un objet approcher, il tremble d'excitation ; il voudrait s'en emparer. Mais s'il commence à savoir saisir le portique qui est en travers de son lit, il laisse tomber le hochet qu'on lui a mis dans la main, et ne sait pas le reprendre.

Mis sur le ventre, le bébé relève vigoureusement la tête. Son cou est devenu ferme et, quand il est couché sur le dos, si on le soulève, il tient bien la tête. Ce contrôle de la tête, qui est le grand événement de ce trimestre, va avoir des conséquences importantes : le bébé peut s'intéresser à ce qui l'entoure, parce que maintenant il peut tout voir, ou presque. C'est un bon exemple de ce que les psychologues et les pédiatres appellent le développement psychomoteur : le bébé tient sa tête parce qu'il veut regarder, il peut regarder parce qu'il tient sa tête, c'est indissociable.

Le bébé suit des yeux une personne qui se déplace. Il commence à sourire d'un véritable sourire. Les expressions de son visage sont de plus en plus variées.

Et bien souvent, il y aura un autre changement, c'est que vous allez retourner travailler, c'est-à-dire que votre enfant va être avec quelqu'un d'autre pendant la journée. Il sera avec plusieurs autres personnes s'il va à la crèche, où, en plus, il découvrira d'autres enfants. L'enfant mettra un certain temps à s'habituer, et vous verrez un peu plus loin comment l'aider pour que cette première séparation se passe bien. Et c'est ainsi que l'enfant grandira. C'est par des détachements successifs, dans un climat de sécurité, qu'il acquerra son autonomie. L'important est que ces changements, ces séparations soient aménagés, préparés.

Mais revenons aux séparations du moment. Comment faire pour que l'enfant les supporte bien ?

LE SEVRAGE

Vous le savez, le sevrage n'est pas qu'un changement de nourriture, ou que le passage du sein au biberon ou à la cuillère. C'est aussi un événement d'ordre affectif, et qui peut retentir sur tout le comportement de l'enfant : vous l'avez vu, tout changement le déconcerte. Or celui-ci est de taille.

En effet, depuis le premier jour, le grand plaisir de l'enfant est de téter, parce qu'il a faim, parce qu'il est dans les bras de celle qu'il aime. De plus, pour ce petit enfant qui ne sait pas encore s'asseoir ou se servir de ses mains, la bouche est vraiment le centre de toutes ses activités et de tous ses plaisirs : manger bien sûr, mais aussi appeler, sourire, vocaliser, crier. Et le sein de sa mère est pour lui un objet de consolation, de plaisir et même de progrès : le bébé le touche, le manipule et peu à peu le différencie de lui.

Le changement est parfois difficile pour la mère qui souvent repousse le sevrage aussi longtemps qu'elle le peut. Dans ces moments, le père est un allié précieux. Si vous vous sentez soutenue dans votre décision, si vous voyez le papa aider l'enfant à se tourner vers l'extérieur, vous accepterez plus facilement que votre bébé se détache peu à peu de vous.

C'est pourquoi, afin que mère et enfant ne se retrouvent pas dans une situation délicate, il est important de prévenir ce passage difficile en comprenant et en aidant l'enfant. Puisque le bébé a besoin d'un certain temps pour s'habituer à un nouveau mode d'alimentation, il faut étaler le sevrage sur plusieurs semaines ; c'est le sevrage progressif dont nous parlons page 63.

Ainsi franchi, le sevrage est une étape positive du développement de l'enfant. Mais sachez que, même si l'enfant met quelque temps à s'habituer, il retrouvera, ce délai passé, tout son équilibre.

Les difficultés du sevrage

Lorsque la maman est obligée d'arrêter brusquement l'allaitement, le sevrage peut être difficile : l'enfant peut refuser tout autre lait que le lait maternel, ou refuser tout nouvel aliment, ou vomir (ou avoir la diarrhée), ou refuser la tétine, en un mot, l'enfant peut s'opposer à tout changement. Même si ces difficultés sont réelles, elles seront passagères : l'enfant s'habituera à son nouveau régime, mais ne le forcez pas, un enfant ne se laisse jamais mourir de faim.

En attendant, afin que ce sevrage brusqué ne reste pas dans sa mémoire comme une souffrance, une épreuve, vous et son père renforcerez autour de votre enfant votre présence et votre affection.

En prenant des précautions, les souvenirs inconscients associés à cette étape ne risqueront pas de resurgir et de provoquer des régressions ou de petites dépressions lors de situations semblables : séparation, maladie, perturbations familiales, éducation de la propreté, entrée à la crèche, à l'école, etc.

Le sevrage peut aussi être rendu difficile parce que la mère redoute cette nouvelle séparation, ou parce qu'elle hésite à renoncer au plaisir d'allaiter. Là aussi, c'est le sevrage progressif qui lui permettra de continuer à donner quelques tétées, et d'arriver ainsi en douceur à l'autonomie réciproque.

Il arrive que le sevrage se passe bien chez le bébé mais perturbe la mère et que, comme parfois après la naissance, elle se sente déprimée. C'est compréhensible, sevrer c'est une nouvelle séparation, et c'est également un bouleversement hormonal. En plus, ce moment chargé d'émotions, peut faire resurgir chez la maman des souvenirs très anciens, inconscients, de sa toute petite enfance.

UN AUTRE CHANGEMENT : LA REPRISE DU TRAVAIL

Le congé de maternité se termine dix semaines après la naissance, mais quand elles le peuvent, les mères attendent que l'enfant ait 4 mois, parfois même 6, pour reprendre leur travail ; elles sentent qu'à 2 mois leur bébé est encore très dépendant, que la période de « fusion » inévitable n'est pas encore totalement franchie ; c'est vrai qu'à 4 mois, le développement psychomoteur de l'enfant lui permet de supporter plus facilement la séparation. Nous parlerons donc au stade prochain (4-8 mois) de la séparation à la suite de la reprise du travail de la mère. Et nous avons déjà parlé en détail dans le chapitre 3 des différents modes de garde, comment choisir, etc. Mais ici, nous voudrions attirer l'attention sur certaines précautions à prendre.

Dans toute la mesure du possible il faut éviter que les changements, sevrage et garde de l'enfant, coïncident. Et comme pour le sevrage, l'enfant doit s'habituer progressivement à son nouveau mode de garde.

Aujourd'hui, toutes les crèches organisent une période d'adaptation et le personnel sait de mieux en mieux respecter la place des parents, même si ce n'est pas toujours aisé pour les uns et les autres. Il faut agir de même avec les assistantes maternelles : il est en général possible de trouver des aménagements. Par exemple, que l'enfant aille chez l'assistante maternelle deux heures, un jour sur deux

pendant une semaine. Et il est souhaitable, la première fois, de rester avec le bébé pour faire avec lui la connaissance des nouveaux visages et du nouveau décor.

Il est souhaitable aussi, pour des raisons psychologiques et matérielles, que le papa participe à cette introduction de l'enfant dans un monde différent ; conduire son enfant à la crèche ou aller le chercher est un moyen pour le père de faire partie de la vie quotidienne de son bébé, et réciproquement. Cela permet également à la mère de ne pas avoir seule la charge de ces trajets et de partager la responsabilité de confier l'enfant à d'autres.

N'hésitez pas à parler à votre bébé de ces changements. Ce n'est pas la peine de lui donner des explications compliquées. Dites-lui simplement ce qui va arriver, et pourquoi vous devez vous séparer de lui. Dites-lui qui va le garder, comment cela se passera. Vous penserez peut-être : « Mais il ne comprend pas les mots. » Nous n'en sommes pas si sûrs, et de toute façon, ainsi l'enfant se rendra compte que vous ne le traitez pas comme un paquet que vous avez l'intention de déposer à la crèche. D'ailleurs, les parents apprécient d'exprimer à leur bébé ce qu'ils ressentent. Comme dans tout vrai dialogue, ils en éprouvent du soulagement, du bien-être. Comme l'a bien montré Françoise Dolto, parler à un enfant, c'est éviter les comportements de fuite, c'est prendre son temps avec l'enfant, dans un échange paisible où le langage est bénéfique pour tous, celui qui parle et celui qui écoute.

AU CŒUR DES PROGRÈS

Vers l'âge de 3-4 mois, le développement psychomoteur du bébé repose essentiellement sur les réactions circulaires, selon l'expression de Jean Piaget (voir p. 197). Ce mot recouvre une réaction très concrète, observable par tous, et que vous avez sûrement déjà remarquée : la possibilité de refaire volontairement ce qui a été découvert par hasard, d'y mettre une intention, un but. Il y a deux types de réaction circulaire. Celle qui se produit avec son propre corps : je cherche mon pouce, je l'ai trouvé et je le suce avec plaisir, je recommence ; c'est pareil pour les vocalises : un jour l'enfant découvre qu'il peut faire du bruit avec sa voix, cela lui plaît, et il se rend compte qu'il peut recommencer quand il veut ; ou encore avec ses mains que le bébé fait bouger et bouger à nouveau, à volonté.

L'autre type de réaction circulaire se passe avec des objets extérieurs, ou des personnes : l'enfant tape par hasard sur le boulier, les boules se déplacent ; intrigué, l'enfant recommence et se rend ainsi compte que c'est lui qui a fait bouger le boulier.

Avec les personnes, l'exemple même de réaction circulaire, c'est le sourire : l'adulte sourit, l'enfant pour l'imiter, fait le même mouvement. Devant la réaction que ce mouvement involontaire provoque, l'enfant recommence.

Pour d'autres observateurs du bébé, les événements ne se déroulent pas tout à fait dans cet ordre : c'est le bébé qui sourirait le premier, et l'adulte qui lui répondrait ; dans ce cas, le dialogue serait engagé par le bébé.

Qui en fait a commencé le premier ? La discussion reste ouverte, mais toujours est-il que grâce à ces réactions circulaires l'enfant prend conscience de son pouvoir sur les objets et les personnes ; il commence à savoir adapter un moyen à une fin : agir d'une certaine façon pour provoquer une certaine réaction.

Les progrès que l'enfant fait à cet âge sont donc à base d'imitation, de répétitions et de découvertes : il s'exerce, il apprend, il comprend, il provoque des réactions.

Et lorsque l'enfant joue avec ses mains, sa voix, il aime que ses parents participent. La comptine des petites marionnettes dit bien que le bébé ne doit pas rester seul, trop longtemps, à se fixer sur ses jeux de mains : l'adulte accourt, mime et chantonne « trois petits tours et puis s'en vont ! » Certains parents n'osent pas répondre aux « a-reu » de leur bébé alors qu'avec un tout-petit on peut bien sûr « parler bébé » : qu'ils n'hésitent pas à se laisser aller, ils y découvriront un jeu et un plaisir réciproque.

Les réactions circulaires sont des échanges d'un nouveau genre, de nouvelles interactions. Entre 1 et 4 mois, les échanges de toutes sortes se développent pour plusieurs raisons :
• autour du bébé le décor, les personnes, les bruits se renouvellent, et ainsi le bébé progresse un peu chaque jour
• le bébé dormant moins a de plus longs et plus fréquents moments d'éveil : il sourit, il tient sa tête, il maîtrise ses gestes, il gazouille, il s'intéresse à ce qui se passe
• enfin, voyant le bébé plus éveillé, on multiplie autour de lui les stimulations de tout genre : on lui parle de plus en plus, on lui chante de nouvelles chansons. Là, d'ailleurs, peut pointer un risque : c'est que voyant le bébé si bien réagir, on cherche à le stimuler un peu plus, un peu trop. La surstimulation peut fatiguer le bébé ; heureusement il a des moyens d'avertir que « c'est assez » et de se protéger : il ferme les yeux, tourne la tête et s'évade. Que se passe-t-il lorsque les parents ne tiennent pas compte des signaux ? L'enfant s'excite, se fatigue, à l'extrême il peut être vraiment perturbé.

LA NAISSANCE DE LA VIE PSYCHIQUE

Toutes les sensations et les émotions qui jalonnent les premiers moments de notre vie ne sont pas perdues ; elles forment les fondations de notre personnalité, meublent jour après jour cette partie profonde, souterraine de notre affectivité que Sigmund Freud, le fondateur de la psychanalyse, a appelée **l'inconscient**. L'inconscient, où s'enracine notre vie psychique, est en effet constitué d'événements dont notre conscience n'a pas souvenir. C'est probablement à cause de cette absence de mémoire consciente des premiers moments de la vie que l'existence même de l'inconscient suscite encore des réserves et des interrogations.

Si le tout petit enfant a une mémoire remarquable des premières années de sa vie, vers 4-5 ans, survient un phénomène universel que les psychanalystes appellent l'amnésie infantile : petit à petit les multiples émotions vécues intensément et passionnément par le bébé et le jeune enfant sont enfouies ou refoulées, voire réprimées selon les cultures ou l'éducation.

Notre propre naissance, le plaisir du sein ou du biberon, les premiers échanges, les premiers mots, l'apprentissage de la marche ou de la propreté, qui s'en souvient ? Et pourtant, la façon dont nous avons eu confiance ou peur pour faire ces découvertes et ces acquisitions, la façon dont nous avons été comblés ou frustrés dans nos échanges affectifs, verbaux ou même alimentaires, tout cela, on le sait bien maintenant, va modeler notre façon de réagir aux frustrations, va agir sur notre émotivité, notre fragilité. La satisfaction des besoins, la confiance en soi et dans les autres qu'on a donnée au petit enfant, vont retentir sur l'épanouissement du grand enfant, de l'adolescent, puis de l'adulte qu'il deviendra.

Ces réactions en chaîne laissent à chaque stade, à chaque étape du développement une trace dynamique, une empreinte, prêtes à faire remonter à la conscience ou dans le comportement quotidien des images, des sensations, des façons de réagir qui sont propres à l'histoire de chaque individu.

Ainsi, comme les racines de l'arbre, qui ne se voient pas mais nourrissent la plante, comme les fondations de la maison qui sont invisibles elles aussi, mais qui supportent tout l'édifice, l'inconscient, semblable à une source souterraine, alimente nos angoisses et structure nos mécanismes de défense.

Dans une large mesure, l'inconscient influence nos désirs, nos capacités d'aimer, nos attirances, nos résistances, mais aussi nos échecs, nos rejets, tout un ensemble de comportements. Quand il s'agit de la période après 4-5 ans et que les souvenirs commencent à resurgir, on peut avoir un accès presque direct à l'influence des premières années.

Voyez ce père qui ne peut laisser pour une hospitalisation de 24 heures son petit garçon, bien que les examens à faire soient bénins, le service ouvert aux visites et le climat particulièrement sécurisant. Il s'en explique ainsi : « Je ne le laisserai que si je peux dormir avec lui. Je sais qu'il sera bien, mais c'est plus fort que moi. Cela me rappelle trop quand j'ai été placé à l'Assistance publique à 4 ans... » De même, cette mère qui pousse sa fille de 8 ans à être toujours dans les premiers, à sauter une classe. « J'ai été très choquée par le divorce de mes parents. Je ne faisais plus rien à l'école. On a même cru que j'étais débile, caractérielle. Puis à 11 ans, ma mère m'a confiée à ma marraine et à son mari, des gens extraordinaires qui m'ont sauvée et permis de rattraper mon retard. Il n'empêche que j'ai toujours peur pour la scolarité de ma fille. » Et cette maman qui éprouve une véritable dépression au moment du sevrage de son bébé qui, lui, va très bien. Sa propre mère lui raconte alors son sevrage et les circonstances brutales et douloureuses qui l'ont accompagné.

Mais dans bien des cas, l'amnésie infantile ne nous permet pas toujours de comprendre combien nos comportements d'adultes peuvent dépendre des premiers mois et des premières années de notre vie. L'importance de ces premières années est encore plus manifeste lorsque nous devenons parents : notre enfant réveille, à notre insu, l'enfant que nous avons été, les parents que nous avons eus, et qui nous ont transmis à travers les apprentissages de notre petite enfance, notre manière d'être parent à notre tour. Tout s'enchaîne, même si nous n'en prenons conscience que plus tard.

C'est aussi l'existence de l'inconscient qui explique ces « répétitions » qui marquent l'histoire de familles entières dans un cortège de malheurs, de séparations, de ruptures, ou au contraire de joies et de réussite. Les travailleurs sociaux de l'Aide sociale à l'enfance, les psychothérapeutes, les psychanalystes connaissent ces adultes qui parviennent, ou ne parviennent pas à un équilibre, selon la tonalité affective qui a marqué les événements de leur vie. Ces événements peuvent être apparemment et objectivement les mêmes d'une personne à l'autre, mais la façon dont ils les ont marqués sera chaque fois unique, et dépendra de nombreux facteurs. Dans certains cas, seule une aide psychothérapique, voire une cure psychanalytique pourra aider ces adultes à retrouver leur équilibre et le bien-être avec autrui.

Tout ce que la conscience du bébé n'est pas encore capable d'ordonner, de contrôler, d'expliquer, va ainsi « s'engranger » : l'agréable et le désagréable, les satisfactions et les déceptions, les expériences heureuses, ou malheureuses, les attentes vaines et les attentes comblées. Dès les premiers jours, la construction de notre personnalité trouve ses bases dans l'inconscient.

ATTENTION !

Si votre enfant n'a pas les réactions que nous avons décrites (réaction à la lumière, au bruit, au son de la voix), s'il ne montre pas qu'il reconnaît les différents « tableaux » de la journée (tétée, bain, promenade), il sera prudent de consulter un pédiatre. Bien sûr, il y a des différences importantes entre chaque bébé, mais un spécialiste peut se rendre compte de la nécessité d'une surveillance particulière.

CE QU'AIME UN ENFANT DE 1 À 4 MOIS

• Il aime sucer : le sein, la tétine, son pouce, le hochet qu'on lui met dans la main.

• Regarder : ce qui l'entoure, ses mains, les arbres, papa qui se penche sur le berceau, les autres enfants, un mobile accroché au-dessus de son lit.

• Répondre aux sourires.

• Dès la fin du 2e mois, faire des roulades, des « a-reu », des vocalises qu'il écoute sans fin et auxquelles il aime qu'on réponde. Écouter la voix des autres.

• Écouter de temps en temps sa boîte à musique. Être porté, ou se promener dans les bras.

• Quand il est bien réveillé, il aime être changé de position.

• Être de temps en temps dans un petit transat pour participer à la vie familiale.

• Vers 3 mois-3 mois 1/2, le bébé éclate de rire : c'est ce que faisait Clémence à cet âge en regardant son frère Grégory faire le pitre.

• Il aime qu'on le laisse tranquille et au calme avant de trouver le sommeil.

• À la crèche, il n'aime pas changer de « Tatie ».

• Lorsque son père ou sa mère l'accompagne le matin chez l'assistante maternelle – ou à la crèche –, il n'aime pas être bousculé, il aime que le « passage » d'une personne à l'autre se fasse sans précipitation.

POUR EN SAVOIR PLUS...

Pour en savoir plus sur l'inconscient, voici quelques livres : d'abord, un ouvrage de Sigmund Freud, *Introduction à la psychanalyse*, (Payot). C'est un ouvrage de base et plus facile à lire qu'on ne le croit.

Vous pouvez également lire *Les conférences de Harvard*, d'Anna Freud (PUF). Il s'agit d'un cycle de conférences sur les apports de la psychanalyse à la connaissance de l'enfant. Anna Freud est aussi l'auteur de : *Le moi et les mécanismes de défense* (PUF).

Et vous pouvez lire : *Lorsque l'enfant paraît*, de Françoise Dolto (3 tomes, *Points*) ; ces ouvrages sont des réponses à des situations quotidiennes.

Jean Piaget (1896-1980), biologiste, philosophe, psychologue de l'enfance, a laissé une œuvre considérable : plus de trente volumes qui ouvrent de multiples voies de recherches et de réflexion. Citons en particulier : *Langage et pensée chez l'enfant*, Delachaux et Niestlé ; *La Psychologie de l'enfant*, PUF. Les applications de l'enseignement de Jean Piaget se sont avérées exceptionnelles, transformant notre approche du développement cognitif, nos méthodes pédagogiques, nos possibilités de rééducation des enfants handicapés mentaux. Même si aujourd'hui on nuance ou conteste certains points de l'œuvre de Jean Piaget, cette œuvre reste une source inépuisable de connaissances et d'observations.

De 4 à 8 mois

PREMIERS JEUX EN FAMILLE

*Je n'aurais jamais cru
que ma main fût si grande.*
Paul Valéry

On serait tenté à chaque étape de dire que l'enfant fait des progrès à pas de géant.
Ce serait vrai chaque fois ; mais à cette étape, c'est saisissant. Il n'y a plus guère de rapports entre le petit bébé de 4 mois, couché dans son berceau, qui suce ce qui est à portée de sa main et regarde autour de lui, mais qui dort encore beaucoup, et le grand bébé de 8 mois, qui palpe, attrape, passe chaque jour plusieurs heures à jouer, et qui, suit d'un œil vif les faits et gestes de son entourage.

DÉCOUVERTES, PLAISIRS ET JEUX
Entre 4 et 8 mois, l'enfant apprend à se servir de ses mains, comme les images ci-contre le montrent.
C'est l'âge de la « préhension » qui change tout dans la vie de l'enfant.
• En premier lieu, la **main** lui permet de faire la connaissance de son corps : avec ses mains, il découvre

ses pieds, ses cheveux, ses organes génitaux. Quand l'enfant met ses pieds à la bouche, quelle jubilation ! C'est qu'il a fait le tour de son corps ; il est important qu'il le fasse avec plaisir, et que ce plaisir soit partagé par son entourage. En effet, l'enfant commence à construire ce que les pédiatres et les psychologues appellent le *schéma corporel*, et l'entourage contribue à cette connaissance en mettant des mots sur toutes les parties du corps de l'enfant et sur son visage. Il est fondamental que cette connaissance se fasse dans un climat de tendresse où l'enfant se sente aimé. C'est que, en même temps que ce schéma corporel se construit *l'image inconsciente du corps* (1), image que chacun porte en soi, émotionnellement, qui se construit et se modèlera toute notre vie.

La main a permis au bébé de faire la connaissance de son corps, elle va lui donner le plaisir de sentir les doigts de l'adulte qui s'occupe de lui et le plaisir de répondre ; plus tard, le bébé tendra ses mains, puis ses bras, vers celui qui se penche vers lui.

DE 4 À 8 MOIS
De la main droite, ou de la gauche indifféremment, l'enfant va peu à peu saisir l'objet qu'on lui tend, en resserrant quatre doigts.

Son bras s'est allongé, sa main a plongé sur l'objet comme sur une proie. Il fait passer l'anneau d'une main dans l'autre, le saisit avec avidité, mais parfois le laisse tomber.

Ayant mis son pied dans sa bouche, après s'être débarrassé du chausson, il éclate de rire : adorant sucer, il a découvert un nouvel objet à cet usage, et un nouveau jeu, comme il découvre et joue aussi avec ses mains, ses cheveux, ses oreilles, son corps tout entier.

La main va aussi procurer à l'enfant mille moyens de se distraire car il va pouvoir prendre, palper, jeter, tirer, lâcher, explorer, faire du bruit.

Enfin, la main fournit à l'enfant un nouveau plaisir : la possibilité de prendre tout ce qui l'entoure pour le sucer. La bouche reste en effet longtemps le premier instrument de connaissance de l'enfant, et lorsqu'il suce son pouce ou un objet, il se détend ; lorsqu'il a mal aux dents, sucer un objet dur le calme.

1. *L'image inconsciente du corps,* Françoise Dolto, *Points.* C'est un des derniers ouvrages de Françoise Dolto, certains passages sont d'un abord difficile, mais c'est un livre fondamental.

Devant une table, sur vos genoux, ou installé dans sa chaise haute, l'enfant commence à attraper ses petits jeux, d'abord en les grattant, en cherchant à les agripper car il évalue mal la distance. Si on intéresse l'enfant à un objet nouveau, il oublie tous les autres. Et à cet âge si l'objet tombe, l'enfant l'oublie également ; c'est pour cela que jusqu'à 9-10 mois les adultes du monde entier ramassent l'objet et le redonne au bébé ; mais bientôt, il va suivre l'objet des yeux, s'en souviendra, et si on pose l'enfant par terre, il ira chercher le jouet à quatre pattes.

• Entre 4 et 8 mois, **le bébé va peu à peu découvrir d'autres positions de son corps**. Laissez-le faire ses découvertes et ne l'installez pas dans une position qu'il ne maîtrise pas. Ainsi, aujourd'hui, on ne conseille pas d'asseoir le bébé mais d'attendre qu'il sache le faire tout seul. En effet, si on l'assied alors qu'il n'est pas encore prêt, cela entraîne une crispation de tous ses muscles pour se maintenir assis et cela l'empêche d'explorer sereinement l'espace autour de lui ; par exemple, si l'enfant essaie d'attraper un objet mis à sa disposition et s'il tombe, il ne peut se rasseoir seul.

Installé sur le dos, le bébé dispose de toute son énergie. Voyez comment il apprend à se retourner. Par exemple, il a un objet dans la main ; l'objet tombe à côté de sa tête ; alors, pour le voir et le reprendre, il se tourne ; cela n'est pas facile : ce n'est que petit à petit qu'il apprendra à tourner les épaules, le tronc, puis les jambes, pour se retrouver enfin sur le ventre, saisir l'objet et jouer avec lui. Lorsque l'enfant saura bien se retourner, cela va l'amuser de se rouler sur lui-même, dans son lit, sur un tapis ou une couverture.

• Le plus souvent possible, installez l'enfant dans un parc ou sur un tapis d'éveil : il apprécie un univers plus large, qui ne se limite plus au plafond ou aux jouets accrochés à son lit. Variez les positions sur le ventre et sur le dos tant que l'enfant ne se retourne pas de lui-même. Entre 5 et 6 mois, lorsqu'il est bien installé sur les genoux d'un adulte, le bébé aime être mis debout et qu'on le fasse sautiller doucement : il prend conscience de son appui possible sur la plante des pieds et s'en amuse beaucoup. De même, lorsque vous venez le chercher dans son lit, vous pouvez le mettre ainsi debout et vous sentirez comme il commence à appuyer ses pieds sur le matelas.

• **Les sièges relax et transats** ne sont à utiliser que de temps en temps, lorsque vous ne pouvez pas laisser l'enfant allongé sur son tapis : par exemple, si vous avez à faire à la cuisine, emmenez votre bébé et installez-le près de vous. Être trop souvent dans un petit siège rend l'enfant passif, cela l'empêche d'explorer les possibilités de son corps. De plus, il ne peut pas manipuler les objets ou jouets qu'il tient car ils tombent rapidement par terre ; il doit attendre que l'adulte les ramasse et il ne s'habitue pas à jouer tout seul.

Autres découvertes, autres apprentissages

• L'enfant commence à reconnaître **les particularités de chacun**, leur voix, leur odeur, comment les appeler, communiquer avec eux, et petit à petit, à avoir des réactions différentes suivant les personnes : le bébé ne se comporte pas de la même façon avec la nourrice, son frère, ses parents.

À cet âge, il n'est pas rare de voir le bébé, jusque là souriant à tous et à toutes, s'étonner devant un visage inconnu, ou paraître un peu inquiet en le regardant et parfois s'en détourner. Au stade suivant, nous verrons que cette attitude, comme les craintes que le bébé manifeste devant la disparition de ceux qui l'entourent habituellement et le consolent, montre un progrès, une étape nécessaire : l'enfant prend conscience que l'autre a une individualité bien à lui, constante, et il prend ainsi conscience de sa propre individualité. Entre « moi et l'autre », la différenciation commence.

• **L'attitude de l'enfant devant un miroir** a toujours été, pour les psychologues, révélatrice des étapes que l'enfant franchit dans sa découverte de lui-même, dans la reconnaissance de sa propre image et de celle des autres.

À 3 mois, lorsqu'on place le bébé devant un miroir, il regarde ce miroir comme n'importe quel objet.

Il a 6 mois. Si vous le tenez dans les bras et que vous vous placez devant un miroir, pour la première fois, le bébé manifeste une certaine surprise, comme s'il soupçonnait quelque rapport entre vous et l'image reflétée par le miroir. Si vous parlez, ses yeux vont du miroir à vos lèvres, sans comprendre encore, et ayant l'air de se demander comment il peut y avoir à la fois un visage de papa ici et un visage de papa là-bas. En revanche, il ne se doute pas encore qu'il y a un rapport entre son visage dans le miroir et lui-même, bien qu'il sourie à l'image qui est en face de lui. Il se reconnaîtra vers 18 mois.

• **Le langage**, appelons-le ainsi bien que ce n'en soit que le tout début, témoigne aussi de progrès très subtils : des progrès qui ne prendront leur valeur et leur force qu'à l'étape suivante, mais ils sont la base des futurs mots : c'est en effet vers 7-8 mois que l'enfant passe des vocalises aux syllabes. Ainsi « m m m mama » deviendra maman ; « p p p » deviendra papa ou pain ; « t t t tata » deviendra attends ou tiens ; « a ba a ba abe » à boire, ou la balle selon le sens que l'adulte va donner aux sons exprimés par l'enfant.

Ne laissez pas passer cette phase des syllabes, répondez-y, donnez-leur un sens, mettez des mots dessus (ceux-là ou les vôtres). La richesse ultérieure du langage de l'enfant en dépend beaucoup.

ATTENTION !

Si votre bébé se replie sur lui-même, devient passif, triste, trop sage, il se peut qu'il vive un passage difficile. Il est important d'en prendre conscience pour pouvoir l'aider le plus tôt possible. On sait en effet aujourd'hui qu'un bébé peut être déprimé (p. 383).

LES TROIS A : AMOUR, AFFECTION, ATTACHEMENT

Au fur et à mesure que les semaines passent, le bébé apprécie de plus en plus les joies du plaisir partagé et des découvertes personnelles. On dirait qu'il s'amuse de ces échanges qui chaque jour lui ouvrent un peu plus son champ de vision et ses possibilités d'agir.

En même temps que son entourage répond à ses besoins, il ouvre à l'enfant le monde infini des sentiments, et tout se passe dans la quotidienneté la plus ordinaire : l'enfant a faim, on lui donne à boire. Il est mouillé, on le change. Il pleure, on le prend dans les bras. Il ne trouve pas le sommeil, on le berce. Il esquisse un sourire, on lui sourit. Il vocalise, on l'écoute, on lui répond.

En un mot, c'est de son entourage que lui vient la satisfaction de tous ses besoins, que lui sont donnés tous ses plaisirs, même si on sait que l'enfant a en lui-même des possibilités d'éveil et de consolation remarquables. C'est-à-dire que l'enfant est entouré de personnes qui normalement ne demandent qu'à le satisfaire. De ce va-et-vient de demandes, de réponses, d'échanges naissent des liens affectifs.

L'affection, il y a des années, cela s'appelait tout simplement l'amour. Puis on a préféré un nom plus raisonnable, l'attachement, terme moins sentimental qui convenait mieux à une époque qui avait la pudeur des mots : le vocabulaire a suivi la mode...

Au-delà des nuances de vocabulaire remarquons que attachement, amour et affection, ces mots commencent tous trois par un A ; le début, l'alpha est toujours affectif ; c'est le premier besoin de l'enfant ; sans affection il ne peut vraiment vivre. Et cela sera vrai toute la vie. Et, conséquence importante sur la voie de l'autonomie, vers 4-6 mois, l'enfant dont les besoins d'attachement ont été comblés se sent suffisamment en sécurité pour commencer à se détacher, à se séparer.

LES SÉPARATIONS : LES PRÉPARER ET LES AMÉNAGER

Une des séparations les plus courantes à cet âge, c'est la reprise du travail de la mère. Nous en parlons dans les pages qui suivent. Mais cela peut être aussi un changement d'habitudes et l'obligation de laisser pour un temps le bébé à d'autres personnes moins familières : déménagement, vacances, difficultés matérielles, hospitalisation, etc.

Au début, certains enfants ont de la peine à s'habituer à la séparation et c'est bien normal : ils ont moins d'appétit, ils dorment moins bien ; ils peuvent devenir grognons ou coléreux, etc. Chaque bébé réagit aussi selon son tempérament, et selon les conditions de la séparation. Normalement au bout de quelques jours, l'enfant retrouve son appétit, son sommeil et son sourire.

Même si au début la séparation est un peu difficile pour le bébé – et pour les parents – ce n'est pas une raison pour se dire qu'on devrait l'éviter à tout prix ; d'abord c'est rarement possible et ce n'est même pas souhaitable. La séparation a des côtés positifs ; tous les progrès du développement psychomoteur impliquent de se détacher d'un stade antérieur et se font dans le sens de l'autonomie : pour naître, il faut se séparer du monde intra-utérin, pour marcher, il faut renoncer à se déplacer à quatre pattes. Et ces séparations, ces renonciations sont largement compensées par les découvertes qu'elles apportent. L'enfant s'apercevra avec plaisir qu'il existe par lui-même, et qu'il peut se distraire, jouer, rire, sans la présence de ses parents. Mais quelques précautions doivent être prises pour que ces expériences si enrichissantes pour le bébé ne soient pas perçues par lui comme des événements douloureux.

Les précautions

Quelle que soit la raison de la séparation, le point important c'est de prendre son temps pour que les parents et l'enfant s'y habituent. L'enfant a besoin de quelques jours pour connaître, en présence de ses parents, les personnes qui vont s'occuper de lui. Pour vivre dans un nouveau cadre, il faut qu'il ait avec lui ses jouets, son ours, les objets qu'il aime. Demandez gentiment à la personne à qui vous confiez votre enfant de ne pas faire de zèle : « Je vais rendre service à ses parents et en profiter pour le passer à la cuillère, ou lui supprimer cette affreuse sucette. » Ce n'est pas le moment.

Et il est souhaitable que la même personne s'occupe de votre enfant pendant toute la durée de votre absence. « Les vrais soins d'un bébé ne peuvent venir que du cœur. La tête ne peut les donner seule, et ne peut les donner que si les sentiments sont libres », comme le dit le psychanalyste anglais D. W. Winnicott (voir p. 206).

Aménager la séparation, c'est aussi prévenir l'enfant de ce qui va lui arriver, le lui expliquer avec des mots simples, lui dire au revoir clairement. Et, bien sûr, ne pas partir pendant son sommeil sans qu'il ait été prévenu.

Lorsque ses parents reviennent, il arrive que l'enfant ait l'air un peu désorienté. Certains parents s'étonnent et sont déçus lorsque leur enfant ne leur fait pas la fête et souvent se détourne, comme s'il leur en voulait. Probablement un peu. L'enfant s'était bien habitué à un autre visage, s'était attaché à ceux qui l'avaient consolé et stimulé. Les retrouvailles avec ses parents marquent alors une nouvelle séparation : celle d'avec le milieu qui l'a accueilli. L'enfant peut parfois avoir cette réaction lorsque ses parents viennent le chercher le soir chez la nourrice ou à la crèche. C'est compréhensible, il a fait des efforts pour s'habituer à de nouveaux visages, à un autre environnement. Il a besoin de temps pour passer des uns aux autres, sans être débordé par l'émotion. T.B. Brazelton explique les choses un peu différemment : pendant l'absence de ses parents l'enfant a pris sur lui, et ravalé ses larmes. Les parents de retour, il se sent en confiance et se laisse alors aller.

Cette attitude, qui peut étonner chez les bébés de cet âge, se retrouvera tout au long de la petite enfance. Ainsi Léa, 2 ans 1/2, passe huit jours avec ses grands-parents. Le soir de son retour, elle ne dit rien, il est tard, elle a sommeil, elle se couche dès son arrivée. Le lendemain, changement de décor et d'atmosphère. Léa mange mal, tape sa cuillère dans l'assiette de soupe et en envoie partout. À la fin, les parents exaspérés haussent vraiment le ton. Léa éclate en sanglots bruyamment, disant à travers ses larmes : « Ça va ». L'orage était passé, elle avait eu besoin de se décharger de son angoisse d'absence. Mais, quelle que soit la réaction de l'enfant, avec un peu de temps tout rentre dans l'ordre (voir aussi p. 158).

D'autres parents constatent que leur bébé n'a plus le même rythme, ni les mêmes habitudes, et sont déroutés ; ou que leur bébé est devenu anxieux, fragile, exigeant, ce qui peut accroître la culpabilité des parents, ou leur agacement, ou leur fatigue.

Une séparation imprévue, comme une hospitalisation, va nécessiter quelques précautions particulières (pp. 356 et suivantes).

Il y a aussi les cas de séparation des parents, qui sont malheureusement aujourd'hui de plus en plus précoces (p. 316).

Ce qui précède peut concerner toutes les séparations, qu'elle qu'en soit la cause, mais la séparation la plus courante à cet âge est la reprise du travail par la mère, et les parents se posent de nombreuses questions : à qui confier son enfant, comment va se passer sa journée, etc. (pp. 160 et suivantes, chapitre 3 *La vie d'un enfant*). Dans ce chapitre, qui concerne le développement affectif et psychomoteur de l'enfant, nous voudrions insister sur les précautions à prendre pour que cette séparation quotidienne soit bien supportée par l'enfant.

QUELQUES PRÉCAUTIONS PARTICULIÈRES À PROPOS DES MODES DE GARDE

Tout d'abord, toute séparation doit être préparée, aménagée : il faut donc habituer l'enfant à être loin de vous ; cela peut prendre plusieurs jours.

• Il est important d'établir avec la crèche ou l'assistante maternelle un lien étroit. Pour que l'enfant se sente en sécurité, il a besoin de sentir une continuité. Il y a plusieurs manières de mettre son enfant à la crèche ou chez l'assistante maternelle. On peut le déposer, ou le confier. Dans le premier cas, on emmène son enfant le matin, on le reprend le soir, on rencontre éventuellement la puéricultrice ou le médecin, mais on ne cherche pas à savoir comment l'enfant se comporte, qui s'occupe de lui, s'il a fait des progrès, s'il a des difficultés, ce qu'il a mangé.

Le confier, c'est tout autre chose : ce n'est pas abandonner à d'autres son privilège et ses devoirs de parents, c'est partager les responsabilités, c'est aider les puéricultrices ou l'assistante maternelle, comme elles vous aident, à rendre l'enfant heureux. C'est questionner sur l'appétit, sur le sommeil de l'enfant, sur ses progrès, ses besoins particuliers ou ses difficultés ; c'est aussi raconter comment votre enfant se comporte à la maison. Ainsi vous entretiendrez l'intérêt de ceux à qui vous avez confié votre enfant et, pour votre enfant, il y aura une continuité entre la crèche ou l'assistante maternelle et la maison.

De plus en plus souvent, les crèches sont ouvertes aux parents, elles organisent des réunions, et ainsi la continuité est facilitée pour le plus grand bien de l'enfant.

• Vous saisirez toutes les occasions pour être avec votre enfant, en sachant que ce n'est pas uniquement la quantité de temps qui compte, mais la qualité. Essayez de vous organiser pour préserver cette qualité.

Par exemple un bébé revient de la crèche, fatigué, n'ayant qu'une envie : dormir ; ses parents disent : « Nous ne le voyons pas de la journée, il faut en profiter maintenant » ; alors ils le maintiennent éveillé, et le bébé ne veut pas manger, s'énerve, pleure. Les parents, voyant alors que quelque chose ne va pas, observent le bébé et comprennent son rythme ; désormais ils couchent l'enfant quand il revient de la crèche, parfois pour une petite sieste d'une heure, parfois jusqu'au lendemain. Dans ce cas, c'est le matin, avec un bébé réveillé et en forme, que parents et enfant peuvent profiter les uns des autres, pour le repas, la toilette, le trajet jusqu'à la crèche.

Tel autre enfant au contraire, en revenant de chez l'assistante maternelle, est tout content de retrouver ses affaires, et n'a qu'un désir : jouer.

Pour un autre enfant, son grand plaisir sera de rester longtemps dans le bain, ou bien de jouer avec son père et sa mère. L'essentiel est de comprendre et de s'adapter au rythme de l'enfant.

• Enfin, essayez d'être là pour les changements importants. Et s'ils ont déjà été faits à la crèche, ou chez la nourrice, profitez de votre présence à la maison pour les confirmer, par exemple la petite cuillère ou la première purée.

DES SITUATIONS DIFFICILES, AU BORD DE LA MALTRAITANCE

Une des découvertes fondamentales de la psychologie dans cette période de la vie, c'est que très vite un enfant peut souffrir d'un manque d'amour ; la prévention de ces souffrances est aujourd'hui une des préoccupations majeures des professionnels de l'enfance et des pouvoirs publics, comme en témoignent les circulaires et textes de loi sur l'enfance négligée, maltraitée, délaissée. Et une action préventive est entreprise dès la grossesse lorsque les services sociaux savent que les futurs parents sont en difficulté .

La carence affective, la négligence et le délaissement sont, pour l'OMS (Organisation mondiale de la santé), une forme de maltraitance à l'enfant, au même titre que les sévices corporels. Les enfants vivent chez leurs parents, mais ils en reçoivent des soins insuffisants parce que leur père et leur mère n'ont avec eux, en dehors des contacts indispensables (toilette, biberon), aucun échange affectueux. Laissés trop longtemps seuls dans leur berceau, avec une mère indifférente ou instable, un père qui n'apporte aucune compensation, ou bien confiés à une garde peu maternelle, ou encore ballottés entre diverses personnes, ces enfants font chaque jour l'expérience de la privation affective et éducative, et sont en fait moralement abandonnés. Il leur manque, jour après jour, la sécurité émotionnelle, les stimulations à l'éveil de leur intelligence, et une présence régulière indispensable à la construction de leur personnalité. Ils sont vulnérables dans tous les domaines, et fréquemment en retard dans leur développement.

C'est pourquoi, dans les crèches, dans les services hospitaliers, dans les consultations de PMI, on est particulièrement vigilant afin de pouvoir aider les parents ayant des difficultés avec un bébé.

Mais il arrive que les parents ne puissent répondre aux besoins de leurs enfants. Dans ces cas, le service de la protection de l'enfance (hôpital, PMI, juge des enfants) organise un accueil de l'enfant dans une famille ou dans une pouponnière. Le personnel est formé pour répondre aux besoins de tendresse des jeunes enfants et leur procurer les meilleures possibilités d'éveil sans lesquelles ils ne pourraient s'épanouir.

Mais il ne s'agit pas de couper totalement ces enfants de leur famille et de leur histoire. On essaie d'aménager les séparations pour que les liens entre parents et enfants soient le plus possible

LA RÉSILIENCE
est la capacité que toute personne, quel que soit son âge, a de surmonter une difficulté traumatisante. Dès le début de sa vie, jusqu'au dernier jour, le vilain petit canard peut, à tout moment, devenir le beau cygne du conte d'Andersen. Pour désigner cette capacité de résistance, Boris Cyrulnik a adopté le mot résilience, terme qui, à l'origine, qualifiait la résistance aux chocs de certains métaux. Rien n'est jamais joué, à tout moment un enfant, un adulte, peut surmonter une épreuve, par exemple, la maltraitance. Boris Cyrulnik en donne de nombreux exemples, c'est ce qui fait de son ouvrage un livre d'espoir : **Les vilains petits canards**, *Ed. Odile Jacob/Poche.*

préservés : en maintenant les visites, en organisant des retours temporaires mais réguliers à la maison, en soutenant psychologiquement et socialement les parents afin d'essayer de rétablir une vie normale et de maintenir des liens avec l'enfant. Si ce retour n'est pas possible, on en parle à l'enfant pour lui expliquer les raisons de cette impossibilité.

Ces situations particulièrement difficiles nous ont beaucoup appris sur ce qui peut se passer de façon atténuée dans certaines familles : des parents, aux prises avec trop de difficultés, ne répondent pas suffisamment aux besoins de leurs enfants, tout en les aimant.

Si vous rencontriez ce genre de difficultés, même passagèrement, il serait important pour votre enfant, pour vous-même, d'en parler. Ne soyez pas gênés de le faire. Confiez-vous à votre médecin, ou à la consultation de PMI.

Sur *l'enfant maltraité*, voyez la fin du chapitre 5.

POUR EN SAVOIR PLUS...

Sur les premières années de la vie de l'enfant, on a beaucoup écrit ces dernières années, mais il y a un nom qui est toujours d'actualité, c'est celui de D.W. Winnicott, pédiatre et psychanalyste anglais. Lors de leur parution (dans les années 1950 et 1960) ses ouvrages étaient révolutionnaires, aujourd'hui ils sont devenus de grands classiques, accessibles à tous et régulièrement réédités. Nous vous signalons en particulier : *L'Enfant et sa famille* et *L'Enfant et le monde extérieur*, Payot. *L'enfant, la psyché et le corps* : un ouvrage très intéressant qui traite de sujets aussi divers que l'autisme, la famille, l'adoption, les problèmes psychosomatiques, etc.

L'éveil de votre enfant, de Chantal de Truchis-Leneveu (Albin Michel et J'ai Lu) est un livre intéressant qui s'appuie, notamment, sur les travaux de Loczy et de F. Dolto. Loczy est le nom d'une rue de Budapest où se situe une pouponnière d'enfants séparés de leur famille. Cette institution est célèbre pour la qualité relationnelle des soins que le personnel prodigue aux enfants.

Dans *Loczy ou le maternage insolite* (Erès), Myriam David et Geneviève Appell ont été les premières à montrer comment l'évolution des gestes des professionnels d'une pouponnière avait transformé la vie des bébés dans une institution. Il existe des petits livres et des vidéo-cassettes sur les relations de soins au cours des repas, de la toilette, du sommeil, qu'on peut se procurer à l'Association Pikler-Loczy-France, 20 rue de Dantzig, 75015 Paris, Tel. : 01 53 68 93 50.

Dans *Blanche-Neige, les 7 nains, et autres maltraitances. La croissance empêchée* (Belin), Danielle Rapoport et le docteur Anne Roubergue traitent de la vulnérabilité de ces enfants en souffrance et dont la croissance et le développement psychologique s'arrêtent. Les auteurs insistent sur le rôle que tout hôpital devrait jouer pour les aider et pour accompagner leurs parents.

Les livres de John Bowlby, psychiatre et psychanalyste anglais : *Attachement et perte, Séparation et colère, Tristesse et dépression*, (PUF) sont des ouvrages de référence qui s'adressent plutôt aux professionnels.

Enfin, sur l'attachement et les premiers liens, les livres indiqués pour la période 1 jour-1 mois et 1-4 mois concernent également la période qui suit, 4-8 mois, et au-delà ; l'attachement se fait progressivement.

De 8 à 12 mois

COUCHÉ, ASSIS, BIENTÔT DEBOUT

Penser : du latin pensare...,
fréquentatif de pendere,
suspendre au bout de son bras...
Littré

Cela peut paraître arbitraire de découper le développement d'un enfant en tranches d'âges, et de décrire, pour chacune d'elles, les possibilités de l'enfant. Cela ne l'est guère plus que de dire qu'on est raisonnable à 7 ans et majeur à 18 ans.

Bien sûr, les enfants ne parlent pas tous à une date précise ou n'ont pas tous leur première dent au même âge, mais pour apprécier le développement de l'enfant, il est nécessaire d'avoir des points de repère. Ce qu'il faut, c'est ne pas devenir esclave des chiffres, les utiliser comme points de comparaison, et savoir que, passé certaines limites, on sort du normal. En cela les points de repère sont indispensables. Les limites de ce que l'on peut considérer comme normal, nous vous les indiquerons chemin faisant. Et vous avez pu remarquer, que nous ne parlons pas d'un enfant de 4, 8 ou 12 mois, mais toujours de l'enfant de 4 à 8 mois, de 8 à 12 mois, etc. Ainsi, lorsque nous vous racontons ce qui se passe au cours de ces périodes, cela peut valoir aussi bien pour le début, le milieu ou la fin du stade. Et il peut y avoir de grands décalages selon les enfants : certains parlent à 18 mois, d'autres à 15, d'autres à 24 mois. Ces différences tiennent d'une part à l'hérédité biologique, d'autre part à l'influence de l'environnement. De toute manière les acquisitions sont progressives, elles peuvent prendre quelques mois comme pour la marche, ou quelques années comme pour le langage.

L'ÉVEIL DE L'INTELLIGENCE

Nous allons ici aborder plus précisément le développement de l'intelligence mais, bien sûr, intelligence et affectivité sont liées et le développement de l'enfant est global.

L'enfant en face d'un objet, ce qu'il en fait au fur et à mesure que les mois passent, cela pourrait illustrer l'histoire de l'intelligence, son éveil, ses progrès. Une histoire si passionnante que nous allons vous la raconter. Elle pourrait s'intituler : « L'objet et moi. » Et dans ses rapports avec l'objet, l'enfant va exprimer toute la gamme des sentiments connus, de la joie de pouvoir saisir à la tristesse de devoir lâcher, du contentement à réussir un nouveau geste à la colère de ne pas y arriver.

Le premier chapitre de cette histoire nous fait faire un bref retour en arrière.

1er mois : l'enfant ne distingue que les personnes, les objets, ce qui bouge près de lui.

Entre 1 et 4 mois, son plus grand plaisir, c'est de voir, de regarder tout, inlassablement. Vers la fin de ce stade, il commence à s'agiter pour saisir, mais n'y parvient pas.

De 4 à 8 mois : il peut enfin prendre. Dès qu'on approche de lui un objet, il fait tout pour le saisir. Lorsqu'il y est arrivé, il le palpe longuement, ou, le portant à sa bouche, il le suce.

À 8 mois, on peut dire que les sens de l'enfant concourent à lui faire connaître l'objet sous tous ses aspects : ses yeux le renseignent sur sa couleur, ses mains sur sa forme et sa taille, sa bouche sur son goût, son nez sur son odeur. Ainsi, peu à peu, il se familiarise avec les objets qui l'entourent. Il les connaît et les reconnaît. Souvenez-vous : 4-8 mois, c'est la pleine période de reconnaissance des tableaux familiers. Mais à ce stade, et ceci est important, l'objet disparu n'existe plus pour l'enfant. Il ne le cherche pas, pas plus la cuillère tombée par terre que le cube qu'on a caché sous sa serviette.

Passons maintenant au **deuxième chapitre** de cette histoire de l'intelligence : 8-12 mois est un stade important. C'est vers 8 mois en effet que, pour la première fois, l'enfant cherche la cuillère tombée ou le cube caché. Les psychologues disent que l'enfant vient d'acquérir « la permanence des objets ». Qu'est-ce à dire, si ce n'est que la cuillère est devenue un objet dont l'enfant garde une image et le souvenir ; il est donc capable de faire le raisonnement suivant : « J'avais une cuillère ; elle n'est plus là. Elle doit être ailleurs. » Et alors il se penche pour regarder par terre.

Nicolas, 9 mois, et sa maman jouent avec une petite balle. Pendant que Nicolas regarde ailleurs, sa maman cache la balle sous la couverture. Nicolas, se retournant, ne la voit plus et regarde sa maman d'un air stupéfait. Après un moment d'hésitation, il soulève la couverture : un coin, puis l'autre. Arrivé au troisième, il aperçoit la balle. Très content, il la prend et la tend à sa maman avec un air qui semble dire : « Regarde de quoi je suis capable ! » À côté de lui, son grand frère traduisit : « Il est malin ! » En termes simples, il avait raison : Nicolas venait de prouver son intelligence avec sa main.

« Coucou ! Me voilà »

Avec les personnes qui lui sont chères, l'enfant fait la même découverte qu'avec les objets familiers. Il sait maintenant que sa maman, son papa, existent même lorsqu'il ne les voit pas. C'est pourquoi il pleure lorsqu'ils partent. C'est pourquoi aussi il peut jouer à cache-cache : on peut bien chercher des objets ou des personnes lorsqu'on a découvert qu'ils continuaient à exister même hors de notre vue. « Coucou ! Le voilà », nous songeons rarement à reconnaître dans ce jeu bien classique et universel une preuve de l'intelligence de l'enfant.

Lorsque la personne qu'il connaît, qui le sécurise, disparaît de sa vue, le bébé s'étonne, voire s'inquiète. La détresse n'est pas loin... Mais « Coucou ! Me voilà » va alors aider tous les petits enfants à rire de la réapparition tant espérée de la personne rassurante, de la peluche qui était tombée. Faire ce jeu à des moments où il n'y a pas d'inquiétude, juste « pour de rire », exerce l'enfant à surmonter l'attente, à prévoir les retrouvailles : il participe, se cache sous sa couverture, anticipe l'éclat de rire de l'autre en écho du sien.

Mais attention : si présent, si attentif et observateur soit-il, le bébé de cet âge reste émotionnellement fragile, et nous ne devons pas trahir dans ce jeu la confiance qu'il place en nous. La maman de Jules sort de la pièce : « Coucou ! Je reviens » Elle est appelée au téléphone et s'absente un long moment. Jules s'inquiète, regarde la porte, commence à pleurnicher. Heureusement sa grande sœur arrive et lui donne sa peluche favorite.

Avec la marche, jouer à « Coucou » deviendra plus sophistiqué et préfigurera les jeux de cache-cache, de poursuite qui feront la joie des années à venir.

Entre 8 et 12 mois, un enfant a encore bien d'autres manières de montrer l'éveil de son intelligence. Alexandre, 10 mois, a pu attraper la télécommande de la télévision. Il appuie au hasard sur un bouton et regarde si l'appareil s'allume. Il a maintenant fait le lien entre les boutons et la mise en marche, mais il est encore trop petit pour appuyer au bon endroit, et il abandonne vite la télécommande. Son papa comprend alors qu'il ne faut plus laisser cet objet à sa portée.

Mathilde, 11 mois, découvre avec plaisir qu'elle peut attraper sa jolie brosse à cheveux rose. Elle essaie de se coiffer. Fanny, sa grande sœur, passe dans la pièce. Mathilde l'appelle en vocalisant, mais sans résultat. Très à l'aise, Mathilde cherche sa brosse, la retrouve, montrant ainsi qu'elle ne l'avait pas oubliée : la mémoire est une des facettes de l'intelligence.

Anne, 10 mois, laisse tomber son jouet une fois, cinq fois, dix fois. Autant de fois, patiemment ou non, sa mère ramasse le jouet, mais sans toujours réaliser qu'à chaque fois l'enfant l'a lancé d'une manière différente, et à chaque fois a regardé où le jouet tombait, comme si elle voulait vérifier les lois de la pesanteur.

D'ailleurs, au cours de son développement, l'enfant est tour à tour Newton en découvrant la pesanteur (8-12 mois), Nietzsche (2 ans-2 ans 1/2) lorsqu'il veut affirmer son pouvoir et sa volonté de puissance ; enfin Descartes, vers 3 ans, quand il découvre le Je : « Je pense, donc je suis. »

La main a révélé l'intelligence, elle va maintenant se mettre à son service. Permettant au bébé d'explorer tous les coins, elle sera son organe de renseignements. Cette exploration, ces renseignements apprendront à l'enfant mille choses qui lui seront utiles et de jour en jour développeront son intelligence : entre 12 et 18 mois, son esprit se livrera à un jeu de puzzle, cherchant à assembler les objets qui l'entourent, à établir entre eux des rapports. Et un jour, l'enfant parviendra par exemple, à mettre le plus petit cube dans le plus grand. Une autre fois, il arrivera à enfiler un anneau sur une tige prête à le recevoir, alors que, jusque-là, il posait l'anneau à côté de la tige. Jean Piaget a appelé cette période, qui va de la naissance à 18 mois, la période sensori-motrice de l'intelligence ; car c'est par des activités mettant en jeu la perception des objets que l'enfant résout ces problèmes : emboîter, empiler, etc.

Les semaines passeront, les expériences vont s'enrichir et devenir de plus en plus complexes. C'est à 18 mois que Paul éclaircit un mystère qui le tracasse depuis quelque temps : comment faire sortir de la musique de cette boîte ? Il touche tous les boutons de la radio jusqu'au jour où - eurêka ! - il trouve la solution.

À 14 mois, Catherine voit une montre sur un coussin, veut l'atteindre, n'y parvient pas, tire le coussin, remarque qu'ainsi la montre s'approche, tire encore jusqu'à pouvoir la toucher. Elle a obtenu ce qu'elle voulait et découvert le rapport « posé sur ».

Emma, 17 mois, est avec sa maman dans la salle d'attente du pédiatre. Elle réclame à boire (« a ba aba »). Mais, devant tout le monde, sa maman n'ose sortir le biberon de son sac, elle trouve que sa fille est un peu grande. Emma ne peut attraper le sac car sa mère l'a posé sous sa banquette. Elle tire la bandoulière, le sac suit et Emma peut se saisir du biberon qui dépasse. Elle a réinventé le « test de la ficelle », comme Catherine a réussi le « test du support. » (1)

Plus tard, nous le verrons, le stade 18-24 mois sera le règne du bébé-touche-à-tout. Comme, à cet âge, l'enfant saura marcher, il n'y aura plus de limites à sa curiosité. À chaque instant, il fera une nouvelle découverte, une nouvelle expérience, et son intelligence accomplira ainsi un nouveau progrès.

Nous avons anticipé afin de ne pas interrompre le récit de l'intelligence vue à travers l'enfant et l'objet. Mais ici, il faut nous arrêter. Car, lorsque votre enfant aura 2 ans, sa main aura guidé son intelligence déjà bien loin. Elle continuera à la développer mais le langage prendra le devant de la scène. Les mots, peu à peu, ouvriront l'esprit de l'enfant ; une nouvelle étape de l'intelligence commencera. Nous vous donnons rendez-vous à 2 ans. En attendant, revenons à notre petit nourrisson à la fin de sa première année.

DU GAZOUILLIS AU PREMIER MOT

En fait de mots, pour le moment il n'en connaît (en général) qu'un seul, et même pas toujours : ce mot, c'est papa ou maman. C'est d'ailleurs à peine un mot, plutôt une double syllabe, qu'un jour l'enfant a prononcé par hasard, et auquel l'entourage a donné un sens en le reprenant. Nous avons eu l'occasion d'en parler brièvement au stade précédent.

Nouveau-né, le bébé vagissait, mais les sons n'étaient guère harmonieux. Puis, nourrisson, il a gazouillé, pris plaisir à émettre certains sons que les linguistes appellent des phonèmes. Ces phonèmes sont identiques chez tous les bébés du monde quelle que soit leur culture. Cependant, on a remarqué que la façon de moduler ces phonèmes est déjà imprégnée des tonalités de la langue maternelle. Un bébé n'imite pas tout de suite ce qu'il entend, il joue avant tout avec sa voix et les vibrations de son gosier, même s'il ne s'entend pas : ainsi les enfants sourds gazouillent pendant plusieurs mois ; et, alors que les adultes anglais ne prononcent pas les r comme nous, leurs bébés disent « a-re » comme les nôtres.

Vers 4 mois, le gazouillis fait place à ce que les spécialistes du langage appellent le préverbiage. L'enfant n'imite pas vraiment, mais des observateurs attentifs ont noté que certaines modulations se rapprochent de ce qu'entend le bébé. Le rôle des adultes qui l'entourent est considérable. Ce sont eux qui permettent à l'enfant de passer des vocalises à ces syllabes qui vont devenir des mots, dans la langue

1. La plupart de ces expériences ont été faites par Jean Piaget, et ont été reprises par les psychologues lorsqu'ils examinent un enfant.

DE 8 À 12 MOIS

Son grand plaisir : jeter les objets par-dessus bord. Quand il saisit, la main n'est pas encore très sûre (parce qu'il n'évalue pas bien la taille des objets), mais l'index acquiert du « doigté » et lui permet de prendre de tout petits objets, même une miette de pain.

Capable de s'asseoir seul, il peut rester assis longtemps. Il sait aussi, sans tomber, se tourner et se pencher pour attraper un objet.

C'est l'âge des premiers déplacements. Pour aller chercher l'objet qu'il convoite, l'enfant tend la main. S'il n'arrive pas à l'attraper, il cherche à s'en rapprocher : il rampe sur le ventre, il arrive à se déplacer assis sur le côté, à reculons, ou même sur le dos. Peu importe la façon d'avancer, l'enfant a un but à atteindre et il y arrive. Petit à petit, il va se déplacer à quatre pattes, ainsi il pourra aller partout. Puis il se redressera pour se relever et se mettre debout. Tous ces efforts pour attraper, mieux voir ce qui l'intéresse, et qui n'est pas à sa portée, préparent la marche (celle-ci n'est généralement pas acquise avant un an).

appelée si justement la langue maternelle. Ce sont eux qui donnent un sens aux syllabes dans une communication partagée. D'autant plus que le bébé, dans ses exercices vocaux ininterrompus, brode à l'infini sur les sons qui plaisent à son oreille. Il essaie les consonnes, dit : « be-be, ba-ba ». Puis, un jour, on l'entend s'exercer à « pa-pa », ou « ma-ma ». Ce jour-là l'émotion de la famille est considérable : les deux syllabes, même mal articulées, plongent les parents dans le ravissement.

Les spécialistes sont là pour dire que c'est pur hasard : que ce pa-pa ou ce ma-ma, n'a pas plus de sens au départ que les da-da, ou les ta-ta. Mais, rapidement, devant l'émotion qu'il provoque, les sourires qu'on lui prodigue, les encouragements qu'il reçoit, l'enfant finit vraiment par établir un lien entre sa maman et les deux syllabes qu'il a prononcées par hasard. Après quoi, il les répète, et c'est naturel puisque, visiblement, elles font tellement plaisir ! En plus, le bébé avait découvert qu'elles étaient très utiles pour appeler, attirer l'attention. Signalons en passant que lorsque l'enfant dit pa-pa plutôt que ma-ma, ou ma-ma plutôt que pa-pa, cela ne traduit pas une préférence, mais simplement une plus grande facilité à prononcer les p ou les m. Si votre enfant n'est pas passé par cette période où il répétait les syllabes, il serait prudent de consulter un spécialiste (voir au chap. 6 l'article *Surdité*).

Il s'écoulera plusieurs semaines avant que l'enfant ne prononce d'autres mots. Normalement, son vocabulaire à 18 mois n'en comprendra que six à huit. Car, pour parler, il faut pouvoir imiter les sons entendus. Cela, le bébé n'en est pas encore capable. Il ne le sera que vers 1 an, parfois plus tard, mais dans l'intervalle, ce premier mot va prendre de l'importance, grossir comme la grenouille de la fable, et bientôt il aura plusieurs sens ; à lui seul, maman va signifier : « Je veux maman... maman arrive... Je suis content de voir maman... »

DEBOUT, COMME UN GRAND ...

Petit à petit, l'enfant va se déplacer à quatre pattes, puis il va se redresser sur les genoux, s'accrocher aux chaises, aux barreaux de son lit pour se relever et se mettre debout : il se met debout tout seul, sans l'aide des adultes. Avec la verticalité, qui est le propre de l'homme, sa conquête de l'autonomie peut commencer.

CE QU'AIME UN BÉBÉ ENTRE 8 ET 12 MOIS

• Il aime que l'on fasse cercle autour de lui. Maintenant il lui faut un public. Confortablement installé dans sa chaise, il participe à la vie de famille, rit aux éclats – et recommence lorsqu'on a apprécié sa gaieté. De la vocalise et du geste, il indique ce qu'il veut, et, lorsqu'on lui propose quelque chose qui ne lui plaît pas, il fait non de la tête ou de la main.

• Avec son père, ou un adulte qu'il connaît bien, avec ses frères et sœurs, il aime jouer aux marionnettes, à coucou, à cache-cache, à dire au revoir de la main et bravo ; lorsqu'il est à quatre pattes, il est ravi si l'on court derrière lui en faisant semblant de l'attraper. Ces premiers jeux à deux l'amusent un moment, mais le fatiguent vite.

• Il passe la plus grande partie de son temps – très heureux d'ailleurs – à jouer seul, à condition qu'on lui donne de quoi le faire. Il s'amuse à taper sur sa table avec un crayon ou une cuillère, à agiter un objet bruyant ; il adore secouer les clés. À certains moments au contraire, il apprécie particulièrement la compagnie de ses frères et sœurs, ou d'enfants de son âge, et leur manifeste une très grande joie.

• Dans son bain, il éclabousse tout autour de lui en battant l'eau vigoureusement des pieds et des mains. À table, il joue avec sa tasse et son assiette, essaie de se servir de sa cuillère, et voudrait manger seul, n'y arrive pas et plonge ses doigts dans le potage.

• Il aime mordiller tout ce qu'il peut (fût-ce à l'occasion celui qui le porte). Antonin joue avec les cheveux de sa maman, et comme elle les rejette en arrière, il essaie de lui mordre la joue. « Quel coquin, ça suffit maintenant » lui dit-elle en lui tendant un objet à mordiller. Sa maman a senti qu'il fallait éviter de traiter de méchant un enfant qui mord. C'est un passage fréquent, à cet âge. Un peu plus tard, mordre prendra une autre signification (p. 220).

• À la crèche, chez sa nourrice, il adore explorer le visage des autres bébés qui rampent avec lui sur un tapis ; il touche les cheveux, les mains, la bouche ; mais ses petits amis se défendent bien lorsque l'enfant atteint leurs yeux.

• Dans ses déplacements, il attrape tout ce qui est à sa portée, et si l'objet qu'il a trouvé l'intrigue, il s'assoit et le manipule longuement.

À la crèche, l'enfant aime se diriger vers les pieds des lits à barreaux, s'y agripper, puis passer sous les lits comme autant de tunnels. Mais s'il est fatigué, ou s'il rencontre un coussin ou une grosse peluche, il ne se prive pas d'un petit temps de repos que respectent ses petits voisins grâce aux adultes qui l'entourent.

• Vers 8-10 mois, le bébé tend les mains vers son image dans le miroir, mais s'étonne du contact dur qu'il rencontre ; il croit encore que l'image qu'il voit est celle d'un autre bébé, et cherchant à toucher cet autre, il est surpris de ne pas y arriver, comme il le fait dans ses jeux.

À 1 an, il voit son papa dans le miroir, le regarde attentivement, puis se tourne vers son papa, « le vrai » comme disent les enfants, et dit « papa » aux deux. Un pas est fait dans l'identification et la permanence des personnes. L'enfant a découvert qu'une même personne pouvait être devant et dans le miroir. De lui-même, il n'est pas encore question, mais nous sommes sur la bonne voie. Au stade suivant, l'enfant reconnaîtra bien son prénom.

CE QU'IL N'AIME PAS

• L'enfant n'aime pas ce qui est soudain, ce qui fait du bruit (par exemple les appareils ménagers : aspirateur, moulin à café, mixer, etc.) ; les vibrations d'une perceuse électrique ou d'un marteau-piqueur lui font peur ; elles peuvent aussi être douloureuses pour ses tympans.

• Il n'aime pas attendre son repas.

• Qu'on change quelque chose à ses habitudes.

• Qu'on le laisse avec une personne qu'il ne connaît pas : cela va de la simple crainte à la peur panique.

• Qu'on le laisse seul en face de son assiette.

Vous savez maintenant ce qu'un enfant a dans la tête entre 8 et 12 mois et ce qu'il aime ou n'aime pas, mais ce n'est pas si simple car l'enfant peut changer de comportement, d'attitude, dans la même journée, vouloir qu'on l'aide et faire tout seul. C'est en effet à partir de cet âge que se manifeste la coexistence de deux tendances en apparence contradictoires, mais conformes à la nature humaine : le désir qu'il y ait du nouveau et le souhait que rien ne change.

APPRIVOISER LA PEUR DE L'INCONNU : UN NOUVEAU PROGRÈS

À cet âge on peut faire une autre observation : lorsqu'il est dans une maison qu'il ne connaît pas, l'enfant est étonné, voire inquiet ; lorsqu'une personne inconnue veut l'embrasser, il se détourne. Depuis les travaux de René Spitz – grand précurseur dans le domaine du développement de l'enfant –, c'est ce qu'on a appelé « l'angoisse du 8e mois ». On peut l'observer parfois plus tôt : dès 6-7 mois. Et parfois aussi cette angoisse n'apparaît qu'à l'âge où l'enfant marche. Enfin, il peut arriver qu'elle laisse des traces ; elle peut expliquer, par exemple, la crainte de certains enfants en face d'une nouvelle institutrice ou la peur de certains adultes devant des inconnus.

Lorsqu'il est angoissé, lorsqu'il a peur de s'endormir, ou lorsqu'il a peur de voir partir sa mère, ou la personne qui a l'habitude de s'occuper de lui, l'enfant serre contre lui son ours qui n'a plus de poils ni de forme, une couche toute mâchonnée, ou simplement un bout de tissu de laine, qui sont devenus son trésor. Comment ?

Au début l'ours était un simple objet qu'il avait sous la main, et peu à peu il s'est chargé de toute une gamme de sentiments et de sensations : il est à moi, j'en suis devenu propriétaire, il faut qu'on me le laisse, je l'aime, je le défendrai à tout prix, et surtout avec mon ours je ne suis plus seul quand on me quitte. C'est cet objet que D.W. Winnicott a appelé **l'objet transitionnel**, car, dit-il, « il représente la transition du bébé d'un état de fusion avec la mère à un état de relation avec la mère en tant que personne extérieure et séparée ».

Le « doudou » fait maintenant partie de la vie quotidienne du bébé. Il est offert en cadeau de naissance, comme faisant partie du trousseau habituel, et l'entourage s'étonne parfois si l'enfant n'a pas d'objet favori. Le doudou a même sa place à l'école : il est toléré en petite section de maternelle, mais doit être souvent rangé dans « la maison des doudous ».

Certains enfants n'ont guère besoin de doudou, si ce n'est lorsqu'ils sont fatigués. Pourquoi imposer doudou et tétine à tous les enfants ? « Objet de transition » disait Winnicott. Ce n'est donc pas un compagnon permanent. Il n'y a vraiment à faire de zèle ni pour le donner ni pour le retirer.

Que signifient les craintes de l'enfant devant un inconnu ?

D'abord que l'enfant s'est si bien habitué à reconnaître ses « tableaux » (le cadre de sa vie quotidienne, le visage de sa mère, de son père, celui des familiers de la maison, des éducatrices de la crèche) que tout changement le désoriente. Pour cette raison, dans les crèches, on essaie d'éviter les changements de section entre 7 et 10 mois.

Ensuite, cela signifie, non pas que l'enfant régresse, mais au contraire qu'**il fait des progrès en distinguant maintenant l'inconnu du connu**. S'il tient tant aux rites établis, aux habitudes prises, c'est qu'ils lui apportent le confort du déjà-vu. Le fait que les choses ne se déroulent pas comme

d'habitude l'inquiète : pourquoi papa ne vient-il pas me chercher comme tous les soirs ? Pourquoi y a-t-il un nouveau bébé chez la nourrice ? Pourquoi m'a-t-on changé de lit ? Mais il est bien difficile d'éviter tout changement. Ce qu'il faut, c'est parler à l'enfant, lui expliquer ce qui se passe.

Cette peur de l'inconnu, de ce qui n'est pas familier est la preuve que l'enfant commence à prendre conscience de lui-même et des autres ; elle montre qu'il fait maintenant la différence entre les personnes familières et non familières, entre les lieux ou les objets qu'il connaît et ceux qu'il ne connaît pas. Cette prise de conscience est fondamentale en ce sens qu'elle fonde les premières différenciations sociales et affectives ; ces différenciations permettront à l'enfant de faire des choix dans ses attirances, et de manifester sa prudence dans d'autres occasions. L'enfant va construire des mécanismes de défense qui lui seront précieux plus tard : il sera réservé avec les inconnus, acceptera les interdits nécessaires, et comprendra les situations de danger ; plus tard en société, il fera la différence entre la familiarité possible et les limites à respecter. Lorsqu'un enfant de cet âge ne fait pas ces différences (il va avec tout le monde, il passe de bras en bras sans aucune inquiétude) il faut être vigilant et en parler avec un professionnel de l'enfance. Il risque de reproduire plus tard cette attitude en ayant, par exemple, des difficultés à s'attacher de façon stable.

En même temps que cette crainte de l'inconnu, l'enfant a des aspirations vers l'indépendance, c'est dans la nature des choses. Son avenir, c'est de s'éloigner. Résultat, il est sans cesse tiraillé entre le confort du connu et le désir de l'aventure. Les adultes se trouvent souvent dans ce cas, eux aussi. Mais ils peuvent être heureux en choisissant l'une ou l'autre voie. Un bébé, lui, a besoin des deux. Et, pour les concilier, il a besoin de vous.

Ces changements de cadre, d'horaire, de nourriture, l'enfant les accepte s'il se sent en sécurité près de vous, s'il les comprend, en un mot s'ils ont été préparés. Il les refuse s'il est brusquement plongé dans une situation angoissante ; sûr de votre présence, il veut bien s'aventurer seul. À moins que l'enfant ne cherche à s'opposer à vous, ce qui est aussi une manifestation d'indépendance.

« Sûr » : c'est l'un des mots-clés de l'enfance. Lorsqu'il se sent en sécurité, l'enfant est confiant, heureux, entreprenant à tous les âges. La sécurité affective : c'est tellement capital que nous lui avons consacré un article dans le chapitre 5.

Une évolution positive

Aujourd'hui, grâce à la sécurité de base que les parents donnent à leur bébé bien avant le 8e mois, cette « angoisse de séparation et de l'inconnu » se manifeste de façon plus atténuée. La reconnaissance de la vie intra-utérine, un autre accueil du nouveau-né et le respect de la présence des parents à la maternité, un regard différent sur les compétences émotionnelles et sensorielles du bébé, l'entrée progressive à la crèche ou chez l'assistante maternelle, etc. : tout cela a sûrement contribué à atténuer l'angoisse des jeunes enfants.

« BRAVO ! »

Comme pour le jeu de « Coucou » (p. 209), l'apparition de « Bravo » dans la vie de l'enfant paraît si naturelle qu'elle est rarement reconnue comme une acquisition majeure dans son développement. Et pourtant, elle est la preuve des liens étroits entre intelligence, affectivité et environnement.

« Lorsque l'enfant paraît, le cercle de famille applaudit à grands cris... » écrivait Victor Hugo. Nous applaudissons joyeusement l'enfant lorsqu'il arrive à saisir un objet, nous le donne, commence à se déplacer, à se redresser... L'enfant nous imite en jubilant, tapant une main contre l'autre, comblant de joie et d'attendrissement son entourage, un moment d'émerveillement partagé. Un émerveillement sans lequel aucun enfant ne peut se construire dans la confiance en lui et en l'autre, dans son désir de découvertes.

Ce plaisir partagé nourrit chez le bébé ses facultés d'étonnement, l'envie de se surprendre et de surprendre l'autre. Si elles sont solidement ancrées, elles continueront tout au long de sa vie à alimenter son appétit de savoir, sa capacité à s'enthousiasmer, à applaudir aux réussites des autres et à reconnaître les siennes propres.

Cependant, ici comme dans bien d'autres domaines, nous ne devons pas laisser l'enfant être envahi par la recherche de la performance et d'une excitation permanente, qui feraient de lui le centre du monde, voulant sans cesse attirer l'attention. L'apaisement doit toujours équilibrer ces précieux moments de découvertes.

QUELQUES SUGGESTIONS

L'enfant de cet âge a autant besoin de mouvement qu'il avait besoin de sommeil pendant les premiers mois. Il reste volontiers dans son parc si vous ne lui donnez pas l'impression de l'y abandonner. Mais, assez vite, il sera heureux d'en sortir. De temps en temps installez-le à côté de son parc, à l'extérieur ; il continuera à utiliser les barreaux pour se lever et pour s'amuser à attraper les jeux à l'intérieur.
• Si vous voulez acheter un parc, prenez le modèle le plus simple et le plus classique : en bois, carré, avec des barreaux. Dans un parc rond à filet, l'enfant a de la peine à s'agripper au filet et à se relever ; en outre il a moins d'espace.
• Il commence à beaucoup s'agiter dans sa chaise haute : ouvrez l'œil.
• Ayez à votre disposition suffisamment d'objets à lui procurer, mais pas trop à la fois : il aime toucher, sucer, manipuler, cacher, à condition que son intérêt soit en éveil. Et un panier débordant de jouets posé au milieu de la chambre ne l'intéressera pas nécessairement.

POUR EN SAVOIR PLUS...

Sur l'objet transitionnel, reportez-vous au livre de D.W. Winnicott, *L'Enfant et sa famille*, Petite Bibliothèque Payot (livre déjà cité page 206).

Dans *Le Journal d'un bébé*, Daniel Stern, pédopsychiatre, fait parler un bébé et nous livre son journal de l'âge de 6 semaines jusqu'à 4 ans. Un livre original, à la fois scientifique et poétique (Odile Jacob).

DÉJÀ UN AN !
Pour vous c'est émouvant de repenser à l'accouchement, à la naissance. Pour votre enfant, pour toute la famille, cette première bougie est une fête. Mais ce n'est pas une étape très significative dans le développement de l'enfant. On voudrait qu'à un an un enfant sache déjà tout faire, en particulier marcher. Patientez, attendez le chapitre suivant, tout va arriver à son heure.

De 12 à 18 mois

IL MARCHE !

Un jour j'arracherai l'ancre
Qui tient mon navire loin des mers.
Henri Michaux

Le grand événement des six mois qui vont maintenant se dérouler, c'est la marche. Elle donne l'impression de s'acquérir d'une minute à l'autre, tant le premier pas que l'enfant fait seul est spectaculaire et chargé d'émotion. Pourtant ce premier pas s'est préparé depuis longtemps, et la façon dont l'enfant va marcher dans les jours qui suivront dépend souvent de la période qui a précédé. Certains vont être « châteaux branlants », se laisser tomber, redémarrer à quatre pattes, se relancer. Ce sont souvent des enfants dont on a trop stimulé, ou trop tôt, les premiers pas autonomes. D'autres vont partir tout de suite, d'un bon pied calme et assuré.

Il faut environ trois-quatre mois à l'enfant pour passer du « je-m'accroche-aux-barreaux-du-parc-pour-me-redresser » au « je-lâche-la-main-de-papa-pour-marcher-tout-seul ». Avec des hauts et

DE 12 À 18 MOIS

Ses mains apprennent à être indépendantes l'une de l'autre, alors qu'au début l'une se contentait d'aider l'autre.

Il sait tourner les pages d'un livre (mais plusieurs à la fois), pointer l'index sur les images. Quand il en a assez, il repousse le livre.

Il peut donner un cube, ne sait pas lancer une balle, sait mettre un petit objet dans un grand, essaie en vain de faire, avec ses cubes, une tour.

Jambes écartées, torse en avant, bras en balancier, il marche. Les virages sont encore difficiles et les chutes fréquentes. Les escaliers se montent encore à quatre pattes. Dans sa chaise, l'enfant se met debout ; il essaie de grimper sur les autres chaises.

des bas : certains jours l'enfant fait de grands progrès, d'autres il sait à peine se tenir debout. Et le bébé mettra tant d'ardeur à apprendre à marcher, qu'il ne fera guère de progrès dans d'autres domaines, ou qu'ils seront très subtils, en particulier dans le domaine du langage.

À 1 an, avec le premier mot, le langage avait l'air de démarrer ; entre 12 et 18 mois, il semble stagner. Certains enfants disaient par exemple « ci » – pour merci – et ne le disent plus. Les parents ont l'impression que l'enfant l'a oublié, en fait il s'intéresse à autre chose.

À 1 an, l'enfant dormait très bien ; lorsqu'il se met à marcher, la qualité de son sommeil peut varier. C'est d'ailleurs une notion qui sera valable pendant toute la croissance : lorsqu'un enfant fait un progrès dans un domaine, il ne faut pas s'étonner des pauses qui peuvent se produire dans les autres, et parfois même des régressions.

Lorsque l'enfant saura marcher seul, pendant un certain temps il semblera ne rien apprendre de nouveau. En fait il enregistre tout ; de nouvelles acquisitions se mettent en place qui ressortiront plus tard. Ainsi le stade 2 ans-2 ans 1/2 marquera un autre bond en avant : l'enfant fera d'énormes progrès de langage.

L'ÂGE DE LA MARCHE

12-18 mois, c'est donc pour la grande majorité des enfants l'âge de la marche, ce que les spécialistes appellent une « période sensible ». Mais nous ne le répéterons jamais trop, les étapes sont élastiques. Ajoutons que l'âge de la marche n'a pas de rapport avec le développement de l'intelligence, alors que la préhension en avait, ainsi que vous l'avez vu.

Période sensible, c'est une expression due à Maria Montessori (psychiatre et pédagogue italienne) et que vous retrouverez tout au long de l'enfance : c'est l'âge où l'enfant apprend avec le plus de facilité quelque chose de nouveau. Il y a une période sensible pour toutes les acquisitions : marche, langage, couleurs, comme, plus tard, lecture et calcul. Mais c'est particulièrement vrai pour le langage : sans aucun effort, l'enfant apprend sa langue maternelle. Adulte, il lui faudra des années pour apprendre, avec effort, une langue étrangère qu'il parlera d'ailleurs rarement aussi bien que sa langue maternelle. Et ce que l'expérience enseigne, c'est qu'il ne faut pas laisser passer les périodes sensibles sans encourager l'enfant ; sinon, plus tard, il aura plus de mal à apprendre.

Il est donc dommage d'empêcher un enfant d'apprendre, mais il est tout aussi vain de le presser. L'enfant apprend mieux lorsqu'il en a envie.

Ces périodes sensibles sont très riches et on comprend que Myriam David les ait qualifiées de fécondes. Ce sont des périodes pendant lesquelles l'enfant va organiser ses acquis. Par exemple l'enfant avait découvert la permanence des personnes et des objets ; il va maintenant sans cesse « s'exercer » pour les faire apparaître et disparaître. Mais attention, tant que les acquis ne sont pas tout à fait maîtrisés par l'enfant, ils sont fragiles, et au moindre échec l'enfant peut y renoncer et régresser à un stade plus confortable.

Apprendre à marcher veut d'abord dire apprendre l'équilibre, puis savoir avancer ; cela ne va pas sans difficultés. Ne relevez pas votre enfant chaque fois qu'il tombe ; l'effort qu'il fait pour se relever fortifie ses muscles ; en plus il ne tombe pas de haut, et s'il ne se cogne pas, il ne se fait pas mal. Il tombe, il se redresse en s'appuyant sur les mains, il se relève, retombe. C'est un apprentissage, comme tous les autres. Pour apprendre à parler, il va aussi répéter indéfiniment les mêmes syllabes, comme, pour apprendre à saisir, il a passé des semaines à s'exercer. Ce qui aidera votre enfant, c'est que vous compreniez ses efforts sans intervenir à tout propos. Un enfant a besoin de se prouver à lui-même ce dont il est capable, cela lui donne confiance.

La marche va transformer votre enfant. Jusqu'alors, il était complètement dépendant de son entourage, maintenant sans rien demander à personne, il est capable d'aller voir de près ce qui l'intéresse, ce qui l'intrigue, et de faire ainsi chaque jour mille découvertes et expériences. Il devient un personnage remuant, actif, incroyablement occupé, jamais fatigué.

Grâce à la marche votre enfant va vraiment réaliser qu'il peut conquérir l'espace bien au-delà de ce que le « quatre pattes » lui permettait : il se rend compte qu'à son tour il peut atteindre, parce qu'il est debout, ce qui n'était alors accessible qu'aux grands.

Dans la prise de conscience de son corps, la marche est une nouvelle étape importante ; lorsque l'enfant fait des petites chutes, se cogne à un meuble ou se pince dans une porte, cette expérience de la douleur lui fait prendre conscience de ses limites et des dangers : à 18 mois, il fait un détour pour éviter le meuble qui pourrait lui faire mal, ou le radiateur qui est chaud.

Ainsi, ayant fait des expériences se rapportant à son corps, il va s'y intéresser de plus en plus : vers 18 mois-2 ans, s'il voit sur son bras un petit bouton, il le regarde fréquemment d'où l'effet magique du pansement qui « recolle » les morceaux. Mais si le bouton sèche et que la peau se détache, l'enfant pleure, il a l'impression qu'une partie de lui-même s'en va. Une égratignure, une goutte de sang l'inquiètent également, et il est important que l'entourage, sans aller jusqu'à les ignorer, n'exagère pas l'importance de ces petits incidents.

QUATRE MOTS POUR TOUT DIRE

Boileau disait : « Ce qui se conçoit bien s'énonce clairement, et les mots pour le dire arrivent aisément. ». L'enfant de 12-18 mois n'est pas de l'avis du poète : il comprend beaucoup, mais il a peu de mots pour le dire. Paul a 15 mois. Il ne sait dire que quatre ou cinq mots ; mais lorsque son père lui demande le mouchoir rouge qui est dans son lit, il se dirige vers le lit, soulève l'oreiller, prend le mouchoir rouge (ne touche pas au jaune) et le rapporte à son père, très à l'aise. Et l'on pourrait citer bien d'autres exemples de ce genre.

L'enfant fait peu de progrès de langage, car, pour le moment, c'est la marche qui mobilise ses forces. Pour se faire comprendre, il se sert des quelques mots qu'il connaît, mais qui sont essentiels car il les charge des sens les plus variés en s'aidant de gestes et de mimiques. Par exemple, quelque chose lui déplaît : il fait la moue et un geste très net de la main pour signifier son refus. En général, un ou deux mois plus tard, il sait dire « pas » qui deviendra « veux pas ». « Non » fait partie des mots qui apparaissent à cet âge, et cela d'autant plus facilement que les adultes ont tendance à employer plus fréquemment « Non ! » que « Oui ! » avec l'enfant qui commence à marcher et à tout explorer. Mais « Non » a une importance toute particulière, et selon l'expression du grand psychologue René Spitz (1), dire « non » est un véritable « organisateur » de la personnalité, comme nous l'expliquons un peu plus loin (p. 225)

En valorisant les premiers mots, en les reprenant, on habitue l'enfant à échanger, à communiquer avec son entourage.

Cela dit, la compréhension est en général, à cet âge, en avance sur l'expression parce que, en présence de leur bébé, les parents commentent ses faits et gestes. Écoutez ce père qui aime bien donner le bain à son enfant : « Viens ma jolie, ton bain est prêt, regarde le poisson et le canard, ils sont déjà là. On va se laver et après on mettra le beau pyjama bleu… »

Et cette mère à l'heure du déjeuner : « Ne t'impatiente pas, ton déjeuner sera bientôt prêt. Oh, la jolie serviette avec le petit chat ! Regarde le chat. Mange mon bel ange, encore une cuillère… Attends, je vais chercher une pomme… », etc.

Et l'enfant, ravi, écoute ces paroles qui sont pour lui comme une musique qu'il reproduit en chantonnant. Il est vraiment avide d'écouter, non seulement ce que lui disent ses parents, mais aussi ce qui se dit autour de lui. Ainsi peu à peu, son oreille enregistre certains mots ; à force de les entendre, il comprend « chat », « pomme », « purée », « bain », « pyjama ». Puis il reconnaît les objets que ces mots désignent, et, un beau jour, il est capable d'aller tout seul chercher la pomme que sa mère lui a demandée.

Et si l'enfant mord

Quelques mots pour s'exprimer ce n'est pas beaucoup et l'enfant peut faire comprendre ses chagrins, ses tensions de bien d'autres façons : petites colères, gestes de rejet, oppositions diverses. L'enfant peut aussi mordre, d'autant que les poussées dentaires l'y incitent un peu naturellement ; mordre prend alors une autre signification qu'à 8-9 mois. Cela peut être un mécanisme de défense de l'enfant, en particulier lorsqu'il est en compagnie d'autres enfants (au jardin, à la crèche, etc.) et qu'il ne s'y sent pas à l'aise.

1. *Le non et le oui* et *De la naissance à la parole* (PUF), René Spitz.

UNE ACQUISITION ATTENDUE

Comme bien des parents, vous êtes peut-être impatients que votre enfant devienne propre. Mais entre 12 et 18 mois, il est encore trop jeune. Cet apprentissage nécessite un certain développement aussi bien physique que psychologique et même affectif ; c'est pourquoi il ne débute en général que vers 18 mois. Nous en parlerons au prochain stade.

Mais l'enfant qui mord peut aussi « se décharger » de tensions que des adultes qui l'entourent font peser sur lui. Par exemple : à la crèche, une « Tatie » enlève brusquement un jouet à Guillaume pour l'obliger à se mettre à table en même temps que les autres. Frustré, furieux, l'enfant se tourne vers son voisin et le mord, n'osant pas agresser l'adulte. Isabelle, au jardin public, ne supporte pas que sa mère la freine sans cesse alors qu'à la maison elle a le droit de tout faire ; la petite fille ne comprend pas cette incohérence et se venge en tapant et mordant son petit camarade de jeux.

Cette réorientation d'agression est une attitude que nous, adultes, pouvons bien comprendre car nous la pratiquons sans cesse : par exemple, en restant aimables et soumis avec ceux qui ont de l'autorité sur nous et qui nous ont agressés, et en défoulant tension et inquiétudes en famille, ou dans les embouteillages... par des mots vifs ou des gestes trop brusques. Plutôt que de se fâcher contre l'enfant qui mord, ce qui ne fait qu'augmenter son agressivité, mieux vaut chercher à comprendre la cause de cette attitude pour en atténuer les effets.

Il arrive aussi que l'enfant morde ses petits camarades de crèche ou de garderie, et parfois même l'adulte qui en a la garde, en dehors de toute situation de défense ou d'agressivité. Ces morsures sont alors plutôt l'équivalent d'un baiser, en tout cas, elles sont une marque d'amour. Il est alors bon d'expliquer fermement à l'enfant qu'il fait mal, et de lui donner quelque chose qu'il puisse vraiment mordre, par exemple un petit croûton de pain.

Dans tous les cas, il ne faut jamais mordre l'enfant en retour si l'on veut qu'il comprenne que la morsure n'est pas un moyen de communication. Et qu'il ne soit pas tenté de vous imiter.

LES TROTTEURS

Il existe, pour l'âge où l'enfant commence à marcher, toute une gamme de « trotteurs » qui ont pour but de préparer à la marche. Que peut-on en penser ?

Jusqu'à récemment, nous disions aux parents que les trotteurs privaient l'enfant du plaisir d'apprendre, et des efforts à faire. Il est important, en effet, que l'enfant découvre seul différentes positions, un équilibre et passe par des étapes successives avant d'acquérir la marche. Aujourd'hui, des études montrent que les trotteurs peuvent être très dangereux. Au Canada, les trotteurs sont même interdits. C'est pourquoi nous déconseillons aux parents de les utiliser.

Un bon moyen de faciliter l'apprentissage de la marche est de laisser l'enfant pousser sa poussette au jardin, et une chaise à la maison. Il existe aussi des jouets que l'enfant peut pousser comme les petits chariots. Et lorsque votre enfant apprendra à marcher, tenez-le alternativement d'une main et de l'autre pour assurer son équilibre.

À la crèche, les enfants sont également stimulés : ils ont un matériel varié à leur disposition, petites échelles, petites tables, ils ont envie d'imiter les plus grands qu'ils voient évoluer autour d'eux, mais ils ne sont pas pressés par les éducatrices, elles savent que chacun marchera à son heure.

Ne vous étonnez pas que l'enfant ait le pied plat à cet âge, ceci est normal. Laissez-le marcher pieds nus ou en chaussettes le plus souvent possible, cela contribuera à fortifier sa voûte plantaire (voir l'article *Pieds plats* au chapitre 6).

LES PLAISIRS ET LES JEUX

Vers 1 an-1 an 1/2, l'enfant aime les animaux et s'y intéresse : des poules aux vaches en passant par les chiens, les chats, les chevaux, aucun ne lui fait peur.

Il aime jouer avec le sable et l'eau, la pâte à modeler, pas très proprement. D'abord parce qu'il est encore maladroit ; ensuite parce qu'il ne fait pas la distinction entre le sale et le propre : ce sont les adultes qui trouvent que c'est sale.

Toutes les activités de jeux avec l'eau (transvaser, remplir, vider, etc.) sont essentielles à cet âge. L'eau a un rôle calmant pour l'enfant ; jouer avec des entonnoirs, des bouteilles, le détend et mobilise sans effort son attention. Observez votre enfant jouer avec de l'eau, vous verrez qu'il y prend un grand plaisir. L'eau est plus qu'un élément naturel, elle fait partie de nos origines, du premier milieu dans lequel on a vécu ; sa fluidité, son manque de résistance en font un élément rassurant : le plaisir du bain n'est pas seulement celui d'être propre, mais aussi de jouer dans l'eau, de s'y détendre et d'y rester. Et cela durera toute la vie.

Le matériel est simple : l'équivalent de 3 à 4 verres d'eau dans une petite cuvette, des éponges, des entonnoirs, des gobelets, etc. Dans la baignoire : des gobelets ou des petites bouteilles en plastique. L'enfant va indéfiniment les remplir et les vider, il maîtrise ainsi facilement la disparition et la réapparition de l'eau : c'est la permanence des objets dont nous avons parlé au stade 8-12 mois.

Bien que capable d'une étonnante persévérance, par exemple lorsqu'il veut mettre un cube dans l'autre, l'enfant aime changer souvent de jeux ; et s'il en a assez à sa disposition, il peut jouer longtemps. Il aime construire une tour, ça l'amuse aussi de la détruire, d'ailleurs à ce stade il commence à démolir et déchirer.

POUR EN SAVOIR PLUS...

• T.B. Brazelton a écrit un ouvrage important sur les poussées du développement et les périodes de régression qui les accompagnent ; il les appelle les *Points forts* (qui est le titre du livre) et les considère comme des signes pouvant éclairer les parents, les aider à mieux comprendre le développement de leur enfant (Livre de Poche). Le tome 2 concerne les enfants de 3 à 6 ans (p. 252).

De 18 à 24 mois

LA GRISERIE DE LA DÉCOUVERTE

... Toujours se vautrait par les fanges, se mascarait le nez,
se chaffourait le visage, éculait ses souliers...
patrouillait par tous lieux et buvait en sa pantoufle...
ses mains lavait de potage,
mordait en riant, riait en mordant...
Rabelais

Maintenant que l'enfant sait marcher, va-t-il se reposer sur ce progrès tant attendu ? Ce serait mal connaître son extraordinaire vitalité et surtout son intense désir de tout voir, de tout essayer, de tout examiner. Jusqu'alors, il palpait ce qui était à portée de sa main ; maintenant qu'il peut toucher tout ce qu'il voit, il ne va pas se priver de cette nouvelle possibilité. Il va au contraire s'en donner à cœur joie.

À gauche, à droite, en haut, en bas, toucher à tout, quel plaisir ! Rien n'arrête un enfant de cet âge : il grimpe sur les chaises, les canapés, les fauteuils, au risque de tomber dix fois. Il glisse sous les lits pour rattraper sa balle, monte les escaliers, essaie de les redescendre – mais n'y arrive pas toujours. Ouvre les portes, allume les lumières, vide les tiroirs, ouvre un tube de rouge à lèvres. Il pousse sa chaise vers la commode pour attraper une pomme rouge dans le compotier : le plat tombe, les pommes aussi, le bébé avec. Qu'importe : il se relève. Il tire son petit camion, traîne sa poupée par les cheveux. Mais il peut aussi dévisser la bouteille d'eau de Javel, ouvrir un tube de somnifères, essayer de mettre une épingle à cheveux dans la prise de courant, jeter sa tartine par la fenêtre et essayer de regarder pour voir où elle tombe.

Toute cette activité fait beaucoup de bruit et de désordre, mais cela ne dérange absolument pas l'enfant, il ne les remarque même pas. Il parcourt des kilomètres dans la journée. On a l'impression qu'il ne se fatiguera jamais. Puis, tout à coup, plus un son. Le silence semble alors plus inquiétant que le bruit qui précédait. On se précipite. L'enfant s'est endormi par terre, épuisé.

Un appartement livré à un enfant qui sait bien marcher et qui est un peu turbulent, fait au bout d'un moment penser à un vrai champ de bataille. Les enfants de cet âge ne sont pas tous aussi remuants. Certains sont plus calmes, les filles en particulier, mais c'est quand même l'âge de l'enfant touche-à-tout. Et il ne faut pas se féliciter mais plutôt s'inquiéter d'avoir un enfant de 2 ans exceptionnellement calme, qui reste dans son coin sans toucher à rien (« Lui, on ne l'entend jamais ! »). Le silence n'est pas de cet âge.

LE GOÛT DE L'AVENTURE ET LE BESOIN DE SÉCURITÉ

Que doit-on faire lorsque l'enfant touche à tout et court partout, que ce soit chez vous, chez la nourrice ou à la crèche ? Tout interdire ou tout permettre ?

Ni l'un ni l'autre. Dans le premier cas, ce serait contrarier une tendance essentielle de la croissance. Grimper, découvrir, explorer, palper, courir développent sens, muscles et intelligence. L'enfant qui pousse une chaise pour attraper une pomme posée sur la commode prouve par là son intelligence, et en même temps développe ses muscles. Dans une pièce sans objets et sans meubles, l'enfant ne peut rien abîmer, mais son intelligence sommeille, ses muscles aussi. En revanche, tout permettre serait dangereux.

Ce qu'il faut, c'est créer une atmosphère de liberté « aménagée ». À la crèche, c'est facile car tout est conçu en fonction des enfants : jeux et meubles sont adaptés à leur taille et à leurs besoins. Dans un appartement, c'est plus difficile. Pour mettre l'enfant à l'abri des dangers, il faut des barrières aux escaliers et aux fenêtres, des caches aux prises de courant ; les meubles fragiles à l'abri, les bibelots préférés dans les placards, et les produits dangereux hors d'atteinte ; puis laisser l'enfant jouer dans un coin, que celui-ci soit petit ou grand. Et d'ailleurs, on se rend bien compte lorsqu'on va chez quelqu'un qu'il doit y avoir un enfant de cet âge dans la maison : tout est placé hors de portée des enfants, plantes vertes, disques, lampes, livres, bibelots.

Votre enfant maintenant bien installé, et à l'abri des dangers dans toute la mesure du possible, tendez l'oreille pour surveiller ce qui se passe, mais ne venez pas lui dire toutes les deux minutes : « Attention, tu vas te faire mal ! » Il a besoin d'un peu de liberté. Laissez-le partir à l'aventure, cela lui donnera confiance. L'aventure, à cet âge, c'est de grimper tout seul sur la petite chaise, ouvrir tout seul une boîte. En un mot, il a besoin de savoir que la personne qui s'occupe de lui est à portée de main ou de voix, mais pas toujours dans son dos. D'ailleurs, de temps en temps, il viendra vérifier qu'elle est bien là ; rassuré, il retournera à ses occupations. Puis il appellera pour montrer sa dernière découverte, ou pour avoir une aide en vue de la prochaine.

Depuis quelques mois, et pour longtemps encore, se mêlent chez l'enfant le goût de l'aventure et

ATTENTION !
Les accidents domestiques dont sont victimes les enfants deviennent particulièrement fréquents à partir de 18 mois jusqu'à 4 ans, âge où ils décroissent d'une manière spectaculaire (sur les accidents domestiques, voyez au chapitre 3, « la maison dangereuse », pp. 140 et suivantes).

le besoin de sécurité. Or, la sécurité, c'est vous. Mais souvenez-vous que la curiosité de l'enfant est inlassable, qu'elle l'emporte sur sa peur, que son imagination est débordante, qu'il n'a d'ailleurs pas encore le sens du danger, et que les goûts bizarres et les odeurs désagréables ne le rebutent pas.

Puis, peu à peu, expliquez à votre enfant ce qui est permis, ce qui est défendu, ce qui est dangereux. L'enfant comprend tous les jours davantage, mais ce qu'il a le droit de faire et ce qui lui est interdit, il ne peut le deviner. Comment voulez-vous qu'il sache qu'il est normal d'ouvrir une boîte pour voir ce qu'il y a dedans, mais qu'il est mal d'essayer d'ouvrir un réveil pour voir d'où vient le tic-tac ? Vos explications le lui apprendront ; mais ne lui en demandez pas trop. Si vous voulez vraiment qu'il n'aille pas dans une certaine pièce, rendez cela impossible par un obstacle matériel et expliquez-en à l'enfant le pourquoi. L'enfant apprend vite à respecter le monde des adultes.

Et le jour où il fera une bêtise, ne le grondez pas trop fort ; votre colère l'inquiéterait et lui ferait peur. En grondant souvent un enfant de cet âge, en criant beaucoup, on finit par lui donner le sentiment qu'il est sans cesse coupable. D'ailleurs, à cet âge, les parents appellent souvent bêtises un geste de l'enfant dicté par son intelligence, et qui signifie pour lui une nouvelle découverte. Lorsqu'un enfant déplace un meuble pour chercher la balle qui s'est glissée dessous, ce n'est pas une bêtise, c'est de l'ingéniosité. Il est vrai aussi qu'il peut casser un objet par maladresse, ou parce qu'il fait tout à la fois : manipuler et marcher, ou encore parce qu'il ne parvient pas à ses fins, s'énerve et jette l'objet avec colère.

Les adultes doivent le plus possible laisser les enfants aller au bout de leurs gestes, de leur curiosité, de leur volonté d'éprouver leurs nouvelles capacités et leurs limites. Mais ils doivent au moment opportun savoir calmer, aider, réparer. Anaïs joue avec un petit lapin se remontant avec une clé. Son père, qui travaille à côté, ne l'entend plus et regarde ce qui se passe. Il intervient quelques secondes pour décoincer la clé, participe à la joie de sa petite fille qui peut à nouveau faire marcher son jouet, puis la laisse à ses découvertes.

Rassurez-vous : l'enfant qui explore et fait toutes ces expériences est sur le chemin de l'enfant qui répare, range et respecte... mais un peu plus tard.

DIRE « NON » : S'OPPOSER, S'IMPOSER, SE CONSTRUIRE

Parmi les premiers mots qui apparaissent entre 1 an et 18 mois, nous avons vu que « non » figure en bonne place. Mais dire « non » va prendre rapidement pour l'enfant un autre sens que celui d'une simple répétition ou imitation de son entourage : c'est une étape fondatrice de la construction de sa personnalité par rapport à l'autre et aux autres.

L'enfant qui s'oppose est en train d'apprendre à exprimer ce qu'il ressent et ce qu'il désire. Favoriser cette expression et les échanges qui en découlent lui permet de commencer à affirmer sa confiance en lui-même. Il est donc important de laisser s'épanouir cette nouvelle acquisition.

La manifestation de l'autorité des parents est devenue un exercice délicat. L'équilibre n'est pas toujours facile à trouver entre les nécessaires limites à donner et la liberté de s'opposer. Certains parents exigent une obéissance passive et constante. D'autres ont tendance à tout le temps céder : pour ne pas brimer ou humilier l'enfant. Ou par culpabilité : de ne pas être assez disponibles, d'êtres trop stressés. Ou par facilité, par lassitude, pour ne pas avoir à s'opposer.

Pourtant, dès l'âge des premiers « non », il est possible d'exercer une autorité constructive et sécurisante qui permet à l'enfant de pouvoir s'imposer, s'opposer et se construire, tout en acceptant une fermeté justifiée et des limites à sa toute-puissance. Nous y revenons plus loin, chapitre 5, dans un article consacré à *L'autorité*.

DE 18 À 24 MOIS

Il tient bien son crayon (indifféremment de la main droite ou de la main gauche), mais le trait qu'il tente de tracer verticalement est encore bien incertain. D'ailleurs, il n'y attache pas de prix, il froisse et déchire le papier avec le même plaisir qu'il a pris à le griffonner.

L'enfant sait tenir sa cuillère et sa timbale mais se salit beaucoup en mangeant. Il mange d'ailleurs avec bruit, et quand il boit, entre deux gorgées, il aspire bruyamment.

Il aime les jouets qui se tirent.

Courir est sa grande joie : il aime qu'on le poursuive, et se heurte beaucoup aux meubles. Il tire, pousse, arrache, frappe, en criant.
Pousser du pied un ballon, marcher à reculons, monter un escalier en tenant la rampe, et le descendre quand on est tenu par la main sont les conquêtes de cet âge.

Plaisir de découvrir, plaisir de transporter : les mains et les jambes sont maintenant assez sûres d'elles pour permettre au jeune explorateur de s'en donner à cœur joie.

À cet âge également, les enfants aiment jouer avec l'eau. Ils ouvrent tous les robinets qu'ils voient (attention aux inondations et aux robinets d'eau chaude). Ils transvasent sans se lasser un gobelet dans l'autre et font barboter leur canard. Lorsque votre enfant joue ainsi, ne le laissez pas seul, sans surveillance : les activités avec l'eau nécessitent la présence d'un adulte.

LE « PARLER BÉBÉ »

Tous les enfants usent abondamment du verbe ; celui-ci exprimant l'action, il est normal que l'enfant s'en serve à l'âge où il est si actif. Pour commencer, il l'emploie à l'infinitif et au participe : *Bébé p(r)omener, Papa pa(r)ti*, etc. Les personnes, les temps, viendront plus tard. Pour l'instant, la phrase se compose donc essentiellement d'un mot ou de deux, plus le verbe. Exemple : *Papa ouv(r)i(r) tic-tac.* À l'étape précédente, le mot était à lui seul la phrase. À cet âge, l'enfant a parfois du mal à prononcer les « r ». Cela étonne les parents qui se souviennent des « a-reu » que le bébé prononçait si facilement. En fait, pour ces roulades, les a-reu, le bébé utilisait son gosier, ce qui n'est pas le cas pour le son « r ».

Ce « parler bébé » dure jusqu'à 1 an 1/2-2 ans, mais il se prolonge lorsque les parents pensant se faire mieux comprendre parlent eux-mêmes « bébé ». L'enfant dit *poupe* car il ne sait pas dire *soupe*, mais il a très bien compris que la soupe était ce liquide qu'on lui donnait au repas. Peu à peu, à force d'entendre dire soupe, il y arrivera bien, puisque le langage est avant tout affaire d'imitation. Mais si l'adulte imite l'enfant, il ne remplit pas son rôle, et s'il déforme les mots, l'enfant répétera longtemps *poupe, sisite, lolo*, etc. C'est dommage car s'il est bien de « parler bébé » à un bébé, de répéter ses vocalises, ses a-reu, le petit enfant de 18 mois-2 ans n'en est plus là : son articulation s'exerce constamment, il s'intéresse aux noms des objets qui l'entourent. Il est ravi quand il entend des mots nouveaux. Certains même le fascinent. Lorsqu'à 22 mois Frédérique pleurait, il suffisait de lui dire *saladier*, pour arrêter ses larmes.

Il ne s'agit pas de parler à un enfant comme un dictionnaire, mais de ne pas simplifier tous les mots délibérément sous prétexte qu'un enfant comprend mieux lolo que lait, *dada* que cheval. L'enfant n'a pas de préférence.

Mais s'il dit *poupe* parce que le s lui est encore difficile à prononcer, ne le reprenez pas, ne le faites pas répéter (vous n'en finiriez pas, sans aucun profit d'ailleurs, avec le risque de décourager l'enfant ou qu'il se mette à bégayer) ; continuez à dire soupe et spontanément un beau jour, il dira *soupe*.

Et puis il y a des mots « affectifs », créés par chaque enfant, ceux-là n'y touchez pas. Nounours, pour Benjamin, ce n'est pas un ours (de la famille des plantigrades qui vivent dans les montagnes), c'est le compagnon sans lequel il ne peut pas s'endormir, qui est si doux et qui sent si bon. Chaque famille a ses mots à elle, c'est comme un patrimoine affectif, et on se les répète : « Tu te souviens quand tu disais ma temise au lieu de ma chemise ? » Ces mots sont importants, ils créent une connivence attendrie. D'autres enfants, au contraire, éprouvent un plaisir évident à prononcer des sons difficiles. Gaspard, 20 mois, vient dans la cuisine pour le plaisir de dire *machine* ou *chaud* puis va dans le salon et répète fièrement *cheminée*.

UN PROGRÈS BIEN APPRÉCIÉ : L'ACQUISITION DE LA PROPRETÉ

Entre 18 mois et 2 ans, l'enfant va atteindre une maturité musculaire et des possibilités de s'exprimer telles, que l'apprentissage de la propreté pourra être commencé : ses muscles sont bien développés, par exemple, il sait maintenant monter et descendre les escaliers. Et pour se « retenir », ou au contraire « pousser » (qu'il s'agisse d'urines ou de selles), il faut des muscles suffisamment développés. On peut comprendre qu'avant l'âge où il marche bien, l'enfant ne soit pas encore capable de contrôler ses sphincters.

Côté langage, c'est pareil : maintenant que l'enfant commence à parler, il saura plus facilement demander lui-même le pot ; et s'il ne parle pas encore bien, il saura s'exprimer par un geste, en tirant sur sa culotte par exemple, ou en se tortillant.

Certes, comme pour toutes les acquisitions, le contrôle volontaire des sphincters prend ses racines dans les stades précédents. Ainsi, chaque fois qu'on l'a changé, l'enfant a pu apprécier le confort d'être propre. De même beaucoup d'enfants, dès qu'ils savent s'asseoir et bien se relever, acceptent de rester quelques minutes assis sur le pot, tout en continuant à avoir des couches le reste de la journée. Et après 18 mois-2 ans, les besoins sont moins fréquents et donc plus faciles à régulariser.

Alors si ses parents s'y prennent avec souplesse, tout se passera bien : devenu propre, l'enfant partagera la satisfaction de son entourage qui apprécie, à l'évidence, cette nouvelle étape (vous trouverez au chapitre 3, pages 170 et suivantes, des suggestions pratiques pour l'apprentissage de la propreté).

L'acquisition de la propreté se fait plus ou moins vite selon les enfants. Comme c'est l'âge où précisément l'enfant s'intéresse à tout ce qui se rapporte à son corps, sans se donner de limites, il peut par exemple explorer ce qu'il a mis dans le pot et son plaisir se heurte à un interdit. Quelque chose semble illogique à l'enfant. On lui demande de faire dans son pot ; lorsqu'il s'exécute on le félicite, mais aussitôt on vide ce pot qu'il est si fier d'avoir rempli.

Résister à l'apprentissage de la propreté est aussi pour l'enfant un moyen de s'opposer à ses parents et de s'affirmer. Antonin a presque 3 ans. C'est un petit garçon facile, heureux de vivre, mais il n'est pas encore propre et la rentrée à l'école approche. Il se rend très bien compte de ce qu'attendent ses parents et il résiste. « Tu me fais vraiment tourner en bourrique » lui dit un jour sa maman alors qu'il vient de se salir juste après être allé sur le pot. Le soir, sa maman l'entend chanter dans son bain : « Tourne-bourrique, tourne-bourrique... » Ses parents sont restés patients et calmes et, au moment de la rentrée, Antonin était propre le jour. « Je suis grand, dit-il à tout le monde, je n'ai plus de couches. »

Quelques difficultés

Mais les choses ne se passent pas toujours ainsi. Certains parents sont trop pressés. D'autres sont trop sévères et grondent l'enfant qui n'apprend pas assez vite. D'autres, incommodés par l'odeur, manifestent leur dégoût lorsqu'ils vident le pot. Certains parents, au nom du respect de la liberté ou pour « laisser faire la nature », se refusent à une éducation de la propreté. D'autres parlent avec jovialité de la production attendue. L'enfant trône sur son pot au milieu de la famille ; c'est vraiment à éviter car il est important de faire prendre conscience à l'enfant de la dimension intime de cet apprentissage qui touche aussi à la pudeur. Enfin, si l'enfant est chez une nourrice ou dans une crèche, les attitudes éducatives à ce sujet peuvent être en totale contradiction avec ce qui se passe en famille et l'enfant ne s'y retrouve plus.

Les réactions de l'enfant sont alors diverses. Il peut manifester son refus de faire ce qu'on lui demande de deux manières : soit en salissant ses couches ; soit en se retenant : c'est pire, car il devient constipé et lorsqu'il essaye finalement d'aller à la selle, il a mal ; il se retient encore davantage, la constipation s'installe.

L'enfant peut devenir agressif. Une certaine dose d'agressivité est normale ; elle va tomber assez vite si l'on adopte une attitude compréhensive et souple. Si l'agressivité persiste au-delà de 2 ans, 2 ans 1/2, il est conseillé d'en parler au pédiatre. De même, n'hésitez pas à demander conseil (pédiatre ou psychologue) si l'enfant refuse de faire ses selles dans le pot et réclame une couche. L'enfant est rassuré par les couches qui le ramènent au stade du bébé qu'il était. Il est angoissé par le pot, comme s'il avait peur de perdre quelque chose d'important, de l'abandonner ou d'être abandonné. Il montre qu'il a besoin qu'on l'aide à grandir.

Même lorsque l'atmosphère entourant l'apprentissage de la propreté est tendue, l'enfant finira quand même par devenir propre, mais il risque d'avoir enfoui en lui-même ses difficultés. Certains enfants peuvent développer plus tard des réactions de trop grande méticulosité, d'inhibition ou de timidité. Cette étape concerne directement le corps, mais les liens entre le corps et les émotions sont indissociables. C'est pourquoi, dans la construction de notre personnalité, le stade anal a autant d'importance, pour les psychanalystes, que le stade oral des premiers mois. Enfin, cet acquis apparent peut être fragile et se perdre lors d'une nouvelle difficulté d'adaptation : nouvelle naissance, entrée à l'école, etc.

L'apprentissage de la propreté pose donc certaines fois des problèmes. Mais dans l'ensemble, on peut dire que dans ce domaine la situation s'est beaucoup améliorée. L'information est passée : les parents ont aujourd'hui une attitude plus sereine, plus adaptée à la personnalité et à la maturité de leur enfant. Ils réalisent que l'acquisition de la propreté commencée trop tôt est un dressage qui a toutes les chances d'échouer, alors que si elle est envisagée plus tard comme un apprentissage, elle se fait naturellement et rapidement.

Les crèches, les auxiliaires de puériculture et les assistantes maternelles font aussi un apprentissage progressif et adapté à la maturité de chacun, en collaboration avec la famille : en général pas avant 2 ans, sauf si l'enfant montre qu'il souhaite être propre avant cet âge.

CE QU'IL AIME

• Manger seul, taper aussi avec sa cuillère dans la soupe en éclaboussant.
• Glisser des objets dans les fentes du parquet, dans le trou de la serrure.
• Dire non, par opposition certes, mais aussi par jeu. Pour obtenir ce que l'on veut, à cet âge, on peut

parfois distraire son attention. Exemple : il refuse de se déshabiller ? Allez à la fenêtre et dites : « Oh ! la belle voiture bleue, le gros pigeon gris ou le petit chien brun », suivant les cas. L'enfant accourt, regarde par la fenêtre ; pendant ce temps, vous lui ôtez sa chemise...

• Pour taquiner, il aime faire le contraire de ce qu'on lui dit. Si vous voulez qu'il vienne, dites-lui : « Au revoir » en faisant mine de partir.

• Il continue à aimer imiter les adultes. Romane, 2 ans, trouve l'agenda de sa mère et va le mettre dans la corbeille car elle a souvent vu ses parents y jeter des papiers.

• Faire des câlins à sa mère et l'embrasser, sauf quand elle le demande.

• Faire le clown pour faire rire ceux qui le regardent. En un mot, il est taquin, câlin, comédien.

• Il aime qu'on comprenne vite ce qu'il désire. Ce n'est pas toujours facile, car si ses goûts sont précis, son vocabulaire est encore limité.

Attention !

• Il ne faut pas s'inquiéter de la mauvaise articulation, de la prononciation défectueuse de certaines lettres ou syllabes. Avant 4 ans, ce type de difficulté de langage n'est ni significatif ni inquiétant. Lorsque l'enfant ira à l'école maternelle, il va être obligé de se faire comprendre de ses camarades et de l'institutrice. Cela va le stimuler, cela va l'aider à varier son mode d'expression et son vocabulaire.

Mais si à 4 ans des difficultés d'articulation, la structuration des phrases et son vocabulaire restaient défectueux, vous pourriez consulter un orthophoniste pour prendre conseil. D'une part l'orthophoniste évitera que l'entourage ne devienne le rééducateur de l'enfant d'une façon qui n'est pas bonne pour lui, et qui risque d'entraîner blocage et bégaiement. Et surtout, l'orthophoniste pourra décider si une rééducation s'impose, ou si on peut attendre un autre bilan quelques mois plus tard pour comparer. À cet âge en effet, si on laisse l'enfant s'exprimer spontanément, il se corrige souvent de lui-même.

• À ce stade d'activité motrice très intense, certains enfants sont particulièrement turbulents : il faut veiller au sommeil et à la régularité des horaires. Il faut aussi le protéger des accidents domestiques (pp. 140 et suivantes).

• Il commence à escalader les barreaux de son lit ; c'est l'âge « acrobate et déménageur ». C'est aussi le signe qu'il lui faut un « lit de grand », c'est-à-dire un lit sans barreaux ; choisissez-le assez bas et, en vue de chutes éventuelles, mettez par terre un tapis ou une plaque de mousse. Dans les services de pédiatrie, c'est vers 18 mois-2 ans qu'on change le lit des enfants.

L'ENFANT DE 2 ANS

Bien guidé par ses parents, l'enfant acquiert en six mois une grande aisance. Pour son deuxième anniversaire, il est devenu habile de ses mains, adroit de son corps, il sait bien se faire comprendre, il devient plus sociable. Cela est vrai dans tous les cas.

À 2 ans, le peloton s'est reformé, les retards se sont rattrapés. Jusque-là il y avait, à côté du bébé classique (première dent, 6 mois ; premiers pas, 12 mois ; première « phrase », 2 ans), le petit phénomène qui marchait à 9 mois, le plus lent qui n'avait fait ses premiers pas qu'à 18 mois, la petite fille qui ne souriait pas encore à 4 mois, celle qui avait reconnu son entourage à 2 mois, etc.

Tous ces enfants étaient normaux : simplement, leur constitution, leur tempérament, leur environnement étant différents, les acquisitions ne s'étaient pas faites au même âge. De la même manière ils n'avaient pas percé leurs dents tous au même moment. Maintenant, la tortue a rejoint le lièvre ; à 2 ans, tous les enfants savent faire la même chose ; une seule différence subsiste, elle concerne le langage : tel enfant connaît vingt mots, tel autre au même âge cinquante, un troisième cent.

De 2 ans à 2 ans et demi

L'EXPLOSION DU LANGAGE

Tu découvres tout seul des tas de mots savants
Des mots qui prononcés font du bien à tes lèvres
René Guy Cadou

2 ans-2 ans 1/2 représente une période de calme, d'équilibre, entre le stade de l'enfant touche-à-tout et remuant et l'étape de l'enfant volontaire et exigeant (2 ans 1/2-3 ans).

Entre 2 ans et 2 ans 1/2, l'enfant commence à être plus sociable et plus facile à comprendre car il s'exprime mieux. En effet, ce qui l'intéresse avant tout maintenant c'est de parler, comme au stade

DE 2 ANS À 2 ANS ET DEMI
Sur une image, l'enfant reconnaît la tasse, l'ours ou la balle et les montre triomphalement. Il tourne une à une les pages d'un livre.

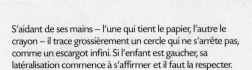

S'aidant de ses mains – l'une qui tient le papier, l'autre le crayon – il trace grossièrement un cercle qui ne s'arrête pas, comme un escargot infini. Si l'enfant est gaucher, sa latéralisation commence à s'affirmer et il faut la respecter.

Imitant sa maman, l'enfant donne à manger à son ours ou à sa poupée. D'ailleurs, tous les gestes familiers l'intéressent : tourner un bouton de porte, par exemple, ou imiter les gestes de celui qui conduit une voiture.

L'enfant est capable, en courant, de regarder à droite et à gauche. Il sait lancer une balle avec la main et donner un coup de pied dans le ballon. Pour se lever, quand il est assis par terre, il se penche en avant, pousse de l'arrière-train, puis de la tête. Il aime sauter d'un banc ou d'une marche d'escalier, pourvu qu'on lui donne la main.

précédent il ne se lassait pas de toucher. Après avoir bien repéré les personnes et les objets, il veut maintenant mettre sur tout une étiquette. Pour connaître le nom des objets, il les désigne de l'index en disant : « Et ça ?... et ça ?...» Et lorsqu'on lui a répondu, il répète la réponse en écho. Puis il pose la même question à une autre personne, pour entendre encore une fois le mot nouveau. Répéter, faire répéter, c'est sa façon d'apprendre.

Tout lui est bon pour enrichir son vocabulaire. Il récite les noms des personnes qu'il connaît, il énumère ses jouets, ceux de ses frères et de ses sœurs : « Toto Bébé... Toto Jé(r)ôme... » désignant les objets qui l'entourent. Il en nomme le propriétaire : « Chaussures maman... Livre papa... » Avec sa logique d'enfant, il n'aime pas voir les objets changer de propriétaire. Nicolas, 2 ans 1/2, s'étonne de voir sa grand-mère porter le foulard de sa mère. C'est vraiment le magasinier en train de dresser l'inventaire. Il fait la liste de ce qu'il a mangé, à midi, le soir, hier, tout ce dont il se souvient. Il énumère les personnes qu'il connaît, tatie, grand-père, mamie... Il veut savoir où se trouvent son père, sa sœur, l'ami qui a l'habitude de venir jouer avec lui, le bébé qui est gardé avec lui chez la nourrice.. Le langage l'aide à s'affirmer. La maman de Mathieu tente de lui ôter des mains un coupe-papier. L'enfant le serre contre lui : « À moi, à moi ». De tout ce qu'il dit se dégage un intense désir de s'orienter dans ce monde, de s'y retrouver, de s'y reconnaître ; et, lorsqu'il est seul, il répète les mots qu'il a appris et commente tout ce qu'il fait. C'est le début d'un long monologue qui durera des années, jusque vers 6-7 ans.

Écoutez Maxime, 2 ans 1/2 il fait rouler son auto : « Allez, toto... (l'auto s'arrête). Vilaine toto !... Tiens !... » Il la jette en l'air, l'auto retombe. Maxime la ramasse. « Pauvre toto... pleure pas... » Il l'embrasse : « Dodo toto... » Il la pose sur un rayon, etc.

Passant des heures à parler avec les uns ou les autres, ou à sa poupée, l'enfant fait de grands progrès de langage. Ce ne sont pas seulement des mots nouveaux que l'enfant acquiert, c'est une manière plus aisée de s'exprimer. Peu à peu, il s'éloigne du langage bébé.

D'abord interviennent les liaisons de, pour ; il les a apprises au cours de ses inlassables interrogatoires et énumérations. Il dit à présent « la poupée de Frédérique », « l'auto de Paul ». Puis il s'amuse à dire ce qu'il a entendu cent fois « une cuillère pour Papa, une pour Maman... ».

Un beau jour enfin surgissent les adverbes : bientôt, maintenant, alors, ensemble, aussi, tout à l'heure. Ils font une entrée timide, mais très remarquée. Le lendemain, c'est le pronom qui entre en scène. Souvent d'ailleurs il double le sujet : « Corinne, elle est sage. »

Ainsi, de jour en jour, le vocabulaire s'enrichit-il ; mais les verbes dominent : on en dénombre jusqu'à 90 ou 100 quelquefois. Parmi ces mots nous comptons, bien sûr, les mots déformés : ils sont encore nombreux, soit parce que l'enfant ne prononce ni les f, ni les r, ni les v, soit parce qu'il imite mal (parapluie devient ta'apie, cornichon et artichaut font un seul légume, le fornichau). La phrase naguère esquissée (Papa veni'auto) se structure : « Papa veni' dans l'auto », « aussi Maman a un manteau bleu pour deho'». Les mots, remarquez-le, sont à leur place.

Que de progrès accomplis en six mois ! 2 ans à 2 ans 1/2, c'est une étape particulièrement importante pour le langage. Mais attention ! Ce que nous vous avons souvent dit est valable ici encore : il n'y a pas de domaine où les différences d'un enfant à un autre soient plus grandes que dans celui du langage. Tel enfant connaît 70 mots à 2 ans et 300 à 2 ans 1/2. Tel autre n'en connaît que 10 à 2 ans et 100 à 2 ans 1/2. Dans les deux cas, il s'agit d'enfants parfaitement normaux. Et ces différences pourront subsister toute la vie : le vocabulaire de base de l'adulte moyen contient 1 500 mots, celui de l'adulte cultivé 3 000, celui de l'érudit 5 000.

Ces différences viennent d'abord des dispositions individuelles : certains enfants parlent très tôt, comme d'autres marchent plus tôt. Il arrive qu'un enfant en avance pour le langage ne soit pas précoce pour la marche. Dans une même famille, avec la même éducation, c'est particulièrement sensible : la sœur aînée connaissait 5 mots à 1 an, le frère cadet dit 2 mots à 1 an 1/2.

ENTOURAGE ET LANGAGE

Mais les dispositions individuelles n'expliquent pas tout. Le rôle de l'entourage est essentiel. Pour qu'un enfant parle normalement, il faut qu'il vive entouré d'affection et de compréhension. Il faut aussi qu'il entende parler et qu'on lui parle, qu'on réponde à ses questions, qu'on encourage ses efforts, le tout sur un ton gentil et sans déformer les mots. Il est évident qu'un enfant auquel on dit gentiment : « Va te laver les mains, ensuite viens m'aider à mettre le couvert... C'est très bien. Va vite t'asseoir. Je vais t'apporter ta soupe... Attention, tu vas te brûler !... Bravo ! tu manges maintenant comme une grande fille », il est évident que cet enfant fera des progrès de langage beaucoup plus rapides que la petite fille livrée à un adulte indifférent, et qui n'entend tout le jour que des phrases de ce genre : « Mange ta soupe... Fais pipi... Dépêche-toi... Tu n'as pas honte ! Lave-toi les mains, vite !... Hou, la vilaine ! Encore une tache !... Tu as sali ta serviette, tu n'auras pas de dessert ! »

De même dans certaines collectivités, lorsque le personnel n'a pas le temps de s'adresser individuellement à chaque enfant (c'est : « Venez, c'est l'heure de déjeuner » mais pas « Clémence, viens te mettre à table »), les enfants ne font pas de progrès de langage, ils peuvent se replier peu à peu sur eux-mêmes et devenir taciturnes, surtout si à la maison on ne leur parle guère plus. Les psychologues voient parfois dans ces retards du langage dus à un manque d'intérêt de l'entourage, l'origine de difficultés qui se présenteront au moment où l'enfant apprendra à lire et à écrire.

Lorsque vous sentirez que votre enfant a atteint la période sensible du langage, vous lui parlerez souvent et clairement, et vous essaierez de lui répondre avec patience. Ce qui n'est pas toujours facile. Et quand il connaîtra les mots courants, ceux qu'il entend tous les jours, vous élargirez son vocabulaire en employant des mots nouveaux ; ils éveilleront son intelligence.

Il vient un moment où l'intelligence a besoin de mots pour se développer, de même que le corps a besoin de nourriture pour s'épanouir. La comparaison n'est pas exagérée. Vous allez voir comment cela se passe.

LA FORCE DES MOTS

L'enfant pose sans cesse des questions, même si elles sont encore formulées d'une manière bien sommaire ; vous l'avez vu, sa curiosité est inlassable. Il a envie de connaître les noms des choses comme il a eu envie de voir celles-ci, puis de les toucher. Cette curiosité est normale, elle manque à l'enfant en retard ou à l'enfant déficient.

Lorsque l'enfant demande : « Et ça ?... C'est quoi ?... T'as vu ? » en désignant un objet, on lui en donne le nom, mais presque toujours en ajoutant une explication : « Ça s'appelle un aspirateur et ça sert à enlever la poussière. » Puis, même si on ne fait pas une démonstration exprès pour lui, l'enfant regarde mettre la prise, presser le bouton, aller d'une pièce à l'autre. Et bientôt « aspirateur » est, pour l'enfant, non seulement un mot nouveau, mais le nom d'un objet blanc ou vert qui fait du bruit, qu'on roule dans l'appartement pour faire le ménage ; pendant qu'il marche, on ouvre la fenêtre, etc. Ainsi, l'enfant augmente son vocabulaire d'un mot, mais sa mémoire enregistre en même temps tout ce qui entoure le mot « aspirateur » : les gestes, les images, les circonstances, etc.

Les questions reviennent, et à chaque fois le même scénario, le même mécanisme se déroule : **curiosité** qui pousse l'enfant à demander : « Et ça ?... C'est quoi ?... » ; **compréhension** qui permet à l'enfant de saisir l'explication donnée ; **mémoire** qui enregistre le mot et tout ce qui l'accompagne : circonstances, décor, etc.

À faire sans cesse cette gymnastique, l'esprit y devient très habile et le mécanisme fonctionne de plus en plus vite, car :
• *la curiosité grandit* : avec l'âge, l'enfant pose de plus en plus de questions
• *la compréhension augmente* : plus l'enfant sait de mots, mieux il comprend ce qu'on lui explique
• *la mémoire se perfectionne* : plus elle fonctionne, plus elle se développe, c'est sa caractéristique bien connue.

Ainsi, chaque jour, l'enfant ajoute un mot ou plusieurs à son vocabulaire, et étend le champ de ses connaissances.

LANGAGE ET PENSÉE

Avec ce bagage, l'intelligence se développe. L'enfant s'intéresse à des choses de plus en plus difficiles, à des mots bizarres, il s'essaie à des situations inconnues, il les compare à des expériences déjà faites, il tire des conclusions. Maxime veut dormir avec son nouveau jouet. Sa maman refuse. Elle prend le jouet et le pose sur une commode. Maxime ne dit rien ; il attend qu'elle ait quitté la chambre, que sa sœur soit endormie, puis il se lève, prend le jouet, le pose sur son oreiller où sa maman le retrouve le lendemain. Ainsi Maxime a remarqué que, lorsque Maman dit bonsoir, elle ne revient plus, que lorsque sa sœur dort, elle ne l'entend pas bouger. Il en a conclu : « Pour réaliser mon désir, il suffit d'attendre. » Il a trouvé une solution dans sa tête. C'est la grande nouveauté. Avant, il n'avait que ses mains pour l'aider.

D'empirique, l'intelligence est devenue réfléchie. Voyez d'ailleurs comme elle a vite évolué. À 1 an, voyant l'objet sur la commode, l'enfant ne trouvait aucun moyen pour l'atteindre. À 18 mois, il poussait une chaise, montait dessus, prenait l'objet, ou s'emparait d'un bâton pour le faire tomber. Mais lorsqu'on l'en empêchait, il n'avait pas encore l'idée d'attendre pour exécuter son projet. Aujourd'hui il sait attendre pour se glisser vers l'objet désiré. Ainsi l'enfant ne trouve plus seulement les solutions en tâtonnant, mais en réfléchissant.

Lorsque l'enfant a à sa disposition le langage, son intelligence se développe rapidement. Ce langage va être l'expression privilégiée de ce que Jean Piaget a appelé les nouvelles images mentales, c'est-à-dire la possibilité de se représenter mentalement un objet, une personne, une situation (*L'image mentale chez l'enfant*, Jean Piaget, PUF). Grâce au langage l'enfant va pouvoir organiser ces représentations dans l'espace et dans le temps.

Par exemple, Simon rencontre des difficultés avec son chat qui ne veut pas se laisser faire. Simon prend alors un animal en peluche, lui attribue le nom de son chat et commence avec lui tout un dialogue, en le manipulant à sa guise. Et ce jeu concret, pourtant différé dans le temps (en l'absence du chat) et dans l'espace (cela se passe à un autre endroit dans la maison), l'enfant va pouvoir le faire pour les autres situations de sa vie quotidienne.

Le langage va accélérer les processus de mentalisation et de réflexion. L'enfant va ainsi utiliser des mots qui étaient attachés à une seule situation pour les attribuer à d'autres situations et cela d'une façon très adaptée. Simon ne disait le mot « tombé » que lorsque cela lui arrivait à lui. À 2 ans, si sa maman fait tomber une cuillère, Simon dit : « Tombée la cuillère. Elle est cassée ? Ah non, pas cassée. »

L'élan est donné. L'intelligence maintenant révèle quelques-unes de ses possibilités :

• Suite dans les idées, Maxime vient de nous le prouver.

• Capacité d'enregistrer deux ordres : Nicolas, 27 mois, comprend : « Va dire bonsoir et viens te coucher » ; « Ôte ta serviette et sors de table ». Faire une chose, puis une autre, c'est avoir déjà le sens de la succession dans le temps.

• Association des idées : après son vaccin, Marie a reçu une sucette parce qu'elle n'avait pas pleuré. Deux jours plus tard, elle dit à sa mère : « Encore piqûre, encore sucette. »

À partir du moment où intelligence et langage sont à ce point liés, on ne peut plus parler de l'un sans l'autre. Ils s'aident, ils s'épaulent, ils se développent mutuellement. C'est surtout remarquable maintenant que l'enfant fait des progrès quotidiens de langage.

Pour vous en donner une idée, voici quelques-unes des acquisitions que l'enfant fait en six mois :
• Il dit son prénom à 2 ans et « je » à 2 ans 1/2.
• La phrase s'affine : l'imparfait apparaît ; la négation aussi, d'une manière parfois inattendue : « Papa pas coucher Raphaël. »
• Les précisions affluent : trop, un peu, assez, autant, plus, moins, beaucoup (il y a longtemps qu'il dit encore, c'est un de ses premiers mots). D'ailleurs, à travers toutes ces phrases qu'il prononce avec un plaisir évident, l'enfant montre que ce qui l'intéresse le plus, ce n'est pas tant le nom des choses que leur raison d'être. Et il demande si souvent pourquoi, qu'à son tour, vers 4 ans, il prendra l'habitude d'employer le parce que.

À 3 ans, il y aura un « boom » sur les adjectifs : nous vous donnons rendez-vous à cet âge.

À noter que la petite fille est en avance pour la parole sur un petit garçon du même âge. Elle conservera cette avance pendant plusieurs années.

« C'EST FOU CE QU'IL A CHANGÉ. »

Il n'y a pas d'âge où l'expression soit plus vraie que lorsqu'elle s'applique à l'enfant de 2 ans-2 ans 1/2 comparé à ce qu'il était six ou neuf mois plus tôt. Pouvoir parler transforme complètement la vie, l'horizon d'un enfant. Grâce au langage, il pénètre dans le monde des adultes. Jusqu'alors, il ne pouvait guère se faire comprendre que de ses parents ou des familiers, seuls habitués à son babillage. Maintenant, avec son vocabulaire plus élaboré, plus compréhensible, l'enfant peut communiquer avec d'autres ; par exemple, dans un magasin, il est capable de répondre ou de questionner. Demander, exprimer, recevoir, répondre, ces nouvelles possibilités donnent à l'enfant de 2 ans et demi une plus grande confiance en lui-même et une certaine aisance. Il s'en rend compte, et de temps en temps, il va se fâcher si on ne lui répond pas assez vite. Mais n'anticipons pas. En attendant, il est très gai, très content de cette nouvelle marque d'indépendance comme il l'a été lorsqu'il a su marcher. La marche et la parole ont fait de lui un membre de la communauté à part entière.

« À MOI ! À MOI ! »

Entre le moment où l'enfant dit son prénom, vers 2 ans, et celui où il va dire « je », entre 2 ans et demi et 3 ans, se situe une assez longue période intimement liée aux progrès du langage : celle où il va dire « moi ». Cette acquisition marque verbalement une étape fondamentale dans la construction de la personnalité. À partir de 9 mois, lorsqu'il commençait à se tenir debout et à mémoriser la permanence d'une personne, même lorsqu'elle disparaissait, l'enfant avait pris conscience de lui-même et pouvait se différencier par rapport à autrui. À présent, il peut l'exprimer par la parole et il va user et abuser du « à moi » à la moindre occasion. Adam ponctue toutes ses phrases de « À moi » ou « C'est le mien ». « Viens mettre ton blouson pour sortir » « Il est à moi ». « Une cuillérée pour ? » « Pour moi ! »

Cette étape est nécessaire pour établir chez l'enfant sa confiance en lui-même et en l'autre, à condition que les adultes qui l'entourent respectent cette phase normale d'un certain « égocentrisme », où l'enfant semble tout ramener à lui, et ne la confondent pas avec l' « égoïsme ». Dire d'un enfant de 2 ans-2 ans et demi qu'il est « égoïste » s'il ne prête pas le jeu qu'il vient de saisir est porteur d'un jugement moral qui peut être angoissant. L'enfant doit en effet consolider la conscience qu'il a de lui-même avant de pouvoir partager : exiger de lui au square avec ses petits amis, ou à la maison avec ses frères et sœurs, qu'il prête ce qu'il tient provoque des drames inutiles et humiliants. L'enfant de cet âge ne comprend pas cette exigence : on le voit déstabilisé, perdant confiance en lui et en l'adulte, ayant l'impression qu'on lui enlève une partie de lui-même et qu'il n'est plus « entier ».

Cela ne veut pas dire qu'on ne doit pas commencer à apprendre à l'enfant à donner à l'autre, en lui montrant qu'en fait, il n'en est pas profondément ébranlé. En effet, à cet âge si sensible du « à moi », l'enfant reste ouvert aux autres, à la négociation, à la diversion. C'est d'ailleurs ce que nous retrouvons lors de la phase des « jeux parallèles », selon l'appellation des psychologues.

QUELQUES SUGGESTIONS

• 2 ans 1/2, c'est l'âge des jeux parallèles ; chacun s'affaire de son côté avec ses cubes, ses autos, ses poupées, monologuant sans arrêt. Les enfants ne s'ignorent pas pour autant, et, sans jouer ensemble, parfois s'observent, s'imitent : par exemple à la crèche un enfant fait des petits traits sur son visage avec un feutre ; sidéré son voisin l'observe puis essaie de l'imiter.

Lorsque les enfants de cet âge jouent ensemble, parfois ils s'énervent, mais le plus souvent ils sont heureux ensemble, surtout si l'adulte, sans intervenir dans leurs activités, évite qu'elles ne dégénèrent ; en effet à cet âge-là les enfants ne comprennent pas encore les règles des jeux. Ne forcez pas votre enfant à jouer avec les autres, mais faites-le jouer, s'il le souhaite, parmi les autres. C'est d'ailleurs ce qui est fait dans les crèches.

À cet âge, la société que l'enfant recherche le plus, est celle de ses aînés et des adultes, car il peut leur poser des questions. Et c'est cela qu'il aime.

Si le frère ou la sœur s'irrite que le cadet de 2 ans ne puisse pas jouer avec lui à des jeux plus compliqués, avec des règles précises, expliquez-lui : « Ce n'est pas qu'il ne t'aime pas ou ne s'intéresse pas à toi, il est encore trop petit pour des jeux difficiles. »

• Il ne veut pas prêter sa voiture ? Ne vous fâchez pas. Il est en train de découvrir ce qui est à lui, ce qui est aux autres. Il est normal qu'il refuse de se séparer de son jouet.

• S'il monologue dans son coin tranquillement, ne l'interrompez pas à chaque instant. Il apprend à se concentrer et il exerce son imagination.

• Il commence à se déshabiller seul ? Encouragez-le. Il veut aider à faire le ménage ? Donnez-lui une brosse, un chiffon, un balai ; montrez-lui comment s'en servir. Un enfant est fier de pouvoir aider.

• Vers 2 ans, il a une période de sensibilité à la musique ; il prête une oreille attentive à un disque. Il commence à chanter et à danser. Les progrès qu'accomplit son oreille sont sensibles à la manière dont il imite la phrase de l'adulte. Il chantonne des syllabes privées de sens, mais dont le rythme et l'intonation reproduisent ceux de la langue qu'il entend. Chez un enfant en retard pour la prononciation, cette mélodie est un bon signe : elle prouve que l'enfant est capable d'entendre et d'imiter. C'est la base même du langage.

• C'est souvent vers 2 ans-2 ans 1/2 que s'accentue la différence entre garçon et fille. En effet, c'est l'âge où l'enfant imite, de façon de plus en plus fine et évoluée, les adultes, et s'identifie à celui du même sexe que lui. Par exemple, la petite fille de la mère un peu coquette aime se regarder dans la glace, et elle est sensible aux bijoux, aux chaussures – vers 3 ans, elle s'intéressera aux vêtements qu'elle porte. En général les filles aiment s'occuper de leur poupée : elles les lavent, les couchent, les promènent, les grondent, et cela va durer des années.

Le petit garçon, lui, se tourne plus volontiers vers tout ce qui a un moteur et fait du bruit : avions, camions, tracteurs, bulldozers. Il collectionne les petites voitures. Il fait un train avec trois boîtes ; d'un carton, il fait un garage, une gare, ou un hangar pour avions, le tapis est la route. Et l'entourage renforce ces choix spontanés en donnant des dînettes aux filles et des camions aux garçons.

Cependant, certains petits garçons aiment jouer à la poupée, en imitant les gestes de leur maman ou de l'adulte qui les garde, ou en jouant, un peu plus tard, le rôle du papa, comme celui du docteur. Les enfants de cet âge ont besoin de jeux affectifs et tendres qui leur permettent de s'identifier aux adultes qui les entourent et les rassurent. Et il existe des petites filles qui préfèrent les petites voitures ou les avions aux poupées. Ce sont d'ailleurs des goûts que les enfants peuvent exprimer facilement à la crèche puisque celle-ci propose les mêmes jeux à tous.

COMPRENDRE SES NOUVELLES PEURS

À cet âge, apparaissent souvent, même chez les enfants les plus intrépides, des craintes nouvelles, des peurs inhabituelles : de la nuit, de l'obscurité, de la pluie, des moteurs, de l'avion, de certains animaux ou même de certaines personnes. On retrouve ici les craintes qui accompagnent toute prise de conscience nouvelle, tout progrès qui fait grandir l'enfant, mais face auxquelles au début, il n'a pas encore de réactions adaptées qui le rassurent. Certes, comme on l'a vu, ses peurs sont un progrès, mais cela ne se manifeste pas tout de suite, l'enfant doit d'abord les surmonter (p. 213).

L'enfant lutte souvent contre ses peurs et son insécurité en se créant des habitudes, des rites. À table il proteste si l'on change son verre de place ou si on lui donne une nouvelle assiette. Mais c'est surtout au moment du coucher qu'il se montre exigeant, qu'il s'agisse de la place des vêtements sur sa chaise, ou de la fermeture de la porte, ou de la manière dont le lit est bordé, ou de la présence d'une veilleuse dans le couloir, ou bien encore de l'inséparable « doudou » ; l'enfant veut que chaque soir tout se déroule de la même manière.

Ces habitudes, ces rites, qui sont d'ailleurs propres à chaque enfant, lui permettent de faire la transition entre le rythme et les activités de la journée, et le moment où tout va s'apaiser. Les rites, c'est aussi une façon de maitriser le monde, de le mettre à sa portée. Aux parents de respecter ces habitudes du coucher. (D'ailleurs, avant de s'endormir, les adultes ont souvent les mêmes besoins : lire un journal, faire des rangements pour que la chambre soit en ordre, écouter le dernier flash d'information, etc.).

Si l'enfant retarde l'heure du coucher, s'il est long à s'endormir, c'est que la nuit met fin à une journée pleine d'événements et de personnes. Au moment de se coucher, son esprit est assailli par les multiples expériences de la journée. Fatigué, souvent surexcité, c'est comme s'il appréhendait le sommeil qui le laissera brusquement seul, face à ses découvertes qu'il ne parvient ni à mettre en ordre ni à emmagasiner.

Pour certains enfants, cette appréhension se transforme en anxiété lorsque leurs parents les quittent ; à ce moment-là l'enfant réalise que lui va rester seul, et qu'eux vont se retrouver ensemble. Cette idée lui devient insupportable, il se sent exclu.

Pour le rassurer, racontez-lui, chacun à votre tour, une histoire qu'il aime, laissez, s'il le désire, la porte entrouverte, avec une lumière dans le couloir, mais ne le prenez pas dans votre lit pour l'endormir : il faut que peu à peu, et avec votre aide, il accepte de rester seul. Faire dormir seul un enfant, c'est lui faire admettre le couple que forment ses parents, c'est l'aider à franchir un pas important vers son autonomie et lui donner des limites bénéfiques pour son équilibre.

Voyez également p. 118 *Le sommeil chez l'enfant plus grand.*

2 ans et demi à 3 ans

« JE »

Pourtant, quand je me tâte et que je me rappelle,
Il me semble que je suis moi.
Molière

Un événement important survient à ce stade, qui va changer la vie de votre enfant et donc la vôtre. Il avait d'abord découvert sa mère. Puis il s'était rendu compte qu'à côté, une autre personne jouait un rôle important : son père. Il va maintenant découvrir un troisième personnage : lui-même. Et peu à peu il va se rendre compte de la place qu'il occupe dans la famille. Il ne fait pas cette découverte en un jour : les acquisitions sont toujours progressives. Mais c'est vraiment entre 2 ans 1/2 et 3 ans qu'un enfant réalise qu'il est une personne au même titre que celles qui l'entourent. Ainsi peut-on dire qu'à 3 ans l'enfant sait qu'il est un garçon ou une fille, que les garçons sont différents des filles, qu'il

2 ANS ET DEMI À 3 ANS

Garçons et filles savent maintenant faire de vraies constructions, une maison, un petit pont, etc. Lorsqu'ils tiennent un crayon, ce n'est plus avec le poing serré mais avec les doigts.

Jusqu'alors, l'enfant montait l'escalier en posant sur chaque marche les deux pieds : à présent il alterne. Il sait aussi marcher sur la pointe des pieds, sauter à pieds joints. La petite fille commence à danser, à virevolter.

Il met ses chaussures seul, mais se trompe souvent de pied

Il monte seul sur le tricycle et sait pédaler tout en se guidant, donc associer plusieurs gestes.

Pas encore très maître de ses gestes, il s'élance sans être capable de s'arrêter aussi vite qu'il le faudrait, d'où quelques plaies et bosses et des pleurs. Heureusement une main rassurante est souvent là.

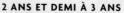

est votre enfant, qu'il a des cheveux blonds et des yeux bruns (il se reconnaît depuis longtemps déjà dans la glace et il connaît maintenant toutes les couleurs). À cet âge, il a pris conscience de ses possibilités physiques. Il dit : « Je suis grand. » De « À moi », il est passé à « Je ». Il connaît son prénom et le répète. Il sait qu'il est une personne distincte de sa mère, de son père. Deux mots dont il se sert sans arrêt le prouvent : « je » et « non ».

« Je », c'est son rôle, indique la personne : moi qui vous parle, je suis différent de vous qui m'écoutez. On dit « non » pour s'opposer à quelqu'un.

« Je », « non » marquent définitivement la place que votre enfant occupe dans le monde des adultes, place qu'il entend maintenant agrandir, quitte à vous bousculer.

Il y a 3 ans à peine, il était un nouveau-né qui n'avait pas encore conscience d'exister, qui ne se distinguait pas vraiment de vous, qui ignorait que la main qu'il contemplait était la sienne, et lorsqu'il entendait une personne prononcer son prénom, il était à cent lieues de réaliser qu'il s'agissait de lui-même. Il aura fallu près de 3 ans à ce bébé pour se rendre compte qu'il existait, pour prendre conscience de son corps, pour découvrir ce qu'il pouvait en faire, et pour manifester qu'il avait une intelligence capable de raisonner, de se souvenir et de vouloir.

Ces découvertes que l'enfant fait entre un jour et 3 ans, cet apprentissage qui d'un nouveau-né fait un être conscient de ses émotions et de ses pensées, ont donné lieu à d'innombrables travaux, recherches, observations. Les processus étudiés sont délicats à observer, les progrès parfois difficiles à percevoir, d'autant plus que, au début, l'enfant ne parle pas (enfant, du latin *infans*, veut d'ailleurs dire « qui ne parle pas »).

En attendant les mots, ce sont dès les premiers jours, un geste, un regard, une mimique, une réaction qui ont permis peu à peu, de savoir le degré de conscience atteint par l'enfant.

Depuis la prise de conscience, vers 8 mois, de la différence qui existe entre lui et les autres, et l'accomplissement de la découverte de lui-même telle qu'elle se manifeste à 3 ans, quel chemin a parcouru l'enfant ! Les jeux de miroirs vont nous donner de précieux renseignements pour savoir comment l'enfant se situe par rapport à autrui et construit son identité ; le langage, et particulièrement l'usage des pronoms, va aussi nous éclairer.

JEUX DE MIROIRS, JEUX DE MOTS

Entre 2 ans et demi et 3 ans, les enfants aiment se regarder dans le miroir et se reconnaître. À 3 ans, le miroir n'a plus de secret pour eux mais il garde son attrait et le gardera tout la vie : à tout âge on l'interroge. Vous vous en souvenez, cette découverte du miroir s'est faite par étapes. Nous les avons racontées pages 200 et 213.

Vers 18 mois, l'enfant découvre que ce bébé qu'il voit dans le miroir (et qui l'intrigue depuis longtemps) et lui-même sont un seul et même personnage. Ravi, il commence à faire des grimaces, des mimiques de toutes sortes, devant toutes les glaces de la maison. Se reconnaître dans un miroir est un grand progrès. La première année, l'enfant n'avait de lui qu'une image fragmentaire, il ne se connaissait pas encore sous toutes les coutures.

À présent, les morceaux du puzzle se sont rapprochés et l'image s'est complétée. Mathilde, 2 ans et demi, est le plus souvent en pantalon. Aujourd'hui sa maman a sorti les affaires d'été et lui a mis une robe. Mathilde arrange longuement les plis de sa jupe, la soulève, la rabaisse, se regarde dans le miroir avec une satisfaction visible, telle la Marguerite de Faust (« Je ris de me voir si belle en le miroir »). Ce n'est pas seulement vrai des filles ; les garçons aussi s'examinent devant les miroirs en essayant des mimiques variées. Thomas, 3 ans, est visiblement ravi de son nouveau blue jeans et fait de multiples contorsions pour essayer de se voir de dos dans la glace.

Mais l'image de soi n'est pas seulement liée au miroir, elle l'est aussi aux photographies : lorsque l'enfant de 3 ans les regarde, il se reconnaît. Jusqu'à présent, il reconnaissait les autres. Cela rejoint ce que nous avons déjà dit : l'enfant reconnaît les autres avant de se reconnaître lui-même. Ces photos, il les regarde et dit : « C'est moi petit. » Il sait donner son prénom, son nom ; il peut commencer à apprendre son adresse. Il ne dit pas seulement « je », il retrouve le mot « moi » : « Moi, je suis une grande. »

Mais parfois, le « je » semble long à venir. Cela arrive lorsque les adultes s'adressant à l'enfant parlent d'eux-mêmes à la troisième personne, en disant par exemple : « Papa fait ceci, ou cela » ; l'adulte parle ainsi croyant mieux se faire comprendre, et il est normal que l'enfant l'imite.

« Nous », l'enfant ne le dit que vers 3 ans 1/2-4 ans : alors, il fait vraiment son entrée dans la société. En disant « nous », il s'assimile aux autres.

Remarquons en passant la manière bien personnelle dont un enfant apprend à conjuguer les verbes. Il commence par la troisième personne, ensuite il emploie la seconde, il termine par la première, d'abord au singulier, ensuite au pluriel. Cet ordre montre bien les étapes parcourues par l'enfant à la découverte des autres et de lui-même :
• Dans un premier stade, il emploie la troisième personne pour parler de sa mère aussi bien que de lui-même. Cette troisième personne englobe donc tout le monde, indistinctement
• Deuxième stade : « toi » (l'enfant dit rarement « tu » avant 3 ans) c'est maman et papa, en un mot tous ceux qui ne sont pas lui. « Viens, papa, regarde. » Et le bébé parle encore de lui à la troisième personne, comme s'il s'agissait aussi de quelqu'un d'autre
• Troisième stade : « je », c'est moi, bébé. « Moi, j'ai un beau manteau »
• Dernier stade : « nous ». L'enfant prononce fièrement « nous ». C'est une promotion.
Il a l'air de dire : « Vous et moi avons maintenant laissé loin derrière nous tous ces bébés qui ne savent pas qui ils sont. »

La découverte du « je », la prise de conscience de soi, s'acquiert donc peu à peu comme la marche ou le langage, et, comme eux, peut être précoce ou tardive. Par exemple, elle est plus tardive chez les jumeaux : parce que ce double de leur personne empêche chacun d'eux de se découvrir distinct des autres. Ils sont déjà deux à être pareils ; pourquoi pas tous ? Cette prise de conscience dépend aussi de l'ambiance dans laquelle est élevé l'enfant : ce qui lui est nécessaire, c'est un milieu stable, stimulant, affectueux.

Stable, car si les personnes, le cadre, les choses changent sans cesse, l'enfant n'a plus de repères ; il n'arrive pas à s'y reconnaître et à se connaître.

Stimulant, car l'enfant prend peu à peu conscience de lui grâce aux expériences qu'il fait sur les objets, grâce à la marche, grâce au langage s'il a en face de lui un interlocuteur patient, intéressant et intéressé.

Enfin, ces passages délicats (sevrage, propreté, etc.), ces petites périodes de crise ne seront bien franchies que si l'enfant se sent aimé. C'est le regard affectueux, admiratif de l'autre qui va aider l'enfant à se construire une bonne image et à avoir confiance en lui. Les enfants mal aimés disent « je » beaucoup plus tard que les autres : ils continuent longtemps à parler d'eux à la troisième personne.

« AIDE-MOI À FAIRE TOUT SEUL »

On pourrait croire que cette découverte de lui-même va donner à l'enfant une certaine sagesse. Il n'en est rien. Au contraire. Il n'est pas du tout « raisonnable ». C'est à cet âge qu'il offre le tableau classique de l'enfant rouge de colère qui refuse de faire un pas de plus, et qu'un père horriblement gêné tire par la main. Il refuse de manger, de se coucher, il ne sait plus dire oui, il dit non à tout : « Veux-tu jouer ?... sortir ?... Prendre un bain ?... » C'est toujours : « Non !... Non !... » Mais le cri qui suit explique tout : « Moi tout seul ! Moi tout seul ! »

Il dit non parce qu'il voudrait pouvoir décider lui-même de ce qu'il va faire, le faire sans aide, par exemple décider que c'est l'heure du bain et se déshabiller seul. Or, il ne peut pas encore y arriver, on doit l'aider. Il en pleure, et c'est la scène classique. C'est cela son drame. Il a découvert qu'il était quelqu'un. Cela lui donne des goûts d'indépendance. Or, il a encore très besoin des adultes. « Aide-moi à faire tout seul » : c'est ce que disait un enfant de 3 ans à Maria Montessori.

Ce n'est pas la première fois que l'enfant est tiraillé entre ces deux désirs : partir et rester. « C'est dommage que je pars, mais c'est bien que je m'en vais », disait un enfant de 4 ans, au moment de s'en aller. Adrien, 4 ans également, ne veut pas sortir de son bain. « Je veux trop bien rester », puis il ajoute « mais Virginie va tout manger ».

L'enfant avait déjà souffert de cette contradiction auparavant. Mais cette fois-ci la crise est plus sérieuse. Il en sortira grandi avec votre aide et au prix de beaucoup d'efforts, d'échecs et de larmes. Mais ne croyez pas qu'il va pleurer pendant des mois. De même qu'il est tiraillé entre deux tendances contradictoires, de même il est capable d'être tour à tour odieux et charmant. Il peut vous tyranniser, donner des coups, des vrais ; un moment après, sans transition, être tendre et câlin.

Versatile dans ses sentiments, il l'est aussi dans ses occupations. Il joue avec un jouet dix minutes, puis le jette. Il est un instant calme dans son coin, puis fait beaucoup de bruit, exprès. Certains jours, il fait une longue sieste, d'autres jours il s'assoupit dix minutes. Un jour, il dévore ; le lendemain, il fait la petite bouche. D'ailleurs, d'une manière générale, il ne veut plus d'une nourriture de bébé (purée, viande hachée, yaourt, compote) ; il veut aussi les plats des grands : steak-pommes frites et lorsqu'on lui donne des rillettes, il dit : « C'est délicieux ! » De même, pour les vêtements, il ne veut plus voir le pull-over qu'il a mis toute l'année. En tout, on dirait qu'il veut faire peau neuve ; c'est comme une première puberté. Un jour, il mouille son lit et parle comme un bébé, le lendemain il dit sans erreur une phrase de six mots.

Selon les enfants, la crise dure quelques jours, quelques semaines ou quelques mois. Parfois, elle se limite à deux ou trois scènes mémorables. Mais dans tous les cas, la crise, qu'elle soit courte ou longue, pose à l'entourage des problèmes. On dirait d'ailleurs que l'enfant sent que les rapports entre les adultes et lui-même ont changé. Il essaie de les attirer dans ces redoutables pièges que sont les épreuves de force. Il tâte le terrain pour savoir si les « non » sont des « non non », des « non peut-être », ou des « non » qui ne demandent qu'à se transformer en « oui ». Il cherche à connaître leurs points faibles pour savoir « jusqu'où il peut aller trop loin », à faire l'inventaire de ce qui est défendu et impossible, de ce qui est permis et possible. Il est d'ailleurs stupéfiant de voir avec quelle rapidité un enfant sait qu'il faut pleurer cinq minutes avec grand-mère, dix minutes avec «nounou», quinze avec maman, pour obtenir un bonbon alors qu'avec papa ça ne vaut même pas la peine de commencer !

Comment réagir ?

• Ne vous laissez pas tyranniser si votre enfant demande quelque chose d'impossible. Dites non fermement. Si vous accordiez tout, il perdrait vite pied. Un enfant a besoin qu'on lui donne des limites, nous en reparlerons dans le chapitre suivant.

• En revanche, si au jardin il veut circuler librement et courir tout seul, assurez-vous seulement qu'il reste dans les limites de la sécurité.

• Il veut se servir tout seul ? Montrez-lui comment faire. Il veut lacer ses chaussures ? Laissez-le prendre son temps. Il essaiera, vous l'aiderez peut-être pour finir. Mais si vous faites tout pour lui, sous prétexte qu'il ne sait pas, il n'apprendra jamais, et vous le dégoûterez de l'effort.

« Regarde, Babeu, j'ai réussi. » Rien ne fait plus plaisir à Clémence, 3 ans, que de montrer à sa grand-mère qu'elle est arrivée à remboîter toutes ses poupées russes. Les enfants de cet âge, et même plus grands, sont heureux d'arriver à faire les choses tout seuls, alors que les adultes sont souvent un peu trop pressés et veulent faire les choses à leur place.

• Lorsqu'il dit « A moi ! A moi ! », comme nous l'avons vu au stade précédent, cela n'a rien à voir avec l'égoïsme qui peut se manifester plus tard. En disant cela, l'enfant exprime la découverte de « moi » par rapport aux autres : c'est une étape importante de son développement.

• Il dit toujours non : n'en faites pas un drame. Il ne le fait pas pour désobéir ou contrarier. Il a en tête bien d'autres soucis. Il veut prouver qu'il existe, qu'il a ses goûts, ses idées, qu'il est capable de décider lui-même. Vous lui avez d'ailleurs si souvent dit non vous-même depuis qu'il marche, touche à tout et trotte, qu'il est bien en droit de considérer que dire non est un des privilèges des adultes. Il se croit grand, il veut dire non à son tour.

• Pour éviter l'épreuve de force, il suffit parfois de détourner l'attention, de distraire, de raconter une histoire, mais il faut choisir avant les pleurs ou la colère, sinon l'enfant n'entend plus rien.

– Nicolas, viens te laver les mains.

– Non.

– Eh bien ! nous allons d'abord laver les mains de ton ours. Tu n'as jamais vu un ours se laver les mains ? Regarde... ! etc.

Variante (il y en a dix autres possibles) :

– Quand tu étais petit, tu ne voulais pas te laver les mains. Alors je faisais comme ça...

Nicolas, fier d'être traité en grand, tendait les mains sans s'en rendre compte.

À partir de cet âge, on peut commencer à donner de petites explications : quand on a joué au square, on se lave les mains pour ôter les saletés qu'on risque de porter à sa bouche ou de déposer sur des aliments.

Et si un jour l'enfant fait un caprice plus important, ne le grondez pas trop, il traverse un moment difficile (voyez *Les caprices*, chapitre 5).

Pour conclure, montrez à votre enfant que vous ne le considérez plus comme un bébé mais comme une petite fille, un petit garçon en train de grandir.

L'ENFANT DE 3 ANS

C'était un bébé. Il est en passe de devenir un petit compagnon, une petite compagne. Mais pour l'aider, évoluez en même temps que lui, il a besoin de moins de protection, de plus d'indépendance. Comme le dit le psychologue Arnold Gesell : « Trois ans est une sorte de majorité. »

3 ans et après 3 ans

Il lui demandait la cause de toutes choses,
et toujours savoir le pourquoi.
Amyot

Les étapes précédentes avaient apporté les émotions du sourire et du cœur, les plaisirs de la découverte du monde, les progrès du langage. 3 ans est l'âge de l'imagination, une imagination tout de suite exigeante, tyrannique même. Pour l'alimenter, l'enfant réclame des histoires ; il lui en faut souvent, et beaucoup. Parfois il est satisfait de toutes celles qu'on lui raconte ; d'autres fois, il a des goûts très précis.

Nicolas aime fournir les thèmes principaux : « Raconte-moi l'histoire d'un lion, d'un crocodile et d'un singe », ou celle « d'un petit lapin bleu perdu dans la forêt ». Paul est plus sensible à l'ambiance. Il demande « des histoires tristes mais vraies », ou des histoires qui font peur. Hélène aime que chaque soir sa grand-mère raconte *La Belle au bois dormant*. Le héros de Clémence est le petit chien Spot ; celui de Pauline *Boucle d'Or et ses trois ours*. Emma aime *Mimicracra*, *Augustin*, *Barbapapa*, *Iris*, *Le géant de Zeralda* et *Helenka*, *Petit Ours Brun*. Adrien apprécie *Gaspard et Lisa* et *Anouk*, *Les drôles de petites bêtes*. Quant à Grégory, son histoire préférée, c'est : *Choura et la baronne Oczy* (de Patrick Modiano).

LES BELLES HISTOIRES

Le meilleur moment pour raconter des histoires, c'est en général le soir. Papa, ou maman, s'assied près du lit, nous prend la main, nous parle d'une voix douce. Eux, si occupés dans la journée, ont enfin l'air disponible. Et on peut vraiment dire que les histoires sont le meilleur moyen de donner envie à un enfant de se coucher.

L'art d'un enfant pour retenir sa mère, son père ou une sœur aînée est stupéfiant. Pour les garder, il met tout en jeu, astuce, charme, intelligence, flatterie mais aussi pleurs et anxiété. Il commence par manier avec habileté le « Et alors ?... » pour montrer l'intérêt prodigieux qu'il porte à vos paroles et faire rebondir l'action. Puis, d'un air pénétré, lorsque celle-ci a l'air de faiblir, il demande des détails, des précisions : « Où ? Quand ? Comment ? » (son vocabulaire a fait de grands progrès ; il en est aux circonstances). Pour finir, lorsque décidément vous avez l'air de vouloir partir, il ne reste qu'un moyen brutal, demander une autre histoire : « Une seule, la dernière, je te le promets, je te le jure ! »

À partir du moment où l'enfant s'intéresse aux histoires, « Il y avait » ou « Il était une fois » deviennent des formules magiques.

« Il y avait dans la rue une dame verte qui promenait un chien noir... »

« Il y avait un chat qui courait derrière un pigeon... »

« Il était une fois une petite fille qui partait dans la forêt... »

Pour sortir des histoires connues, à vous d'en inventer : toutes les personnes, toutes les situations peuvent donner lieu à des histoires. À vous de trouver la suite et la fin. Ce n'est pas difficile. L'enfant est un public charmant qui écoute bouche bée. Il est prêt à tout croire, à tout apprécier, à tout accepter, pourvu que ce qu'il entend vienne meubler son imagination, et pourvu qu'on respecte les règles.

"Il était une fois..."

Si vous aimez raconter des histoires, sachez que, comme au cinéma à la dernière image, le méchant doit être puni. D'ailleurs, l'enfant demande souvent des personnages dont on lui parle, ou qu'il voit sur des images : « Est-il gentil ? Est-il méchant ? »

Lorsqu'à un même personnage il arrive de nombreuses aventures, l'enfant aime que le personnage garde les mêmes qualités, les mêmes défauts. Tintin ne peut pas être courageux un jour, peureux le lendemain.

L'action doit être rapide : si trop d'explications sont nécessaires, c'est que l'histoire n'est pas bonne. Il faut qu'on comprenne, et que « ça bouge ». Mais un peu de mystère est indispensable ; l'attention doit être en suspens : « Tout à coup, on frappe à la porte... »

Un personnage un peu ridicule, intervenant épisodiquement, est un élément de détente qui n'est pas à négliger.

On peut employer des mots clés et des phrases qui reviennent périodiquement dans la bouche d'un même personnage. Ce sont autant de repères dans des aventures parfois compliquées.

Éléments qui plaisent : ce qui roule, ce qui vole, la route, le train ; les gros animaux qui font peur : crocodiles, hippopotames, lions, etc. ; les petits animaux gentils, les héros légendaires.

Les enfants aiment que dans les histoires un enfant, ou au moins un faible, soit vainqueur (David et Goliath sont transposables à l'infini), ou encore qu'un enfant sauve la situation. Le danger couru par un innocent, les difficultés surmontées par le courageux sont des éléments éternels de toute histoire. Cela permet aussi à l'enfant de mettre le monde à sa portée.

3 ANS

Il acquiert le sens de l'équilibre : plus de gestes brusques, ni désordonnés. Il marche déjà avec le même balancement qu'un adulte, et descend l'escalier en se tenant à la rampe (mais pose encore les deux pieds sur chaque marche, à la descente).

Autres preuves de maîtrise de ses gestes : l'enfant remplit un verre d'eau sans le faire déborder, et peut dessiner une croix sur un papier.

L'enfant commence à se brosser les dents et en est fier.

L'enfant aime écouter des histoires, il aime aussi les inventer. Les personnages sont tout trouvés. Il y a l'ours, la poupée. L'enfant les habille, les lave, les nourrit, les couche, leur raconte... des histoires, les punit. L'enfant ne parle d'ailleurs pas qu'à son ours ou à son cheval, il s'adresse aussi bien aux objets qui l'entourent. Il se heurte à la table : « Méchante table ! M'as fait mal ! Vais te punir ! » Car, pour l'enfant, tous les objets vivent, les cailloux comme les arbres ou les nuages.

Ils parlent du « papa des étoiles », du « lit du soleil » ; c'est d'ailleurs normal puisqu'on leur dit que le soleil se couche. Écoutez cet enfant de 3 ans : il est petit pour son âge et il l'entend souvent dire. Un jour il se promène sur le chemin, au soleil. Apercevant soudain son ombre, qui le dépasse, il s'écrie, triomphant : « Mais alors, le chemin, lui, il me croit grand ! »

Un autre personnage tout trouvé pour être le héros des histoires les plus variées, c'est lui-même. L'enfant raconte les aventures qui lui sont arrivées, soit qu'il les invente de toutes pièces : « J'ai tué le loup avec mon pistolet », et donne les détails ; soit que ses aventures, il les vive vraiment, il les mime, alors il devient acteur.

L'enfant est souvent un acteur-né, cela commence à cet âge mais cela va durer longtemps. Plus tard nous encouragerons son goût de se mettre dans la peau d'un autre en lui offrant des panoplies, cow-boy, ou princesse. Il sera alors tour à tour, et « en vrai », pompier, pilote de voiture de course ; elle sera médecin, danseuse...

Et quand il sera avec des petits amis, l'enfant se mettra à distribuer des rôles : « On dirait que je serais le chef, toi l'ennemi. Je serais la maman, tu serais le bébé… » Pour lui, l'enfant essaiera toujours de se réserver le beau rôle.

Le compagnon imaginaire

Lorsque ni les jouets, ni les objets, ni ses propres aventures ne suffisent à peupler son imagination, l'enfant s'invente un compagnon à qui il parle beaucoup. Le compagnon imaginaire est soit le vilain qui fait toutes vos sottises, qui a cassé l'assiette, mis ses doigts dans la confiture et désobéi à papa, soit l'ami fidèle qui partage votre vie, sort avec vous, s'amuse avec vous.

Delphine avait inventé Madeleine et Jacques. Ces deux personnages l'accompagnaient tout le temps. Lorsqu'elle prenait le bus, elle exigeait qu'on leur laisse une place, et hurlait si quelqu'un cherchait à s'asseoir. Quand elle n'avait pas envie d'aller se coucher, elle disait que Madeleine n'avait pas sommeil. Et quand elle n'avait pas faim, c'était parce que Jacques avait trop goûté.

Certains parents croient que le compagnon imaginaire est inquiétant. Non, lorsqu'il reste cet ami, ce camarade de jeux avec lequel l'enfant s'amuse. Oui, lorsqu'il est trop envahissant, lorsqu'il devient le centre de la vie de l'enfant, lorsque l'enfant, à cause de lui, ignore son entourage, délaisse ses jouets habituels. Pour aider l'enfant à oublier cet ami imaginaire, mais tyrannique, le meilleur moyen, c'est de lui trouver un vrai ami. D'ailleurs, lorsqu'un enfant invente un compagnon imaginaire, c'est en général qu'il est à l'âge de l'école et qu'il a besoin de camarades.

Dans d'autres cas, si l'enfant a besoin de s'inventer un compagnon, c'est pour combler certains manques, certaines angoisses, ou pour résoudre un conflit.

L'enfant croit-il vraiment à ce compagnon imaginaire ? Plus ou moins ? Il arrivait à Delphine d'oublier Madeleine et Jacques. Pour la taquiner, ses parents s'étonnaient : « Tiens, ils ne sont pas là aujourd'hui ? ». Delphine se rattrapait vite : « Vous savez bien qu'ils sont à l'école ». Delphine savait jusqu'à un certain point que Madeleine et Jacques n'existaient que dans son imagination.

Lorsque les enfants sont plus grands, vers 5-6 ans, ce compagnon imaginaire disparaît de leur vie : soit ils l'oublient complètement, soit ils en parlent pour dire : « C'était un ami de quand j'étais petit ».

L'imagination de l'enfant a des limites, elle ne lui masque pas la réalité. Il sait de lui-même passer de la fiction à la réalité. Nicolas s'est occupé de son ours toute la journée. Il l'a fait manger. Il lui a mis un manteau, car il faisait froid. Le soir, sa mère lui dit : « Couche d'abord ton ours parce qu'il est fatigué. Puis tu feras ta toilette. » Il lui répond : « Il peut pas être fatigué puisqu'il est en « p'tissu ». Lucas, 3 ans, joue dans son bain avec son gant de toilette. « C'est un petit lapin, très gentil, il court dans la forêt. C'est un crabe, il est dans le sable. Un crabe, ça pince ». Lucas se ravise et dit à sa maman : « Tu sais, c'est pas un crabe, c'est un gant de toilette ».

Laura, 4 ans, joue dans sa chambre avec sa maman. Elle prend ses affaires de « docteur », pousse sa maman vers le lit, commence à l'ausculter ; elle tape son genou pour obtenir un réflexe (« ça fait pas mal, crie pas, tu es grande »). Puis elle veut lui prendre la température. Sa maman, qui s'était prêtée au jeu, l'arrête. Laura comprend les limites et dit : « Mais c'était pour de rire, pour faire semblant. » On dirait que l'enfant veut montrer qu'il n'est pas dupe de son imagination, qu'il ne se laisse pas prendre à toutes ces histoires d'enfant. Quelle est la vérité ? Y croit-il ou non ? La réponse est : oui et non. C'est comme pour les adultes. Au cinéma, nous sommes capables de pleurer aux malheurs des héros. Le film terminé, nous disons : « Elle joue bien » ou « Il gagne tant par film ». Nous étions pris mais pas dupes. Pour l'enfant c'est pareil.

La ressemblance va même plus loin. Vous ne tenez pas tellement à montrer que vous avez pleuré. L'enfant non plus : il fait la guerre, il attaque l'ennemi, il monte à l'assaut, il est complètement pris par l'action. Vous entrez. Il s'arrête net et, suivant son caractère, il est furieux, ou gêné, que vous l'ayez surpris en plein « faire semblant ».

L'enfant a parfois tellement d'imagination que quand il dit la vérité, on a de la peine à le croire. Par exemple votre enfant rentre de promenade et raconte : « J'ai vu un policier qui courait après un bandit ». Que ce soit vrai ou non, laissez l'enfant s'exprimer, sans le ramener tout de suite à des réalités ou à des explications. Et, ne traitez pas ses affabulations de mensonges (voyez *Menteur !* chap. 5). L'enfant aura besoin plus tard de cette vie imaginaire dont il connaîtra alors les limites. Imaginer des personnages extraordinaires dont il raconte les aventures est une façon pour l'enfant de mettre le monde à sa portée, de maîtriser les situations qu'il invente.

Les adultes oublient souvent à quel point l'imagination remplit leur propre vie quotidienne et alimentent leurs projets. Ils regardent une photo d'une île de rêve, ils se voient aussitôt allongés sur la plage, bronzés et détendus. Ils achètent une ferme en ruines dans un terrain en friches, ils voient déjà les enfants courir dans le jardin en fleurs. Et qu'auraient trouvé les chercheurs sans imagination ? À tout âge, l'imagination nourrit et égaie notre vie.

LE CHARME DES MOTS D'ENFANTS

3 ans, c'est vraiment le monde enchanté de l'enfance. L'imaginaire, le féerique le peuplent. C'est le triomphe de l'imagination. C'est elle qui donne cette poésie et cet humour à son langage. « La fumée, c'est pour dire aux gens qu'on peut venir se chauffer dans la maison… »

Les mots d'enfants, toutes les familles les conservent précieusement. On les raconte aux amis, on se les répète entre soi en disant d'un air faussement naïf : « Mais où va-t-il donc chercher tout cela ! » (On s'étonne tout haut, mais on s'émerveille tout bas.) C'est vers 3 ans que commence l'âge d'or des mots d'enfants. La plupart de ces mots d'enfants, qui ravissent d'autant plus qu'on les croit le fruit d'une imagination débordante, souvent proviennent tout simplement de la manière de penser et de voir de l'enfant à cet âge.

Comment procède cette pensée ? Elle emprunte à l'adulte ses formes, et, dans ce contenant, met son propre contenu. En effet, que répond l'adulte aux questions de l'enfant ? Presque toujours ses réponses commencent par « C'est pour… » ou « C'est comme… »

C'est pour : explication d'un objet par l'usage qu'on en fait. Exemples :
• Dis, papa, le moteur, c'est pour quoi faire ?
• C'est pour faire avancer la voiture.
• Dis, maman, l'électricité, c'est pour quoi ?
• C'est pour nous éclairer.

C'est comme : explication d'un objet inconnu de l'enfant par un objet qu'il connaît. Exemples :
• Dis, papa, c'est quoi, un hélicoptère ?
• C'est comme un avion, mais sans ailes et avec l'hélice au-dessus.

Entendant sans cesse ces explications, « C'est pour… », « C'est comme… », l'enfant est prêt à adopter ces deux manières d'expliquer les choses qui l'entourent : par l'usage et par l'analogie.

Mais, par ailleurs, l'enfant a une manière très personnelle de voir les choses. Par exemple, il remarque des détails infimes. Il est fasciné par certains objets, certaines couleurs : on lui montre des capucines géantes d'un orange éclatant, il remarque le minuscule puceron posé sur un pétale.

Le résultat, c'est que l'enfant va procéder par comparaison comme fait l'adulte, mais qu'il rapprochera entre eux des objets qu'il ne vous viendrait jamais à l'idée de rapprocher. La mer, c'est une grande piscine ; un caillou, c'est un noyau très dur. J'ai entendu un enfant dire : « Une souris, c'est comme un éléphant. » Il avait vu entre ces deux animaux un trait commun : la couleur grise.

Mais l'enfant ne se borne pas à imiter l'adulte. Il a sa propre manière de raisonner. Et cette manière est une logique très cartésienne, la fameuse logique enfantine. L'enfant enregistre ce qu'il a entendu dire, et il en tire ses propres conclusions. Exemple, il a demandé : C'est qui la maman du veau ? On lui a répondu : – La vache. – C'est qui, la maman du poussin ? – La poule. Sur quoi, il déclare : – La maman de l'eau, c'est le robinet !

Le charme des mots d'enfants vient aussi de la déformation du mot par l'enfant. Antoine, 5 ans, après avoir écouté l'histoire du bébé avant la naissance, parle du « supermatozoïde… »

Il y a aussi des cas où, ni l'imitation de l'adulte, ni la logique n'expliquent les propos de l'enfant. Il lui arrive de dire une phrase absolument gratuite, incompréhensible et poétique. L'explication est alors le plaisir qu'il éprouve à prononcer un certain mot. Un mot l'a enchanté, il cherche une occasion de l'employer, et il fera alors une phrase qui n'a aucun rapport avec la réalité, ni la vôtre ni la sienne.

Il est sensible à la magie des mots. Justine a entendu son grand frère parler d'australopithèque. Ravie de ce mot, elle l'utilise à tout propos. Quant à Léo, il ponctue toutes ses phrases de « cochon » (Bonjour cochon, merci cochon, j'ai envie de dessiner cochon) très content de l'effet que ce mot produit… Paul ayant entendu l'électricien dire d'un de ses collègues : « C'est un pote à moi », inventa « la potamona », et ce mot servit pendant des années à désigner tout ce qui lui arrivait d'heureux. Georges avait, d'une histoire racontée par son grand-père, gardé une peur obsédante des Uhlans. Qui d'entre nous n'a pas, gravé dans sa mémoire, de ces mots magiques attrapés au vol jadis dans des conversations d'adultes et revêtus d'un prestige intact ? Les contes de fées sont pétris de cette magie verbale ? (« Est-ce vous, mon Prince, dit-elle. Vous vous êtes bien fait attendre… »)

Cette sensibilité aux sons a d'ailleurs donné lieu à un véritable genre littéraire : les comptines (Am, stram, gram). Et les Anglais, peut-être plus fidèles que nous à l'esprit de l'enfance, ont inventé le nonsense, sorte d'incantation, d'essence nettement enfantine.

Ainsi l'enfant de 3 ans se grise de mots ; son vocabulaire est d'ailleurs de plus en plus riche, en particulier d'adjectifs. En les utilisant, l'enfant développe son sens critique, son aptitude à avoir des opinions personnelles. « Tu vois bien que c'est dégoûtant », dit Cécile, 4 ans 1/2, à son père qui veut lui faire prendre une cuillerée de sirop. Son papa lui propose alors une paille. Cécile sourit : « Tu es trop blagueur. » « C'est confortable » aime dire Capucine, 4 ans, lorsqu'elle se met bien au chaud sous sa couette ou lorsqu'elle vient chez ses grands-parents. Le mot lui plaît à la fois pour lui-même et pour ce qu'il représente.

Par ailleurs, les temps qu'emploie l'enfant, de même que les adverbes, prouvent qu'il commence à mieux distinguer hier, aujourd'hui, demain. Quand on dit « hier soir », il comprend qu'il s'agit d'un fait passé. Il demande : « Est-ce que c'est l'heure de… » Quand on dit « demain », il comprend qu'il s'agit d'une chose à venir, sans cependant distinguer entre demain et dans quinze jours.

Enfin, l'enfant affectionne le conditionnel. Il dit : « Si je serais sage, tu me donneras une surprise. » Il a aussi, nous l'avons vu, une formule favorite : « On dirait que tu serais… » Son esprit vagabonde.

Vous voyez qu'ayant bouclé notre tour d'horizon de la pensée à 3 ans, nous voilà revenus par le biais du langage à notre point de départ : l'imagination.

S'INTÉRESSER AUX AUTRES

Avant 3 ans les enfants savent bien que les autres existent, mais ils ne leur prêtent pas beaucoup d'attention, ils s'intéressent surtout aux familiers. À 3 ans, l'intérêt de l'enfant s'élargit. Pour ceux qui sont allés à la crèche ou chez une nourrice, la socialisation est plus précoce et la découverte des autres moins spectaculaire.

Après 3 ans, les enfants voient au-delà du cercle des familiers, observent les autres, leurs expressions, cherchent à les imiter ; et surtout ils essaient de les situer et d'entrer en relation avec eux :

- L'oncle Pierre, c'est le frère de qui ?
- Grand-mère, c'est ta maman ?
- Pourquoi Nounou a ses enfants à la maison ?

Il veut savoir leur âge, ce qu'ils font dans la vie, les rapports qui les unissent les uns aux autres. Puis il découvre une chose qui a l'air de le surprendre : que ces personnages, si familiers qu'ils font presque partie de lui-même, papa et maman, ont des points communs avec d'autres personnes qu'il ne connaît pas : papa est un monsieur, maman est une dame, comme ceux et celles que l'on croise dans la rue.

Le goût de l'enfant pour la société se marque d'une autre manière. Avant il disait « Moi tout seul », maintenant on l'entend parfois dire « Tous les deux ». Il aime rendre des services, aider à mettre le couvert, ou desservir. Il recherche l'approbation des autres. Il demande souvent : « C'est bien comme ça ? » Il est prêt à inventer des moyens de plaire. En six mois il a vraiment beaucoup changé.

3-4 ans, c'est l'âge où naissent les premiers liens d'amitiés. Lorsqu'ils se retrouvent le matin à l'école, Nathan et Lucas sont heureux : ils comptent l'un pour l'autre.

Bien qu'il ait découvert les autres, il continue néanmoins à penser que la personne la plus intéressante qu'il connaisse, c'est lui-même. Cela pourrait paraître contradictoire avec sa sociabilité naissante, mais ne l'est pas. Écoutez un enfant de 3 ans ; il dit : « Je veux quelqu'un pour jouer avec moi. » À 6 ans, il dira : « Je veux jouer avec les autres. » À 3 ans, sociabilité et égocentrisme se concilient fort bien.

Puis, de même qu'il a cherché les tenants et aboutissants de son entourage, de même il recherche les siens. Il demande : « Où j'étais quand j'étais pas né ? » et il s'étonne de ne pas être dans l'album de photos de mariage de ses parents. La naissance des bébés, celle des animaux commence d'ailleurs à l'intéresser. Il pose des questions à ce sujet. Il remarque parfois une femme enceinte ou demande à sa mère si elle l'a allaité.

Il se sent déjà de l'autre côté de la barrière, chez les grands, et aide volontiers les petits à manger. D'ailleurs, après avoir découvert les adultes, il va s'intéresser de moins en moins à eux et de plus en plus aux enfants.

Cet intérêt qu'il porte aux autres, le désir qu'il manifeste de nouer des contacts avec l'extérieur font que l'enfant de 3 ans se plaît en général à l'école.

CE QU'IL AIME À PARTIR DE 3 ANS

• Jouer avec un enfant plus âgé qui peut organiser un jeu et trouver une place qui convient à chacun. Noé, 3 ans, conduit une voiture (c'est son petit vélo) tandis que sa grande sœur règle la circulation et fait traverser les piétons (les peluches).

• Il commence à apprécier de jouer avec un enfant de son âge. Lorsqu'elle va au square, Nina adore retrouver d'autres petites filles pour faire du toboggan ou jouer à la poupée.

• 3 ans, c'est souvent l'âge du premier goûter d'anniversaire : l'enfant comprend que des petits amis viennent pour cette fête et qu'il sera invité à son tour plus tard.

• L'enfant aime observer les travaux que l'on peut voir faire dans la rue ou sur un chantier avec ses grues immenses. Soigner un animal familier : chat, chien, oiseau, poisson...

• Valentin, 3 ans, aime faire des compliments. Il dit à sa grand-mère : « Tu as de jolies chaussures rouges », ou encore « J'aime bien venir chez toi ». Il a découvert que faire plaisir lui fait plaisir.

• Il dessine ces personnages étranges et classiques, les yeux près des oreilles et dont la tête rappelle le fœtus qu'il a été. Ce que les psychologues appellent le « bonhomme têtard » apparaît, accompagné bientôt de fleurs, d'arbres, de la maison, du soleil. Prévoyez du papier et des crayons de couleur pour qu'il ne soit pas tenté de dessiner sur les murs.

L'ÂGE DE GRÂCE

Certains parents, devant leur adorable petite fille, leur charmant petit garçon, disent : « Ah ! s'il pouvait rester ainsi ! » Mais rester serait le contraire de grandir. L'enfant ne reste pas à quatre pattes, il se relève, il marche, il court. Les étapes, les crises surmontées, font progresser chaque fois d'un cran, et entre elles, il y a des pauses. De même après 3 ans l'enfant aura aussi de temps en temps des moments un peu difficiles à passer (pour lui et pour vous).

3 ans est un âge charmant non seulement parce que l'enfant a franchi une étape dans la construction de sa personnalité, mais aussi parce que dans tous les domaines, il a atteint une sorte d'équilibre : il marche, il parle, il a des échanges variés aussi bien avec les adultes qu'avec les autres enfants.

Physiquement, la gaucherie du bébé a disparu ; l'enfant de 3 ans est habile de ses mains, de ses jambes ; il est à l'aise pour faire tous les mouvements, il les fait même avec adresse : si l'on prend le temps de lui montrer comment manger son œuf coque avec des « mouillettes » et une petite cuillère ou comment s'habiller, il y arrive très bien.

Intellectuellement, il s'exprime bien, ce qui facilite les rapports avec l'entourage. Autrefois, quand on ne le comprenait pas, il était furieux. Maintenant il commence à utiliser toutes les facettes de l'intelligence : mémoire, compréhension, logique, volonté, imagination.

Affectivement, il est moins tiraillé entre son envie de rester petit et son désir de partir à l'aventure. Il a vu qu'il pouvait concilier les deux ; à l'école, il en aura une preuve tangible. L'entrée à l'école va d'ailleurs être un des paliers importants que l'enfant va franchir, un peu comme le sevrage, l'apprentissage de la propreté ou les premières séparations. Maintenant il est moins tyrannique dans ses besoins de répétition. Pour « être bien avec quelqu'un », il est capable de renoncer à une habitude ; il est plus obéissant, il cherche à faire plaisir. Il est devenu le petit compagnon qu'on tient par la main pour se promener, avec lequel on échange questions et explications dans un dialogue qui annonce déjà une vraie conversation. Trois ans, c'est vraiment « l'âge de grâce ». Mais bientôt la vie affective de l'enfant risque d'être troublée par une découverte qu'il fait et qui le rend perplexe. Cette découverte provoque des réactions certaines fois incompréhensibles pour l'entourage : exigence, colère, régressions.

SUR L'ENFANT DE 3 À 6 ANS
NOUS VOUS CONSEILLONS LE LIVRE DES DOCTEURS BRAZELTON ET SPARROW : *POINTS FORTS, 3 À 6 ANS* (LIVRE DE POCHE). UN DES BUTS DE CE LIVRE EST D'AIDER LES PARENTS À FAIRE LA DISTINCTION ENTRE LES VARIATIONS NORMALES DU COMPORTEMENT ET LES PROBLÈMES QUI DEMANDENT L'AVIS D'UN SPÉCIALISTE.

LE COMPLEXE D'ŒDIPE

Vous l'avez vu, autour de 3 ans l'enfant atteint une sorte de maturité, de conscience de sa propre personne qu'il traduit d'ailleurs dans son langage en passant du « à moi - à moi» à « je », même s'il a encore tendance à tout ramener à lui, en particulier sa mère et son père, avec lesquels il a des liens très tendres.

À cet âge, le petit garçon devient très possessif avec sa mère, exigeant, il lui demande plus de démonstrations, plus de baisers ; il l'interrompt lorsqu'elle s'adresse à quelqu'un d'autre que lui. Son père devient une sorte de rival qu'il veut écarter, tout en cherchant à l'imiter.

La petite fille fait du charme à son père, se blottit dans ses bras, et par tous les moyens cherche à attirer son attention. Comme le père pour le petit garçon, sa mère devient à la fois une rivale et un modèle.

Et tous deux, la fille avec sa mère, le fils avec son père, sont souvent tyranniques, agressifs ; parfois, moitié par jeu, moitié sérieusement, ils essaient de les frapper. À d'autres moments, l'enfant essaie à tout prix d'empêcher ses parents de se retrouver seuls ; ou bien il essaie de les séparer : dès qu'il les voit ensemble, il se jette dans leurs bras pour être avec eux deux, entre eux deux.

Le soir, c'est le grand jeu, l'enfant ne veut pas se retrouver seul alors que ses parents sont ensemble. C'est le chantage aux histoires : « Une autre, encore une autre. »

Tous les soirs, Nathalie demande à sa mère des histoires de plus en plus longues. La mère est heureuse, elle voit dans cet intérêt une marque particulière d'affection. Jusqu'au jour où elle découvre le vrai désir de sa fille : « Je veux que tu restes avec moi, je ne veux pas que tu ailles avec papa. »

L'enfant réalise peu à peu que ces relations qu'il a avec chacun de ses parents ne lui sont pas réservées, que son père et sa mère ont également entre eux des rapports tendres et intenses : l'enfant s'aperçoit que sa mère ne fait pas un duo qu'avec lui, que son père n'est pas seulement disponible pour lui. Et ce qui va le plus choquer l'enfant, c'est qu'il ne fait pas partie des relations privilégiées de son père et de sa mère : leur lit, leur chambre sont leur domaine exclusif, ils ont une intimité qui lui échappe complètement.

L'enfant tente alors diverses « stratégies » pour rompre le duo des parents et elles entraînent souvent un sentiment de culpabilité et d'impuissance. C'est pourquoi, à cet âge, l'enfant a fréquemment des cauchemars, parle moins bien, cherche à attirer l'attention puisqu'il se sent délaissé et veut retrouver le temps où il se sentait le centre du monde. La naissance d'un frère ou d'une sœur à ce moment-là peut aggraver son désarroi.

À partir du mythe d'Œdipe, Freud a décrit ce qui est à présent connu de tout parent et de tout éducateur : le complexe d'Œdipe. Il s'agit en fait d'une situation affective complexe, vécue par l'enfant et que les parents peuvent observer : le désir de l'enfant, entre 3 et 6 ans — avant d'entrer dans « l'âge de raison » — d'écarter le parent du même sexe pour accaparer l'autre parent.

On pourrait comparer cette période à une sorte de complexe ferroviaire, de croisement de relations enchevêtrées, qui, avec de bons aiguillages, permettra de s'en sortir et de passer à l'étape suivante : puisqu'il ne peut éliminer son père ou sa mère, l'enfant va renoncer à prendre leur place et va « refouler » dans son inconscient ses émotions et ses passions, et les « oublier ». Ce phénomène étrange et universel, propre aux humains, que Freud a appelé « l'amnésie infantile », est ici parfaitement à l'œuvre.

Mais cette étape difficile est structurante : en voulant ressembler à son rival, l'imiter, s'identifier à lui, — la fille à sa mère, le garçon à son père — l'enfant se « sexualise» et se rend compte qu'il est un garçon, qu'elle est une fille, que l'un est différent de l'autre. Les enfants réalisent mieux les différences anatomiques : la petite fille voit bien maintenant, si elle ne l'a pas déjà remarqué plus tôt, qu'elle est différente du petit garçon, et réciproquement. Et la culture dans laquelle chacun évolue, les jeux proposés mais aussi choisis par chacun, y contribuent aussi largement.

Pour certains enfants, cette étape passe presque inaperçue : ils admettent facilement le partage. Pour d'autres, plus passionnés, elle peut être difficile à traverser et elle préfigurerait presque la « crise » d'adolescence. Déçu l'enfant semble en vouloir parfois à tout l'univers. Mais, avec ou sans problème, cette situation « complexe » est une étape que l'enfant doit connaître : il faut qu'il soit passé par là pour avoir des relations normales, non seulement avec sa famille, dans le respect des générations, mais aussi avec ses semblables.

LA LÉGENDE D'ŒDIPE

Elle est, comme beaucoup de mythes, le symbole des sentiments inconscients que chacun porte en soi. Avant la naissance d'Œdipe, un oracle prédit à ses parents, le roi et la reine de Thèbes, que leur enfant tuera son père et épousera sa mère. Pour conjurer la prédiction, Œdipe est abandonné. Il est recueilli par des bergers, puis adopté par le roi et le reine de Corinthe ; il grandit sans connaître ses origines. Devenu adulte, il vient à Thèbes, et au cours de diverses péripéties, il tue son père et épouse sa mère. Sans que personne ne le sache, la prédiction se trouve réalisée.

C'est précisément lorsque l'enfant découvre que son père et sa mère ont des liens particuliers qu'il découvre qu'il en est de même pour son entourage. Jusqu'alors centré sur lui-même, l'enfant ramenait tout à lui ; maintenant il voit que les autres ont des liens entre eux, qu'ils ont une vie à eux. Quand il aura franchi cette étape, l'enfant sera prêt à sortir de sa petite enfance, toute-puissante, exigeante et dépendante, pour devenir ce petit garçon, cette petite fille qui quittera l'école maternelle pour entrer au cours préparatoire. Il entrera alors dans ce que les psychologues appellent la période de latence, période plus calme qui durera jusqu'à la puberté.

Quelques suggestions

• Pour les parents, réprimander l'enfant agressif, en paroles ou en gestes, serait ajouter à ses difficultés. Si l'enfant demande plus d'affection, c'est qu'il en a besoin. N'hésitez pas à la lui manifester. Mais, par ailleurs, ne croyez pas que pour aider l'enfant il faille supprimer tout geste de tendresse entre vous. Dès cet âge, les parents peuvent commencer à apprendre à leur enfant à respecter les relations qui existent entre eux : il ne faut pas laisser un enfant s'interposer systématiquement entre son père et sa mère.

• Si l'on est le parent momentanément moins aimé, le plus simple est de faire comme si de rien n'était. Mais si on est le parent préféré, mettre en valeur l'autre en disant, par exemple : « Va vite embrasser maman », ou « C'est papa qui a eu la bonne idée de faire un pique-nique. »
• Si vous mettez votre enfant à l'école au moment où il traverse cette crise, il peut, dans la méfiance qu'il éprouve alors à votre égard, croire que vous cherchez à l'éloigner. Soyez attentifs à ses réactions ; si un bébé vient de naître, il est conseillé de retarder l'entrée à l'école dans la mesure du possible. Mais, le plus souvent, l'école, par les nouveautés et les distractions qu'elle apporte, aide l'enfant à sortir d'une situation difficile.

CHAQUE ENFANT EST UNIQUE

Ainsi s'achève l'histoire des premières années. Mais votre enfant ressemble-t-il à ceux que nous venons de décrire ? S'il grandit dans des conditions favorables, tout enfant parcourt le cycle de développement que nous venons de vous raconter. Mais alors, penserez-vous peut-être, si l'on fait au même âge, ou à peu près, les mêmes gestes, les mêmes découvertes, les mêmes progrès, les enfants ne vont-ils pas tous se ressembler ? Non. Pour commencer, même dans leur berceau (nous en avons longuement parlé) ils sont déjà très différents les uns des autres. Car chacun d'eux arrive au monde nanti de l'héritage de deux familles, un héritage unique pour chaque enfant, différent pour chaque frère et sœur.

Puis, sur cette base, tous les événements, toutes les circonstances de la vie de l'enfant viennent se conjuguer peu à peu pour former une personnalité. Qu'il habite la ville ou la campagne, qu'il ait une mère gaie ou qu'il soit enfant unique, seule fille au milieu de garçons, ou l'aîné de quatre, que ses parents soient bohèmes ou conformistes, qu'il vive dans un pays de soleil ou de brouillard, qu'il soit élevé par une grand-mère ou par sa mère, il n'y a pas un fait, pas un décor, pas une circonstance qui ne contribue à former la personnalité de l'enfant. Comme pour l'hérédité, l'histoire de chacun, ses relations avec les autres, seront uniques par chaque enfant. C'est pourquoi votre enfant ne ressemble à aucun autre.

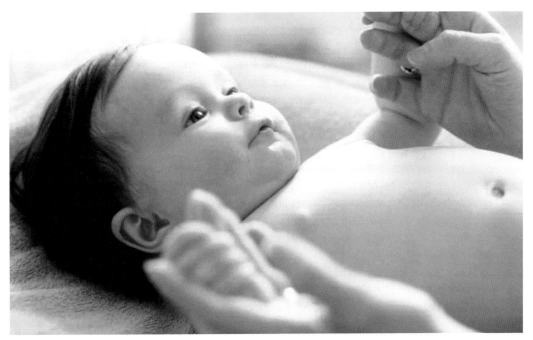

Si votre bébé est prématuré

Lorsque leur bébé naît avant terme, les parents se posent de nombreuses questions et parfois s'inquiètent : leur bébé va-t-il être transféré loin d'eux ? Comment va se passer cette séparation, pour lui et pour eux ? Comment leur enfant va-t-il se développer ? Aura-t-il des séquelles de sa prématurité ?

En général, plus le bébé naît près du terme, moins les conséquences sont importantes. En effet, les fonctions vitales du bébé (respiratoires, digestives, neurologiques...) sont matures au bout des 9 mois de grossesse (ou 41 semaines d'aménorrhée). Un bébé prématuré présente donc une immaturité de ses fonctions, plus ou moins marquée selon son âge gestationnel.

La naissance a lieu entre 35 et 37 semaines

Le problème immédiat est souvent respiratoire et peut nécessiter une aide en réanimation (voir page suivante). Celle-ci est très courte : 48 à 72 heures suffisent habituellement pour obtenir une maturation pulmonaire. Aujourd'hui, la meilleure surveillance de la grossesse et de la naissance permet d'éviter le plus souvent ce problème respiratoire et la grande majorité des prématurés de 35 semaines est prise en charge en néonatologie ou en unité mère-enfant (voir p. 259). Par contre le bébé peut avoir du mal à téter, il faut le faire boire très souvent, parfois même installer une petite sonde (mise dans la bouche) par laquelle le lait arrive goutte à goutte directement dans l'estomac, c'est ce qu'on appelle « l'alimentation par sonde » (APS).

Une naissance survenant avant 37 semaines d'aménorrhée (c'est-à-dire à partir de la date des dernières règles) est considérée comme prématurée. La prématurité a nettement augmenté ces dernières années. Cette hausse est due en grande partie à la naissance de jumeaux qui sont souvent des bébés prématurés. Et parmi ces naissances de jumeaux, près de la moitié sont la conséquence des traitements de l'infertilité.

La naissance a lieu entre 32 et 35 semaines

Le problème respiratoire est le plus fréquent mais non systématique et les enfants nés à cette date sont plutôt soignés en néonatologie qu'en maternité.

La maturation digestive est souvent insuffisante et le bébé reçoit sa ration alimentaire par sonde mais également grâce à une perfusion. Les tétées peuvent en général commencer autour de 35 semaines.

La naissance a lieu entre 25 et 32 semaines

À cette date, les bébés sont de très petits poids et leur immaturité est importante et globale. Il y a donc plus de risques de complications sur le plan neurologique, digestif, respiratoire et les premiers jours sont toujours très incertains. Cependant les progrès de la médecine néonatale sont constants et les équipes de réanimation sont de plus en plus spécialisées pour prendre en charge ces nouveau-nés si fragiles.

Deux médicaments ont beaucoup amélioré le pronostic respiratoire : les corticoïdes intraveineux donnés à la maman avant la naissance ; le surfactant donné au bébé lors de son séjour en réanimation permet la maturation pulmonaire. La surveillance neurologique est régulière avec des échographies et un électroencéphalogramme.

Si votre bébé est né à cette date, n'hésitez pas à poser des questions au personnel qui entoure votre enfant et demandez si vous pouvez participer d'une manière ou d'une autre aux soins. Même si le haut degré de technicité qui entoure votre bébé effraie un peu, vous verrez que très rapidement vous les oublierez pour ne profiter que d'une chose : ce lien si extraordinaire qui se tisse entre votre bébé et vous.

LES SOINS AU BÉBÉ PRÉMATURÉ

Les équipes hospitalières sont aujourd'hui de mieux en mieux formées pour les soins à apporter à un nouveau-né prématuré, aussi bien médicalement que psychologiquement.

Le service de réanimation

Le bébé très prématuré, ou celui qui a des difficultés de santé particulières, doit passer un temps plus ou moins long dans le service de réanimation. Il ne faut pas que ce mot inquiète les parents. Cela signifie que le bébé a besoin de soins très spécialisés, souvent parce qu'il ne peut pas respirer sans assistance.

Avant que le bébé ne soit transféré dans ce service, l'équipe pédiatrique essaie d'organiser un premier contact avec la maman (le papa se déplace plus facilement) : en lui amenant le nouveau-né, ou, si celui-ci ne peut être déplacé, en amenant la maman à son chevet. C'est un petit moment privilégié où la maman peut voir et toucher son bébé. Si ce n'est pas possible, l'équipe maintient le lien en prenant une photo du bébé pour la maman et en apportant au bébé quelque chose de sa maman (mouchoir ou autre).

Dans les jours qui suivent, si le service de réanimation est dans l'hôpital où est sa maman, celle-ci verra facilement son bébé. Mais le plus souvent, elle aura à se déplacer, car ces structures très spécialisées n'existent que dans quelques grandes villes. Dès que son état de santé le permettra, le trajet de la maman sera organisé. En attendant, c'est le papa qui fait le lien : en allant voir le bébé, il peut suivre son évolution, avoir des explications médicales, et, surtout, il peut toucher la petite main dans la couveuse, lui transmettre la tendresse de sa maman absente, et ensuite raconter à la maman le bébé qu'il découvre.

Le service de réanimation des prématurés donne souvent aux parents la sensation d'un monde irréel : avec la lumière permanente, le déclenchement des alarmes qui surveillent la respiration, le rythme cardiaque, l'alimentation, la température, ces bébés minuscules dans leur couveuse transparente semblent retranchés dans leur univers, inaccessibles, au milieu du personnel qui s'agite pour leur prodiguer des soins compliqués. Tout cela donne aux parents une impression étrange. Le décalage est grand entre leurs attentes et la réalité qui est loin de la douceur imaginée. Les équipes de néonatologie travaillent à adapter cet environnement à la sensorialité et au développement des bébés nés prématurément : en essayant de diminuer le son et la lumière ambiante, en installant les bébés de façon plus chaleureuse (dans des petites chambres). Les équipes s'appuient sur les recherches du Professeur Heidelise Als et, en France, l'équipe du CHU de Brest est pionnière dans ce domaine.

Toutes les équipes sont conscientes des besoins de contact et d'amour de ce si petit bébé. Chaque soignant, dans son travail, consacre un temps important pour dialoguer avec les parents, pour trouver chez le bébé le plus petit signe de la conscience qu'il a de la présence de ses parents auprès de lui : un mouvement de paupière, un visage qui se détend, des doigts minuscules qui cherchent. Il faut être attentif pour se rendre compte que l'enfant sent que ses parents sont là, qu'il reconnaît leur voix, leurs caresses, qu'il peut être sensible à l'odeur d'un foulard.

Avec l'aide de l'équipe soignante, les parents peuvent toucher, caresser leur bébé, le changer, même dans la couveuse. Puis, dès que possible, on proposera le « peau à peau » : le bébé, juste vêtu d'une couche, le dos protégé du froid par une couverture, est posé contre le sein de sa maman, puis de son papa, le nez dans l'odeur connue, l'oreille contre le cœur. En s'occupant de leur bébé, en observant son comportement et ses progrès, les parents se sentent ainsi de plus en plus utiles et compétents. « J'ai eu de merveilleux contacts avec mon bébé dès sa première semaine de vie. Même si petit, malgré la sonde, malgré la perfusion, il souriait aux anges lorsque je le caressais doucement. Je le mettais contre mon cœur, tout nu, au creux de mes seins. Je le sentais respirer, détendu. » C'est ce que nous a écrit la maman de Théo né avec deux mois d'avance.

Le service de néonatologie

Dès que le bébé va mieux – ou s'il s'agit d'un enfant ayant une prématurité modérée –, il est accueilli dans un service de néonatologie. Ces services existent dans tous les hôpitaux, les contacts avec les parents y sont plus faciles.

L'arrivée en néonatologie est une étape importante : le bébé respire tout seul, il est plus autonome ; c'est le peau à peau dès que la maman, ou le papa, arrive. Le peau à peau est possible, même avec une perfusion, même avec une alimentation par sonde. Dans les bras, bien au chaud, calme et apaisé, le bébé digère mieux.

Les unités mère-enfant

Ces unités existent dans certains services de pédiatrie où elles reçoivent en même temps le bébé et sa maman. Les mères peuvent y rester tant que leur bébé est hospitalisé. La couveuse est souvent dans la chambre de la maman qui donne le bain, et le sein ou le biberon. Le peau à peau se fait dans le lit. En évitant la séparation, en créant un lien fort avec leur bébé, les mères réparent le traumatisme de la naissance prématurée. Elles se familiarisent avec les soins particuliers à donner au bébé : rations alimentaires, stimulations pour l'éveil à l'heure du repas, surveillance de la température, soins de la peau, etc. ; cela leur permet d'envisager la sortie de l'enfant avec sérénité. Il faut souhaiter que de telles unités se créent dans tous les hôpitaux.

Il est parfois difficile pour une maman de passer quelques semaines à s'occuper exclusivement de son bébé, notamment s'il y a d'autres enfants à la maison. Si vous ne le pouvez pas, ou s'il n'y a pas une telle unité près de chez vous, maintenez – ainsi que le papa – un contact étroit avec votre bébé : organisez-vous avec l'équipe pour pouvoir donner le bain vous-même, calculez votre arrivée pour être là à l'heure du repas, habillez-le avec les vêtements que vous aurez apportés de la maison, n'hésitez pas à appeler l'équipe de nuit pour prendre des nouvelles. Et, de temps en temps le soir, venez voir comment dort votre bébé. Ainsi vous maintiendrez le dialogue avec votre enfant, tout en préparant son retour à la maison.

Prématurité et maltraitance

Le fait de ne pas être séparé de son bébé né prématurément a permis de diminuer considérablement les risques d'une maltraitance précoce. En effet, il y a quelques années, les statistiques montraient que ce risque était beaucoup plus élevé chez les bébés nés avant terme que dans la population normale. On attribuait ce phénomène à l'énervement envers ce bébé si fragile et plus exigeant que la maman ne l'avait imaginé, à la déception ou à la culpabilité ressentie par elle de n'avoir pu mener à terme la grossesse, d'avoir fumé ou trop travaillé, à la frustration d'une naissance heureuse…

En fait, depuis que la maman participe aux soins de son bébé, que la séparation est réduite aux nécessités de la sécurité physique, que le père est tout autant associé au développement de son enfant et apporte ainsi très précocement soutien et relais, des liens profonds s'établissent entre les parents et leur bébé. Lorsque celui-ci revient à la maison, la maman n'est plus envahie, comme auparavant, par des sentiments d'angoisse, de rejet, d'étrangeté, envers ce bébé qu'elle ne pouvait approcher. On mesure encore mieux ici les progrès effectués par les services de néonatologie.

Un soutien pour les parents

Après une naissance prématurée, la plupart des parents se sentent angoissés et coupables : dans les premiers jours angoisse pour la vie de l'enfant, crainte du handicap que les médecins ne peuvent pas toujours évaluer à la naissance, peur de ne pas comprendre les explications données ; culpabilité de n'avoir pu mener la grossesse jusqu'au terme, de ne pas éprouver d'attachement pour ce bébé si fragile, si différent de celui qu'ils attendaient. Au lieu du bonheur espéré, les parents éprouvent de la tristesse.

Pour ces nombreuses raisons, la plupart des services de prématurés proposent dès les premiers jours aux parents une aide psychologique : ils peuvent exprimer leurs difficultés et se sentir rassurés dans leur capacité à élever leur enfant. Avant la sortie, une observation avec l'échelle de Brazelton leur donnera confiance dans ses compétences et dans leurs propres capacités à le comprendre. Le retour à la maison est encadré par une infirmière puéricultrice du secteur de PMI, qui vient à domicile. Les visites médicales régulières sont l'occasion de faire le point sur ce que ressentent les parents. C'est le rôle de l'équipe soignante d'aider les parents à faire face à leurs problèmes afin qu'ils ressentent le plus tôt possible le sentiment de bonheur généralement associé à une naissance.

LE RETOUR À LA MAISON DU BÉBÉ PRÉMATURÉ

Dès lors que les parents ont participé aux soins, ont pris confiance en eux et en leur bébé, le retour à la maison en est grandement facilité. Mais il est vrai aussi que leur enfant leur semble encore fragile, il est en quelque sorte « convalescent ». Pour se rassurer, les parents doivent se dire que si le médecin a autorisé la sortie de l'enfant, même si celui-ci pèse à peine 2 kg, c'est qu'il est en bonne santé. Bien sûr, il ne faut pas hésiter à appeler l'équipe qui s'est occupée du bébé si quelque chose vous tracasse ; et restez en contact

POUR EN SAVOIR PLUS SUR LE BÉBÉ PRÉMATURÉ
Je vous parle, regardez-moi ! Ce petit livre peut aider les parents à observer et comprendre leur bébé prématuré afin de bien préparer son retour à la maison (diffusion Sparadrap, voir p. 359).
L'association « sosprema.com » souhaite accompagner et soutenir les parents de bébés prématurés
www.sosprema.com

avec la puéricultrice du secteur de PMI. Aujourd'hui, on sait mieux s'occuper des bébés de petit poids. C'est pourquoi, il vaut mieux s'adresser au personnel spécialisé car l'entourage, même de bonne volonté, n'est pas toujours au courant des soins qu'on donne à ces bébés. Il est bien de prendre rendez-vous avec le pédiatre 8 jours après le retour à la maison. Cela permet de faire le point et... de se rassurer.

Valentin était très passif en néonatologie, il tétait trop peu mais l'équipe du service avait trouvé qu'il pouvait rentrer à la maison. Sa maman raconte : « Dès que j'ai monté avec lui les étages, il a bougé dans son sac-kangourou, a ouvert les yeux, est devenu très attentif, surtout lorsque je m'arrêtais et reprenais mon souffle à chaque palier, comme pendant ma grossesse. Quand je me suis assise, épuisée mais si heureuse, dans le salon, j'ai mis la radio, et je n'ai pas reconnu Valentin tant il s'activait dans mes bras. J'ai tenté le sein et là...il a tété, tété, j'avais tellement de lait. Il avait besoin de se retrouver chez lui. »

Le retour à la maison est souvent le moment que les parents choisissent pour fêter, de façon un peu différée, la naissance de l'enfant : ils envoient les faire-part, ils profitent des cadeaux, ils donnent de bonnes nouvelles. Le bébé fait enfin son entrée dans l'environnement familial et amical de ses parents.

La surveillance médicale des premiers mois

Si le bébé a été un grand prématuré (entre 25 et 32 semaines), il sera très surveillé médicalement. Il aura régulièrement des examens cliniques pour vérifier son développement et un examen auditif, ainsi qu'un ou deux examens visuels dans les deux premières années. Si des retards d'acquisition sont dépistés, une prise en charge pourra être proposée (orthophonie, kinésithérapie, psychomotricité). Cette prise en charge peut être faite dans un CAMPS (Centre d'action-médio-psycho-sociale) et on aidera les parents à stimuler leur enfant. En cas de prématurité moins grande, une ou deux consultations sont en général proposées dans l'année suivant la sortie de la maternité pour s'assurer que tout va bien. Aujourd'hui, les enfants sont de plus en plus suivis par un groupe de professionnels organisés en réseau.

Par ailleurs, vous verrez avec le pédiatre pour tout ce qui concerne l'alimentation, les vaccinations, dont le calendrier est un peu différent de celui proposé habituellement, et pour le suivi du développement qui demande lui aussi une attention particulière. Les premiers mois, n'attendez pas pour consulter si votre bébé a de la fièvre, tousse, est encombré, car il est encore fragile sur le plan pulmonaire.

Dans les mois qui suivent la naissance prématurée

Tout au long de la première année, et même parfois au-delà, la question demeure dans l'esprit des parents de savoir si leur bébé aura des séquelles de sa prématurité : son développement sera-t-il normal ? Est-ce qu'il va rattraper son retard ? Le rattrapage dépend de l'histoire de l'enfant, de son âge de naissance, de la durée de séjour en réanimation et de son propre pouvoir d'adaptation. Chaque enfant est différent, chaque évolution est individuelle.

Pendant les deux premières années, il y a un décalage entre l'âge calculé depuis la date de naissance, et l'âge de développement réel. Cet âge de développement réel s'appelle l'âge corrigé. Pour surveiller le développement, le médecin se référera toujours à l'âge corrigé qui est, finalement, l'âge qu'aurait votre enfant s'il était né à terme. Ce décalage, très net pendant les neuf premiers mois, s'amenuise rapidement dès que l'enfant a acquis la marche, puis le langage. Il ne s'agit en aucun cas d'un retard. Une étape importante ultérieure sera la rentrée à l'école primaire avec l'apprentissage de la lecture et de l'écriture.

En attendant, il faut faire confiance à l'enfant, et croire à ses grandes facilités d'adaptation, avec le soutien d'une équipe pluridisciplinaire.

Les jumeaux

Lorsque des parents apprennent qu'ils vont avoir des jumeaux, les sentiments ambivalents qu'ils éprouvent, présents lors de toute annonce de grossesse, sont souvent plus intenses. Joie devant cette double naissance, surtout si la conception s'est fait attendre, regrets ne pas connaître une relation particulière, forte, avec un seul enfant. Plaisir d'avoir deux enfants, fierté de cette situation originale, inquiétude devant les responsabilités à venir et la multiplication des tâches qu'ils devront affronter dès leur naissance.

L'expérience montre que les futurs parents de jumeaux se préoccupent beaucoup du travail supplémentaire et de l'organisation matérielle que va entraîner la présence de leurs deux bébés. Cela se comprend, avoir des jumeaux est un véritable changement de vie. Des questions pratiques et financières se posent bien avant la naissance : un déménagement ? Une voiture plus grande pour installer toute la famille ? Et s'occuper de jumeaux demande double travail, beaucoup de temps et d'énergie. Pour ne pas être épuisés, les parents ne doivent pas hésiter à se faire aider dès la sortie de la maternité, famille, amis, associations, services sociaux. Les bébés sont souvent encore de petits poids, leur alimentation requiert beaucoup d'attention, et ils sont deux ! Mais, passé le cap difficile des premières semaines, lorsqu'une bonne organisation de la vie quotidienne s'est mise en place, aucun parent de jumeaux ne céderait sa place. Comme l'a dit une mère : « C'est deux tendresses à la fois et une famille d'un seul coup. Cela vaut bien la fatigue que ça coûte ! »

Lorsque leurs bébés sont nés, les parents se posent des questions sur leur santé : avoir été deux dans l'utérus maternel aura-t-il des répercussions sur leur développement, leur croissance ? Faut-il une surveillance médicale particulière ? Ensuite vient la question de l'éducation : comment aider nos deux enfants à s'épanouir au mieux ?

Une plus grande fréquence de la prématurité

Chez les jumeaux, la prématurité (c'est-à-dire une naissance avant 37 semaines) concerne presque la moitié des naissances contre 6 % chez les bébés uniques. Heureusement cette prématurité est le plus souvent modérée (entre 34 et 36 semaines), les complications sont rarement graves.

Par ailleurs, les jumeaux sont dans 30 % des cas des bébés de petit poids, même si on les compare à des bébés qui sont nés au même terme ; cela se comprend puisqu'ils étaient deux dans l'utérus maternel. Ces éléments, prématurité et petit poids, expliquent que les jumeaux sont souvent pris en charge dès la naissance dans un service de pédiatrie néonatale et cela pendant plusieurs jours. Cette période de séparation peut être difficile psychologiquement pour les parents comme pour les aînés. Les services de néonatalogie sont aujourd'hui formés pour permettre aux liens de se nouer dans les meilleures conditions possibles. Sur la prématurité et le séjour à l'hôpital, voyez pages 257 et suivantes.

Une double consultation

La surveillance médicale est en soi peu différente de celle de deux bébés s ou de petits poids. Mais la consultation mensuelle sera bien sûr plus longue : elle va comporter un temps séparé pour chaque enfant et un temps pour la famille. Prévoyez deux rendez-vous, ne venez pas seul(e) et n'oubliez pas le grand sac à langer !

Au cours de la troisième année, le pédiatre sera attentif au langage de chaque enfant pour dépister les éventuels troubles, plus fréquents chez les jumeaux que chez les enfants uniques.

ÉLEVER DES JUMEAUX

Lorsqu'on élève des jumeaux, il faut bien sûr tenir compte de leurs liens particuliers. C'est ce que nous vous proposons d'observer, en commençant par rappeler des études qui continuent de faire autorité et qui permettent de prévenir les difficultés passées. Il fut un temps où on entretenait la similitude des jumeaux ; aujourd'hui on reconnaît et on encourage le développement de leur propre personnalité.

Un univers à deux

Les « vrais jumeaux » – ceux qui proviennent du même œuf et se ressemblent « comme deux gouttes d'eau » - ont toujours passionné les chercheurs de tous ordres, en particulier généticiens, psychologues, sociologues ; ils sont en effet une source précieuse d'enseignement sur la part d'hérédité, d'environnement, d'acquis, d'effets de couple, dans l'évolution de tout être humain. Les travaux de René Zazzo, qui a été le précurseur en la matière, sont toujours d'actualité et ce grand psychologue a largement décrit l'univers à deux que les jumeaux découvrent et construisent tout au long de leurs premières années.

Un fait domine : le jumeau est rarement seul. À toutes ses activités, à toutes ses expériences, à toutes ses découvertes, un autre assiste et participe, à la fois spectateur et complice. Les deux enfants se sentent tellement solidaires que, parfois, lorsqu'on appelle l'un, tous les deux arrivent. Ils peuvent même s'inventer un seul prénom pour se désigner. Certains se disent « vous » entre eux, imitant l'entourage qui s'adresse trop souvent aux deux en même temps. Beaucoup de jumeaux ont un langage qui leur est propre, incompréhensible pour l'entourage, dont ils conservent certains termes parfois jusqu'à l'âge adulte. Les spécialistes appellent ce langage la cryptophasie. Se comprenant, se complétant, ils se suffisent à eux-mêmes et ne font pas le même effort que les non-jumeaux pour comprendre leur entourage ou pour être compris de lui. La conséquence est que les jumeaux parfois parlent plus tard. Et si les parents n'y prennent pas garde, le retard peut s'aggraver.

Il arrive que les jumeaux ne soient pas très sociables : ayant à tout instant un compagnon de jeux et de conversation qui le comprend et qu'il comprend, le jumeau a moins besoin qu'un autre enfant de contact extérieur

Dans la petite société qu'ils forment, les jumeaux s'organisent. Ils se répartissent très tôt les tâches, utilisent leurs talents respectifs : l'un est plus fort, l'autre plus adroit ; l'un organise les contacts avec « l'extérieur » (par exemple, il répond quand on leur pose une question), l'autre s'occupe de « l'intérieur » (il répartit les jouets entre eux). Parfois aussi les rôles s'alternent. Dans le cas de jumeaux de sexe différent, la fille est presque toujours le leader du couple.

Et pourtant chacun est différent

La ressemblance des jumeaux, leur univers à deux, fascinent les parents et l'entourage. Le double de soi-même, l'image nostalgique de l'âme sœur est une représentation forte et nous avons tendance à considérer chaque jumeau comme le double de l'autre, comme s'il se vivait identique à l'autre. Or, le jeune enfant ne se voit pas : il ne connait pas son image et ne la reconnait que très tardivement dans un miroir puis sur des photos ou des films. Il ne sait donc pas, dans les premières années, que son jumeau lui est identique et en tous points « pareil ». Il vit cet autre comme différent de lui dès sa vie intra-utérine, dès sa naissance, et ce n'est qu'entre deux et trois ans, parfois plus tard, que les jumeaux vont reconnaître leur similitude.

Durant ces premières années fondatrices, les enfants ont déjà construit les propres bases de leur caractère et de leur personnalité. Leur « moi » s'est différencié de celui de l'autre, d'autant plus qu'il s'est construit justement en « réaction » à son jumeau, lors de leurs interrelations quotidiennes, y compris lorsqu'ils s'imitent et se stimulent. Ainsi, très tôt, voit-on un jumeau dominer l'autre dans certains domaines et être dominé dans d'autres. Si bien que chacun va avoir une personnalité différente et surtout se vivre différent de l'autre. Et cela d'autant plus que les parents, imprégnés des nombreuses études publiées dans ce domaine, savent maintenant qu'ils ne doivent pas encourager la similitude et l'interdépendance des jumeaux mais au contraire favoriser le développement de leur propre personnalité et de leurs différences. En effet, tous les travaux concordent, après ceux de René Zazzo : pour s'épanouir, développer sa propre personnalité et son autonomie future, chacun des jumeaux devra être bien différencié dès sa naissance par ses parents et par son environnement proche.

Ainsi, grâce à son entourage et cela dès ses premières années, chaque enfant se vit comme une personne à part entière, construisant sa propre identité, sans se vivre comme « le même que l'autre» Mais il n'en reste pas moins vrai qu'au fil des jours les enfants vont tisser à partir de leur gémellité des sentiments de solidarité, de complicité, de complémentarité, qui jalonneront souvent toute leur histoire. Cette préoccupation envers l'autre sera d'une nature et d'une force différentes selon les « couples » gémellaires, les événements de leur vie, la différence de leurs destins, et, à la base, les regards qu'auront posé sur eux leurs parents dans les premières années de leur vie.

EN PRATIQUE

Voici quelques suggestions pour aider vos enfants jumeaux à s'individualiser et s'épanouir, tout en respectant l'attachement qu'ils éprouvent l'un pour l'autre.

• Choisissez des prénoms avec des sonorités et des initiales distinctes. À éviter par exemple : Léa-Lola, Noé-Noah, Cécile-Odile. Efforcez-vous d'appeler chaque enfant par son prénom et évitez le plus possible l'expression « les jumeaux ». Elle sera de toute manière utilisée par l'entourage mais c'est important que les parents au moins ne l'emploient pas.

• Essayez de les habiller différemment car de porter tout le temps des vêtements identiques ne les aide pas à se différencier. Les jumeaux de même sexe sont encore souvent habillés de la même manière. Pour la layette, le plus simple est de choisir deux couleurs. Au début, cela vous permettra de reconnaître chaque enfant si vous avez une petite hésitation. Et cela rendra service à l'entourage qui a plus de peine que vous à les différencier.

• Dès la naissance, respectez la proximité qu'ils ont vécu l'un contre l'autre durant leur vie intra-utérine et si vos bébés doivent effectuer un court séjour en couveuse ou en néonatologie, ne vous étonnez pas si les soignants les placent côte à côte dans le même lit : ils s'apaisent alors, se touchent, se retrouvent. À la maison, observez s'ils ont besoin de se retrouver ainsi. Lorsque vous sentirez que c'est possible, couchez-les dans des lits différents et, de temps en temps, si vous le pouvez, dans deux pièces séparées.

> **WWW.JUMEAUX-ET-PLUS.FR**
> *C'est l'adresse de la Fédération nationale des jumeaux et plus : une association où les parents trouveront informations, conseils, soutien (Tel. 01 44 53 06 03). www.jumeaux-et-plus.fr*

• Dès leur plus jeune âge, donnez-leur des jouets différents et à chacun d'eux un tiroir pour le ranger. Les jumeaux n'ont pas forcément la même latéralisation : ne soyez pas étonnés si l'un est droitier et l'autre gaucher.

• À partir de 3 ans, les jumeaux peuvent faire des petites expériences de séparations : par exemple aller jouer un après-midi chez un ami, puis passer un week-end chez ses grands-parents.

• L'école maternelle est souvent le bon lieu et le bon moment pour apprendre à avoir des activités séparées, à ne pas être toujours ensemble, à se faire ses propres amis (même si on observe que les jumeaux ont souvent une petite bande commune). Selon les souhaits des familles, l'avis des enseignants et les possibilités d'accueil de l'école, on met les enfants dans des classes distinctes dès la petite section ou bien on attend la moyenne ou la grande section.

• Ménagez-vous des moments avec chacun des enfants pour qu'ils aient un contact plus personnel qui les incite à s'exprimer ; et cela, dès les premières semaines de vie, c'est important pour qu'ils se différencient.

• À éviter : le père qui s'occupe d'un enfant, toujours le même, la mère de l'autre (ce qui est fréquent). Chacun des jumeaux a besoin de ses deux parents.

• Ne vous forcez pas à donner à chacun le même sourire, le même jouet, le même biscuit. Il faut, au contraire, les habituer tout jeune à avoir un objet différent, une attention particulière. Lorsqu'ils s'occupent d'un des enfants, les parents ont parfois peur de frustrer l'autre. Rassurez-vous : les enfants apprennent à attendre et comprennent que « c'est à chacun son tour. »

• En grandissant, la personnalité de chaque enfant va se dessiner. Les parents auront à en tenir compte dans l'éducation : par exemple si l'un est plus lent, ne pas le bousculer mais l'aider (à s'habiller, à arrêter un jeu), tout en ne freinant pas l'autre.

LES AÎNÉS

La naissance puis la présence de jumeaux est aussi une aventure pour le ou les plus grands. Les aînés sont, comme les parents, souvent très fiers de cette double naissance. En général, la rivalité, les jalousies sont moins fortes. Mais il faut faire attention à ne pas les considérer top tôt comme des « grands », avec lesquels on peut être plus exigeant, surtout s'il y a peu d'écart d'âge.

POUR EN SAVOIR PLUS

• René Zazzo (1910-1995) a été un des grands spécialistes de la psychologie de l'enfant. Ses contributions les plus importantes concernent la notion d'attachement, les réactions de l'enfant devant le miroir et surtout la gémellité. Ses deux principaux livres sur ce sujet sont : *Le Paradoxe des jumeaux* (Stock), qui est un livre pour le grand public ; et *Les Jumeaux, le couple et la personne* (PUF), un livre également passionnant, mais d'un abord moins facile.

• *Le guide des jumeaux*, de Jean-Claude Pons, Christiane Charlemaine et Emile Papiernik : un livre utile qui s'adresse aux futurs parents et aux parents de jumeaux (Odile Jacob).

• *Les jumeaux. Du pareil au même ?* de Mylène Hubin-Gayte : en passant par l'histoire, la science, la psychologie (Découvertes Gallimard).

L'école maternelle

J'ai appris à chanter en allant à l'école,
Les enfants joyeux aiment les chansons,
Ils vont les crier au passereau qui vole,
Au nuage, au vent, ils portent la parole,
Tout légers, tout fiers de savoir des leçons.
Marceline Desbordes-Valmore

Votre enfant va entrer à l'école ; ce sera un grand moment et pour vous et pour lui.
Et comme souvent ni l'un ni l'autre ne savez très bien ce qui se passe à l'école, voici quelques indications.

ENTRE LA FAMILLE ET L'ÉCOLE

L'école maternelle veut apporter à l'enfant un nouvel univers en dehors de la famille, qu'elle ne cherche pas à remplacer. L'institutrice est là pour stimuler l'intelligence, pour développer l'imagination, la sociabilité de l'enfant, ce qu'elle fait avec compétence et affection.

   L'école maternelle est un lieu entièrement conçu pour les enfants avec de l'espace pour jouer, des pièces où le mobilier est à leur taille (étagères, porte-manteaux, casiers), des jeux variés, où tout est prévu pour créer une atmosphère gaie et accueillante. Le bac à sable ou à laver, les animaux et les plantes à soigner, la maison de poupée, tout rappelle la vie à la maison.

L'école maternelle, c'est aussi une structure adaptée aux jeunes enfants. Il y a une directrice, des institutrices (1) et des ATSEM (agents territoriaux spécialisés des écoles maternelles). Ces dernières aident les enseignants sur le plan matériel : préparation du goûter du matin, habillage et déshabillage des enfants pour les siestes et les récréations, pose des tabliers pour les activités salissantes, etc. Il y a aussi des horaires d'entrée et de sortie, et une discipline. Les enfants sont déjà de petits élèves : ils ont une table et des crayons, et ils vont apprendre à se servir de leurs mains, de leurs yeux, de leurs oreilles, de leur voix, en exécutant toutes sortes d'exercices.

Les avantages de l'école

L'école maternelle, d'une manière générale, cela veut dire des amis de son âge, et la mixité garçons-filles. Pour l'enfant unique, c'est un univers d'enfants. L'école maternelle, cela signifie des jeux qu'on n'a pas chez soi, des jeux de groupe et également des jeux pédagogiques conçus spécialement pour cet âge.

L'école maternelle, c'est aussi apprendre à s'exprimer et à le faire clairement, en utilisant des mots et pas seulement des gestes : évoquer un événement, donner son avis, formuler une demande à l'adulte (par exemple aller aux toilettes). Ainsi le vocabulaire de l'enfant s'enrichit. Plus d'enfants qu'on ne pense arrivent à l'école avec un langage pauvre car chez eux, on les a peu encouragés à s'exprimer ; comme le dit une enseignante, on voit très vite ceux à qui on dit « tais-toi » et ceux à qui on dit « raconte », ceux qui vivent dans une famille où le langage est valorisé, et ceux qui n'ont pas cette chance. Ces enfants seraient très capables de parler comme les autres si on leur en donnait l'occasion et le goût, ce qui est indispensable pour apprendre à lire par la suite.

L'école offre des activités nouvelles, que l'on essaie toutes avant de trouver celle qui plaît le plus : la terre glaise, les marionnettes, la peinture, les gommettes, les découpages, avec une maîtresse pour guider et encourager chaque enfant. Les enfants peuvent aussi s'initier à l'informatique au fur et à mesure que les écoles s'équipent en ordinateurs. De nombreux logiciels pédagogiques sont utilisés dans les classes, et permettent à certains enfants de réussir des exercices qu'ils n'auraient pas su faire sur une feuille.

L'école apprend à se maîtriser, à se concentrer. Lorsque la maîtresse dit de coller des gommettes jaunes à l'intérieur du dessin, cela veut dire que l'enfant doit : écouter ce qu'on lui dit, le comprendre, le réaliser, ce n'est pas facile au début.

L'école « dégourdit ». C'est l'apprentissage de la vie en société. On devient indépendant. La maîtresse ne se consacre pas à un seul enfant. Il faut apprendre à s'habiller seul, à ranger ses affaires, à attendre son tour. C'est une grande découverte qui rend souvent l'enfant moins exigeant en famille.

À l'école, l'enfant apprend également à coopérer avec les autres enfants et avec les adultes, à s'insérer peu à peu dans le groupe, ce qui est particulièrement bénéfique pour les émotifs, les timides, les agressifs : on respecte la règle du jeu quand on joue à plusieurs, on écoute lorsque l'adulte, ou un autre enfant, parle.

PLEIN TEMPS OU MI-TEMPS ?

La structure de l'école maternelle heureusement est assez souple, l'enfant peut y aller à plein temps ou à mi-temps. La première année, le mi-temps est souvent souhaitable compte tenu de la fatigue dont on vient de parler. En plus à cet âge tendre, tout proche de la petite enfance, le mi-temps permet de ne pas ressentir l'école comme une obligation pesante à laquelle l'enfant a de la peine à faire face, mais comme un plaisir adapté à ses possibilités.

Quelques précautions à prendre

L'école peut être une source de fatigue. Il faut se lever plus tôt, aller et venir quatre fois par jour si l'enfant ne va pas à la cantine. Le rythme est le même pour tous ; si l'enfant éprouve le besoin de se reposer le matin, il ne peut pas le faire dans le dortoir, mais simplement s'allonger dans un coin de la classe : l'institutrice ne pourra pas l'isoler davantage.

L'école, c'est le bruit et le nombre : même aujourd'hui où on essaie de les réduire, les effectifs des classes sont encore trop importants, y compris dans les sections des petits. Trente-cinq enfants, le chiffre autorisé actuellement, c'est trop, il n'en faudrait pas plus de la moitié. C'est pourquoi l'enseignante la mieux préparée à son métier ne peut pas toujours remplir sa tâche comme elle le souhaiterait et avoir assez de contacts avec chacun des enfants, ce dont ils auraient vraiment besoin étant donné qu'ils sont si petits.

Si vous êtes enceinte, essayez, si c'est possible, de mettre votre aîné à l'école pendant votre grossesse pour qu'il n'ait pas l'impression que vous l'éloignez au moment de la naissance du bébé. Si cela n'a pas été possible et que la jalousie de votre enfant pour le nouveau-né est grande, soyez souple : maintenez l'inscription de votre enfant à l'école, mais retardez de quelques semaines son entrée ; les directrices d'école maternelle sont en général compréhensives pour ce genre de situation.

De même, si l'enfant vient d'être éloigné de vous et de sa famille pour une raison quelconque (maladie, difficulté familiale ou autre), il a besoin de combler un manque d'affection, et de retrouver son équilibre avant d'aller à l'école.

Et la cantine ?

De plus en plus d'écoles proposent des menus équilibrés composés par un diététicien. Cependant certains enfants supportent mal la cantine à cause du bruit et du nombre d'enfants. Après une période d'essai, si votre enfant a des difficultés pour s'adapter, il serait souhaitable qu'il puisse déjeuner chez une assistante maternelle ou chez la maman d'un autre enfant. Pour faciliter l'adaptation à la cantine, apprenez à votre enfant à être le plus autonome possible au moment du repas (manger tout seul, ouvrir son yaourt...). En cas d'allergie alimentaire ou de diabète, prévenez le directeur de l'école pour qu'un « projet d'accueil individualisé » soit mis en place, permettant à l'enfant de déjeuner à la cantine tout en suivant son régime alimentaire.

L'accueil avant et après l'école

Les communes (voire des associations privées) sont de plus en plus nombreuses à organiser un accueil le matin et le soir (avec goûter et activités diverses) dans les écoles. Ainsi les enfants sont accueillis à l'école de 7 h 30 à 18 h 30. Cela rend service aux parents qui travaillent mais les journées sont longues pour les petits écoliers (qui vont en plus bien souvent à la cantine). Si cela est possible, essayez de limiter le nombre de ces grandes journées. Et si une assistante maternelle, une voisine, un grand-parent peut de temps en temps venir chercher l'enfant à la sortie de l'école, ce sera moins fatigant pour lui.

COMMENT PRÉPARER LA RENTRÉE ?

En famille, on va parler de l'école bien avant la rentrée. Pour préparer l'enfant, vous tiendrez compte de son caractère, de sa sensibilité. Certains enfants sont sensibles au côté « promotion » de l'école : « Tu es grande maintenant, tu vas aller à l'école, tu auras des amis comme ton frère ou ta sœur, la maîtresse te fera faire des dessins que tu nous montreras. » D'autres préféreront qu'on leur parle de l'école comme d'un endroit où on joue (ce qui est vrai) : « Tu trouveras de nouveaux jeux, des livres, vous écouterez de la musique ; peut-être verrez-vous des films, ou des marionnettes, etc. » Et bien sûr il ne faudrait pas faire de menace du genre : « Tu verras, la maîtresse, elle au moins, saura te faire obéir... Si tu ne manges pas, je te laisse à la cantine. »

De nombreuses écoles maternelles organisent une « journée portes-ouvertes » en juin : les futurs petits écoliers peuvent ainsi faire connaissance avec les institutrices, ils visitent les locaux, ils admirent le matériel et les jeux mis à leur disposition. Depuis que Léa, 2 ans 1/2, a visité l'école où elle doit aller à la rentrée, elle ne veut plus retourner à la crèche... Aujourd'hui la rentrée se passe en deux ou trois jours : les enfants de petite section ne rentrent pas tous en même temps, cela leur permet de s'adapter en douceur à ce nouveau cadre.

Et s'il pleure ?

Le jour de la rentrée, conduisez vous-même - tous les deux, ou l'un des deux - votre enfant à l'école, même si les autres jours c'est une voisine ou la nourrice qui s'en charge. Si, au moment de vous quitter, il pleure, c'est classique, presque normal. Mais partez bravement. Si vous restez, votre enfant s'attendrira sur son sort (et vous sur le sien). Si vous partez, il sera distrait par la nouveauté. Puis allez le chercher à la sortie. Au début, c'est vraiment nécessaire. Il est normal que les parents soient émus par la rentrée scolaire. C'est à la fois une fête, on a acheté de nouveaux vêtements à l'enfant, des crayons de couleur ; c'est aussi une étape importante dans son développement. Même si l'enfant a déjà été gardé par d'autres, l'école c'est vraiment le début d'une vie plus autonome.

Si, au bout de quinze jours, votre enfant pleure encore au moment de partir, voyez avec la maîtresse la conduite à tenir. Il est possible qu'il ne soit pas encore mûr pour l'école. La directrice vous dira s'il lui serait possible de le reprendre en cours d'année.

Votre enfant semble bien adapté ? C'est parfait. Mais sachez que parfois des difficultés surgissent trois semaines, un mois après la rentrée. Un matin, sans raison apparente, au moment du départ l'enfant fond en larmes, ou bien il a des cauchemars, ou encore, parce qu'on l'a gardé un ou deux jours à la maison pour un rhume, le troisième jour il refuse de se lever. Que se passe-t-il ? Les quinze premiers jours, ou le premier mois, il y avait l'attrait du nouveau, le plaisir d'être avec les autres, la fierté d'aller à l'école comme les grands. Puis, l'enfant a été un peu trop vite livré à lui-même ou à d'autres (c'est une voisine qui l'emmène le matin, ou le ramène le soir) ; ou bien il reste à la cantine ; il a pu se sentir perdu au milieu de tous ces enfants ; ou encore il a attaché trop d'importance à une petite réprimande faite à lui-même ou à un autre enfant ; soudain l'enfant mesure ce qu'il n'a plus depuis qu'il va à l'école : des habitudes confortables, un petit groupe chez la nourrice ou à la crèche, les courses avec sa mère, etc. Et ce sont des pleurs au moment où l'on ne s'y attendait plus.

MAINTENEZ DES CONTACTS AVEC L'ÉCOLE

Il est important que le père et la mère soient présents lors des réunions qui sont régulièrement organisées. Les enseignants regrettent souvent que dans cet univers très féminin de l'école maternelle, les pères ne se manifestent pas plus. Et, bien sûr, s'il y a un problème n'hésitez pas à demander un rendez-vous. L'institutrice vous dira sûrement sur votre enfant des choses que vous ignorez et qui vous intéresseront. Souvent les enfants ont à l'école un comportement différent et révélateur de petits problèmes que l'institutrice peut aider à résoudre. Et vous-même, en parlant avec elle, en l'informant des progrès ou difficultés de votre enfant, vous l'aiderez à mieux le comprendre.

En fait, l'adaptation d'un enfant à l'école dure quelques semaines. Et, pendant cette période, il faut prendre certaines précautions pour que l'enfant n'ait pas l'impression d'une nette coupure avec la vie d'avant l'école. Par exemple : accompagnez ou allez chercher vous-même l'enfant le plus souvent possible. S'il reste déjeuner à l'école, soignez ses repas le soir et, le mercredi, si vous êtes là, faites-lui faire son menu. Montrez-lui que vous vous intéressez à ce qu'il fait à l'école ; écoutez ce qu'il raconte ; gardez les dessins qu'il rapporte : la curiosité et l'enthousiasme naissent et se cultivent, comme le langage ou la marche, dans l'affection et grâce aux encouragements.

L'adaptation de l'enfant qui vient de la crèche

Lorsque l'enfant est déjà allé à la crèche, on pense qu'il n'aura pas de problème d'adaptation à l'école maternelle puisqu'il était déjà séparé de sa famille, et habitué à la compagnie des autres. L'adaptation est souvent plus facile, mais elle existe quand même. La vie de la crèche et celle de l'école sont dif-férentes. Les « grands » de la crèche sont au maximum douze ou quinze, en première section de maternelle, ils se retrouvent en général à trente ; à la crèche les horaires sont souples, en maternelle il faut arriver à l'heure ; à la crèche les enfants ont un matériel « bébé », à l'école c'est déjà un maté-riel d'écolier. Tout cela fait un vrai changement de cadre de vie.

L'accueil de l'enfant avec un handicap

C'est aujourd'hui une réalité : de plus en plus d'enfants porteurs de handicap sont accueillis dans l'école de leur quartier, dès 3 ans. L'inscription se fait auprès de la directrice, puis les parents sont conviés à établir avec les différents partenaires un Projet Personnalisé de Scolarisation (PPS).

Selon la situation de l'enfant, sa scolarisation se déroulera sans aide particulière ou fera l'objet d'aménagements en fonction de ses besoins. Dans de nombreux cas, une auxiliaire de vie scolaire (AVS) sera affectée aux côtés de l'enfant et l'enseignante aura accès à un matériel pédagogique spécifique.

L'ÂGE DE L'ÉCOLE MATERNELLE

La plupart des enfants de 3 ans sont scolarisés. En effet, l'enfant de 3 ans a suffisamment le goût des autres, les moyens de se débrouiller seul, il est propre, il a un vocabulaire assez riche, pour entrer à l'école maternelle. Aujourd'hui on se pose des questions sur l'entrée à la maternelle des enfants de 2 ans : est-ce souhaitable ?

D'abord est-ce matériellement possible ? En principe oui, car l'école maternelle est ouverte aux enfants de 2 ans, mais uniquement s'il y a de la place : une directrice d'école n'est pas obligée d'ins-crire les enfants qui n'auront pas 3 ans au 31 décembre suivant la rentrée. Bien que cette entrée à l'école soit officiellement possible dès 2 ans, nous vous la déconseillons. En effet, dans sa structure actuelle, l'école maternelle n'est pas faite pour l'enfant de moins de 3 ans : il y a trop d'enfants, les locaux ne sont pas aménagés, en particulier pour son sommeil ; l'enfant de 2 ans a souvent besoin de dormir encore dans la journée et, pour cela, il faut des locaux de repos disponibles en permanence.

Il existe un vrai problème dans notre équipement social pour les enfants de 2 à 3 ans : qui peut s'en charger lorsque les parents travaillent ? En général les crèches sont trop peu nombreuses pour gar-der les enfants de plus de 2 ans ; et la solution de l'assistante maternelle représente un coût finan-cier que bien des familles ne peuvent assumer. Dans certaines villes, il existe des jardins d'enfants ou des jardins maternels qui sont des structures intermédiaires entre la crèche et l'école.

Avant 6 ans, l'école n'est pas obligatoire. Mais à partir du moment où l'enfant est inscrit, il doit venir régulièrement, même si une certaine souplesse existe, en particulier en première année de maternelle.

AU PROGRAMME DE L'ÉCOLE MATERNELLE

Et maintenant entrons dans la classe. Les parents aimeraient bien savoir ce que l'enfant fait loin d'eux pendant tant d'heures. Et en général l'enfant raconte peu. C'est pourquoi vous trouverez détaillé ci-après ce qui est fait dans chacune des trois sections de l'école maternelle.

Toutes les activités sont basées sur le développement global de l'enfant, tant sur le plan moteur que sur le plan sensoriel et cognitif. Une place importante est donnée au langage : le développement et l'acquisition d'un langage riche, qui prépare la lecture puis l'expression écrite, est un des objectifs premiers de l'école maternelle. Les activités s'organisent autour du calendrier. Les anniversaires sont l'occasion de faire des mathématiques (combien de bougies sur le gâteau ? Combien d'assiettes à distribuer ?). Les mois, les saisons, apprennent à prendre conscience du temps qui passe. Les fêtes (préparatifs de Noël, du carnaval) rythment l'année scolaire.

Ces activités variées partent toujours d'un « projet pédagogique » bâti autour des enfants. Ce projet fait l'objet d'une réunion organisée par l'enseignante en début d'année avec les parents. Au cours de cette réunion, l'institutrice décrit le déroulement d'une journée de classe. Elle dit aux parents l'aide qu'elle attend d'eux : apporter des objets de récupération pour certaines activités, participer à des sorties en dehors de l'école, etc. Il est important que les parents soient présents à ces rencontres avec l'enseignant, et chaque année a son importance. De leur côté, les enfants sont sensibles à cet intérêt vis-à-vis de leur école.

Un des principes importants de l'école maternelle française, et qui a d'ailleurs fait son succès, c'est que chaque institutrice est libre d'organiser les activités de la semaine en fonction de ses propres idées pédagogiques et du nombre de ses élèves.

Une journée à l'école maternelle

Les enfants arrivent le matin à l'école entre 8 h 20 et 8 h 40. Ils ont un temps de jeux libres jusqu'à 9 h environ. Ensuite, tout le monde range la classe et se rassemble autour de la maîtresse. On fait l'appel : qui est là ? Qui n'est pas là ? Combien sommes-nous ? On regarde le calendrier : quel jour est-ce aujourd'hui ? Qui a son anniversaire cette semaine ? On se repère sur des calendriers différents : en colonne, un éphéméride... Puis, chacun raconte, s'il le souhaite, ce qu'il a fait à la maison ou parle d'autres sujets. C'est une façon d'apprendre à bien s'exprimer. Ensuite, la maîtresse organise les ateliers de la matinée : écriture, graphisme chez les plus grands, peinture, collage, modelage, jeux de société...

Avant la récréation, un goûter est parfois proposé en petite section : un fruit, du fromage, etc. Après la récréation (30 minutes), les enfants ont une séance de motricité (gymnastique, danse, expression corporelle) avec du matériel approprié.

L'après-midi, les petits font la sieste, puis participent à des activités manuelles selon l'heure du réveil. Les grands ont différentes activités : manuelles, motrices, chants, musique, graphisme...

Une récréation de 30 minutes coupe l'après-midi, généralement entre 15 h et 15 h 30. On se rassemble vers 16 h pour parler de ce qu'on a fait dans la journée, puis c'est « l'heure des parents » tant attendue !

Le déroulement d'une journée à l'école maternelle est toujours le même. C'est important pour aider l'enfant à se repérer dans le temps (il y a les rituels du matin : l'appel, le calendrier ; après le goûter, c'est la récréation ; le vendredi, c'est le jour de la chorale) et à se repérer dans l'espace (la danse se fait toujours au même endroit).

La section des petits

Elle accueille les enfants de 3 ans mais aussi, vous l'avez vu, parfois ceux de 2 ans ; elle cherche à habituer l'enfant à vivre loin de sa famille, avec des enfants de son âge, tout en étant heureux à l'école. Les premières activités sont conçues dans ce but. On veut aider l'enfant à acquérir peu à peu son autonomie, à se déshabiller tout seul, à lacer ses chaussures. On veut l'aider à être à l'aise dans le groupe : jeux collectifs, rangements communs, etc.

On veut aussi qu'il acquière une certaine aisance physique, on lui fait faire des mouvements variés (grimper, sauter, courir, franchir), de la danse ; on cherche à développer son adresse par divers jeux de fabrication, de modelage et d'enfilage. On lui apprend à manier des matériaux variés : colle, peinture, sable. Parler de mieux en mieux aide à communiquer avec les autres : on aide l'enfant à enrichir son vocabulaire, en lui racontant des histoires, en lui chantant des chansons. L'enfant commence à compter. On monte ensemble l'escalier en disant 1, 2, 3. « J'ai 3 ans » dit-il en montrant ses doigts. C'est aussi le début des activités avec papier, crayons et feutres.

Toutes ces activités prennent la forme de jeux individuels ou collectifs, l'enfant n'est pas encore vraiment un élève. Le but est d'éveiller les enfants dans les différentes directions indiquées et de leur donner confiance en eux-mêmes.

La section des moyens

Elle accueille les enfants de 4 ans, toujours dans le même but d'éveiller l'enfant dans toutes les directions et d'enrichir ses moyens d'expression, on trouve les mêmes activités mais développées : l'exercice physique devient plus difficile, il faut coordonner les mouvements ; on demande à l'enfant une plus grande habileté manuelle en lui faisant faire des collages, des puzzles, des emboîtements. Les activités graphiques sont plus développées pour préparer l'enfant aux gestes qui permettent de maîtriser l'écriture.

Les fruits et les fleurs de saison, une sortie au musée, un voyage fait par un des enfants, fournissent des thèmes de conversation. Dans le domaine du langage, l'enfant retient en général facilement les poèmes ou chansons qu'il entend ; et on commence une petite initiation aux mathématiques en lui demandant de grouper les objets de même catégorie.

La section des grands

Là débute vraiment la préparation au cours préparatoire, d'autant plus que la grande section fait partie, avec le CP et le CE1, du « cycle des apprentissages fondamentaux » (les petites et moyennes sections appartiennent au « cycle des apprentissages premiers »).

On commence vraiment à faire des exercices d'initiation à la lecture, à l'écriture. En fait, il ne s'agit pas tant d'apprendre les lettres à l'enfant que de lui montrer d'abord l'intérêt et le plaisir de l'écriture et de la lecture : par exemple, l'institutrice chante une chanson, elle en inscrit les paroles au tableau. Les enfants voient le lien entre la chanson et l'écriture. Puis la maîtresse lit les paroles écrites sur le tableau ; les enfants voient l'intérêt de la lecture qui permet de retrouver les mots. En regardant un album avec la maîtresse, les enfants apprennent à entendre un son, à le reconnaître, à le localiser dans une phrase. Ces jeux d'écoute sont une bonne préparation à la lecture. Initiation aux mathématiques également (toujours par groupement d'objets). Et des exercices de langage en posant des questions sur des histoires racontées.

Et bien sûr, la plus grande partie de la journée est occupée par le dessin, la peinture, la musique, l'exercice physique.

L'évaluation de fin d'année

À la fin de chaque année de maternelle, une évaluation des connaissances et des acquis de l'enfant est prévue. Elle peut (mais ce n'est pas obligatoire) être communiquée aux parents. Ce n'est pas un système de notation, comme à l'école élémentaire : il s'agit de tableaux indiquant si tel apprentissage est acquis, non acquis, ou en cours d'acquisition.

Ce livret d'évaluation est un outil qui permet à l'enseignante d'ajuster les activités aux capacités de chaque enfant pour l'aider à progresser. Mais certains parents trouvent l'évaluation trop détaillée, notamment à la fin de la dernière année de maternelle : faire un tel bilan à l'âge de 5-6 ans semble prématuré, la pression leur paraît trop forte. Et souvent les termes employés les inquiètent lorsqu'ils évoquent des échecs possibles, ou des difficultés dans la vie de groupe. Avant de s'inquiéter, il faut se rappeler que chaque enfant a son rythme de développement. Et que l'évolution d'un enfant se fait par stades successifs.

> **GUIDE PRATIQUE DES PARENTS**
> *Ce fascicule explique aux parents le fonctionnement de l'école maternelle et en détaille les finalités et les programmes. Il est édité par l'Éducation Nationale et distribué gratuitement aux parents au moment de la rentrée des classes. Il est également consultable sur Internet : http://media.education.gouv.fr/file/Espace_parent/09/2/guide-parents-maternelle_43092.pdf*

Si vous êtes inquiets, parlez d'abord de vos préoccupations à la maîtresse, vous verrez ensemble comment votre enfant peut être aidé. Vous pouvez aussi en parler soit avec le pédiatre qui suit l'enfant, soit avec un psychologue qui proposera, si nécessaire, une aide adaptée. Et certainement, l'un comme l'autre, désireront revoir l'enfant quelques mois plus tard.

En grande section, des difficultés de langage ou d'articulation peuvent être signalées aux parents. Vous verrez avec la maîtresse s'il faut envisager un bilan orthophonique, car plus les troubles sont pris en charge précocément, plus l'enfant sera à l'aise pour aborder le CP.

QUELQUES DIFFICULTÉS

L'enfant qui ne raconte rien en rentrant de l'école

Cela ne signifie pas qu'il soit malheureux à l'école. Il considère peut-être pour le moment que c'est son domaine réservé. Ou bien, il est naturellement peu expansif.

Ou encore, c'est sa manière de prendre du champ vis-à-vis de vous, de devenir grand. Assurez-vous auprès de l'institutrice que tout va bien, et respectez sa discrétion.

L'enfant qui ne s'intéresse et ne participe à rien

Il est en petite section : n'est-il pas trop jeune ? Il est plus grand : vous l'avez peut-être habitué à trop d'attentions ; maintenant, livré à lui-même, anxieux et craintif, il n'ose rien entreprendre seul ou avec d'autres. De santé fragile, il a peut-être du mal à supporter le bruit et l'agitation d'une classe et choisit de s'isoler. Ou encore c'est sa manière d'attirer sur lui l'attention de l'institutrice. Il faut, sans dramatiser, essayer de sortir de cette situation en ayant un entretien avec l'institutrice. Par exemple, pour aider un enfant qui a du mal à se débrouiller seul, l'enseignante peut proposer aux parents de se mettre d'accord sur ce que l'enfant peut faire : nouer ses lacets, mettre le doudou dans le cartable, ou justement ne plus le mettre, s'habiller tout seul le matin et à l'école, etc.

Si c'est nécessaire, l'institutrice peut faire appel au Réseau d'Aide aux Enfants en Difficulté (RASED). Ce réseau, dont l'existence est malheureusement remise en question et qui a des moyens de plus en plus limités, regroupe plusieurs écoles et comprend une psychologue scolaire, un médecin scolaire et des enseignants spécialisés.

Mais un enfant qui s'isole est peut-être un enfant qui ne voit pas bien, ou n'entend pas bien. Parlez-en au médecin, il fera faire un contrôle de la vue ou de l'audition.

Important. N'hésitez pas à signaler à la maîtresse un changement notable dans la vie de l'enfant (séparation des parents, maladie d'un proche, etc). De la même façon, informez-la si votre enfant est suivi (psychologue, orthophoniste) en dehors de l'école. Cette relation de confiance enseignant-parents ne peut être que bénéfique pour l'enfant.

L'ANNÉE D'AVANCE

Certains parents demandent que leur enfant « saute » une année de maternelle pour qu'il puisse entrer au cours préparatoire un an plus tôt. D'autres, dans le même but, mettent leur enfant à l'école dès 2 ans. C'est un faux calcul : l'enfant fera très probablement quatre années de maternelle (sauf cas rares, voir ci-dessous) puisque l'âge d'entrée au CP est de 6 ans (au 31 décembre suivant la rentrée).

L'année d'avance n'est en général pas conseillée. : quel que soit le temps que l'enfant ait passé en maternelle, ce qui compte c'est que l'enfant ait atteint un certain degré de maturité pour les acquisitions de base. Cette maturité, les enfants l'ont en général à 6 ans. C'est pourquoi 6 ans est l'âge légal d'entrée au CP. Mais de nombreux enfants, qui n'en sont pas moins normaux pour autant, n'atteignent cette maturité qu'à 6 ans 1/2, 7 ans, voire plus tard.

C'est vrai qu'il existe des enfants très précoces et équilibrés, qui révèlent un goût réel pour les apprentissages du CP, qui montrent qu'ils ont envie d'apprendre à lire, écrire, compter, et qu'ils en sont capables entre 5 et 6 ans. Il est important de reconnaître ces enfants qui, sans être surdoués, ont une réelle avance, car les freiner pourrait les démotiver. (Sur les *enfants précoces*, voir page 310)

C'est pourquoi l'avis d'un psychologue est souhaitable, car d'autres facteurs entrent en jeu pour savoir si un enfant est prêt pour prendre une année d'avance : il faut que l'enfant distingue bien sa droite de sa gauche, se situe dans le temps proche et dans l'espace familier, etc.

Il faut en plus que l'enfant ait acquis une certaine maturité sociale et affective, ce n'est pas toujours le cas. On en voit qui sont précoces sur le plan intellectuel mais encore « bébés » : ils ont plus besoin des jeux, de la liberté, de la spontanéité de l'école maternelle que de l'enseignement plus structuré de l'école primaire. En plus, imposer à l'enfant de faire sa scolarité avec des camarades plus âgés que lui peut le gêner.

Donc, sauf exceptions, l'année d'avance risque d'être plus une source de difficultés qu'un gain de temps. Les enfants peuvent avoir des difficultés au CM1 ou à l'entrée en 6ᵉ, lors de certains paliers du programme.

Les classes à double niveau font cohabiter plusieurs sections, par exemple la petite et la moyenne. Cela peut donner l'idée aux parents que l'enfant de petite section pourrait passer directement dans la grande section, en sautant la moyenne section. En réalité, l'enseignant propose des activités différentes à chaque âge. Et même s'il arrive qu'un enfant particulièrement éveillé passe au niveau supérieur et saute ainsi une classe, cela est rare.

Grandir et s'épanouir : l'éducation

Le chapitre précédent a été écrit pour vous aider à faire la connaissance de votre enfant. Lorsque vous aurez lu, par exemple, que la capacité de dire « non » de l'enfant marque une étape importante dans la conquête de son autonomie – et précède la capacité de dire oui –, vous ne considérerez pas ce non comme une attitude agressive envers vous. Vous lirez aussi que dire « À moi ! À moi » n'est pas une manifestation d'égoïsme chez le petit enfant mais une prise de conscience de lui-même. Et ainsi dans bien d'autres domaines. Avec ces connaissances, complétées par votre sensibilité et votre instinct, **vous saurez l'essentiel pour élever votre enfant, pour lui donner les meilleures chances de s'épanouir.**

Dans ce chapitre, nous souhaitons évoquer quelques questions éducatives pour vous aider au mieux dans votre rôle de parents. Nous aborderons également des sujets qui nous tiennent à cœur, quelques faits de société et certaines situations difficiles.

Devenir **parents** aujourd'hui

L'attente du bébé, puis la naissance, transforme le couple en parents. Passer du duo au trio se fait souvent naturellement. Malgré les changements de la vie quotidienne, la fatigue des premières semaines, l'adaptation aux rythmes de l'enfant, la réponse à ses besoins, chacun trouve peu à peu sa place auprès de lui, se complète et se soutient. Les parents éprouvent joie et fierté de cette naissance qui marque une étape dans leur désir de composer une famille et de tisser leur propre filiation.

Ce passage du duo au trio peut aussi demander un peu de temps, des ajustements, des compromis réciproques. Certains pères éprouvent un sentiment d'abandon lors du retour à la maison, parfois dès la maternité, lorsqu'ils se sentent exclus du couple mère-bébé. Ainsi Gilles s'est senti mis à l'écart dans cette période si sensible des suites de couches. Voyageant beaucoup pour des raisons professionnelles, il s'était libéré au moment de l'accouchement. Une césarienne, une maman fatiguée, exclusive avec son nouveau-né dans la chambre de la maternité, irritée à la moindre demande de son compagnon, et voilà Gilles submergé par la solitude. Il faudra quelques semaines pour que se tissent des liens profonds père-bébé, pour que le couple retrouve ses propres marques. Lorsque le père est averti que toute mère éprouve, à des degrés divers, une préoccupation particulière pour son nouveau-né, qui la conduit parfois à se centrer exclusivement sur lui, il supporte plus facilement la situation car il sait qu'elle est temporaire.

Lorsque le trio père-mère-bébé a atteint un bon équilibre, le duo des parents doit savoir préserver son intimité, sa vie de couple, au fur et à mesure que le bébé grandit. Cela demande une certaine attention.

Parfois le bébé comble ses parents de tant de tendresse que ceux-ci peuvent perdre l'habitude de leur bonheur à deux. Ils se laissent envahir par l'enfant. C'est ainsi qu'une naissance peut fragiliser la vie d'un couple, provoquer des turbulences dans la vie quotidienne. Quand Mathieu est né, sa maman ne s'attendait pas à vivre un tel changement dans sa vie personnelle. Très investie dans son travail, elle avait l'habitude d'emporter des dossiers à la maison. Aujourd'hui en congé de maternité, elle éprouve des sentiments ambivalents, partagée entre l'immense bonheur que lui procure la naissance de Mathieu et un sentiment d'isolement, alors que son mari est retourné très vite travailler.

Aborder en couple ce qui va bien mais aussi ses frustrations, les ambivalences de chacun à l'égard de la parentalité, favorise le partage des émotions qui suivent toute naissance. Et surtout cela peut permettre d'apaiser les tensions. N'ayez pas peur de décevoir le père de votre enfant en évoquant vos difficultés : en parler permet d'évacuer le stress, l'anxiété et de diminuer la pression que vous pouvez ressentir.

Avec ces ajustements, ces tâtonnements, une naissance renforce le plus souvent l'amour et l'attachement entre un homme et une femme : ils sont reconnaissants l'un envers l'autre de la naissance de leur bébé, fruit d'un désir partagé et expression de leur amour.

ÊTRE MÈRE

Être mère aujourd'hui c'est concilier un statut de femme souvent active dans la vie professionnelle avec celui d'épouse et de mère. C'est trouver un nouvel équilibre dans sa vie, c'est souvent remettre en question son organisation quotidienne pour s'adapter au mieux aux besoins de l'enfant.

Devenir mère n'est pas toujours une expérience paisible et gratifiante. À la joie de la naissance peut succéder une période éprouvante. « J'avais un travail passionnant. Avec mes enfants de 3 ans et bientôt 1 an, c'est tellement différent. Quand ils pleurent, je me sens responsable de tout ce qui ne va pas... Je voudrais tellement bien faire que je me sens en difficulté. »

Être une « bonne mère », c'est bien sûr veiller à l'épanouissement de son enfant, répondre à ses besoins. Mais c'est aussi accepter ses limites, c'est renoncer à être une « mère parfaite », à une maternité idéalisée. C'est également préserver sa vie de couple et ses propres désirs.

Une naissance, surtout celle d'un premier enfant, modifie souvent l'équilibre personnel et familial. Après quelques mois, il peut être nécessaire qu'une nouvelle organisation se mette en place, dans laquelle chacun se sente bien. Stéphanie a repris son travail après son congé de maternité et s'est organisée pour retourner à son cours de danse de flamenco. Caroline, qui a choisi de rester à la maison, a décidé de s'investir dans la vie municipale de sa commune. Une naissance peut être aussi le moment d'envisager avec votre mari, votre compagnon, une répartition différente des tâches à l'intérieur du couple. Les femmes trouvent souvent qu'elles ont trop à faire et il est vrai que certains hommes ne se rendent pas compte de tout ce qu'elles font dans une journée. Une bonne conversation est toujours bénéfique.

MÈRES AU TRAVAIL, MÈRES À LA MAISON

La plupart des mères reprennent aujourd'hui leur travail dès la fin du congé de maternité. Souvent elles aiment ce qu'elles font, ou bien elles ont peur de perdre leur situation. Et le chômage a amplifié cette crainte. Toujours est-il que beaucoup de femmes se sentent capables de mener tout de front : s'occuper de leurs enfants et avoir un métier. Cela ne va pas sans poser des problèmes parfois difficiles à résoudre.

Nous souhaiterions quand même vous faire une suggestion, à vous qui allez reprendre votre travail. Votre bébé vient de naître, vous commencez à faire connaissance. Si vous le pouvez, donnez-vous, donnez-lui six mois pour prendre le temps de profiter des premiers liens qui vont se tisser entre vous. Ces six mois seront des moments exceptionnels de partage, d'échanges. Vous verrez l'éveil de votre bébé, ses découvertes, ses progrès quotidiens, vous découvrirez sa sensibilité lorsque vous, ou d'autres adultes, communiquerez avec lui. Cela vous rassurera dans votre rôle de mère, ce sera pour lui l'occasion de « démarrer » en douceur dans la vie.

Même si votre travail vous passionne, et, bien sûr, si vous en avez la possibilité matérielle et professionnelle (certaines mères ressentent une telle pression qu'elles n'osent prolonger leur congé de maternité), ne reprenez pas si rapidement vos activités extérieures. Écoutez ceux qui disent qu'un bébé c'est passionnant, qu'un enfant grandit vite, voyez tous ces spécialistes qui font des colloques pour démontrer que dès le début de la vie un bébé a beaucoup à dire, à communiquer : découvrez-le vous-même. Six mois donnent déjà le temps de faire bien connaissance, et six mois, qu'est-ce dans une vie ? Si vous prenez cette « pause-bébé », vous ne la regretterez probablement pas. Après, lorsque vous reprendrez votre travail, n'oubliez pas qu'un enfant a besoin que ses parents lui consacrent du temps, et que plus vous pourrez le faire, plus il sera heureux. Vous le savez, mais il est important de le redire.

• À côté des mères qui ne souhaitent pas s'arrêter de travailler, il y en a d'autres qui au contraire en rêvent, celles qui ont des métiers épuisants : la caissière de grande surface, la vendeuse dans un magasin ou sur un marché, l'employée, aimeraient pouvoir consacrer du temps à leur bébé mais elles ne le peuvent pas car elles ont besoin de leur salaire et souvent craignent de perdre leur emploi. Et il y a celles qui regrettent d'abandonner leur travail mais sont obligées de le faire car le coût d'un mode de garde est trop élevé pour ce qu'elles gagnent.

• Pour certaines mères, le travail à temps partiel semblait hier encore une bonne solution. Mais les circonstances économiques actuelles font que les femmes hésitent à demander des aménagements qui risqueraient de rendre leur situation précaire. Le temps partiel contraint, avec des horaires imposés, ajoute encore de la précarité. Le temps partiel choisi, les horaires aménagés ne peuvent être envisagés facilement que dans certains secteurs : fonction publique, grandes entreprises, etc. Avant de prendre une décision, renseignez-vous sur les garanties proposées.

• D'autres mères choisissent de faire une pause professionnelle pour être à la maison avec leur enfant et prendre le temps de le voir grandir. Cette situation est souvent mal vue : « Vous ne travaillez pas ? » Et la remarque est faite d'un ton mi-étonné, mi-condescendant, parfois envieux.

Être chez soi, c'est pouvoir organiser sa vie et ses journées à sa guise, c'est avoir plus de disponibilité, être moins bousculée. Pour l'enfant, c'est la stabilité, ce sont des nuits sans réveil précoce, ni trajets endormis vers la crèche. Il y a des inconvénients : solitude lorsque les amis travaillent et que la famille est loin ; difficulté de pouvoir faire garder ses enfants de temps en temps, etc. En plus, être éloignée du monde du travail risque, un jour, de rendre difficile à la mère de retrouver une activité professionnelle, par exemple, lorsque les enfants auront grandi, ou si la situation familiale change.

DIFFÉRENTS CAS, DIFFÉRENTS SOUHAITS, DIFFÉRENTES MÈRES…

Les solutions ne sont pas toujours faciles. La société devrait, pourrait faire un effort supplémentaire pour que la mère puisse vraiment choisir le mode de vie le mieux adapté à sa situation, à ses besoins, à ses désirs. C'est encore elle qui a la plus grande charge des enfants, même si aujourd'hui certains pères sont plus présents.

ÊTRE PÈRE

En une génération, les rapports entre le père, la mère et l'enfant se sont transformés, dans tous les domaines. Sans entrer dans le détail, citons : la contraception, l'interruption de grossesse, la législation sur le nom, l'autorité parentale, l'autonomie financière des femmes, l'organisation différente du travail, le changement des mentalités, etc. De leur côté, les pères s'intéressent de plus en plus tôt à leur bébé : en suivant des séances de préparation, en assistant à la naissance, en prenant un congé de paternité, en s'occupant de leur nouveau-né.

Régulièrement on fait des enquêtes pour savoir quelle est la participation du père dans les soins au bébé, dans le partage, avec sa femme, des tâches de la maison. La répartition n'est pas égale. Les pères veulent bien donner le biberon, emmener le bébé à la crèche, jouer avec lui. Mais ils ne sont pas nombreux à s'occuper de la maison et à se lever la nuit. Il y a encore à faire pour arriver au partage « à la nordique » qu'on nous donne souvent en exemple. Restons optimistes car aujourd'hui les pères sont nombreux à s'investir dans l'attente de leur enfant et, pour eux, la vie familiale compte beaucoup. Pour le bien-être des enfants et des mères, souhaitons que l'évolution se poursuive le plus rapidement possible.

Il y a encore quelques années, on reconnaissait au père essentiellement un rôle d'autorité, de fermeté, la mère était vue comme plus affective, plus conciliante. Maintenant, les rôles du père et de la mère ne sont plus aussi figés : selon les moments, il revient à chaque parent de donner des limites à son enfant.

Laurent aimerait s'occuper d'avantage d'Héloïse qui a 5 mois. « C'est encore un bébé, lui dit sa femme, laisse-moi faire. » Laurent s'arrange pour aller chercher Héloïse de temps en temps à la crèche. Il s'organise pour lui donner son repas du soir le plus souvent possible. Sa femme apprécie peu à peu cette nouvelle organisation, elle se sent soulagée et soutenue dans son rôle de mère. Bruno, lui, aime passer du temps avec son petit Alex de 2 ans lorsqu'il rentre du bureau : la lecture d'une histoire, les jeux, les conversations. Alex veut profiter le plus longtemps possible de ces moments et refuse maintenant tous les soirs d'aller se coucher. En douceur, sa maman va donner les limites nécessaires à l'heure du coucher.

Cette souplesse des rôles entre les parents est parfois difficilement vécue par certains pères. Il nous arrive de recevoir des témoignages d'hommes qui ne se sentent pas à la bonne place : trop maternel, le père a le sentiment de prendre la place de la mère ; trop autoritaire, il se sent coupé de la vie affective de ses enfants. Aujourd'hui, en fonction des circonstances, c'est aux parents de trouver la place qu'ils souhaitent chacun prendre : un équilibre entre l'autorité et la confiance dont les enfants ont besoin.

LORS D'UNE SÉPARATION DES PARENTS

La place du père est d'autant plus nécessaire à préserver dans les cas de divorce et de séparation, situation difficile à vivre par tous, parents et enfants, situation malheureusement fréquente aujourd'hui (p. 316).

Lors d'une séparation du couple, la majorité des enfants, surtout s'ils sont jeunes, sont confiés à leur mère. Cela correspond à la vision traditionnelle de la maternité : la mère porte et nourrit l'enfant, c'est elle qui est la plus apte à s'en occuper. C'est aussi, dans une grande majorité des cas, la mère qui a organisé sa vie professionnelle, et a parfois renoncé à sa carrière, pour s'occuper des enfants.

Par ailleurs, après un divorce, ou une séparation, nombreux sont les pères qui voient peu ou ne voient plus leurs enfants pour différentes raisons (éloignement, difficultés matérielles, fragilité psychologique). Des associations de pères ont dénoncé ce qu'elles considéraient comme une injustice de voir trop souvent les enfants confiés à leur mère. Ces revendications ont été entendues et aujourd'hui, les droits des pères à voir leurs enfants sont mieux respectés.

L'éducation

On peut dire, d'une façon générale, qu'on élève ses enfants dans le sillage de l'éducation reçue si on l'a appréciée, ou au contraire en ne voulant pas faire revivre à ses enfants ce qu'on a vécu si on en a un mauvais souvenir. De plus, aujourd'hui, l'éducation tient compte des apports de la psychologie et de la psychanalyse. Dès sa naissance, l'enfant est considéré comme une personne à part entière qui mérite respect et considération. Mais cela ne signifie pas que sa venue au monde fasse de lui un être achevé. Le bébé est un sujet en devenir dont la personnalité va se construire au fur et à mesure des relations de plaisir, de satisfaction, de découverte, et aussi dans des moments de limites, d'interdits et de frustration.

De nos jours, on ne peut plus exercer pour élever un enfant la même autorité que nos parents ou grands-parents. La famille est devenue un espace de démocratie dans lequel chacun occupe une place différente ; la grande question est de savoir concilier l'épanouissement de l'enfant, les nécessaires limites, le bien-être de tous, ainsi que la transmission de valeurs personnelles et familiales. Désormais, il convient d'écouter l'enfant et plus seulement de se faire obéir. En même temps, il est normal que dès son plus jeune âge l'enfant participe à la vie familiale, en aidant à ramasser ses jouets, à ranger sa chambre, plus tard à mettre le couvert. Il peut aussi très jeune apprendre que dans la journée des moments sont réservés aux parents et qu'il n'a pas à s'interposer sans cesse entre eux.

Élever un enfant, c'est l'aider à grandir pour devenir autonome, c'est lui donner la possibilité d'acquérir et de développer des facultés physiques, psychiques, intellectuelles. Cela commence par l'établissement d'une base de sécurité affective, une écoute attentive de ses besoins, puis cela passe par des détachements successifs dont certains commencent très tôt.

Naissance, sevrage, école, c'est peu à peu que l'enfant apprend à devenir autonome. Dès les premiers mois, attendre un peu le moment du biberon, puis l'heure de l'histoire ou de l'épisode à la télévision, lui permet de se construire, de trouver en lui les ressources pour s'adapter à une situation nouvelle (à condition que cela ne devienne pas une expérience systématique bien sûr).

Votre enfant sait tout juste marcher et déjà il ne veut plus donner la main. À peine sait-il parler que déjà il crie : « Moi tout seul ! » Et dans ses propos revient comme un refrain : « Quand je serai grand... » C'est pour faire comme papa, comme maman, ou comme une grande sœur, qu'il a envie d'agir tout seul. Ce n'est pas un caprice s'il veut prendre sa fourchette sans votre aide. Si, dans la rue, il veut vous lâcher la main, ou si demain il veut aller à l'école sans vous, son désir est normal. C'est d'ailleurs ce désir de grandir qui lui fait faire, jour après jour, des progrès.

Les parents ne sont pas toujours pressés de favoriser l'indépendance. Matériellement cela prend du temps : c'est plus vite fait de boutonner soi-même la veste que d'attendre que l'enfant y parvienne. Il faut de la patience pour laisser un enfant faire ses essais. Mais chaque fois que l'enfant tente et réussit un geste d'indépendance, il est heureux. Et c'est ainsi qu'il grandira.

Pour vous consoler, si vous êtes inquiets à la pensée de ces inévitables détachements, sachez que si l'enfant a grandi dans un climat bienveillant, plus profonds seront les liens tissés avec lui et plus sereinement il prendra confiance en lui, il se sentira capable de devenir autonome.

Une idée reçue risque d'amener des déceptions : les parents croient généralement que lorsqu'une nouvelle acquisition est faite, elle est définitive, que le passage de cet état inachevé de l'enfance à la maturité de l'âge adulte se fait par l'addition des conquêtes, des progrès. Ce n'est pas si simple ; un progrès dans un domaine amène souvent un retour en arrière ou un arrêt : l'enfant commençait à bien marcher ; soudain, il fait de grands progrès de langage, alors il demande à nouveau à être porté. En réalité la croissance et les progrès de développement se font par à coups et à des rythmes différents selon les enfants : un enfant peut marcher avant 1 an et refuser de quitter sa tétine, un autre faire ses nuits à 1 mois et acquérir la propreté à 4 ans. Les parents ont souvent tendance à comparer leur enfant aux autres, alors que chacun grandit à son rythme.

LA POLITESSE

Elle a été longtemps décriée à cause de la rigidité qui lui était associée. Aujourd'hui, on en reconnaît le bien-fondé, le sens qu'elle donne à nos comportements. Elle retrouve une place importante dans l'éducation, et c'est tant mieux. Même petit, l'enfant peut être initié au plaisir d'être attentif à l'autre, à la réciprocité. Maia, 20 mois, sait dire merci, le fait très naturellement, et apprécie qu'on lui dise également merci. Peu à peu, l'enfant apprend à attendre son tour au toboggan, à ne pas interrompre systématiquement ses parents lorsqu'ils sont au téléphone, à ne pas accaparer l'attention dans la conversation des grands. Les enfants sont ainsi sensibilisés au calme qu'apporte le respect des autres, ils font l'apprentissage d'un certain art de vivre pour plus tard : ils se rendent compte que c'est plus plaisant pour tous de manger la bouche fermée et non la bouche pleine, d'être bien assis à table plutôt qu'affalé, etc. L'éducation n'est pas que l'apprentissage de la politesse mais un enfant « bien élevé » suscite des réactions positives, agréables pour tous, à commencer par lui-même.

L'ÉDUCATION SILENCIEUSE

En éducation, les paroles comptent bien sûr mais ce qui marque aussi l'enfant, ce n'est pas simplement ce qu'on lui dit, c'est ce qu'on fait en sa présence, les conversations qu'on a devant lui, le cadre dans lequel on le fait vivre, notre humeur, nos lectures, nos distractions... Même sans s'adresser directement à lui, sans émettre de grands principes, juste en vivant sous ses yeux, nous, ses parents, ses proches, transmettons à l'enfant une manière d'être, de vivre, nos goûts et préoccupations, tout un héritage affectif et culturel. Cela va des gestes les plus quotidiens à des valeurs auxquelles nous tenons, honnêteté, attention aux autres, etc. L'enfant entend, répète, imite les mots, les gestes, les expressions de ceux qui l'entourent. Montrer la force de l'éducation silencieuse sensibilise les parents à une qualité de leur enfant qui n'est pas toujours perceptible dans les premiers mois de vie : celle de s'imprégner d'informations qui ne lui sont pas adressées directement mais qui font partie intégrante du milieu dans lequel il vit et qui participent à la construction de sa personnalité.

LA SÉCURITÉ AFFECTIVE

S'il fallait, parmi les besoins de l'enfant, choisir le plus important, nous choisirions la sécurité affective. Donner la sécurité à un enfant, c'est bien sûr lui donner à boire et à manger, s'assurer qu'il est à l'abri du froid, de la maladie, etc. La sécurité matérielle est indispensable à la survie. Mais se sentir en sécurité, pour un enfant, c'est bien plus.

Voyez ce nourrisson qu'un bruit soudain fait sursauter et qui se blottit instinctivement contre sa mère, ou ce bébé à la marche mal assurée dont la main se crispe sur la vôtre lorsqu'il entre dans le cabinet du pédiatre... Ce petit garçon qui cherche le regard de son père avant de se lancer pour la première fois sur le toboggan, ou cette petite fille qui s'assure que « vrai de vrai » vous viendrez la prendre à la sortie de l'école : que recherchent-ils tous ? Votre présence pour les réconforter, l'assurance qu'ils peuvent compter sur vous pour affronter la nouveauté. C'est cela, leur sécurité.

Selon son âge, le besoin de sécurité de l'enfant prend d'ailleurs des formes différentes. Tantôt il a besoin de votre sang-froid, tantôt il a besoin de votre compréhension, tantôt de votre fermeté. Sûr de vous, sûr de votre affection, l'enfant est capable de toutes les audaces, il pourra supporter le changement, et même la maladie, la séparation.

D'ailleurs, vous avez vu la naissance de ce besoin de sécurité avec la reconnaissance des « tableaux » (chapitre 4, p. 190). Vous l'avez retrouvé au moment des habitudes du coucher où l'enfant a besoin, chaque soir, que dans le même décor, se reproduise le même rite ; et tout au long de ce chapitre, vous avez pu constater ce besoin de sécurité ; il recouvre les autres, qu'ils soient physiques ou psychologiques ; il domine complètement la structure affective de l'enfant ; dès le début, il constitue la base sur laquelle l'enfant prend appui pour se développer et découvrir le monde.

L'écueil, quand on écrit un livre pour les parents, c'est qu'après leur avoir donné une information, on est tenté de la corriger par une restriction, mais c'est souvent inévitable. Par exemple, il faut ajouter ceci : pour se sentir en sécurité, votre enfant a besoin de vous ; cela ne veut pas dire qu'il faut être sur son dos 24 heures sur 24 : cela deviendrait vite, pour l'enfant, une insupportable surprotection.

LA SURPROTECTION

Les parents ont naturellement tendance à protéger leur enfant : il est si petit, si fragile en apparence, et sa dépendance est totale. On a envie de répondre à ses pleurs, à son inconscience des dangers, à son ignorance des interdits qu'il ne peut pas encore connaître. Chacun a peur qu'il arrive quelque chose à son enfant : quand il dort, on vérifie qu'il respire bien, on s'inquiète à la moindre fièvre, on craint la chute, l'accident.

Ces peurs, les parents les connaissent tous. Mais lorsqu'on se laisse envahir par elles, lorsque l'enfant devient une préoccupation de tous les instants, lorsque chaque fait et geste de l'enfant est interprété comme pouvant être un danger, le poids de la surprotection et de l'angoisse de l'adulte oppresse l'enfant.

À la surprotection, l'enfant peut réagir de différentes façons : ou il se renferme sur lui-même, n'ose plus rien faire, redoute toute nouveauté, tout changement, même amusants, comme un nouveau jeu ; ou l'enfant devient nerveux, agité, s'oppose à toute intervention, même justifiée, de l'adulte. Dans ce cas, les parents disent : « il n'obéit à rien, on ne peut quand même pas le laisser tout faire », ne se rendant pas compte que ce sont eux qui ne lui laissent rien faire...

Lorsqu'on élève un enfant, surtout lorsque c'est le premier et qu'on manque d'expérience, il faut un temps pour trouver la juste mesure, pour accepter de lui faire confiance. Mais si votre enfant correspond à l'une des descriptions ci-dessus, réfléchissez et posez-vous la question : ne le surprotégez-vous pas ? Demandez-vous si en agissant ainsi, vous le faites parce que c'est important pour votre enfant ou si c'est pour répondre à votre angoisse.

Voyez le chapitre 4, au stade 18-24 mois, l'importance de cette phase de découverte : lorsque le petit enfant explore, tripote les objets, les bibelots, les jouets des grands frères et sœurs, c'est une façon de découvrir le monde qui l'entoure, de prendre conscience de son corps, de sa mobilité, d'expérimenter de nouvelles situations et aussi de prendre des risques pour être capable de mesurer le danger. Cette exploration ne peut bien sûr pas être entreprise sans la présence d'un adulte qui veille à la sécurité de l'enfant. Voyez également dans ce chapitre, et à la rubrique « Jeux » (p. 126 et suiv.), si les activités de votre enfant correspondent à son âge et à ses intérêts du moment.

TOUJOURS COUPABLES ?

Les parents souhaitent donner à leur enfant le meilleur de ce qu'ils peuvent, leur amour, des soins appropriés, des stimulations enrichissantes. Ils se mettent souvent en quatre pour répondre à son moindre désir et imaginent qu'ainsi la vie s'écoulera harmonieuse, sans heurt. Mais la réalité est là et, petites ou grandes, des difficultés surviennent immanquablement dans la vie quotidienne. « Sommes-nous de mauvais parents ? », se demandent-ils.

Aujourd'hui, dès qu'un problème surgit, les parents se sentent coupables. Ils ont peur d'avoir mal fait, de ne pas être à la hauteur. Ce sentiment est souvent renforcé par le comportement naturel du petit enfant : facile chez l'assistante maternelle, à l'école ou chez ses petits amis, très exigeant en famille (surtout avec sa maman). L'enfant agit ainsi pour vous tester et aussi parce que vous êtes ceux qui comptez profondément pour lui.

Se sentir coupable est un sentiment largement partagé par les parents, surtout les mères. Il est d'ailleurs lié à l'attachement porté à l'enfant. Ainsi cette maman qui parle de sa grande culpabilité d'avoir laissé glisser son bébé de 3 mois dans l'eau du bain. La scène a été très rapide puisque sa réaction ne s'est pas fait attendre : en une petite poignée de secondes, la mère a sorti son enfant de l'eau pour l'envelopper très fort d'abord dans ses bras puis dans une serviette-éponge. Mais la peur qu'elle a éprouvée lui a fait prendre conscience de la vulnérabilité de son bébé et de la nécessité d'une présence vraiment attentive.

Les parents ne sont ni tout puissants ni parfaits. Ils ne peuvent empêcher toutes les difficultés de la vie et ne sont pas les seuls responsables des complications qui surviennent. C'est ce qu'il faut garder à l'esprit lorsque vous doutez de vos capacités à élever votre enfant. Si vous avez besoin d'aide, n'hésitez pas à rencontrer des professionnels de la petite enfance, dans les crèches, PMI, haltes-garderies ; et aussi d'autres parents : partager des expériences permet de réaliser que les difficultés rencontrées le sont aussi par d'autres et qu'elles peuvent être surmontées.

L'AUTORITÉ

Aux parents qui craignent de se montrer fermes avec leurs enfants, de les blesser en leur manifestant leur autorité, à ceux qui redoutent d'être moins aimés en étant exigeants, nous disons ceci : pouvoir compter sur la fermeté de ses parents rassure un enfant, l'aide à se structurer, à créer les conditions pour qu'il s'épanouisse en toute tranquillité. D'autres parents pensent qu'il faut être ferme dès les premiers mois, c'est ainsi que leur enfant sera « bien élevé ». Non, l'autorité ne peut pas s'exercer si tôt, elle doit s'adapter à l'âge de l'enfant.

À PARTIR DE QUEL ÂGE L'ENFANT A-T-IL BESOIN D'AUTORITÉ ?

La première année de la vie, et même un peu au-delà, un petit enfant ne peut pas comprendre ce qu'est l'autorité. Il a avant tout besoin qu'on réponde à ses demandes : on le prend dans les bras s'il pleure, on le rassure lorsqu'il a peur, on ramasse les objets qu'il a jetés et qu'il ne peut pas attraper, ou on l'aide à les retrouver. Tout en trouvant un équilibre entre la réponse immédiate et l'apprentissage d'une certaine attente : lorsqu'un bébé de 5-6 mois réclame bruyamment son biberon bien avant l'heure prévue, on peut lui apprendre à patienter en lui proposant un jouet. Cet apprentissage des frustrations, de l'attente, de l'anticipation d'une réponse, est long : le bébé a besoin de plusieurs mois pour comprendre que lorsqu'il appelle quelqu'un viendra, même si ce n'est pas tout de suite ; pour se rendre compte qu'il peut lui-même se consoler, s'occuper.

Puis, en grandissant, à partir de la marche et de l'apparition du « non », c'est-à-dire au début de la conquête de l'autonomie, l'enfant a vraiment besoin que les adultes mettent des limites, manifestent leur autorité, lui donnent la notion du danger : il y a des choses défendues (on ne touche pas les boutons du lave-linge, on n'allume pas la télévision, on donne toujours la main pour traverser la rue), et d'autres permises, souvent plus amusantes (aider à faire le ménage, à ranger un placard). En disant « non », en s'opposant, le petit enfant de 18 mois-2 ans fait lui aussi preuve d'autorité et il teste en quelque sorte celle de l'adulte. C'est pourquoi il est important de ne pas entrer dans un rapport de force avec un enfant de cet âge, ni de le traiter d'égal à égal.

On peut lui imposer notre autorité en faisant diversion (« Il faut mettre un manteau pour sortir, regarde, tu l'aimes bien avec son petit nounours sur la capuche »). Et dans certaines situations, à certains moments, l'enfant a besoin de comprendre pourquoi on lui demande d'agir ainsi : on ne joue pas avec la nourriture, on prend un bain tous les soirs, quand on va chez un petit ami, on n'emporte pas un jouet en partant, lorsque Grand-père s'en va, on lui dit au-revoir, etc. Donner une explication à l'enfant apporte du sens à la règle qui s'impose et lui permet de se l'approprier pour l'avenir. Mais les parents n'ont pas besoin d'argumenter et de justifier toutes leurs décisions. Ils peuvent dire tout simplement : « C'est comme ça et pas autrement !»

C'est ainsi que peu à peu l'enfant va apprendre à se maitriser et qu'il pourra plus tard se fixer ses propres limites. C'est très important. Si l'enfant a le droit de faire tout ce qui lui plaît lorsqu'il est petit, il sera très difficile de lui imposer une règle plus tard. Il aura des difficultés à vivre en société, ne fût-ce qu'à l'école, pour commencer. La non-directivité rend les choses plus faciles, plus agréables sur le moment, mais à long terme elle ne rend pas service aux jeunes : ils ne savent pas maitriser leurs désirs car ils n'ont pas appris à le faire.

En plus, les limites qu'on donne à l'enfant lui évitent de se sentir dans un rapport d'égalité avec ses parents : un enfant à qui on a appris à respecter la différence entre les générations se sent en sécurité. Les enfants, les adolescents, ont besoin de sentir que leurs parents sont des adultes sur qui ils peuvent compter, ce qui n'exclut pas bien sûr souplesse et humour.

Tenez compte du caractère de l'enfant, et des circonstances.

Par exemple, un enfant va d'habitude se coucher sans difficulté. Naît une petite sœur. Désormais, tous les soirs, c'est la scène pour se coucher. Que faire ? Punir ? Il est d'abord important de comprendre que l'enfant fait tout pour rester le plus longtemps possible auprès de sa mère. Plutôt que de le gronder, il est probablement nécessaire de le rassurer.

Certains parents confondent autorité et sévérité. L'autorité, c'est la fermeté, la solidité d'une décision, sans énervement, ni cris. Elle ne se distribue pas à coup de gifles, ni d'éclats de voix. Elle est même d'autant mieux acceptée par l'enfant qu'elle ne s'accompagne pas de ces manifestations.

Il n'est pas toujours facile d'exercer son autorité sur un enfant. La tentation est souvent grande de le laisser faire. Mais ce n'est pas dans l'intérêt de l'enfant : il aura de la peine à s'affirmer s'il ne rencontre jamais d'opposition ; s'il n'apprend pas à surmonter une difficulté, il cherchera à tout prix à éviter le moindre obstacle. Des parents qui savent manifester leur autorité sont des personnes qui contrarient parfois, mais sur qui on peut compter ; c'est important pour un enfant.

Voilà ce qu'il faut se rappeler le jour où l'on n'a pas envie d'être ferme.

L'ENFANT GÂTÉ

Le parent est là pour donner des limites. D'instinct, l'enfant n'en a aucune : il peut manger en entier la boîte de chocolat, venir tous les soirs dans le lit de ses parents, allumer sans cesse le téléviseur, si l'adulte n'est pas là pour l'arrêter. Elie, 5 ans, est enfant unique et il est aussi le premier petit-fils : il est adulé par ses parents et par ses grands-parents. Mais des difficultés d'adaptation en moyenne section et en groupe apparaissent. À la maison, les colères d'Elie deviennent tellement envahissantes qu'après en avoir parlé avec le pédiatre, les parents comprennent qu'ils doivent changer d'attitude ; ils vont donner des limites à leur petit garçon, sans toutefois le brusquer. Elie va peu à peu apprendre qu'un enfant ne peut pas tout obtenir tout le temps. Il verra aussi que renoncer à ses colères est plus agréable, plus apaisant que de se mettre dans un état qui le bouleverse et l'épuise.

Un enfant qui ne se heurte pas aux interdits des adultes devient vite un enfant anxieux. On le dit gâté, en fait c'est un enfant qui souffre. Il est à la recherche de sécurité, de limites, d'un cadre qui le structure. Mais, comme nous l'avons dit plus haut, pendant la première année, on ne peut pas parler d'enfant gâté : le bébé est en pleine adaptation, pour l'aider les adultes doivent répondre à ses demandes.

LES PUNITIONS

Nous pensons que le mot de punition ne devrait pas figurer dans un livre consacré aux toutes premières années de vie. En effet, le jeune enfant ne peut saisir la justification d'une punition (pour n'avoir pas obéi, ou désobéi, pour s'être mal comporté, etc.) que lorsqu'il commence à comprendre qu'il est « responsable » de ce qu'il fait. Se sentir responsable, c'est avoir accès à un certain stade de compréhension, celui des relations de cause à effet ; c'est comprendre qu'on est à l'origine, en bien ou en mal, de ce qu'on a fait , et donc la cause du résultat. C'est une étape qui s'ébauche autour de la cinquième année, lorsque l'enfant va relier les « pourquoi » et les « parce que », comprendre la raison des choses et des événements, et comprendre par lui-même ce qu'est « être raisonnable ».

La punition ne peut être vécue que comme une violence, une humiliation, une privation, une sévérité qui angoissent, et font perdre à l'enfant sa confiance en lui et envers l'adulte dont il attend tendresse et compréhension ; il est indispensable de respecter sa dignité. On peut dire que si on tient compte avant tout de l'âge, l'indulgence envers le petit enfant doit être la règle naturelle qu'imposent sa fragilité émotionnelle, son désir de découvrir malgré les interdits, son impulsivité face à certaines frustrations.

Noémie, 3 ans et demi, tape avec sa pelle Axel qui veut lui prendre son seau au tas de sable ; la maman du petit garçon le laisse faire; celle de Noémie, ne voulant pas de conflit au jardin, punit sa petite fille en la privant de sa pelle et, pire, donne son seau à Axel. Noémie hurle, sa colère se transforme en détresse sans que sa maman n'en prenne la mesure. Elle la gronde de plus belle : « Tu me fais honte, tu sais », se comportant avec elle comme si elle avait 5- 6 ans... et surtout comme s'il n'y avait pas d'autres moyens que d'humilier et de punir. Heureusement, le papa d'Axel, un peu plus loin, a compris ce qui se passait : « Alors, Noémie, Axel a encore voulu prendre ton seau, et il a même ta pelle. Quel coquin, ne te laisse pas faire ! ». La tension retombe, tout est dédramatisé.

Mais ce n'est pas toujours le cas. En réponse à de nombreux parents qui nous demandent conseil sur l'opportunité des punitions, nous constatons qu'elles sont infligées inutilement et bien trop précocement. Eloi, 2 ans et demi, refuse de venir prendre son bain et va se cacher. Sa mère, très énervée, le « met au coin ». Même punition pour Fanny, à la crèche, qui vient plusieurs fois de suite déranger un petit groupe d'enfants en train de jouer tranquillement. Être si exigeant envers de jeunes enfants, c'est vraiment méconnaître leurs stades progressifs de compréhension, leurs difficultés d'apprentissage du partage et de l'obéissance. Car si, pour les parents, ne pas leur « obéir » entraîne presque automatiquement l'idée de punition, pour un petit enfant, « comprendre » qu'il faut obéir n'est pas d'emblée à sa portée.

Le cheminement d'un petit enfant vers la notion de ce qui est bien et pas bien est long. Fixer des limites n'est pas forcément le « punir » mais expliquer les règles, les droits, les obligations, les devoirs qu'implique la vie dans sa famille, la vie en collectivité puis la vie en société.

Si l'enfant plus grand a besoin d'être puni car il a désobéi malgré les rappels à l'ordre et les mises en garde, il peut être adapté de l'isoler quelques instants pour marquer le coup. L'enfant risque de pleurer, crier, montrer sa colère, mais il va aussi comprendre qu'il a dépassé les limites. Cette décision l'aidera probablement à grandir et à prendre conscience du rôle structurant et protecteur des adultes qui l'entourent.

NE L'HUMILIEZ PAS

Dans l'autobus, Guillaume, 3 ans, se gratte le nez. Sa mère est gênée ; au lieu de l'aider discrètement à se moucher, elle lui tape sur la main en disant : « On ne met pas ses doigts dans le nez, tout le monde te regarde ». Guillaume devient tout rouge et baisse la tête. Dans l'autobus, les regards réprobateurs se dirigent vers la maman qui, à son tour, va se sentir humiliée.

C'est l'anniversaire de Sonia, 4 ans, ses amis sont venus jouer chez elle. Sonia refuse de prêter le petit landau de sa poupée. Furieuse, sa maman permet aux enfants de le prendre et en profite pour donner une leçon à sa fille : « Tu es grande maintenant, tu dois apprendre le partage ». Humiliée, Sonia va bouder dans un coin et refuse de jouer avec ses amis. L'anniversaire est gâché.

La morale de ces histoires est que l'humiliation n'est pas une méthode d'éducation, elle gâche toujours les choses. Sur le moment, elle crée une situation désagréable pour l'enfant, et pour l'adulte. À long terme, l'enfant humilié risque de refouler son agressivité, il peut devenir timide et se sentir paralysé dans ses relations avec les autres. Et le mépris qu'il aura ressenti lui fera perdre confiance aussi bien en lui-même que dans la personne qui l'a humilié.

IL IGNORE LE FUTUR, IL NE CONNAÎT QUE LE PRÉSENT

« Tout à l'heure, tu auras du chocolat », ou « Demain tu iras au cirque ». Le petit enfant retient « chocolat », « cirque », mais « tout à l'heure », « demain », n'ont pas encore de sens pour lui. La notion de temps est une des plus longues à acquérir.

Les adultes ont souvent tendance à donner trop d'explications, de justifications, aux enfants alors que ceux-ci ne sont pas encore capables de les comprendre. Elena, 2 ans, est très absorbée par une nouvelle occupation : elle a installé autour d'elle, sur le tapis de sa chambre, toutes ses peluches habituellement alignées sur son lit. C'est le moment de partir à l'école. Elena s'y oppose avec de plus en plus d'obstination. « Je t'ai pourtant dit plusieurs fois qu'on devait aller chercher Sébastien », dit sa maman. La petite fille se met à pleurer : elle montre ainsi que la situation réelle lui a échappé. Voyant son dépit, sa maman ajoute : « Elles sont jolies toutes tes peluches. Ne les range pas, elles vont t'attendre. » Pour éviter les déceptions, les pleurs, tenez compte de ce que votre enfant peut comprendre ; lorsqu'il est petit, ne parlez que de l'immédiat. Cela ne va pas à l'encontre de ce que nous disons au chapitre 4. Lorsqu'il s'agit d'un événement important dans la vie de l'enfant (par exemple l'entrée à la crèche, une absence d'un des parents), là il faut l'annoncer car si l'enfant ne réalise pas bien ce qui va lui arriver, il ressent une attention particulière à son égard et il se sent comme prévenu de quelque chose.

En grandissant, l'enfant va peu à peu comprendre qu'un événement peut survenir plus tard, qu'on peut l'attendre avec plaisir...et patience. « Ce soir Mamy arrive ; on va faire son lit et mettre une jolie taie d'oreiller » « Demain, c'est le pique-nique de l'école, on va préparer un gâteau », etc.

LES MYSTÈRES DE LA VIE ET DE LA SEXUALITÉ

L'éducation sexuelle, cela a été beaucoup dit mais il n'est pas inutile de le répéter, ne se réduit pas à une conversation pour apprendre aux enfants comment naissent les bébés, et comment ils sont conçus. L'éducation sexuelle fait partie de la vie, de l'éducation tout court, dont elle n'est qu'un aspect. Elle commence dès les premières années, et se poursuit jusque et même après l'adolescence. Car l'éducation sexuelle doit répondre à plusieurs buts.

Il faut d'abord aider son enfant à prendre conscience du sexe auquel il appartient, et à s'y sentir à l'aise. Certains parents, déçus d'avoir une fille, la traitent comme un garçon, ou réciproquement, ce qui peut créer des difficultés.

Ensuite lorsque l'enfant découvre – en général vers 3 ans – les différences anatomiques entre les sexes, il faut le laisser et éviter de se choquer de cette découverte qu'il fait en regardant et en touchant ses organes génitaux, et éventuellement ceux de l'autre sexe. Sinon, on risque de culpabiliser l'enfant, et de créer dès le départ un lien entre sexe et interdit.

Pendant longtemps, la **masturbation** a été condamnée et considérée comme nocive. Aujourd'hui, une approche différente de la sexualité a considéré la masturbation comme faisant partie du développement de l'enfant. Dans ces conditions, que faire lorsqu'on voit un enfant se masturber ? Lui dire, s'il est en âge de comprendre, que ce sont des gestes intimes, personnels, qu'il doit garder pour les moments où il est seul. Cependant un petit garçon, une petite fille qui se masturbe trop souvent peut montrer qu'il ressent en lui une trop grande tension qu'il décharge ainsi. Il est conseillé de consulter un ou une psychologue qui prendra en compte le malaise qui est à l'origine de ce comportement et lui expliquera, ainsi qu'à ses parents, la nécessité de certaines limites.

Puis, c'est l'image des parents, de son entourage proche, qui aidera peu à peu le garçon à devenir un homme, la fille à devenir une femme. Pour les psychanalystes, c'est une des étapes essentielles du développement de l'enfant, vous l'avez d'ailleurs déjà vu au chapitre 4 : l'enfant grandit en cherchant à imiter l'adulte, en cherchant à s'identifier à lui, le garçon à son père, la fille à sa mère.

L'éducation sexuelle, c'est aussi la découverte qu'il existe une relation amoureuse entre un homme et une femme. Cette relation c'est souvent à travers ses parents que l'enfant la découvre en premier. Il est important de raconter à un enfant ce qui a rapproché son papa et sa maman, comment ils se sont connus, le désir qu'ils ont eu d'un enfant, le plaisir qu'ils ont à vivre ensemble.

Et l'initiation aux « mystères » de la vie ? Elle se fera au fur et à mesure que l'enfant posera des questions telles que : « Pourquoi je ne suis pas comme mon petit frère ? », « D'où viennent les enfants ? », « Où j'étais avant d'être née ? », ou même comme ce petit garçon de 4 ans : « Quand j'étais bébé, j'étais une fille. » Ces questions naîtront à l'occasion d'une image, d'un mot entendu, d'une institutrice enceinte, d'une conversation avec un aîné, etc. Elles seront l'occasion de donner des précisions sur les différences anatomiques, de parler avec la petite fille des organes qu'elle ne voit pas, de leur fonction lorsqu'elle sera plus grande. La curiosité sexuelle des enfants est saine : elle témoigne d'une curiosité plus large que l'enfant a pour la vie et le monde qui l'entoure.

L'important c'est :

• De respecter l'âge de l'enfant, son stade de compréhension, et aussi son mode de vie. Les enfants n'ont pas les mêmes images, ni les mêmes informations s'ils vont à la crèche, ou s'ils sont enfant unique à la maison.

• De ne pas donner de réponse fausse qu'il faudra démentir plus tard car l'enfant trompé une fois risque de ne plus vous croire, et de ne plus vous questionner ; mais ne profitez pas de la question posée pour donner plus de détails que l'enfant n'en demande.

• De ne pas se dérober par des « Tu es trop petit » ou « Tu ne peux pas comprendre » : il y a une explication valable pour chaque âge. Si vous êtes gêné, cela peut se comprendre, il n'est pas aussi facile de parler de sexe que de raconter une histoire, ou si vous êtes pris de court, dites simplement : « Repose-moi la question plus tard, j'aurai plus de temps pour y répondre. » Cela vous donnera le temps d'y réfléchir.

Cela dit, tant de livres sont parus sur la naissance et l'éducation sexuelle que vous trouverez pour tous les âges des exemples de réponses aux questions classiques. Vous trouverez aussi des livres destinés aux enfants qui permettent de partager leurs interrogations. En voici deux : *Le parcours de Paulo*, Nicholas Allan et Isabel Finkenstaedt, École des loisirs ; *Respecte mon corps*, de Catherine Dolto, Gallimard.

Tout cela se fera bien sûr dans le respect de chaque enfant, en tenant compte de sa sensibilité (voyez plus loin ce que nous disons de la pudeur). À propos de la pudeur, ajoutons que la sexualité des adultes ne doit pas faire effraction dans l'espace des enfants, nous devons les protéger de la violence de certains discours ou comportements qui peuvent véritablement les traumatiser : animateurs de radios parlant du sexe de manière extrêmement crue, parents qui se promènent nus chez eux, qui évoquent leurs ébats sexuels sans retenue, etc.

Malgré la dénomination « d'éducation » sexuelle, rappelons qu'il s'agit avant tout d'une histoire de sentiments amoureux, de tendresse et de respect.

LA SEXUALITÉ INFANTILE

Dans les livres sur l'éducation sexuelle, vous trouverez une expression qui vous étonnera peut-être : sexualité infantile. Rien ne semble plus éloigné d'un enfant que la sexualité qui pour nous représente les relations entre adultes et les plaisirs des sens. Mais si l'on remplace le mot sexualité par le mot sensualité – qui en fait partie intégrante – on comprend mieux : il est facile de voir qu'un enfant a des plaisirs des sens même lorsqu'il est tout petit. Regardez-le qui vient de naître : le goût, le toucher, l'odorat lui procurent des sensations très fortes, visibles au moment de la tétée. Et au fur et à mesure qu'il grandira, il éprouvera d'autres sensations physiques agréables.

La sexualité ne naît pas à l'âge adulte, elle commence par la sensualité, elle s'éveille peu à peu, elle prend différentes formes, elle procède par étapes, comme l'intelligence. On accepte facilement de dire d'un bébé qui remplit et vide une boîte, ou manipule et construit, qu'il est intelligent et on sait que dans cette intelligence se trouvent les racines de l'addition et de la soustraction. Il en est de même pour la sexualité, elle n'a pas chez l'enfant les mêmes manifestations ou les mêmes formes que chez l'adulte, car elle n'est pas génitalisée mais elle est présente, et la sexualité adulte y trouve ses origines.

L'ÉDUCATION RELIGIEUSE

Lorsque l'enfant est petit, c'est d'abord une imprégnation, un environnement, une culture fami-liale, qui favorisent et développent un éveil de la sensibilité à la religion.

Pour le chrétien, le musulman, le juif, la religion c'est une croyance, une morale, une pratique, des coutumes. Y associer l'enfant, même tout petit, c'est l'habituer tout naturellement à vivre dans cette foi. Même avant de comprendre, un enfant est sensible à un changement de ton, d'attitude, il contemple et enregistre beau-coup. Plus tard, l'instruction religieuse lui apportera des éclaircissements et des réponses aux ques-tions qu'il se pose devant les mystères de la foi.

À une époque envahie par les considérations matérielles, introduire une dimension spirituelle dans la vie quotidienne, c'est transmettre à l'enfant sa foi ainsi que certains engagements. Cet éveil pourra susciter peu à peu chez lui d'autres besoins et d'autres exigences.

Que l'on soit croyant ou non, pratiquant ou non, les religions font partie de notre héritage culturel, de notre histoire. Elles s'inscrivent dans une tradition de générosité, d'altruisme, de respect des plus démunis, elles participent ainsi à ce qu'on appelle aujourd'hui le « vivre-ensemble ».

Pour répondre à des parents qui demandent de leur indiquer des titres de livres à lire eux-mêmes, ou à donner à leurs enfants, voici une petite bibliographie pour les principales religions pratiquées en France.

• **Pour les catholiques**

- *Premiers pas vers Dieu*, Tardy, 2 à 5 ans.
- Collection *Si tu savais le don de Dieu* ; 4 livres pour les enfants (7-8 ans, CE2-9ᵉ, CM1-8ᵉ, CM2-7ᵉ), avec un livre d'accompagnement pour les parents et éducateurs, Le Senevé / Cerf.

• **Pour les protestants**

- *S'il te plait, lis moi une histoire de la Bible*, par Hartman Bob, Excelsis,. 4 à 8 ans.
- *De fêtes en fêtes, découvrir, aimer, célébrer*, de 7 à 11 ans : 4 dossiers pour les fêtes chrétiennes, Noël, Épiphanie, Rameaux, Pâques, etc. Éditions Société des Écoles du dimanche.
- *La Bible en 365 histoires* racontée par Mary Batchelor, illustrée en couleurs, 416 pages, Société biblique française.

• **Pour les juifs**

- *Le judaïsme dans la vie quotidienne*, Ernest Gugenheim, Albin Michel, collection « Présence du judaïsme proche ».
- *Dictionnaire Encyclopédique du judaïsme*, collection Bouquins, Cerf, Robert Laffont.

• **Pour les musulmans**

- *La Tradition musulmane raconte comment Mahomet, une nuit, fut conduit au Ciel et mis en pré-sence de Dieu*, collection « Les contes du Ciel et de la Terre », Gallimard Jeunesse.
- *L'Islam expliqué aux enfants*, Tahar Ben Jelloun, Seuil.

• **Sur les religions**

- *Les religions expliquées à ma fille*, Roger-Pol Droit, Seuil.

La famille

La vie de famille n'est plus ce qu'elle était... Les mariages diminuent, les séparations augmentent, les familles monoparentales sont plus nombreuses. Eh bien ! Cette famille différente, souvent réduite, parfois recomposée, cette famille les Français y tiennent, c'est ce qui ressort des enquêtes et ce que montre l'augmentation de la natalité dans notre pays.

LE PREMIER ENFANT

Dans les milieux les plus divers, les aînés se ressemblent : souvent sérieux, anxieux, parfois exclusifs. Pourquoi ? Parce qu'un premier enfant, on ne l'élève pas comme un deuxième ou un troisième. C'est avec le premier qu'on essaie ses principes éducatifs, qu'on fait ses expériences, qu'on applique à la lettre les recommandations faites.

Pour un premier enfant, on a peur de tout, qu'il ait trop chaud, trop froid, qu'il tombe. Alors, on le couve, on le protège. En même temps, on est pressé de le voir grandir. À peine entré à l'école maternelle, on pense à son avenir. Ainsi pris par ces soucis, ces principes et ces projets, on n'a plus le temps de « profiter » de cet enfant. Et lui, qu'on presse de grandir, n'a guère le temps d'être un enfant.

Que dire de l'inconfort de sa situation lorsque s'annonce l'arrivée d'un cadet ! Lui, qui était le centre de la famille, se voit brusquement « détrôné ». Le voilà devenu « l'aîné », « le grand », celui à qui on va confier très vite la responsabilité du « petit ». C'est pourquoi, si jeune, il est souvent si sérieux !

Tout cela est inévitable, et il serait injuste de reprocher aux parents de vouloir trop bien faire alors qu'on a déjà tendance à les rendre responsables de toutes les difficultés de leurs enfants. Mais nous avons vu beaucoup de parents qui nous ont dit : « Si seulement nous avions su, nous aurions été plus souples avec le premier. » Alors nous vous disons, à vous parents pour la première fois : « Essayez d'être moins tendus. Les principes, c'est nécessaire, mais appliquez-les avec souplesse. Essayez d'être plus décontractés... »

ENTRE FRÈRES ET SŒURS : JALOUSIES ET RIVALITÉS

Une petite sœur est née, ou un petit frère. Pour vous, parents, c'est la joie. Mais pour l'aîné, pour le grand frère ou la grande sœur, c'est un événement déroutant. Il va falloir partager non seulement ses jouets et son territoire, mais surtout l'affection de ses parents. Un nouveau bébé, cela signifie pour le plus grand, ne plus être au centre de toutes les attentions. C'est ainsi qu'une certaine anxiété, associée à de la jalousie, peut apparaître.

L'enfant peut exprimer cette jalousie plus ou moins violemment lorsque la grossesse commence à se voir, que les premiers achats, ou les préparatifs se font. L'enfant peut montrer de l'agressivité vis-à-vis de sa maman : « Elle est méchante maman, je t'aime mieux toi », dit Ariane, 3 ans, à sa grand-mère. L'enfant peut aussi reporter cette agressivité sur son entourage : petits camarades, poupées, voitures, etc.

Après la naissance, certains enfants n'hésitent pas à dire : « Je ne veux plus du bébé, si on s'en débarrassait ? » Il ne faut surtout pas dramatiser ni gronder mais être attentif aux gestes que pourrait avoir votre aîné. Il est important que la jalousie puisse s'exprimer et qu'elle soit entendue des parents.

Savoir que l'enfant risque de souffrir de la présence du nouveau bébé va vous permettre de mieux le préparer à son arrivée : en le rassurant sur l'amour que vous lui portez et lui porterez après la naissance, en l'associant aux préparatifs. Dans certaines familles, les parents, et parfois l'entourage, aiment offrir un cadeau au plus grand. Il faut aussi éviter de changervotre aîné de chambre pour y installer le bébé. S'il doit entrer à l'école au moment de la naissance du bébé, soyez attentifs à ses réactions, et voyez ce que nous en disons page 269.

À ces recommandations classiques nous ajoutons ceci : parlez à votre enfant de ce bébé qui va naître en lui expliquant qu'il sera tout petit. Certaines difficultés avec l'aîné viennent du fait qu'il s'attend à avoir un compagnon de jeux et se trouve en face d'un nouveau-né qui dort la plupart du temps, et qui souvent pleure ; il est parfois déçu. Montrez-lui des photos de lui-même, bébé, pour l'aider à comprendre.

Et puis, si après la naissance, votre aîné régresse, comprenez que c'est normal ; en voyant tout le monde en admiration devant le nouveau-né, il se dit : « Pour être admiré, faisons comme le bébé », alors il suce son pouce et remouille sa culotte. Il se comporte également ainsi pour essayer de retrouver cette époque si proche et si confortable, et dont il a encore la mémoire, où c'était lui le petit bébé.

Si l'écart d'âge entre les deux enfants est de trois ans ou plus, ce qui rendra le plus service à l'aîné, c'est de se sentir traité comme un grand. D'ailleurs du seul fait de la naissance, il est devenu l'aîné, c'est déjà une promotion, mais il faut l'accentuer. Par exemple, qu'il sorte avec son père pendant que sa mère est occupée avec le bébé ; qu'il continue régulièrement à voir ses amis, ou même des enfants plus âgés. Il est également souhaitable d'inverser cette situation : lorsque le papa s'occupe du bébé, la maman peut en profiter pour sortir avec son « grand », jouer avec lui, l'écouter, lui parler, lui faire des câlins.

En même temps, montrer à l'enfant que lorsqu'il était petit il était entouré d'autant de sourires, de soins, d'attentions et de petits mots tendres que le nouveau-né, l'apaisera. Et si vous en avez, c'est le moment de sortir les films de « quand j'étais petit » pour les montrer à votre aîné. Vous verrez, l'effet est en général magique.

Enfin, si la jalousie de l'aîné est naturelle au moment de la naissance d'un cadet, il faut savoir qu'elle est un sentiment fraternel habituel – banal – qui circulera à double sens de l'un à l'autre. Dans la vie familiale de tous les jours, le cadet aura souvent l'occasion d'être jaloux du plus grand. La rivalité jouera alors le rôle de frein ou de moteur pour l'un et pour l'autre, suivant les circonstances, et fera partie de l'expérience enrichissante de la fraternité.

C'est ainsi l'aîné qui inaugurera dans la famille tous les événements nouveaux, de la séance chez le coiffeur au cartable de l'école. Il vivra à chaque fois l'inquiétude d'une situation nouvelle, mais aussi la promotion qu'elle représente. Le cadet est souvent l'objet de moins d'exigences, on s'adresse moins à sa responsabilité ; en revanche, vivant, quoique plus jeune, les mêmes expériences que son aîné (par exemple regarder les mêmes émissions de télévision), ou ayant envie de faire comme lui (des devoirs, aller à la danse, au judo...) il est souvent plus éveillé, plus dégourdi.

Et dans la compétition qui se joue entre frères et sœurs, c'est le rôle des parents d'aider chaque enfant à utiliser les chances que lui donnent son âge et son rang dans la famille.

L'ADOPTION

Aujourd'hui, la plupart des enfants adoptés arrivent de l'étranger. C'est pourquoi nous avons demandé à un spécialiste de l'adoption internationale, le docteur Jean-Vital de Monléon de nous parler de l'accueil d'un enfant adopté.

POUR EN SAVOIR PLUS SUR L'ADOPTION :
Jean-Vital de Monléon, Naître là-bas, grandir ici. L'adoption internationale, *Éditions Belin. Ce livre est destiné aux futurs parents adoptifs et à ceux qui viennent d'adopter un enfant. Le docteur de Monléon a également écrit un livre pour les petits, à partir de 18 mois, pour aider parents et enfants à parler de l'adoption :* Les deux mamans de Petirou, *Hachette Jeunesse. Par ailleurs, la consultation d'adoption du docteur de Monléon a une adresse. La voici : cao@chu-dijon.fr*

Dans notre société, l'adoption n'est pas toujours perçue comme l'équivalent de la filiation biologique, beaucoup la voient encore comme une parenté au rabais. Cela peut empêcher les parents adoptifs de prendre leur place à part entière. C'est pourtant important pour eux, et pour leur enfant, qu'ils se sentent vraiment parents.

Il ne faut pas hésiter, dès l'arrivée de l'enfant, à lui raconter son histoire. Le bébé peut, dès ses premiers jours de vie, percevoir des émotions, sentir que ces mots qu'il ne comprend pas, le concernent profondément. Si les parents osent parler de ce sujet à leur tout-petit, cela leur sera plus facile d'en parler à nouveau lorsque l'enfant grandira. À ce moment-là, lire avec lui un petit livre sur l'adoption, regarder des photos d'avant son arrivée, lui faire sentir votre disponibilité pour répondre à ses interrogations, voilà une façon naturelle d'aborder le sujet.

Plus l'enfant est grand au moment de l'adoption, plus l'histoire qu'il a vécue avant de rencontrer ses parents est longue. Connaître cette histoire, la respecter, permet de mieux comprendre son enfant, ses éventuelles souffrances ou angoisses. Les parents n'osent pas parler avec leur enfant de ses parents biologiques, ils ont peur d'être évincés, de perdre leur place. Les faits montrent que, dans la majorité des cas, les parents de naissance n'occupent en réalité qu'une petite place dans la vie des enfants. En revanche, chercher à les éliminer peut provoquer des catastrophes.

Certains parents hésitent aussi à parler à leur enfant de son pays de naissance. « Il sera comme apatride », disent certains. Ou bien : « Dès qu'il le pourra, il voudra partir ». Non, évoquer son pays, le valoriser, aidera l'enfant à assumer sa différence ethnique. Mais il ne faut pas lui redire sans cesse qu'il est adopté, ou qu'il vient d'un autre pays : cela l'empêchera de développer ses racines dans sa nouvelle famille.

L'enfant a besoin d'un peu de temps pour s'adapter à sa nouvelle vie : la maison, les habitudes, les sons, les odeurs, les câlins, tout est nouveau ; il a parfois besoin, à son arrivée, de soins médicaux, ce qui peut provoquer un peu d'angoisse chez lui et ses parents ; mais très vite, il va faire partie de la famille, adopté par tous, grands-parents, amis, voisins.

Et si un jour votre enfant traverse un moment un peu difficile, avant de dire aussitôt que ce problème est lié à l'adoption, rappelez-vous que tous les enfants ont le droit d'avoir des difficultés.

AU CŒUR DES FAMILLES RECOMPOSÉES

Après une séparation, un divorce, le père ou la mère ont parfois envie de reconstituer une famille. Le courrier nous le montre souvent. Louise, 5 ans, souhaite que sa maman retrouve « un amoureux », d'autant plus que, même avant la séparation, son papa a eu une présence épisodique. Cela n'a pas tardé, Louise a vite adopté le nouveau venu, ainsi que son petit garçon qui vient un week-end sur deux.

Cela n'est pas toujours le cas. Arthur, 7 ans 1/2, n'accepte pas que sa maman vive avec un autre homme que son papa. Il rend la vie impossible à sa mère, et à son ami lorsqu'il vient à la maison. Arthur ne veut pas que sa maman crée une autre famille.

À l'intérieur des familles recomposées, certains enfants s'entendent bien entre eux, d'autres pas du tout : partage du territoire, des jeux, de la vie quotidienne, peuvent être difficiles. Nadia a bien accepté le remariage de sa maman, mais elle ne supporte pas de partager sa chambre avec une des filles du nouveau mari. Les choses se sont arrangées lorsqu'un bébé est né et que Nadia a pu avoir le bébé dans sa chambre.

Mais une naissance peut raviver des peines qu'on avait pensé apaisées. L'enfant garde au fond de lui-même, même inconsciemment, l'espoir que ses parents se retrouvent. Une naissance confronte l'enfant à la réalité d'une autre union. L'agressivité qu'il peut manifester à l'égard de son parent, du nouveau conjoint, voire du bébé, cache souvent des réactions dépressives dont il faut s'occuper. Ce n'est pas en gâtant l'enfant que cela s'arrangera, mais en le comprenant, en l'aidant à exprimer ce qu'il ressent.

Les situations sont variées, il est impossible de les envisager toutes. Voici l'important :
• Être patient dans l'adoption réciproque : « l'interadoption » entre l'adulte et les enfants peut prendre du temps, elle se fait peu à peu. Un temps d'adaptation est nécessaire pour que chacun

apprenne à se connaître et que des liens se nouent. La nouvelle femme du papa de Zoé n'a pas d'enfant. Zoé l'accepte vite mais sa belle-mère souffre de la grande proximité père-fille et se sent parfois exclue. Le papa s'en est rendu compte, il a laissé le plus possible Zoé et sa femme ensemble pour qu'elles apprennent à se connaître et à tisser des liens réciproques.

• Donner des repères de temps à l'enfant pour qu'il puisse prévoir les changements, et les supporter. Cela permet d'éviter des séparations qui font à chaque fois souffrir. Cela permet aussi de ne pas se sentir en trop lors des visites alternées. Anaïs, 3 ans, est trop petite pour se repérer dans les alternances de week-end et de vacances : elle est déstabilisée à chaque arrivée de Victor, le petit garçon du nouveau compagnon. Pour l'aider, sa maman a dessiné une sorte de calendrier. Chaque jour est inscrit et celui qui marque l'arrivée de Victor est signalé par sa photo. En regardant le calendrier, Anaïs sait maintenant quand Victor va venir. Et Victor, lorsqu'il arrive, ne se sent plus comme un intrus.

• Être souple pour éviter les contradictions et les conflits éducatifs. À 6 ans, Bertrand raconte en riant le lavage des dents : « Chez maman, la brosse à dents doit être sèche pour être efficace. Papa, lui, me demande chaque fois : tu as bien mouillé ta brosse ? » Très vite, Bertrand se met à pleurer. Le pédiatre se rend compte que derrière cette contradiction éducative se cachent des conflits parentaux plus profonds qui peuvent expliquer les difficultés d'endormissement de Bertrand.

• Éviter d'être dans la séduction ou de se comporter en « copain » : les enfants ne sont pas dupes et un temps d'observation est parfois nécessaire pour que la relation s'installe.

• Être respectueux des attachements. L'enfant dont les parents sont séparés peut se sentir coupable de s'attacher à quelqu'un d'autre. Il vit un « conflit de loyauté ». L'enfant a besoin d'être rassuré : ce n'est pas parce qu'il aime la nouvelle compagne de son papa, que sa maman n'a plus de place dans son cœur et dans sa vie. Ines a 6 ans. Depuis peu, elle vomit chaque fois qu'elle doit quitter son papa pour passer le week-end chez sa maman et son second mari. Le médecin de famille pense qu'elle n'a pas envie d'y aller et qu'elle rejette peut-être ce nouveau compagnon. En parlant avec elle, il se rend compte qu'Ines adore les retrouver mais qu'elle s'inquiète à l'idée de laisser seul son papa et qu'elle a l'impression de le trahir. Il faudra alors que son papa la rassure.

L'ENFANT ÉLEVÉ PAR UNE MÈRE SEULE

De nombreuses mères élèvent seules leur enfant, pour des raisons diverses : lors d'une séparation, le père s'est peu à peu, ou brutalement, éloigné de la vie familiale, ou n'a qu'une présence épisodique ; ou bien la mère a décidé de mettre son enfant au monde, tout en sachant qu'elle l'élèvera seule. Il y a d'autres raisons, plus rares et plus délicates (décès du père, maladie, etc). La façon de parler à l'enfant de son père sera, bien sûr, différente selon les cas. Voici néanmoins quelques indications générales qui peuvent s'appliquer à toutes les situations.

TOUT ENFANT PENSE À SON PÈRE

Il est absent physiquement et matériellement, mais il va jouer un rôle important dans votre vie et dans celle de votre enfant : d'abord parce que, comme vous-même, le père est à l'origine de la naissance de l'enfant ; ensuite parce que ce père existe ; enfin parce que cet homme, qu'il ait ou non compté sentimentalement pour vous, comptera pour votre enfant.

Un enfant sent bien que son père est présent dans les préoccupations de sa mère, que ce soit d'une façon négative ou positive, que sa mère le regrette ou non. C'est pourquoi, malgré peut-être le drame de l'abandon ou de la perte, malgré des griefs souvent justifiés, malgré un désir conscient de tenir le père à l'écart, ou malgré une indifférence réciproque, la mère doit s'efforcer d'offrir et de conserver pour son enfant une image acceptable du père. Faire naître et entretenir chez un enfant un rejet du père absent peut avoir des conséquences graves.

Il peut en être de même si la mère passe le père complètement sous silence et n'y fait jamais référence. Or, la recherche de son origine paternelle peut s'instaurer très précocement chez un enfant, et le poursuivre tout au long de sa vie d'adolescent et d'adulte. Cela d'autant plus que les questions qu'il se pose à sa manière et à chaque étape de son développement seront restées sans réponse.

Si, au sujet de son père, l'enfant sent la haine ou la dépression de sa maman, sa gêne, ses contradictions, il peut développer à travers la personne de ce père qu'il ne voit pas ou peu, un rejet ou une crainte des hommes en général ; ou au contraire une fascination, une curiosité envahissante pour ce père ou d'autres pères de son entourage. Alors que si la mère arrive à instaurer avec son enfant un dialogue simple, vrai, elle l'aidera à traverser les difficultés.

Il ne s'agit pas de cacher les réalités, mais de les transmettre à l'enfant de telle manière qu'il n'en porte pas la responsabilité, que ces difficultés et réalités n'entravent pas le déroulement de sa propre vie et ses relations avec les autres. Autrement dit, l'enfant a le droit de savoir que son père n'était pas parfait, mais il n'y est pour rien, et cela ne doit pas interférer dans sa vie quotidienne ni dans son propre avenir.

UN ÉQUILIBRE À TROUVER

C'est un réflexe naturel pour la mère de chercher à compenser l'absence de son ex-conjoint en nouant avec son enfant une relation trop protectrice, exclusive, qui peut le brider dans son accession à l'indépendance. Dès les premiers mois, une crèche, une halte-garderie, permettra au bébé d'être en contact avec d'autres enfants, d'être confié à d'autres adultes. Plus tard, l'école maternelle, différentes activités, viendront agrandir son univers. De son côté la mère aura des échanges d'autant plus équilibrés avec son enfant que sa vie à elle sera ouverte sur l'extérieur.

Par ailleurs, ce qui se fait naturellement à deux peut être plus compliqué lorsqu'on est seule, notamment la question de l'autorité. L'enfant, c'est normal, teste la résistance de sa mère et peut devenir très exigeant. Ne vous découragez pas, après quelques ajustements, avec de la fermeté et de la tendresse, une relation sereine pourra s'installer.

Lorsqu'il se sent entouré, avec une maman qui s'organise dans sa vie, l'enfant va se développer comme tous ceux de son âge ; il y aura des progrès, des retours en arrière, il y aura des moments paisibles, d'autres plus tumultueux.

L'ENFANT ÉLEVÉ PAR UN PÈRE SEUL

Un père qui élève seul son enfant, c'est moins fréquent qu'une mère seule et un enfant. Les situations sont également diverses : départ de la maman, décision judiciaire dans un divorce, maladie, ou bien décès, etc.

Comme dans le cas d'une mère seule, les risques de fusion, de repli sur soi, de gêne ou d'agressivité, ou au contraire une idéalisation, sont tout aussi importants. Et on retrouve les mêmes réponses à apporter : élargir le cercle familial et amical, fréquenter d'autres familles, où la mère a toute sa place. La présence d'images féminines et maternelles est importante pour le développement de l'enfant, pour la petite fille et aussi pour le petit garçon. La maman d'Hugo est partie lorsqu'il avait 6 mois, en exprimant son souhait d'une rupture définitive et d'un changement de vie. Le papa d'Hugo a demandé à la femme d'un de ses proches amis d'être la marraine de son petit garçon. Cette femme, qui est mère, va souvent chercher Hugo à l'école, elle l'invite pour des petites vacances, ou des sorties. Cette présence bienveillante ne remplace pas sa maman dans le cœur d'Hugo, mais elle lui procure une image maternelle et féminine.

On commence à avoir un peu de recul sur l'évolution de ces enfants élevés par leur papa. Certains s'étonnent des compétences dont les pères font preuve à la fois dans la vie quotidienne et émotionnelle de leur enfant. C'est peut-être oublier que lorsque ces pères étaient enfants, ils ont eu une maman qui a laissé son empreinte.

• Un couple marié élève ensemble un ou plusieurs enfants auxquels ils ont donné la vie : c'était le modèle dominant jusqu'à la génération précédente. Couples non mariés, familles recomposées après une séparation, femmes élevant seule leur enfant, familles adoptives...: ces autres formes familiales ont peu à peu pris place dans notre environnement social. Depuis quelques années une nouvelle configuration parentale s'est ajoutée : un enfant élevé par un couple homosexuel, deux femmes ou deux hommes. Nous manquons encore de recul pour connaître l'impact psychologique de **l'homoparenta-lité** sur le devenir de l'enfant et de l'adolescent et sur le parent qu'il sera. Dans ces nouvelles familles, l'enfant a souvent été longtemps attendu ; lorsqu'il est enfin là, il est au centre du bonheur et des préoccupations de ses parents qui se sentent valorisés par leur nouveau rôle. Il semblerait que l'enfant soit en mesure de s'adapter à ce cadre familial différent et d'élaborer des solutions qui font sens pour lui. Encore faut-il, pour lui permettre d'avoir les mêmes repères que ses petits camarades et d'élargir son horizon relationnel, que le monde sexué autour de lui ne soit pas exclusivement homo-sexuel, mais le plus large possible, lui faisant connaître d'autres configurations parentales.

Sur cette question, vous pouvez vous reporter au livre de Martine Gross, *L'Homoparentalité*, Le Cavalier Bleu, dans lequel elle expose les idées reçues sur le sujet et les discute. Et à celui de Jean-Pierre Winter, *L'Homoparenté*, Albin Michel, qui émet des réserves sur cette situation familiale.

LES GRANDS-PARENTS

Les grands-parents ont une place privilégiée dans la famille. Souvent sollicités, ils ont un rôle important dans la vie quotidienne de leurs petits-enfants. Ils les accompagnent à la crèche, à l'école, au square. Ils sont mis à contribution le mercredi, les vacances. Ils sont appelés à l'aide lorsque l'enfant est malade ou s'il n'y a pas classe. Ils font faire les devoirs avec souvent plus d'autorité et de patience que les parents. Ils jouent à la marchande, au loto, au foot, même à Barbie...

À côté de cette contribution régulière, il y a toute une partie moins visible et aussi importante, même si on ne s'en rend pas toujours compte : les grands-parents, c'est la meilleure manière de relier le présent que vivent les enfants au passé de leur famille, proche ou lointaine.

« Raconte-moi des histoires de quand maman faisait des bêtises et que tu la punissais. » « Et papa ? C'est vrai qu'il avait toujours de bonnes notes ? » En réalisant que leurs parents ont eu leur âge, qu'ils ont aussi eu une enfance, les enfants sont ravis, et ne se lassent pas qu'on le leur redise.

Et quand sont épuisées les histoires de la famille, et les récits de l'Histoire avec un grand H, restent les contes, les légendes, inépuisable trésor, immense choix de livres et de CD que, tout affairés à courir de leur maison à leur travail, les parents n'ont pas toujours le temps d'explorer.

Nous parlons des plus petits, des enfants à qui l'on raconte des histoires. Plus tard, en cas de conflit entre l'adolescent et ses parents, les grands-parents jouent un rôle important, simplement parce qu'ils existent et qu'ils sont présents.

Les grands-parents sont également un recours, un soutien lors d'une séparation dans le couple, lorsque la famille se recompose. Ils sont inscrits dans l'histoire familiale et représentent un élément de stabilité, de permanence. Cela rassure les enfants qui peuvent avoir l'impression de repartir à zéro lorsqu'une nouvelle famille se crée.

En regard de tous ces côtés positifs, il y a néanmoins une précaution à prendre : les grands-parents doivent s'abstenir de remarques aux parents, c'est mal perçu et c'est normal. Il faut parfois savoir se taire ! Et ne pas contredire systématiquement les principes éducatifs chers aux parents. Petite difficulté, mais si on la surmonte on rencontre un vrai bonheur : s'occuper de ses petits-enfants sans contrainte ni soucis quotidiens, dans la fantaisie.

Les grands-parents décrits ici sont très disponibles mais certains le sont moins : ils travaillent, ils ont des activités diverses, ils voyagent. Ils n'ont pas beaucoup de temps pour s'occuper de leurs petits-enfants, ce que leurs enfants supportent parfois difficilement. Si vous avez moins de temps à passer avec vos petits-enfants, ou que vous habitiez loin d'eux, écrivez, envoyez de temps en temps un petit paquet, téléphonez, envoyez des mails, des SMS. En un mot, maintenez le lien. Malgré vos occupations et parfois la distance géographique, même si cela vous oblige à changer vos habitudes, essayez de voir vos petits-enfants le plus souvent possible. Dans la famille, votre place existe, elle est importante, ne la laissez pas vide.

L'irrégularité ou l'absence de visites de la part des grands-parents est parfois due aux mauvaises relations entre eux et un fils (ou une fille) et un gendre (ou une belle-fille). Les grands-parents ressentent alors tristesse et frustration ; ils ont le sentiment d'être coupés de leur filiation, d'être empêchés de transmettre leur affection, l'histoire familiale, leur expérience ; ils souffrent de ne pas voir grandir leurs petits-enfants, de ne pas profiter de ces moments de bonheur qui les replongent dans l'enfance de leurs propres enfants, qui leur procurent un sentiment d'utilité et de jeunesse.

LA JOURNÉE DES GRANDS-PARENTS
Une fois par an, aux États-Unis, les grands-parents sont les bienvenus dans les écoles de leurs petits-enfants. C'est une bonne reconnaissance de l'importance de leur rôle.

Le comportement et le caractère de l'enfant

L'AGRESSIVITÉ : QUALITÉ OU DÉFAUT ?

À certains stades de son développement, l'enfant manifeste de l'agressivité, au moment de l'éducation de la propreté par exemple ; autour de 2 ans, « non » est le mot au centre de ses colères et de ses scènes ; un peu plus tard, c'est en frappant du pied qu'il refuse d'obéir...

Cette réaction apparaît chaque fois que l'enfant doit franchir une étape importante de son évolution. Sa résistance, ses colères, ses refus dénotent une personnalité qui cherche à s'exprimer.

L'agressivité traduit toujours un état de crise : la difficulté de l'enfant à s'adapter à de nouvelles contraintes, à abandonner certaines habitudes, mais elle exprime aussi le dynamisme et la vitalité d'une personnalité qui peu à peu s'affirme. La crise passée, l'étape franchie, le calme revient, l'enfant ne s'oppose plus et retrouve son équilibre. En ce sens, l'agressivité est un signe de bonne santé psychologique.

Mais si elle persiste, si elle devient habituelle, elle exprime un vrai malaise affectif. Dans ce cas, l'agressivité est un signal d'alerte pour les parents. Au lieu de conclure « Mon enfant est insupportable », il faut se rendre compte qu'il souffre et chercher pourquoi. Les causes peuvent être nombreuses. Réagit-il à trop de sévérité ? Veut-il attirer l'attention d'une mère inattentive ou d'un père trop occupé ? Est-il bouleversé par des disputes ? Est-il jaloux ? Ou a-t-il des exigences excessives parce qu'on l'a trop laissé agir à son gré, ce qui n'est plus possible maintenant ? Cette agressivité est-elle l'identification aux comportements agressifs des parents eux-mêmes, l'imitation des aînés ou des autres enfants gardés avec lui, est-elle la répétition d'exemples autour de lui ?

L'imitation d'un adulte par l'enfant peut aller plus loin et se transformer en ce que les psychanalystes appellent « l'identification à l'agresseur ». Manuella n'a pas supporté la naissance de sa petite sœur, et déjà lorsque sa maman était enceinte, elle cherchait à la taper sur le ventre. Son comportement devient de plus en plus violent, ses parents la punissent, ils la rejettent fréquemment et l'éloignent du bébé. Manuella semble « prendre sur elle », mais devient très agressive avec des voisins, avec des gens côtoyés dans un magasin, avec ses peluches ; elle fait à leur égard les mêmes gestes que ses parents envers elle (donner une tape sur la main), elle emploie les mêmes mots (« ça suffit », « tu es vilaine »). La petite fille se sent agressée par ses parents, elle s'identifie à eux et déplace l'agression sur d'autres.

Quelle qu'en soit l'origine, l'agressivité de l'enfant est un signe de souffrance et fait souffrir l'entourage. L'enfant a besoin que ses parents comprennent ce qui provoque cette violence pour être soulagé. Essayez de trouver les causes ; parlez-en avec l'enfant. Si vous ne trouvez pas, parlez-en au pédiatre. Si celui-ci ne peut pas vous aider, allez voir un psychologue ou un pedopsychiatre.

Une bonne prévention de telles réactions est d'apprendre tôt à l'enfant à mettre des mots sur ses émotions et à les exprimer. Mais on doit également s'interroger sur les rythmes et le mode de vie qu'on impose de plus en plus à des enfants très jeunes, trop jeunes justement pour supporter des horaires, des trajets, des réveils intempestifs qui sont en fait autant de violences faites à l'enfant par notre société. Dans un environnement calme et adapté à la fragilité des premières années de vie de l'enfant, on ne constate pas ces comportements violents qui nous inquiètent tant. S'interroger sur l'enfant agressif, c'est s'interroger sur nous-mêmes et sur la vie que nous lui offrons au quotidien.

L'auto-agressivité. Dès 9-10 mois, il peut arriver que l'enfant éprouve une très forte agressivité, mais qu'il ne puisse pas l'extérioriser : par peur, ou parce qu'il se sent bloqué. L'enfant retourne alors cette agressivité contre lui-même : il se cogne la tête contre les barreaux du lit, par terre, contre un mur (il peut se faire mal), il se balance violemment sans pouvoir se calmer, il se mord le dessus de la main. L'enfant décharge ainsi contre lui-même ses propres tensions. Là aussi, il est important de parler de cette auto-agressivité au pédiatre, à un psychologue, pour pouvoir aider l'enfant à se détendre, et à s'apaiser. Le pédiatre peut être la première personne à qui parler d'une difficulté psychologique chez l'enfant : comprendre un enfant fait partie de sa pratique courante et il peut vous aider à prendre du recul par rapport au comportement de votre enfant.

LES CAPRICES

Ce n'est pas avant 2 ans-2 ans 1/2 qu'on peut parler de caprices. Or nous recevons de nombreuses lettres à propos des « caprices » d'enfants de plus en plus jeunes. « Mathis a 1 mois, il ne supporte pas de rester dans son transat et pleure jusqu'à ce que je le prenne, est-ce un caprice ? » « Notre petite Inès (10 mois) devient capricieuse, elle pleure maintenant tous les soirs quand on la couche. » Non, un bébé ne fait pas de caprices : il n'a souvent pas d'autres moyens à sa disposition que les pleurs pour s'exprimer. Un petit enfant est fragile et dépendant des êtres qui l'entourent et prennent soin de lui. Mathis montre qu'il ne se sent pas bien seul dans son transat, qu'il a envie d'être dans les bras, d'être câliné. Inès exprime sa difficulté à se séparer de ses parents au moment du coucher et son besoin d'être rassurée. Lorsque l'adulte répond aux demandes du tout-petit, cela ne risque pas de lui donner de « mauvaises habitudes » comme on l'entend parfois dire ; au contraire, il peut tisser sa confiance en autrui et en lui-même, tout doucement, au fil des premiers mois.

LES CAPRICES : UNE ÉTAPE TUMULTUEUSE

Clément, 2 ans, hurle, vous venez de lui demander de prendre son bain. Loubna, 2 ans 1/2, trépigne, vous avez refusé qu'elle regarde un troisième dessin animé. Sacha, 3 ans, se roule par terre au supermarché pour que vous achetiez une petite voiture de course. Les caprices de l'enfant déstabilisent les parents, encore plus quand les « scènes » se déroulent sous le regard réprobateur d'un grand-parent, d'une voisine ou même d'un inconnu.

Rassurez-vous, tous les enfants font des caprices, c'est une étape normale dans leur développement. Avec la marche et le langage, l'enfant a maintenant conquis une autonomie et des moyens qui lui donnent un sentiment de toute-puissance. Il ramène tout à lui – c'est normal à cet âge – et il ne veut pas qu'on lui résiste. Il teste son entourage pour savoir jusqu'où il peut aller. C'est pourquoi il réagit fréquemment par un caprice lorsqu'on ne cède pas à toutes ses envies. S'opposer à ses parents permet à l'enfant de s'affirmer en tant que sujet. Cette phase du « non » est très constructive pour lui (p. 225). Il exprime à sa façon et avec les moyens dont il dispose, sa pensée, ses émotions et ses désirs. L'inverse – un enfant de cet âge totalement sage et obéissant – est peut-être plus inquiétant.

QUE FAIRE EN PRÉSENCE D'UN CAPRICE ?

Il est important, dans un premier temps, d'essayer de comprendre ce qui se passe. Votre enfant ne veut plus avancer dans la rue : peut-être a t-il mal aux pieds dans ses nouvelles chaussures ? Peut-être marche-t-on trop vite ? Peut-être a t-il vu un chien qui l'a effrayé ? Ne sachant pas encore exprimer tout ce qu'il ressent avec des mots, il proteste.

Votre enfant s'agite, trépigne, se roule par terre... Laissez-le exprimer sa colère. Il est inutile de lui dire : « Tu es ridicule de te mettre dans un état pareil », « Arrête de pleurer ! », « Tu n'as pas honte ? »... Il est impossible de faire entendre raison à un enfant trop jeune. Votre enfant n'est pas content et il a le droit de l'être. Dites-lui plutôt : « Je comprends que tu sois furieux, mais je ne peux pas faire autrement, tu dois te calmer », etc. Ainsi, vous montrez à l'enfant que c'est vous qui fixez les limites mais que vous comprenez son émotion. Parlez avec douceur et fermeté. Votre sang-froid, pas toujours facile à garder, aidera à désarmer sa colère. Et au moindre signe de détente, vos paroles apaisantes, votre tendresse, aideront la crise à se terminer.

Cela dit, devant la menace d'un caprice, rappelez-vous ceci : **la nervosité est contagieuse**. Votre enfant vous a peut-être senti nerveux – même si cette nervosité ne s'est pas manifestée envers lui – et il est devenu nerveux à son tour. La première occasion a déclenché la scène. Les choses ne se passent pas toujours ainsi, mais souvent.

Il y a une surenchère à la colère. Votre enfant n'est pas sage ; vous lui faites une remarque : il devient insolent ; vous le grondez : il s'emporte ; vous vous emportez à votre tour : il crie ; vous criez : il hurle. Essayez de ne pas créer cet engrenage.

Le silence a une vertu apaisante. Un enfant en colère ne crie pas longtemps si on ne lui répond pas. L'isolement aussi : « Si tu veux crier, va dans ta chambre. »

En dehors des moments de caprice, d'énervement, parlez avec votre enfant des nécessaires limites ou obligations qui s'imposent à tous, même aux « grandes personnes ». Savoir que les adultes ne font pas tout ce dont ils ont envie peut l'aider à accepter le cadre que vous lui donnez. Et dès 3-4 ans, faites-le participer à des choix qui le concernent, demandez-lui son avis dans certaines circonstances : « Que préfères-tu, un polo rouge ou bleu ? » Acceptez que votre fille se fasse couper (ou pousser) les cheveux, etc. L'enfant aussi veut avoir son mot à dire, il veut être considéré comme un être qui compte dans sa famille, qui pense à la mesure de son âge.

SI LES COLÈRES PERSISTENT

En grandissant, et avec votre aide (en le comprenant, le consolant, sans céder pour autant), l'enfant fera moins de caprices. Mais s'il continue à se mettre souvent en colère, si les scènes s'amplifient et semblent s'installer, demandez-vous pourquoi. A-t-il assez de régularité et de limites dans sa vie quotidienne ? Dort-il suffisamment ? L'école n'est-elle pas trop fatigante ? Veut-il attirer votre attention parce que vous ne lui donnez pas assez de votre temps ? Réagit-il à trop de sévérité et d'exigence de votre part ? Est-il jaloux de son frère ou de sa sœur ? N'êtes-vous pas trop anxieux ou trop protecteurs ? Avez-vous tendance à crier ? Là aussi, le conseil d'un tiers (pédiatre ou psychologue) peut vous aider.

L'ENFANT AGITÉ

Beaucoup de nourrissons qui gesticulent et s'agitent au cours des premières semaines, peu à peu s'apaisent et se calment ; ils trouvent spontanément l'alternance entre les moments d'activité et ceux de repos. D'autres enfants continuent à se tortiller quand on les habille, à éclabousser toute l'eau du bain, à changer sans cesse de position. Et dès qu'ils sont plus grands, ils sont les premiers à ramper, à se redresser, à toucher à tout.

C'est surtout vers 18 mois que « l'enfant agité » commence à être qualifié d'instable, de casse-cou, alors qu'il s'agit le plus souvent d'un enfant tonique et plein de vie. Il faut noter que l'appréciation de cette activité un peu excessive va dépendre du seuil de tolérance de l'environnement. Certains parents s'en réjouissent, d'autres la supportent, d'autres enfin sont accablés, voire agressifs. Il en sera de même plus tard dans le milieu scolaire où un certain nombre de ces enfants, surtout s'ils sont rejetés, deviennent encore plus hyperactifs (ou hyperkinétiques, c'est le terme médical) et bruyants. Ces

> **ENFANTS TURBULENTS :**
> L'ENFER EST-IL PAVÉ DE BONNES PRÉVENTIONS ?
> CE LIVRE EST LE RÉSULTAT D'UN COLLOQUE RÉUNISSANT DE NOMBREUX SPÉCIALISTES (MICHEL DUGNAT, SYLVIANE GIAMPINO, BERNARD GOLSE, PIERRE SUESSER...). IL DONNE UN ÉCLAIRAGE PLURIDISCIPLINAIRE SUR LES DIFFICULTÉS PSYCHOLOGIQUES DES ENFANTS QUE L'ON TROUVE TROP AGITÉS ET IL APPORTE DES RÉPONSES POUR LA MISE EN ŒUVRE D'UNE PRÉVENTION EFFICACE (COLLECTIF *« PAS DE 0 DE CONDUITE »*, ÉDITIONS ERÈS).

enfants, qui créent des difficultés à leur entourage, souffrent. À ce moment-là, il est nécessaire de consulter pour savoir si cette hyperactivité est liée à l'anxiété, à un manque de sécurité affective, à des conditions et des rythmes de vie familiale inadaptés aux jeunes enfants, ou s'il s'agit d'un problème médical qui nécessite un traitement. Certains enfants, lorsqu'ils sont loin du stress parental, ne posent pas de problème. Par exemple lorsqu'ils sont chez des grands-parents calmes et disponibles, qui ont un jardin ou qui proposent un partage des activités de la maison ou des jeux inhabituels, à la fois intéressants et reposants.

Une vie régulière, la pratique fréquente d'un sport sont conseillées. Lisez aussi page 402, *L'enfant hyperactif.*

MENTEUR !

À l'âge qui nous intéresse, 4-5 ans, on ne peut ni parler de mensonge, ni de vol. Comme nous l'avons vu dans le chapitre précédent, c'est l'âge de l'imaginaire, la frontière est mal définie entre le monde que l'enfant invente et les réalités ; l'enfant imagine, transforme, mais il ne ment pas.

Avant de se coucher, Justine, 4 ans, prend ses petits ciseaux ronds et se coupe une mèche de cheveux. À son réveil, sa maman très étonnée, et rétrospectivement inquiète, lui demande ce qui s'est passé. Justine se rend compte qu'elle a fait quelque chose de défendu, elle invente que sa petite amie est venue la voir, et qu'elles ont joué au coiffeur. À la réaction de sa mère, Justine voit qu'elle a fait une bêtise ; elle trouve une « porte de sortie » en inventant une histoire qui n'est pas plausible ; mais il ne s'agit pas d'un mensonge, avec le sens moral que nous lui attribuons.

Et si l'enfant prend un objet qui ne lui appartient pas, il ne s'agit pas non plus d'un vol. Valentin, 5 ans, voit le joli bracelet en or de sa maman posé sur la table de nuit. Il le met dans son cartable et l'offre à son institutrice (qui téléphone aussitôt à la maman).

En punissant l'enfant, en le traitant de menteur ou de voleur, pour des actes qui n'en sont pas, on risque d'entraîner un sentiment d'incompréhension de l'enfant, un manque de confiance en soi et dans l'adulte, et parfois de l'inciter à avoir de tels comportements. Jean Piaget est le premier à avoir établi la naissance du jugement moral, qui se situe entre 5 et 7 ans. Cela ne veut pas dire qu'on ne peut pas sensibiliser l'enfant avant cet âge à ce qui est permis, à ce qui est défendu, à ce qui est bien, à ce qui est mal, mais sans insister outre mesure.

LA CONFIANCE EN SOI

La confiance en soi s'enracine précocement, dès les premières semaines de vie. Grâce aux regards, à la voix, aux gestes de ceux qui s'occupent de lui, le bébé ressent jour après jour le plaisir, l'émerveillement que ses parents éprouvent à son égard. Il développe un « sentiment continu d'exister » (D. W. Winnicott), le sentiment de compter pour l'autre, d'être important pour ceux qui l'entourent, et que les autres comptent pour lui.

Au fil des mois, lorsque ses progrès et ses découvertes sont valorisés par l'entourage, l'enfant développe cette confiance en lui : on le voit s'épanouir et s'affirmer, chacun avec sa personnalité. Alizé, 2 ans, montre qu'elle aime aller au square. Pourtant, dès qu'elle y est, elle ne quitte pas sa maman. Plutôt que de s'énerver (« Si tu ne joues pas, on ne viendra plus »), sa maman réagit avec douceur. Elle comprend que sa petite fille a besoin d'observer avant d'agir, elle ne la brusque pas, puis peu à peu, elle essaie de lui donner confiance en l'encourageant : « Regarde comme c'est amusant le toboggan, tu y arrives très bien, bravo ! » Vous aiderez aussi votre enfant en le laissant aller au bout de ses actes, en ne faisant pas les choses à sa place, en ne parlant pas à sa place.

Lorsque l'entourage n'apporte pas cette confiance, certains enfants, plus fragiles dans leurs émotions et leurs relations, deviennent timides, ils sont facilement découragés, ont peur de ne pas réussir. Dans la cour de récréation, Matteo reste dans son coin sans oser participer aux jeux. À la maison, il n'est jamais satisfait des dessins qu'il fait : « Je suis nul » dit-il à son père. Un jour son institutrice a la bonne idée d'afficher ses dessins, les valorisant aux yeux de l'enfant et de ses parents, créant ainsi un enchaînement de réactions positives.

Mais encourager un enfant, mettre en valeur ses qualités, ne doit pas conduire à en faire une « vedette ». Admirer constamment un enfant, ou de façon excessive, ne va pas l'aider à avoir confiance en lui, au contraire. Lorsqu'il sort du cercle familial, et n'attire plus la même attention, il ne comprend pas pourquoi il n'est plus le centre du monde. Il se sent frustré et peut avoir des difficultés pour s'insérer dans un groupe ou se faire des camarades.

LES DISPUTES ENTRE ENFANTS

Les disputes empoisonnent la vie familiale parce qu'elles sont bruyantes, et qu'elles peuvent entraîner des cris et de l'énervement. Elles réactivent alors chez les parents les disputes qui se sont passées dans leur propre enfance. Et elles font revivre également la relation qu'ils ont eue avec leurs propres parents. Ainsi, certains disent : « C'est terrible, je ne peux m'empêcher de crier comme le faisait ma mère, alors que je lui en voulais de se comporter ainsi. »

Pourtant ne pas être d'accord est naturel ; c'est, pour les enfants, une des composantes de la socialisation et de la vie avec les autres. Il suffit d'observer les enfants en collectivité, pour voir que se disputer, se chamailler est un mode d'expression aussi normal que les attitudes de séduction, de domination, d'échange.

Mais lorsque se disputer devient le comportement exclusif de l'enfant – dans ses relations avec les autres, il n'y a ni tendresse, ni partage, ni solidarité – il faut être attentif et en parler avec le pédiatre, éventuellement même avec un psychologue.

Dans une dispute, faut-il intervenir ? Souvent, les enfants ne se disputent que pour attirer l'attention des adultes, accaparer un parent. Le parent peut commencer par dire que cette dispute ne l'intéresse pas et que les enfants doivent régler leurs différends entre eux. Mais parfois les enfants n'y parviennent pas, ils n'arrivent pas à dominer leur agressivité. L'adulte peut intervenir en prenant certaines précautions. :
• Ne pas imiter le ton de la dispute des enfants (par exemple en criant) car cela provoquera encore plus d'énervement.
• Essayer de comprendre chacun et aider les enfants à mettre des mots sur ce qu'ils veulent.
• Essayer de les distraire, de les séparer en douceur.
• Eviter de « charger » l'aîné, tout en tenant compte de la jalousie du plus jeune qui a envie de faire comme le plus grand.

Enfin, il faut tenir compte de l'âge de l'enfant. À certains moments sensibles, (quand l'enfant dit « À moi, à moi ») il est normal qu'il ne puisse se séparer de l'objet dont il s'est emparé ; on doit lui reconnaître ce droit. Puis on peut essayer de négocier et de lui donner un autre objet en échange.

LES FRUSTRATIONS

Les parents vivent parfois dans la crainte que leurs enfants ne soient frustrés. Ils ont raison et tort. Frustrer d'affection peut être grave pour un enfant, vous l'avez vu au chapitre précédent. Mais si un biberon en retard, un jouet cassé, une dispute, une injustice peuvent faire de la peine à l'enfant dans l'immédiat, ces incidents n'ont pas d'importance pour l'avenir. Au contraire, l'enfant a besoin de découvrir peu à peu que tout n'est pas facile. Ces frustrations nécessaires sont celles qui permettent à l'enfant l'apprentissage de son autonomie, de ses capacités à attendre, à s'occuper, à jouer, à anticiper le moment où sa frustration sera comblée : grâce à la sécurité affective dans laquelle il se développe, ce moment attendu est devenu «prévisible».

LES ENFANTS PRÉCOCES

Dans une population moyenne d'enfants, certains présentent un retard dans leur développement, d'autres sont en avance. La précocité existe, il est important de la reconnaître pour la respecter.

Dans le chapitre précédent, vous avez trouvé quelques repères permettant de situer à quel stade en est votre enfant afin de pouvoir répondre, le mieux possible, à ses besoins. Mais il est parfois difficile d'évaluer, avant l'école, l'éveil des jeunes enfants car, à cet âge, la précocité ne porte pas toujours sur l'ensemble du développement : certains enfants sont en avance pour le langage, d'autres sur le plan moteur, d'autres pour l'intelligence sensori-motrice (celle qui fait un lien concret entre un geste et son résultat). Si vraiment vous vous posez des questions à propos de votre enfant, demandez au pédiatre s'il ne serait pas possible de consulter un psychologue spécialisé dans les « baby-tests » : ces tests permettent en effet d'évaluer le niveau de développement des enfants de moins de 3 ans. Cette consultation sera aussi l'occasion d'apporter des réponses adaptées à votre enfant.

Quoi qu'il en soit, il est important de ne pas solliciter sans cesse la précocité de l'enfant, et de ne pas en faire un objet d'attention perpétuelle, comme c'est le cas pour Damien, 2 ans. Il reconnaît les couleurs, il a un langage très évolué, il commence à faire des petits raisonnements logiques : il est en avance. À la boulangerie, sa mère, qui cherche à lui apprendre maintenant le calcul, lui demande de compter les éclairs et de reconnaître ceux au café et ceux au chocolat. Dans la queue, les réactions sont diverses, amusées ou agacées. Damien n'est plus un petit garçon qui fait des courses avec sa maman mais une petite personne qui doit sans cesse prouver ses performances.

La vie quotidienne

« PARLER VRAI »

Le besoin de communiquer est vital, littéralement : il naît avec la vie. Un enfant a besoin qu'on lui parle à tous les âges et il a besoin qu'on l'écoute. C'est-à-dire qu'il y ait vraiment un dialogue.

Encore faut-il ne pas submerger l'enfant d'explications et de commentaires sans fin. S'adapter à l'âge du bébé, du petit enfant, du plus grand est nécessaire. Françoise Dolto, qui la première a attiré l'attention sur le « parler vrai » avec un enfant, raconte l'histoire de cette maman qui avait retenu qu'il fallait parler aux enfants, mais qui confondait parler et parler avec : « Elle me dit donc qu'elle n'avait pas arrêté de parler à son bébé, que plus elle lui parlait, moins il la regardait, et qu'il finissait par ne plus la regarder du tout ! Elle était très déprimée, elle prenait sur elle de lui parler tout le temps, pour ne pas se faire le reproche de ne pas lui parler ! Un beau jour, elle s'est dit : « Je lui parle, je lui parle, mais c'est ma bouche qui lui parle ; moi, j'en ai marre, et lui aussi ; je lui ai dit : "Je parle sans arrêt, mais tu en as marre, hein ?". Il m'a regardé pour la première fois depuis longtemps, et je me suis dit, il a bien raison, on va se parler un peu moins et peut-être on se regardera mieux ! » Elle avait tout à fait raison, il ne s'agit pas de parler pour parler, surtout quand on est fatiguée et qu'on fait cela devant sa machine à coudre ou d'autres tâches... » (propos cités dans *Madame Dolto,* Éres).

La communication repose aussi sur un geste, un regard, un sourire, une écoute. Puis, c'est une histoire lue, ou racontée, une promenade, un spectacle. C'est répondre aux questions de l'enfant, sa curiosité est grande.

Parler avec un enfant fait partie de l'attention dont il a besoin. C'est une certaine manière de le considérer et de l'élever. C'est le contraire de : « Mange et tais-toi » ou de « Je n'ai pas le temps de t'expliquer » ou de « Tu comprendras plus tard ».

VIE PRIVÉE

Officiellement, l'enfant a des droits définis par l'ONU, et classés sous diverses rubriques : droit à l'affection, à la nourriture, aux soins, aux loisirs ; à la protection contre la torture, contre l'exploitation. C'est récent, c'est un grand progrès, c'est bien. Mais aux cinquante-quatre articles énumérés, nous voudrions en ajouter un : le droit au rêve, au secret, à l'intimité, en un mot à la vie privée. Pour nous, l'enfant y a droit dès son plus jeune âge.

Il a l'air inoccupé, il rêve, pourquoi l'interrompre sans nécessité ? Pourquoi n'aurait-il pas droit lui aussi à ses moments d'évasion ? Et si l'on pense qu'ils sont inutiles, on peut se dire qu'ils sont un facteur de maturation. Il a un secret, pourquoi vouloir le connaître ? C'est une sorte d'autonomie, une manière de faire comme vous.

L'intimité, c'est un peu différent : certains parents acceptent mal qu'un enfant ferme sa porte, traduisent : « Il s'est enfermé dans sa chambre », ils se sentent exclus et trouvent naturel d'y faire irruption sans avertir.

Il y a un malentendu : l'enfant ferme sa porte car il a besoin de sentir que l'espace qui lui a été désigné est bien à lui, et le manifeste ainsi ; respectez son geste. Il y a bien d'autres exemples du respect de la vie privée d'un enfant. Il reçoit une lettre à son nom : même s'il ne sait pas encore lire, c'est sa lettre, c'est à lui de l'ouvrir.

Tact, respect de l'autre font partie de la vie privée, il n'est pas trop tôt pour s'y habituer. Réciproquement.

LA PUDEUR

Que nous le voulions ou non, nos regards et ceux de nos enfants sont aujourd'hui sans cesse confrontés à la nudité : à la télévision, dans les magazines, les affiches publicitaires, etc. C'est pourquoi, il nous paraît important de parler de la pudeur des enfants. Ce n'est pas un concept démodé ou désuet, ce sentiment naturel a sa place dans le développement et l'éducation ; et cela même si l'équilibre est parfois difficile à trouver entre le « tout-caché », le « tout-honteux » des générations précédentes et le « tout-montré », le « tout-permis » qui s'étale aujourd'hui.

La pudeur, c'est d'abord la gêne que l'on peut éprouver spontanément lorsqu'on est vu nu, ou lorsqu'on voit les autres nus. Léa, 6 ans, ne veut pas qu'on la regarde entrer dans son bain : « Laisse-moi » dit-elle à sa mère. Mais la pudeur c'est aussi celle des sentiments : ne pas vouloir montrer ce qui nous touche vraiment, ne pas avoir envie de savoir ce qu'éprouvent les autres. Axelle, 4 ans, adore Noé qu'elle retrouve à l'école. Ses parents s'en sont rendu compte, ils en parlent avec amusement autour d'eux, sans voir que cela blesse leur petite fille.

Comment la pudeur vient-elle aux enfants ? Jusqu'à 2 ans, les petits aiment bien être nus ; au bord de la mer, ils enlèvent facilement leur maillot de bain, ou ils ne veulent pas le mettre. Mais en grandissant, certains enfants regrettent d'avoir été photographiés nus ; ils demandent d'ôter la photo de l'album ou du salon ; ou bien ils le pensent mais ils n'osent pas le dire.

La pudeur commence à se manifester vers 2 ans 1/2 - 3 ans, elle est plus ou moins marquée selon le caractère de chaque enfant et son environnement familial. Apolline, 5 ans, refuse d'aller à la piscine sans mettre un haut de maillot de bain, alors que sa grande sœur n'a jamais manifesté la moindre gêne au même âge.

En même temps, cet âge est celui auquel l'enfant prend conscience d'appartenir à un sexe, il est intéressé par la différence anatomique entre les garçons et les filles, et aussi entre les adultes et les enfants. C'est aux adultes de répondre avec tact aux questions des enfants et à leurs comportements. Il y a des invités au salon et Max, 5 ans, est fier de se promener sans culotte. Devant la gêne et les remarques maladroites des adultes, son père le raccompagne gentiment dans sa chambre, en lui expliquant qu'on n'agit plus ainsi lorsqu'on grandit ; et il lui enfile son pyjama.

Respecter la pudeur de l'enfant c'est aussi avoir un comportement qui ne le gêne pas. Par exemple, il n'est pas conseillé, au-delà de 2 ans 1/2-3 ans, qu'un adulte prenne son bain avec son enfant. Certains croient, à tort, qu'on peut éviter des réactions excessives de pudeur chez les enfants en n'ayant aucune limite dans ce domaine. Pourtant, devenus adolescents, puis adultes, beaucoup de jeunes disent combien ils ont été blessés, ou culpabilisés, par le comportement de parents qui n'avaient aucune pudeur.

Notre société a tendance à oublier que corps et émotions sont indissociables. Pour l'enfant, le corps n'est pas une anatomie médicale ou scientifique, mais un ensemble d'émois, de ressentis, provoqués par ce qu'il voit ou par le regard des autres. Cela appelle délicatesse et respect de la part des adultes.

LE BILINGUISME

L'élargissement de l'Europe ; les migrations ; des nationaux quittant leur pays pour des raisons politiques... Tous ces événements ont mis en avant la question du bilinguisme. Dans la vie des familles, comment se pose la question ? Lorsque les parents sont de nationalités et de langues différentes, ou lorsqu'ils sont de même nationalité mais vivent à l'étranger, ils se demandent : doit-on choisir, pour parler à l'enfant, la langue du père ou celle de la mère ? Doit-on s'habituer à parler à l'enfant la langue du pays dans lequel il vit avec ses parents ?

La solution proposée aujourd'hui est la plus simple : on conseille aux parents de parler la langue dans laquelle ils se sentent le mieux. Le plus souvent ce sera la langue maternelle, pour d'autres cela peut être une langue acquise plus tardivement ou éventuellement la langue du pays d'accueil. L'essentiel est d'être « vrai » avec son bébé car en lui parlant nous lui transmettons bien plus que du vocabulaire, une grammaire, nous lui transmettons notre affection et notre culture. Si l'enfant apprend la première langue dans un environnement chaleureux, avec des interactions stimulantes et un langage riche, il acquerra facilement la seconde langue en dehors de la famille. Lorsqu'il sera en contact avec l'extérieur : halte-garderie, crèche, école, il apprendra, et plus vite qu'on n'aurait cru, la langue du pays dans lequel il vit. À son arrivée à l'école, l'enfant passe parfois par une phase silencieuse – qui peut durer plusieurs semaines — pendant laquelle il communiquera par les gestes, le sourire. Il faut respecter cette phase, sans faire pression.

Pour que leur enfant apprenne plus rapidement la langue du pays, certains parents arrêtent de parler leur langue. Il faut au contraire que l'enfant continue à entendre et à parler la première langue : il acquiert ainsi tout un savoir (complexité de la langue, utilisation du vocabulaire) qu'il pourra transférer sur la seconde langue ; il apprendra celle-ci d'autant plus facilement.

Avec cette pratique on observe généralement que si on s'adresse à l'enfant dans les deux langues, il passe facilement de l'une à l'autre, la gymnastique lui devient familière et il acquiert par ce jeu une grande souplesse ; on a même l'impression qu'il jongle avec les mots, que connaître deux langues l'amuse. Lorsque l'enfant bilingue peut s'exprimer dans deux langues et deux cultures également valorisées, il est plus créatif, et d'avoir à sa disposition deux langues et deux modes de pensée enrichit à tous points de vue sa personnalité.

QUELQUES DIFFICULTÉS

• Elles peuvent provenir de divergences dans le couple sur la question du bilinguisme. Par exemple, le père et la mère veulent chacun que sa langue soit la préférée. Ou bien la mère trouve que la langue du père est trop difficile à apprendre, qu'elle n'ira jamais dans le pays, ni l'enfant, que c'est donc inutile qu'il l'apprenne. Ou bien le père ne comprend pas la langue parlée par la mère et se sent exclu des échanges mère-enfant. Ou encore l'un des parents est opposé à une éducation bilingue. Pour essayer d'éviter ces difficultés, il est conseillé de discuter de la question du bilinguisme et du choix de la ou des langues à parler avec le bébé avant la naissance.

• Ce qui peut également poser un problème, c'est lorsque la langue d'origine est peu valorisée, voire considérée comme un handicap, par l'autre parent, par la famille ou par la société ; l'enfant ne sera alors pas motivé pour parler la langue de ses parents.

Il est donc important que la langue d'origine de l'enfant soit reconnue par tous, et notamment par l'école, comme un atout pour l'enfant : plus cette langue maternelle sera riche, plus la seconde langue sera développée ; les enseignants l'ont souvent remarqué.

De plus en plus d'enfants grandissent dans un **environnement plurilingue**, où plus de deux langues sont parlées : par exemple l'enfant entend le français à la crèche et les parents ont chacun leur langue. Cela ne pose pas de problème particulier. L'enfant va acquérir autant de langues qui lui sont nécessaires pour communiquer avec son entourage. Toutes les langues seront acquises à des niveaux différents, en fonction des besoins du moment. Tout comme pour le bilinguisme, il est nécessaire de donner à l'enfant suffisamment d'occasions de pratiquer chaque langue pour qu'elle reste acquise et se développe.

L'ATOUT D'UNE SECONDE LANGUE

Les familles souhaitent parfois faire apprendre à leur enfant une autre langue que sa langue maternelle pour lui donner un atout supplémentaire dans ses études.

S'il y a une ambiance d'ouverture pour les langues en général dans la famille, si les parents manifestent leur intérêt pour cette seconde langue, l'enfant sera curieux de connaître de nouveaux sons et apprendra quelques mots ou phrases et des chansons. Jusqu'à 6 ans, un enfant profite mieux d'une approche ludique pour se familiariser avec une langue étrangère, et toujours en interaction avec des personnes qui parlent la langue. C'est pourquoi les méthodes par DVD ou bien les séquences télévisées ne sont pas adaptées aux jeunes enfants. Mais, attention, de simples ateliers hebdomadaires ne sont pas suffisants pour devenir bilingue. Un contact intensif, régulier et long (plusieurs années) est nécessaire pour qu'un enfant apprenne à parler une nouvelle langue. Il faut donc être patient.

Une règle de base : accompagner les progrès de l'enfant avec bienveillance, lui montrer qu'on est fier de lui s'il prononce des mots ou des chansons, sans le corriger et sans faire pression.

QUELQUES PARTICULARITÉS DU LANGAGE BILINGUE

L'enfant qui parle deux langues peut au début faire des « mélanges » : c'est normal. Cela ne provient pas d'une confusion de l'enfant. D'ailleurs certains enfants ne mélangent jamais. Chez d'autres, le mélange se produit pour différentes raisons : soit le mot dans l'autre langue manque à l'enfant, soit le mot d'une langue est plus facile à prononcer (Helenka a tout de suite adopté le mot tchèque *bota* plutôt que *chaussure*), soit l'enfant préfère une sonorité par rapport à l'autre. Les enfants qui grandissent dans un environnement multilingue, où les adultes aussi mélangent les langues (c'est une pratique courante dans les communautés bilingues), adoptent davantage cette manière de parler. À partir de 3 ans (cela dépend de l'enfant et de son environnement), l'enfant passe en général d'une langue à l'autre sans problème.

Le bilinguisme précoce ne provoque pas de retard de langage. Le rythme d'acquisition du langage est le même que chez l'enfant monolingue, c'est-à-dire que les grandes étapes comme le premier mot, la phrase à deux mots... apparaissent au même âge. Si l'enfant parle plus tard, le bilinguisme n'est pas à incriminer, la cause est à chercher ailleurs.

WWW.ENFANTSBILINGUES.COM EST UN INTÉRESSANT SITE D'INFORMATIONS ET DE CONSEILS SUR LE BILINGUISME.

Comparé à un enfant monolingue du même âge, un enfant bilingue n'a pas le même vocabulaire dans chacune de ses langues, ce qui pourrait être également interprété comme un « retard ». C'est normal, car l'enfant bilingue acquiert le vocabulaire de chaque langue dans des situations différentes, par exemple le bain avec maman en espagnol et les jeux en plein air avec papa en italien. Pris dans sa totalité, le vocabulaire est identique à celui d'un enfant monolingue du même âge.

TOUJOURS PLUS VITE...

Les parents sont de plus en plus pressés. Les contraintes quotidiennes de la vie actuelle – courir pour déposer les enfants à la crèche, se dépêcher pour attraper le bus, ne pas être en retard au travail – ne sont pas seules en cause. Les connaissances de la psychologie ont modifié le regard posé sur l'enfant – on le sait plus développé qu'on ne croyait – et son environnement est plus stimulant : jeux et activités d'éveil le sollicitent constamment. Encore plus qu'hier, les parents attendent aujourd'hui de leur enfant qu'il fasse des progrès rapides dans tous les domaines ; ils comparent avec leurs amis, sont inquiets si leur enfant ne marche pas à un an, ils souhaitent qu'il parle plus vite, avec beaucoup de vocabulaire, qu'il soit très éveillé, ils anticipent sur sa scolarité. Pourquoi être tellement obsédé par le temps ? Chaque enfant a son rythme qu'il est important de respecter, et tout au long de ce livre, nous avons essayé d'alerter contre la tendance actuelle de considérer le petit enfant comme beaucoup plus âgé qu'il n'est. La découverte des « compétences » du nouveau-né et du très jeune enfant ne doit pas nous mener à cette course à la précocité et à tant d'exigences éducatives.

L'enfant a besoin de temps pour construire sa personnalité, développer la confiance en soi et en l'autre, s'adapter aux contraintes du monde extérieur, conquérir son autonomie... Nous perdons souvent de vue que dans le développement il y a des stades à respecter, que tout enfant a besoin de calme et de moments de rêverie, et que rien ne presse puisque la petite enfance passe si vite. Laissez-le vivre pleinement cette période fondatrice, ne le privez pas de son enfance.

De même, laissez-le être un enfant... de son âge, qui n'est ni un petit adolescent, ni un adulte en miniature. De nombreux parents nous écrivent : « Romain, 3 mois, fait des caprices ; Noémie, 7 mois, s'oppose à moi et je sens bien qu'elle me nargue ; Maia, 18 mois, est incapable d'obéir ». Mais 3 mois n'est pas 3 ans, 7 mois ou 18 mois est encore loin de 7 ans, le fameux âge de raison. Votre bébé va grandir à son rythme, et certaines exigences éducatives, bénéfiques et indispensables à un certain âge, blessent la fragilité des enfants à un âge plus tendre. « Élever » un enfant, c'est se mettre à son niveau pour l'aider à grandir, sans l'imaginer plus grand qu'il n'est. C'est aussi être patient.

ÉLOGE DE LA PATIENCE

Être patient avec son enfant, c'est ne pas dramatiser la moindre de ses maladresses ou de ses oppositions, c'est lui laisser le temps d'aller au bout de ses propres découvertes et de ses gestes sans se substituer à lui, sous prétexte de l'aider, mais surtout pour que cela aille plus vite. Dans notre monde qui bouscule tant les adultes, les sollicitant sans cesse pour en faire plus, avoir plus, et le plus rapidement possible, on a tendance à oublier les bienfaits de la patience : prendre le temps d'« attendre », de se distraire en attendant, de persévérer dans une activité sans s'énerver, voire même de se reposer tout simplement. Ce n'est pas seulement de la patience avec votre enfant dont il s'agit ici, mais de ce que vous, l'entourage, donnez à voir de ces situations d'impatience auxquelles il va s'identifier, souvent quotidiennement, parfois même à votre insu.

C'est votre irritation lorsque vous manquez de temps pour l'habiller le matin, votre énervement parce qu'il rêve devant son petit déjeuner, c'est interrompre brusquement ses jeux parce qu'on s'aperçoit trop tard que l'heure a tourné : « Ça suffit maintenant, dépêche-toi ». Les tensions qui accompagnent les situations de la vie quotidienne où l'adulte n'a pas pu faire à temps les tâches nécessaires, angoissent l'enfant.

La patience des adultes à l'égard de l'enfant, comme à l'égard des pressions qui les entourent, lui donne confiance en lui et en eux, et ceci pour toute une vie. En ce sens, la patience légendaire des grands-parents, qui ne sont plus pris dans les mêmes enjeux éducatifs et sociaux que les parents, est bien réelle et apporte souvent un véritable apaisement.

Quelques situations difficiles

LES DISPUTES ENTRE PARENTS

Le jeune enfant est particulièrement sensible à son environnement, au calme, à l'harmonie entre les adultes qui s'occupent de lui, à l'absence de conflits. Ceci est encore plus vrai lorsqu'il s'agit des relations entre son père et sa mère : le bébé ressent à travers des éclats de voix, des gestes brusques, les tensions qui pèsent sur le climat qui l'entoure et il n'est pas rare qu'il exprime son malaise par des difficultés digestives, des pleurs, des troubles du sommeil. Plus âgé, l'enfant discerne très bien l'agressivité qui se dégage des disputes entre ses parents. Il s'inquiète, s'approche d'eux, attire l'attention de l'un ou de l'autre, voire s'identifie à eux et reproduit leur comportement avec sa « nounou », à la crèche, dans ses jeux. Plus il grandit, plus les disputes des adultes l'inquiètent. Il ne l'exprime pas encore par les mots de « séparation » ou de « divorce » mais il questionne : « Est-ce que papa va partir ? Est-ce qu'on va quitter papa ? Est-ce que vous ne vous aimez plus ? »

L'idéal serait que les parents évitent de se disputer devant leur enfant. Mais ce n'est pas toujours possible. Alors montrez par des gestes ou des paroles d'apaisement que vous avez perçu chez votre bébé ou votre jeune enfant son inquiétude ; lorsque l'enfant est plus grand, donnez de courtes explications. Les parents ont la responsabilité, ensemble ou à tour de rôle, de rassurer l'enfant, de le tranquilliser.

À partir de 3 ans, les disputes sont fréquentes entre enfants : cela peut vous servir d'exemples pour montrer que les adultes peuvent aussi se disputer mais qu'on peut vite se réconcilier, que cela ne dure pas, que cela n'empêche pas à la vie de continuer à donner de grandes et de petites joies.

SI LES PARENTS SE SÉPARENT

Trop de conjoints oublient, dans ces moments difficiles, qu'ils sont avant tout parents, et qu'ils le reste-ront toujours, alors qu'ils ne seront plus mariés ou qu'ils ne vivront plus ensemble ; les passions et les res-sentiments prennent le pas sur l'amour paternel ou maternel, l'enfant peut être pris en otage et devenir l'enjeu du conflit de ses parents qui, au-delà de leur dissension d'origine, se déchirent à son sujet. Une image de parents qui ne sont pas en conflit est importante, elle préserve une certaine unité de l'enfant. C'est difficile pour les parents mais lorsqu'ils comprennent que l'enfance va passer vite, qu'il ne sert à rien de se déchirer, ils parviennent, en général, dans l'intérêt de l'enfant, à trouver des attitudes communes.

Cet effort nécessite de ne pas penser qu'à soi-même afin de se projeter dans l'avenir de son enfant et de garder malgré tout une tolérance vis-à-vis du partenaire ; souvent un tiers (psychologue, pédiatre, etc.) peut intervenir positivement ; le juge aux affaires familiales peut désigner des profes-sionnels qui essaieront de dédramatiser le conflit. Par exemple, une enquête socio-familiale, une expertise psychologique ou bien le recours à une médiation familiale permettront peut-être de reprendre le dialogue interrompu et de débloquer la situation.

Lors d'une séparation, la plupart des enfants rêvent que leurs parents pourront un jour se retrou-ver, surtout lorsqu'ils ont préservé certains liens entre eux. Ce désir est bien compréhensible : tout enfant est né de l'union de son père et de sa mère, il se sent déchiré dans son unité, parfois même dans la construction de son identité, lorsque ses parents se séparent. L'enfant se sentira mieux lors-qu'il comprendra qu'on ne peut pas revenir sur les raisons profondes de la séparation, que ces raisons sont indépendantes de lui, et qu'il ne pourra pas changer la situation.

De leur côté, les adultes ne doivent pas entretenir chez l'enfant le faux espoir d'un retour à la vie commune et lui laisser imaginer qu'il a le pouvoir de les rassembler. Baptiste, 7 ans, est hospitalisé quelques jours. Ses parents, divorcés, se retrouvent quotidiennement à son chevet, parlant devant lui aux médecins, aux infirmières. Baptiste dit alors à l'une d'entre elles : « Je ne veux pas guérir pour qu'ils restent ensemble »...

L'enfant est parfois envahi de sentiments complexes. Il se sent responsable, coupable de la sépa-ration de ses parents ; lorsqu'il va chez l'un ou chez l'autre, il est pris dans un « conflit de loyauté » (p. 298). C'est comme s'il trahissait un de ses parents en s'attachant au nouveau compagnon ou à la nouvelle compagne ; il souffre de « prendre du bon temps » chez l'un alors que l'autre reste seul. L'enfant peut aussi avoir le sentiment d'être abandonné par son papa ou sa maman. Même s'il est très jeune, l'enfant peut ressentir ces émotions. Il est important que les parents prennent conscience de ce qu'il éprouve afin de le soulager.

Heureusement bien des parents sont conscients de leurs responsabilités ; l'enfant n'est pas un objet qui passe de l'un à l'autre selon la disponibilité des adultes. Ils essaient d'organiser la vie quotidienne le mieux possible, dans un climat serein et chaleureux. Ils montrent à leur enfant qu'ils l'aiment toujours de la même manière et qu'il n'est pas responsable de la séparation. Ces parents savent aussi que l'enfant n'est pas qu'un désir, mais un engagement pour la vie, et cet engagement, ils sont bien décidés à l'assumer.

LES BESOINS DE L'ENFANT ÉVOLUENT AVEC L'ÂGE
En cas de séparation des parents, la garde alternée est déconseillée pour le bébé, car il a besoin de stabilité et de continuité, alors qu'elle est envisageable plus tard.

L'ENFANT MALTRAITÉ

Il est difficile de croire et d'imaginer qu'on puisse maltraiter un enfant, surtout lorsqu'il est très jeune. Souvent, les parents eux-mêmes, qui ont eu des gestes violents à l'égard de leur enfant, le nient, même si le pédiatre montre des marques sur le bras et une radio qui le prouve. On peut dire que la frontière est parfois floue entre le geste brusque et la maltraitance. Mais la maltraitance ne vient pas toujours des parents, d'un proche de la famille. Une assistante maternelle, son mari, voire une institution d'accueil peuvent être en cause..

Il faut savoir que chaque année, en France, 50 000 enfants sont victimes de sévices ou de délaissement. Les professionnels de l'enfance, avec l'appui de l'Organisation mondiale de la santé, ont élargi la notion de maltraitance au délaissement, à la carence de soins et de relations. Ils ont en plus insisté sur le fait qu'il pouvait y avoir des enfants maltraités dans tous les milieux.

On connaît mieux aujourd'hui les différents facteurs, souvent multiples et cumulés, qui entrent en jeu dans les situations de maltraitance, ce qui permet d'améliorer la prévention et la prise en charge, et d'apporter des aides plus efficaces : car, dans ce domaine, qui dit « enfant en souffrance » dit « parent en souffrance ». Qui sont ces parents ?

• Des mères très jeunes ou immatures, proches de leur adolescence, dont la grossesse n'a pas été désirée, ou qui ont de grandes difficultés avec le père de l'enfant : abandon, brutalité, infidélité, etc.

• Des personnalités particulièrement vulnérables dont la dépression n'est pas toujours manifeste, mais qui ne peuvent pas supporter les pleurs du bébé et ses demandes. Tout en l'aimant, ces parents le rejettent : soit par des exigences envers lui ne correspondant pas à son âge et à sa fragilité, soit par des attitudes d'abandon qui mettent en danger tout le développement de l'enfant.

• Des parents épuisés qui se sentent impuissants devant leur bébé en pleurs, inconsolable, qu'ils ne peuvent apaiser, et qui n'ont pas su demander de l'aide à la PMI ni consulter leur médecin : or, il s'agit parfois d'un bébé souffrant d'un reflux douloureux, d'une allergie digestive ou cutanée, d'un malaise d'origine organique que l'on peut soulager, tout en déculpabilisant ces parents démunis.

• Des parents qui eux-mêmes n'ont pas eu une enfance sécurisante, qui revivent, répètent, reproduisent ce qu'ils ont vécu. En effet, toutes les études ont montré que, dans la très grande majorité de la population d'enfants maltraités, leurs parents avaient eux-mêmes été maltraités dans leur propre enfance.

Pourtant, tout enfant maltraité ne va pas devenir un parent maltraitant : avec les progrès de la prévention et des prises en charge pédiatriques, psychothérapiques, sociales et éducatives, qui associent l'environnement familial chaque fois que cela s'avère possible, cette sorte de fatalité est de plus en plus levée. Pour peu qu'il ait été aidé et accompagné tout au long de son développement, tout adulte ayant eu une enfance difficile et malheureuse ne va pas pour autant humilier et maltraiter son enfant : au contraire, il ne voudra pas que son enfant souffre ce qu'il a connu et l'en protègera encore plus.

Ces grandes difficultés de relations entre parents et enfants peuvent se retrouver dans tous les milieux. Jacqueline, avocate, ne supporte pas que son bébé ait peu d'appétit, lasse de le forcer, elle s'en désintéresse et le laisse seul une grande partie de la journée. Paul, ingénieur, n'admet pas que son bébé pleure et ne peut s'empêcher de le brutaliser.

Dans ces deux cas, les parents de cette mère, de ce père, n'avaient eu aucun investissement affectif, aucune relation chaleureuse avec leur enfant quand il était petit : « Mes parents ne m'aimaient pas, j'ai été très gâtée mais très malheureuse », disait Jacqueline. Quant à Paul, il exprimait ainsi sa souffrance : « J'étais terrorisé par mon père qui, pourtant, n'a jamais levé la main sur moi, mais je n'ai aucun souvenir de tendresse de la part de mes parents. Ne me séparez pas de mon fils, je ne veux pas qu'il souffre ce que j'ai souffert, aidez-moi plutôt à changer ».

D'autres facteurs peuvent conduire aux mauvais traitements : demeurer dans des conditions de logement invivables ; avoir un enfant adultérin qui rappelle une filiation qu'on voudrait oublier ; élever l'enfant, mal accepté, d'un autre conjoint ; avoir été séparé de son enfant dans les premières semaines de vie et n'avoir pu ainsi créer les premières relations fondamentales ; c'est pourquoi aujourd'hui on cherche à rapprocher le plus possible les parents de leur enfant prématuré ou malade, pour que les liens d'attachement se créent dès le début de la vie.

Parfois la frontière est fragile entre l'attachement et les mauvais traitements, et les causes de dérapage sont multiples. Si un jour vous sentez que vous-même, que votre conjoint, vous dérivez vers ce type de relations avec votre enfant, ou si vous êtes déjà passé à l'acte, voyez sans tarder ceux qui pourraient vous aider : le pédiatre, ou la consultation de PMI la plus proche, ou la consultation hospitalière de pédiatrie (ouverte jour et nuit).

Vous pouvez aussi vous adresser au CMPP (consultation médico-psycho-pédagogique). Toutes ces adresses vous seront fournies par la mairie. Il existe aussi un numéro de téléphone gratuit (le 119), fonctionnant 24 heures sur 24 ; ce numéro s'adresse aux mineurs en détresse ou victimes de mauvais traitements et aux parents qui ont des difficultés relationnelles avec leurs enfants.

Voyez également l'article *Maltraitance*, chapitre 6.

LES ABUS ET SÉVICES SEXUELS

Dans le domaine des maltraitances à l'enfant, il faut réserver une place particulière aux abus et sévices sexuels : certes, il n'est plus tabou d'en parler mais cela reste un sujet délicat, d'autant que nous savons aujourd'hui qu'ils peuvent concerner de très jeunes enfants. La vigilance reste encore insuffisante, alors qu'on sait actuellement que « l'abuseur » – celui qui utilise l'enfant pour satisfaire ses pulsions sexuelles par caresses, frottements, exhibition sans pour autant le violer, et parfois en allant jusque-là – est le plus souvent un proche de l'enfant : famille, cercle d'amis, voisinage, baby-sitter ou personnel d'un mode de garde (en collectivité ou dans l'entourage de l'assistante maternelle). La plupart du temps, l'enfant accepte sans rien dire ces gestes pervers parce que pour lui, ce qui est bien, vient de l'adulte, et qu'il ne sait pas encore différencier le bien du mal, le permis de l'interdit. Mais un enfant abusé souffre gravement d'être traité et utilisé ainsi.

Dépression, nervosité inhabituelle, troubles du sommeil, arrêt ou stagnation de la croissance, obsession et provocation de jeux sexuels avec ses petits amis, maux de ventre, etc., sont des signes d'alerte. Devant eux, il faut ouvrir les yeux sur le comportement des proches : grand-parent, oncle, cousin, ami, parfois même conjoint. Certes, ici aussi, la frontière est fragile entre « les caresses qui apaisent et celles qui excitent trop l'enfant », dit la pédopsychiatre Michelle Rouyer, mais il faut être vigilant.

Les parents se demandent comment parler des abus sexuels à leurs enfants pour les avertir et les alerter sans faire peur. On peut commencer à en parler à partir de 3-4 ans en tenant compte du stade de compréhension de l'enfant. Par exemple, vous pouvez expliquer à votre petit garçon, à votre petite fille, qu'ils ne doivent pas permettre qu'on touche à leur corps sans que leurs parents soient au courant, qu'ils ne doivent pas accepter qu'on ait avec leur corps des gestes qu'ils n'ont jamais vus, qu'ils ne comprennent pas.

Vous pouvez aussi mettre l'enfant en garde en l'avertissant que ces personnes peuvent être déjà connues de lui. Vous pouvez ajouter que si cette personne lui dit que ce qu'elle se permet de dire ou de faire, doit rester un secret, qu'il ne faut pas en parler, cela montre bien qu'elle fait quelque chose de défendu. Enfin, il est important de rappeler à cette occasion que l'enfant ne doit pas accepter de suivre un adulte, ou un enfant plus grand, qu'il ne connaît pas, même s'ils ont l'air très gentils. S'il était confronté à cette situation, il ne devrait pas hésiter à dire non, à crier, à fuir, pour prévenir les grandes personnes, à le raconter aussitôt à ses parents.

Bien entendu, vous ne direz pas tout cela d'une traite à l'enfant, surtout s'il est petit, mais par petites touches : par exemple en lisant et en commentant un livre sur le sujet. Ces livres sont nombreux. Ils ont le mérite, grâce à des commentaires adaptés, de ne pas provoquer chez l'enfant un imaginaire disproportionné, allant à contresens du but recherché. Vous choisirez ces livres en fonction de l'âge de l'enfant, de ses réactions et de votre propre sensibilité.

• Les sévices à un enfant constituent un délit dont la dénonciation est une obligation. Toute personne qui suspecte ou a connaissance de faits de maltraitance sur un enfant de moins de 15 ans - comme sur toute personne d'une particulière vulnérabilité, personne âgée ou handicapée - doit les dénoncer à l'autorité compétente. Ce n'est pas toujours facile d'entreprendre cette démarche qui peut faire penser à de la délation. De plus, lorsqu'on n'est pas sûr de soi, on préfère se taire : un enfant peut raconter à la sortie de l'école que son camarade est battu, ou qu'une petite fille a subi des gestes déplacés, parce qu'il l'a entendu dans la cour de récréation.

Que faire, que dire ? Ne s'agit-il pas d'inventions d'enfants, de fantasmes ? Doit-on se mêler de ce qui se passe dans certaines familles ? En général, les enfants victimes hésitent à se confier à des adultes, par peur d'être grondés ou de n'être pas crus, ou par honte. Mais ils disent ce qui se passe à certains de leurs camarades.

Dans ces cas-là, n'hésitez pas à parler de ce que vous avez entendu auprès de professionnels de l'enfance (instituteur, directeur d'établissement scolaire, assistante sociale ou pédiatre) qui, en signalant la situation aux autorités compétentes, pourront faire la démarche administrative ou judiciaire difficile à entreprendre pour vous. Le numéro de téléphone 119 peut également vous renseigner.

COMMENT SURMONTER LE MALHEUR ?
Comment survivre aux violences physiques, à la maltraitance psychologique ? **Guérir de son enfance** *(Poche-Odile Jacob), de Jacques Lecomte, est un témoignage d'espoir et montre comment on peut guérir les blessures et se reconstruire*

QUAND UN PARENT EST MALADE

Un jeune enfant est toujours impressionné lorsqu'un des parents est malade : peu disponible, fatigué et souffrant parfois, le papa, la maman, ne répond plus aux attentes de son enfant, ne participe plus aux activités habituelles ou aux soins le concernant. Un équilibre rassurant est rompu qui peut provoquer diverses réactions ; celles-ci sont variées d'un enfant à l'autre, selon son âge, l'intensité de sa relation à ce parent et, bien sûr, selon les différentes situations.

La maladie de ce père est un épisode qui sera relativement court mais son traitement est fatigant : Solal, 4 ans, supporte mal de ne plus pouvoir faire de bruit, jouer à la bagarre avec son papa. Il devient agressif, difficile ... alors que sa petite sœur Fanny, 2 ans et demi, est beaucoup plus raisonnable : « Chut, pas réveiller papa » lui dit-elle. Le père de Solal a compris que son petit garçon est inquiet mais pas seulement en raison de son état : voir sa maman s'occuper moins de lui pour soulager le plus possible son mari, se faire même gronder par elle, augmente ses angoisses et sa frustration. Le papa va prendre Solal à côté de lui, partager des jeux calmes, lui demander des petits services, sans reprendre les explications qui lui ont déjà été données sur sa maladie.

La maîtresse de Flora, 3 ans, s'inquiète de la voir, après deux mois d'entrée à l'école où elle était si enjouée, se replier sur elle-même : elle alerte sa grand-mère, qui reste réservée mais qui avertit son gendre. Le papa vient le samedi suivant parler devant Flora à son institutrice : « Sa maman a un cancer depuis déjà plusieurs mois mais Flora est habituée, très gaie à la maison, nous ne nous sommes rendus compte de rien... Mais récemment elle a vu sa maman perdre ses cheveux, peut-être que...? »

L'institutrice fait participer la petite fille à l'entretien, la laisse s'exprimer. Ses parents ont compris que la décontraction de Flora n'était qu'apparente : sa maman va lui expliquer, sans entrer dans les détails, que son traitement pour guérir lui fait perdre ses cheveux. Elle la rassure : « Ils repousseront plus tard ». C'est pourquoi, en attendant, elle met un foulard et elle évoque son intention de porter une jolie perruque. « Viens, c'est l'heure de prendre le bain, j'ai préparé ton peignoir. »

Les enfants perçoivent que leur maman ou leur papa ne va pas bien ou qu'on leur cache quelque chose. Ne rien dire, rester silencieux ou ne pas dire la vérité accroît leur anxiété, les fait imaginer le pire et risque de se traduire par différents symptômes. Il faut donc donner à l'enfant des informations et des explications mais celles-ci doivent correspondre à son âge et à son ressenti pour ne pas le traumatiser ou le saturer de paroles. Et répondez « vrai » à ses questions. Vous saurez trouver les paroles et les gestes qui permettent le dialogue, qui rassurent, fournissent l'information appropriée, sans devenir envahissante : il reste primordial de donner à l'enfant le plus d'occasions possibles de continuer à mener sa vie de découvertes et d'insouciances.

LE DEUIL ET LE CHAGRIN

CE QUE LES ENFANTS PENSENT DE LA MORT

Tous les enfants s'intéressent à la mort, et habituellement plus tôt qu'on ne le pense, ce qui explique l'étonnement des parents devant certaines questions précoces de leurs enfants. Mais leurs idées sur la mort ne sont pas celles des adultes, car les enfants vivent dans un monde imaginaire, dans un univers bien différent du nôtre. Vous avez lu dans le chapitre précédent que l'enfant ne faisait pas toujours la distinction entre réalité et imagination ; il vit dans une grande ambivalence où il se sent à la fois très dépendant du monde des adultes, et en même temps tout puissant puisque les adultes répondent à tous ses besoins.

Les idées des enfants sur la mort, ce qu'ils en pensent naturellement, dépendent d'abord de l'âge : la mort n'est pas ressentie de la même manière avant 4 ans, à 10 ans ou à l'adolescence.

• Pour le tout-petit

Avant 4 ans, la mort n'est pas naturelle (« on ne meurt pas, on est tué ») ; elle n'est pas irréversible : à tout moment on peut revenir, ou se réveiller (après avoir dit à son camarade de jeux « Pan pan tu es mort », celui-ci se relève). Mais l'idée de la mort peut angoisser les jeunes enfants, elle peut même être vécue par certains comme contagieuse, car l'enfant pense que ce qui arrive aux autres peut lui arriver à lui-même.

Avant 4 ans, la mort est une forme d'absence, de perte, qui peut devenir dramatique si l'adulte qui reste et qui est en deuil ne peut plus répondre aux besoins affectifs de l'enfant, à ses habitudes. Marie, 2 ans, refuse de manger avec sa maman après le décès de sa nourrice, alors qu'auparavant tout se passait bien entre la petite fille et sa mère. La psychologue consultée explique à Marie que même si sa « nounou » n'est plus là, elle peut toujours être dans son cœur. D'ailleurs, ce qui ferait plaisir à sa « nounou », c'est que sa petite Marie continue de manger avec sa maman.

• À partir de 3-4 ans
La mort est comprise comme la cessation des grandes fonctions : quand on est mort, on ne peut plus bouger, plus parler, plus manger, plus avoir d'enfants (pour les petites filles). C'est pourquoi, chez les jeunes enfants, le sommeil est souvent assimilé à la mort : quand on dort, on ne ressent plus rien, et quand on se réveille au milieu de la nuit, et qu'on appelle, personne ne vient, la maison est plongée dans un « silence de mort ». Le petit enfant se lève, va vérifier que ses parents respirent, et refuse de se rendormir tout seul. Les enfants de cet âge aiment qu'on leur explique combien le sommeil est vivant, et le bien qu'il fait au corps et à l'esprit.

• Entre 4 et 8 ans
L'enfant comprend que la mort est irréversible. Il le comprend, mais il lui faudra des années avant de l'accepter. Mathilde, 6 ans 1/2, a perdu son papa dans un accident d'avion. Sa maman lui a expliqué qu'elle ne le reverrait plus, et Mathilde a assisté à l'enterrement. Quelques mois plus tard, sa maman toute joyeuse d'avoir rencontré par hasard une de ses cousines, annonce : « Devine qui j'ai rencontré à l'arrêt de l'autobus », Mathilde répond sans hésitation « Papa ! ».

Ce que les enfants entendent (ou n'entendent pas) de la mort en famille, à l'école est variable. Une chose est certaine, c'est qu'elle s'affiche souvent à la télévision, et là ce n'est pas une mort habituelle, mais une mort terrible. Elle apparaît également dans les jeux vidéo où elle est complètement banalisée, cela ne veut pas dire que la mort d'un être proche sera banale pour l'enfant : la disparition de son chat plonge Mathieu, 10 ans, dans un profond chagrin, alors qu'il est passionné de jeux vidéo assez violents.

L'âge, l'entourage, les événements influent sur les idées de la mort qu'ont les enfants. Leur caractère compte aussi ; les réactions peuvent être très différentes d'un enfant à l'autre, à l'intérieur d'une même famille. Certains enfants ne montrent pas leur bouleversement, ne changent pas leurs habitudes et leur entourage pense qu'ils sont indifférents, voire égoïstes. En fait, les enfants sont réservés, pudiques, ils intériorisent leurs émotions. Parfois ils ne peuvent pas s'exprimer par les mots mais le dessin leur permet de représenter ce qu'ils ressentent.

LA MORT D'UN ANIMAL FAMILIER
Quel que soit l'âge de l'enfant, la mort d'un animal familier peut représenter une vraie perte : l'enfant s'en est occupé, il s'y est attaché, il s'en est senti responsable ; maintenant, il éprouve un sentiment de vide et d'impuissance. Laissez l'enfant exprimer son chagrin et sa tristesse et ne cherchez pas à remplacer tout de suite l'animal. Avoir une conversation avec le vétérinaire est souvent bénéfique.

LORSQU'UN DEUIL SURVIENT DANS L'ENTOURAGE DE L'ENFANT

Après la perte d'un être cher, un travail psychique s'accomplit, chez l'enfant comme chez l'adulte, qui nous permet de ne pas rester enfermé dans notre chagrin. Ce cheminement – le travail de deuil – se fait selon des processus complexes, propres à chacun de nous, le plus souvent inconscients, et passe par différentes étapes.

Pour arriver à accepter la mort d'un proche, encore faut-il avoir pu reconnaître et exprimer le choc qui a pu s'y rattacher ; ou encore les sentiments d'abandon, voire d'injustice ; ou encore les réactions d'anéantissement. Il faut pouvoir passer par la révolte, la colère, l'abattement, pour peu à peu s'adapter à la perte de l'être aimé ; le chagrin est toujours là, mais moins douloureux, la culpabilité s'atténue, les souvenirs s'organisent, les projets reviennent, d'autres joies sont possibles.

Chez l'enfant, l'apprentissage de l'absence, de la perte, passe par ces étapes, avec des particularités puisque son univers est différent du nôtre. Pour un jeune enfant, on peut être à la fois mort et vivant : il sait que sa mère est morte, mais en même temps il ne cesse d'attendre son retour. Pour donner une réalité à cette perte, il est important de ne pas tenir l'enfant à l'écart des moments de la fin de la vie, de le faire participer selon son âge et sa personnalité. Les enfants ont droit à la vérité, ils en ont besoin ; il est indispensable de leur donner suffisamment d'informations dans des termes accessibles. Et de bien les entourer d'affection et de sécurité.

L'acceptation du deuil se fait dans l'évocation des souvenirs et des événements vécus. Chez l'enfant, les capacités de remémoration sont plus courtes du fait de son âge ; il a moins de souvenirs, il vit plus dans le présent et dans le futur que dans le passé. C'est une raison supplémentaire de ne pas écarter à tout prix l'enfant des adultes dans ces circonstances douloureuses.

Chez l'enfant, une partie plus ou moins importante de son chagrin reste en attente et peut se réveiller lors d'une séparation, parfois bien des années plus tard, pendant l'adolescence, ou même au cours de sa vie d'adulte.

Enfin l'ambivalence des enfants, qui se sentent à la fois très puissants et dépendants, font qu'ils se croient souvent coupables de la mort d'un de leurs proches. Lorsqu'un frère ou une sœur meurt, surtout s'il suscitait une certaine jalousie, l'enfant peut avoir l'impression que les souhaits qu'il a ressentis et parfois même exprimés, se sont réalisés, et qu'il en est la cause directe. L'enfant peut penser : « Pourquoi lui et pas moi ? » ou encore : « J'avais été très méchant avec maman, c'est peut-être à cause de ça qu'elle est morte. » Ou encore : « J'avais insulté oncle Fred avant son accident tellement il m'énervait. Qu'est-ce qu'il doit penser de moi ? » Il est important de déculpabiliser à plusieurs reprises les enfants, de les assurer que personne d'autres, eux y compris, n'est en danger dans la famille, et que tout le monde va continuer à aimer et à penser à la personne disparue.

Nous espérons que ces quelques réflexions et suggestions vous seront utiles, mais ce dont l'enfant a le plus besoin dans ces périodes tristes et perturbées, c'est d'amour et de compréhension, de sécurité, de calme, c'est ainsi que pourront être évitées des difficultés ultérieures. Si vous sentez que vous n'arrivez pas à aider votre enfant, n'hésitez pas à en parler à votre médecin, à un psychologue. Les professionnels sont aujourd'hui de plus en plus formés pour aider les parents et les enfants à faire face à de telles situations.

Nous avons écrit ce texte en collaboration avec le docteur Michel Hanus, président de la Société de Thanatologie, auteur de *Les Enfants en deuil*, *Portraits du chagrin*, écrit avec B.M. Sourkes aux Frison Roche. Cet ouvrage permet de mieux comprendre le comportement, ou même le destin, que peuvent avoir les enfants ou les adolescents confrontés à la mort, au suicide, aux disparitions brutales. Le docteur Michel Hanus a été le fondateur de l'association « Vivre son deuil » (7 rue Taylor, 75010 Paris) ; l'antenne téléphonique de cette association (01 42 38 08 08) est ouverte à tous ceux qui le souhaitent.

Voici enfin quelques livres que nous vous conseillons pour les petits enfants :
- Susan Varlay, *Au revoir Blaireau*, Gallimard, folio Benjamin
- Micheline Motte et Frédéric Mansot, *Tu seras toujours avec nous Calinou*, Mâme/Plon
- Dominique de Saint Mars et Serge Bloch, *Grand-Père est mort, Ainsi va la vie*, Calligram.
- Catherine Dolto, *Et si son parlait de la mort*, Collection Mine de rien, Gallimard.

La consultation psychologique

En même temps que les joies qu'elle donne, la vie avec un enfant comporte des difficultés, plus ou moins grandes, des crises, voire des problèmes. Ils naissent au fil de la vie quotidienne car les parents imposent à l'enfant des contraintes, parce que l'enfant grandit et que ce seul fait crée des déséquilibres momentanés qui le perturbent, parce que parents et enfants ne se comprennent pas toujours, etc.

De ces difficultés, bon an, mal an, les parents se sortent. Ce livre est d'ailleurs là pour les aider, en particulier lorsqu'il raconte le développement psychomoteur et ce qui peut provoquer les crises. Les parents sont en outre mieux informés de la psychologie de l'enfant par les nombreux travaux et recherches faits depuis des années.

En même temps, ces multiples informations peuvent les faire douter de leurs propres capacités d'éducateurs, les amener à se poser des questions qui ne les auraient pas effleurés auparavant. C'est ainsi que devant certaines difficultés, les parents se sentent démunis, ils ne savent pas trouver une solution à une crise qui se prolonge, à des tensions particulièrement aiguës. Que faire ?

Parfois les parents hésitent à recourir à un spécialiste qui pourrait les aider : pédopsychiatre (psychiatre pour enfants), psychologue, psychanalyste. Franchir le pas d'une consultation n'est pas toujours facile, ils la ressentent comme une démission par rapport à leur rôle. Ils peuvent aussi ne pas avoir confiance dans les « psy » dont ils connaissent parfois mal la profession et les pratiques. Enfin, consulter un spécialiste de la psychologie est souvent porteur d'angoisse, et associé à un manque d'équilibre psychique, voire à un trouble mental. Mais aujourd'hui, la vulgarisation, souvent bien faite, de la psychologie et de la psychanalyse d'enfants, a permis aux parents d'avoir de plus en plus confiance dans ces spécialistes. Ceux-ci sont là pour aider les parents et l'enfant à résoudre des problèmes simples et à prévenir des problèmes plus graves.

QUI SONT CES DIFFÉRENTS SPÉCIALISTES ?
Le pédopsychiatre est un médecin psychiatre pour enfants : il est spécialisé dans les troubles mentaux et comportementaux, ou dans les difficultés psychologiques et d'adaptation sociale de l'enfant, et dans les difficultés de la relation parents-enfants. Sa consultation est remboursée par la Sécurité sociale.

Le psychologue clinicien, pratiquant des consultations parents-enfant, a fait des études universitaires (master de psychologie), complétées par une formation personnelle et des connaissances dans le domaine de la psychologie du développement et de la psychanalyse.

Le psychanalyste, à la suite d'une analyse personnelle, a suivi des enseignements psychanalytiques, cliniques et théoriques, dans une des différentes « Sociétés » ou « Ecoles » qui les dispensent. La psychanalyse de l'enfant est une spécialité supplémentaire dans laquelle la dimension inconsciente des difficultés parents-enfants est privilégiée. De nombreux psychanalystes ont fait des études de médecine ou de psychologie clinique.

Tous les trois (pédopsychiatre, psychologue, psychanalyste) sont soumis pendant un certain temps à une « supervision » (c'est-à-dire à un contrôle) des thérapies qu'ils pratiquent.

OÙ TROUVER UN SPÉCIALISTE SÉRIEUX ?

Avant tout, parlez-en à votre pédiatre ou votre généraliste, car la plupart ont constitué des réseaux. Ils sauront vous orienter en fonction des troubles de votre enfant. Par exemple, si un enfant a un blocage du langage, et de la communication avec autrui, c'est un symptôme différent d'un simple retard de langage.

Vous pouvez aussi trouver vous-même un spécialiste, une consultation psychologique, dans de multiples structures : PMI (Protection maternelle et infantile), CMP, CMPP (Consultations médico-psycho-pédagogiques), Centres de guidance infantile, etc. Dans ces centres (où les professionnels sont tous diplômés), vous serez bien accueillis et vous serez rassurés, en aucun cas on ne cherchera à se substituer à vous. On pourra aussi vous donner des adresses de praticiens privés si vous le désirez. Si une consultation pour votre enfant vous semble assez urgente, n'hésitez pas à insister car les délais d'attente de rendez-vous peuvent être longs.

Si vous recherchez pour vous-même un spécialiste, ce livre peut vous aider : *Choisir sa psychothérapie, les écoles, les méthodes, les traitements*, sous la direction de A. Braconnier, D. Widlocher (Odile Jacob).

DANS QUELS CAS S'ADRESSER À UN SPÉCIALISTE ?

La notion de **durée** est importante : il ne faut pas hésiter à consulter si le symptôme s'accentue, ou si le problème se prolonge. Par exemple, si un enfant ne veut pas s'endormir trois soirs de suite, ce n'est pas grave ; si cela dure trois semaines, une aide extérieure peut être utile. Il est important également de tenir compte de la notion de degré, d'**intensité** lorsque les symptômes deviennent trop violents. Un enfant peut parfois se mettre en colère ; cela fait partie de son caractère et de sa façon de réagir. Mais s'il le fait systématiquement, en ne supportant aucune contrariété, et sans pouvoir s'arrêter, cela doit alerter. On pourrait trouver d'autres exemples avec l'alimentation, les pleurs, la trop grande passivité, la tendance à s'isoler.

En conclusion : lorsque vous vous sentez dépassés par une difficulté, lorsqu'elle vous angoisse, n'oubliez pas qu'un spécialiste peut vous aider.

Non, tout n'est pas joué à 3 ans...

« Tout se joue à 3 ans », « Tout dépend de vous ». Vous avez peut-être été choqués d'entendre ces affirmations péremptoires et décourageantes. Ces phrases ont au moins le mérite d'alerter sur l'importance des premières années de l'enfant, ces années fondatrices. Mais tout n'est pas joué pour autant à 3 ans.

L'enfant est un être en formation, donc un être qui change. Il change parce qu'il grandit. Et aussi sous l'effet de multiples influences : son environnement, les événements de sa vie quotidienne, son histoire. Ces interactions ne cesseront de se poursuivre pendant toute l'enfance, l'adolescence et bien au-delà. Non, rien n'est définitivement figé. Le croire serait nier tout espoir dans les possibilités de s'adapter, de rebondir de l'être humain. Tout peut se jouer, et se rejouer, tout au long de la vie.

« Tout dépend de vous » est également excessif. Les parents se sentent écrasés par leur rôle, comme s'ils avaient tout pouvoir sur le destin de leurs enfants, dans tous les domaines. Si cela était vrai, dans une même famille, tous les enfants élevés de la même façon auraient la même trajectoire de vie.

« Tout se joue à 3 ans », « Tout dépend de vous » : ces phrases sont peut-être la révélation d'une société encline à dramatiser, à rechercher le sensationnel. Certes les parents doivent être conscients de leurs responsabilités. Ils le seront d'autant plus que, au lieu de les culpabiliser, on leur aura donné confiance dans leurs capacités à élever leurs enfants. C'est d'ailleurs un des buts de ce livre.

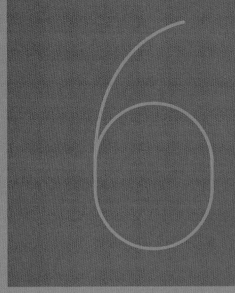

Un enfant en bonne santé

Ce chapitre est consacré à la santé de l'enfant. **Dans un premier temps, nous allons vous présenter le nouveau-né, vous expliquer les gestes du médecin qui, à la naissance, vérifie que tout va bien.**

Puis, nous vous exposerons les points forts de la croissance, vous pourrez la suivre vous-même, en parallèle avec le médecin qui verra votre enfant au cours de visites régulières, contrôlera la vision et l'audition et fera les vaccinations.

Un enfant bien portant est quand même de temps en temps malade. Quels sont les repères de bonne et de mauvaise santé, quand voir le médecin, que faire en cas de fièvre, que savoir sur les médicaments, l'armoire à pharmacie, etc. Et si l'enfant doit aller à l'hôpital.

Enfin, dans la dernière partie, un dictionnaire complet présente tout ce qui peut, de près ou de loin, concerner la santé de votre enfant : les maladies et leurs symptômes, mais aussi les troubles du comportement, le handicap, etc.

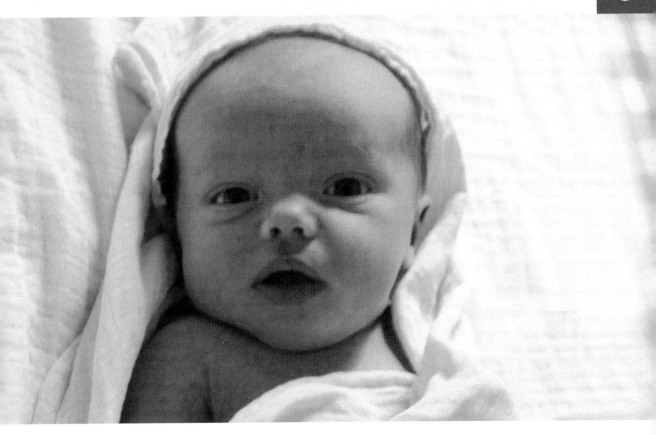

Le nouveau-né

Votre bébé vient juste de naître, vous avez vu le médecin faire un certain nombre de gestes. Vous souhaitez probablement quelques explications à leur sujet. Mais avant nous vous proposons d'aller voir ensemble ce nouveau-né et de l'examiner en détail.

Le nouveau-né n'est pas un garçon ou une fille en miniature : c'est un être à part, différent de l'adulte non seulement par sa taille, mais par ses proportions, par ses organes et par sa manière de réagir au monde extérieur.

Tête

Commençons par la tête. Si on la compare à la nôtre, elle est beaucoup plus grosse par rapport au reste du corps : près du double des proportions qu'elle aura plus tard. Encore cette tête a-t-elle, en proportion, considérablement diminué : dans le sein de sa mère, le futur bébé avait, à l'âge de 2 mois, une tête égale par la taille au reste du corps. Puis le corps avait gagné progressivement en importance. Cette proportion de la tête par rapport au corps ne cessera de se modifier jusqu'à l'âge adulte. Par bien des côtés d'ailleurs, le nouveau-né tient plus du fœtus que de l'enfant : cette peau plissée, rouge, cette mâchoire inférieure courte et fuyante, ce cou menu, ces épaules étroites, cet abdomen proéminent, ces membres courts, repliés le long du tronc, et ces os tendres sont un souvenir de la vie intra-utérine.

Cheveux

Certains nouveau-nés gardent aussi, de leur vie fœtale, des cheveux noirs et épais, qui disparaissent par la suite. Les cheveux peuvent aussi tomber d'un coup vers 2-3 mois.

Peau

D'autres nouveau-nés ont la peau marbrée de taches rouges, qui pâlissent quand on les touche : ces taches disparaîtront aussi.

À signaler : le *milium* du nouveau-né. Il s'agit de petits grains de couleur blanche siégeant sur les joues et le nez et qui disparaissent spontanément dans les premières semaines ; ce sont de petits kystes épidermiques sans la moindre gravité.

Ongles

Souvent, les nouveau-nés ont les ongles longs : il est déconseillé de les couper trop tôt. Il faut cependant les limer si l'enfant se griffe. Les ongles des orteils sont souvent déformés jusqu'à 4 mois. Il est déconseillé de les couper car ils risquent de devenir plus durs et auront tendance à s'enfoncer dans la peau, à s'incarner.

Sein

Plus étonnants sont les seins gonflés de certains nouveau-nés, filles ou garçons : ils peuvent, ces seins, sécréter quelques gouttes de lait, ce lait que les nourrices autrefois appelaient « lait de sorcière ». Ce phénomène est dû au bouleversement hormonal qui accompagne la naissance, il est passager et ne nécessite aucun traitement.

Acné et pertes vaginales

À ce même bouleversement d'hormones, qu'on appelle la « poussée génitale » sont dus l'acné du nouveau-né (petits grains jaunes et saillants sur le front et les ailes du nez) et les « pertes » chez certaines nouvelles nées, mucosités parfois teintées de sang. Ni l'acné, ni les pertes ne doivent vous inquiéter.

Bourses

Enfin, toujours parmi les surprises de la naissance, disons un mot de l'hydrocèle, ce liquide accumulé dans les bourses du petit garçon et qui lui donne l'air d'avoir un testicule – ou les deux – volumineux. L'hydrocèle disparaît en règle générale spontanément au bout de quelques semaines ; ce n'est pas le testicule qui est en cause.

Selles

Les premières selles sont émises avant que le bébé n'ait reçu sa première nourriture : c'est que le tube digestif contient des résidus (entre 60 et 200 g) de sécrétions qui s'y sont produites pendant sa vie de fœtus. Ce sont des matières visqueuses et gris noirâtre appelées *méconium*. Au bout de trois ou quatre jours, le méconium, progressivement remplacé par les selles de lait, a disparu. Les selles sont alors jaunâtres, ou jaune d'or (selon le lait utilisé).

Immunisation

En principe, à la naissance, le bébé est protégé contre certaines maladies que sa mère a eues ou contre lesquelles elle a été vaccinée car sa maman lui transmet ses anticorps. Les anticorps maternels peuvent persister dans l'organisme du bébé jusqu'à 6 mois. Mais la protection n'est efficace que si les anticorps de la maman sont en nombre important. Si leur nombre est insuffisant, un bébé d'un mois ou deux peut attraper la varicelle, ou une autre affection virale. Comme la protection des anticorps n'est pas absolument garantie, évitez à votre bébé tout contact avec un enfant contagieux.

Cordon

Le cordon ombilical va se dessécher et tomber (entre le 5e et le 15e jour). Ainsi disparaîtront les derniers souvenirs de la vie intra-utérine.

Dans les jours qui suivent la naissance, le bébé va devenir beaucoup plus joli. Le duvet – ou *lanugo* – qui peut-être le recouvrait, aura disparu à la fin de la 1ere semaine ; la peau va perdre ses marbrures pourpres et éliminer les parcelles d'épiderme qui la salissaient.

Le test d'Apgar

Ce qui précède est une description de l'aspect du nouveau-né. À la naissance, pour savoir si « tout va bien », on fait le test d'Apgar, qui est un moyen d'apprécier de manière objective la vitalité du bébé à 1,5 et 10 minutes de vie. L'examen se base sur 5 données : rythme cardiaque, respiration, coloration, tonus, réponse aux excitations (vigueur du cri). Chacune de ces données est notée de 0 à 2 et un total de 8 à 10 traduit une bonne condition à la naissance. Cet examen porte le nom de la pédiatre américaine, Virginia Apgar, qui l'a mis au point.

Lors du premier examen à la naissance, le médecin ou la sage-femme font obligatoirement certains gestes : ils vérifient la perméabilité du nez, de l'œsophage et de l'anus ; ils font un examen des hanches ; ils administrent une ampoule de vitamine K par la bouche (pour prévenir les hémorragies) ; ils instillent du collyre dans les yeux (pour prévenir une infection oculaire).

Les réflexes archaïques

Ensuite, le pédiatre vérifie la présence de certains réflexes, appelés archaïques. Ces réflexes doivent être présents chez le nouveau-né, et leur absence est anormale, témoignant d'un état de dépression générale du système nerveux.

En revanche, à mesure que la maturation de ce système nerveux évolue, ces réflexes archaïques doivent disparaître, dans un ordre donné ; leur persistance au-delà de certains âges est anormale, et peut révéler un développement psychomoteur perturbé.

• *La marche automatique* est obtenue en plaçant l'enfant debout, légèrement penché en avant ; ce réflexe disparaît en général avant 3 mois. Voyez la photo page suivante : ce bébé vient de naître, le pédiatre vérifie qu'il marche.

• Pour *le réflexe d'agrippement* ou *grasping*, on exerce une légère pression sur la paume des mains ou la plante des pieds : les doigts ou les orteils se replient. Ce réflexe (illustré p. 183) persiste plus longtemps : jusqu'à 6 mois pour la main et jusqu'à 10 mois pour le pied.

• Le *réflexe de succion* est recherché en touchant les lèvres. On peut obtenir de même *le réflexe des points cardinaux* : le nourrisson tourne la bouche du côté stimulé ; ces réflexes disparaissent vers 4 mois.

Les points forts de la croissance

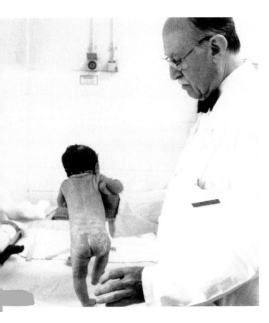

La croissance doit être surveillée régulièrement tout au long de l'enfance. Pendant les premiers mois de la vie, le contrôle se fera souvent. Puis la surveillance sera moins fréquente, mais restera régulière jusqu'à l'achèvement de la puberté.

La croissance s'apprécie par la taille, le poids, le périmètre crânien (ou tour de tête), et ce qu'on appelle l'indice de masse corporelle (c'est le rapport entre la taille et le poids). Ces mesures permettent de situer l'enfant par rapport à une moyenne. Elles permettent surtout d'observer l'évolution de la croissance car celle-ci est un phénomène dynamique qui s'apprécie au fil des années.

Pour surveiller la croissance d'un enfant, le médecin mesure le poids, la taille, le périmètre crânien. Ces mesures sont reportées sur des courbes moyennes qui figurent dans le carnet de santé. Elles dessinent, pour chaque enfant, sa propre courbe. Cette courbe le renseigne sur le bon état général de l'enfant, ou, au contraire, indique un problème de santé. Il existe des courbes différentes pour les filles et pour les garçons.

LE POIDS

Regardons ensemble la feuille reproduite ci-contre (fig. 1), qui est une courbe de croissance en poids des filles, de la naissance à 5 ans.

Dans le sens horizontal, sont indiqués les âges.

Dans le sens vertical, vous pouvez lire les poids : 3 kg, 5 kg, 7 kg, etc.

Après avoir pesé l'enfant, on trace deux lignes droites : l'une horizontale passant par le poids de l'enfant, l'autre verticale passant par son âge. Ces deux lignes vont se couper en un point. Ce point indiquera donc le poids de l'enfant à un âge donné.

Chaque fois qu'on pèsera l'enfant, on refera de même. Et chaque fois on rejoindra les points obtenus. C'est ainsi que peu à peu se dessinera sur la feuille la courbe de croissance (en poids) de l'enfant.

La ligne M représente la courbe moyenne. La partie grisée indique la zone normale, celle où se situent les courbes de la plupart des enfants.

La courbe de poids de votre enfant

Elle peut se situer au-dessus ou au-dessous de la courbe moyenne, tout en restant dans la zone normale. Si la pente est régulièrement ascendante, parallèle à la courbe moyenne, tout va bien : la croissance est normale.

FIG. 1
Courbe de croissance en poids des filles.

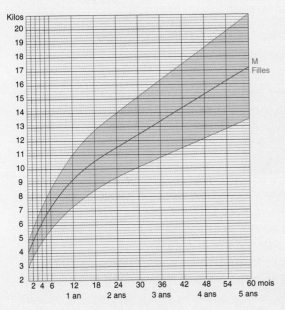

FIG. 2
Deux exemples de déviation de courbes de poids.

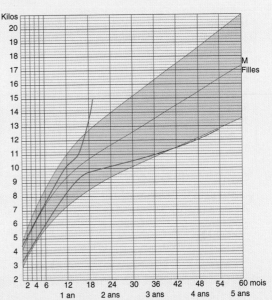

Courbes établies d'après M. Sempé et G. Pédron (étude du Centre International de l'enfance et de la famille).

Par contre, il peut y avoir un arrêt de la prise de poids chez un enfant ayant eu jusque-là une croissance normale ; on dit que la courbe « se casse » (fig. 2). Cela correspond à un problème de santé : des infections ORL répétées, une intolérance alimentaire ; cela peut avoir également une cause affective ou psycho-sociale. Une fois l'enfant guéri, ou la difficulté psychologique surmontée, on constate un rattrapage du retard de poids et la courbe reprend son « couloir », c'est-à-dire sa vitesse normale.

À l'inverse, la prise de poids peut devenir excessive et en quelques mois, la courbe sort de la zone moyenne (fig. 2). Dans ce cas, la courbe d'indice de masse corporelle (voir page 334) est un bon indicateur de début d'obésité, notamment dans les familles à risques.

Toujours à propos de la courbe de poids, on voit qu'il existe pour chaque âge un poids moyen, et des variations autour de ce chiffre moyen. C'est pourquoi il est plus juste de se reporter à un tableau donnant trois chiffres et non pas un seul. Voyez page suivante. Mais un simple tableau ne rend pas compte de l'aspect dynamique de la croissance. Pour en donner l'idée, il faut observer la courbe dont nous avons parlé plus haut. On y voit l'enfant se lançant dans la vie sur une certaine orbite qu'il ne quittera plus. C'est si vrai que lorsqu'un enfant maigrit, par exemple parce qu'il a été malade, une fois qu'il est guéri, sa courbe se redresse, et il se remet sur son orbite !

Ce n'est d'ailleurs pas le premier jour que l'enfant s'inscrit sur sa courbe : avant de prendre son élan, il recule, maigrit, perd presque le dixième de son poids, qu'il retrouve vers le 10e jour. Les débuts de l'alimentation sont parfois un peu difficiles ; on ne trouve pas tout de suite le rythme, ni les rations qui conviennent au bébé. Mais, vers le 10e jour, le vrai démarrage se fait.

POIDS							
	GARÇONS		EN KILOS ET EN GRAMMES			FILLES	
MOYENNE INFÉRIEURE	M MOYENNE	MOYENNE SUPÉRIEURE	ÂGE	MOYENNE INFÉRIEURE	M MOYENNE	MOYENNE SUPÉRIEURE
3	4	5	1 MOIS	2,850	3,750	4,650
6,050	7,600	9,150	6 MOIS	5,550	7,150	8,750
7,650	9,750	11,850	1 AN	7,250	9,250	11,250
9,800	12,200	14,600	2 ANS	9,400	11,600	13,800
11,400	14,150	16,900	3 ANS	10,800	13,600	16,400
12,600	16	19,400	4 ANS	12,100	15,300	18,500
14	17,800	21,600	5 ANS	13,500	17,300	21,100

Au début, c'est un démarrage en flèche. Regardez d'ailleurs la forme de la courbe : elle grimpe comme une fusée qui s'arrache du sol. L'enfant prend 500 g à 1kg par mois les trois premiers mois, 400 à 800 g les trois mois suivants, 300 à 500 g à partir du 6e mois. En tout plus de 6 kg dans l'année ! À partir de 2 ans, il prend sa vitesse de croisière : environ 2 kg par an.

• La croissance en poids d'un enfant alimenté au lait infantile est différente de celle de l'enfant nourri au sein : vers la fin de la première année, l'enfant nourri au sein pèse environ 600 à 800 g de moins que celui qui est alimenté au biberon. L'alimentation au sein durant les six premiers mois est dailleurs un facteur de prévention de l'obésité.

Faut-il peser souvent un enfant ?

Sauf indication particulière (par exemple nouveau-né de petit poids de naissance), on ne recommande plus aux parents de peser leur bébé à la maison. Le contrôle du poids est fait régulièrement lors des consultations médicales qui sont fréquentes la première année.

Pour contrôler correctement le poids, il faut le faire sur la même balance, le bébé tout nu bien sûr. Les balances qui se trouvent dans les cabinets médicaux sont fiables, la tare est peu sensible aux mouvements du bébé, ce qui n'est pas toujours vrai sur du matériel de location.

Si votre enfant a des troubles digestifs, avec des vomissements ou de la diarrhée, il est conseillé de surveiller plus fréquemment son poids. Même dans ce cas, il vaut mieux consulter le médecin pour faire peser votre enfant, plutôt que de le peser à la maison. Ce qui est important à surveiller, c'est la perte de poids par rapport au poids précédent et par rapport à sa vitesse de croissance.

L'excès de poids

On insiste aujourd'hui sur l'intérêt qu'il y a de dépister le plus tôt possible le surpoids afin de repérer un risque d'obésité, ou une obésité naissante, et de prendre rapidement les mesures nécessaires (changement d'habitudes alimentaires, activité physique régulière, etc.). Pour cela, on calcule l'indice de **masse corporelle**.

L'INDICE DE MASSE CORPORELLE
est égal au poids (en kilos) divisé par la taille au carré (en mètre), soit :

$$\frac{poids \ (kg)}{taille \ (m) \ x \ taille \ (m)}$$

Par exemple, une fillette de 4 ans pesant 16 kg, et mesurant 1 m, a un indice de masse corporelle de 16, ce qui est dans la moyenne normale.

Les courbes d'indice de masse corporelle figurent dans le carnet de santé et s'appellent **courbes de corpulence**. Le mot peut surprendre puisqu'il s'agit de bébés dès leur plus jeune âge, mais il montre qu'on se préoccupe de surveiller tôt un risque d'obésité. Ces courbes sont reproduites ci-dessous. Dans le sens horizontal sont indiqués les âges ; dans le sens vertical les indices de masse corporelle. De la même façon que s'est dessinée la courbe de poids, peu à peu, va se dessiner la courbe de corpulence.

Entre 6 mois et 1 an, il est normal qu'un enfant soit un peu rond (la courbe monte) ; ensuite, dès que l'enfant se met debout et marche, il perd ses rondeurs (la courbe descend), puis la courbe remonte à nouveau après 6 ans. Si la courbe remonte avant l'âge de 6 ans (rebond), ou si elle « sort » des couloirs en allant vers le haut, il y a un risque d'obésité, même si l'enfant paraît mince. Cela doit entraîner une surveillance particulière (voir le mot *Obésité*, à la fin de ce chapitre).

FIG. 1
Courbe de corpulence des garçons

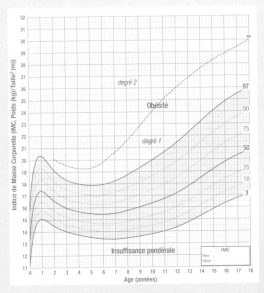

FIG. 2
Courbe de corpulence des filles

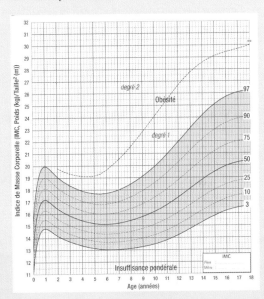

Courbes établies en collaboration avec MF Rolland-Cachera (INSERM) et l'Association pour la Prévention et la prise en charge de l'Obésité en Pédiatrie (APOP) et validée par le Comité de Nutrition de la Société Française de Pédiatrie (SFP).

Le rebond

Plus exactement le rebond d'adiposité, est la remontée de la courbe de corpulence. Il est normal au cours de la croissance : il a lieu vers 6 ans. Lorsque ce rebond a lieu à un âge plus jeune, avant 6 ans, il est dit rebond d'adiposité précoce. C'est alors un signe d'alerte de risque d'obésité, même si l'enfant est mince.

LA TAILLE

La taille est l'élément qui témoigne le mieux de la santé générale de l'enfant. En effet, la taille est moins sujette que le poids aux effets de l'environnement (alimentation, par exemple). Un enfant qui a une croissance normale en taille est en bonne santé.

À chaque visite, la taille est reportée sur le carnet de santé. La taille progresse vite jusqu'à 2 ans. D'un enfant à l'autre, il existe des variations dans cette croissance des premières années. C'est pendant cette période que l'enfant se place dans son couloir de croissance. Par la suite, sa croissance en taille se poursuivra dans le même couloir (voir les courbes page suivante).

Le couloir de croissance de l'enfant est un des facteurs déterminants de sa taille définitive. S'il grandit dans la zone normale, mais dans le couloir inférieur, il sera probablement plus petit que s'il grandit dans le couloir moyen ou supérieur. Mais, comme pour le poids, l'important sera que l'enfant reste dans son couloir. À partir de 2 ans, la vitesse de la croissance se ralentit. Il est alors suffisant de mesurer l'enfant deux fois par an chez le médecin.

Lorsque leur enfant est plus petit que la moyenne, les parents ont tendance à le mesurer souvent. Essayez de ne pas trop le faire, cela peut complexer l'enfant, d'autant plus qu'il entend sûrement des commentaires à l'école : entre eux, les enfants ne se privent pas de critiquer les différences de taille (et de poids).

La courbe de taille présente les mêmes caractéristiques que la courbe de poids ; tout ce que nous avons dit à propos de la courbe de poids et de son interprétation est valable pour la courbe de taille. Et, comme pour le poids, vous voyez ci-dessous un tableau à trois chiffres : la moyenne inférieure, la taille moyenne, la moyenne supérieure.

TAILLE						
GARÇONS			EN CENTIMÈTRES ET EN MILLIMÈTRES		FILLES	
MOYENNE INFÉRIEURE	M MOYENNE	MOYENNE SUPÉRIEURE	ÂGE	MOYENNE INFÉRIEURE	M MOYENNE	MOYENNE SUPÉRIEURE
49,2	53,2	57,2	1 MOIS	48,5	52,5	55,5
61,8	66,4	71	6 MOIS	60,6	65	69,4
69,7	74,3	79,9	1 AN	67,8	72,6	77,4
79,9	85,7	91,5	2 ANS	78,1	84,3	90,5
87,3	94,3	101,3	3 ANS	86,4	92,8	99,2
93,4	101,2	109	4 ANS	92,6	99,8	107
99,1	107,5	115,9	5 ANS	98,5	106,5	114,5

Plusieurs facteurs influent sur la taille

Ils conditionnent la taille définitive de l'adulte que deviendra l'enfant. Le principal est le facteur ethnique (par exemple les Maliens sont grands et les Pygmées petits) et génétique. La taille des parents est déterminante pour la taille de l'enfant. Si les parents sont tous deux de taille normale, mais petite, l'enfant sera vraisemblablement petit pendant sa croissance et à l'âge adulte. Vous entendrez peut-être dire qu'on peut prévoir la taille de l'adulte à partir de celle de l'enfant de 2 ans, en la multipliant par deux. C'est vrai sur le plan statistique, mais cela ne l'est pas toujours sur le plan individuel.

L'âge de la puberté est le deuxième facteur influençant la taille définitive. Plus la puberté survient tôt, plus l'enfant sera petit, même s'il est transitoirement plus grand que les camarades de son âge pendant qu'il fait sa poussée de croissance pubertaire. Il démarre plus tôt, il s'arrêtera plus tôt.

Pendant la grossesse, certains facteurs influent sur la taille du bébé : l'hypertension, le tabac peuvent ralentir la croissance. Après la naissance, si le décalage de la taille est important, l'enfant sera très surveillé.

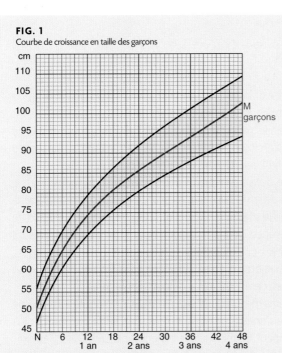

FIG. 1
Courbe de croissance en taille des garçons

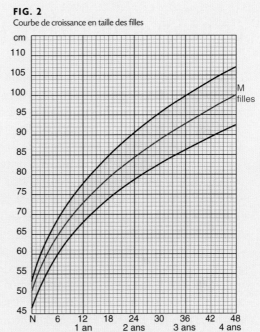

FIG. 2
Courbe de croissance en taille des filles

D'autres facteurs influent sur la croissance. C'est le cas de ce que l'on appelle les facteurs psycho-sociaux. Les enfants délaissés, mal aimés, soumis à un environnement agressif et contraignant qui ne leur permet pas de s'épanouir sur le plan affectif et de trouver un équilibre psychologique, sont des enfants qui ne grandissent pas normalement. Lorsqu'on donne à ces enfants un environnement familial chaleureux et aimant, dans lequel ils peuvent s'épanouir, ils reprennent une croissance normale et même souvent rattrapent le retard de croissance qu'ils pouvaient avoir acquis.

Un phénomène reste mal compris, c'est l'augmentation de la taille moyenne au cours des années. La taille moyenne des enfants à l'âge de 8 ans était en 1960, en France de 1,27 m pour les garçons et de 1,26 m pour les filles. D'après les données de l'année 2000, la taille moyenne est respectivement de 1,31 m et de 1,30 m, soit une augmentation de 4 cm en 40 ans. Plusieurs facteurs jouent certainement un rôle dans cet accroissement de la taille, qui ne peut être expliqué simplement par une modification de l'alimentation, en quantité et en qualité. Le sommeil, le niveau sanitaire ont sûrement leur importance.

Le moteur de la croissance est une hormone, **l'hormone de croissance**, fabriquée par une petite glande située à la base du cerveau que l'on appelle l'hypophyse (p. 400). L'absence ou l'insuffisance d'hormone de croissance est une cause fréquente de nanisme. Ce manque d'hormone de croissance chez l'enfant de petite taille peut être traité. Un dosage de l'hormone est effectué au laboratoire à la demande d'un médecin spécialiste. Il est contrôlé une deuxième fois et si le dosage est anormalement bas à deux reprises, l'enfant reçoit un traitement par de l'hormone de croissance synthétique, avec une injection tous les jours pendant plusieurs années. Il s'agit d'un traitement contraignant qui n'a d'effet que si l'enfant ne sécrète pas d'hormone de croissance. Il est par contre inefficace sur les petites tailles d'origine familiale.

LE PÉRIMÈTRE CRÂNIEN

La mesure régulière du périmètre crânien (PC) est importante pour l'appréciation générale de la croissance. Elle fait partie de l'examen systématique du nourrisson.

La surveillance de la courbe du périmètre crânien est aussi importante que celle de la courbe de taille ou de poids, car la croissance du crâne est liée à la croissance du cerveau. Le cerveau grossit beaucoup pendant les deux premières années de la vie. Après 2 ans, la croissance du crâne se ralentit.

Pour mesurer le périmètre crânien, le pédiatre utilise un ruban métrique appliqué autour du crâne sur sa plus grande circonférence, comme vous l'avez vu faire à la naissance de votre enfant. Par la suite, cette mesure est faite régulièrement par le médecin. Et comme pour la taille et le poids, le résultat est reporté sur des courbes de référence donnant, selon l'âge et le sexe, les valeurs moyennes, et la fourchette des valeurs considérées comme normales, englobant 95 % des enfants.

Voici quelques exemples : à la naissance, le périmètre crânien est, pour tous les bébés, d'environ 35 cm ; il est de 42 cm à 6 mois pour les filles ; et de 49 cm à 2 ans pour les garçons.

Comme pour le poids et la taille, la répétition des mesures est significative, et montre si la courbe s'inscrit à l'intérieur de la zone normale, ou si elle s'en écarte franchement. En cas de croissance plus rapide, ou plus lente que la moyenne, le médecin peut demander une échographie cérébrale. Cet examen permet de rassurer sur la croissance du cerveau et il est facile à faire chez le nourrisson.

LA CROISSANCE : DES REPÈRES

Voici quelques points de repères pour suivre la croissance d'un enfant, de la naissance à la puberté .
*Le **nouveau-né** mesure en moyenne 50 cm, pèse 3,330 kg, et il a un périmètre crânien de 35 cm.*
*À **5 mois**, le poids de naissance a doublé : 6,7 kg.*
*À **4 ans**, la taille de naissance a doublé : 1 m.*
Pendant les premiers mois de la vie, la croissance est très rapide, et tend à se ralentir vers 2 ans, pour garder une vitesse « de croisière » à partir de 4 ans jusqu'au démarrage de la puberté.
*C'est ainsi qu'**après 4 ans**, l'enfant prend en moyenne, par an, 2 kg et 6 cm.*
*La **puberté** débute vers 11 ans chez la fille, et 13 ans chez le garçon. Au cours de la puberté, l'enfant fait une poussée de croissance rapide.*

LES DENTS

Il y a une grande diversité dans la date et dans l'ordre de percée des dents de lait. Et il est tout à fait fréquent que des nourrissons parfaitement bien portants n'aient leur première dent que vers 8 ou 9 mois ou même quelquefois après 1 an. Il existe souvent une tendance familiale à la sortie précoce ou tardive des dents.

Cela dit, voyez dans les dessins dans quel ordre et à quels âges apparaissent en général les dents. Et c'est ainsi que, de 6 mois à 2 ans 1/2 auront percé vingt dents de lait ou dents temporaires.

Pour les troubles de la percée dentaire, voyez à la fin de ce chapitre, l'article *Dents*.

À partir de quel âge un enfant peut-il se brosser les dents ?

L'enfant peut apprendre à partir de 18 mois-2 ans. Pour cela, lavez-vous les dents devant lui, il voudra vous imiter. Sachez que le brossage est au moins aussi important que le dentifrice : il faut se brosser soigneusement les dents, devant et derrière, pour bien faire pendant au moins une minute.

Quant à l'action préventive du fluor sur la carie dentaire, elle est aujourd'hui reconnue. Aussi l'utilisation des dentifrices fluorés se répand-elle de plus en plus. L'alimentation est également enrichie en fluor : il existe du sel fluoré, et dans certaines villes, du fluor est ajouté dans l'eau. Le médecin peut aussi donner du fluor en gouttes ou en comprimés.

LES DENTS DE LAIT

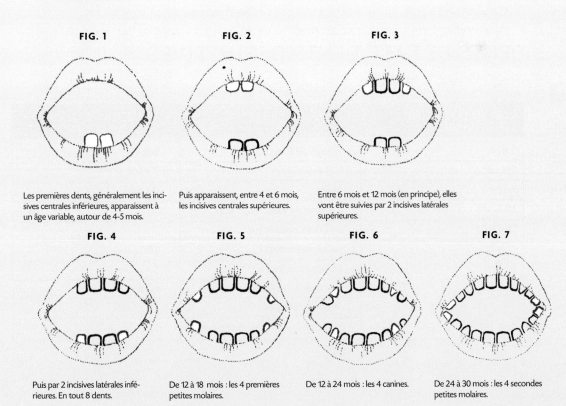

FIG. 1

Les premières dents, généralement les incisives centrales inférieures, apparaissent à un âge variable, autour de 4-5 mois.

FIG. 2

Puis apparaissent, entre 4 et 6 mois, les incisives centrales supérieures.

FIG. 3

Entre 6 mois et 12 mois (en principe), elles vont être suivies par 2 incisives latérales supérieures.

FIG. 4

Puis par 2 incisives latérales inférieures. En tout 8 dents.

FIG. 5

De 12 à 18 mois : les 4 premières petites molaires.

FIG. 6

De 12 à 24 mois : les 4 canines.

FIG. 7

De 24 à 30 mois : les 4 secondes petites molaires.

Les soins à donner aux dents

À partir de 3 ans, il serait raisonnable d'emmener votre enfant une fois par an chez le dentiste, même si vous n'avez rien remarqué d'anormal. Des dents non soignées peuvent retentir sur l'état général. Cela dit, pour que votre enfant ait de bonnes dents, il faudra, dès qu'il aura l'âge de mastiquer, lui donner des aliments pour exercer sa mastication. Ce qui veut dire : ne pas le condamner aux purées, aux aliments qui fondent dans la bouche ; lui donner du pain un peu rassis, craquant, bien cuit ; lui faire croquer des pommes, etc. Les bonnes dents se préparent très tôt, comme vous le voyez. En ce qui concerne leur beauté (alignement, écartement, etc.), les traitements orthodontiques ne sont entrepris, s'ils sont nécessaires, qu'à partir de 8-10 ans.

POUR PRÉPARER LA VISITE
chez le dentiste, ou chez le médecin, vous pouvez regarder avec votre enfant les livrets publiés par SPARADRAP (adresse page 359) : Je vais chez le dentiste, Je vais chez le docteur.

Ce qui fait mal aux dents

Nous en avons déjà parlé, mais dans ce domaine il n'est pas inutile de se répéter : les bonbons et sucreries diverses sont les ennemis des dents de vos enfants ; ils collent aux dents et laissent séjourner entre elles des dépôts acides qui sont la principale cause de la carie dentaire. Les sucreries sont particulièrement nocives si elles sont données entre les repas. Le maximum de nocivité est atteint par le bonbon donné le soir au coucher. Et par un biberon qu'on laisse à l'enfant pour s'endormir, ce qui est vraiment déconseillé. On a décrit, sous le nom de « syndrome du biberon », des caries multiples des dents « de lait » liées à l'utilisation prolongée (souvent la nuit) d'un biberon contenant un liquide sucré (lisez également l'article *Carie dentaire*, à la fin de ce chapitre).

DENTS DE LAIT, DENTS DÉFINITIVES

Voici dans quel ordre tomberont les dents de lait et apparaîtront les dents définitives

CHUTE DES DENTS DE LAIT (DENTS TEMPORAIRES)		APPARITION DES DENTS DÉFINITIVES
5-8 ans	incisives médianes	5-8 ans
7-9 ans	incisives latérales	7-9 ans
9-12 ans	canines	9-12 ans
10-12 ans	premières molaires temporaires	
10-12 ans	deuxièmes molaires temporaires	
	premières prémolaires	10-12 ans
	deuxièmes prémolaires	10-12 ans
	premières molaires (dents de 6 ans)	6-7 ans
	deuxièmes molaires	11-13 ans
	troisièmes molaires (dents de sagesse)	17-21 ans

La surveillance médicale régulière

LE MÉDECIN

Le médecin va jouer un grand rôle pendant les premières années de votre enfant. Vous aurez à le voir souvent, même si votre enfant est en bonne santé. En effet, pour avoir droit à certaines allocations, trois examens médicaux sont obligatoires pendant les deux premières années. Et plusieurs examens sont remboursés complètement par la Sécurité sociale pendant les six premières années (voir le détail au chapitre 7).

La surveillance d'un enfant peut être assurée par un médecin généraliste, s'il est suffisamment disponible ; elle peut être faite également par un pédiatre, qui est un spécialiste, le spécialiste de l'enfant. Jusqu'à 16 ans, les nouvelles dispositions sur le médecin traitant ne s'appliquent pas : vous êtes libre de consulter pour votre enfant un spécialiste (ORL, dermatologue, etc.) sans passer par le médecin généraliste ou le pédiatre.

Le médecin vous aidera à établir le régime de votre nourrisson : comme vous l'avez vu au chapitre 2, entre 4 mois et 1 an, le régime change souvent. Puis, visite après visite, le médecin verra se former la personnalité physique mais aussi psychologique de votre enfant. C'est capital ; comme l'a dit un pédiatre : « Le médecin doit s'intéresser avant tout à l'enfant, ensuite à sa maladie. »

Vous avez une autre possibilité pour faire suivre votre enfant, c'est d'aller à la consultation des nourrissons du Centre de protection maternelle et infantile (PMI, voir chap. 7) de votre quartier. Mais il est important de savoir que ce centre, qui n'est d'ailleurs ouvert qu'à certaines heures, n'est pas un centre de soins ni de traitement : il est à votre disposition pour faire l'examen général de l'enfant, pour surveiller la croissance et le régime, faire d'éventuels dépistages, et des vaccinations ; mais le jour où votre enfant sera malade, vous devrez vous mettre en rapport avec un autre médecin. Si vous n'en connaissez pas, prenez la précaution d'avoir une adresse sous la main (la PMI peut d'ailleurs vous donner des adresses) ; le carnet de santé fera le lien entre le centre et le médecin que vous serez amené à voir.

LE CARNET DE SANTÉ

Le carnet de santé comporte plusieurs types d'informations :
• Les indications de la surveillance du développement de votre enfant, le poids, la taille, le périmètre crânien, la date d'acquisition de la tenue assise, de la marche, du langage, de la dentition. Ainsi, le médecin pourra reconstituer les courbes de croissance – taille et poids – si importantes pour apprécier le développement physique de l'enfant.
• Le carnet de vaccinations, document officiel, que l'on doit présenter lors des inscriptions à l'école ; la mention des maladies infectieuses (varicelle, etc.)

• Les informations médicales, confidentielles, destinées aux médecins qui sont amenés à voir votre enfant. Elles comprennent les circonstances de la grossesse, de l'accouchement, les principales maladies, les hospitalisations, les éventuelles interventions chirurgicales. Ces pages permettent à tout médecin de connaître les principaux antécédents médicaux et de contacter le médecin, le service hospitalier qui a soigné votre enfant.

Une nouveauté : le carnet de santé indique les principales étapes de la diversification alimentaire.

Bien rempli, le carnet de santé (chap. 7) constitue un document important : il sera utile durant toute l'enfance, l'adolescence, et même au-delà. Mais les informations dites confidentielles sont en réalité accessibles à toutes personnes à qui on confie l'enfant (assistante maternelle, instituteur, colonie de vacances, etc.) et c'est un fait que regrettent de nombreux médecins. C'est pourquoi certains préfèrent ne rien inscrire de ce qui pourrait nuire à l'enfant et donner directement aux parents les informations médicales concernant leur enfant. En effet, quelqu'un d'extérieur au monde médical, risque de mal interpréter ce qu'a eu l'enfant (et de dire par exemple : « ce n'est pas étonnant qu'il soit dyslexique car il a fait des convulsions étant bébé »), cela peut lui être préjudiciable. Un autre exemple : il y a des enfants qui parlent tard, ou marchent tard, et qui par la suite ont un développement tout à fait normal, mais l'indication de ce retard peut « suivre » l'enfant, et le gêner.

Le carnet de santé est différent du carnet de surveillance médicale de l'enfant remis par la Sécurité sociale, et contenant des feuillets correspondant aux visites médicales conseillées de la naissance à 6 ans (et remboursées à 100 %).

LE CONTRÔLE DE L'AUDITION ET DE LA VISION

Ce contrôle est régulièrement fait par le médecin à chaque consultation.

L'audition

• À la naissance, le médecin vérifie que l'enfant entend bien, c'est-à-dire qu'il dirige les yeux ou tourne la tête, en réponse à des stimulations sonores, ou à la parole.

• Par la suite, l'audition est vérifiée à l'occasion des différentes étapes de l'acquisition du langage.

Ainsi, jusqu'à 4 mois, tous les bébés babillent naturellement. Mais au-delà de 4 mois, l'enfant sourd, lui, s'arrête de babiller. Pour s'assurer que l'enfant entend bien, le test important à cet âge est donc la persistance du babil au-delà de 4 mois.

Au passage, nous vous signalons que c'est entre 4 mois et 1 an que l'enfant perd les phonèmes universels et qu'il ne conserve que ceux de sa langue maternelle. (Phonèmes universels : il s'agit des sons articulés par tous les bébés du monde, quelle que soit la langue qu'ils entendent parler autour d'eux).

• Autour de 2 ans, le médecin s'assure que l'enfant entend bien en observant ses progrès de langage, sa compréhension.

En cas de doute, le médecin demandera l'avis d'un ORL qui a à sa disposition toute une série de tests sophistiqués. Nous en parlons à l'article *Surdité*.

La vision

• À la naissance, le médecin contrôle que la vision est présente. Il vérifie que l'enfant suit des yeux un objet qui bouge, par exemple un doigt, ou une petite balle rouge ; il s'assure que l'enfant réagit à la lumière. Enfin, il vérifie qu'il arrive à accrocher le regard de l'enfant.

• La vision peut être évaluée à la naissance ainsi qu'à chaque consultation systématique par le médecin qui suit l'enfant. Mais de plus en plus de professionnels recommandent aujourd'hui de faire pratiquer, en plus, un bilan complet par un ophtalmologue entre 9 et 18 mois : ceci afin de pouvoir déceler de manière précoce toute anomalie de vision qui pourrait bénéficier d'une prise en charge particulière. En effet, en traitant précocement une anomalie peu importante on peut éviter qu'elle ne s'aggrave.

De plus, à chaque étape de la scolarité (entrée à l'école maternelle, entrée au CP, etc.), un contrôle de la vision sera effectué par le médecin scolaire. En cas de doute, ou de problème, l'enfant sera adressé à un ophtalmologiste qui dispose de tout un ensemble de tests sophistiqués adaptés à chaque âge.

Vous voyez donc qu'un contrôle régulier de la vision et de l'audition est prévu lors des consultations des premières années, puis au cours de la scolarité. Si pour une raison ou pour une autre (voyage, maladie, déménagement, etc.) ce contrôle n'avait pas pu être fait, c'est à vous, parents, de le signaler au médecin la prochaine fois que vous le verrez. Ou, dans l'intervalle, de l'informer de toute anomalie.

Vous pouvez lire également, à la fin de ce chapitre, les articles *Yeux* et *Vision*.

LES VACCINATIONS

Grâce à la vaccination généralisée de la population, nous vivons aujourd'hui en France dans un milieu protégé de nombreuses maladies souvent graves, parfois mortelles (variole, tétanos, poliomyélite, tuberculose, etc.). Cependant ces maladies n'ont pas complètement disparu et elles pourraient se manifester à nouveau si cette « couverture » vaccinale venait à diminuer : la diphtérie est réapparue en Europe pendant la guerre en Bosnie ; on décrit régulièrement des épidémies de rougeole dans des régions où la couverture vaccinale est insuffisante. La situation est bien sûr plus préoccupante dans les pays en développement : les trois premières causes de décès entre 1 mois et 5 ans (pneumonie, diarrhée et rougeole) pourraient largement être prévenues par la vaccination.

Vaccins obligatoires, recommandés, conseillés

Il existe de nombreux vaccins pour différentes maladies. Certains sont « obligatoires » (notamment pour l'entrée à la crèche ou à l'école), d'autres sont « recommandés » ; les autres vaccins sont seulement « conseillés », au cas par cas. La décision de rendre un vaccin « obligatoire » ou « recommandé » est prise chaque année par le ministère de la Santé et elle est rendue publique dans un document officiel : le **calendrier vaccinal**. La politique vaccinale peut donc varier chaque année. C'est le cas si de nouveaux vaccins sont mis sur le marché, si des études scientifiques apportent de nouvelles données sur les vaccins ou les maladies, ou si les maladies elles-mêmes évoluent.

Attention : seuls les vaccins obligatoires ou recommandés ont un prix fixé par décret et sont remboursés par la Sécurité sociale. Les autres vaccins ne sont pas remboursés et leur prix peut être variable selon les pharmacies. Cependant certaines mutuelles acceptent de prendre en charge ces vaccins.

Le calendrier vaccinal

Voici les grandes lignes du calendrier vaccinal actuel. Les vaccins obligatoires sont en gras. Vous trouverez pages 442-443 un tableau détaillant chaque vaccination.

À PARTIR DE

À la naissance	BCG (chez le nouveau-né présentant un risque)
2, 3, 4 mois	**Diphtérie-tétanos**-coqueluche-**poliomyélite**-haemophilus B-hépatite B (éventuellement combinés) éventuellement rotavirus
2 et 4 mois	Pneumococcique
12 mois	Rougeole-oreillons-rubéole (9 mois en collectivité) Pneumococcique
18 mois	DT-coqueluche-**polio**-haemophilus B-hépatite B
Avant 24 mois	2ᵉ injection de rougeole-oreillons-rubéole (15 mois si la 1ᵉʳᵉ injection a été faite à 9 mois)
6 - 7 ans	**DT-polio**
11 - 12 ans	**DT-polio**-coqueluche (acellulaire)

Vaccins : quelques nouveautés

• **Le BCG**. Le vaccin contre la tuberculose n'est plus « obligatoire » pour entrer en collectivité. Il est cependant « recommandé » dès la naissance chez tous les nourrissons ayant un risque élevé de tuberculose. C'est le cas des bébés nés dans un pays à risque, ou devant y passer plus d'un mois d'affilée, et des nourrissons dont un des parents est issu de ces pays. De même, on préfère vacciner les nourrissons nés dans une famille où un des membres a déjà contracté la tuberculose. Le vaccin est recommandé pour tous les enfants habitant la Guyane ou l'île de France en raison de la grande fréquence de la tuberculose dans ces deux régions ; enfin les bébés vivant dans une situation précaire sont également vaccinés dès la naissance.

• **Le vaccin contre la coqueluche : celui des parents protège leur bébé**. Ce vaccin n'est pas efficace avant deux mois et les études ont montré que les nouveau-nés souffrant de coqueluche étaient le plus souvent contaminés par leurs parents. Les recommandations du dernier calendrier vaccinal sont donc de vacciner les parents pour protéger leur bébé. Le vaccin contre la coqueluche n'existe pas seul et se fait avec le vaccin DT-polio. Si vous-même, ou votre conjoint, n'avez pas reçu de vaccination contre la coqueluche dans les dix dernières années et de vaccin DT-polio dans les deux dernières années, parlez-en rapidement à votre médecin qui pourra vous prescrire un rappel DT-polio-coqueluche.

Une vaccination n'est réelle et efficace que si elle est correctement pratiquée, c'est-à-dire complète (nombre d'injections, intervalles maximum entre elles, et surtout rappels dans les délais prescrits). Notre protection à tous est assurée par la vaccination du plus grand nombre possible. La variole a disparu grâce à la bonne volonté de chacun : accepter de faire vacciner ses enfants c'est à la fois les protéger et lutter contre les risques d'épidémie.

• **Les vaccins combinés : un progrès pour les bébés**. De plus en plus de vaccins sont mélangés dans la même seringue. Cette réelle avancée technique (il est difficile de faire ce mélange en gardant la même efficacité) permet de diminuer le nombre de piqûres. Ainsi, il existe aujourd'hui un vaccin qui protège contre 6 maladies (vaccin hexavalent) : la diphtérie, le tétanos, la coqueluche, la poliomyélite, l'haemophilus B et l'hépatite B. Si vous êtes d'accord pour faire vacciner votre enfant contre ces 6 maladies, parlez-en à votre médecin qui pourra vous prescrire ce vaccin combiné (il est « recommandé »).

• **Le vaccin contre la rougeole** est combiné avec les vaccins contre les oreillons et la rubéole. Alors que la rougeole semblait grâce à ce vaccin condamnée à disparaître, on assiste depuis quelques années à un retour spectaculaire de la maladie : avec la raréfaction de la rougeole, l'effort vaccinal s'est amoindri dans certaines régions françaises. Pour lutter contre cela, on recommande aujourd'hui deux injections contre la rougeole. La première est faite à 9 mois si le nourrisson est gardé en collectivité, sinon à 12 mois. La deuxième injection doit être faite entre 13 et 24 mois. Il est également recommandé de « rattraper » les plus âgés qui n'ont pas suivi ce protocole : toute personne née après 1980 doit ainsi avoir reçu deux injections contre la rougeole ou doit être vaccinée en conséquence.

• **Le vaccin antirotavirus** est également un vaccin récent. Le rotavirus est responsable d'environ la moitié des gastro-entérites de l'enfant de moins de 5 ans en France et bien plus encore dans les pays tropicaux en développement (500 000 mille morts par an dans ces pays) ; en France, 300 000 gastro-entérites,18 000 hospitalisations, 15 décès par an. Le rotavirus provoque souvent des épidémies dans les collectivités d'enfants (crèches, services hospitaliers de pédiatrie). Malheureusement, le vaccin est d'un prix élevé et n'est pas remboursé.

Les contre-indications

Chaque cas est particulier et doit être discuté avec le médecin traitant. Il existe en effet des contre-indications formelles mais elles sont exceptionnelles. Les contre-indications relatives ou temporaires sont surtout des précautions à prendre et des techniques particulières de vaccinations, essentiellement chez certains enfants très allergiques et fragiles sur le plan immunitaire.

Conservation du vaccin

Vous avez acheté un vaccin et vous ne l'utilisez pas tout de suite : mettez-le au réfrigérateur (mais pas au congélateur) ; en effet, le vaccin doit être conservé à une température entre + 2 et + 8 °C.

Où vaccine-t-on ?

Chez le nourrisson : partie supérieure de la fesse ou dans la cuisse, selon les vaccins et les habitudes du médecin. À partir de 2 ans, tous les vaccins peuvent être faits dans le haut du bras.

S'il y a un retard dans la vaccination

Lorsqu'un retard est intervenu dans le calendrier des vaccinations, les parents croient souvent qu'il faut tout recommencer. Ce n'est pas nécessaire. Il suffit de reprendre le programme au stade où il a été interrompu et de compléter la vaccination en réalisant le nombre d'injections requis en fonction de l'âge. Par exemple, la 3e injection de vaccin pentavalent (DT-Coq-Polio-Haemophilus) a été faite avec retard : à l'âge d'1 an au lieu de 6 mois. Le rappel sera quand même effectué à 18 mois.

Vaccinations particulières à pratiquer si l'enfant part pour l'étranger : voyez à la fin de ce chapitre *Voyages : la santé de l'enfant voyageur.*

Soigner son enfant

Votre enfant est malade. Que devez-vous faire ?

D'abord l'observer. Les symptômes que vous noterez seront utiles pour le médecin : certains d'entre eux – une éruption sur la peau, par exemple – peuvent avoir disparu lors de la consultation ; d'autre part, vous qui connaissez bien votre enfant, vous pourrez remarquer certains changements survenus dans sa mine, son humeur, son comportement. Vous trouverez plus loin des points de repère qui vous permettront de répondre avec précision aux questions que vous posera le médecin.

Enfin, sachez que votre présence pourra améliorer l'état de votre enfant, non pas seulement à cause des soins que vous lui donnerez, mais aussi à cause de l'apaisement que lui apporteront votre voix, votre sourire, votre main, le seul fait d'être là et d'avoir une attitude calme et rassurante.

LES SIGNES DE BONNE ET DE MAUVAISE SANTÉ

Voici les signes auxquels on reconnaît qu'un enfant est en bonne santé :

• ses courbes de poids et de taille sont conformes aux courbes moyennes

• il a bonne mine et les yeux vifs ; quand vous l'embrassez, vous sentez que ses joues sont fermes et fraîches

• il est de bonne humeur, il a de l'entrain, il aime jouer, il s'intéresse à ce qui l'entoure

• il a bon appétit, ses selles sont normales, il dort bien.

Au contraire, la santé d'un enfant laisse à désirer si :

• il a perdu du poids, c'est particulièrement vrai pour le nourrisson

• il a le teint pâle, les yeux cernés

• il est sans entrain, il suce son pouce en somnolant dans la journée, ne s'intéresse pas à ce qui se passe autour de lui, n'a pas envie de jouer

• ou, à l'inverse, il est agité, nerveux et fait des caprices pour un rien

• il dort mal

• il manque d'appétit, refuse de boire ou, au contraire, il a anormalement soif.

QUAND FAUT-IL CONSULTER LE MÉDECIN ?

Les parents aimeraient qu'on puisse leur dire : en présence de tel symptôme consultez le médecin, en présence de tel autre, c'est inutile. C'est une liste impossible à faire. Chez l'enfant les symptômes sont difficiles à interpréter, ils changent vite, et ils doivent être considérés dans un contexte d'ensemble, d'où la nécessité de l'examen médical. Et c'est pourquoi un médecin ne reprochera jamais à des parents de l'avoir dérangé même en apparence inutilement.

L'appréciation de la gravité des symptômes est toujours difficile pour les parents, en particulier chez le très jeune enfant. Si l'on ne peut appeler ou consulter le médecin à tout moment pour le moindre symptôme, il vaut mieux parfois ne pas trop tarder ; du rhume à la bronchite ou de la diarrhée à la déshydratation, le délai peut être court chez le nourrisson, particulièrement dans la période néo-natale (le premier mois). Plus l'enfant est jeune, et plus rapidement il doit être examiné par le médecin en cas de fièvre, de toux, de vomissements ou de selles diarrhéiques qui se répètent, mais aussi devant des pleurs inexpliqués, un refus de boire (ceci à titre d'exemples), cela d'autant plus que le bébé a moins de 3 mois ou qu'il était prématuré.

Chez l'enfant plus grand, on se basera beaucoup sur un changement de l'état général pour apprécier la nécessité et l'urgence à voir le médecin. La fièvre élevée en particulier n'est pas un signe de gravité à elle seule. Par contre les crises douloureuses abdominales posent un problème que seul le médecin peut résoudre.

PRINCIPAUX CAS D'URGENCE, SYMPTÔMES LES PLUS FRÉQUENTS
VOYEZ LES TABLEAUX PAGES 362-363

LORSQUE L'ENFANT A MAL

Comment savoir qu'un enfant a mal ? C'est simple chez le grand enfant qui parle et se plaint : il peut dire où il a mal, il pleure ou se réveille la nuit. Lorsqu'un bébé pleure – c'est fréquent –, il est parfois plus difficile de penser à la douleur ; toutefois les pleurs d'un nourrisson qui souffre sont souvent « différents », continus (plutôt comme un geignement) et difficilement consolables, même lorsqu'on le prend dans les bras. Il faut également noter que certains enfants plus grands peuvent souffrir, sans se plaindre particulièrement, mais leur comportement change : ils ne bougent plus, ne parlent plus, sont comme prostrés.

Quels médicaments donner contre la douleur ?

Les médicaments sont les mêmes que ceux utilisés pour faire baisser la fièvre (p. 349).

• Si la douleur est peu intense, vous donnerez à l'enfant du paracétamol, toujours sous forme orale (sirop ou sachet), aux doses correspondant à son poids. Le paracétamol sera donné de façon systématique toutes les six heures, sans attendre le retour de la douleur.

• Si trois heures après la prise de paracétamol la douleur persiste, ou si la douleur est d'emblée intense, la recommandation est de donner un anti-inflammatoire de type « ibuprofène » sous forme de sirop (en « dose-poids ») toutes les six à huit heures, selon les marques.

À noter : ne pas utiliser de suppositoire, quelle que soit la molécule choisie ; cette voie d'absorption ne permet pas au médicament d'agir vraiment contre la douleur.

Comment prévenir la douleur au cours des soins ?

Il existe de nombreuses situations où les soins donnés à votre enfant risquent d'être douloureux ; c'est le cas banal des vaccins, cela peut être aussi le cas moins fréquent de prises de sang ou de points de suture.

Si le soin concerne tout ou en en partie la peau (point de suture, ablation de molluscum, vaccin), il est possible de poser une heure avant le soin une pommade anesthésiante (Emla) sous forme de patch. Celui-ci est retiré avant le soin et l'anesthésie persiste pendant une à deux heures mais reste superficielle (l'enfant ne sent pas la piqûre mais sent la diffusion du vaccin). Demandez à votre médecin si vous pouvez poser un patch avant l'injection de vaccin et où il souhaite que celui-ci soit posé.

À un bébé de moins de trois mois, on peut donner une solution sucrée quelques minutes avant le soin : on dépose 1 à 2 ml de saccharose (à 30 %) sur la langue et le soin doit être effectué dans les deux minutes. Le médecin vous demandera d'apporter la solution (qui s'achète en pharmacie).

Lors d'un vaccin, pensez à apporter à la consultation le doudou, éventuellement la tétine, un petit objet coloré ou musical (la distraction a un effet sur la douleur) ; gardez votre bébé dans les bras pendant l'injection et parlez-lui au moment de la piqûre. Si c'est possible, choisissez un horaire de rendez-vous où votre bébé aura bien dormi et bien mangé, il sera plus détendu. Enfin sachez que l'appréhension des parents – et de l'enfant – augmente la douleur. Si votre enfant a mal, ou risque d'avoir mal, essayez de garder votre calme.

Sur la douleur à l'hôpital, voyez p. 358.

COMMENT PRENDRE LA TEMPÉRATURE ?

Parlons d'abord du thermomètre lui-même. Le modèle courant utilisé est le thermomètre électronique (environ 11 €), à usage rectal. Il fonctionne avec une pile qui dure environ 3 ans et qui est remplaçable. Il sonne au bout d'une minute pour annoncer le résultat.

Couchez le bébé sur le dos, levez-lui les jambes d'une main et, de l'autre, comme indiqué sur la photo, introduisez le thermomètre. La partie grise du thermomètre doit être introduite presque tout entière dans l'anus. Lorsqu'il est en place, ne laissez pas votre bébé seul, et tenez le thermomètre.

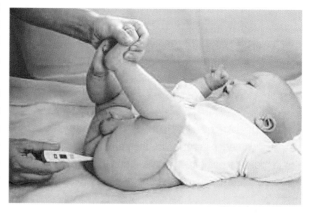

Ce thermomètre permet aussi une prise buccale et axillaire (sous les bras) de la température, mais il faut attendre un peu plus longtemps pour avoir le résultat ; et il faut ajouter 1/2 degré pour être équivalent à la température mesurée par voie rectale.

D'autres thermomètres sont également proposés, surtout au-delà de l'âge de 1 an :

• le thermomètre auriculaire, qui donne un résultat très précis en une fraction de seconde (sauf en cas de gros bouchon de cérumen dans le conduit auditif)

• le thermomètre à infrarouge, tenu à quelques millimètres de la peau du front, donne également un résultat immédiat et précis, mais il peut poser quelques problèmes de réglage.

Les bandelettes à poser sur le front ne donnent que l'indication d'une température supérieure à 38°.

Chez le tout-petit, la prise de température par un thermomètre rectal est plus fiable. Au-delà de 1 ou 2 ans, la prise auriculaire est préférable : elle est moins traumatisante pour le jeune enfant et peut être faite quand il dort.

QUE FAIRE EN CAS DE FIÈVRE ?

Les parents s'inquiètent lorsque leur enfant a de la fièvre : est-ce le signe d'une maladie grave ? Faut-il faire baisser la température par tous les moyens ? La fièvre risque-t-elle de provoquer des convulsions ?

Ces craintes sont compréhensibles car la fièvre peut être le premier symptôme d'une maladie infectieuse, parfois sérieuse. Mais toute fièvre n'est pas synonyme de gravité. Il ne faut donc pas s'affoler devant une élévation de la température. Par ailleurs, la fièvre est la façon dont l'organisme réagit à une infection et la combat ; il n'est pas logique de lutter contre elle, elle est au contraire à respecter. Quant aux convulsions que font certains enfants au moment des pics de fièvre (voir *Convulsions avec fièvre* chapitre 6), elles sont en général de courte durée ; elles disparaissent le plus souvent après 5 ans, la plupart du temps sans avoir affecté le développement de l'enfant. De plus, certaines études récentes montrent que les convulsions en cas de fièvre ne seraient pas directement liées à l'élévation de la température.

Tout ceci explique que l'attitude des médecins devant la fièvre chez l'enfant a changé. Le premier objectif n'est plus, comme auparavant, de la faire tomber à tout prix, ni de donner systématiquement un traitement. Aujourd'hui, c'est la notion de bien-être de l'enfant qui est au premier plan : tout en recherchant la cause de la fièvre, on s'occupe de l'inconfort qu'elle peut entraîner. Si l'enfant à mal à la tête, ou au ventre, ou des courbatures, il peut être soulagé par des médicaments antalgiques (anti-douleur).

UN ENFANT MALADE PEUT-IL ALLER À LA CRÈCHE ?
VOYEZ PAGE 163.

Quels médicaments donner ?

• Le médicament conseillé en premier lieu chez les enfants est le **paracétamol** (Efferalgan®, Doliprane®) parce qu'il est très bien toléré. Voici la dose préconisée : 60 mg par kilo et par 24 heures, répartie en 4 prises (soit 15 mg par kilo toutes les 6 heures). Le paracétamol existe sous forme de sirop, avec une pipette graduée en fonction du poids de l'enfant : par exemple, une dose « 6 kg » à donner toutes les 6 heures. La forme orale (sirop ou sachet) agit plus rapidement que le suppositoire.

• L'ibuprofène (Advil®, Nureflex®, Toprec®) est très efficace sur la fièvre de l'enfant et il agit un peu plus rapidement que le paracétamol. Il ne doit pas être utilisé avant 6 mois, ni en cas de diarrhée, de situation à risque de déshydratation et de varicelle (il y a un risque de surinfection grave). Il s'administre en « doses-poids » (comme le paracétamol) toutes les 6 à 8 heures.

• L'aspirine, qui a été beaucoup utilisée chez les enfants, n'est plus conseillée aujourd'hui sans l'avis du médecin. Ce médicament présente en effet des risques d'allergie, de saignements digestifs et de complications graves de certaines viroses. Si le médecin prescrit de l'aspirine (Catalgine®, Aspégic®), voici la dose courante : 50 mg par kilo et par 24 heures, toutes les 4 heures.

• Il est préférable d'utiliser d'abord le paracétamol. Mais si l'enfant reste grognon, inconfortable entre les prises, c'est que ce médicament n'est pas suffisant ou pas adapté à l'état de l'enfant. Dans ce cas, le médecin conseillera d'ajouter un autre antalgique, comme l'ibuprofène qu'il est possible d'alterner avec le paracétamol.

• Aujourd'hui on ne conseille plus les procédés de refroidissement externe (comme le bain tiède, les enveloppements frais) car on s'est rendu compte qu'ils pouvaient aggraver l'inconfort de l'enfant. En revanche ces procédés sont toujours recommandés en cas d'hyperthermie liée à un coup de chaleur.

Sur la fièvre, voir également p. 390.

ATTENTION
S'il s'agit d'un enfant en âge de saisir les objets, ne laissez pas les médicaments près de son lit.

QUELQUES QUESTIONS QUE L'ON PEUT SE POSER

Peut-on sortir un enfant qui a de la fièvre pour aller chez le médecin ?

Même avec une fièvre élevée, un enfant est transportable sans risque, d'autant plus qu'une fièvre élevée n'est pas automatiquement synonyme de gravité (voir l'article *Fièvre*, à la fin de ce chapitre). Le médecin préfère voir l'enfant à son cabinet car il a sous la main le matériel médical qui peut, le cas échéant, être nécessaire à ses examens.

Comment couvrir l'enfant malade ?

Pas plus que l'enfant qui n'est pas malade. Autrement dit, ne le couvrez pas trop. Lorsque l'enfant a de la fièvre, il transpire. C'est une bonne chose, s'il n'est pas trop couvert, car en s'évaporant la transpiration fait baisser la température. Donnez à boire à l'enfant pour compenser ce qu'il perd, et pensez à changer ses vêtements et ses draps.

Le confort de l'enfant malade

Pensez à aérer la chambre ; pendant ce temps, mettez l'enfant dans une autre pièce en prenant garde qu'il n'ait pas froid. Vous le remettrez dans son lit lorsque la chambre se sera réchauffée.

Vous pouvez très bien lui donner un bain, cela lui fera même du bien. Veillez seulement à ce que l'eau soit à température confortable, et la salle de bains correctement chauffée (22° environ).

Soyez attentifs à son rythme. Certains enfants ont besoin de beaucoup dormir lorsqu'ils sont malades. Respectez ce besoin. D'autres ont envie de compagnie, de jouer. Essayez d'être un peu disponibles.

Si vous êtes inquiets, n'hésitez pas à exprimer vos sentiments, même à un petit bébé : « Je suis inquiète pour toi, mais on va te soigner et ça va aller mieux. » Les enfants sentent bien lorsqu'on leur cache quelque chose et cela les angoisse.

Faut-il maintenir l'enfant au lit ?

Si l'enfant est fatigué et abattu, il restera de lui-même au lit ; mais s'il refuse, inutile de le contrarier :

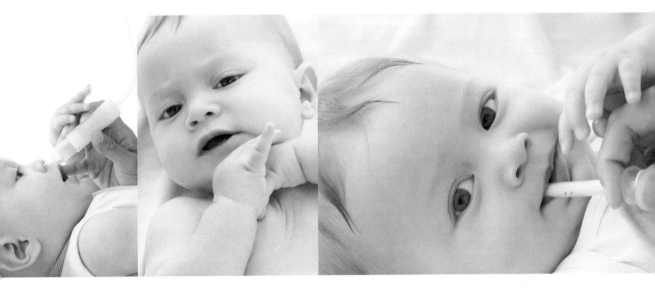

laissez-le se lever et circuler dans la maison. Habillez l'enfant en conséquence, et laissez-le jouer tranquillement. Il vaut mieux cependant que l'enfant joue seul ou avec un adulte, car en dehors des problèmes de contagion, il faut éviter l'excitation qui fatigue.

Et la télévision ?

Les enfants plus grands vont la réclamer. Les journées sont longues et regarder un peu la télévision permet de s'occuper. Mais l'enfant doit comprendre que ce n'est pas parce qu'il est malade et à la maison qu'il peut regarder la télévision toute la journée.

L'alimentation de l'enfant malade

Que donner à manger à un enfant malade ? Ce qu'il désire, dans des limites raisonnables bien sûr. En revanche, s'il ne veut rien manger, essayez de lui proposer un aliment qui lui plaise : compote, jambon, purée... Manger, même en très petite quantité, aide à se sentir mieux.

Si l'enfant ne manifeste aucun désir particulier, que lui donner ? Le nourrisson, s'il n'a pas de diarrhée, peut avoir son régime habituel, mais sans forcer ; et il faut lui offrir de l'eau à boire en dehors des tétées. S'il a une diarrhée modérée, il peut aussi avoir son régime habituel ; en cas de diarrhée sévère, il faut consulter rapidement le médecin (voir l'article *Diarrhée*). Au jeune enfant, on peut proposer : du bouillon, des légumes, de la compote de pommes, de la banane, que vous écraserez cinq minutes avant et que vous pouvez passer un instant au four : elle aura plus de chance ainsi de plaire à l'enfant.

Si l'enfant est fiévreux, vous le ferez boire autant que possible, même la nuit s'il se réveille. La fièvre déshydrate, et un petit organisme n'a pas de grandes réserves d'eau. Que lui faire boire ? Ce qu'il aime, eau, jus de fruits, citronnade, tisane, bouillon, etc. Faut-il qu'il boive chaud ? Ce n'est pas nécessaire. Il aimera sans doute mieux boire frais, ce qui est d'ailleurs conseillé s'il a tendance à vomir.

Si le médecin indique un risque de contagion

Vous vous laverez bien les mains chaque fois que vous vous serez occupés de l'enfant, et vous isolerez le malade des autres enfants et, pour certaines maladies, des futures mères.

SOINS DIVERS

Les gouttes nasales : le lavage de nez

Dans les rhumes et les rhinopharyngites, les sécrétions nasales sont importantes. Le nourrisson, qui ne sait pas se moucher, est gêné pour respirer (il ne sait respirer que par la bouche) et pour boire. La plupart des médecins conseillent des lavages de nez avec une solution isotonique, comme le sérum physiologique en dosettes Si le nez n'est pas dégagé, aspirez éventuellement les sécrétions à l'aide d'un mouche-bébé.

Si votre bébé a vraiment de la peine à s'alimenter (son nez est tellement bouché qu'il ne peut boire), seul un dégagement efficace des voies nasales peut le soulager. Voici comment procéder.

Allongez le bébé la tête sur le côté. Videz énergiquement (en 2 pressions) une dosette de sérum physiologique dans la narine supérieure. Les sécrétions nasales vont s'écouler par l'autre narine, la narine inférieure. Recommencez cette manœuvre jusqu'à ce que l'écoulement soit clair.

Procédez de la même façon avec l'autre narine en installant le bébé de l'autre côté.

Cette méthode est efficace mais impressionnante : elle est très désagréable pour le bébé qui pleure beaucoup ; elle n'est donc à faire que lorsqu'il est fortement gêné pour boire. Quand l'enfant est plus grand, il peut s'alimenter même avec le nez bouché.

Affections de la peau et blessures

La première chose à faire quand un enfant est écorché est de nettoyer la plaie. Lavez à l'eau et au savon. Ne laissez aucune impureté (terre, épine, etc.) dans la chair. Bien rincer la plaie. Ensuite, désinfectez avec un antiseptique sans alcool. Laissez sécher avant de panser. Voyez à la fin du chapitre, l'article *Plaies*.

Pansements

Dans la plupart des cas, les pansements adhésifs tout préparés, vendus en pharmacie, suffisent. Mais il faut les changer chaque jour, souvent plus, lorsqu'ils sont souillés. Si la plaie saigne, mieux vaut utiliser un pansement de gaze léger. Ne serrez pas trop : le sang doit circuler ; le membre ne doit ni gonfler ni être violacé, ni être froid. Ne couvrez pas la plaie trop hermétiquement : elle doit « respirer ». Évitez le coton hydrophile.

Les soins à éviter

Les vessies de glace, les enveloppements chauds, les bouillottes : trop d'accidents par brûlures ont été causés chez de jeunes enfants. Évitez également les frictions du thorax avec des produits alcoolisés, mentholés ou camphrés, achetés sans avis médical.

Le nourrisson et les piqûres

Il peut arriver que le médecin prescrive une injection médicamenteuse à votre bébé. Même si vous savez bien faire une piqûre, adressez-vous à une infirmière diplômée. La piqûre est toujours ressentie par l'enfant comme un geste agressif auquel il vaut mieux ne pas associer les parents. Aujourd'hui, avant de faire une piqûre, on utilise de plus en plus une pommade anesthésique locale.

L'enfant et les médicaments

Votre enfant a une angine, du moins c'est ce que vous pensez. À sa dernière angine – ou à celle de son frère ou de sa sœur – le médecin avait prescrit un médicament (antibiotique en particulier). Il en reste encore. Vous êtes naturellement tenté de vous en servir. N'en faites rien. Ce que vous appelez angine est peut-être le début d'une autre maladie : dans l'enfance, combien de maladies débutent par une gorge rouge !

En outre, administrer un médicament sans prescription risque de faire disparaître des symptômes qui auraient orienté le diagnostic du médecin, et donc son traitement.

Quels sont les traitements simples que vous pouvez appliquer sans avoir consulté le médecin ?
• En cas de rhume : le sérum (ou soluté) physiologique en gouttes nasales
• Contre une diarrhée légère chez l'enfant de plus de 6 mois : régime antidiarrhéique (voir p. 381) ; sachets de réhydratation (vendus en pharmacie) ; faire boire pour éviter la déshydratation.
• Contre la fièvre : voir p. 349.
• En cas de constipation : les légumes, les fruits, l'eau Hépar.
• Contre bien des petits maux journaliers : une simple infusion de tilleul est aussi efficace que bien des spécialités pharmaceutiques. Sans parler de la cuillerée de miel dissoute dans un verre d'eau, et que vous apporterez à l'enfant en lui disant : « Ceci va te faire passer ton mal au ventre. » Ce qui arrive en effet souvent. Le miel a également une excellente action calmante sur la toux de l'enfant (une étude a prouvé qu'il était même plus efficace que la plupart des sirops antitussifs). À ne pas donner avant 1 an (voir p. 81).

Attention : danger. En dehors de ces conseils simples, aucun autre médicament ne doit être administré sans avis médical. Vous éviterez tout particulièrement : les antibiotiques et corticoïdes, même en application externe (pommade, etc.).

Dose différente, effet différent
Si le médecin a prescrit un médicament et que vous n'êtes pas parvenu à le faire prendre à l'enfant, informez-en le médecin. Dose prescrite, répartition dans la journée, durée du traitement sont à observer (en particulier les antibiotiques, même si les symptômes ont disparu).

Par ailleurs, aucun médicament n'est anodin : augmenter soi-même la dose en espérant une plus grande efficacité expose à des risques d'intoxication ; de plus, il y a toujours le risque d'une intolérance, d'une allergie, d'effets secondaires indésirables.

En conclusion, méfiez-vous de l'automédication chez les enfants plus encore que chez les adultes.

Comment faire prendre un médicament à l'enfant malade
Ce n'est pas toujours facile. Certains enfants protestent. Il est dangereux d'administrer de force un médicament car l'enfant peut avaler « de travers ». Et mélanger le médicament à un aliment solide

ou liquide n'est pas conseillé car si l'enfant ne boit pas ou ne mange pas tout ce que vous lui proposez, vous ne saurez pas ce qu'il a pris. Nous vous conseillons plutôt de prévenir l'enfant, avec fermeté et conviction (« Ce n'est pas très bon mais c'est pour guérir »). Et ensuite, vous ferez passer le goût du médicament avec un peu de compote ou de yaourt. Il est important que l'enfant, même tout petit, comprenne la fermeté de votre décision.

Passons en revue les diverses présentations qu'on trouve en pharmacie.

• **Sirop**. N'oubliez pas d'agiter le flacon pour rendre son contenu bien homogène. La plupart des sirops sont présentés avec une pipette-doseuse ; il faut remplir la **pipette** jusqu'à la graduation correspondant au poids de l'enfant, puis en vider le contenu directement dans sa bouche, sur le côté de préférence, il aura moins tendance à le rejeter. On peut aussi vider le contenu de la pipette dans une tétine qu'on fera téter à l'enfant. À la fin du traitement, jetez le reste du sirop car il ne se conserve pas.

• **Sachet**. Le sachet contient de la poudre à diluer dans un peu d'eau.
Attention : les **sachets de réhydratation** (en cas de diarrhée ou de coup de chaleur) doivent toujours être mélangés dans un biberon de 200 ml **d'eau**.

• **Suppositoire**. Si c'est un nourrisson, maintenez serrées pendant quelques minutes les fesses de l'enfant pour éviter le rejet du suppositoire. Il faut noter que la plupart des médicaments existent sous forme orale. Et l'efficacité d'un suppositoire est souvent moins grande que celle d'un médicament pris par la bouche. Il n'y a donc pas de justification à maintenir cette forme d'administration qui est intrusive.

• **Gélules**. L'ouvrir, mélanger la poudre à de l'eau sucrée et la donner à la cuillère.

• **Gouttes**. Avant de les mettre (dans l'oreille, dans le nez, ou dans les yeux) réchauffez-le flacon en le tenant 1 ou 2 minutes à l'intérieur de votre main. C'est surtout important pour les oreilles car la sensation de froid est désagréable.

• **Masque et Sprays**. Pour le traitement de l'asthme et de certaines bronchiolites, le médecin prescrit souvent des médicaments en spray qui, ainsi, agissent directement sur la muqueuse des bronches. Mais le nourrisson et le jeune enfant ne sont pas capables de coordonner leur respiration avec la pulvérisation. C'est pourquoi, chez eux, on utilise une « chambre d'inhalation » : il s'agit d'un masque relié à un tube auquel on adapte le spray. Le masque est appliqué sur le visage de l'enfant. Ainsi le produit est inhalé par l'enfant au cours de respirations normales.

L'ARMOIRE À PHARMACIE

Son contenu

• coton hydrophile
• compresses stériles
• pansements adhésifs
• « tulle gras » et Biafine pour les brûlures
• un rouleau de gaze
• sparadrap
• 1 thermomètre médical
• sérum physiologique, ou spray d'eau de mer
• 1 flacon d'éosine à l'eau (1 %)
• 1 flacon de savon liquide
• 1 flacon d'antiseptique type chlorhexidine aqueuse
• paracétamol (Efferalgan, Doliprane...) en sirop, sachets et suppositoires (dose enfant)
• 1 boîte de suppositoires à la glycérine pour enfant
• 1 boîte de sachets de solution de réhydratation

• 1 boîte de pansements type Stéristrip : ce sont des sortes de papiers collants très utiles pour les petites coupures, car ils permettent de rapprocher les bords de la plaie sans faire de suture
• sur la porte, notez les numéros d'urgence (médecin, Samu, pompiers) : si nécessaire vous les trouverez facilement

L'armoire à pharmacie doit être placée assez haut pour être inaccessible aux enfants et fermée à clé. N'oubliez pas que les tranquillisants et les somnifères sont la première cause des intoxications graves des jeunes enfants. Séparez les médicaments pour enfants des médicaments pour adultes. L'armoire à pharmacie ne doit se trouver ni dans un endroit humide, ni au-dessus d'un radiateur.

Pour être certain que le masque est correctement appliqué, il faut vérifier que la valve centrale bouge à chaque respiration. Si ce n'est pas le cas, c'est que le masque n'est pas appliqué hermétiquement sur le visage de l'enfant.

On administre une bouffée de médicament prescrit et on attend dix ouvertures de valve avant d'arrêter, ou d'administrer une seconde bouffée si elle a été prescrite.

Chez l'enfant plus grand, il existe des chambres d'inhalation adaptées à leur âge. On ne donne pas de traitement en spray directement dans la bouche avant l'âge de 8 ans. Et après 8 ans, il est nécessaire de contrôler la technique de la prise avec le médecin.

Les médicaments génériques

La mise au point d'un nouveau médicament entraîne d'importantes dépenses de recherche et de développement. Pour amortir ces dépenses, le laboratoire, propriétaire du brevet, a pendant environ 10 ans l'exclusivité de la nouvelle molécule (c'est-à-dire de la composition). Après cette période, le nouveau médicament peut être fabriqué et vendu par d'autres laboratoires ; il est devenu un médicament générique, vendu moins cher puisque le prix de revient est moindre.

Le médicament générique est identique au médicament original en ce qui concerne la nature du principe actif, même s'il en diffère par le nom (qui est celui de la molécule) et par quelques détails de présentation (emballage, couleur...). Le médicament générique peut donc être utilisé sans restriction, avec les mêmes indications et contre-indications. Parfois le générique a un goût différent, moins bien accepté par les enfants ; le médecin prescrira alors un médicament « non substituable ».

L'intérêt majeur du médicament générique est son prix : une efficacité égale et un moindre coût devraient suffire à justifier son utilisation la plus large, à l'heure où est nécessaire une meilleure maîtrise des dépenses de santé publique.

Quels médicaments garder ? Lesquels jeter ?

De temps à autre – par exemple au retour des vacances – faites l'inventaire de l'armoire à pharmacie, en ôtant tout ce qui l'encombre et en y ajoutant ce qui lui manque. Éliminez les médicaments périmés, les boîtes entamées, et les solutions de poudre reconstituées. Des médicaments dont l'emballage n'a pas été ouvert peuvent être conservés jusqu'à la date la date indiquée sur la boîte.

LE MÉDICAMENT N'EST PAS TOUT

Certains parents attendent trop des médicaments. Et ils sont déçus si en sortant de chez le médecin, ils n'ont pas d'ordonnance. L'enfant a-t-il de la fièvre ? Ils demandent un antibiotique. Une éruption ? Il faut une pommade. C'est confondre maladie avec symptôme. De même, malgré l'abondance des médicaments qui garnissent les étagères des pharmacies, il ne faut pas vous imaginer qu'il existe un remède particulier pour chaque symptôme qui peut se présenter : un remède contre la fatigue ; un fortifiant, des vitamines, si votre enfant vous semble pâle ; un autre pour le faire dormir, etc. De même, l'effet d'un médicament ne peut être immédiat, un délai est nécessaire, il faut savoir patienter.

Le médecin tiendra compte de la personnalité de l'enfant et de l'environnement. Enfin il faut faire confiance à la nature : l'enfant récupère vite et les médicaments destinés à le fortifier sont moins importants qu'une bonne hygiène de vie (alimentation équilibrée, heures de sommeil respectées, etc.).

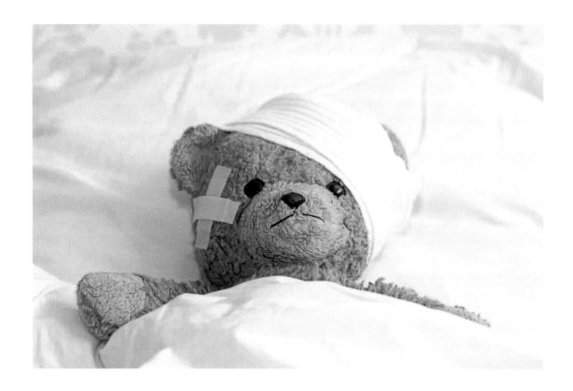

Et si votre enfant doit aller à l'hôpital

Aujourd'hui les hospitalisations sont plus rares qu'autrefois, et surtout beaucoup plus courtes. L'enfant peut être hospitalisé en urgence pour une maladie aiguë nécessitant un traitement en milieu hospitalier. Il peut aussi être hospitalisé un ou deux jours pour effectuer des examens, soit pour faire un diagnostic, soit pour surveiller un traitement.

L'hospitalisation

Qu'elle soit décidée brusquement à l'occasion d'une maladie qui alarme, ou prévue et préparée à l'avance pour des examens complémentaires, l'admission de l'enfant à l'hôpital sera d'autant moins traumatisante qu'elle lui aura été expliquée et que les parents seront calmes et confiants.

Dans un service de pédiatrie générale, l'hospitalisation se fait le plus souvent en urgence : soit à la demande du médecin que vous avez consulté, soit parce que vous êtes allés directement aux urgences de l'hôpital, et qu'on a préféré garder votre enfant pour un examen approfondi.

L'enfant va d'abord être vu par le médecin des urgences pédiatriques, ou des urgences générales, selon l'organisation de l'hôpital. Si une hospitalisation est nécessaire, l'enfant sera revu par le pédiatre de garde.

Les premiers soins et le premier bilan sont faits dans le service des urgences : prise de sang, radiographie, éventuellement scanner, avis du médecin après les résultats, consultation de spécialiste. Le diagnostic établi, l'enfant peut aller sans sa chambre.

Un enfant dont l'état semblait inquiétant le jour de son hospitalisation peut très bien sortir le lendemain ou le jour d'après : parce que les examens biologiques sont rassurants, que la fièvre est tombée, ou que le traitement mis en route est déjà efficace. Par exemple, un nourrisson peut être très vite déshydraté lors d'une gastroentérite virale ; son hospitalisation est alors indispensable ; mais son état peut vite s'améliorer. Le bébé peut alors revenir rapidement à la maison, avec un traitement.

Par contre, dans certains cas, l'enfant doit rester un peu plus longtemps à l'hôpital : par exemple, s'il a besoin d'un traitement par voie veineuse. Pour éviter de faire des gestes douloureux, on pose à l'enfant un « cathlon » ; c'est un petit tuyau en contact avec une veine (comme une perfusion) dont on se sert uniquement pour injecter les antibiotiques. L'enfant n'est immobilisé que pendant les injections : une à trois fois par jour selon le traitement. Il peut se déplacer le reste du temps. Cela dit, il n'est pas très facile de laisser rentrer à la maison un enfant avec un cathlon, même quand il va mieux : l'enfant peut le toucher, il y a des risques d'infection. Le médecin verra si le retour est possible, ou si l'enfant doit rester à l'hôpital le temps du traitement par voie veineuse, souvent au moins cinq jours.

La vie à l'hôpital

Pendant l'hospitalisation, l'enfant s'adapte en général très vite, grâce en particulier au contact avec les autres enfants. Il supporte bien quelques jours à l'hôpital s'il a été informé de ce qui allait se passer et si ses parents sont suffisamment présents.

Lors de son installation dans la chambre, l'enfant sera rassuré par la présence d'objets familiers : son doudou, sa peluche. Il est important qu'il ait son propre pyjama, ses pantoufles, sa robe de chambre, sa brosse à dents et son nécessaire de toilette.

Dans un service de pédiatrie, les chambres ne sont pas toutes individuelles. Mais les enfants préfèrent souvent avoir un compagnon, ils sont moins angoissés la nuit si un des parents ne peut pas rester. Bien sûr, les malades contagieux sont isolés, à moins que plusieurs enfants n'aient la même pathologie, ce qui est fréquent en période d'épidémie.

Les visites des parents sont souvent autorisées toute la journée, le matin tôt, et même le soir tard. Pour une hospitalisation de courte durée, il n'est pas indispensable de laisser venir les grands-parents, les oncles et tantes et les amis : votre enfant est sûrement fatigué, les personnes qui viennent en visite parlent entre elles et font du bruit ; pensez également au petit voisin de chambre et à l'équipe qui doit faire les soins. Par contre, les frères et sœurs sont parfois très angoissés et une petite visite les rassure.

Si l'enfant pleure quand vous partez, ne croyez pas qu'il soit préférable de ne pas revenir. Vos visites sont importantes pour lui. Dites-lui quand vous reviendrez. S'il est trop petit pour comprendre, laissez-lui un objet vous appartenant, par exemple votre écharpe, il saura que vous reviendrez.

Soyez convaincus par ailleurs que le personnel d'un service pédiatrique (médecins, infirmières) aime les enfants et entourera le vôtre de sa compétence et de son affection même si celle-ci doit être partagée entre tous.

Les visites médicales ont lieu tous les matins. Renseignez-vous sans impatience ni agressivité : quelques jours sont nécessaires pour juger d'une évolution, pour avoir les résultats des examens. Sachez à qui vous adresser : à l'infirmière, à la surveillante pour les éléments de l'évolution quotidienne (fièvre, selles, état général, appétit...) ; au médecin pour le diagnostic (c'est-à-dire l'identification de la maladie), le pronostic (la prévision de l'évolution de la maladie à court et long terme) et le traitement. Et plutôt que d'attendre dans un coin, demandez un rendez-vous.

Si votre enfant peut quitter l'hôpital, vous le saurez peut-être la veille, ou le jour même, après la visite du matin. Laissez à l'équipe soignante la possibilité de vous joindre pour que votre enfant n'ait pas l'impression d'être oublié.

Il fut une époque où la présence des familles à l'hôpital était tout juste tolérée et réglementée de façon autoritaire et rigide. Heureusement les temps ont changé : actuellement les pédiatres et le personnel des services hospitaliers souhaitent la présence des parents qu'ils encouragent à s'occuper eux-mêmes de leur enfant (repas, petits soins) ; et ceci est vrai aussi bien pour l'enfant déjà grand que pour le nourrisson pour lequel la séparation et l'isolement peuvent avoir des conséquences néfastes. On invite même les parents à s'occuper des petits prématurés, chose tout à fait impensable il y a encore quelques années. Cette collaboration entre l'équipe pédiatrique de l'hôpital et les parents est d'un très grand intérêt pour l'enfant, elle peut en plus changer complètement les rapports entre l'hôpital et les familles.

Mais, bien que d'importants progrès aient été faits dans le domaine de l'accueil des enfants et des parents dans les hôpitaux, les chambres parents-enfants restent encore en nombre insuffisant.

• Dans certains cas, plus rares, l'hospitalisation est **programmée à l'avance**. Elle doit permettre de faire plusieurs examens en un temps record, un ou deux jours, ou de surveiller, sans urgence, un comportement : troubles digestifs, troubles de l'attention, plaintes diverses mais répétées, etc. Essayez de vous libérer pour cette hospitalisation dont la date est fixée par les impératifs des examens spécialisés. Mais n'espérez pas avoir les résultats tout de suite. En principe, le pédiatre reverra l'enfant en consultation lorsqu'il aura le résultat de tous les examens, ce qui peut mettre parfois quelques semaines.

LA DOULEUR

Il y a un autre problème dont on se préoccupe enfin à l'hôpital, c'est celui de la douleur. Elle bouleverse les parents et les culpabilise lorsqu'ils sont impuissants à la soulager. Jusqu'à une période récente, l'hôpital ne répondait pas suffisamment à la souffrance physique de l'enfant et ne savait pas toujours la reconnaître chez les tout-petits - qui eux-mêmes ne savent pas l'exprimer, ou la situer, avec des mots précis. On se comportait avec les enfants comme s'ils ne sentaient rien : certains gestes étaient faits sans anesthésie, alors que celle-ci était utilisée chez les adultes pour les mêmes soins.

Aujourd'hui, sous l'impulsion de quelques équipes sensibilisées à cette question, la douleur est enfin reconnue et sa prise en charge a beaucoup progressé : on sait mieux l'évaluer, y compris chez le nouveau-né, on sait aussi mieux la traiter et la prévenir.

La douleur est codifiée à l'aide de différents systèmes : on demande par exemple à l'enfant de la situer sur une échelle de 1 à 10, ce qui permet d'adapter le traitement. On utilise de plus en plus un anesthésique administré à l'aide d'un masque : le protoxyde d'azote (l'anesthésie est immédiate). Celui-ci peut être employé pour les points de suture ou les ponctions lombaires lorsque la pommade Emla ne suffit pas. Enfin, dans les douleurs très intenses, la morphine est fréquemment donnée par voie intraveineuse : selon la douleur ressentie, l'enfant — ou le soignant — actionne « à la demande » une pompe.

Si votre enfant souffre, n'hésitez pas à en parler avec les infirmières ou le médecin, vous voyez que différents traitements appropriés peuvent lui être administrés. Aux médicaments, on peut associer des moyens non médicamenteux comme la relaxation, la distraction.

L'INTERVENTION CHIRURGICALE

La perspective d'une opération est une épreuve tant pour les parents que pour l'enfant. Les parents redoutent la séparation, la douleur que l'enfant pourra ressentir. L'enfant, quant à lui, éprouve parfois un sentiment confus de culpabilité : « Si on m'abandonne, c'est que je n'ai pas été gentil. »

Même si vous pensez beaucoup à l'opération, n'en parlez pas trop tôt à l'enfant. Essayez d'être égal à vous-même dans les semaines et les jours qui précèdent. Parlez, quelques jours avant, de l'obligation d'aller à l'hôpital « pour que tu n'aies plus mal au ventre », « pour enlever la petite boule », etc. Il faut dire en quoi consiste l'intervention, dans les termes les plus simples.

Plus l'enfant est jeune, plus tard vous lui parlerez du séjour à l'hôpital : un ou deux jours, si c'est un tout-petit. Si l'enfant est émotif, sujet aux cauchemars, faites-y seulement une allusion la veille et parlez-en dans la journée tout à loisir : il faut que son esprit ait le temps de se faire à cette idée ; et vous avez, pour l'y aider, beaucoup à dire.

Vous parlerez à l'enfant de la manière dont il va être couché : on lui apportera à manger dans son lit, il n'aura pas besoin de se lever pour aller aux toilettes. Répondez à toutes ses questions. Parlez de l'habillement des infirmières et du médecin. Expliquez les raisons du masque, des gants, du fauteuil ou du lit qui roule. Expliquez l'anesthésie, dites-lui qu'il se réveillera dans une salle spéciale, la « salle de réveil », où il sera surveillé par des infirmières ; il sera ensuite transporté dans sa chambre où vous l'attendrez. Dites-lui surtout qu'il y a d'autres enfants qui sont opérés, tous les jours, que le cousin Untel a été opéré lui aussi.

Donnez-lui, pour son séjour à l'hôpital, des jouets qui lui permettront d'extérioriser sa peur ou son hostilité : poupée, panoplie de médecin, crayons pour dessiner, pâte à modeler, jouets à personnages. Sans oublier son ours ou le doudou dont il ne se sépare pas.

• **Le départ pour la salle d'opération.** On vient chercher l'enfant pour l'emmener dans la salle d'opération. Si vous êtes présent, cela peut être un moment difficile pour lui comme pour vous. Ce qui le rassurera le plus sera que vous lui disiez au revoir calmement, sans prolonger les adieux. Laissez-le partir en lui offrant de vous une image apaisante, et essayez d'être là à l'heure où votre enfant sera ramené dans sa chambre.

> ### PRÉPARER LE SÉJOUR À L'HÔPITAL
> *De nombreux services hospitaliers proposent aux parents un livret d'accueil qui confirme et complète les conseils donnés ici. Vous pouvez également vous adresser à l'association SPARADRAP (48, rue de la Plaine, 75020 - Paris, Tél. : 01 43 48 11 80 - www.sparadrap.org et contact@ sparadrap.org) qui a publié plusieurs livrets : Je vais me faire opérer des amygdales ou des végétations, Je vais me faire opérer, et on va m'endormir, J'aime pas les piqûres, Aïe ! j'ai mal. Cette association aide à préparer les enfants à un soin, un examen de santé, une visite médicale, une hospitalisation. Les parents peuvent contacter SPARADRAP pour se procurer des livrets mais aussi pour des conseils et une orientation : adresses de lieux d'hébergement proches des hôpitaux, coordonnées d'associations de parents, etc. Enfin, sur le site de SPARADRAP, les enfants trouveront un espace qui leur est destiné pour se familiariser en douceur avec le milieu hospitalier : visite des différents lieux et présentation des personnes travaillant à l'hôpital, témoignages envoyés par des enfants, etc.*

Et si votre enfant a un handicap

D'emblée à la naissance, ou à la suite d'examens successifs, on a diagnostiqué que votre bébé avait un handicap. Ou encore, il se développe mal dans les premiers mois et, semaine après semaine, le diagnostic, révélé plus tardivement, devient évident. Le choc que vous subissez, les épreuves que vous traversez alors, qui pourrait les atténuer ou vous soulager ?

Pour commencer, le médecin va s'efforcer de préciser le diagnostic. Il va falloir d'abord rechercher la nature du handicap en évaluant la cause motrice, intellectuelle, sensorielle (vue, audition), psychologique ou relationnelle. Il faudra aussi estimer la sévérité du handicap par des examens médicaux précis. La recherche de la cause du handicap est importante, notamment pour savoir s'il s'agit d'un handicap accidentel, ou s'il existe un risque qu'il se renouvelle dans la famille. Cette recherche de l'origine du handicap va permettre d'identifier les maladies qui peuvent bénéficier d'un traitement spécifique.

Cette recherche d'un diagnostic, d'une cause responsable du handicap, ne doivent pas gêner les soins et l'aide dont a besoin l'enfant qui souffre d'un handicap même si cet enfant est tout petit. Il va en effet falloir procurer à l'enfant tout ce qui peut l'aider à se développer au mieux de ses possibilités, d'autant que celles-ci sont limitées dans certains domaines. Il faut aussi aider l'enfant à vivre avec ses difficultés et à les surmonter. Ceci ne peut se faire que lorsque le handicap est bien compris et que l'entourage de l'enfant a la volonté de se battre pour l'aider. En effet, un enfant handicapé demande beaucoup d'efforts, de courage aux parents qui ont besoin d'être aidés et conseillés. Pour eux, bien sûr, mais aussi pour leur enfant, pour ses frères et sœurs. Car, pour la plupart des handicaps, une prise en charge précoce est bénéfique : l'assistance éducative des tout-petits ayant un handicap sensoriel, moteur, psychique ou mental, a fait de grands progrès, et votre enfant doit en bénéficier.

Bien sûr, quand on découvre un handicap chez son enfant, la tendance est parfois de se replier sur soi-même, ou de se replier sur l'enfant pour le protéger, pour se protéger. Il y a une sorte de réaction qui refuse le contact avec l'extérieur car on sent plus ou moins consciemment que l'extérieur ne recherche pas le contact. De ce point de vue, il y a souvent un effort important à faire mais qui est nécessaire pour l'enfant et pour soi-même. D'ailleurs heureusement aujourd'hui, les mentalités ont changé : par exemple des haltes-garderies, des crèches, des écoles se sont ouvertes aux enfants handicapés, à leur famille. Toutefois, l'intégration de l'enfant doit prendre en compte ses difficultés particulières. Pour cela, la mise en place de moyens spécifiques en matériel et en personnel est indispensable, avec l'accompagnement d'équipes spécialisées. Voyez, à la fin de ce chapitre l'article *Handicap* pour d'autres informations et des adresses.

Les aides extérieures sont en effet nombreuses, les consultations hospitalières des services de pédiatrie spécialisée (par exemple en neuro-pédiatrie) donnent les conseils nécessaires, ainsi que les centres de protection maternelle et infantile et les centres d'action médico-sociale précoce.

La santé de A à Z

TOUT CE QUE VOUS SOUHAITEZ SAVOIR SUR LES MALADIES, LES SYMPTÔMES, LES TROUBLES DU COMPORTEMENT CHEZ L'ENFANT

Ce dictionnaire médical a été écrit pour vous donner les explications que vous cherchez sur tel symptôme, telle maladie, telle anomalie du comportement. Mais il n'a pas été écrit pour vous permettre de faire un diagnostic, ni de décider d'un traitement : c'est l'affaire du médecin.

Les informations données, que nous avons souhaitées aussi simples, complètes et précises que possible, sont là pour vous aider à réagir devant certains symptômes, à en mesurer la gravité et pour vous indiquer que faire en attendant de voir le médecin.

Ce dictionnaire vous permettra également de comprendre le diagnostic et le traitement proposés par le médecin ; cela vous rassurera et vous aidera à collaborer efficacement avec lui pour le bien-être de votre enfant.

Pour faciliter la lecture de ce dictionnaire médical, vous trouverez pages suivantes deux tableaux qui renvoient à certains articles.

Le premier tableau présente les principaux **cas d'urgence** chez l'enfant, ceux pour lesquels il faut réagir sans attendre.

Le second regroupe les **symptômes** les plus fréquents, ceux auxquels les parents sont souvent confrontés et qui sont en général un motif de consultation chez le médecin.

À noter près de votre téléphone ou sur la porte de l'armoire à pharmacie

- Numéro de téléphone de votre médecin (généraliste et/ou pédiatre)
- **15** : en cas d'urgence, ou si vous n'arrivez pas à joindre votre médecin ou celui de garde
- **18** (Sapeurs Pompiers) : accidents, incendie, explosion
- **17** (Police/Gendarmerie)
- **112** : en cas d'urgence depuis tous les pays européens

LES PRINCIPAUX CAS D'URGENCE CHEZ L'ENFANT	
Symptômes	Articles à consulter
L'enfant est victime d'un **accident**	Accident
L'enfant a une **éruption** soudaine et importante, type urticaire	Allergie, Allergie aux protéines du lait de vache
L'enfant a **avalé un objet**	Avalé un objet
L'enfant s'est **brûlé**	Brûlures
L'enfant a fait une **grosse chute**	Choc, Chute, Fractures
L'enfant pâlit brusquement et **perd connaissance**	Convulsions, Choc anaphylactique
L'enfant transpire beaucoup, est **très agité**, a une soif intense	Coup de chaleur, Déshydratation
L'enfant a une **diarrhée** importante et perd du poids	Diarrhée, Déshydratation, Gastro-entérite aiguë
L'enfant a mis les doigts dans une **prise de courant**	Électrocution
L'enfant a **avalé de travers**, il a de la peine à respirer	Étouffe, Réanimation
L'enfant a **du mal à respirer**	Asthme, Laryngite, Respiration bruyante, Stridor
L'enfant s'est blessé et **saigne beaucoup**	Coupure, Hémorragie
L'enfant a avalé un **médicament**, un **produit toxique**, un **produit caustique**	Intoxication, Avalé un liquide caustique
L'enfant, soudainement, a des **crises douloureuses**, **vomit**, pleure, devient pâle	Invagination intestinale aiguë
L'enfant a des **troubles de conscience**	Asphyxie, Convulsion, Intoxication, Méningite
L'enfant a été **mordu** par un chien, un chat, une vipère	Morsures
L'enfant est **tombé dans la piscine**	Noyade, Réanimation, Hydrocution
L'enfant a été **piqué** par une abeille, une guêpe, un frelon	Piqûres
Qui appeler en cas d'urgence ?	Urgence

LES SYMPTÔMES LES PLUS FRÉQUENTS CHEZ L'ENFANT

Symptômes	Articles à consulter

LA TÊTE
Mal à la tête	Migraine, Tête (Mal à la)
Mal a l'oreille	Otite
Oreille qui coule	Otite
Œil rouge	Conjonctivite, Yeux
Œil qui gratte	Conjonctivite
Œil qui coule	Conjonctivite
Œil collé	Conjonctivite
Mal a la bouche	Angine, Aphtes, Herpangine, Muguet, Pied-main-bouche, Stomatite
Mal à la gorge	Angine
Gorge rouge ou blanche	Angine, Mononucléose infectieuse
Aphtes	Aphtes
Boutons sur les lèvres	Herpès
Nez qui coule	Rhume
Nez qui saigne	Hémorragie

LA RESPIRATION
Toux	Toux
Toux brutale	Étouffe (Enfant qui), Laryngite, Toux
Toux rauque	Laryngite, Toux
Difficultés respiratoires	Asthme, Bronchiolite, Étouffe (enfant qui), Laryngite, Respiration bruyante
Plus de voix	Laryngite
Respiration qui siffle	Asthme, Bronchiolite
Étouffe	Étouffe (Enfant qui)

LA DIGESTION
Diarrhée	Diarrhée, Typhoïde
Vomissements	Sténose du pylore, Vomissements
Mal au ventre	Ventre (Mal au), Vers intestinaux
Constipation	Constipation, Encoprésie, Mégacôlon
Sang dans les selles	Selles
Selles décolorées	Selles

LA PEAU
Éruption	Éruption, Peau, Pemphigus, Roséole, Rubéole, Rougeole, Scarlatine, Varicelle
Boutons	Éruption, Furoncle, Impétigo, Mégalérythème, Peau, Prurigo, Purpura, Tiques, Zona
Urticaire	Allergie, Urticaire
Démangeaison	Allergie, Peau
Coupure	Coupure
Grosseur	Ganglion, Griffes du chat, Oreillons

L'APPAREIL GÉNITAL
Vulve rouge	Gynécologie de la petite fille
Écoulement de la vulve	Gynécologie de la petite fille
Gonflement au bord de la vulve	Hernie inguinale
Gonflement à côté du testicule	Hernie inguinale
Testicule rouge et gonflé	Testicule (torsion)
Pénis rouge et gonflé	Balanite
Boule blanche sous la peau du pénis	Décalottage, Smegma
Sein gonflé	Sein et p. 330
Écoulement au niveau du sein	Sein et p. 330

LES OS (jambes, bras, colonne vertébrale)
Mal aux jambes	Boiterie
Mal au genou	Douleurs de croissance, Genoux
Mal au bras	Fracture, Pronation douloureuse
Ne peut plus bouger un bras	Fracture, Pronation douloureuse
Boite	Boiterie, Rhume de Hanche
Ne veut plus marcher	Boiterie
Articulation gonflée	Arthrite aiguë, Rhumatisme

AUTRES SYMPTÔMES
Évanouissement	Convulsion, Malaise vagal
Fièvre	Fièvre
Fatigue	Fatigue
A du mal à s'endormir	Sommeil (Troubles du) et p. 119
Fait pipi au lit	Énurésie
Tache sa culotte	Encoprésie
Pleurs	Coliques, Cris du nourrisson et p. 121

Abcès

L'abcès est une cavité close, une poche contenant du pus. Le pus résulte de la destruction des tissus par les microbes ; il est formé par les débris de cellules et les globules blancs du sang qui ont lutté contre les microbes (le plus souvent un staphylocoque).

La peau du nourrisson et de l'enfant étant particulièrement fragile, toute blessure, toute piqûre, même minime, peut servir de porte d'entrée à l'infection et être à l'origine d'un abcès. Le traitement de l'abcès est donc d'abord préventif par une bonne hygiène de la peau et par la désinfection attentive de tous les petits « bobos ».

Le panaris

C'est un abcès localisé au doigt, succédant à une plaie souvent minime comme une piqûre ; les plus petites blessures ne doivent donc pas être négligées mais bien désinfectées.

Acariens

Les acariens (ou dermatophagoïdes) sont des insectes microscopiques qui pullulent dans les habitations, particulièrement dans les matelas et les moquettes. Ils sont fréquemment responsables d'allergies respiratoire et cutanée (asthme et ses équivalents, eczéma).

La lutte contre les acariens, pour supprimer « l'allergène », est un traitement préventif, amenant dans de nombreux cas une nette amélioration. On y parvient par différents moyens qui doivent être utilisés conjointement : insecticides spécifiques, lutte contre l'humidité, aération, utilisation de purificateurs d'air, de housses spéciales pour la literie.

Voir également l'article *Allergie*.

Accident sur la voie publique

Il peut arriver que vous soyez en cause, ou simplement témoin, dans un accident de la voie publique. Voici ce que vous devez savoir faire et ce qu'il ne faut pas faire.

Ce qu'il faut faire

Prévenir, Alerter, Secourir (PAS disent les secouristes)

• Prévenir

Prévenez le suraccident (c'est-à-dire un nouvel accident) en signalant l'accident aux autres automobilistes.

• Alerter

Faites le 18 (les Pompiers), en indiquant clairement les véhicules impliqués, le nombre de blessés et leur gravité (il est inconscient/il saigne/il est coincé dans le véhicule, etc.) et donnez l'adresse avec précision. Le temps gagné par une alerte précise est précieux.

• Secourir

Si le blessé ne respire pas, faites le bouche-à-bouche (voir *Respiration artificielle*). En cas d'hémorragie externe, voir *Hémorragie*. En cas de trouble de conscience, installez le blessé en **position latérale de sécurité** : allongez le blessé sur le côté - en laissant dans le même alignement la tête, le cou, le tronc - et orientez sa bouche vers le sol ; s'il venait à vomir, il ne risquerait pas de s'étouffer.

Déboutonnez les vêtements : col, ceinture, poignet.

Gardez le plus possible votre sang-froid : en montrant au blessé, surtout si c'est un enfant, un visage affolé, vous aggraveriez encore son état.

Ce qu'il ne faut pas faire

Ne déplacez pas l'enfant blessé, à moins de nécessité absolue. L'erreur, souvent fatale dans les accidents graves, est de se précipiter dans la première voiture dont le conducteur propose d'emmener les blessés à l'hôpital, en y installant ceux-ci tant bien que mal. Il est préférable que l'enfant gravement blessé reste étendu sur le bord de la route et attende l'ambulance.

Si le blessé est évanoui, n'essayez pas de lui faire boire quoi que ce soit.

• Sur les accidents pouvant survenir à la maison ou à l'extérieur, voyez p. 140 et suiv.

Acétone

L'odeur de pomme de reinette de l'haleine signale la présence d'acétone. Celle-ci peut aussi être facilement décelée dans les urines par des bandelettes réactives (Labstix, qui s'achète sans ordonnance).

L'acétone est une substance formée dans le foie à partir des graisses. Si elle passe dans les urines ou dans l'haleine, c'est qu'elle est produite en excès. Le simple fait de rester à jeun, en entraînant une utilisation plus grande des graisses de réserve, augmente la formation d'acétone. La présence d'acétone est fréquente chez l'enfant où le seul jeûne d'une nuit peut suffire à provoquer ce déséquilibre, à plus forte raison chez l'enfant malade, fiévreux, qui ne mange pas ou vomit.

D'autre part, en présence de vomissements répétés, avant de parler d'« acétone » il faut être sûr qu'aucune autre affection n'est à l'origine des vomissements : appendicite, méningite, etc. C'est souvent un problème difficile même pour le médecin. Il faut aussi penser au diabète qui sera mis en évidence par la présence de sucre dans les urines et par l'augmentation du sucre sanguin.

Albuminurie
(ou protéinurie)

La présence d'albumine dans les urines peut être le signe d'une maladie rénale. Cependant, il faut savoir que les bandelettes réactives sont très sensibles et donnent un résultat positif avec seulement des « traces d'albumine » qui ne sont pourtant pas anormales. La fièvre peut également donner des traces d'albumine sur la bandelette. Pour savoir s'il y a vraiment de l'albumine, le médecin demandera un dosage sur la totalité des urines de 24 heures : seule sera retenue une albuminurie supérieure à 0,10 g par 24 heures, constatée à plusieurs dosages. Cette albuminurie nécessitera un bilan approfondi (examen cytobactériologique des urines, radiographies de l'appareil urinaire, fonctionnement rénal...).

L'albuminurie peut révéler différents types d'atteintes rénales (néphrite aiguë ou chronique, infection, malformation).

Alcool

Si un enfant très jeune a absorbé une boisson alcoolisée, il faut le montrer d'urgence à un médecin (ou l'emmener à l'hôpital), car chez lui l'alcool peut entraîner un coma avec une chute du sucre sanguin. Ceci est valable même pour une petite quantité d'alcool (l'enfant qui finit un ou plusieurs verres laissés après l'apéritif), et ceci est d'autant plus grave que l'enfant est plus jeune. En cas de perte de conscience prolongée, appelez le 15.

Enfin, il faut éviter les **frictions alcoolisées,** l'alcool étant également absorbé par la peau. Et sachez que certains dentifrices ont une teneur en alcool non négligeable.

Allergie

L'allergie est une réaction de l'organisme en présence d'une protéine particulière d'origine extérieure (on parle d'*allergène*). La réaction allergique a pour particularité d'être déclenchée par des quantités minimes d'allergènes et surtout de s'aggraver au fur et à mesure des contacts avec celui-ci. Dans les cas extrêmes, mais heureusement très rares, cette réaction est violente et s'accompagne d'une baisse de la tension artérielle : c'est le choc anaphylactique. Dans les formes plus modérées, l'allergie provoque des réactions cutanées (urticaire) avec démangeaisons, des symptômes digestifs (diarrhée, vomissements) ou des atteintes des muqueuses nasale ou oculaire (rhinoconjonctivite). Dans certains cas, l'allergie est responsable de crises d'asthme.

Une maladie progressive

L'allergie s'exprime de façon progressive au fur et à mesure du contact avec l'allergène. Au début, il n'y a pas de symptômes, il existe seulement des signes indirects, qui peuvent être retrouvés soit en faisant des tests cutanés (prick tests), soit en dosant dans le sang certains anticorps spécifiques de l'allergie (IgE) : c'est le stade de la *sensibilisation allergénique.* Au bout d'un certain temps (jours, mois ou années selon les cas) avec la poursuite du contact avec l'allergène, les symptômes apparaissent de plus en plus importants et de plus en plus rapidement : c'est le stade de la *maladie allergique.*

L'allergie évolue beaucoup avec le temps et avec les allergènes rencontrés. Ainsi les allergies des premiers mois de vie sont essentiellement des allergies alimentaires : lait de vache tout d'abord puis œuf, poisson, ou arachide. L'allergie aux acariens intervient un peu plus tard et les allergies aux pollens ne se rencontrent qu'après plusieurs années. De même il existe des allergies au soja chez les asiatiques, des allergies à la crevette chez les antillais, l'allergie au bouleau est caractéristique des enfants d'île de France, et les grands enfants du sud de la France sont allergiques au cyprès.

Les tests cutanés

À partir de quel âge peut-on faire des tests cutanés ? On entend souvent dire qu'il faut avoir plus de 2 ans ou 4 ans pour faire des tests cutanés. Cela n'est pas tout à fait exact : il est possible de mettre en évidence des signes d'allergie au lait de vache dès les premiers mois chez le nourrisson. Ce qu'il faut, c'est adapter les allergènes recherchés à l'âge : allergènes plutôt alimentaires avant 3 ans, aliments, acariens et arachide avant 6 ans, pollens, bouleau, graminées, chat et acariens chez les plus grands. Et les tests doivent être refaits tous les trois ou quatre ans : l'allergie évolue beaucoup, les allergies alimentaires s'améliorent progressivement alors que l'on peut voir apparaître petit à petit les allergies aux pollens ou aux poils d'animaux.

Désensibiliser plutôt que supprimer

Le traitement des allergies agit d'abord sur les symptômes : on utilise notamment des médicaments antiallergiques antihistaminiques par voie générale (sirop) ou locale (spray nasal ou gouttes oculaires). Il est aussi possible de modifier l'évolution de la maladie allergique en modifiant l'environnement.

Pour améliorer l'allergie, on a essayé de supprimer totalement le contact avec l'allergène. On parlait d'*éviction* de l'allergène. En supprimant l'allergène, on pensait faire disparaître l'allergie. En fait l'allergie ne disparaît pas et si après plusieurs années d'éviction l'enfant allergique est brutalement mis au contact de l'allergène, la réaction allergique réapparait et de façon encore plus brutale.

Aujourd'hui, on essaie plutôt d'améliorer la tolérance à l'allergène en maintenant des contacts répétés avec des toutes petites quantités d'allergène : par exemple, sous surveillance médicale, on continue de faire manger des aliments contenant des doses minimes d'arachide (sous forme de « traces ») aux enfants souffrant d'allergie à l'arachide.

Ce même principe est utilisé lorsque des allergènes autres qu'alimentaires sont en cause (pollens, acariens, etc.); cette *désensibilisation* se fait maintenant essentiellement par voie orale (et non plus par des piqûres). On fait prendre chaque jour à l'enfant allergique (c'est possible dès l'âge de cinq ans environ) de toutes petites quantités de l'allergène qui sont contenues dans des gouttes. Petit à petit on augmente le nombre de gouttes quotidiennes puis, si tout va bien, on augmente la concentration en allergènes de chaque goutte. La technique est efficace mais un peu contraignante puisqu'il s'agit en général d'un traitement à poursuivre pendant cinq ans.

Voir *Asthme, Eczéma, Urticaire.*

Allergie à l'arachide

C'est en fait une allergie à la cacahuète et à ses dérivés (beurre de cacahuète et, dans certains cas, huile d'arachide). C'est une allergie de plus en plus fréquente et qui survient de plus en plus précocement. Contrairement à d'autres allergies alimentaires (lait ou œuf par exemple), l'allergie à l'arachide n'a pas tendance à s'améliorer avec le temps. C'est enfin une allergie potentiellement grave qui justifie donc un diagnostic initial précis et un suivi médical spécialisé.

Le diagnostic

La surveillance dépend d'abord des conditions de découverte de cette allergie : si l'enfant a fait une réaction d'allergie sévère (gonflement des lèvres ou de la langue, voire œdème du visage ou malaise) dès la première ingestion de cacahuète, l'allergie est certaine et la suppression de toute présence d'arachide dans l'alimentation obligatoire. Si l'allergie a été découverte dans des circonstances moins nettes ou, comme c'est souvent le cas, seulement suspectée devant un test cutané positif ou avec un résultat positif dans une prise de sang, il est nécessaire de faire pratiquer un test particulier en milieu hospitalier : ce qu'on appelle un *test de provocation par voie orale*. Voici comment on procède.

Test et surveillance

Le niveau d'allergie va être évalué sous surveillance médicale : on commence par faire absorber à l'enfant quelques gouttes d'huile d'arachide puis des volumes plus importants ; s'il n'y a pas de réaction, on teste quelques milligrammes de cacahuètes, puis si tout va bien, des quantités de plus en plus importantes d'arachide (jusqu'à 3-4 cacahuètes).

Ce test va orienter le niveau de surveillance nécessaire : s'il n'y a aucune réaction à la prise d'huile d'arachide mais seulement à plus d'une cacahuète, l'allergie est modérée et la surveillance peut être plus souple : l'enfant peut manger à la cantine par exemple. Si au contraire, les signes d'allergie apparaissent dès les premières gouttes d'huile d'arachide, l'allergie est importante et la surveillance doit être intensive (et l'enfant ne peut pas aller à la cantine).

Dans tous les cas d'allergie vraie à l'arachide, il est nécessaire que l'enfant soit suivi en milieu spécialisé pour que les parents puissent être informés des précautions à prendre selon la gravité de l'allergie et des conduites précises à tenir en cas d'ingestion accidentelle d'arachide.

Allergie aux protéines du lait de vache

L'allergie aux protéines du lait de vache est une des quatre allergies alimentaires les plus fréquentes chez l'enfant (avec l'œuf, l'arachide et le poisson) et l'allergie la plus fréquente avant l'âge de 6 mois.

Comment se manifeste cette allergie ?

Le plus souvent par une réaction sur la peau d'apparition brutale (urticaire aigu), survenant dès les premiers biberons, notamment lors du sevrage. L'allergie peut aussi se manifester par des signes digestifs aigus (diarrhée pouvant avoir des traces de sang, vomissements). Cela nécessite une consultation rapide. De façon tout à fait exceptionnelle, ces réactions peuvent s'accompagner d'un œdème du visage (œdème de Quincke), voire d'un choc allergique, dit anaphylactique (voir *Choc anaphylactique*).

L'allergie aux protéines du lait de vache peut parfois se révéler par des réactions moins aiguës : eczéma, reflux gastro-œsophagien sévère, coliques persistantes. L'origine allergique de ces symptômes est souvent difficile à prouver.

Le diagnostic

Dans les cas de réaction aiguë, le diagnostic est en général rapidement confirmé par la mise en évidence de signes d'allergie dans le sang (apparition d'IgE, c'est-à-dire d'anticorps, contre les protéines du lait de vache) et par des tests cutanés classiques à lecture immédiate (Prick test) qui se font soit dans le cabinet du pédiatre, soit chez le médecin allergologue.

En cas de symptômes plus chroniques, les tests sanguins sont le plus souvent négatifs ainsi que les tests cutanés classiques. Le diagnostic peut alors se faire grâce des tests cutanés prolongés sur 48 heures (Patch test). Dans les cas les plus complexes, il n'est possible de démontrer l'origine allergique des symptômes qu'en réalisant un test d'éviction /réintroduction : on supprime le lait de vache pendant quatre semaines afin de voir si les symptômes disparaissent, puis réapparaissent quand le lait est réintroduit.

Le traitement

Quand le diagnostic d'allergie aux protéines de lait de vache est confirmé, il faut exclure tout aliment lacté de l'alimentation (on parle d'*éviction*). Cette éviction concerne évidemment le lait mais aussi les laitages et tout produit pouvant contenir des protéines de lait (petits pots, biscuits, etc.).

Chez le nourrisson, le lait 1er âge est le plus souvent remplacé par des laits spéciaux où les protéines du lait de vache ont été modifiées pour perdre leur capacité allergique : on parle de lait à base de « protéines hydrolysées ». Il ne faut pas donner à un bébé allergique du lait d'autres mammifères (jument, ânesse) ou des boissons végétales (châtaigne, amande, etc..) : ils ne contiennent pas les nutriments nécessaires à sa croissance et conduisent à de graves carences (p. 87). Le lait 1er âge à base de protéines de soja n'est pas recommandé : beaucoup de nourrissons allergiques aux protéines de lait de vache sont aussi allergiques au soja. En revanche on dispose depuis peu d'un lait 1er âge fabriqué à partir de protéines issues du riz qui pourrait être une alternative intéressante aux laits à base de protéines de lait hydrolysées.

La diversification alimentaire est proposée, comme aux autres bébés, entre 4 et 6 mois. On recommande cependant une plus grande vigilance dans l'introduction de nouveaux aliments car les autres allergies alimentaires sont plus fréquentes chez ces nourrissons : les aliments seront introduits l'un après l'autre, sans les mélanger.

L'allergie aux protéines du lait de vache guérit lorsque l'enfant grandit et la plupart des enfants qui ont été allergiques tolèrent le lait de vache avant l'âge de 3 ans. On réintroduit le lait de vache en milieu hospitalier vers 1 an au cours d'une « journée d'épreuve de réintroduction » où du lait est donné petit à petit, sous surveillance (de quelques gouttes à plusieurs dizaines de millilitres à la fin de la journée). En cas d'apparition de signes évocateurs d'allergie, l'épreuve est arrêtée, l'éviction reconduite, et une nouvelle tentative de réintroduction est proposée six mois plus tard. Si aucune réaction n'est notée au cours de la journée, les produits lactés sont réintroduits dans l'alimentation.

Voir *Allergie, Diarrhée chronique*

Ambiguïtés sexuelles à la naissance - virilisation

Voir *Organes génitaux* (anomalies).

Amblyopie

C'est la perte partielle de l'acuité visuelle d'un ou des deux yeux. Des tests simples (réaction à l'éclairement, poursuite oculaire d'une source lumineuse, etc.) permettent d'apprécier globalement la vision de l'enfant dans les premiers mois ; au moindre doute, un examen ophtalmologique spécialisé sera pratiqué, particulièrement s'il existe des antécédents familiaux (myopie, hypermétropie, strabisme) et en cas de prématurité.

Voir également *Strabisme*.

Amygdales

Visibles au fond de la gorge, les amygdales sont placées à l'entrée de l'appareil respiratoire ; elles ont un rôle de défense de l'organisme contre les microbes et les virus. L'amygdalite et l'angine (voir ces mots) sont en effet bien souvent la porte d'entrée d'une infection microbienne ou virale.

Amygdalite - Angine

L'amygdalite désigne une infection localisée aux amygdales ; le terme d'angine est souvent employé de manière équivalente ou peut désigner une atteinte qui déborde les amygdales pour s'étendre à toute la gorge. L'amygdalite est rare chez le nourrisson chez lequel il s'agit plus souvent d'une rhinopharyngite diffuse ; par contre elle est fréquente chez l'enfant après l'âge de 2 ou 3 ans.

L'examen de la gorge montre des amygdales augmentées de volume, rouges (angine érythémateuse), ou recouvertes de points blancs (angine pultacée). L'enfant a une fièvre souvent élevée, une gêne à avaler, les ganglions du cou sont gonflés et sensibles.

L'angine est souvent d'origine **virale** : elle guérit spontanément sans complications. La mononucléose infectieuse (voir ce mot) est responsable d'une angine particulière.

Le risque infectieux est lié aux angines ou amygdalites qui sont d'origine **microbienne** et surtout à l'angine streptococcique, due au streptocoque du groupe A. Le traitement antibiotique est recommandé pour éviter des complications (rhumatisme articulaire aigu, atteinte rénale ou cardiaque). La scarlatine est due à une toxine, sécrétée par ce même streptocoque.

Le diagnostic de l'angine à streptocoque et de la scarlatine peut être confirmé par un test rapide effectué par le médecin lui-même (streptotest).

Amygdalectomie

L'ablation des amygdales (ou amygdalectomie) est une intervention simple comportant peu de risques si elle est bien surveillée dans ses suites immédiates ; elle n'est pratiquement jamais faite avant l'âge de 4 ou 5 ans.

L'ablation des amygdales est indiquée dans les cas suivants : les angines à répétition (plusieurs par an) ; les amygdales très volumineuses (hypertrophiques), obstructives, qui entraî-

nent une insuffisance respiratoire chronique, avec troubles du sommeil (apnées) et gêne à la déglutition.

À noter qu'entre 3 et 6 ans, les amygdales sont souvent grosses sans être forcément infectées.

L'amygdalectomie est aujourd'hui moins systématique, les amygdales jouant un rôle mal connu mais certain dans les défenses de l'organisme.

Voir également *Intervention chirurgicale* (p. 359).

Anémie

Votre enfant est pâle ; vous dites qu'il est anémique. Avez-vous raison ? Un enfant peut être pâle sans être anémique : c'est souvent affaire de teint et de constitution. Néanmoins, il est plus prudent de consulter le médecin si cette pâleur est inhabituelle.

Plus que la pâleur de la peau, c'est la pâleur des muqueuses qui renseigne sur l'anémie : les lèvres, les gencives, les paupières.

Un enfant anémique manque de globules rouges : soit après un saignement (un accident, une plaie, une intervention) ; soit parce qu'il ne fabrique pas assez de globules rouges ou que ses globules rouges ne contiennent pas assez d'hémoglobine. Cette substance, qui est le constituant essentiel du globule rouge, contient la quasi-totalité du fer de l'organisme. Elle a pour mission de fixer l'oxygène au niveau des poumons et de le transporter au niveau des tissus.

L'anémie commune du nourrisson est surtout fréquente dans le deuxième semestre de la vie. La responsable est une alimentation insuffisamment riche en fer.

Le fer est un constituant indispensable de l'hémoglobine. Or le lait de vache ne contient pas suffisamment de fer. Il faut donc apporter au régime du nourrisson une source de fer. La plupart des laits infantiles sont supplémentés en fer. (Voyez le chapitre 2, vous y trouverez le régime approprié à chaque âge.) En venant au monde, le nouveau-né apporte avec lui une réserve de fer transmise par sa mère. Et l'un des problèmes que posent les prématurés est précisément qu'ils n'ont pas eu le temps d'accumuler, avant leur naissance, cette réserve de fer. Autre cas particulier : celui des jumeaux qui sont anémiques parce qu'ils doivent partager la réserve de fer donnée par la maman.

L'anémie n'est pas toujours affaire d'alimentation : une maladie infectieuse, des diarrhées fréquentes peuvent être en cause, en empêchant l'organisme d'assimiler le fer apporté par les aliments.

Enfin il y a des maladies (héréditaires) qui résultent d'une fragilité particulière des globules rouges. Il en est ainsi de certaines anomalies des globules rouges (par exemple la *drépanocytose*, voir ce mot). Certaines de ces maladies sont dépistées à la maternité.

Le médecin demandera une prise de sang pour étudier la numération-formule sanguine et le taux d'hémoglobine, ainsi que la ferritine, qui mesure les réserves en fer. Cet examen permet de confirmer l'anémie, d'en connaître la profondeur et d'écarter certaines causes graves.

Pour traiter l'anémie simple du nourrisson, le médecin prescrira un sirop de fer pendant 2 à 3 mois. Et ne vous inquiétez pas dans ce cas si les selles du nourrisson sont noirâtres.

Angine

Voir *Amygdalite*.

Angiomes

Ces taches rouges violacées sont dues à des dilatations des petits vaisseaux sanguins de la peau, que l'on peut voir à la naissance. On distingue les angiomes plans, qui sont de simples taches (taches de vin, envies) plus ou moins étendues, et les angiomes en relief sur la peau (fraises...). De petites taches rouges sont très fréquentes chez le nourrisson, au front (aigrette), et à la nuque, à la racine des cheveux ;

elles disparaissent habituellement en quelques mois.

Les angiomes proprement dits nécessitent la surveillance d'un spécialiste (pédiatre, dermatologue). La plupart des angiomes régressent spontanément mais lentement, en quelques années. Le médecin conseillera souvent de s'abstenir de toute intervention. Cependant, chaque cas est particulier, et seul le spécialiste est en mesure de préciser la meilleure conduite à tenir, en fonction de la situation plus ou moins apparente, du caractère inesthétique et de la tendance de l'angiome à se développer en surface ou en relief, ou à donner lieu à des saignements répétés.

On observe parfois des angiomes s'étendant sur une grande partie du visage. Pour les diminuer, ou même les supprimer, un progrès récent a été apporté par les techniques de laser.

Anorexie d'opposition du nourrisson

Au sens étymologique, l'anorexie est la perte de l'appétit. Au sens plus large, on parle d'anorexie pour un trouble du comportement alimentaire qui se traduit par le refus de manger.

Lorsqu'un enfant refuse de manger de manière habituelle, toute maladie organique étant éliminée, la difficulté peut être abordée sur le plan psychologique ; on dit qu'il présente une anorexie d'opposition (ou psychogène), particulièrement liée à une perturbation relationnelle entre la mère, ou toute personne qui s'occupe fréquemment des repas, et l'enfant.

Avant de parler d'anorexie, il convient d'abord de savoir qu'il y a de très grandes variations dans l'appétit d'un enfant à l'autre (il y a de petits mangeurs habituels dont le développement ne pose aucun problème), et surtout chez un même enfant dont l'appétit est par nature irrégulier. De plus, il faut faire le décompte objectif de ce que prend l'enfant et l'on s'apercevra souvent que, compte tenu du grignotage, beaucoup d'enfants dits ano-

rexiques, même s'ils ne mangent pas aux heures de repas, s'alimentent de façon très suffisante.

Enfin, avant de parler d'anorexie d'origine psychologique, il faut s'être assuré de l'absence de toute maladie organique en évolution. Pour cela, l'examen médical est toujours nécessaire et doit être même répété et complété par quelques examens complémentaires « de routine », tels que numération-formule sanguine, recherche d'une infection urinaire, réactions tuberculiniques, etc.

Cependant, les caractères de l'anorexie du nourrisson sont déjà très évocateurs en eux-mêmes, car il s'agit d'un refus de la nourriture, sans aucun autre symptôme associé, en particulier fatigue, fièvre, autres troubles digestifs, etc. La croissance en taille est normale, la croissance en poids est plutôt ralentie, voire nulle ; mais il n'y a jamais d'amaigrissement. Toute cassure de la courbe de croissance en taille et en poids ramènerait au contraire à la recherche d'une cause organique.

Les **circonstances d'apparition** et de déclenchement sont diverses. Elles surviennent le plus souvent autour de la première année, entre 6 et 18 mois. Il peut s'agir d'une maladie infectieuse même banale du type rhinopharyngite, d'une vaccination, d'une simple poussée dentaire, d'un sevrage un peu brusqué ou d'une diversification trop rapide du régime alimentaire, de l'introduction d'un nouvel aliment mal accepté, de l'emploi imposé de la cuillère ou du verre, des exigences de propreté. L'enfant refuse alors de manger. Mais ce refus angoisse sa mère, comme toute autre personne directement concernée, qui alors force l'enfant à manger. Le conflit est là, et se constitue rapidement un cercle vicieux qui renforce par un jeu de miroir l'opposition de l'un et l'anxiété de l'autre.

L'anorexie peut s'installer plus précocement, dès les premières semaines de vie ; elle est souvent liée à une attitude trop rigide vis-à-vis de l'horaire et des quantités. L'anorexie peut aussi s'installer plus tard, elle est alors liée à des problèmes de séparation, de mode de garde, de naissance dans la famille, etc.

À côté de ces formes simples dont l'évolution habituelle sera favorable, il existe des cas rares, mais nettement plus graves, où l'anorexie entre dans le cadre d'un état dépressif ou psychotique. L'absence de stimulation, la privation affective, la maltraitance sont parfois aussi en cause.

Le **traitement** de l'anorexie du nourrisson est avant tout préventif ; il faut éviter absolument en matière d'alimentation de l'enfant, toute attitude rigide, catégorique, autoritaire ou contraignante. C'est une notion actuellement mieux connue et acceptée, et cela a certainement contribué à diminuer la fréquence de ce type d'anorexie :
• ne jamais forcer à manger, ou à finir
• ne pas être esclave des horaires, en particulier ne pas réveiller un nourrisson pour l'alimenter, ou au contraire lui refuser une tétée supplémentaire de nuit
• laisser, dès que possible, l'enfant manger seul sans se préoccuper à l'excès des problèmes de propreté.

En fait, l'essentiel est de s'adapter en matière d'alimentation aux particularités de chaque enfant.

Si l'anorexie est installée, le principe du traitement repose essentiellement sur le changement d'attitude de la mère et de l'entourage ; il est important de se convaincre de l'absence de gravité de ce trouble, de se libérer de son angoisse en renonçant à toute attitude rigide et contraignante et en évitant de faire du repas un moment de conflit. Pour cela, il est conseillé d'adopter une attitude d'indifférence, vraie ou en tout cas apparente ; le repas sera pris dans le calme, chaque plat sera présenté puis au bout de quelques minutes retiré sans autres commentaires si l'enfant le refuse.

Si la situation s'aggrave progressivement, il est important de rechercher ce qui dans l'environnement de cet enfant et des adultes qui s'en occupent continue de provoquer ce refus alimentaire. Les psychologues et les psychanalystes, qui travaillent en étroite collaboration avec les médecins, savent que les causes de l'anorexie sont parfois très profondes : par exemple, lorsque les difficultés alimentaires que l'on retrouve dans la petite enfance des parents, resurgissent chez leur enfant ; dans ce cas, une prise en charge psychothérapique courte, parents - enfant, peut être souvent bénéfique.

Apgar

Dans les minutes qui suivent la naissance, la vitalité du nouveau-né est appréciée par un examen que l'on appelle le score d'Apgar (p. 331)

Aphtes

Ce sont de petites ulcérations arrondies, blanc grisâtre, qui apparaissent dans la bouche, à la face interne des joues et des lèvres. Les aphtes ont tendance à se répéter et leur cause est mal définie : lorsque les aphtes sont nombreux, on dit qu'il y a stomatite aphteuse (du latin *stoma* = bouche). L'enfant refuse de manger et de boire, tout contact lui étant douloureux. Il faut donc préparer des aliments fluides et frais (des glaces, par exemple) ; et toucher les aphtes, sans les badigeonner, avec un porte-coton imbibé d'une solution antiseptique.

Si l'enfant a tendance à avoir des aphtes, il est conseillé d'éviter certains aliments tenus parfois pour responsables : noix, noisettes, gruyère.

Voir aussi *Stomatite, Herpès, Muguet.*

Apnée

C'est un arrêt momentané de la respiration. Chez le nouveau-né, le rythme respiratoire est souvent, dès les premiers jours, irrégulier avec même de brèves pauses de quelques secondes.

Des apnées durant 10 secondes et plus, sont fréquentes chez les préma-turés. Elles s'accompagnent d'un ralentissement du rythme cardiaque. C'est pour cette raison que ces enfants sont placés sous des appareils de surveillance cardiorespiratoire (monitoring) afin d'être stimulés pour reprendre leur respiration.

Appendicite

Le diagnostic d'appendicite est difficile à faire chez l'enfant car celui-ci localise mal la douleur. En outre le « mal de ventre » peut avoir des causes nombreuses et variées. Il ne faut donc pas hésiter à faire appel au médecin si l'enfant se plaint.

L'appendicite aiguë

Elle est surtout fréquente après 5 ans. Un enfant pâle, aux yeux cernés, qui se plaint soudainement d'avoir mal au ventre, qui vomit, qui n'a pas eu de selle depuis la veille, qui refuse de manger, qui a une fièvre légère (38°, 38°5) mais un pouls rapide, doit être vu aussitôt que possible par un médecin : c'est en effet la palpation du ventre qui permettra d'affirmer le diagnostic en trouvant une douleur vive et une réaction de « défense » bien localisées dans la partie inférieure droite de l'abdomen (point appendiculaire).

En attendant, abstenez-vous de donner à l'enfant quoi que ce soit à manger ou à boire et surtout aucun médicament. Évitez aussi la bouillotte et la vessie de glace sur le ventre. Elles risqueraient de masquer les symptômes.

Mais les symptômes ne sont pas toujours évidents et le médecin, dans l'incertitude, préfère souvent adresser l'enfant à un chirurgien, car retarder l'intervention peut exposer à des complications. L'appendicite est un cas d'urgence, il faut opérer vite sinon l'appendice (qui a la forme d'un petit sac plus ou moins long) peut s'ouvrir dans l'abdomen, causant ainsi une infection du péritoine (péritonite). C'est souvent le cas chez le jeune enfant qui présente des signes trompeurs (c'est ce que les médecins appellent la péritonite d'emblée).

Après l'intervention, l'enfant sort habituellement de l'hôpital au bout de 8 jours ; il reprend son activité normale après 2 à 3 semaines.

La notion d'**appendicite chronique** (l'enfant souffre périodiquement de douleurs abdominales moins intenses, sans fièvre ni vomissement) est aujourd'hui controversée. En effet, l'appendicite empêche rapidement toute alimentation. Les douleurs sans vomissement sont plutôt dues à un gonflement des ganglions au niveau de l'appendice ; il s'agit d'une **adénite mésentérique**, qui guérit spontanément.

Arthrite aiguë

C'est l'inflammation d'une articulation qui est d'origine infectieuse, microbienne, virale ou, plus rarement, rhumatismale (dans le cadre d'une maladie rhumatismale générale).

Des douleurs articulaires (**arthralgies**) sont fréquentes au cours de nombreuses maladies par ailleurs bénignes, le plus souvent virales, la grippe par exemple.

Bien plus grave est l'arthrite microbienne avec formation de liquide purulent dans l'articulation. Il s'agit le plus souvent d'une infection qui touche l'os (**ostéoarthrite**).

Quand l'articulation est superficielle (genou, poignet, etc.), les signes de l'inflammation sont visibles : l'articulation est rouge, chaude, gonflée ; elle est douloureuse quand on la touche ou que l'on essaye de la mobiliser. Ces signes sont plus difficiles à apprécier si l'articulation est profonde (hanche, par exemple) ; pour ne pas avoir mal, spontanément le nourrisson maintient le membre immobile, et cette fausse paralysie sera une indication.

Le traitement d'une arthrite septique (avec du pus) est urgent pour protéger le devenir de l'articulation. Il nécessite toujours une hospitalisation rapide avec : un bilan radiologique, une ponction, l'immobilisation, des antibiotiques en perfusion. Le traitement antibiotique dure 6 semaines en moyenne.

Le diagnostic d'arthrite rhumatismale se fait souvent tardivement, lorsqu'on constate l'absence de microbe et devant l'apparition de nouvelles crises douloureuses.

Asphyxie par corps étranger

Voir *Étouffe (L'enfant qui).*

Asphyxie par l'oxyde de carbone

Voir *Intoxication.*

Asthme

L'asthme est une maladie des bronches qui se caractérise par des épisodes de gênes respiratoires accompagnées de sifflements. La crise d'asthme est liée à un rétrécissement du calibre des bronches, associé à une inflammation de celles-ci, entraînant une gêne surtout à l'expiration de l'air. La façon d'aborder la maladie asthmatique a évolué ces dernières années ; aujourd'hui, on fait nettement la différence entre l'asthme des jeunes enfants et celui des plus grands qui ressemble plus à celui des adultes.

L'asthme du nourrisson et du jeune enfant (avant 6 ans)

Il se manifeste par des épisodes répétés de bronchites avec sifflements, causées le plus souvent par une infection virale. Les enfants sont de ce fait plus fréquemment malades pendant l'hiver et d'autant plus souvent qu'ils sont gardés dans une collectivité. Le nourrisson peut aussi à cette période de l'année souffrir d'une autre affection respiratoire, en tout point identique : la *bronchiolite* qui est également une infection virale. Il n'existe pas de signe ou d'examen particuliers pour différencier une bronchiolite d'une crise d'asthme du nourrisson. Mais si les épisodes de bronchites se répètent plus de trois fois, il est peu probable qu'il s'agisse de trois bronchiolites virales consécutives et on parle d'asthme.

Dans les asthmes difficiles à soigner, le médecin recherchera si l'enfant ne souffre pas d'un reflux gastro-oeso-phagien, qui est un facteur aggravant. Le tabagisme des parents peut aussi aggraver l'asthme. En revanche, on ne retrouve en général pas de terrain allergique particulier.

Le traitement

Les épisodes de sifflements respiratoires sont améliorés par un bronchodilatateur en spray (Ventoline®), administré par l'intermédiaire d'une chambre d'inhalation (Babyhaler®), voir p. 354 ; dans les crises plus sévères, des médicaments corticoïdes seront donnés pendant quelques jours, par voie orale, en même temps que le traitement bronchodilatateur.

Pendant l'hiver, si les épisodes de sifflements se répètent, le médecin prescrira probablement un traitement préventif ; ce traitement de fond est constitué le plus souvent d'un corticoïde inhalé en spray, administré tous les jours, matin et soir, par l'intermédiaire d'une chambre d'inhalation.

Dans la grande majorité des cas, l'asthme du nourrisson disparaît entre trois et six ans.

L'asthme du grand enfant

Dans un petit nombre de cas, l'asthme va persister après 6 ans, ou bien il va réapparaitre alors qu'il avait complètement disparu. Le plus souvent, il s'agit d'enfants ayant des facteurs de risques particuliers : soit ils ont des parents qui sont eux-mêmes asthmatiques et allergiques, soit ils souffrent personnellement de différentes allergies : c'est la raison pour laquelle un bilan allergique est nécessaire dans tous les asthmes du grand enfant.

Le traitement est assez proche de celui du nourrisson. Seule la durée d'évolution de la maladie est plus variable : si beaucoup d'enfants vont guérir au moment de l'adolescence, certains auront de l'asthme jusqu'à l'âge adulte.

Autisme et psychose

L'autisme est la plus sévère des psychoses infantiles, au point que les deux mots sont souvent employés l'un pour l'autre. L'autisme est défini par une anomalie du comportement dont la principale caractéristique est la coupure avec la réalité, l'absence de communication avec le monde environnant. Bien que rétrospectivement des signes puissent être retrouvés dès le début de la vie, ils n'ont pas toujours été décelés à ce moment-là, et ce n'est souvent qu'après 18 mois que le diagnostic est fait.

Le nourrisson est excessivement calme, indifférent, passif, mou, il ne communique ni par le sourire ni par le regard. Plus tard, l'enfant vit replié, solitaire, inexpressif, sans contact avec le réel ; son activité spontanée est pauvre, répétitive (en particulier dans le jeu), on dit même stéréotypée, c'est-à-dire envahie de petits mouvements rythmés avec les mains (marionnettes, griffures) ou avec le corps (balancement). Le comportement est étrange et bizarre, avec des accès d'agitation et d'agressivité ; l'enfant est facilement apeuré par ce qui est nouveau, inhabituel pour lui : les changements les plus anodins dans son entourage, dans son mode de vie, provoquent une augmentation de ses symptômes (activité stéréotypée, agressivité, isolement) ; l'enfant peut être pris pour un malentendant ou un malvoyant ; l'éveil psychomoteur et le développement intellectuel prennent un retard croissant, le langage n'apparaît pas ou est gravement perturbé ; l'absence de socialisation rend la scolarité difficile.

Les **causes** de l'autisme ne sont pas encore toutes connues. Des origines organiques ont été trouvées depuis une vingtaine d'années : troubles biochimiques, anomalies chromosomiques, syndromes divers dont on commence à mieux comprendre les mécanismes qui les sous-tendent.

Les progrès du diagnostic différentiel conduisent à parler non plus de l'autisme mais des TED (troubles envahissants du développement), en raison de leurs caractéristiques particulières, des variétés de traitement auxquelles ils font appel selon leurs causes.

Il existe des services de dépistage et de diagnostic dans de nombreux hôpitaux, l'important étant un diagnostic le plus précoce possible.

Avalé un liquide caustique (l'enfant qui a)

Un liquide caustique (eau de Javel par exemple) peut entraîner des brûlures graves de l'œsophage et de l'estomac. L'enfant doit être vu d'urgence en milieu hospitalier. Il ne faut surtout pas essayer de le faire vomir, ni lui donner quoi que ce soit à boire.

Avalé un objet (l'enfant qui a)

L'enfant a avalé un objet, une pièce de monnaie par exemple. Celle-ci peut se diriger dans les voies respiratoires avec un risque d'asphyxie, voir *Étouffe (L'enfant qui)*.

L'objet peut aussi se diriger vers le tube digestif, et ceci est en général sans conséquence. L'objet avalé va cheminer peu à peu tout au long du tube digestif et sera finalement évacué dans les selles. Il n'y a pas d'intervention chirurgicale à prévoir. Le médecin se contente, si l'objet est métallique, de suivre sa progression par des radiographies, et on vérifie l'évacuation dans les selles au bout d'un ou deux jours.

Deux cas peuvent poser problème :
• celui d'un objet piquant, type épingle, qui peut rester fixé dans la paroi du tube digestif. Une intervention peut être nécessaire
• celui d'un liquide caustique (eau de Javel par exemple), voir ci-dessus.

Balanite

C'est l'inflammation du prépuce (le repli de peau recouvrant le gland) : gonflement, rougeur, brûlures à la miction, émission de pus ; elle guérit en général rapidement par un traitement antiseptique local.

BCG

Voir *Tuberculose*.

Bec-de-lièvre

Le terme médical est « fente labionarinaire et palatine ». Tous les degrés sont possibles entre la simple encoche de la lèvre supérieure et la fente concernant lèvre-nez-palais, réalisant ainsi une large communication entre la bouche et le nez. Il existe des formes familiales de fentes.

La réparation chirurgicale se fait souvent en deux temps dans le courant de la première année.

Les fentes sont souvent dépistées avant la naissance, à l'échographie. Cela permet aux parents de se préparer à cette anomalie de l'enfant, et d'être encadrés par l'équipe médicale.

Plus tard, une surveillance et des traitements éventuels seront nécessaires au plan dentaire, ORL et orthophonique. De toute façon, le pédiatre oriente les parents vers une équipe médicale spécialisée.

Bégaiement

On parle déjà du bégaiement dans l'Antiquité : on rappelle souvent l'histoire de Démosthène qui avait des difficultés d'élocution et s'exerçait à bien parler en marchant de long en large sur la plage. Mais aujourd'hui encore, l'origine du bégaiement est mal connue. On pense maintenant que ce trouble est dû à la coexistence de facteurs d'origine génétique et de facteurs liés à l'environnement.

Le bégaiement, qui atteint surtout les garçons, concerne 4 % des enfants ; sur quatre enfants touchés, trois vont guérir spontanément, mais si rien n'est fait, le quatrième continuera à bégayer à l'âge adulte.

Le bégaiement est caractérisé par des répétitions (de sons, de syllabes, de mots), des allongements du temps pour émettre un son, des pauses à l'intérieur des mots ou entre les mots.

Entre 2 et 3 ans, beaucoup d'enfants montrent des petites perturbations dans leur expression verbale, des hésitations à exprimer les mots : c'est normal, l'enfant apprend à construire des phrases, il enrichit son vocabulaire, sa pensée va plus vite que sa parole, et il n'a pas encore à sa disposition l'assurance verbale correspondant à ce qu'il veut exprimer et à tout ce qu'il comprend. C'est en général entre 3 et 5 ans qu'on peut faire le diagnostic du bégaiement.

Il est important de ne pas dire à l'enfant : « Fais un effort pour parler comme il faut », ou « Respire bien, tu vas y arriver ». Il est déconseillé également de faire comme si on ne s'apercevait de rien ou de penser que le trouble va passer tout seul. Ce qu'il faut, c'est en parler au pédiatre qui évaluera le trouble à sa juste mesure ; il conseillera peut-être de consulter un orthophoniste ; ce spécialiste est bien préparé pour accueillir ces enfants et conseiller leurs parents.

Si un traitement s'avère nécessaire, celui-ci comportera une rééducation orthophonique, associée à de la relaxation en psychomotricité, et parfois un soutien psychologique. L'orthophoniste pourra commencer à aider l'enfant, non pas seulement au niveau du langage, mais aussi sur le souffle, la respiration, la musculature des joues.

Boiterie

Un enfant peut se mettre soudainement à boiter simplement parce qu'il est tombé ou a reçu un coup sans qu'on

le sache. Cependant, si la boiterie persiste ou réapparaît, il faut montrer l'enfant au médecin, car nombre de maladies sérieuses peuvent être en cause, osseuses et articulaires, localisées à la hanche, au genou, au pied.

Le **rhume de hanche** (voir ce mot) est une maladie bénigne qui entraîne une boiterie disparaissant en quelques jours. Mais cette possibilité ne sera retenue que lorsque toutes les autres auront été éliminées. Il en est de même de la douleur dite « de croissance ».

De toute façon, en cas de boiterie de l'enfant, le médecin fera faire une radiographie des membres inférieurs et du bassin.

Boutons

Voir *Fièvre éruptive, Impétigo, Peau, Rougeole, Rubéole, Varicelle.*

Bourses

Voir *Testicules.*

Bronchiolite

La bronchiolite est une maladie des voies respiratoires, particulière au jeune enfant de moins de 2 ans. Elle est d'origine virale, très contagieuse, survenant l'hiver, par épidémies. Certains facteurs, tenant surtout à l'environnement, peuvent favoriser la bronchiolite : collectivité d'enfants (crèche et hôpital), milieu urbain, tabagisme passif, pollution atmosphérique.

Une gêne respiratoire avec sifflements, semblable à celle d'une crise d'asthme (d'où la dénomination de bronchite asthmatiforme) est le principal symptôme ; s'y associent la toux, une fièvre modérée, une difficulté d'alimentation. La maladie se termine généralement en quelques jours, mais des récidives sont possibles au cours d'un même hiver.

Au-dessous de 6 mois, l'enfant sera très surveillé par le médecin traitant qui pourra décider d'une hospitalisation devant l'apparition de signes de gravité tels que : gêne respiratoire intense, difficulté d'alimentation et troubles digestifs, extrémités bleues et froides,

sueurs, pouls très rapide, altération de l'état général, inertie ou agitation, fièvre élevée. Si l'enfant a moins de 3 mois, ou est un ancien prématuré, il faut voir rapidement le médecin ou aller aux urgences.

Le **traitement** comporte d'abord un certain nombre de mesures utiles pour le confort de l'enfant :
• fractionner les repas
• bien l'hydrater en lui proposant souvent à boire
• humidifier l'air ambiant
• le coucher en position demi-assise, par exemple dans son transat.

Si les sécrétions bronchiques sont importantes, et l'enfant très encombré, la **kinésithérapie respiratoire** (voir ce mot) pourra être prescrite. Elle sera pratiquée par un spécialiste connaissant les techniques de dégagement des voies respiratoires adaptées au jeune enfant. Il vaut mieux faire les séances à distance d'un repas, et si possible le soir, pour que l'enfant soit bien dégagé avant de s'endormir.

La transmission virale se faisant par les sécrétions nasales et la salive, mais aussi par les mains, le port d'un masque et les lavages répétés des mains sont recommandés à l'entourage.

Bronchite

La bronchite est une atteinte virale des bronches qui peut survenir par exemple au cours d'un rhume. Il n'y a aucun traitement, elle guérit rapidement, sans antibiotiques. Certaines bronchites sont accompagnées de sifflements qu'on peut entendre directement ; ou bien le médecin les entendra en auscultant votre enfant. On parle alors de bronchite asthmatiforme. Si des épisodes de **bronchites asthmatiformes** se répètent, celles-ci peuvent être des manifestations d'un asthme du nourrisson (voir *Asthme*).

Broncho-pneumonie

Voir *Pneumopathie.*

Brûlures

Deux éléments entrent en ligne de compte pour évaluer la gravité d'une brûlure : son étendue et sa profondeur.

La gravité immédiate dépend de l'**étendue** de la brûlure à cause du choc qu'elle peut provoquer et de la déshydratation qu'elle entraîne. Il convient donc d'évaluer approximativement cette étendue. Le schéma ci-dessous a été fait pour que vous vous rendiez compte des différentes parties du corps chez l'enfant (chez l'adulte ces proportions changent) ; au-delà de 5 % de la surface totale du corps, il faut conduire l'enfant à l'hôpital.

La **profondeur** va, quant à elle, conditionner la cicatrisation.

Les brûlures superficielles (1er degré) ne concernent que l'épiderme, c'est-à-dire la couche superficielle de la peau, entraînant une simple rougeur ; elles sont douloureuses mais cicatrisent en une dizaine de jours.

Les brûlures du 2e degré se caractérisent par la présence de bulles ; leur cicatrisation est plus lente, quinze à vingt jours.

La brûlure profonde intéresse la peau, mais aussi les tissus sous-jacents, muscles et os ; la guérison ne sera obtenue que par des greffes.

À surface égale, la profondeur est un élément aggravant. Par ailleurs, certaines localisations font craindre que les cicatrices ne fassent se rétracter la peau : face et cou, plis de flexion (aisselles, coudes...), mains et doigts, poitrine.

Les **causes habituelles** de brûlures chez le jeune enfant sont avant tout les **liquides bouillants** : l'enfant renverse son bol de chocolat, ou le contenu d'une casserole ou de la bouilloire (c'est pour éviter cela que le manche de la casserole doit toujours être tourné vers le centre des plaques de cuisson et la bouilloire jamais posée près du bord d'une table) ; son biberon de lait, réchauffé au micro-ondes, est brûlant ; l'enfant a ouvert le robinet d'eau chaude, etc.

Les **objets chauds** que l'enfant peut toucher sont également souvent en cause : la porte du four, la plaque électrique, l'appareil à raclette, le radiateur non protégé, etc.

Cas particuliers

Les brûlures par produits ménagers caustiques (eau de Javel, acides...) et les brûlures par l'électricité (prises non protégées...) sont localisées aux doigts et à la bouche ; ces brûlures sont peu étendues mais entraînent des lésions en profondeur.

Que faire devant une brûlure ?

« Brûlure : vite sous l'eau » est un slogan de la Société Française d'Étude et de Traitement des Brûlures (SFETB). En effet, le premier geste, quelles que soient la cause et l'étendue de la brûlure, doit être le refroidissement avec de l'eau froide du robinet pendant 5 minutes (eau froide aux alentours de 10 à 15°, mais en aucun cas de l'eau glacée). Ce refroidissement peut être continué plus longtemps, jusqu'à 15 minutes, si la brûlure est peu étendue (moins de 5 % de la surface corporelle). Dans les brûlures étendues, il faut être plus restrictif, car il peut y avoir des risques d'abaissement de la température (hypothermie).

Cette recommandation d'eau froide vous étonnera peut-être, des générations entières ont vécu dans l'idée que

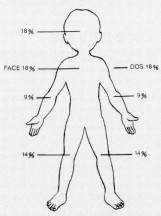

La surface de la peau chez l'enfant

18 %

FACE 18 %   DOS 18 %

9 %   9 %

14 %   14 %

Exemple : la tête (au total) occupe 18 % de la surface

le premier geste à faire en cas de brûlure était de mettre un corps gras. Or, dans un premier temps, l'urgence c'est l'eau froide qui va diminuer la profondeur de la brûlure et calmer la douleur. (Vous verrez plus bas que le tulle gras peut être utile dans un second temps.)

Maintenant, voyons plus en détail ce qu'il faut faire selon les cas.

Brûlure étendue

Appelez rapidement les secours pendant que quelqu'un, si vous n'êtes pas seul, fera le traitement à l'eau froide indiqué plus haut. Si vous êtes seul, refroidissez d'abord la brûlure, puis téléphonez au service d'urgence (15) ou aux pompiers (18).

N'essayez pas d'ôter ses vêtements à l'enfant, plongez la partie brûlée dans l'eau froide telle quelle.

Et pour la suite on vous dira au téléphone les indications sur ce qui est à faire en attendant les secours. Si cela est nécessaire, l'enfant sera transféré dans un centre spécialisé où les meilleures conditions de traitement seront réunies.

Brûlure limitée

Si elle est peu profonde, de localisation non particulière : d'abord refroidissement à l'eau froide (voir ci-dessus), puis lavage avec une solution antiseptique non alcoolisée (type chlorexidine aqueuse), puis pansement stérile (avec compresse de type « tulle gras » et/ou Biafine) à renouveler tous les jours (après un nouveau lavage antiseptique) ; ne pas mettre d'antiseptique coloré, type éosine, qui risque de troubler – même des spécialistes – dans l'appréciation d'une profondeur de brûlure. Si l'on a un doute, il est prudent de montrer la brûlure au médecin. Une brûlure non guérie en 10-15 jours doit être montrée à un spécialiste, car il s'agit sûrement d'une brûlure plus profonde que prévue.

Contre la douleur

On peut donner à l'enfant les antalgiques habituels (paracétamol). Le médecin prescrira peut-être de la codéine, car les brûlures, même petites, sont très douloureuses. Dans le cas de brûlures étendues, et en milieu hospitalier, des antalgiques plus puissants sont utilisés.

C

Calmants

L'usage des calmants, somnifères, tranquillisants est en règle générale déconseillé : les troubles du sommeil du petit enfant résultent habituellement de perturbations dans l'environnement ou de causes psychologiques. C'est donc d'abord la cause profonde qu'il faut essayer de déceler afin de la supprimer ; voir aussi *Sommeil (Troubles du)*.

Un traitement sédatif ne sera donné que sur avis médical ; il sera prescrit de manière ponctuelle, pendant un temps très limité, pour passer un cap difficile, sortir d'une situation critique. Il faut se méfier de l'habitude qui conduit rapidement à l'abus.

Candidose

Voir *Muguet*.

Cardiopathies congénitales

Ce sont des anomalies du développement du cœur qui se sont constituées durant la vie intra-utérine. Les causes de ces malformations sont le plus souvent inconnues (sauf quelques cas particuliers, par exemple la rubéole et certaines anomalies chromosomiques, comme la trisomie 21).

Il y a différentes sortes de cardiopathies congénitales : parfois l'anomalie concerne les cloisons ou les valves intracardiaques (par exemple les communications interventriculaires), d'autres fois l'anomalie concerne les gros vaisseaux

qui partent du cœur (transposition – c'est-à-dire mauvaise position de départ –, communications, rétrécissements plus ou moins étendus).

Certaines cardiopathies se révèlent dès la naissance, ou après quelques jours, par une cyanose ou une défaillance cardiaque, et représentent une menace vitale. D'autres sont silencieuses et bien supportées, et ne sont découvertes que lors d'une auscultation. La coarctation de l'aorte (sténose) est une anomalie qui n'est pas exceptionnelle. Elle se dépiste par la diminution des pouls fémoraux (aine). C'est pourquoi le médecin palpe systématiquement ces pouls. Le traitement chirurgical de cette malformation permet une guérison définitive. Bien qu'il existe encore des malformations non visibles à l'échographie, la plupart sont diagnostiquées avant la naissance. Cela permet une prise en charge précoce : l'accouchement se passe souvent dans un centre spécialisé et l'intervention chirurgicale est faite très rapidement après la naissance.

De grands progrès ont été faits depuis vingt ans tant dans le diagnostic que dans le traitement chirurgical des cardiopathies congénitales.

Dans les malformations très complexes, plusieurs interventions seront parfois nécessaires pour donner à l'enfant une autonomie cardiaque satisfaisante, avec parfois la pose d'un pacemaker.

Carie dentaire

Jusqu'à 6 ans, l'enfant a une première dentition : les dents de lait ; mais ne croyez pas que la carie des dents de lait soit sans importance, « puisqu'elles tomberont de toute façon... ». C'est faux : une carie oblige à soigner la dent ou à l'extraire ; or une extraction de dent de lait peut avoir des suites fâcheuses pour la bonne évolution des dents définitives voisines. Sans parler des pénibles séances chez le dentiste que la carie vous réserve...

Un autre inconvénient de la carie :

l'enfant mastique moins bien, donc digère mal. Une dent qui ne fait pas son travail fait perdre à la mâchoire une partie de sa capacité de mastication.

Enfin la carie est un foyer microbien qui peut être à l'origine de complications infectieuses générales (fièvre inexpliquée, mauvais état général...). Un soin tout particulier est recommandé chez les enfants qui ont une cardiopathie.

Le meilleur traitement des caries est préventif : apprendre tôt à l'enfant à se brosser les dents, visite systématique chez le dentiste une fois par an, suppression des sucreries, apport de fluor. Le moindre petit point noir sur une dent doit être montré au dentiste. Plus la carie sera soignée tôt, moins le traitement sera long, pénible et coûteux.

Supprimez les sucreries – bonbons, gâteaux qui collent aux dents – entre les repas, particulièrement au coucher. Les mets sucrés pris aux repas sont moins nocifs parce que la salive – abondante lorsqu'on mange – neutralise l'acidité du sucre. Mais les sucreries sont désastreuses avant le sommeil, parce qu'un résidu sucré va séjourner entre les dents pendant toute la nuit.

Le fluor
L'action anticarie du fluor semble démontrée et dans certains pays l'eau est fluorée, de même que le lait ou le sel ; l'apport alimentaire de fluor est assuré par le poisson et certaines eaux de boissons. De plus, on recommande l'usage des dentifrices fluorés, et une dose minime de fluor (sous forme de comprimés ou de gouttes) chaque jour dès les premiers mois et pendant les premières années.

Cauchemars et terreurs nocturnes

Il arrive qu'en pleine nuit, un enfant s'éveille en sursaut, l'air terrorisé. Il est assis dans son lit, dérouté, comprenant peu à peu que ce qui lui faisait peur n'existe pas, mais encore très troublé : toutes les émotions vécues en rêve sont en effet profondément ressenties par l'enfant. Une fois qu'il se sera rendormi, le reste de la nuit sera sans doute tranquille.

D'autres fois, l'enfant pousse des cris et semble complètement affolé. Parfois même, il sort de son lit, va se réfugier dans un coin de la chambre. Vous lui parlez : il se cramponne à vous. Et pourtant, il n'est pas réveillé et ne vous reconnaît pas. Il répète un mot, ou bien montre du doigt une chose imaginaire. Surtout, ne le réveillez pas, il se calmera sans s'être réveillé ; et, le matin, il ne gardera aucun souvenir de sa nuit.

Que faire s'il est réveillé ?

Sur le moment, aller voir l'enfant, lui parler doucement, lui prendre la main, le rassurer d'une voix calme. S'il semble vouloir raconter son rêve, laissez-le l'exprimer pour qu'il s'en délivre, cela le rassurera. Il réclame de la lumière ? Laissez une lumière dans la pièce voisine, dont la porte restera entrouverte, ou mettez une lumière en veilleuse.

À ne pas faire

La pire des maladresses serait évidemment de gronder votre enfant ou de lui faire honte de sa peur. Cela ne servirait qu'à ancrer cette peur en lui-même.

Ne le prenez pas dans votre chambre : inconsciemment, l'enfant aurait dès lors tendance à user de ce moyen pour pouvoir y revenir.

Découvrir la cause

Entre 2 et 5 ans, les petits cauchemars sont fréquents et ne doivent pas inquiéter : ils permettent aux enfants de se libérer des tensions et des conflits de leur journée bien remplie. Mais si les cauchemars se reproduisent trop souvent et envahissent la nuit de votre enfant, il faut en découvrir la cause. Cette cause peut être banale, occasionnelle : le lit de l'enfant est-il assez large pour qu'il y soit à l'aise ? L'enfant n'est-il pas trop serré par ses vêtements, n'est-il pas trop couvert ? N'a-t-il pas fait un dîner trop copieux ? Ne lui a-t-on pas raconté une histoire effrayante ? La journée a-t-elle été difficile à la crèche ou chez l'assistante

maternelle ? N'a-t-il pas vu à la télévision des images qui l'ont troublé ? Votre enfant peut être impressionnable, et ce qui laisse d'autres enfants indifférents peut le troubler, lui.

La cause de ces cauchemars peut aussi être plus subtile et demander un effort de réflexion. Par exemple, il est possible qu'on exige de l'enfant une discipline trop grande ou prématurée : pour ne plus mouiller son lit, pour être sage, etc. Ou bien, l'enfant souffre peut-être à cause d'un frère ou d'une sœur qui se moque de lui. Ou encore, l'ambiance autour de lui, l'activité de ses journées sont trop excitantes : il manque de calme, de silence.

Si rien de cela ne vous paraît à retenir et que les cauchemars persistent, n'attendez pas que l'enfant finisse par prendre en horreur la nuit, le sommeil et son lit : parlez-en au médecin, qui peut-être dirigera l'enfant vers un psychologue.

Pour tâcher de comprendre ce qui se passe dans la tête d'un enfant qui a peur la nuit, qui refuse de dormir ou qui se réveille en sursaut, il faut savoir ce que représente la nuit pour le jeune enfant : la nuit est séparation, parce qu'on est seul dans son lit, loin de ceux qu'on aime ; elle est source d'anxiété, parce qu'on ne voit plus les objets familiers, ni les visages, et qu'on n'est pas très sûr qu'ils existent encore.

Ce n'est pas un médicament qui réglera le problème, mais une grande vigilance de votre part et les conseils d'un spécialiste si nécessaire. Voir aussi *Sommeil* (*Troubles du*).

Cheveux absents
ou qui tombent chez le nourrisson

Bien des mères s'inquiètent parce que leur bébé est chauve, du moins sur une certaine partie du crâne, celle qui repose directement sur l'oreiller. Cette absence de cheveux, due simplement au frottement, est normale. Bien sûr, d'autres enfants conservent leurs cheveux ; celui qui les perd les a probablement plus fra-

giles, pour l'instant, et peut-être garde-t-il plus souvent que d'autres la même position, en particulier sur le dos.

Lorsqu'il ne s'agit plus d'un bébé, devant un enfant qui perd ses cheveux, on pense d'abord à un tic d'arrachage, ou torsion du cheveu (trichotillomanie).

Très différentes (et bien plus rares) sont les plaques de peau nue qui apparaissent en n'importe quel point du cuir chevelu, et qui sont dues à un champignon microscopique (teigne). Il faut reconnaître et stopper cette infection le plus tôt possible, d'autant plus qu'elle est contagieuse.

Enfin, chez l'enfant à partir de 2 ans, la chute des cheveux, souvent localisée en plaques (pelade) peut être liée à une perturbation psychologique.

Compte tenu de toutes ces éventualités, un enfant qui perd ses cheveux doit être montré au médecin.

Choc, chute

Si l'enfant a perdu connaissance, s'il vomit, si du sang coule par sa bouche, son nez ou ses oreilles, s'il a des mouvements anormaux, appelez le 15. En attendant le médecin, observez ces recommandations :
• remuez l'enfant le moins possible
• avec de grandes précautions - en laissant dans le même alignement la tête, le cou, le tronc - couchez l'enfant sur le côté, la bouche orientée vers le sol pour que, si l'enfant vomit ou saigne du nez, l'écoulement ne se fasse pas vers les bronches
• ne lui donnez ni boisson, ni nourriture.

Fracture d'un membre

Si vous ne constatez aucun des symptômes indiqués plus haut, ni rien d'anormal à première vue, assurez-vous qu'il n'y a pas fracture d'un membre. Pour cela, manipulez doucement le bras, l'avant-bras, le poignet, la jambe, le pied. Si l'enfant semble ne plus pouvoir se servir d'un de ses membres, si le fait de toucher un membre lui cause une douleur violente, une radiographie sera nécessaire.

Chute sur la tête

Si l'enfant a perdu connaissance, même

brièvement, il sera conduit d'urgence à l'hôpital. Il pourra y être examiné et surveillé quelques heures.

Pendant les jours (et les nuits) qui suivent, vous serez attentif à ces symptômes : vomissements, fièvre, convulsions, pâleur de plus en plus accentuée et persistante, sommeil troublé – soit somnolence continuelle, soit insomnie.

La première nuit, une surveillance continue est nécessaire (c'est d'ailleurs pourquoi le médecin conseille souvent une courte hospitalisation – au moins 24 heures) : il faut, de temps en temps, appeler l'enfant pour s'assurer qu'il se réveille ; en effet, si une hémorragie intracrânienne se déclarait, l'enfant pourrait passer du sommeil au coma sans qu'on s'en aperçoive.

D'autres symptômes sont inquiétants : changement brusque d'humeur – l'enfant peut paraître soudain indifférent à tout, ou au contraire être très agité ; troubles visuels – il peut, par exemple, se mettre à loucher ; maladresse d'un membre. Dans ces différents cas, emmenez l'enfant aux urgences.

L'enfant est tombé sur un objet pointu ou très dur (comme un meuble)
- Soit il saigne beaucoup : voir *Hémorragie*.
- Soit il ne saigne pas mais a une douleur importante à l'endroit de l'impact de la chute : emmenez-le aux urgences car le choc a pu léser un organe et le diagnostic doit être fait rapidement car une hémorragie interne peut être très grave.

Si l'enfant est blessé au visage, au menton

S'il y a plaie, il y aura cicatrice. Or, une cicatrice peut être inesthétique et le demeurer. Par exemple, un enfant qui glisse et tombe sur le menton risque de garder toute sa vie un bourrelet inesthétique. Il est donc préférable de montrer l'enfant à un médecin ou de le conduire à l'hôpital, où on lui fera un ou plusieurs points de suture, ou bien on pourra lui appliquer des « steristrips », ou de la colle spéciale qui permet de rap-

procher les bords de la plaie. En attendant, lavez la plaie à l'eau, débarrassez-la des impuretés (terre, sable, etc.), puis badigeonnez-la avec un antiseptique.

Simple écorchure

Lavez, aseptisez comme il est dit plus haut *Soigner son enfant*.

Que faire devant un bleu, une bosse ?

Une compresse d'eau froide, ou un cube de glace (enveloppé d'un linge), peuvent atténuer la douleur ; un pansement compressif et/ou un peu d'arnica favoriseront la disparition de l'enflure. De toute façon, l'ecchymose et l'enflure disparaîtront en quelques jours. (Voir *Soigner son enfant*.)

Choc anaphylactique

C'est la manifestation la plus grave de l'allergie. Elle se caractérise par l'apparition brutale d'un malaise intense (pâleur, sueurs, pouls rapide), parfois associé à de l'urticaire et des œdèmes. Ces symptômes apparaissent dans les minutes qui suivent le contact avec le facteur déclenchant. Le cas typique est celui de la piqûre d'hyménoptère (abeille, guêpe, frelon), mais de nombreux allergènes peuvent être en cause, par exemple alimentaires ou médicamenteux.

Le choc anaphylactique est une urgence extrême. Appelez le 15. Sans attendre les secours, il faut faire une injection d'adrénaline : il existe des préparations auto-injectables que l'entourage de tout enfant à risque doit avoir dans sa pharmacie et savoir utiliser. Sinon, allongez l'enfant, surélevez les membres inférieurs (par un gros oreiller ou une chaise).

Voir *Allergie*.

Circoncision

Cette intervention, qui consiste à supprimer le prépuce, est faite systématiquement dans les jours qui suivent la naissance dans la religion juive et plus tardivement chez les musulmans ; et elle est également souvent faite dans certains pays pour des raisons d'hy-

giène ; sinon la circoncision est pratiquée dans les cas indiqués à l'article *Phimosis* (voir ce mot).

Coliques du nourrisson

Les coliques du nourrisson se manifestent par des **crises douloureuses**, le plus souvent accompagnées de signes digestifs divers, gaz, gargouillis, rôts, etc. Le bébé pleure et est inconsolable. Si parfois ces crises ne durent que quelques minutes ou s'améliorent quand le bébé est pris dans les bras, promené en voiture, ou mis sur le ventre, elles peuvent aussi durer plusieurs heures sans aucun effet des différentes méthodes employées.

Les coliques font partie des symptômes les plus déroutants mais aussi les plus gênants des premiers mois du nourrisson. Les plus déroutants car malgré diverses études et différentes hypothèses, on ne sait pas aujourd'hui à quoi sont dues ces crises de coliques. Les plus gênants car ce sont des épisodes de crises douloureuses qui peuvent être très sévères, en intensité et en durée. Et bien que médicalement elles soient souvent qualifiées de « bénignes », donc sans gravité, les coliques peuvent avoir un retentissement important sur la vie de la famille.

Ces crises apparaissent **dès les premiers jours de vie**, à un moment où le manque de sommeil (parfois aggravé par le *baby blues*), la fatigue, les rendent difficiles à supporter par les parents : les coliques du nourrisson représentent la grande majorité des motifs de consultations chez le pédiatre pendant les premiers jours ou les premières semaines.

L'examen médical est toujours normal, comme la courbe de poids et le développement psychomoteur. Dans certains cas, le médecin recherchera si l'enfant ne souffre pas de **reflux gastro-oesophagien** (voir ce mot) qui est l'autre grande cause de crise douloureuse chez le nourrisson.

Ces crises de coliques disparaissent

entre 3 et 4 mois (parfois plus rapidement chez certains nourrissons).

En attendant cette amélioration naturelle, divers traitements sont proposés pour essayer de soulager les bébés (et leurs parents). La cause véritable de ces crises digestives douloureuses n'étant pas connue, les propositions de traitement ont toujours été multiples et diverses. Certains conseillent de donner de l'eau de chaux ou de la camomille, de changer de tétines ou de biberon ; d'autres préconisent des traitements médicamenteux plus classiques (régulateurs du transit, antispasmodiques). Certains conseillent des laits qui ont été modifiés en supprimant le lactose ou en modifiant l'acidité ; ou des laits enrichis de différents éléments susceptibles d'agir sur la flore intestinale (probiotiques). Certains enfin préconisent l'homéopathie ou l'ostéopathie.

Aucun de ces traitements n'a pu faire la preuve indéniable de son efficacité et ne peut donc être recommandé. L'expérience montre cependant que certains peuvent s'avérer efficaces sur certains enfants.

Si malgré les différents traitements, les pleurs de votre bébé persistent, ne vous sentez pas coupables. Contrairement à certaines idées reçues, les coliques ne touchent pas plus les bébés nourris au biberon, ou les premiers nés, ou ceux dont les parents, et surtout les mamans, sont particulièrement angoissés. N'hésitez pas à vous faire aider si vous avez de plus en plus de mal à supporter les pleurs de votre bébé : parlez-en au pédiatre ou à la PMI afin d'être soutenus dans cette période difficile.

Côlon irritable

On appelle en pédiatrie côlon irritable un état de réactivité excessive du gros intestin qui se manifeste chez le nourrisson par une diarrhée chronique, en dehors de toute infection ou intolérance alimentaire caractérisée (voir *Diarrhée chronique*).

L'enfant a des poussées de selles liquides, abondantes, ou des selles molles, qui contiennent parfois des résidus alimentaires visibles. Cet état n'entraîne pas d'altération de l'état général : appétit et courbe de poids sont bons et en général, vers l'âge de 3-4 ans, l'enfant guérit. C'est pourquoi, il n'y a pas lieu d'instaurer un régime particulier. Les ferments lactiques (Ultra-levure®, Lactibiane®) peuvent avoir un effet favorable en rééquilibrant la flore intestinale.

Chez l'enfant plus grand, les troubles peuvent néanmoins persister, sous une forme différente : la diarrhée fait place à la constipation ou à une alternance diarrhée-constipation, avec crises douloureuses.

Conjonctivite

C'est une irritation, une inflammation ou une infection de la partie antérieure du globe oculaire. Très souvent, au cours d'un rhume, l'enfant a les yeux rouges. Cette affection disparaîtra quand le rhume sera guéri.

Si, en dehors de tout rhume, l'enfant avait de la conjonctivite – blanc des yeux rouge, yeux qui coulent, paupières collées par le pus, spécialement le matin au réveil – il faudrait le faire examiner par le médecin. En attendant, lavez doucement au sérum physiologique.

Dans les premières semaines de la vie, une conjonctivite purulente qui persiste ou qui rechute doit faire penser à une mauvaise perméabilité du canal lacrymal : il est partiellement, ou totalement bouché, d'un seul côté ou des deux.

Les lavages oculaires au sérum physiologique, l'administration d'un collyre antibiotique, ainsi que le massage doux du coin interne de l'œil, viennent habituellement à bout de cette conjonctivite. Une séance d'*ostéopathie* crânienne (voir ce mot) peut être d'une grande efficacité. Exceptionnellement, le médecin ophtalmologiste devra effectuer un sondage pour déboucher le canal.

Constipation

La constipation touche de nombreux enfants et, dans la majorité des cas, elle n'a pas de véritable cause. Elle n'a pas de retentissement sur la croissance en poids et en taille. Elle peut être améliorée, et disparaître, avec des mesures simples : en agissant sur le régime ou l'environnement de l'enfant (voir ci-après). Dans de rares cas, il existe une maladie sous-jacente à la constipation. C'est bien sûr le médecin qui en fera le diagnostic.

Quand peut-on dire qu'un enfant est constipé ?

Lorsque ses selles sont dures et sèches, souvent fragmentées en petites billes, ou au contraire de très gros volume. Les selles rares ne sont pas nécessairement un signe de constipation car la fréquence « normale » des selles est très variable d'un enfant à l'autre et dépend surtout de l'âge et de l'alimentation.

Chez le nouveau-né (le premier mois)

La constipation doit inquiéter si elle est permanente; si elle s'accompagne de saignements (voir ci-dessous).

Chez l'enfant nourri au sein

Le nombre de selles peut être très variable pendant la durée d'allaitement maternel exclusif : le bébé allaité par sa mère a entre une selle huit fois par jour et une selle par mois ... Si l'enfant grossit, sourit, n'a ni ballonnement, ni vomissement, ni épisodes de diarrhée, il ne s'agit pas d'une vraie constipation mais d'un phénomène normal, le lait maternel produisant peu de résidus : les médecins parlent de « fausse constipation au lait de mère ».

Chez le bébé nourri au biberon

Les selles sont habituellement pâteuses et sont en général quotidiennes. La constipation peut provoquer des douleurs abdominales, des pleurs, du sang dans les selles (rectorragies). Les saignements sont dus à des fissures anales, très douloureuses : ce sont des ulcérations provoquées par l'émission de selles volumineuses et dures.

Que faire lorsqu'un nourrisson est constipé ?

• Une erreur dans la reconstitution du lait en poudre est une cause fréquente de constipation. Il faut toujours mettre une mesure arasée de lait pour 30 ml d'eau.

• Certains biberons peuvent être faits avec des eaux très minéralisées comme l'eau d'Hepar® (par exemple un biberon par jour).

• Le médecin conseillera peut-être de changer de lait et de choisir une formule « anti-constipation » ou « transit » plus riche en lactose.

• Lorsque la diversification alimentaire est commencée, l'enfant mange des légumes et des fruits ce qui en général rétablit le transit intestinal.

• Pensez à donner suffisamment à boire à l'enfant : la constipation peut être due à un manque d'hydratation.

En cas d'échec de ces mesures, le médecin ajoutera des laxatifs comme l'huile de paraffine, ou des laxatifs osmotiques (qui n'irritent pas) à base de lactulose ou de macrogol (type Forlax®). Le traitement doit être poursuivi pendant plusieurs semaines pour être efficace. Ce même traitement sera donné en cas de fissure anale pour l'aider à se cicatriser.

Important. L'utilisation du thermomètre pour provoquer la survenue d'une selle est déconseillée : elle est un facteur d'irritation supplémentaire, voire de blessure.

Chez l'enfant plus grand

La priorité est de rééquilibrer l'alimentation et les repas : des légumes, des fruits, des aliments riches en fibres comme les légumes secs (p. 90). Les enfants constipés ont souvent des habitudes alimentaires perturbées : ils ne boivent pas suffisamment au cours de la journée, ils mangent plus en dehors des repas qu'au cours de ceux-ci, ils consomment trop d'aliments constipants (chocolat, confiseries, bananes, etc.).

Par ailleurs, la constipation peut s'installer à différents moments de la vie quotidienne de l'enfant :

• Lors de l'apprentissage de la propreté, si celui-ci est trop précoce ou trop exigeant ; l'enfant réagit en s'opposant et en « se retenant ». Il est conseillé de mettre l'enfant sur le pot régulièrement, par exemple après chaque repas, dans un endroit calme, et de ne pas l'y laisser trop longtemps, pas plus de quinze minutes (voir p. 170 et 227).

• Lors de l'entrée à l'école maternelle : l'enfant n'a pas le temps d'aller tranquillement aux toilettes après le petit déjeuner car il faut vite partir à l'école ; par ailleurs, les toilettes des établissements scolaires ne sont pas toujours très accueillantes, ou ne préservent pas l'intimité : les enfants se retiennent plutôt que de les utiliser.

• Le début de la constipation peut être contemporain d'événements familiaux parfois traumatisants (deuil, transplantation familiale, dégradation des conditions de vie ou de logement...).

Voir *Encoprésie*.

Convalescence

Après une maladie, ou un court séjour à l'hôpital, on peut proposer à l'enfant un rythme plus souple. Par exemple, plutôt qu'un retour rapide à l'école, on peut remettre l'enfant chez la nourrice pendant quelques jours, ce qui le fatiguera moins. Sur le plan psychologique, la douleur, la peur, l'éventuel éloignement à l'hôpital, quelles que soient la durée et la gravité de la maladie, peuvent laisser des traces ; chez certains on peut noter une régression : l'enfant suce son pouce, il redevient bébé, il veut qu'on le gâte.

Du côté des frères et sœurs, il y a aussi un temps de réorganisation nécessaire ; que l'enfant ait été hospitalisé ou non, frères et sœurs ressentent les soins particuliers dont le petit malade est entouré, cela peut provoquer tensions et conflits.

Convulsions avec fièvre
(Également appelées convulsions fébriles)

2 à 5 % des jeunes enfants (entre 6 mois et 3 ans) présentent au moins un épisode de convulsions en même temps qu'une poussée de fièvre. Chez certains enfants particulièrement sensibles (il existe parfois une prédisposition familiale), ces convulsions peuvent se répéter à l'occasion d'une nouvelle poussée fébrile.

Les symptômes de la convulsion

L'enfant pâlit brusquement, perd connaissance, le corps se raidit et les yeux sont révulsés. Au bout de quelques secondes apparaissent les secousses qui peuvent atteindre les quatre membres et le visage. Cet état se prolonge quelques minutes puis cesse ; l'enfant reprend alors une respiration bruyante tandis que son corps s'affaisse. La perte de conscience a été complète et la crise sera suivie d'un sommeil plus ou moins long.

Ces symptômes sont souvent très atténués et la crise est difficile à identifier quand elle se borne à un court accès de raideur, à quelques secousses musculaires plus ou moins localisées, à une brusque perte de tonus avec chute, à un bref moment d'arrêt de la conscience (l'enfant semble ne pas entendre, ne pas voir), à un simple accès de pâleur. Dans ces formes atténuées, le fait que l'enfant ait eu les yeux révulsés prouve bien qu'il a perdu connaissance.

La convulsion est un phénomène très impressionnant, parfois même effrayant, pour les parents. Mais heureusement la convulsion fébrile est brève et sans gravité en soi.

En présence d'une convulsion, en attendant le médecin, laissez l'enfant au calme, allongé sur le côté. Le médecin pourra administrer un médicament susceptible d'arrêter la crise, si elle n'a pas cessé spontanément, et de l'empêcher de se reproduire. L'administration de valium® intra-rectal permet d'arrêter la crise qui dure plus de 5 minutes.

Après la crise

Le médecin demande en général aux parents d'emmener l'enfant à l'hôpital car des examens sont nécessaires. Il faut découvrir la **cause de la fièvre** ; cette cause est souvent banale (*rhino-pharyngite, infection virale*) ; mais la fièvre est parfois provoquée par une infection grave (*infection urinaire, infection méningée*) qu'il faut traiter.

Un traitement anti-convulsif continu sera exceptionnellement prescrit en présence de facteurs de gravité particuliers.

La crise est spectaculaire et impressionnante, elle peut entraîner une hospitalisation, et donc provoquer une inquiétude bien compréhensible de l'entourage. Mais la crise passée, on laissera l'enfant reprendre une vie normale.

Convulsions sans fièvre

Les symptômes sont les mêmes que ceux de la convulsion avec fièvre (voir ci-dessus). Beaucoup plus rare que la convulsion avec fièvre, la convulsion sans fièvre a une tout autre signification. De nombreuses maladies peuvent se manifester ainsi, soit du fait d'un trouble biologique (tels que la chute du sucre ou du calcium sanguins), soit du fait d'une lésion cérébrale. Quand aucune cause ne peut être trouvée, on entre dans le cadre de l'*épilepsie* (voir ce mot).

Coproculture

C'est un examen des selles destiné à mettre en évidence une infection intestinale. Le médecin le demande parfois en cas de diarrhée importante avec fièvre, ou de diarrhée persistant au-delà de quelques jours, afin d'identifier le microbe ou le virus responsable et de tester la sensibilité aux antibiotiques. Le résultat demande plusieurs jours de délai.

Coqueluche

Grâce aux vaccinations, la coque-luche est devenue rare, mais elle n'a pas disparu chez les enfants non vaccinés correctement, ou non encore vaccinés, et chez les adolescents ou jeunes adultes dont la dernière vaccination remonte à plus de 10 ans. Elle reste une maladie longue et toujours éprouvante pour l'enfant et son entourage.

Après le contact avec un porteur de coqueluche, l'incubation est d'environ huit à dix jours. Les premiers symptômes sont peu caractéris-tiques : l'enfant a un rhume, il a peu de fièvre, il tousse ; et c'est cette toux qui ne guérit pas, mais au contraire s'accentue, qui attire l'attention.

Au bout de quinze jours, la toux survient par quintes. Lors d'une quinte, le visage de l'enfant se congestionne, les yeux sont rouges et larmoyants ; la fin de la quinte est marquée par une inspiration profonde, appelée « chant du coq ». Souvent l'enfant rejette alors par la bouche un liquide épais et visqueux, difficile à évacuer. Cette expectoration le fait parfois vomir.

Le nombre de quintes est variable au cours des 24 heures, de quelques-unes à plusieurs dizaines ; et plus ces quintes sont nombreuses, plus la maladie est grave. L'évolution générale se fait sur deux à trois semaines, parfois plus, puis les quintes s'atténuent et disparaissent.

Une fièvre élevée lors d'une coqueluche fait envisager une complication, essentiellement respiratoire (foyer pulmonaire, etc.).

Le traitement s'occupera surtout des symptômes : traitement de la toux et calmants généraux, kinésithérapie respiratoire (voir ce mot).

Les quintes survenant à n'importe quelle heure, il faut alimenter l'enfant quand on le peut, à la demande, après la quinte.

La coqueluche du nourrisson

(au-dessous de 6 mois)

Elle est grave car les quintes peuvent provoquer des pauses respiratoires plus ou moins longues, et le bébé risque l'asphyxie. Par prudence, un nourrisson ayant la coqueluche sera donc placé sous surveillance en milieu hospitalier, au moins pour un certain temps.

La **vaccination** contre la coqueluche n'est pas obligatoire car le vaccin était accusé d'effets secondaires (fièvre, parfois convulsions, troubles neurologiques). Néanmoins, elle est proposée en association avec les autres vaccins. Actuellement, le vaccin contre la coqueluche est préparé différemment (sur un mode acellulaire), il a ainsi moins d'effets secondaires. On conseille de faire un rappel tous les 10 ans et de revacciner les adultes.

Le vaccin peut se faire à partir de l'âge de 2 mois.

Les antibiotiques stoppent la contagiosité, bien qu'ils n'aient aucun effet sur la toux de la coqueluche.

Cordon ombilical : rougeur ou suintement

Chez le nouveau-né, pendant les quinze premiers jours, le cordon ombilical doit être surveillé. Tout suintement, toute rougeur doivent être immédiatement signalés au médecin. De même, tout écoulement de sang ou de pus au moment où le cordon ombilical tombe, ou même plus tard. Il peut arriver qu'un bourgeon plus ou moins charnu se constitue. Le médecin le fera disparaître par une ou plusieurs applications de crayon de nitrate d'argent. Il est normal que l'ombilic soit un peu saillant, et particulièrement lorsque l'enfant crie.

Voyez aussi *Hernie ombilicale*.

Corps étranger

On désigne sous ce terme général tout objet introduit accidentellement dans les voies naturelles. L'accident est fréquent dans les premières années où l'enfant échappe facilement à la surveillance, même la plus attentive.

Le plus souvent, le corps étranger est introduit dans le nez, l'oreille, les voies respiratoires et digestives, parfois les organes génitaux (vagin).

Les corps étrangers les plus fréquents sont d'origine végétale ou minérale : cacahuètes, noisettes, haricots, petits cailloux... Ou encore métallique ou plastique : perle, bille, fragments de jouet, crayon...

L'adulte peut avoir assisté à l'accident ; il prend alors les mesures qui s'imposent (voir *Étouffe - enfant qui -*). Mais, dans certains cas, l'événement est passé inaperçu. Il faudra y penser devant l'écoulement purulent persistant d'une seule oreille ou d'une seule narine, devant des pertes vaginales, en face d'une toux persistante ou d'épisodes bronchiques répétés, parfois asthmatiformes.

Le corps étranger dans les voies respiratoires (larynx, trachée, bronches) est la situation la plus grave ; elle a été développée à l'article *Étouffe* (*l'enfant qui*). Le corps étranger dans les voies digestives a été traité à l'article *Avalé un objet* (*l'enfant qui*).

Coup de chaleur

Le jeune enfant, et plus particulièrement le nourrisson, est très sensible à l'élévation de la température ambiante. L'excès de chaleur peut aboutir à ce qu'on appelle le coup de chaleur.

Le coup de chaleur est une forme particulière de *déshydratation aiguë* (voir ce mot), sans diarrhée. La perte de liquide se fait dans ce cas par la transpiration abondante qui dans un premier temps permet à l'enfant de lutter contre l'élévation de la température. Si cette perte n'est pas compensée par un apport suffisant en eau, la déshydratation s'installe, la transpiration diminue, la température de l'enfant s'élève.

Le coup de chaleur est donc dû d'abord à l'élévation de la température ambiante ; il peut survenir chez un enfant resté dans un milieu clos, par exemple une voiture en plein soleil et vitres fermées. Il ne faut **jamais** laisser un enfant dans une voiture, même garée à l'ombre (celle-ci peut tourner).

Quels sont les symptômes du coup de chaleur ?

Dans un premier temps, la transpiration de l'enfant est abondante, il est très agité, il a une soif intense ; ensuite, très rapidement, l'enfant se déshydrate, sa température peut dépasser 40°.

Que faire en cas de coup de chaleur ?

D'abord, essayer de rafraîchir l'enfant par tous les moyens : bain frais, linge humide, ventilateur... Et bien sûr lui donner beaucoup à boire (des boissons fraîches). On peut aussi lui donner une solution de réhydratation (voir article *Déshydratation*).

Si l'enfant reste agité, ou présente des troubles de conscience, il faut l'emmener à l'hôpital.

Coup de soleil

Le coup de soleil n'est rien d'autre qu'une brûlure au premier ou – plus rarement – au deuxième degré. Sa gravité dépend de la profondeur et de l'étendue de la brûlure (voyez cet article).

Le coup de soleil se traduit par une rougeur de la peau, douloureuse, plus ou moins étendue selon la surface exposée. Cette rougeur apparaît au bout de quelques heures. Le coup de soleil peut donner de la fièvre, des troubles du sommeil et, chez le nourrisson, des troubles digestifs.

Le traitement comporte habituellement : des pulvérisations d'eau froide ; un antalgique (doliprane) ; une pommade apaisante (Biafine, vendue en pharmacie). Dans les cas graves, le recours au médecin s'impose.

Sur les bienfaits et les dangers du soleil, voir le chapitre 3, p. 155.

Coupure

La coupure peu profonde

Premiers soins à donner : se laver les mains, puis nettoyer la plaie à l'eau et au savon. Ensuite badigeonner avec une compresse imbibée de désinfectant (type Bétadine). Ne mettre un pansement que si la plaie risque d'être souillée, ou exposée aux frottements ;

et, dans ce cas, mettre un pansement sec (sans produit). S'assurer que la vaccination antitétanique est à jour.

Surveillez la plaie chaque jour. Si vous constatez qu'elle devient rouge, qu'elle enfle, qu'elle suppure, montrez-la au médecin. Une plaie en voie de cicatrisation est sèche, propre et non douloureuse.

Coupure à un doigt

Ne serrez pas le pansement trop fort. L'air doit pouvoir circuler autour de la plaie, et le sang dans le doigt.

Attention aux cicatrices disgracieuses

Une coupure au visage, à la main, aux bras ou aux jambes peut laisser une cicatrice disgracieuse si elle est profonde. Mieux vaut, dans certains cas, demander à un médecin ou à un chirurgien de mettre des steristrips, ou de la colle spéciale, ou de faire quelques points de suture, plutôt que de laisser la plaie se cicatriser d'elle-même.

La coupure grave qui saigne abondamment

Voir *Hémorragie, Plaies*.

Craniosténose

À la naissance, les os du crâne sont séparés par des zones non ossifiées, larges de quelques millimètres, les sutures, qui permettent l'expansion de la boîte crânienne (qui suit elle-même le développement du cerveau). Rappelons que ce développement est très rapide : le volume cérébral double de la naissance à 6 mois, triple à 2 ans, atteint 4/5 de son volume final à 4 ans.

Les sutures crâniennes sont nombreuses, mais les deux principales sont la suture transversale (en arrière du front) et la suture longitudinale (d'avant en arrière au sommet du crâne).

En leurs points de rencontre, les sutures s'élargissent pour former les fontanelles : la plus importante est la fontanelle antérieure ou grande fontanelle ; celle-ci se ferme entre 8 et 18 mois, et les sutures se soudent entre 2 et 3 ans.

La fusion trop rapide des sutures, ou craniosténose, modifie le développement du crâne, et par conséquence, dans les formes graves, peut comprimer le cerveau.

Quand toutes les sutures sont atteintes, la craniosténose est totale et entraîne *microcéphalie* (voir ce mot) et atrophie cérébrale. Quand une seule suture est atteinte, il y a simplement une déformation cranio-faciale sans retentissement cérébral. C'est l'examen de l'enfant et la mesure régulière du périmètre crânien (p. 338) qui permet de repérer cette affection. En cas de doute, le médecin prescrira une radio du crâne.

Les craniosténoses peuvent être isolées, ou associées à d'autres malformations (des membres et des extrémités en particulier).

Le traitement des craniosténoses est chirurgical ; il n'est indiqué que dans toutes les formes qui risquent d'entraîner une atteinte du cerveau, ou en cas de préjudice esthétique important.

Cris du nourrisson

À l'âge où l'enfant ne parle pas encore, ses cris représentent son moyen de communication, son langage. Ils sont sa manière à lui de dire qu'il est mal à son aise ou qu'il a mal : ses cris expriment besoin, désir, douleur, peur, etc.

Chaque cri, selon ce qu'il signifie, a des caractéristiques différentes qui permettent de distinguer très nettement :
• le cri de la faim : vigoureux, puissant, inlassable
• le cri de la douleur aiguë : strident, d'intensité proportionnelle à la douleur qui le provoque
• le cri de la douleur continue : monotone, grave, incessant
• le cri de chagrin, mêlé de sanglots.

Les parents acquièrent vite une connaissance des cris de leur enfant ; ils distinguent les cris les uns des autres selon leurs caractéristiques (voir ci-dessus), leur horaire, mais aussi leur contexte, c'est-à-dire l'ensemble des signes qui les accompagnent : coloration du visage, mimiques, posture,

rythme respiratoire, etc. Par exemple les cris qui se répètent tous les soirs à la même heure sont vraiment des cris des coliques du premier trimestre (voir *Colique bénigne du nourrisson*). L'enfant peut aussi crier parce qu'il a eu peur, après un bruit violent ou une chute bénigne. Et les parents se rendent bien compte que lorsque l'enfant se met à crier tout à coup, ou à gémir, c'est qu'il souffre. Par exemple, il peut s'agir d'une *otite*, d'une *invagination intestinale aiguë*, d'une *hernie étranglée*, d'une *méningite* (voir ces mots). Attention au gémissement, au petit cri plaintif répété, qui est un vrai cri de souffrance et de maladie, et qui impose une consultation en urgence. Là aussi il peut s'agir d'une otite, d'une invagination, d'une méningite.

Croissance

Voir au début du chapitre 6, p. 332.

Croûtes sur la peau
chez le nourrisson

La peau, organe protecteur, a beaucoup moins d'épaisseur chez le nourrisson qu'elle n'en aura par la suite. Elle est donc beaucoup plus sensible et s'infecte plus facilement. C'est pourquoi les affections de la peau, à cet âge, sont nombreuses et variées. À tel stade de l'une ou de l'autre de ces affections, il peut y avoir des croûtes. Pour vous aider à vous y reconnaître, nous avons groupé à l'article *Peau*, d'une manière aussi claire que possible, tous les symptômes qu'il peut vous arriver de remarquer sur la peau de votre enfant, avec des conseils utiles pour chacun d'eux.

Voyez aussi *Impétigo*.

Croûtes
sur la tête

(Appelées parfois croûtes de lait.)

Voir chapitre 1 : « Questions sur la toilette et le bain ». Le médecin vous conseillera une crème spéciale. Pour éviter la formation de croûtes, il est conseillé de laver les cheveux du bébé tous les jours les trois premiers mois.

Cyanose du nourrisson

La cyanose est la coloration bleue, plus ou moins intense, de la peau. Quand elle est discrète, elle peut n'apparaître qu'au niveau des doigts et des lèvres. La cyanose s'apprécie en comparant la couleur des ongles de l'enfant à ceux de sa maman (ou d'une autre personne) : la teinte est plus foncée. Elle témoigne d'une insuffisance d'oxygénation du sang qui peut être d'origine respiratoire ou cardiaque. Une cyanose légère des extrémités peut être due au froid qui entraîne une contraction des petits vaisseaux. Elle peut également être due à la fièvre, il est donc important de prendre la température.

Quand la cyanose est permanente, souvent présente dès les premiers jours de la vie, le médecin envisagera une malformation cardiaque (enfant bleu). Voir *Cardiopathies congénitales*.

Si la cyanose est intense et d'apparition brusque, elle traduit une insuffisance respiratoire aiguë (asphyxie par corps étranger, laryngite, infection respiratoire).

Il faut citer aussi la cyanose liée à une intoxication par les nitrites (eau polluée).

Dartre

C'est un terme imprécis qui désigne une irritation de la peau, particulièrement au niveau des joues. Cette irritation peut correspondre à un *impétigo*, un *eczéma* (voir ces mots), une intolérance de contact, une *mycose*.

Décalottage

Le décalottage consiste à dégager le gland, en tirant vers le bas le prépuce (le repli de peau recouvrant le gland). Chez la plupart des enfants, le décalottage se fait spontanément avant l'âge d'1 an. Chez presque tous les autres, il se fera avant la puberté. Il faut savoir qu'il n'est pas nécessaire que tout le gland soit découvert, il peut rester des adhérences à la périphérie qui vont s'éliminer spontanément en grandissant.

C'est pourquoi les manoeuvres de traction et **les tentatives de décalottage ne sont pas conseillées**. Si le décalottage est facile, rien ne s'oppose à la toilette locale. Si toute tentative s'avère difficile, il faut s'abstenir. En effet, ces manoeuvres sont très douloureuses et entraînent des micro-fissures et des rétractions cutanées ; celles-ci sont la cause de la plupart des phimosis devant être opérés.

Il peut arriver qu'il y ait un petit dépôt blanchâtre sous la peau du prépuce : c'est du *smegma*, substance lubrifiante naturelle qui souvent s'accumule ainsi puis s'élimine spontanément. C'est inutile d'y toucher. Ce n'est qu'en cas de balanites (infections du prépuce qui devient très rouge) qu'un traitement désinfectant local serait utile. Il faut éviter tout décalottage intempestif qui risque d'entraîner des cicatrices fibreuses... et bien des problèmes.

Si le prépuce ne se décalotte pas suffisamment après l'âge de 3 ans, le médecin pourra prescrire une crème corticoïde à appliquer localement tous les jours pendant plusieurs mois. Dans la majorité des cas l'application régulière de cette crème va amincir la peau et permettre progressivement, en tirant doucement un peu chaque jour sur le prépuce, d'assurer un décalottage suffisant.

Voir *Balanite, Phimosis, Smegma*.

Déficit immunitaire

C'est une atteinte de certaines cellules du sang, de ces cellules qui ont pour rôle de fabriquer les anticorps chargés de défendre l'organisme contre les virus et les bactéries. La forme la plus connue est ce qu'on appelle l'**immunodéficience acquise** due au virus du *sida* (voir ce mot).

Mais il existe des formes congénitales provoquées par une anomalie génétique de ces cellules. Ce type de déficit immunitaire est rare et il est en général connu dans la famille.

Assez rapidement après la naissance, le nourrisson souffre de graves infections, ce qui oblige à l'hospitaliser fréquemment. Le diagnostic de la maladie se fait par des examens de sang et l'enfant est orienté vers un service d'hématologie très spécialisé.

Les enfants présentant les formes les plus sévères de déficit immunitaire vivent en isolement complet : ce sont « les enfants bulles ». Pour eux, la thérapie génique, c'est-à-dire une intervention directe dans les gènes, représente un grand espoir.

Mais il existe des déficits immunitaires qui sont transitoires, en particulier après certaines maladies comme la rougeole, la mononucléose, etc., ou à la suite de traitements antibiotiques fréquents. Voici ce qui se passe : après avoir été atteintes par le virus de ces maladies, les cellules chargées de fabriquer les défenses de l'organisme, ne vont pas fonctionner pendant un ou deux mois. L'enfant est alors plus fragile, plus sensible à d'autres infections. Puis tout rentre spontanément dans l'ordre.

Délire au cours de la fièvre

Votre enfant a 40° de fièvre. Au milieu de la nuit, il crie ou vous appelle. Vous allez à son chevet. Vous le trouvez agité, tenant des propos sans suite, vous montrant des objets ou des êtres imaginaires qui lui font peur ou le font rire. Rassurez-vous, le délire au cours de la fièvre est fréquent et n'est pas grave. Il convient avant tout de faire baisser la fièvre par les moyens qui vous sont indiqués à l'article *Fièvre*.

Dents
Troubles de la percée dentaire

La percée des dents de lait s'accompagne souvent de troubles plus ou moins sérieux ; localement, de l'irritation et de la douleur, qui rendent l'enfant grognon et agité et ont un fâcheux effet sur son appétit et son sommeil.

Les joues parfois deviennent rouges, les gencives gonflent, l'enfant salive ; il met ses poings dans sa bouche.

Il arrive aussi qu'un érythème fessier coïncide avec la percée des dents.

Voici ce qui calmera peut-être votre bébé :

• une croûte de pain, une biscotte, un « biscuit de dentition », ou un « anneau de dentition »

• aux endroits où la gencive est enflée, des frictions douces avec un baume ou un sirop, ou un morceau de glace enveloppé dans un mouchoir fin ; éventuellement un peu d'aspirine. L'état général est troublé lui aussi : l'enfant a parfois la diarrhée, parfois de la fièvre. Par ailleurs, un enfant sujet aux convulsions risque d'en avoir à cette occasion si la température s'élève.

Il est difficile de savoir si c'est la percée des dents qui provoque la fièvre ou si une maladie fébrile stimule la percée : c'est en ce sens qu'on peut parler de « bronchite dentaire ».

De toute manière, il ne faut pas mettre sur le compte de la poussée dentaire les symptômes qui appartiennent à une autre maladie (otite par exemple). Ce sera le rôle du médecin d'éliminer après examen les autres possibilités.

Les traumatismes dentaires

Si votre enfant, à la suite d'un coup ou d'une chute, se casse une dent, ou si elle bouge, il est nécessaire de consulter rapidement un dentiste qui pourra, dans certains cas, préserver la dent (par exemple la réimplanter). Un petit « truc » utile en attendant de conduire l'enfant chez le dentiste : maintenir la dent en place avec du chewing-gum.

Que faire pour qu'un enfant ait de bonnes dents ?

D'abord, le nourrir convenablement : les

dents étant faites notamment de calcium et de phosphore, il faut que l'enfant trouve ces minéraux dans sa nourriture. Le lait, le fromage, les œufs, les légumes les lui fourniront. La vitamine D, le soleil sont également nécessaires. Ensuite, apprenez à votre enfant à se brosser les dents et évitez les causes de *carie* (voir ce mot).

Dépression

Dépression du bébé

On parle rarement de la dépression des bébés tant il est difficile d'associer à un tout petit un terme déjà lourd à porter pour les adultes. Ce mot fait peur aux parents, mais les professionnels de la petite enfance sont actuellement bien formés pour s'inquiéter lorsqu'un bébé est passif, communiquant peu avec son entourage, car ils savent qu'il peut s'agir d'un bébé déprimé.

On ne doit pas confondre la dépression du jeune enfant et l'*autisme* (voir ce mot). Et pourtant, il est important de la déceler pour la soigner. Or un bébé déprimé n'alarme pas facilement l'entourage : il est « trop » sage, il ne dérange pas, il pleure rarement, il ne réclame rien. Cette tristesse, qui n'est pas le calme d'un bébé tranquille en train de jouer, doit alerter comme son regard vague et fuyant, qui n'attend rien des autres.

La dépression d'un bébé peut traduire des perturbations affectives profondes, et provoquer un sentiment d'insécurité et d'abandon susceptibles de laisser des troubles durables dans le développement naissant de la personnalité ; ces troubles peuvent resurgir plus tard. Mais surtout, la dépression exprime que votre enfant est malheureux. Il est possible que cela vous décourage, provoque en vous une culpabilité, un désarroi tels que vous le solliciterez moins, que vous ne répondrez pas à ses besoins, sans en avoir d'ailleurs totalement conscience.

Si le comportement de votre bébé vous inquiète, consultez votre pédiatre. La dépression d'un bébé peut avoir une cause organique, traduire un malaise physique plus complexe qu'il n'y paraît (par exemple l'intolérance au gluten). Il arrive aussi que le bébé réagisse aux soucis, à un passage difficile de la vie de sa mère, de son père. Le bébé ressent émotionnellement et sensoriellement avec beaucoup de force que son entourage n'éprouve plus la même joie à sa présence. Il n'est pas toujours facile de protéger totalement l'enfant des difficultés de son entourage proche.

L'important est de se faire aider : parlez-en au médecin, ou à la consultation de PMI, ou aux professionnels qui s'occupent d'organismes tels que ceux qui inspirent la Maison Verte (voir adresses dans le chapitre suivant).

Dépression chez les plus grands

La dépression chez les bébés est souvent difficile à accepter et à cerner. Il n'en est pas de même à partir de deux ans, lorsqu'on est habitué à voir un enfant de cet âge en pleine découverte du monde, du langage, de l'imitation des adultes et des petits camarades. S'il ne joue plus, s'il reste isolé, ou errant d'un endroit à l'autre sans but, pour s'asseoir ou se coucher de longs moments, s'il perd sourires et joies, si aux colères et aux larmes de détresse ont succédé le renoncement, la résignation, on peut mieux accepter le diagnostic de dépression. En fait, chez le grand enfant, c'est essentiellement le changement d'humeur et de comportement qui alertera.

En grandissant, d'autres signes apparaissent, à l'école ou à la halte-garderie : telle petite fille, si coquette, ne réclame plus d'être coiffée, ne tend plus ses mains salies pour être lavées. Tel petit garçon, toujours prêt à « chiper » la petite voiture de l'autre ou à l'échanger contre un autre trésor, va de groupe en groupe, s'assoit, se balance un peu, ou tourne une mèche de ses cheveux, sans plus d'intérêt... Comme pour le tout-petit, la dépression est toujours plus grave que les manifestations de « mauvais caractère », d'agressivité et de turbulence, pourtant si mal tolérées.

Il ne faut pas hésiter à consulter un spécialiste pour chercher avec lui les causes possibles de dépression et les traiter à plusieurs niveaux : lorsque des médicaments sont prescrits, ils s'accompagnent toujours d'un soutien psychologique.

Déshydratation aiguë

Dans certaines conditions de gastro-entérite sévère avec diarrhée et vomissements, les pertes d'eau et de sel sont tellement importantes qu'elles vont avoir un retentissement sur l'ensemble de l'organisme : c'est la déshydratation. Le corps d'un bébé contenant 75 % d'eau, on comprend la nécessité de réhydrater l'enfant pour compenser les pertes.

Les signes de la déshydratation reflètent ce déficit généralisé en eau. Le plus important est la **perte de poids**. Les autres signes sont plus difficiles à apprécier : une perte de l'élasticité naturelle de la peau (en pinçant la peau celle-ci garde le pli plus longtemps qu'habituellement), la muqueuse de la bouche est sèche ; les urines sont rares (les couches restent sèches) ; la fontanelle est creuse ; une soif importante apparaît.

En cas de diarrhée sévère – et surtout si l'enfant est jeune ou si la diarrhée s'accompagne de vomissements – il est nécessaire de consulter rapidement le médecin. Celui-ci recherchera les signes de déshydratation et pèsera le bébé. L'enfant sera pesé tout nu, sans body, sans couche et le poids sera noté dans le carnet de santé.

• S'il n'y a pas de signe de déshydratation et s'il n'y a pas de perte de poids, il n'est pas nécessaire de commencer une réhydratation.

• Si les signes de déshydratation et la perte de poids sont modérés, le médecin proposera une réhydratation par voie orale (voir ci-dessous). En cas de gastro-entérite avec perte de poids, l'enfant sera revu et pesé régulièrement par le médecin pour surveiller l'efficacité du traitement.

• Si les signes de déshydratation ou la perte de poids sont importants, le médecin peut décider de mettre en route une réhydratation par perfusion en milieu hospitalier.

La réhydratation par voie orale

La réhydratation par voie orale, prescrite par le médecin en cas de déshydratation modérée, se fait grâce à l'administration de solutés de réhydratation orale (SRO), disponibles sans ordonnance en pharmacie. Ces solutés compensent aussi bien les pertes en eau qu'en sel : réhydrater l'enfant avec de l'eau pure n'est pas suffisant. La préparation est reconstituée en mélangeant 200 ml d'eau avec un sachet de solution de réhydratation. Il est possible de la mettre ensuite au réfrigérateur mais, attention, il ne faut rien lui ajouter (ni sucre ni sirop) : cela modifierait la concentration et pourrait diminuer son efficacité.

Quelle quantité de solution de réhydratation faut-il donner à l'enfant ?

Il n'y a pas de quantité standard car tout dépend de l'importance de la déshydratation. La solution est donnée souvent à l'enfant (toutes les 15 minutes), en petites quantités à chaque fois (voire à la petite cuillère en cas de vomissements), mais sans limite : les apports doivent compenser les pertes et donc dépendent de l'importance de ces pertes. Si le nourrisson a 2 ou 3 selles liquides dans la journée, il est possible qu'il n'en prenne pas une grande quantité. En revanche au-delà de 5 diarrhées, surtout si elles sont accompagnées de vomissements (qui sont aussi des pertes d'eau), il est possible de lui donner plusieurs biberons de solution, de façon plus ou moins rapprochée.

Que faire en cas de vomissements ?

En cas de vomissements, il faut donner la solution de réhydratation plus souvent, en plus petites quantités : 20 millilitres par 20 millilitres, par exemple toutes les dix minutes. Si le nourrisson vomit cette quantité, on administre la solution de réhydratation à la petite cuillère toutes les 5 minutes. En cas de vomissements répétés empêchant l'enfant de se réhydrater, il est préférable de consulter de nouveau rapidement le médecin.

Combien de temps donner la solution de réhydratation ?

En cas de diarrhée avec déshydratation, et selon les conseils de votre médecin, la solution de réhydratation est proposée seule pendant les 6 premières heures (si l'enfant est allaité, la solution est à donner en alternance avec le sein). Puis, tout de suite après, l'alimentation habituelle est réintroduite pour apporter des calories (c'est important pour la guérison de la muqueuse intestinale). Cette réalimentation sera faite progressivement, sans forcer l'enfant. Dans un premier temps, privilégiez les aliments sucrés (compotes, yaourts) qui apportent beaucoup de calories sous un faible volume, puis le lait et tous les laitages. Les jours suivants, d'autres aliments seront proposés. Il faudra parfois plus d'une semaine pour que l'enfant retrouve son appétit habituel.

Voir *Gastro-entérite aiguë, Diarrhée aiguë*

Diabète

Le diabète provient de l'impossibilité pour l'organisme d'assimiler le sucre (glucose) apporté par l'alimentation. Cette impossibilité est due à l'absence d'insuline, qui est une hormone pancréatique. Il en résulte de nombreux symptômes : faim, soif excessives contrastant avec un amaigrissement, urines abondantes et fréquentes. En l'absence de traitement il y a un risque de coma, avec acétone dans les urines. Le diabète est décelé par la présence de glucose dans les urines et par son taux élevé dans le sang.

Le diabète de l'enfant nécessite un traitement très précis et à vie : on a recours à l'insuline qui permet l'utilisation du glucose et qui doit être administrée quotidiennement en plusieurs injections. Récemment, une forme d'insuline en spray nasal a été mise au point.

Le diabète est une maladie familiale. Si vous avez un diabétique dans votre famille, vous devez donc signaler le fait au médecin.

Association française des diabétiques
88 rue de la Roquette
75544 Paris Cedex 11
Tél : 01 40 09 24 25
www.afd.ass.fr
Aide aux jeunes diabétiques
9, avenue Pierre de Coubertin
75013 Paris
Tél. : 01 44 16 89 89

Diarrhée aiguë

Dans la diarrhée, les **selles** sont plus **nombreuses** qu'à l'ordinaire et leur **consistance** est plus ou moins liquide. La gastro-entérite virale est la première cause de diarrhée aiguë en France. Il existe des diarrhées ayant une autre origine (bactérienne ou parasitaire) mais elles ne se rencontrent que lors de voyages à l'étranger, dans des zones à risque où sévissent des épidémies de ce type.

La diarrhée provoque une perte d'eau mais aussi de sel. En cas de diarrhée importante cette double perte peut être responsable de déshydratation.

Que faire lorsque l'enfant a de la diarrhée ?

Si la diarrhée est modérée (2 à 3 selles liquides par jour), il n'y a pas de traitement particulier. En effet, dans la gastro-entérite virale, la diarrhée est directement provoquée par le virus ; elle disparaît donc progressivement quand le virus a été éliminé par l'organisme.

Chez l'enfant, très peu de médicaments sont efficaces pour diminuer la diarrhée. Les médicaments utilisés chez l'adulte, qui agissent en ralentissant le transit intestinal, sont contre-indiqués chez l'enfant de moins de 2 ans.

Le régime riche en fibres habituellement proposé (riz-carotte ou bananecoing) épaissit artificiellement les selles sans diminuer la perte réelle en eau et en sel. Il peut néanmoins apporter un peu de confort à l'enfant en diminuant légèrement le caractère liquide des selles. On peut donc le proposer sans l'imposer.

Quant à l'exclusion du lait et des laitages, elle n'est aujourd'hui plus recommandée. On s'est en effet aperçu que l'intolérance au lactose, qui justifiait cette recommandation, n'existe que lors des gastro-entérites sévères.

Dans le cas d'une diarrhée banale, il est donc inutile de modifier le régime habituel du nourrisson : l'allaitement au sein et/ou le régime normal peuvent être maintenus.

Dans le cas d'une diarrhée sévère, il est nécessaire de consulter rapidement le médecin, surtout si l'enfant est jeune ou si la diarrhée s'accompagne de vomissements : il faut surveiller qu'une déshydratation (voir ce mot) ne soit pas en train de survenir. Dans ce cas, il faut donner à l'enfant un soluté de réhydratation orale (SRO) ; c'est pourquoi il est important de toujours en avoir dans l'armoire à pharmacie.

La durée de la diarrhée au cours d'une gastro-entérite virale est variable mais (comme dans le cas d'une autre maladie virale, le rhume) on observe le plus souvent une phase d'aggravation, une phase de stabilisation puis une phase de guérison. Dans certains cas, la diarrhée ne dure que 24 heures ; dans d'autres cas, le retour à un transit normal est plus progressif et il faut parfois 8 à 10 jours pour observer une disparition complète des selles liquides.

Si une diarrhée légère (1 à 2 selles liquides par jour) persiste plus longtemps, il est préférable de consulter le médecin. Le plus souvent, il ne s'agit que d'une intolérance passagère au lactose ; celle-ci s'améliorera rapidement en donnant à l'enfant pendant quelques jours un lait sans lactose (disponible en pharmacie) et en réintroduisant ensuite de façon progressive le lait habituel.

Voir *Gastro-entérite aiguë, Déshydratation aiguë.*

Diarrhée chronique

Elle se définit par la présence de selles molles, trop fréquentes ou trop abondantes pendant plus de quatre semaines.

Lorsqu'il n'y a pas de retentissement sur la courbe de poids et de taille, le médecin recherche plutôt une intolérance au lactose ou un colon irritable (voir ces mots). Dans le cas contraire, d'autres maladies doivent être envisagées et différents examens complémentaires seront proposés. La mucoviscidose sera toujours recherchée par un test de la sueur, même si avec le dépistage systématique à la naissance le diagnostic de cette maladie est heureusement moins fréquemment fait lorsque l'enfant est plus grand. L'allergie aux protéines du lait de vache (voir ce mot), comme l'intolérance au gluten, ou maladie cœliaque, sont aussi des causes de diarrhée chronique (voir *Gluten*).

Les diarrhées d'origine infectieuse seront enfin diagnostiquées par un examen des selles comprenant une étude bactérienne et parasitologique.

Diphtérie

Cette maladie, si redoutable jadis, est heureusement devenue exceptionnelle de nos jours grâce à la vaccination obligatoire. Elle peut néanmoins se voir encore chez des enfants non vaccinés, ou lorsque les vaccinations sont négligées (comme en Russie, ou dans d'autres pays de l'Europe de l'Est).

Chez un enfant non vacciné, toute angine grave nécessite de faire un prélèvement de gorge à la recherche du bacille diphtérique.

Doigts (blessure des)

En cas de blessure grave des doigts ou de la main, et notamment si un doigt est complètement sectionné, il faut transporter d'urgence l'enfant dans un service spécialisé dans la chirurgie de la main. Le doigt sectionné sera recueilli dans une compresse et placé dans un sac plastique hermétique, posé sur de la glace (la peau ne doit pas être en contact direct avec la glace).

Douleur

Voir le début de ce chapitre, pp. 347 et 358.

Douleurs de croissance

Toute douleur dans les membres survenant chez un enfant doit être signalée au médecin, surtout si elle se répète ou si elle dure. Avant de parler de douleurs de croissance, il convient d'éliminer un certain nombre de maladies. Notez les symptômes récents : angine, fièvre, etc.

Voir *Genoux* (mal aux)

Drépanocytose ou anémie drépanocytaire

Cette maladie est très répandue chez les Noirs originaires d'Afrique, d'Amérique et des Antilles (fréquence qui peut atteindre de 1 à 3 %), et à un moindre degré dans le Bassin méditerranéen et au Proche-Orient.

La drépanocytose est due à une anomalie de l'hémoglobine : cette anomalie entraîne une déformation caractéristique, en faucille (1), des globules rouges qui s'agrègent et bouchent les petits vaisseaux. Cette « falciformation » s'accentue quand la teneur en oxygène diminue ; elle provoque une anémie importante et permanente, et des crises douloureuses, liées à l'obstruction des vaisseaux (crises occlusives), qui peuvent toucher différents territoires ou organes : abdomen, poumons, reins, rate, squelette (vertèbres, hanche, mains, pieds…). Les enfants atteints de drépanocytose sont également très sensibles aux infections (spécialement à pneumocoques et salmonelles) : méningites, pneumonies, ostéomyélites, septicémies.

1- D'où le nom de la maladie, en grec faucille se dit *drepanon.*

Autres complications

Calculs biliaires, troubles de la fonction rénale (souvent urines abondantes et énurésie), retard de croissance, retentissement psychologique (du fait de l'absentéisme scolaire). Parfois, l'anémie peut s'aggraver brusquement, mettant la vie en danger.

La drépanocytose est une maladie héréditaire transmise par l'alliance de deux parents, chacun étant porteur d'une anomalie partielle qui chez eux n'entraîne aucun symptôme. Le diagnostic néonatal peut se faire dans les familles à risques ; il permet alors une surveillance précoce pour éviter la survenue de complications. Lorsque la maladie est connue dans la famille, un diagnostic anténatal pourra être proposé.

Malheureusement, il n'y a actuellement aucun traitement spécifique. Les enfants drépanocytaires doivent être suivis médicalement de manière régulière et précise. L'effort porte sur la prévention des crises en évitant des causes favorisantes : fatigue, froid, altitude (supérieure à 1 500 m (1), mauvaise hydratation. On essaie également de prévenir les infections par les vaccins et les antibiotiques. Les crises douloureuses intenses nécessitent l'hospitalisation d'urgence.

Eczéma
(Dermatite atopique)

Cet eczéma survient sur un terrain familial particulier, appelé terrain atopique, qui concerne également l'*allergie* et ses manifestations cutanées et respiratoires : *asthme, rhinite* (voir ces mots).

L'eczéma apparaît dès les premiers mois (deuxième ou troisième mois en moyenne). Il est facilement reconnu par l'aspect, la localisation et l'évolution des lésions. L'aspect est celui de petites plaques rouges, sèches et plus ou moins granuleuses, la peau lésée est rugueuse ; une démangeaison intense et permanente oblige l'enfant à se gratter, il est agité et il dort mal.

Chez le nourrisson, l'eczéma se localise avant tout sur la tête (pommettes, front, menton), parfois le cou, la poitrine, le dos des mains. À partir de 18 mois-2 ans, l'eczéma se situe surtout aux plis de flexion des membres : coude, genou ; la peau dans son ensemble est souvent sèche.

L'évolution de l'eczéma se fait par poussées, séparées d'intervalles plus ou moins longs ; une infection microbienne vient parfois le compliquer et le prolonger. L'eczéma peut durer des mois ; mais souvent à partir de 18 mois, une amélioration franche est observée ou tout au moins une forme plus limitée et moins envahissante (seuls les plis de flexion sont concernés) : parfois l'eczéma disparaît, mais il peut être remplacé par de l'asthme.

La **cause** première de l'eczéma est rarement retrouvée ; cependant, dans quelques cas, une allergie alimentaire peut être responsable (lait, blanc d'œuf, blé...).

L'origine peut être psychologique, due à une situation affective mal vécue par l'enfant.

Le **traitement** est long, souvent décourageant du fait des rechutes ; c'est un traitement local basé sur les dérivés de la cortisone dont les modalités d'utilisation (choix, concentration du produit, durée) seront préconisées par le médecin ; on luttera contre la sécheresse de la peau par des crèmes hydratantes, contre la surinfection par des antibiotiques, contre l'agitation et l'insomnie par des antihistaminiques. En cas d'allergie constatée à un aliment particulier, un régime supprimant cet aliment peut entraîner une amélioration spectaculaire. L'homéopathie peut être également efficace dans le traitement de l'eczéma.

Les vaccins sont faits en dehors des poussées et avec des précautions particulières comme chez les enfants allergiques ; le BCG peut être pratiqué, mais sera retardé si les lésions sont trop étendues.

Enfin, dernière recommandation : un enfant ayant de l'eczéma doit éviter tout contact avec une personne porteuse d'un herpès buccal, sous peine de graves complications.

Eczéma de contact

Par opposition au précédent, c'est une maladie locale due à la sensibilité particulière de la peau à un agent extérieur ; cet eczéma reste en général limité aux zones de contact : mains, pieds, visage, oreilles... ; on connaît ainsi des eczémas (ou allergies) au nickel (boucles d'oreilles), au caoutchouc (jouets, ballons...), aux peintures, produits de maquillage... Dans ce cas, il faudra supprimer tout contact avec le produit responsable.

L'eczéma est fréquent pendant les deux premières années. Il peut être léger (derrière les plis des genoux) ou étendu à tout le corps. Il n'est pas grave le plus souvent, mais il entraîne des démangeaisons et donc des risques de surinfection. Pour cette raison, on évite de mettre sur la peau du bébé tout produit pouvant être responsable d'allergie immédiate ou plus tardive. C'est pourquoi l'huile d'amandes douces est déconseillée.

Électrocution

Si un enfant a mis les doigts dans une prise de courant et ne peut les retirer, coupez le courant au compteur au lieu d'essayer de retirer l'enfant, car vous seriez électrisé vous-même. S'il est électrocuté par un fil électrique, écartez celui-ci avec un bâton bien sec ou un objet non conducteur. Si l'enfant ne respire plus, il faut pratiquer immédiatement la respiration artificielle (p. 424) et appeler les secours (15 ou 18).

1 - Les voyages en avion sont permis seulement sur les grandes lignes internationales (cabines pressurisées).

Attention à la rallonge branchée qui traîne par terre ; votre enfant peut la porter à sa bouche et s'électrocuter gravement.

Encoprésie

Lorsqu'un enfant propre a régulièrement la culotte tachée (parfois même on trouve des selles), on parle d'encoprésie.

Ce sont des enfants qui se retiennent trop longtemps ou bien qui ressentent trop tard le besoin d'aller aux toilettes.

Le traitement de l'encoprésie consiste tout d'abord à faire reprendre à l'enfant l'habitude d'aller à la selle, non pas parce qu'il a un besoin urgent, mais pour vider le rectum et le colon, de façon régulière et complète. Pendant cette période de réapprentissage, l'enfant ira régulièrement aux toilettes, à heure fixe, qu'il ait ou non envie d'aller à la selle. À partir de 3-4 ans, on peut lui expliquer qu'il doit s'asseoir sur le siège plusieurs minutes, même s'il ne « fait pas » ; l'enfant prendra ainsi conscience que c'est à lui de contrôler « sa » propreté.

À force de se retenir, l'enfant risque de devenir constipé. On lui donnera un régime riche en fibres et en eau. Si les selles sont trop dures, on peut aider l'enfant en lui donnant, plusieurs jours de suite, un lubrifiant (de l'huile de paraffine, à prendre par la bouche), ou un laxatif non irritant, type Macrogol. Ainsi, en quelques jours, il pourra vider complètement son colon puis prendre un rythme régulier, quotidien, de passage aux toilettes.

Mais le meilleur traitement de l'encoprésie est préventif, en habituant l'enfant à aller aux toilettes dès qu'il en ressent le besoin, ou à heures fixes, selon le caractère et le mode de vie de l'enfant. L'encoprésie survient parfois chez des enfants qui se retiennent à l'école lorsque les toilettes sont sales ou inconfortables.

Il faut savoir que l'encoprésie a le plus souvent des causes psychologiques. Si malgré les précautions évoquées plus haut (rythme, reprise d'habitude, etc.) l'encoprésie persiste, il est conseillé de consulter un psychologue pour enfants. En se retenant, l'enfant retient souvent des émotions, des conflits, des peurs que le psychologue saura déceler et traiter.

Voir *Constipation*.

Entorse

Voir *Fracture*.

Enurésie

C'est l'absence de contrôle de la vessie à un âge où habituellement l'enfant est propre. Mais l'âge de la propreté varie avec chaque enfant. Certains enfants sont propres très tôt, d'autres plus tard ; de toute façon, on ne peut parler d'énurésie avant l'âge de 5 ans ; de même qu'on ne peut parler d'encoprésie (absence de contrôle de l'anus) avant cet âge.

On parle d'**énurésie primaire** quand l'enfant n'a jamais été propre ; il s'agit habituellement d'une immaturité de contrôle de la vessie, ou de maladresse au moment de l'apprentissage de la propreté (pp. 172 et suivantes).

On parle d'**énurésie secondaire** lorsque, avant 4-5 ans, l'enfant qui a déjà été propre se « remouille ». L'incident peut s'interpréter de deux manières. Soit comme une régression à un stade antérieur qui se produit lorsque l'acquisition de la propreté est encore récente, pas très bien établie. Il faut alors savoir ce qui a déclenché cette régression dans la vie de l'enfant. Il ne s'agit pas toujours d'un événement évident, cela peut être un climat psychologique qui l'a perturbé, ou encore des difficultés normales que tout enfant, entre 3 et 6 ans, rencontre pour grandir : par exemple accepter ses frères et sœurs, accepter d'être exclu du couple de ses parents. Mais l'énurésie n'est pas toujours un problème de régression. Elle peut aussi marquer une certaine agressivité que l'enfant ne s'autorise pas avec ses parents ou ses frères et sœurs, et qu'il défoule la nuit.

L'énurésie est en général nocturne, l'enfant se mouillant une ou plusieurs fois par nuit. En général, il ne se rend pas compte qu'il a mouillé son lit, et très souvent il ne le réalise qu'en se réveillant le matin. Mais il existe aussi des énurésies de jour, qui compliquent la vie scolaire.

Le **traitement** de l'énurésie commence par une bonne hygiène de la miction ; il faut imposer à l'enfant de faire pipi régulièrement et fréquemment dans la journée : le matin, à la récréation, avant et après le déjeuner, après la sieste, avant le dîner et avant le coucher, soit 6 à 8 fois par jour.

Il faut également veiller à ce que l'enfant boive suffisamment : les apports liquides doivent être abondants depuis le matin jusqu'au goûter compris, puis restreints le reste de la journée. Dans plus de la moitié des cas, ces simples mesures suffisent à régler le problème.

En cas de persistance de l'énurésie, diverses méthodes sont proposées :
• appareils de réveil, par alarme sonore, type Pipi-Stop (mais beaucoup trouvent cette méthode trop agressive)
• médicaments visant à inhiber les contractions de la vessie, à limiter le volume des urines (hormone antidiurétique).

Dans tous les cas, le **soutien psychologique** est primordial. Il est important, avec l'aide des parents, d'obtenir la participation de l'enfant lui-même. Le médecin explique à l'enfant le mécanisme de contrôle de la vessie et comment celle-ci peut se maintenir fermée pendant le sommeil. À partir de 5 ans, l'enfant est tout à fait capable de tenir un petit carnet journalier : s'il est mouillé, il dessine la pluie, s'il est sec c'est un soleil. Et les progrès sont rapides : en quelques semaines les soleils augmentent sur le carnet.

Il arrive que l'énurésie fasse partie de tout un ensemble de difficultés affectives et scolaires. Dans ce cas, le médecin expliquera aux parents pourquoi une aide psychothérapique est nécessaire, qui traitera la globalité de cette situation.

Épilepsie

L'épilepsie est une maladie caractérisée par la répétition de crises convulsives (ou crises d'épilepsie) ; elles surviennent, en principe, en dehors de toute fièvre, à la différence des *convulsions fébriles* (voir ce mot). Ces crises ne sont pas non plus liées à un désordre biologique tel que l'hypoglycémie (taux de glucose insuffisant dans le sang) ou l'hypocalcémie (taux de calcium insuffisant dans le sang).

Chez l'enfant, les crises épileptiques sont très diverses. La plus fréquente est la forme complète dite « tonico-clonique ». La crise débute par une perte brutale de conscience avec chute. Le corps se raidit, puis il est animé de secousses rythmées des membres et du visage, les yeux sont fixes et révulsés, le visage cyanosé, la respiration bloquée ; après quelques instants, la crise s'arrête, la respiration reprend, bruyante, et l'enfant est sans connaissance, en relâchement musculaire complet avec parfois perte d'urine. Puis, après quelques minutes, il s'endort, et au réveil il ne garde aucun souvenir de la crise.

Il existe aussi des crises incomplètes, limitées à un simple accès de raidissement ou au contraire de mollesse, à une simple révulsion oculaire, à quelques secousses localisées.

Et il existe des formes partielles limitées au visage, survenant en pleine conscience, avec impossibilité de parler, alors que la compréhension reste intacte, et des crises en rapport avec le sommeil survenant soit à l'endormissement, soit au réveil.

En fonction de l'âge, il faut encore citer chez l'enfant à partir de 3 ans, le « petit mal » qui se caractérise par des absences : suspension de la conscience pendant quelques secondes. Chez le nourrisson vers 5-6 mois, les spasmes en flexion (voir ce mot) sont une épilepsie grave nécessitant un traitement rapide.

L'important est d'abord de rechercher la **cause** de l'épilepsie. Est-elle d'origine organique, c'est-à-dire liée à une lésion cérébrale ? Actuellement la réponse peut souvent être donnée grâce au scanner ou à l'IRM (Imagerie par résonance magnétique) cérébrale.

Certaines crises peuvent être déclenchées par des stimulations lumineuses répétées – on a signalé le rôle nocif des écrans (télévisions, ordinateurs, jeux vidéo) chez les personnes prédisposées.

Quand la cause de l'épilepsie n'a pu être trouvée, on parle alors d'épilepsie primaire essentielle. Cette affection se caractérise par une facilité naturelle des cellules nerveuses à provoquer des décharges brutales ; en d'autres termes, certaines personnes font des convulsions plus facilement que d'autres.

Pour faire son **diagnostic**, le médecin vous demandera de décrire précisément le déroulement de la crise à laquelle vous avez assisté. Il demandera souvent un électro-encéphalogramme et un scanner ou une IRM cérébrale.

Le plus souvent, même si l'épilepsie a une cause organique, le **traitement** vient aisément à bout des crises.

Dans certains cas rares, l'épilepsie est grave et évolutive. Ces épilepsies difficiles à équilibrer par le traitement devront être prises en charge par des équipes médicales spécialisées.

Bien sûr, l'enfant sujet à des crises d'épilepsie sera suivi médicalement. Il aura généralement un traitement médicamenteux quotidien qu'il devra prendre plusieurs années. L'absence de crise pendant trois ans peut amener le médecin à arrêter progressivement le traitement, selon le type d'épilepsie. Il est cependant important de savoir que l'épilepsie chez l'enfant n'est plus une maladie inguérissable, demandant un traitement à vie ; aujourd'hui, elle peut même dans certains cas être considérée comme bénigne et limitée dans le temps. Néanmoins, le traitement doit être suivi avec beaucoup de rigueur sans excepter un seul jour. Et il ne doit jamais être interrompu sans l'accord médical.

Il conviendra d'organiser pour l'enfant une vie régulière, en évitant en particulier le manque de sommeil. Ceci étant, l'enfant sujet à des crises d'épilepsie doit recevoir une éducation normale, en évitant une surprotection et avoir une scolarisation régulière dans les classes normales de son âge. Une aide psychologique de l'enfant et/ou des parents peut être indiquée dans certains cas.

Les activités habituelles de jeux et les activités sportives sont permises, y compris la natation, mais sous surveillance constante d'un adulte. Moyennant quoi, dans la plupart des cas, l'enfant épileptique pourra se développer harmonieusement tant au plan psychomoteur qu'au plan affectif.
Fondation française
pour la recherche sur l'épilepsie
Tél. 01 47 83 65 36.
www.fondation-epilepsie.fr

Voir *Convulsions avec fièvre* et *Convulsions sans fièvre*.

Équilibre

Voir *Perte d'équilibre* et *Vertiges*.

Éruption, fièvre éruptive

On réserve ce nom aux maladies infectieuses classiques : rougeole, scarlatine, varicelle, rubéole, roséole, auxquelles s'ajoutent aujourd'hui un certain nombre de maladies « à virus » (virus ECHO, virus APC, etc.).

Érythème fessier

L'érythème fessier (ou rougeurs du siège) est dû au contact prolongé de la peau avec les urines et les selles. Des changes fréquents constituent la meilleure prévention de l'érythème. Il faut bien sécher le siège. Sur une peau saine, il est inutile d'appliquer un produit particulier.

Si des lésions apparaissent, le meilleur traitement reste l'éosine (solution aqueuse à 1 %) et l'exposition prolongée à l'air ; si les lésions sont étendues, on utilisera pour la nuit des pommades cicatrisantes et protectrices. Si les lésions persistent, mieux vaut consulter le médecin. Certains érythèmes fessiers sont d'origine mycosique, en particulier lors d'un traitement antibiotique prolongé et/ou répété ; ils nécessitent alors un traitement adapté. Dans d'autres cas, il peut y avoir une surinfection microbienne nécessitant une pommade antibiotique.

Essoufflement

L'essoufflement rapide, qui empêche l'enfant de jouer normalement, de courir, de se dépenser, est un symptôme à ne pas négliger. Il peut résulter d'une fatigue générale passagère, d'une anémie, mais aussi d'une anomalie cardiaque ou respiratoire. Le médecin prescrira les examens en conséquence.

Étouffe (l'enfant qui)
Corps étranger dans les voies respiratoires « Fausse-route »

Parfois, il s'agit d'un bébé qui a manqué d'air ; dans d'autres cas, il a avalé de travers.

On trouve le bébé inerte dans son berceau

Si l'enfant est pâle ou violacé, inerte ou bien agité de mouvements convulsifs, mettez-lui la tête en arrière pour faciliter sa respiration. Si celle-ci ne reprend pas, il faut faire la respiration artificielle. Commencez-la comme indiqué à l'article : *Respiration artificielle* et demandez à quelqu'un autour de vous d'appeler le 15 ou le 18.

L'enfant a avalé de travers

C'est-à-dire qu'un corps étranger s'est engagé dans les voies respiratoires (c'est le plus fréquemment une cacahuète ou un fragment de jouet), c'est ce qu'on appelle la « fausse-route ». L'arrêt de la respiration peut être subit

ou progressif. L'enfant commence par tousser, puis il respire lentement, bruyamment, d'une respiration rauque ou sifflante ; il bleuit ; et, s'il n'y a pas eu d'intervention efficace, l'enfant cesse de respirer.

Si l'objet est visible et accessible dans la bouche, on peut essayer de l'enlever avec les doigts, mais avec précaution afin de ne pas repousser l'objet plus en arrière dans la gorge.

Si l'enfant arrive malgré tout à respirer, laissez-le assis au calme et faites le 15.

En cas d'échec, on utilise, selon l'âge de l'enfant, soit la manœuvre de Mofenson, soit la manœuvre de Heimlich. Ce sont les méthodes recommandées aujourd'hui chez les enfants en état d'asphyxie du fait de la présence d'un corps étranger dans les voies respiratoires.

Chez le nourrisson

On utilise de préférence la **manœuvre de Mofenson** : l'enfant est placé à plat ventre sur la cuisse de l'intervenant, la tête en avant ; on frappe avec le plat de la main, dans le dos, entre les deux omoplates.

Chez **l'enfant de plus de 2 ans**, on utilise la **manœuvre de Heimlich**. Le principe consiste à exercer une forte et brusque compression de bas en haut au niveau du creux de l'estomac.

La manœuvre de Heimlich est pratiquée chez l'enfant en position debout

ou assise (figure ci-dessous) : on se place derrière l'enfant en lui entourant la taille, et on place un poing fermé au niveau du creux de l'estomac au-dessus de l'ombilic ; puis l'autre main est placée sur le poing, et une brusque pression est alors exercée, dirigée vers le haut et l'arrière (c'est-à-dire vers vous) ; l'air, chassé des poumons vers la trachée, expulse le corps étranger. Le geste peut être répété plusieurs fois si nécessaire, chaque poussée étant bien séparée de la précédente.

Si vous n'obtenez pas de résultats faites le 15 ou transportez d'urgence l'enfant à l'hôpital tout en continuant le bouche-à-bouche.

Spasme du sanglot

Il s'agit d'un arrêt respiratoire survenant au paroxysme d'une crise de cris et de pleurs. Bien que très impressionnant, ce trouble est sans gravité (voir *Spasme du sanglot*).

Laryngite avec toux rauque

L'enfant tousse d'une toux rauque. Au milieu de la nuit, il s'assied dans son lit, très gêné pour respirer. C'est parfois très impressionnant et justifie l'appel d'urgence d'un médecin ou d'emmener l'enfant à l'hôpital. (Voir *Laryngite*.)

Fatigue

Depuis des semaines votre enfant est pâle. Il a les yeux cernés, les traits tirés. Il manque d'entrain. Il demande à aller au lit. Il suce son pouce et refuse de jouer. Il n'a pas d'appétit. Pourtant, en apparence, il n'est pas malade, n'a pas de fièvre.

Certes, la fatigue de l'enfant n'est peut-être due qu'à une poussée de croissance – ou au manque de sommeil :

il se lève trop tôt pour aller à la crèche ou chez la nourrice, se couche tard, il y a du bruit à la maison (radio, télé...). Mais il se peut aussi que l'enfant soit en train de « préparer » une maladie. Dans l'incertitude, montrez-le au médecin. Un petit bilan, quelques examens, s'ils sont négatifs, vous rassureront.

Fièvre

On dit qu'un enfant a de la fièvre quand sa température rectale ou auriculaire, prise convenablement (voir *Soigner son enfant*) dépasse 38°. La température normale varie de 36,5° le matin à 37,5° le soir, mais un enfant qui s'est beaucoup dépensé et dont on prend la température, sans l'avoir fait se reposer auparavant, peut avoir 38° le soir.

Qu'est-ce que la fièvre ?

C'est la preuve que l'organisme réagit à une agression. Cette agression est peut-être due à une infection (virale ou bactérienne).

Quand faut-il prendre la température ?

La fièvre est en général le premier signe de maladie que découvrent les parents. En effet le premier geste, lorsqu'on voit qu'un enfant n'a pas d'appétit ou qu'il a les mains chaudes, est de prendre sa température.

Ce qui est tout à fait indiqué. Il faut prendre la température d'un enfant chaque fois que quelque chose d'anormal frappe dans son aspect ou sa manière d'être. Mais ce serait une erreur de prendre la température de l'enfant à tout bout de champ, ou de s'alarmer pour quelques dixièmes de plus, si par ailleurs l'état général est bon.

En l'absence de tout symptôme autre que la fièvre, quand faut-il consulter le médecin ?

• Toujours et rapidement si l'enfant a moins de 6 mois.

Si l'enfant a moins de 3 mois, cette fièvre peut traduire l'existence d'une infection materno-fœtale contractée au cours de l'accouchement et qui se déclare tardivement. Il faut consulter

rapidement son médecin ; si ce n'est pas possible, appelez le 15, le médecin du SAMU vous conseillera ; ou bien emmenez l'enfant aux urgences si l'hôpital n'est pas trop loin.

• Forte fièvre (39° et plus persistant au-delà de 48h) : bien qu'une température élevée ne soit pas à elle seule un signe de gravité, il sera souvent prudent, surtout si l'enfant est jeune, de consulter le médecin.

• Fièvre modérée, 38° à 39° : avant de consulter le médecin, considérez l'état général de l'enfant (voir dans *Soigner son enfant* les signes de bonne et de mauvaise santé). Si cet état général est mauvais, voyez le médecin. S'il semble bon, attendez le lendemain. Il y aura probablement un symptôme supplémentaire. Mais si la fièvre, même modérée, durait au-delà de quatre ou cinq jours, consultez le médecin.

• Au cours d'une maladie, si la fièvre s'élève, consultez le médecin. Il est probable qu'une complication soit survenue.

• Le médecin a prescrit un traitement. Au bout de deux ou trois jours, la fièvre n'a toujours pas baissé. Signalez-le, mais ne vous affolez pas. Laissez au traitement le temps d'agir.

Avant de consulter le médecin, cherchez les autres symptômes

L'enfant a-t-il vomi ? Tousse-t-il ? Une éruption est-elle apparue en quelque point de son corps ? Les selles sont-elles normales ? Et l'appétit ?

Ne vous alarmez pas trop d'une brusque poussée de fièvre chez un enfant

Chez les enfants, la température s'élève plus vite et plus haut que chez les adultes. Il ne faut donc pas s'alarmer outre mesure de ce seul symptôme. Une fièvre de 38° qui dure est plus sérieuse qu'une flambée à 40° avec des amygdales rouges. Le thermomètre doit surtout avoir pour but de vous rendre plus vigilant. En outre, certains enfants ont facilement de fortes températures, alors que, chez d'autres, la fièvre est rare et peu élevée.

Faut-il faire tomber la fièvre ?

Certains parents, dès que le thermomètre monte, veulent un traitement et une amélioration immédiate : ils pensent qu'il faut à tout prix faire tomber la fièvre, car à leurs yeux, la fièvre, c'est la maladie. Il est vrai que la fièvre fatigue. Mais elle n'est en soi qu'un symptôme, une réaction normale de l'organisme. Elle a son utilité.

Faut-il donner un médicament ?

Oui, si l'enfant semble avoir mal, s'il paraît inconfortable. Deux médicaments sont aujourd'hui utilisés : le paracétamol ou l'ibuprofène (voir p. 348).

Après une maladie, ne continuez pas à prendre la température

Le médecin vous a dit : « Vous pouvez recommencer à sortir l'enfant. » Ne continuez pas à prendre sa température : un 37,2° le matin ne doit pas vous faire considérer que la maladie n'est pas terminée, si le médecin vous a dit qu'elle l'est. Le vrai signe que l'enfant est guéri n'est pas le thermomètre à 36,8°, mais le retour de l'entrain et de l'appétit.

La température trop basse

Hier, votre enfant avait 39°. Ce matin, il a 36,5°. Il arrive qu'après une maladie, et alors que l'enfant est guéri, la température tombe à 36° et s'y maintienne pendant un ou deux jours. Ce n'est pas grave ; c'est la phase d'hypothermie consécutive aux maladies fébriles.

Cas particulier du nouveau-né : chez lui, une infection grave peut se traduire par une hypothermie.

La fièvre inversée

Certains nourrissons ont 37,7° le matin et 37° le soir. Cela correspond souvent à une *rhino-pharyngite* latente (voir ce mot).

Fontanelle

La grande fontanelle est une zone molle en forme de losange, située entre les os du crâne, au-dessus du front du bébé et du nourrisson. Le nouveau-né présente, en plus, une petite fontanelle à l'arrière du crâne, qui se ferme très vite, juste après la naissance.

La grande fontanelle est formée

d'un tissu élastique qui permet à la croissance du crâne de s'ajuster à celle du cerveau, croissance qui est importante pendant les premiers mois. Cette fontanelle se ferme normalement entre 8 et 18 mois. Si la fontanelle était toujours présente au-delà de 2 ans, il faudrait en parler au médecin. Inversement sa fermeture (ossification) trop précoce, dans les premiers mois, est anormale (voir *Craniosténose*) et peut avoir des conséquences néfastes sur le développement de l'enfant (voir *Microcéphalie*).

Vous remarquerez que la fontanelle se tend lorsque l'enfant crie : c'est normal. Normal aussi est le battement de la fontanelle, visible et palpable.

La fontanelle doit toujours être plane et élastique. Si elle est bombée et tendue, c'est un signe inquiétant qui fait envisager une atteinte méningée. Si elle est déprimée, elle témoigne d'une déshydratation.

En cas d'accident, si la fontanelle est touchée, il faut aussitôt conduire l'enfant à l'hôpital.

Fractures, entorses et luxations

À l'occasion d'une chute, d'un choc, d'un coup reçu, un os peut être cassé (c'est une fracture), ou bien une articulation peut être distendue (c'est une entorse), déboîtée (c'est une luxation). Peu importe la différence, car les gestes qu'il faut faire et ceux qu'il ne faut pas faire sont les mêmes :

• gardez votre calme (un enfant s'inquiète vite lorsqu'on s'affole autour de lui)

• ne remuez pas l'enfant (sauf pour le mettre à l'abri, s'il est dans un endroit dangereux : sur la chaussée par exemple)

• si c'est possible, demandez à l'enfant de montrer l'endroit où il a mal ; examinez-le sans le toucher

• si vous le pouvez, immobilisez la partie supposée blessée (nous allons voir comment) ; pendant ce temps, demandez à quelqu'un d'appeler les pompiers (18) si l'accident survient sur la voie publique ; sinon emmenez votre enfant à l'hôpital le plus proche accueillant les urgences orthopédiques.

1. Dans la plupart des cas, c'est un membre qui est fracturé.

Cuisse, jambe et cheville

L'enfant tombe en courant, ou est heurté violemment par un pare-chocs de voiture par exemple ; il ne peut pas se relever. On voit parfois, malgré les vêtements, que la région douloureuse est déformée ; pour s'en assurer, on peut découdre ou découper les vêtements sans remuer la jambe ; en cas de doute, toujours agir comme si c'était une fracture : ne jamais essayer de redresser la partie blessée. Caler la jambe et le pied avec des coussins, des oreillers, des couvertures ; si l'enfant s'agite, ou s'il faut le déplacer, immobiliser le membre avec une ou deux attelles (n'importe quel objet long et rigide peut servir d'attelle : un manche à balai, une planche (figure 1 ci-dessous ; les attacher par des liens peu serrés et glisser du rembourrage entre l'attelle et le membre).

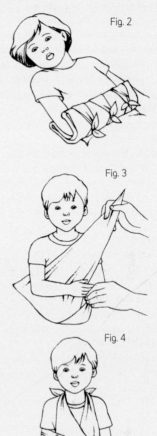

Fig. 2

Fig. 3

Fig. 4

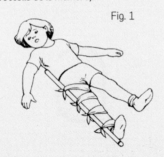

Fig. 1

Clavicule, épaule. Bras, avant-bras, main

L'enfant est tombé sur la main ou le coude, ou le bras a été tordu au cours d'un jeu brutal ; le petit blessé, instinctivement, soutient le membre fracturé dans la meilleure position. Aidez-le en soutenant le bras et la main par une écharpe (figures 3 et 4) ou, s'il s'agit de l'avant-bras, du poignet ou du doigt, par une gouttière faite avec un magazine (figure 2). Ne cherchez jamais à remuer le bras ni à redresser la fracture.

Un cas particulier

Si l'os fracturé a déchiré la peau, débarrassez la plaie de toute espèce de vêtement et recouvrez-la de compresses stériles (ou, à défaut, d'un mouchoir propre), que vous maintiendrez par du sparadrap appliqué doucement, puis procédez comme indiqué plus haut et en suivant les figures 3 et 4.

2. Le choc peut avoir porté sur la tête, ou dans le dos

Il peut s'agir d'un bébé tombé de sa chaise ; ou encore d'un enfant assis sur le siège avant d'une voiture, ou sur les genoux d'une personne assise à l'avant (le moindre coup de frein projette l'enfant sur le pare-brise ou le tableau de bord) ; à moins d'être installé dans un siège homologué, un enfant n'a pas le droit, avant 10 ans, d'être assis à l'avant d'une voiture (p. 152).

Trois cas peuvent se présenter :

• L'enfant est conscient (il pleure ou répond à vos questions) : ne le remuez pas ; maintenez sa tête dans l'axe du corps sans jamais la pencher ni la tourner (il peut y avoir fracture du crâne, de la colonne vertébrale).

• L'enfant est inconscient, mais respire bien : il faut craindre une fracture du crâne (surtout si un peu de sang s'écoule par le nez ou l'oreille) ; placez l'enfant allongé sur le côté, la tête basse et bien calée sur un petit coussin.

• L'enfant est inconscient et la respiration est arrêtée : pratiquez immédiatement la respiration artificielle.

S'il faut déplacer l'enfant, faites-le glisser doucement sur le sol en le tirant par les pieds, pendant que quelqu'un maintient la tête droite.

Il existe enfin d'autres fractures, difficilement repérables (côtes, mâchoire). Allongez l'enfant sur le côté qu'il préférera, en attendant les secours.

3. Les entorses et luxations

Elles sont rares chez l'enfant jeune, du fait de la grande souplesse des ligaments et des articulations à cet âge.

Un cas particulier

La pronation douloureuse (p. 422).

• Les gestes que nous recommandons seront mieux faits si vous les avez appris, par exemple en suivant un cours de secourisme comme ceux que la Croix-Rouge organise régulièrement.

Furoncle

Gros bouton, douloureux, qui s'élève progressivement en devenant rouge. Après plusieurs jours, la peau, au centre, devient mince. On voit du pus sous la peau. Puis le bouton se ramollit et laisse s'écouler une masse blanchâtre. Plusieurs furoncles groupés et qui finissent par ne former qu'un seul bouton sont un anthrax.

Les furoncles siègent surtout sur le cuir chevelu, dans le dos, sur les fesses, sur la face postérieure des bras et des jambes. Le furoncle est grave chez le nourrisson parce qu'il signifie qu'un microbe, le staphylocoque doré, a pénétré dans l'organisme. Ce microbe ira peut-être se loger en un autre point : dans l'oreille, les intestins, les voies urinaires, les os, ou dans les voies respiratoires. Les complications qui surviendront risquent alors d'être graves. En attendant le traitement qui sera prescrit, couvrez le furoncle d'une gaze stérile, fixée par un ruban adhésif, pour éviter la propagation de l'infection et le frottement des vêtements. Des furoncles à répétition nécessitent un examen général. (Voir *Abcès*.)

Furoncle chez une personne de l'entourage d'un nourrisson

Ne laissez pas la personne atteinte d'un furoncle s'approcher de votre enfant ni s'occuper de près ou de loin de son alimentation.

S'il s'agit de la mère, il faut renforcer les mesures d'hygiène (lavages fréquents des mains, nettoyer les furoncles avec de la chlorexidine aqueuse).

Gale

Ne vous croyez pas déshonoré si le médecin vous dit que votre enfant a la gale ; ce parasite est très contagieux ; l'enfant peut l'avoir attrapé n'importe où. Néanmoins, des contacts répétés et étroits (vêtements, literie) sont nécessaires pour attraper la gale ; la contagion se fait donc le plus souvent à l'intérieur de la famille elle-même, ou à l'école. Les lésions entraînent des démangeaisons importantes ; elles siègent aux poignets, aux plis du coude, aux flancs, aux aisselles, autour des mamelons, aux épaules, au nombril, aux parties génitales, aux fesses, au tendon d'Achille, à la plante des pieds. Aux endroits où le parasite (*sarcopte*) creuse un tunnel dans la peau et y pond ses œufs, la peau est surélevée, de couleur blanc nacré, ressemblant à un grain de riz précédé d'un petit sillon brun.

On baigne, on savonne, on brosse et on applique une pommade ou une lotion antiparasite spécifique sur tout le corps.

Il faut lessiver le linge de toute la maison : linge de corps et literie ; et désinfecter les vêtements, y compris gants, chaussons, pantoufles avec un spray antiparasitaire.

Il est indispensable que tous les membres de la famille soient examinés et éventuellement traités, car cela ne sert à rien de soigner seulement l'enfant si dans l'entourage la source de contagion persiste.

Gamma-globulines

Ce sont des anticorps d'origine humaine qui apportent une protection temporaire (quelques semaines) contre virus et bactéries. Elles peuvent être utilisées en injections intramusculaires pour prévenir la maladie ou l'atténuer. Les gamma-globulines ne sont plus prescrites dans les maladies courantes (elles ont été beaucoup utilisées dans les infections à répétition, ORL et des bronches). En effet, ce sont des produits d'origine humaine, et, comme tous les dérivés sanguins, ils présentent un risque théorique de transmission virale.

Néanmoins, des gamma-globulines spécifiques (antitétaniques anti-hépatite B) sont utilisées dans des cas précis.

Ganglions

Ces petites grosseurs qu'on sent au toucher sous la peau, au cou, sous les oreilles, sous la mâchoire, sous les bras ou à l'aine jouent un rôle dans la fabrication des globules blancs de notre sang, donc dans la défense contre l'infection.

Chez les enfants, les ganglions du cou sont souvent gonflés à l'occasion d'une infection locale : rhume, amygdalite, otite, végétations ; ou d'une maladie telle que varicelle, roséole, etc.

Le gonflement des ganglions s'appelle une adénite. Elle peut être cervicale (ganglions du cou), axillaire (des aisselles), ou inguinale (de l'aine). Quand le gonflement apparaît brusquement, qu'il est rouge, chaud et douloureux, c'est une adénite aiguë bactérienne. Elle s'accompagne de fièvre. Elle évolue comme un *abcès* (voir ce mot) qu'il faudra éventuellement inciser. La maladie des *griffures de chat* (voir ce mot) peut également donner une adénite suppurée.

Quand les ganglions existent depuis longtemps, sont durs et indolores, il s'agit d'une adénite chronique, c'est-à-dire permanente. Il faut la signaler au médecin à votre prochaine visite. Les enfants qui, à la moindre maladie, ont les ganglions enflés, sont souvent des enfants pâles, qui se fatiguent vite, manquent de tonus.

Des maladies telles que la mononucléose infectieuse, la toxoplasmose peuvent entraîner une réaction ganglionnaire plus ou moins étendue.

Des maladies du sang plus graves peuvent être également en cause, surtout si l'enfant est pâle, fatigué, se plaint de douleurs dans les membres, etc. Devant tout ganglion qui persiste, le médecin fera pratiquer des examens complémentaires.

Gastrite

La gastrite est un état inflammatoire de l'estomac. Elle entraîne des douleurs abdominales situées au dessus de l'ombilic, des nausées et des remontées acides dans la bouche. Elle peut être due à un microbe (*Helicobacter pylori*), responsable chez l'adulte de l'ulcère de l'estomac. Un traitement antibiotique et antiacide assure la guérison.

Gastro-entérite aiguë

Gastro-entérite, diarrhée et déshydratation sont trois maladies aiguës (leur évolution est rapide), étroitement liées.

Le premier symptôme de la gastro-entérite est une augmentation de la fréquence des selles : c'est la **diarrhée**. Si la diarrhée est importante, elle peut conduire à une perte d'eau massive : c'est la **déshydratation**.

Toutes les gastro-entérites s'accompagnent de diarrhées mais elles ne conduisent pas toutes à un état de déshydratation. Celle-ci apparaît surtout si les selles sont très liquides et très nombreuses (plus de 5 selles par jour). Le risque de déshydratation est aussi plus fréquent si la diarrhée s'accompagne de vomissements (les pertes d'eau sont augmentées) et si l'enfant est un nouveau-né ou un nourrisson (les réserves d'eau sont moins importantes).

De façon générale, lors d'une gastro-entérite modérée, avec 3 ou 4 selles par jour, il n'y a pas de déshydratation. En revanche, en cas de diarrhée sévère, une déshydratation est possible, même chez des grands enfants.

La gastro-entérite aiguë est une infection intestinale, le plus souvent **d'origine virale**, très contagieuse : les épidémies sont fréquentes durant l'hiver, surtout dans les collectivités d'enfants. Sa transmission est « fécale-orale » : on se contamine en portant à la bouche des mains qui ont été en contact avec des selles infectées ou une surface souillée. Lorsqu'on souffre soi-même de diarrhée ou lorsqu'on change un enfant qui a de la diarrhée, il est particulièrement important de se laver les mains : avec de l'eau et du savon, ou, ce qui est plus efficace, avec une solution hydro-alcoolique achetée en pharmacie.

La gastro-entérite se caractérise d'abord et surtout par de la diarrhée. Il peut aussi y avoir des douleurs de ventre, des vomissements, une difficulté à absorber du lait ou de la nourriture.

En général, la gastro-entérite guérit spontanément en une semaine environ, sans traitement. En effet, comme elle est d'origine virale, elle ne nécessite ni antibiotique ni antidiarrhéique. L'allaitement au sein et/ou le régime normal du nourrisson sont maintenus. Mais la gastro-entérite peut avoir des conséquences plus ou moins graves qui sont la déshydratation (voir ce mot). C'est pourquoi il est recommandé d'avoir toujours dans l'armoire à pharmacie des solutés de réhydratation orale (SRO).

Des **vaccins** ont été mis au point pour prévenir cette maladie. Aujourd'hui, deux vaccins sont disponibles et permettent de protéger les nourrissons contre un des virus responsable des gastro-entérites les plus sévères : le rotavirus. Ces vaccins sont à prendre par la bouche et c'est le médecin qui les administre à l'enfant, lors des visites systématiques à 2, 3 ou 4 mois, en même temps que les autres vaccins. Malgré une efficacité prouvée et une excellente tolérance, ces vaccins ne sont pas encore remboursés.

Voir *Diarrhée aiguë, Déshydratation aiguë.*

Gaucher (l'enfant)

Le temps n'est plus où lorsqu'un enfant était gaucher, on considérait qu'il avait un vrai handicap pour la vie pratique, les études, etc.

Aujourd'hui, on sait qu'être gaucher est aussi naturel qu'être droitier, puisqu'il s'agit d'une spécificité du cerveau. La difficulté qui peut subsister vient du fait que certains objets courants sont prévus pour les droitiers, comme les ciseaux. Heureusement, de plus en plus souvent, le gaucher trouve des modèles faits pour lui.

Comment s'assurer, pour ne pas le contrarier, **qu'un enfant est gaucher** ? Jusque vers 1 an-18 mois les bébés jouent avec leurs deux mains. C'est seulement vers 2 ans 1/2 - 3 ans que l'enfant manifeste une préférence, qui parfois n'est confirmée que vers 4 ans : la latéralisation, la façon dont l'enfant organise son côté prédominant, se met en place lentement. Avant d'encourager l'enfant à se servir de sa main gauche, il faut donc s'assurer qu'il est réellement gaucher. Regardez avec quelle main il allume la lumière, ou comment il ouvre une porte. Cela donne une bonne indication. Tout en l'observant, on doit tenir compte de la préférence de l'enfant à se servir de la main gauche pour qu'il devienne avec elle de plus en plus habile, notamment avant l'entrée à l'école maternelle : en plaçant de ce côté-là les objets dont il se sert (cuillère, crayon, etc.). Mais ne soyez pas trop pressé ; il faut du temps à l'enfant pour qu'il choisisse son côté préféré. À l'école maternelle, les instituteurs laissent le choix jusqu'à 4 ans.

En général, l'enfant gaucher de la main l'est aussi du pied (c'est avec ce pied-là qu'il lance le ballon) et également de l'œil (il se sert bien de l'œil gauche pour viser lorsqu'il joue aux cow-boys). Mais il y a des exceptions.

Par exemple, d'un enfant gaucher de la main, mais dont l'œil droit est directeur, on dit que sa **latéralisation** est **hétérogène**. Cela peut entraîner chez certains enfants un apprentissage de la lecture et surtout de la transcription - aux dictées plus qu'à la copie- plus difficile, avec des inversions de lettres ou de sons. Dès la dernière section d'école maternelle, on peut consulter une orthophoniste (1) pour avoir un avis ou des conseils.

Enfin, dans le cas d'une **ambidextrie**, – l'enfant se sert aussi bien de la main gauche que de la main droite – on peut se poser un choix éducatif pour l'écriture surtout si l'enfant présente une maladresse des deux mains. Dans le doute, nous vous conseillons de prendre l'avis d'un psychologue ou d'un psychomotricien (1). Différents tests peuvent aider l'enfant à choisir la main dominante ainsi que la bonne position pour écrire.

Gaz intestinaux

Bébé a des gaz : s'il prend régulièrement du poids et que ses selles sont normales, ne vous faites pas de souci. Veillez toutefois à ce que son régime soit bien équilibré, qu'en particulier il ne comporte pas un excès de farineux, de féculents et de sucres (ce qui est fréquent) : ceux-ci entretiennent des fermentations excessives avec ballonnements, parfois diarrhée. Souvent, au contraire, il s'agit d'une constipation (voir ce mot) que quelques mesures simples permettront de supprimer (voir *Coliques*). Si l'enfant a beaucoup de gaz mais ne pleure pas, il n'est pas utile de modifier son alimentation.

Un cas particulier

Des gaz fréquents, douloureux et malodorants chez un petit nourrisson (moins de 6 mois) sont la manifestation d'une pullulation microbienne intestinale : un excès important de certains microbes dans l'intestin provoque une fermentation et l'émission de gaz très malodorants. Le traitement comprend 1 ou 2 désinfectants intestinaux et des ferments lactiques, à prendre par voie orale, pour rééquilibrer la flore intestinale.

Génétiques (maladies)

Les maladies génétiques sont des maladies liées au mauvais fonctionnement d'un élément du chromosome : le gène. La plupart d'entre elles surviennent dans des familles qui n'en ont aucun antécédent.

Les maladies génétiques les plus fréquentes sont dues à un accident lors de la fabrication du matériel génétique du spermatozoïde ou de l'ovule : ainsi dans la trisomie 21, le spermatozoïde ou l'ovule reçoit deux chromosomes 21 (au lieu de 1 seul habituellement) ce qui va conduire, après la fécondation, à un embryon avec 3 chromosomes 21 (au lieu de deux). Dans d'autres maladies, comme dans la mucoviscidose, chacun des parents porte un chromosome avec un gène malformé mais cette anomalie

est compensée par le gène de l'autre chromosome qui est normal (les parents ne sont pas malades). Au moment de la fécondation, chaque parent transmet un chromosome. Si les deux parents transmettent chacun un chromosome malade, le bébé est atteint par la maladie.

Si la maladie est portée par le chromosome X, la transmission est encore différente : la maman n'est pas malade car elle a deux chromosomes X (comme toutes les filles) et l'autre chromosome est le plus souvent normal. Au moment de la fécondation, si la maman (XX) donne son chromosome X malade et que le papa (XY) donne un chromosome Y, le bébé est un garçon malade : le X malade n'est pas compensé par le Y. Si le papa (XY) donne un chromosome X, le bébé est une fille non malade : le chromosome X malade est compensé par un X non malade. Dans ce cas, seuls les garçons sont atteints. Dans d'autres maladies enfin, l'anomalie du chromosome est plus grave et n'est pas compensée par l'autre chromosome. Si le chromosome atteint est transmis, le bébé est malade.

Les traitements des maladies génétiques sont encore à leur tout début, et pour certaines maladies seulement. Il est cependant toujours important de faire un diagnostic précis pour prévoir le devenir de l'enfant, les soins qu'il faut lui apporter, l'encadrement dont il aura besoin. Ce diagnostic aidera aussi au conseil génétique pour une éventuelle grossesse suivante.

Genoux
(Mal aux genoux, aux jambes ou au talon)

Les douleurs du genou ou des jambes en général sont très fréquentes chez l'enfant. Certaines sont banales, elles apparaissent surtout après une journée particulièrement bien remplie (à jouer au parc ou à apprendre à faire du vélo), elles sont localisées à des endroits variables et disparaissent rapidement. Et il y a les douleurs persistantes,

1- Au Centre médico-psycho-pédagogique (CMPP) de votre ville.

causes de réveils répétés et toujours localisées au même endroit ; elles sont à signaler au médecin sans tarder pour qu'un examen clinique et un bilan radio-logique soient réalisés rapidement.

Genu valgum
(genoux qui se touchent)

Le *genu valgum* est une « anomalie » de la position des membres inférieurs ; elle se manifeste dans les premières années de la marche : cuisses et genoux étant en contact, un écart plus ou moins important est bien visible, et se remarque au niveau des chevilles. Cela s'explique car, chez le jeune enfant, les ligaments sont lâches et les muscles sont encore faibles ; et il y a en plus la charge du poids du corps.

Ainsi, même chez un enfant bien por-tant, un écart de 4 à 5 cm peut souvent s'observer, surtout s'il s'agit d'un enfant un peu lourd. Le *genu valgum* dit « de croissance » ne doit pas susciter d'inquiétude : après l'âge de 5-6 ans, il régresse. En attendant, on favorisera l'usage du tricycle qui contribue au ren-forcement des ligaments et des muscles tout en supprimant la charge du poids.

Un écart accentué, supérieur à 10 cm, mérite cependant la consulta-tion d'un spécialiste en orthopédie infantile ; le port d'attelles durant la nuit peut être conseillé pendant quelques mois.

Gluten
Maladie cœliaque
Les symptômes

La maladie cœliaque (ou *intolérance au gluten*) se caractérise par une diar-rhée, par un ballonnement abdominal et par un arrêt de la prise de poids, puis de la croissance. À côté de ces symptômes digestifs, l'enfant est triste et fatigué. Ces signes apparaissent brutalement au moment de la diversification alimen-taire ; ils sont la conséquence d'une sensibilité particulière du tube digestif à la principale protéine du blé : le gluten (protéine également présente dans le seigle, l'avoine et l'orge mais absente dans le riz et le maïs). Cette hypersen-sibilité conduit à un amincissement de la muqueuse digestive qui ne va plus absorber normalement les aliments.

Le diagnostic

Le médecin fera faire une prise de sang avec recherche d'anticorps particuliers (anticorps « anti-transglutaminase »). Si cette recherche est positive, une biopsie intestinale sera réalisée ; celle-ci se fait en hôpital de jour, dans un ser-vice de pédiatrie spécialisée. Seule la biopsie permet de confirmer définitive-ment le diagnostic de l'amincissement de la muqueuse intestinale.

Le traitement

L'exclusion de tous les aliments conte-nant du gluten améliore très rapide-ment l'état de la muqueuse digestive et fait disparaître l'ensemble des symp-tômes. L'enfant retrouve alors du poids et le sourire. Ce régime, à la réalisation difficile car le gluten est présent dans de nombreux aliments, doit être mis en place avec l'aide d'une diététicienne spécialisée. Il est recommandé de le poursuivre toute la vie.

On sait aujourd'hui que cette hyper-sensibilité au gluten peut être hérédi-taire. On peut ainsi découvrir dans les familles d'enfant souffrant de maladie cœliaque, d'autres personnes atteintes de cette maladie (ayant des anticorps positifs voire des anomalies à la biopsie) mais ayant très peu, ou pas du tout, de symptômes. La nécessité de faire suivre à ces personnes un régime sans gluten est alors discutée au cas par cas.

Griffes du chat
(maladie des)

Les griffures du chat peuvent pro-voquer une maladie par transmission d'un agent parasitaire. L'incubation varie de dix à trente jours. Dans le ter-ritoire correspondant à la griffure (par exemple sous le bras pour une griffure à la main) apparaît un ganglion qui finit par suppurer. Il peut durer de un à trois mois et prendre un volume important. Un traitement antibiotique est efficace et, s'il est institué suffisamment tôt, il empêchera la suppuration. Dans le cas contraire, il faudra évacuer le pus par ponction(s).

Griffures

Certains bébés très actifs prennent la fâcheuse habitude de se gratter le visage, jusqu'à se faire des écorchures. C'est une manière pour eux d'explorer leur corps. Vous pouvez leur couper les ongles (pendant leur sommeil, c'est plus facile),ou les limer, mais je ne conseille pas de leur mettre des moufles. Ne craignez rien : ces petites écorchures se cicatriseront d'elles-mêmes, elles sont sans danger du moment qu'elles viennent de l'enfant lui-même. Il n'y a rien d'autre à faire.

Grince des dents
(l'enfant qui)

En dormant, certains enfants font entendre un grincement de dents.

Si ce grincement devient habituel, il exprime vraisemblablement un petit trouble psychologique ; il faut faire appel à votre compréhension pour découvrir la cause du trouble : jalousie à l'égard d'un frère ou d'une sœur ? Sentiment d'abandon ? De petits faits souvent passés inaperçus des parents peuvent avoir créé, à un moment quel-conque de la première enfance, un cer-tain état de tension, d'angoisse, qui se révèle de cette manière. Il est donc important de comprendre de quelles tensions il s'agit et d'en parler avec le pédiatre.

Grippe. État grippal

On ne doit pas appeler grippe n'im-porte quel état fébrile. C'est le médecin qui doit en faire le diagnostic, car bien des maladies d'enfant débutent à la façon d'une grippe : par des frissons, une brusque poussée de température avec rougeur du visage, sécheresse de la gorge, douleurs dans le dos et dans les membres. La toux – sèche et de plus en plus violente – n'est pas davantage un signe qui permette de reconnaître la grippe. Chez le jeune enfant, la diarrhée et les vomissements ne sont pas rares. Souvent, la fièvre décrit, dans sa courbe, deux « clochers », à 24 ou 48 heures d'intervalle.

Ce qui est important, une fois que le médecin aura identifié la grippe, c'est de garder l'enfant au lit et de l'obliger à se reposer pendant les quelques jours de fièvre ; il en aura d'ailleurs envie. Outre le traitement conseillé, faites-le boire souvent : jus de fruits frais, citron pressé.

En période d'épidémie, il faut éviter la fatigue, le refroidissement et les réunions où il y a beaucoup de monde.

Une mère grippée devra porter un masque pour s'occuper de son bébé. Elle peut cependant continuer à l'allaiter.

Chez le jeune enfant, la grippe (et les infections virales voisines) peut prendre des formes diverses et de gravités très différentes : simple *rhino-pharyngite, laryngite, trachéo-bronchite, broncho-pneumonie, bronchite asthmatiforme* (voir ces mots). La gêne respiratoire et le retentissement sur l'état général justifieront parfois l'hospitalisation.

La vaccination

Elle est souhaitable chez les enfants ayant un risque particulier : maladie pulmonaire, malformation cardiaque, grands prématurés... Elle se fait alors tous les ans. Chez les enfant de moins de 2 ans, on pratique deux injections de chacune une demi-dose à 1 mois d'intervalle. Pour l'instant, la vaccination n'est pas indiquée chez les enfants en bonne santé.

Guthrie (test de)

Il permet de déceler la *phénylcéto-nurie* (voir ce mot). Il est réalisé sur une goutte de sang prélevée au doigt ou au talon, par simple piqûre, peu douloureuse. La goutte de sang est déposée sur un buvard. Une fois séché, le buvard est envoyé à un laboratoire de dépistage qui ne contactera les parents qu'en cas d'anomalie ou de la nécessité d'un contrôle.

Ce test est effectué à la maternité, avant la sortie de l'enfant. S'il révèle une anomalie, après vérification, un régime approprié est mis en route qui permet d'éviter l'expression de la maladie (phénylcétonurie).

Gynécologie de la petite fille

Les problèmes gynécologiques de la petite fille sont fréquents mais ils sont le plus souvent bénins.

La vulvite

Elle est due à la fragilité de la muqueuse, en particulier vers 3-4 ans. Comme il n'existe pas de sécrétion hormonale à cet âge, la muqueuse s'irrite facilement ; cela entraîne des brûlures, des rougeurs, des démangeaisons. L'irritation est également favorisée par la chaleur.

Le traitement de la vulvite est simple : une toilette locale, si possible trois fois par jour, à l'eau et au savon (à ph neutre). Le rinçage se fera avec la douche, ainsi il sera plus efficace, et le séchage sera bien soigneux.

L'irritation disparaît en 3-4 jours mais la vulvite a tendance à se répéter. D'ailleurs, certaines petites filles y sont plus sensibles que d'autres.

En cas d'écoulement, il est recommandé de consulter le médecin car il existe probablement une autre cause qui nécessite un traitement approprié. Il peut s'agir : de vers intestinaux ; d'un corps étranger se trouvant dans le vagin ; d'une infection bactérienne.

La coalescence des petites lèvres

C'est une affection fréquente de la petite fille, qui peut être remarquée dès les premiers mois de vie : les petites lèvres de la vulve sont accolées l'une à l'autre. Le reste des organes sexuels est normal. La coalescence des petites lèvres évolue toujours vers la guérison, soit au cours de l'enfance, soit au moment des modifications de la vulve lors de la puberté ; aucun traitement n'est donc nécessaire.

La coalescence des petites lèvres est différente de **l'imperforation hyménéale**, qui est une fermeture vaginale complète. Cette malformation est dépistée lors des examens systématiques de la petite fille, et elle doit être traitée par la chirurgie car, à la puberté, elle empêche l'évacuation des règles et elle donne des douleurs abdominales.

Les traumatismes vulvaires

Ils sont relativement fréquents entre 2 et 5 ans et ils dépendent de l'activité physique de l'enfant : escalade des « maisons de singe » à barreaux, apprentissage du vélo, etc. La chute est souvent douloureuse, l'enfant pleure aussitôt. En cas de saignement, ou si la douleur persiste, accompagnée de pâleur, il sera prudent de consulter le médecin. Vous expliquerez à la petite fille que celui-ci va regarder, qu'il ne lui fera pas mal. Le plus souvent, il s'agit d'une petite plaie qui nécessite des soins antiseptiques simples. Il est rare qu'on ait besoin de faire un geste chirurgical (points de suture). En revanche, il peut exister un hématome important qui va disparaître peu à peu mais qui est très douloureux.

Les saignements

Mis à part le cas des chutes et des traumatismes, les saignements vaginaux sont exceptionnels. Ils doivent toujours être signalés au médecin.

Dans cet article sur la gynécologie de la petite fille, il faut dire un mot des abus sexuels (p. 318). En effet, devant des rougeurs, des petites plaies, et des propos à ce sujet de l'enfant, la question peut se poser de l'abus ou d'attouchements sexuels. Il faut en parler au médecin le plus rapidement possible, en essayant de ne pas orienter d'avance le discours de l'enfant. Le pédiatre, le médecin de famille est ici l'interlocuteur privilégié de l'enfant ; il saura le questionner, l'écouter et respecter son intimité. En fonction de la situation, le médecin pourra alors se mettre en relation avec une consultation hospitalière ou avec une équipe de protection de l'enfance pour décider d'une conduite à tenir.

Haemophilus

Chez l'enfant de moins de 4 ans, le microbe de l'*haemophilus influenzae*, est responsable d'infections graves (méningites, épiglottites, foyers pulmonaires) et moins graves (otites, conjonctivites, surinfections bronchiques).

Il existe plusieurs types de ce microbe ; le type B entraîne des infections sévères. Aujourd'hui, on dispose d'un vaccin antiaemophilus B, qui se fait en association avec d'autres vaccins, dans les vaccins hexavalents (p. 345). Depuis la généralisation de cette vaccination, les infections graves ont pratiquement disparu. Les autres infections sont traitées par des antibiotiques.

Hanche luxable

La luxation congénitale de la hanche a été relativement fréquente dans certaines régions (Bretagne et Auvergne) à cause des mariages consanguins.

Cette luxation est plus fréquente dans certaines familles et surtout chez les bébés qui, dans l'utérus, restent en position de siège jusqu'à la naissance.

À la naissance, l'extrémité supérieure de l'os de la cuisse (tête du fémur) n'est pas complètement formée. C'est durant la première année que cette extrémité va s'ossifier en se moulant dans une cavité de l'os du bassin.

Mais il peut arriver que cette cavité soit mal formée : trop plate ou trop inclinée ; l'extrémité supérieure de l'os de la cuisse peut en sortir aisément : c'est ce qu'on appelle la hanche luxable, anomalie qui peut affecter un seul côté, ou les deux. Rarement, il arrive que la tête du fémur soit en permanence à l'extérieur de la cavité : c'est la hanche luxée dont le traitement est long et parfois complexe.

La recherche de la hanche luxable est systématique et fait partie des examens médicaux de la naissance et des jours suivants : elle se traduit par le signe du « ressaut ». La radiographie à la naissance est inutile car non concluante ; elle ne le devient qu'à 3-4 mois. Un progrès a été apporté par l'échographie pratiquée entre 4 et 6 semaines. L'examen clinique sera répété tout au long de la première année, jusqu'à la marche. Le traitement ne sera mis en œuvre que si l'anomalie de la hanche est confirmée ; les cuisses du bébé sont maintenues écartées par un « coussinet d'abduction » ou une culotte spéciale, pour une durée variable selon chaque cas et en fonction de l'évolution.

Handicap

L'enfant avec un handicap a une déficience qui peut affecter et diminuer différents aspects de son développement : handicap intellectuel, handicap moteur, handicap psychique (psychose), handicap sensoriel portant sur la vue, sur l'audition, etc.

Les signes d'alarme

Pour traiter ces handicaps, on insiste actuellement sur la nécessité de les reconnaître aussi précocement que possible : dans les premières semaines ou mois de la vie. En réalité, ces dépistages restent souvent difficiles si tôt. On peut cependant envisager des signes d'alarme ; mais ces signes, reconnus par les parents eux-mêmes ou par le médecin, ne prennent leur véritable signification qu'en fonction de leur évolution dans le temps et de leur association avec différents autres symptômes ; le diagnostic de handicap, sauf cas évident, ne peut en général résulter d'un seul examen, mais de la comparaison d'examens successifs.

En ce qui concerne en particulier le développement psychique et moteur, il faut bien comprendre que, en fonction des stades par lesquels passe le nourrisson, ce qui est normal à un âge ne l'est plus à l'autre, et inversement.

C'est une des raisons qui rendent si utiles les examens réguliers conseillés pendant la première année.

Ces signes d'alarme qui, selon les cas, s'effaceront ou se préciseront avec le temps, porteront par exemple sur la persistance de certaines réactions et de réflexes normaux durant les trois premiers mois, mais qui doivent s'effacer par la suite. Une anomalie peut également concerner le tonus musculaire selon l'âge : normalement l'hypertonie des premiers mois est remplacée par une hypotonie. Un autre signe d'alarme peut venir de l'absence de certaines acquisitions, par exemple la tenue de la tête, du sourire, de la poursuite oculaire, le retard de la station assise, de la station debout, de la marche, du langage, etc.

Mais dans tous ces domaines, on ne tiendra compte que d'anomalies qui dépasseront largement les délais normaux moyens (voir *Retard de développement*). Une attention particulière sera également donnée aux anomalies du comportement : anomalies de la motricité spontanée (mouvements, gestes, postures), de l'activité en général, du contact avec l'entourage et des réactions à l'environnement.

On insiste actuellement sur les déficiences sensorielles qui ont été longtemps considérées comme d'identification difficile chez le très jeune enfant : déficience visuelle que l'on s'efforcera de reconnaître très tôt en étudiant la réaction du nourrisson à la lumière vive, et la poursuite oculaire d'objets colorés ; déficience auditive qui peut être abordée de plus en plus précocement grâce à des techniques spéciales (voir *Strabisme, Surdité*).

Des adresses

Nous ne pouvons pas détailler ici tout ce qui peut être fait pour votre enfant et pour vous, tant chaque cas est particulier, mais ne restez pas sans vous informer.

Vous pouvez vous adresser au **CAMSP Janine Lévy**
29, rue du Colonel-Rozanoff
75012 Paris Tél. : 01 43 45 86 70.

C'est le premier centre d'action médico-sociale précoce (CAMSP) créé en France.

Vous pouvez aussi vous adresser à l'Association nationale des équipes d'action médico-sociale précoce **(ANECAMSP)**
10, rue Erard, escalier 5
75012 Paris
Tél. : 01 43 42 09 10

Vous pouvez aussi vous adresser à l'**APATE** (Association pour l'accueil de tous les enfants)
30, rue Érard
75012 Paris
Tél. : 01 40 02 04 88

Cette association cherche à promouvoir l'intégration sociale et pédagogiques des tout-petits porteurs de handicaps (ou malades) dans les haltes-garderies, les crèches, les écoles.

Voici les sièges des principales associations qui vous fourniront, dans votre département, l'adresse auprès de laquelle vous pourrez vous renseigner. Grâce à ces associations, vous pourrez rencontrer des parents confrontés aux mêmes difficultés que les vôtres, ce qui s'avère souvent très important.

● **Associations dont la vocation est de fournir une documentation et des adresses dans le domaine de l'action sociale**
• **CEDIAS** (Centre de documentation, d'information et d'action sociale)
5, rue Las Cases
75007 Paris
Tél. : 01 45 51 66 10
• **CTNERHI** (Centre technique national d'études sur les handicaps et les inadaptations)
236 bis, rue de Tolbiac
75013 Paris
Tél. : 01 45 65 59 40
ctnerhi.com.fr
● **Associations nationales spécialisées par handicap**
• **UNAPEI** (Union nationale des associations de parents d'enfants inadaptés)
15, rue Coysevox
75018 Paris
Tél. : 01 44 85 50 50
unapei.org

● **Association nationale des parents d'enfants aveugles ou gravement déficients visuels (ANPEA)**
12 bis rue de Picpus
75012 Paris
Tél : 01 43 42 40 40
● **Association des paralysés de France**
17, bd Auguste-Blanqui
75013 Paris
Tél : 01 40 78 69 00
www.apf.asso.fr
● **Association nationale des cardiaques congénitaux**
Château des Côtes,
78350 Les Loges en Josas
www.ancc.asso.fr
● **APAJH** (Association de placement et d'aide pour adultes et jeunes handicapés,)
33 avenue du Maine,
75755 Paris Cedex 15
Tél : 01 44 10 23 40
● **Union nationale des amis et familles de malades mentaux (UNAFAM)**
12 Villa Compoint
75017 Paris
Tél : 01 53 06 30 43
www.unafam.org
● **Pour tous renseignements concernant le handicap**
Numéro Indigo : 0 820 03 33 33
www.handicap.gouv.fr

Comment obtenir une aide ?

Cette aide est souvent demandée à la suite du conseil d'un médecin, généraliste ou spécialiste, qui saura orienter les parents vers ce qui est le plus adapté à leur enfant. Toutefois, depuis le 1er janvier 2006, les MDPH (Maisons départementales des personnes handicapées) sont chargées d'informer, d'accueillir et d'écouter toute personne confrontée à une situation de handicap. Elles ont pour mission d'évaluer la situation de l'enfant afin d'aider à l'élaboration de son projet de vie dans sa globalité (prise en charge, rééducation nécessaire, scolarisation, orientation spécialisée...) ; et aussi de lui permettre l'accès à tous ses droits, notamment en matière d'allocations (AEEH et ses compléments, majoration pour les personnes isolées, pres-

tations de compensation...). Des numéros verts ont été mis en place dans chaque département, renseignez-vous auprès de votre mairie

Par ailleurs, la loi du 11 février 2005 donne des précisions concernant l'**intégration scolaire** de l'enfant porteur de handicap ; elle substitue le principe de l'obligation scolaire à celui d'obligation éducative ; l'enfant doit être inscrit dans l'établissement le plus proche du domicile de la famille s'il est en âge d'obligation scolaire (6 à 16 ans). D'autre part, l'article L112-1 du code de l'éducation précise que cette scolarisation peut être entreprise avant 6 ans si la famille en fait la demande. Bien sûr, cette intégration est réalisée en complémentarité des prises en charge psycho-socio-éducative, médicale et rééducative, nécessaires à l'enfant.

● **Pour plus d'informations sur les mesures concernant la scolarité**
Numéro azur : 0 810 55 55 00
www.education.gouv.fr
www.education.gouv.fr/handiscol.
Voici quelques livres
Sur l'enfant avec un handicap, nous vous conseillons le livre de Janine Lévy, *Le Bébé avec un handicap*, (Seuil). Dans un langage clair et sensible, ce livre a le grand mérite d'envisager toutes les situations, très diverses, dans lesquelles le problème du handicap se pose ; il tient compte de l'individualité de chaque enfant, que ce soit dans sa famille ou dans son milieu éducatif. Et par ses témoignages, ce livre est le porte-parole des parents et des professionnels.

Nous vous recommandons également *Le Miroir brisé* (Calmann Lévy), de Simone Sausse. L'auteur est une psychanalyste attachée aux équipes parisiennes que nous avons citées plus haut. Ce livre dit comment l'enfant pourra grandir malgré et avec son handicap, comment les parents peuvent être aidés dans cette épreuve, et donne la parole aux enfants qui ont peu ou pas de langage.

Hémophilie

Cette maladie hémorragique est due à l'absence de facteurs nécessaires à la coagulation du sang (il en existe plusieurs variétés, l'hémophilie A étant la plus fréquente). L'hémophilie est venue au premier rang de l'actualité du fait des accidents liés à son traitement dans les années 80 (voir *Sida*).

C'est une maladie héréditaire n'atteignant que les garçons mais transmise par les femmes chez qui elle n'apparaît pas car le gène est porté par le chromosome X, voir *Génétiques (maladies)*.

Les premiers symptômes se manifestent habituellement à l'âge de la marche : après une petite blessure ou un traumatisme minime, les saignements sont abondants et prolongés et les hématomes importants ; il peut y avoir également des saignements internes, en particulier à l'intérieur des articulations (spécialement le genou) qui seront source de séquelles ultérieures (ankylose). Si la maladie est méconnue, l'hémorragie peut venir aussi compliquer une intervention chirurgicale, ORL par exemple.

Le traitement consiste en transfusions répétées de sang frais, de plasma ou de globulines antihémophiliques. Une prise en charge par une équipe spécialisée est nécessaire compte tenu des multiples problèmes liés à la maladie et à son traitement.

L'enfant doit mener une vie protégée, c'est-à-dire à l'abri des risques traumatiques, ce qui exclut tous les jeux et sports violents. Les injections intramusculaires doivent être formellement exclues.
Association Française des hémophiles : 6, rue Alexandre-Cabanel 75015 Paris. Tél. : 01 45 67 77 67.
www.afh.asso.fr

Hémorragie

Blessure légère

L'enfant s'est coupé, est tombé, s'est égratigné, etc., la blessure saigne (voir *Coupure*).

Une hémorragie à la suite d'une coupure peut être stoppée en appliquant une compresse et en appuyant avec un doigt pendant quelques minutes. Ensuite badigeonnez la plaie de désinfectant et mettez un pansement adhésif.

Hémorragie par blessure grave

L'enfant s'est coupé profondément avec du verre, un couteau, etc. Dégagez la blessure en ôtant, en déchirant ou même en coupant les vêtements. Enlevez les débris (verre, métal, graviers, etc.) qui se trouvent près de la blessure, mais ne touchez pas à ceux qui sont enfoncés dans la plaie.

Ne cherchez pas à désinfecter la blessure. Posez sur la plaie un gros pansement et appuyez fortement. (Le vaisseau est alors comprimé sur le plan résistant que forme l'os.) Continuez à presser pendant cinq minutes au moins. Fixez ensuite solidement le pansement avec des bandes. Si vous n'avez pas de pansement, utilisez un tampon formé par un mouchoir, une serviette, etc., propres de préférence ; mais même si vous n'avez pas un tissu propre, n'hésitez pas : arrêtez d'abord l'hémorragie, l'infection est secondaire. Et, selon le cas, transportez l'enfant à l'hôpital, ou appelez le 15 ou le 18.

Il est difficile dans la pratique de distinguer le saignement d'une artère ou d'une veine. Généralement :
• *veine sectionnée* : le sang s'écoule en nappe, il est rouge sombre
• *artère sectionnée* : le sang jaillit en gros jet saccadé. Il est rouge vif.

Si le pansement indiqué ci-dessus ne suffit pas à arrêter l'hémorragie, dans le cas d'une artère sectionnée, comprimez avec le pouce l'artère sectionnée au-dessus de la plaie, c'est-à-dire entre celle-ci et le cœur.

Saignement de nez sans cause apparente

Il faut commencer par moucher l'enfant, la tête penchée en avant. Puis, on essaiera d'arrêter le saignement en introduisant dans la narine qui saigne de la gaze, ou bien de l'éponge hémostatique stérile (vendue en pharmacie, qu'il sera bon d'avoir chez soi), et en comprimant avec le doigt l'aile du nez pendant 10 minutes. Si le saignement persiste, il faudra voir le médecin.

Lorsqu'un enfant a fréquemment des saignements de nez, il faut en parler au médecin, car il peut s'agir d'une dilatation de vaisseaux de la muqueuse nasale ou, parfois, d'un trouble de la coagulation du sang.

Sang dans les selles

Voir *Selles*.

Saignement génital

Voir pages 330 et *Gynécologie de la petite fille*.

Hémorragique (maladie)

Le deuxième ou troisième jour de la vie, parfois plus tard, le nouveau-né peut présenter des saignements : soit dans les vomissements, soit dans les selles ou les urines, soit à la plaie ombilicale. Ces saignements sont dus à un déficit de vitamine K, facteur indispensable à la coagulation du sang. Un traitement préventif est assuré par l'administration systématique de vitamine K dès la naissance ; le traitement doit être prolongé pendant au moins 6 semaines en cas d'allaitement exclusif, mais non en cas d'allaitement artificiel car le lait adapté au nourrisson est enrichi en vitamine K.

Hépatites virales

L'atteinte du foie d'origine virale est fréquente chez l'enfant : il s'agit essentiellement des virus A ou B contre lesquels on dispose aujourd'hui de vaccins efficaces.

Le début de l'hépatite virale est le plus souvent progressif et peu évocateur : l'enfant est fatigué, perd l'appétit, se plaint du ventre, vomit ; parfois viennent s'ajouter une éruption ressemblant à de l'urticaire, des douleurs articulaires ; après quelques jours apparaît la coloration jaune de la peau, plus ou moins intense, tandis que les urines peu abondantes sont foncées et les selles décolorées. Bien souvent ces symptômes sont atténués, même absents, limités à un simple état de fatigue inexpliquée. Les examens de laboratoire confirment le diagnostic (élévation des « transaminases ») et précisent le virus en cause.

L'hépatite A

Elle est en forte régression dans les pays industrialisés grâce à l'assainissement de l'eau ; son évolution est habituellement simple, sans complications, la maladie dure quelques jours, au maximum 2 à 3 semaines. Le traitement se borne au repos (sans maintien au lit obligatoire ni mesures diététiques particulières).

Le virus se transmet par voie digestive et la contagion se fait par l'eau, les aliments souillés, les selles. L'hépatite A est rare en France, et souvent accidentelle : lors de leur préparation, des aliments sont contaminés par une personne portant le virus. Par contre, elle est très fréquente dans les pays en voie de développement, et dans toutes les pays chauds où le virus peut être présent dans l'eau, sur les fruits et les légumes.

La vaccination contre l'hépatite A se fait en une seule dose, suivie d'un rappel 6 à 12 mois plus tard. Un 2ᵉ rappel est conseillé 10 ans après. Le vaccin est indiqué chez les personnes à risque : voyageurs (en zone tropicale), personnels de crèches, personnels de cuisine, personnes ayant un malade dans la famille, etc. Chez un enfant amené à voyager dans certaines régions (pays du Maghreb ou zone tropicale), la vaccination sera proposée dès l'âge d'1 an.

L'hépatite B

Elle était en augmentation avant la généralisation de la vaccination. C'est une maladie grave qui peut devenir chronique et abîmer le foie pendant de nombreuses années. L'hépatite B se transmet par le sang (1) et parfois par la salive.

Le vaccin contre l'hépatite B peut être ajouté aux autres vaccinations dès les premiers mois : 2 injections à 1 mois

d'intervalle et un rappel au bout de 6 mois. Il n'est pas obligatoire.

Un cas particulier :

L'hépatite du nouveau-né (hépatite à virus B). Si la mère a contracté la maladie (même avant la grossesse), le risque de transmettre le virus directement à l'enfant pendant l'accouchement est important. L'enfant peut contracter une hépatite très grave, ou une hépatite chronique. Dès sa naissance, il recevra donc, de façon préventive, une dose de gammaglobulines spécifiques et la vaccination sera commencée. L'allaitement maternel est autorisé.

Le dépistage de l'hépatite B est maintenant fait systématiquement pendant la grossesse.

Il existe une **hépatite C**, plus rare, dont les symptômes sont semblables à ceux de l'hépatite A, mais l'évolution comparable à celle de l'hépatite B, avec un passage possible à la chronicité.

L'hépatite C se transmet également par le sang, et de la mère à l'enfant pendant la grossesse. Il n'existe pas encore de vaccin.

Hernie

Hernie ombilicale (au nombril.)
Chez certains nourrissons, l'ombilic fait une saillie, qui augmente de volume quand il crie. Le médecin vous rassurera, car ces hernies disparaissent d'elles-mêmes et ne s'étranglent jamais. Cependant, si la hernie est de très gros volume, ou si elle persiste après quelques années, une intervention chirurgicale sera indiquée.

Hernie inguinale (au pli de l'aine, c'est-à-dire au bas du ventre, à droite ou à gauche des organes génitaux). Si une boule dure apparaît (elle peut parfois s'engager dans les bourses), montrez l'enfant au médecin. Une intervention chirurgicale bénigne (un ou deux jours de clinique ou d'hôpital) sera peut-être nécessaire. Cette hernie est surtout fréquente chez les garçons. Elle peut cependant survenir chez la fillette. Il s'agit alors d'une hernie de l'ovaire, qui doit être opérée sans attendre.

Hernie étranglée
Si la hernie devient dure, douloureuse, ne rentre plus, elle est étranglée. L'intervention chirurgicale d'urgence est le plus souvent nécessaire.

Herpangine

Contrairement à ce que son nom pourrait laisser croire, l'herpangine est due à un groupe de virus différent de celui de l'herpès : il s'agit du virus Coxackie A. L'herpangine survient par petites épidémies, elle débute brusquement par de la fièvre, un malaise général, des douleurs musculaires et une angine. Celle-ci se caractérise par la présence, sur les amygdales, le voile du palais, parfois la langue, de petites vésicules qui se rompent rapidement et laissent place à des ulcérations superficielles. Les ulcérations s'effacent en quelques jours. Le médecin prescrira un traitement local adapté. L'évolution est simple, sur une semaine environ.

Herpès

Chez l'enfant, l'un des virus herpétiques (différent de l'herpès génital) se manifeste de deux façons :
• soit par une *stomatite* (voir ce mot) intense avec fièvre élevée et une altération de l'état général qui peut nécessiter une hospitalisation : il s'agit de la primo-infection herpétique
• soit par de petites vésicules groupées en bouquet au coin de la bouche : il s'agit de l'herpès labial qui peut durer quelques jours, mais qui peut récidiver sous l'influence de divers facteurs : fièvre, soleil, stress...

On dispose d'un médicament efficace ; il est utilisé par voie générale dans la primo-infection herpétique et par voie locale lorsque l'herpès récidive.

Hirschsprung
(maladie de)
Voir *Mégacolon*.

Homéopathie

Les traitements homéopathiques sont de plus en plus fréquemment

---

1- Signalons que l'hépatite B peut aussi se transmettre par voie sexuelle. Mais l'enfant vacciné jeune sera protégé à l'âge adulte.

utilisés chez l'enfant. Ils sont basés sur la constatation qu'une même substance qui, chez une personne saine entraîne certains symptômes, peut guérir les mêmes symptômes chez une personne malade.

Cette observation a été faite pour la première fois au XVIIIe siècle avec la quinine : ce médicament, qui provoque de la fièvre à forte dose, permet au contraire de lutter contre la fièvre s'il est employé à dose plus faible. Ainsi, une substance capable de produire certains effets, serait capable de corriger ces mêmes symptômes constatés chez un sujet malade.

Les substances utilisées en homéopathie agissent en quantités faibles, très diluées, même à doses infinitésimales, sans que le mécanisme soit d'ailleurs bien compris.

En médecine homéopathique, les symptômes du malade sont étudiés minutieusement car les traitements proposés sont dirigés sur le symptôme indépendamment de sa cause.

Les médicaments utilisés en homéopathie sont d'origine végétale (par exemple aconit, belladone, arnica, etc.), plus rarement animale (apis, cantharis), ou bien ce sont des substances chimiques simples (argent, mercure, antimoine, phosphore, cuivre, etc.).

L'homéopathie a le mérite d'être une thérapeutique douce et d'application facile, donnée sous forme de petites granules à laisser fondre dans la bouche. Elle est donc bien adaptée à l'enfant et, de plus, n'offre aucun danger de toxicité. Elle a, en outre, l'intérêt de traiter non seulement le ou les symptômes, mais aussi de tenir compte de chaque malade : en effet, elle met au premier plan la notion de terrain constitutionnel, de tempérament, de prédisposition de tel ou tel type de maladie.

L'efficacité de l'homéopathie a été constatée dans certaines maladies aiguës ou chroniques, particulièrement dans des cas où les médicaments classiques se sont montrés inefficaces (par exemple les rhino-pharyngites à répéti-

tion et l'asthme).

Il est donc possible que les traitements homéopathiques soient conseillés seuls, ou en complément des traitements classiques (allopathiques), par des pédiatres ayant acquis une compétence en ce domaine.

Hormone de croissance

L'hormone de croissance est une protéine sécrétée par une petite glande située à la base du cerveau, nommée l'hypophyse. Cette hormone circule dans le sang et permet la croissance osseuse pendant l'enfance. Une production insuffisante de cette hormone entraîne un retard de croissance qui persiste à l'âge adulte. C'est une des causes du nanisme et de certains accidents d'hypoglycémie dans l'enfance.

Pour éviter un nanisme sévère, si un déficit de l'hormone de croissance est mis en évidence chez un enfant, il est possible de traiter cet enfant pendant la croissance par des injections, intramusculaires ou sous-cutanées, d'hormone de croissance à raison de 3 à 7 injections par semaine pendant plusieurs années. On utilise une hormone de synthèse, fabriquée par des laboratoires pharmaceutiques avec des techniques génétiques. Ce traitement est bien toléré, et souvent très efficace ; il permet à l'enfant de rattraper son retard de taille, puis de poursuivre sa croissance sur les courbes normales (p. 337), et d'atteindre une taille adulte satisfaisante. Ce traitement ne peut être prescrit que par des pédiatres spécialisés en endocrinologie. Renseignez-vous à l'hôpital le plus proche de votre domicile.

Hospitalisation

Voir *Si l'enfant doit aller à l'hôpital* (p. 356).

Hydrocèle

Voir *Testicules*.

Hydrocution

L'hydrocution est un accident grave, différent de la noyade proprement dite, et survenant lors de l'entrée dans l'eau ; il s'agit d'une syncope : le sujet perd connaissance et coule immédiatement. L'évolution est souvent très grave si les manœuvres de réanimation cardio-respiratoire n'ont pas été entreprises aussitôt. Pendant que les gestes d'urgence sont pratiqués, il faut appeler le 15 ou le 18. Le mécanisme est encore mal connu ; on met en cause la trop grande différence de température air-eau (syncope thermodifférentielle).

Conseils préventifs : éviter l'exposition solaire prolongée avant le bain, entrer dans l'eau progressivement, ne jamais contraindre un enfant réticent.

Hyperactif (enfant)

Certains enfants sont très vifs, très actifs, sans cesse en mouvement ; ils en sont parfois pénibles (voir *L'enfant agité*, p. 305). Mais ce n'est que lorsque l'enfant a une hyperactivité permanente, peu d'activités suivies, et que cela retentit sur ses capacités d'attention et d'apprentissage, que l'on parle du syndrome d'hyperactivité et de déficit d'attention.

L'enfant hyperactif peut devenir plus calme grâce à des séances régulières de psychomotricité, de relaxation. Mais il est important que les parents et l'école comprennent que l'enfant ne fait pas exprès d'être turbulent, que c'est sa nature, qu'il faut l'aider plutôt que le réprimander.

Un médicament peut être donné pour calmer les formes graves, pathologiques, d'hyperactivité. Ce médicament (la *Ritaline*) ne peut être prescrit que par un médecin hospitalier. Il est donné, assez rarement, lorsque le comportement de l'enfant n'est plus supporté ni par la famille, ni par l'école. Ce traitement est généralement donné du lundi au vendredi, avec arrêt pendant les week-ends et les vacances. Il sera arrêté au plus tard à l'adolescence.

Hypertension artérielle

Bien que rare, l'hypertension artérielle peut se voir chez le nourrisson et l'enfant ; elle a des causes diverses (avant tout rénales), mais elle peut être aussi sans cause décelable, comme chez l'adulte.

La prise de la pression artérielle est difficile chez l'enfant en raison de l'agitation et de la réaction émotive ; cependant elle tend à devenir un geste de plus en plus couramment effectué lors de l'examen du médecin. Il est surtout important de savoir que les résultats obtenus doivent être interprétés avec beaucoup de précaution : tout chiffre qui pourrait paraître anormal sera vérifié à plusieurs reprises et dans les meilleures conditions (calme, repos, mise en confiance, etc.) et confronté aux normes qui varient en fonction du sexe, de l'âge et de la taille.

Hypospadias

L'orifice (méat) urinaire, au lieu d'être situé normalement à l'extrémité de la verge, se trouve à sa face inférieure, plus ou moins en arrière ; le jet est dirigé vers le bas. Il existe parfois une courbure de la verge, et les testicules ne sont pas descendus dans les bourses. Une intervention chirurgicale est nécessaire et donne de bons résultats.

Hypothyroïdie congénitale

Voir *Thyroïde*.

Hypotrophie

L'hypotrophie du nourrisson est définie comme une croissance insuffisante, particulièrement en poids. Il est rare en Europe que la cause en soit une insuffisance alimentaire. Les causes habituelles sont : les infections répétées ou prolongées (otites, infections urinaires, etc.) ; les malformations d'organes (cœur, reins, etc.) ; les troubles de la digestion et de l'absorption intestinale (mucoviscidose, intolérance à certains constituants du lait, intolérance au gluten – qui est une protéine contenue dans les farines de céréales) ; les maladies chroniques ; mais aussi certaines formes de maltraitances énoncées à juste titre par l'OMS, comme les carences psycho-sociales, touchant les soins maternels, relationnels et éducatifs (sans que la nutrition à proprement parler soit en cause). Dans ces cas, les enfants présentent une cassure de la courbe de poids qui conduit le médecin à faire pratiquer un bilan. Par contre, certains enfants ont une croissance régulière, mais au-dessous de la moyenne, l'origine est surtout familiale.

Hypotrophie du nouveau-né (Retard de croissance intra-utérin)

Le nouveau-né hypotrophe est un enfant qui naît avec un petit poids, inférieur à celui qui est attendu pour l'âge gestationnel de naissance. Par exemple, pour une naissance à terme, c'est un enfant qui aura un poids de naissance inférieur à 2 500 g.

On parle dans ce cas de retard de croissance intra-utérin dont les causes sont multiples et peuvent être maternelles (infection, toxémie, intoxication médicamenteuse, abus du tabac), ou placentaires ; il peut y avoir des causes environnementales, en particulier psycho-sociales.

I

Ictère du nouveau-né

Dans les jours qui suivent la naissance, de nombreux bébés prennent une couleur jaune orangée plus ou moins accentuée. C'est l'ictère du nouveau-né, incident bénin dont la cause est connue.

En naissant, le bébé apporte avec lui une réserve de globules rouges (ces cellules qui dans le sang servent à transporter l'oxygène). Le circuit sanguin étant ouvert et les poumons déployés, il détruit une partie de ses globules rouges. Chez la plupart des bébés, l'élimination se fait sans problème, grâce à la rate et au foie. Chez les autres, le foie, pas encore tout à fait mature, ne peut éliminer la totalité des déchets (bilirubine) provenant de cette destruction globulaire. Ces « pigments biliaires » s'accumulent dans le sang, déterminant la jaunisse (ou ictère) du nouveau-né, qui s'efface habituellement en quelques jours. La lumière accélère cette baisse de l'hyperbilirubinémie ; c'est pourquoi le nouveau-né qui a la jaunisse sera parfois mis « sous lampe » (photothérapie blanche ou bleue) pendant quelques jours, plusieurs heures par jour, après avoir pris soin de lui protéger les yeux. Le taux de bilirubine, qui ne doit pas dépasser un certain seuil, est alors surveillé.

Autres causes de l'ictère du nouveau-né : certaines différences de groupe sanguin entre la mère et le bébé ; dans ce cas, l'ictère s'accompagne de selles blanches, ce qui est le principal signe d'alerte ; la prématurité ; la malformation des voies biliaires (c'est heureusement très rare).

À **noter** que l'allaitement entraîne parfois la persistance de l'ictère pendant le premier mois, c'est sans danger pour le bébé.

Imagerie médicale

Radiographie, échographie, scanner, IRM : ces examens, dont certains sont couramment pratiqués chez les enfants, permettent de visualiser l'intérieur du corps humain. C'est ce qu'on appelle l'imagerie médicale.

L'usage de la **radiographie** (rayons X) est limité à cause du risque d'irradiation en cas d'examens répétés, mais cet examen conserve tout son intérêt dans le domaine pulmonaire et osseux. Par exemple, lorsqu'un enfant fait une chute et que l'on craint une fracture, le médecin fait passer une radiographie.

L'échographie (ultra-sons) qui n'a pas l'inconvénient du rayonnement, est devenue l'examen de base, elle est renouvelable autant que nécessaire. Elle est utilisée systématiquement pour suivre chez la future mère le déroulement de la grossesse, et chez les enfants, les échographies abdominale, cardiaque, rénale, de hanche, etc. sont devenues courantes. Ainsi lorsqu'un enfant se plaint de douleurs abdominales, le premier examen demandé est l'échographie.

L'échographie a cependant ses limites dans la précision et l'interprétation des images.

Le scanner (dont le nom médical est la tomodensitométrie) visualise en coupes successives l'ensemble de l'organe étudié ; le scanner cérébral est très utile dans le domaine des maladies neurologiques (tumeurs, anomalies vasculaires) et les traumatismes crâniens. Un enfant ayant fait une chute sur la tête passera un scanner pour vérifier l'absence de complications cérébrales.

L'IRM (Imagerie par résonance magnétique) est encore plus précise que le scanner puisqu'elle peut atteindre le moindre détail anatomique.

On comprend que ces examens ne puissent être mis sur le même plan : la radiographie standard et l'échographie sont les examens demandés en premier et ils sont souvent suffisants pour le diagnostic. Le scanner et l'IRM sont des examens coûteux, nécessitant des appareils très perfectionnés.

Impétigo

Cette infection microbienne de la peau chez le nourrisson est due à un staphylocoque ou à un streptocoque. Elle débute par une petite bulle, qui s'étend en quelques heures, puis se ride. Elle est cernée d'un halo rouge. Très vite, la bulle se rompt : il en sort un liquide trouble, poisseux, qui se dessèche et produit des croûtes jaunâtres, friables comme de la cire d'abeille, puis brunâtres. C'est l'aspect que l'on peut habituellement constater.

L'impétigo atteint souvent le visage – autour du nez, de la bouche – et le cuir chevelu. L'intérieur de la bouche peut être également infecté (stomatite). Les croûtes sont parfois très épaisses. L'impétigo est très contagieux : l'enfant s'infecte lui-même par les doigts et propage les lésions ; de plus, il transmet l'infection aux autres enfants par contact direct. C'est pourquoi l'éviction scolaire est recommandée en cas de lésions étendues.

Le médecin prescrira un traitement local, à base d'antiseptique, de pommade antibiotique, et, éventuellement, des antibiotiques par voie générale.

Indigestion
embarras gastrique

Chez le nourrisson, comme chez l'enfant plus grand, il est bien difficile de donner une définition précise de l'embarras gastrique car des symptômes courants comme les vomissements, les douleurs abdominales ou la fièvre peuvent avoir des causes diverses qui vont de l'indigestion la plus banale à l'hépatite virale, en passant par la crise d'appendicite aiguë. C'est pourquoi la vigilance s'impose : après 24 heures d'attente et d'observation, il sera prudent de consulter le médecin.

Infection urinaire

Chez le nourrisson, l'infection de l'appareil urinaire est fréquente. Il ne faut pas s'attendre aux symptômes habituels chez l'adulte (brûlures, envies fréquentes d'uriner, etc.). Au contraire, l'infection urinaire de l'enfant s'accompagne de peu de symptômes, ou bien ceux-ci sont trompeurs : elle se manifeste le plus souvent par des accès de fièvre, avec des frissons et c'est l'absence d'autre cause à cette fièvre (rhinopharyngite par exemple) qui attirera l'attention. On constate souvent un mauvais état général avec manque d'appétit, pâleur, prise de poids insuffisante, douleurs abdominales.

C'est l'analyse d'urine faite par un laboratoire (1) qui permettra de reconnaître l'infection, et le médecin la demandera systématiquement devant tout état mal caractérisé. Mais, en attendant, un test simple et immédiat (bandelette urinaire) peut donner une forte probabilité Un traitement antibiotique sera prescrit, souvent en milieu hospitalier, car, chez le nourrisson, les antibiotiques sont plus efficaces par voie intraveineuse. L'enfant recevra ensuite un traitement antibiotique par la bouche jusqu'au bilan échographique. L'infection urinaire est sujette à se reproduire et la guérison définitive est parfois difficile. Cette répétition est souvent due à la présence d'une malformation des voies urinaires. C'est pourquoi on prescrira, même chez le petit nourrisson, une échographie et une radiographie des voies urinaires appelée cystographie. Si une anomalie est ainsi révélée, le traitement est plus complexe, et vous serez adressé à un spécialiste urologue. Le reflux de l'urine à contre-courant de la vessie vers le rein est une cause d'infection à répétition (*reflux vésico-urinaire*, voir ce mot). Des analyses d'urines seront régulièrement faites.

Cystite : la cystite correspond à une infection urinaire restant localisée à la vessie. On dit qu'il s'agit d'une infection « basse », par opposition à l'infection « haute », atteignant les voies urinaires supérieures jusqu'au rein. La cystite est très fréquente chez la petite fille, elle est favorisée par la proximité de l'orifice urinaire et de l'anus ; il faut apprendre à l'enfant à s'essuyer d'avant en arrière, il ne faut pas abuser des bains prolongés et ne pas utiliser de produits moussants irritants.

Intolérance au lactose

L'intolérance au lactose se manifeste par une diarrhée accompagnée de troubles digestifs (douleurs abdominales, ballonnements, gaz, etc.). Elle est due à la présence dans le tube digestif du principal sucre du lait, le lactose, sous une forme non digérée.

Habituellement le lactose est digéré par une enzyme, la lactase. Cette enzyme est présente chez le nourrisson en grande quantité, puis son activité diminue avec l'âge, de façon plus ou moins importante selon les individus ; c'est pourquoi certains adultes digèrent mal le lait mais tolèrent mieux les yaourts ou le fromage car ce sont des produits laitiers dans lesquels le lactose a été dégradé ou éliminé.

Chez le nourrisson, il peut y avoir parfois un mauvais fonctionnement de la lactase au cours d'une diarrhée virale. Lorsque la période aiguë, avec selles fréquentes, est terminée, le bébé a une seule selle par jour mais abondante et liquide. Un régime sans lactose peut alors améliorer la qualité des selles. On donne à l'enfant des biberons préparés avec un lait sans lactose, soit du lait de vache dont le lactose a été supprimé, soit un lait fabriqué à partir des protéines du soja ou du riz qui ne contiennent pas de lactose. En revanche, tous les autres produits laitiers (yaourt, fromages blanc, petits-suisses, fromages) sont maintenus.

Intoxication

Trois situations peuvent se présenter :

1. Vous voyez l'enfant avaler un produit toxique (médicament, alcool, produit d'entretien, etc.)

Ce que vous devez faire :

- Avant tout garder votre sang-froid
- Téléphoner au centre antipoison ou au SAMU (15). Ce sont eux qui vous indiqueront quelle conduite avoir et s'il faut transporter l'enfant à l'hôpital. Dans ce cas, c'est l'hôpital qui prendra contact avec les centres antipoison, effectuera les premières mesures d'urgence (évacuation gastrique, réanimation...) et décidera du transfert éventuel dans un service spécialisé

1- Comment recueillir les urines ? (Voir p. 440).

• Si l'état de l'enfant est très grave, appeler le SAMU, qui vous conseillera et organisera éventuellement le transport à l'hôpital

• Répondre avec le plus de précisions possible en ce qui concerne le produit (nature, quantité), l'heure de l'accident, les premiers symptômes observés. Apporter les produits (ainsi que les emballages) à l'hôpital.

2. Votre enfant présente certains symptômes faisant penser qu'il a absorbé un produit toxique : il titube, ou il est somnolent, ou il ne tient pas debout.

• Il faut **immédiatement** appeler le SAMU (15) et le médecin que vous aurez au téléphone décidera avec vous de la conduite à tenir.

• Essayez de trouver ce que l'enfant a pu absorber, pensez à regarder sur le sol, sous les meubles, ou encore dans les poches de l'enfant.

Au cas où il vous serait impossible d'aller à l'hôpital ou de joindre un médecin, voici les **centres antipoison :**
Angers 02 41 48 21 21
Bordeaux 05 56 96 40 80
Lille 0 825 812 822
Lyon 04 72 11 69 11
Marseille 04 91 75 25 25
Nancy 03 83 32 36 36
Paris 01 40 05 48 48
Rennes 02 99 59 22 22
Strasbourg 03 88 37 37 37
Toulouse 05 61 77 74 47

3. Vous croyez que votre enfant a avalé un produit toxique mais vous n'en êtes pas sûr. Il est prudent de prendre conseil auprès du médecin et, si vous n'arrivez pas à le joindre, de téléphoner au SAMU (15). Dans ce cas, nous vous faisons la même recommandation que plus haut : essayez de trouver ce que l'enfant a pu absorber.

Recommandation particulière

On croit souvent qu'il faut faire boire un enfant quand on redoute une intoxication. Cela n'est recommandé dans aucun cas, pour aucune boisson (en particulier le lait). Cela peut même être dangereux. Il est dangereux également

d'essayer de faire vomir.

Maximum de risques : entre 1 an et 4 ans

C'est à cet âge et surtout chez les garçons que les intoxications sont les plus nombreuses.

Les médicaments et les produits ménagers sont les grands responsables. Il n'est pas inutile de redire que médicaments et produits d'entretien ne doivent jamais être accessibles par l'enfant : ils doivent être rangés en hauteur. C'est une recommandation très simple mais qui, si elle est oubliée, peut être lourde de conséquences (sur les dangers de la maison, voyez le chapitre 3).

Intoxications alimentaires

On rassemble sous ce nom les troubles, parfois graves, consécutifs à l'ingestion d'aliments contaminés par diverses bactéries (d'où le terme souvent employé de «toxi-infections alimentaires »). Les plus fréquentes de ces intoxications sont les salmonelloses (voir ce mot), plus rarement la listériose (voir ce mot), et surtout celle due au staphylocoque dont nous parlons dans cet article.

Les aliments — surtout crèmes, pâtisseries, mais aussi viande, poisson — sont contaminés par des personnes atteintes d'infections cutanées (furoncle, panaris). De plus, lorsque les aliments sont conservés à température ambiante, cela permet au *staphylocoque* de se développer rapidement, c'est ce qu'on appelle la rupture de la chaîne du froid. Ces intoxications provoquent souvent de petites épidémies dans les collectivités, à la cantine par exemple.

Quelques heures après le repas, apparaissent brusquement des troubles digestifs : des vomissements, des douleurs abdominales, une diarrhée pouvant entraîner une déshydratation importante (voir le mot *Diarrhée*). L'évolution est le plus souvent rapidement favorable, mais quelques formes plus graves peuvent nécessiter une courte hospitalisation.

Intoxication par l'oxyde de carbone

Elle se produit lorsqu'il y a un mauvais fonctionnement d'un appareil de chauffage ou d'un chauffe-eau, dans un local mal ventilé ; c'est souvent une intoxication collective familiale. L'oxyde de carbone est un gaz inodore (contrairement au gaz de ville) qui en se fixant sur l'hémoglobine, empêche l'oxygénation correcte de l'organisme ; cette intoxication entraîne des lésions graves, particulièrement au niveau du système nerveux.

Les premiers symptômes sont des maux de tête, des nausées et des vomissements.

Puis, la personne intoxiquée peut perdre conscience, et s'il n'y a pas eu d'intervention rapide, elle peut même être plongée dans le coma. Une coloration rouge de la peau et des muqueuses doit faire penser à l'intoxication par l'oxyde de carbone.

Ce qu'il faut faire : appeler les pompiers ; sortir l'enfant de la pièce et aérer ; en attendant les secours, si nécessaire, pratiquer la respiration artificielle, et le massage cardiaque ; si l'enfant est inconscient mais respire normalement, le mettre en position dite de sécurité (c'est-à-dire allongé sur le côté, la bouche orientée vers le sol), pour qu'il ne s'étouffe pas.

Si le diagnostic d'intoxication par oxyde de carbone est confirmé, et si l'intoxication est sévère, l'enfant sera conduit d'urgence dans un centre spécialisé pour un traitement par oxygène « hyperbare » en caisson.

La prévention passe par la vérification et l'entretien réguliers des appareils de chauffage.

Invagination intestinale aiguë

L'invagination signifie qu'une partie de l'intestin rentre, se replie sur elle-même, par un mécanisme de retournement en doigt de gant. Elle touche plus souvent le garçon, entre 2 mois et 2 ans.

Elle se caractérise par des crises douloureuses, avec cris et pleurs inhabituels, de survenue brutale, avec souvent une grande pâleur. Les crises durent quelques minutes, puis s'arrêtent spontanément ; elles s'accompagnent souvent de vomissements et d'un refus du biberon, ainsi que d'une petite émission de sang dans la couche. Devant ces symptômes, il est urgent de transporter l'enfant à l'hôpital.

La confirmation du diagnostic repose sur l'échographie. On fera également une radio d'abdomen.

Actuellement, le traitement se fait au moyen d'un lavement baryté : on administre à l'enfant un lavement avec un produit opaque sous contrôle radiologique. La montée du produit dans le gros intestin fait une pression qui va permettre une « désinvagination ». La douleur s'arrête immédiatement et l'enfant est guéri. Il restera cependant à l'hôpital jusqu'au lendemain pour s'assurer de la reprise du transit et d'une alimentation normale, ainsi que de l'absence de douleur. Il y a un risque de récidive qui est d'environ 10 %.

En cas de contre-indication au lavement baryté, ou d'échec de celui-ci, la réduction de l'invagination devra se faire par une intervention chirurgicale.

Jambes arquées
Durant les douze premiers mois
C'est la plupart du temps sans gravité. Les jambes sont normalement arquées dans la position du fœtus. Elles se redressent peu à peu. Elles seront droites quand l'enfant se mettra à marcher.

À l'âge de la marche
Le rachitisme était une cause bien connue des jambes arquées, mais non la seule (voir *Rachitisme*). Plus fréquemment de nos jours, les jambes arquées peuvent se voir chez des enfants lourds. Le sommet de la courbure se situe alors au niveau du genou, c'est le *genu valgum*, (voir ce mot) alors que dans le rachitisme, c'est la partie inférieure de la jambe qui est déformée.

Il est inutile de faire porter des semelles orthopédiques à un enfant aux jambes arquées.

Seuls des cas très accentués nécessitent de véritables traitements orthopédiques.

Jaunisse
Voir *Ictère du nouveau-né* et *Hépatite*.

Kawasaki (maladie de)

Décrite d'abord au Japon il y a une trentaine d'années, cette maladie n'est pas exceptionnelle chez le nourrisson et l'enfant au-dessous de 5 ans. La cause est encore inconnue. Les symptômes associent une fièvre élevée, prolongée au-delà d'une semaine, une éruption siégeant principalement sur le tronc (pouvant faire penser à une rougeole ou une scarlatine), la bouche, le pharynx et les yeux (pharyngite, lèvres sèches et fissurées, langue « fraisée », rouge avec des papilles apparentes, conjonctivite...), des ganglions au niveau du cou.

Un élément très caractéristique est observé aux mains et aux pieds qui sont enflés, rouges, et qui « pèlent », à partir du 10e jour, en lambeaux aux paumes et aux plantes des pieds (ce qui renforce encore la ressemblance avec la scarlatine). La maladie peut durer plu-sieurs semaines, même plusieurs mois si elle n'est pas traitée. Dans la plupart des cas, l'enfant guérit sans séquelles, mais des complications cardiaques peu-vent survenir (atteinte des artères coronaires). Cette maladie nécessite donc un traitement en milieu hospita-lier et une surveillance cardiologique régulière et prolongée.

Kinésithérapie respiratoire

C'est actuellement un point impor-tant du traitement des maladies respi-ratoires de l'enfant, telles que bron-chites à répétition, asthme, et surtout mucoviscidose. Elle peut être égale-ment utile dans certains cas de bron-chiolite. Grâce à la kinésithérapie respi-ratoire, l'évolution de ces maladies a été considérablement améliorée.

Des techniques particulières per-mettent l'évacuation des sécrétions qui encombrent les bronches (toilette bronchique, drainage postural, vibra-tions de la paroi du thorax, exercices respiratoires divers) ; elles sont appli-quées, dès le plus jeune âge, par des kinésithérapeutes entraînés, à raison d'une ou même plusieurs séances quoti-diennes en période aiguë, plus espacées ensuite. Les rudiments de la technique peuvent être appris par les parents.

Les séances sont impressionnantes quand l'enfant est jeune : il peut être cyanosé (couleur bleutée) et ensuite très fatigué. C'est normal lorsque le drainage est efficace. Les parents se rendent bien compte du soulagement que ressent l'enfant après les séances. C'est pourquoi il est préférable de les faire le soir pour que l'enfant dorme bien ensuite.

Entre novembre et février, qui est la période des bronchiolites, les kinésithé-rapeutes organisent des gardes pour pourvoir assurer les séances du week-end et des jours fériés. Les séances sont prises en charge par la Sécurité sociale.

Voir *Bronchiolite*.

L

Langage (retard du)

L'absence de langage organisé (asso-ciation de deux mots) au-delà de 2 ans et demi n'est pas normale et doit ame-ner à se poser différentes questions.

Il faut d'abord s'assurer que l'enfant entend bien ; pour cela le médecin fera un examen de l'audition (voir *Surdité*). Il peut s'agir d'une surdité légère par-tielle, limitée au niveau de la conversa-tion normale, et qui a pu tout à fait pas-ser inaperçue.

En second lieu, un handicap mental doit être éliminé en observant le com-portement de l'enfant, ses jeux, son niveau de compréhension ; au besoin, le médecin fera préciser le niveau intellec-tuel de l'enfant par des tests psycholo-giques adaptés.

Enfin, l'absence de langage peut, dans quelques rares cas, être le témoin d'un trouble grave du développement de la personnalité et de difficultés majeures avec l'entourage.

Ces différentes possibilités éliminées, il s'agit d'un **retard « simple »** du lan-gage : l'enfant a une compréhension par-faite et un comportement normal, mais il n'émet que quelques mots plus ou moins bien articulés sans les associer entre eux, sans phrase, même simple. Les raisons en sont mal connues, on a parfois invoqué un manque de stimulation, des problèmes affectifs, etc. Le retard simple de lan-gage est en général rapidement rattrapé, mais il est utile de consulter une ortho-phoniste qui décidera de la nécessité d'une prise en charge.

Langage (troubles du)

Voir *Bégaiement* et *Zézaiement*.

Langue (frein de la)

Trop court, le frein gêne les mouve-ments de la langue et serait susceptible d'entraîner ultérieurement des anoma-lies de langage. Pour couper le frein de la langue, une petite intervention est nécessaire ; il vaut mieux la faire faire en milieu chirurgical, ou ORL.

Un frein de la langue très court peut être à l'origine de difficultés de succion dès la naissance. À ce moment-là, et dans le premier mois de la vie, le frein peut être coupé par le pédiatre à la maternité ou dans son cabinet. L'amélioration de la succion est souvent spectaculaire : le bébé tète mieux et la prise de poids s'améliore.

Laryngite

La laryngite est une inflammation du larynx, la partie du système respira-toire située entre le pharynx (la gorge) et la trachée ; il inclut la glotte et les cordes vocales. Les laryngites sont le plus souvent d'origine virale, parfois simplement inflammatoires ("stridu-leuses"), et exceptionnellement bacté-rienne. Elles sont fréquentes entre 18 mois et 5 ans, et surtout de novembre à avril.

La **laryngite aiguë virale**, sous-glot-tique, est la plus fréquente. L'œdème (gonflement) de la muqueuse sous-glottique entraîne une gêne respira-toire en raison de l'étroitesse du larynx à ce niveau. Le début ressemble à une rhino-pharyngite banale, avec un peu de fièvre. Puis la voix devient rauque, l'ins-piration lente et difficile, la toux aboyante et cela en pleine nuit. Un trai-tement s'impose d'urgence.

La **laryngite striduleuse** résulte d'une simple inflammation de la muqueuse, sans œdème. Elle se mani-feste également la nuit, par des accès de toux sèche avec difficulté à l'inspira-tion, sans fièvre ni rhino-pharyngite associée. Elle guérit très vite, mais réci-dive souvent. Il faut alors rechercher un facteur favorisant (allergie respira-toire et/ou reflux gastro-oesophagien).

La **laryngite sus-glottique**, ou **épi-glottite**, très grave, était due à la bac-térie hémophilus B. Elle ne se voit plus depuis la généralisation du vaccin anti-hémophilus B, contenu dans le vaccin pentavalent du nourrisson.

Qu'il s'agisse d'une laryngite virale ou striduleuse, le **traitement** est le même. Il faut calmer l'enfant et l'installer en position assise dans une atmosphère chaude et humide : dans la salle de bain, porte et fenêtre fermées, en faisant couler de l'eau chaude dans la baignoire. Le médecin, appelé en urgence, prescrira habituellement un corticoïde (Célestène®, Solupred®). Si la difficulté respiratoire persiste ou s'aggrave, l'enfant devra être transporté à l'hôpital, où pourra lui être administré un aérosol à base d'adrénaline.

Il y a d'**autres causes** de laryngite :
• au cours de la coqueluche
• à la suite d'une piqûre d'insecte dans la gorge (c'est une urgence)
• et surtout à la suite de l'inhalation d'un corps étranger : il s'agira alors d'une laryngite sans fièvre, avec modification de la voix, de début brutal au cours d'un repas ou d'un jeu. C'est également une urgence.

Listériose

Cette maladie est due à un microbe (*listéria monocytogenes*) qui peut contaminer de nombreux aliments, particulièrement les fromages préparés à partir de lait cru, mais aussi les charcuteries en gelée, pâtés, rillettes, langue de porc... En général, la listériose donne peu ou pas de symptômes ; elle se signale par un simple « état grippal », passager, qui guérit rapidement, mais elle peut être plus grave chez la personne âgée, ou celle atteinte d'une autre maladie qui diminue les défenses de l'organisme.

Le cas de la femme enceinte est particulier : atteinte de manière inapparente en fin de grossesse, la future maman transmet la maladie au bébé. Dès les premiers jours de vie, le nouveau-né présente un état de souffrance générale grave avec hypothermie, détresse respiratoire, atteinte méningée.

La listériose est sensible aux antibiotiques qui peuvent être administrés au nouveau-né et à la mère. Mais, aujourd'hui, on insiste beaucoup sur la prévention : ne pas consommer des aliments à risques (voir plus haut) et respecter absolument la « chaîne du froid » pour transporter les aliments jusque dans le réfrigérateur familial.

Luxation congénitale de la hanche

Voir *Hanche luxable*.

Lyme (maladie de)

Voir *Tiques*.

Maigreur et amaigrissement

Être maigre, cela ne veut pas dire être malade. Mais si être constitutionnellement maigre ne doit pas inquiéter, maigrir est un symptôme qui n'est pas normal, chez l'enfant comme chez l'adulte.

Devant un enfant qui est maigre, ou qui ne grossit pas, ou qui grossit très lentement, il y a deux questions à se poser : d'abord vous – père ou mère –, n'étiez-vous pas comme lui au même âge ? Ensuite votre enfant a-t-il bonne mine, de l'entrain, de l'appétit, un sommeil calme et d'une durée normale ?

La réponse est oui ? Alors la maigreur de votre enfant est affaire de constitution, et vous n'avez pas à vous inquiéter.

Si la réponse est non, vérifiez que l'alimentation de l'enfant est régulière et équilibrée, et que le rythme des journées et des activités n'est pas trop soutenu. Si l'enfant dort mal, il faut vérifier qu'il n'a pas d'oxyures, ou de

parasites ; ce n'est pas grave mais cela entraîne des cauchemars et perturbe l'alimentation.

Enfin, si l'enfant perd du poids – ce qui se constate sur la balance – et donc maigrit, et encore plus s'il est fatigué ou fébrile, il faut consulter le médecin. Celui-ci recherchera une maladie organique ; par exemple un diabète ou une allergie alimentaire.

Malabsorption intestinale

Voir *Gluten, Diarrhée chronique, Mucoviscidose*.

Maladies infantiles (fièvres éruptives)

Voir *Rougeole, Rubéole, Oreillons, Varicelle, Roséole*.

Malaises du nourrisson

On rassemble actuellement, sous ce terme un peu imprécis, des troubles de survenue brutale tels que : accès de pâleur ou de cyanose, arrêt respiratoire (apnée), épisode d'hypotonie, avec parfois perte de connaissance ; dans certains cas, quelques mouvements saccadés et la révulsion oculaire font penser à une convulsion.

Ces malaises sont de courte durée (quelques secondes ou minutes) et cessent en général spontanément, ou grâce à quelques manœuvres simples de stimulation et de réanimation. Mais ils peuvent se reproduire ou parfois laisser des séquelles.

La survenue d'un malaise chez le nourrisson est toujours un événement impressionnant pour l'entourage qui en a été témoin. Parfois la crainte que le malaise se reproduise de façon plus grave inquiète. La survenue d'un malaise doit toujours faire consulter le médecin pour s'assurer que l'enfant n'a pas de maladie pouvant entraîner de nouveaux troubles. Il faut aussi en rechercher la cause car parfois ils justifient un traitement adapté.

Les mécanismes et les causes des

malaises sont nombreux : digestifs (reflux gastro-œsophagien), cardiaques (troubles du rythme), respiratoires (bronchiolite), obstruction des voies respiratoires supérieures ou encore métaboliques.

La gravité de ces malaises, et les traitements qui sont parfois nécessaires, dépendent de leur répétition éventuelle, de leur durée, de leur cause.

On pourra évoquer dans certains cas la possibilité d'un **malaise vagal,** comme chez l'enfant plus grand (article ci-dessous). Ce type de malaise est provoqué par la stimulation du nerf vague, par exemple dans le cas du reflux gastro-œsophagien. Cette stimulation entraîne un ralentissement transitoire du rythme cardiaque, qui peut être suffisamment marqué pour provoquer de la pâleur, voire une perte de connaissance brève. Un traitement médicamenteux est parfois conseillé, après des explorations complètes du rythme cardiaque.

Étant donné toutes les causes possibles des malaises décrits ci-dessus, on comprendra qu'avant de conseiller le meilleur traitement, le pédiatre aura besoin d'hospitaliser l'enfant pour un bilan complet avec, entre autres, Phmétrie, Holter cardiaque, enregistrement polygraphique du sommeil...

Voir aussi *Convulsions fébriles, Épilepsie, Reflux gastro-œsophagien, Spasme du sanglot.*

Malaise vagal
du grand enfant

Il peut être à l'origine de malaise chez le nourrisson, et chez le plus grand enfant de perte brève de connaissance. En effet le système nerveux vagal est responsable du tonus musculaire qui maintient une pression sanguine ascendante dans le système veineux, notamment des jambes. Dans certaines conditions particulières (douleur, émotion, chaleur ou atmosphère oppressante), le système vagal perd brutalement son tonus et le sang contenu dans les veines n'est plus remonté vers le thorax et la tête ; le cerveau n'est plus irrigué : on

perd connaissance. Le traitement consiste à laisser l'enfant à terre et à lui relever les jambes pour permettre au sang d'irriguer de nouveau le cerveau. En quelques secondes tout rentre dans l'ordre. Certains enfants, mais aussi adultes, ont plus tendance que d'autres à faire des malaises vagaux ; il faut repérer les circonstances dans lesquelles ils surviennent afin d'éviter de se trouver dans ces situations.

Maltraitance
Enfants battus

La notion de maltraitance a d'abord été limitée aux enfants victimes de violences et de sévices corporels. Sous le terme d'« enfants battus », on a rassemblé certains symptômes qui doivent attirer l'attention s'ils sont nombreux et répétés : lésions cutanées (ecchymoses, hématomes, plaies et cicatrices diverses, traces de brûlures) ; lésions osseuses (fractures des membres, des côtes, du nez, du crâne ; des fractures anciennes sont parfois visibles sur les radiographies du squelette). À ces symptômes s'ajoutent souvent des troubles du comportement (enfant triste, apathique, craintif, ou au contraire instable, agité, avide d'affection), un retard d'acquisitions psychomotrices et un retard de la croissance physique.

Aujourd'hui, la notion de maltraitance s'étend de manière plus générale aux enfants négligés, délaissés, carencés, tant au plan nutritionnel que psycho-affectif. Et récemment, ce sont les sévices sexuels qui ont également attiré l'attention.

Les pouvoirs publics ont mis en place des campagnes d'information concernant les droits de l'enfant et leur respect, et la prise en charge des enfants maltraités par les services médico-sociaux et éventuellement judiciaires.

Les professionnels (pédiatres, psychologues, magistrats, etc.) insistent sur l'intérêt de reconnaître les familles à risque pour pouvoir agir préventivement. (Voir aussi « L'enfant maltraité »,

p. 317, « L'enfant secoué » p. 430 et « Les droits de l'enfant », chap.7)

Marche
(retard de la)

L'acquisition de la marche est une étape majeure dans la vie de l'enfant car elle est le témoin de son bon développement physique, psychique, affectif.

Les conditions nécessaires à la marche sont nombreuses : elle nécessite d'abord l'intégrité du squelette, des muscles, du système nerveux, en particulier du cerveau ; elle suppose aussi une croissance normale qui, ellemême, ne peut se faire qu'avec une alimentation correcte, riche en protéines et en vitamines.

L'environnement psychologique et affectif joue également un rôle comme dans toutes les acquisitions : non stimulé, un enfant fait plus difficilement des progrès, que ce soit pour parler ou pour marcher.

La marche ne peut être acquise que chez l'enfant capable de s'asseoir seul, de se mettre debout et de se déplacer le long des meubles. L'âge habituel de la marche se situe entre 12 et 14 mois, mais il est variable d'un enfant à l'autre, la fourchette s'étend de 10 à 20 mois ; ce n'est qu'après cet âge que l'on peut parler de retard. L'apparition de la marche peut être retardée temporairement par une maladie passagère ou la succession de maladies ; un poids excessif est souvent la cause d'un retard de la marche de quelques semaines ou mois. Certains enfants prennent l'habitude de se déplacer sur les fesses et cette habitude peut retarder l'âge de la marche.

Après 20 mois, un examen médical est donc nécessaire pour un bilan qui recherchera les différentes causes possibles d'un retard important : une atteinte osseuse telle qu'une malformation passée inaperçue, particulièrement au niveau de la hanche, une atrophie musculaire des membres inférieurs en cause dans les myopathies et d'autres maladies neuromusculaires.

L'atteinte du système nerveux par lésion cérébrale, congénitale ou acquise, peut entraîner des paralysies, des troubles de l'équilibre qui empêcheront l'acquisition d'une marche normale.

Si l'intelligence a un développement normal, il s'agit d'une infirmité motrice cérébrale (IMC), mais parfois le retard est plus important ; il dépasse le domaine de la motricité, il témoigne d'une déficience psychomotrice globale plus ou moins profonde.

Des méthodes éducatives adaptées à ces cas permettront aux enfants de se développer selon leurs possibilités (voir *Handicap*).

Mégacôlon congénital
(maladie d'Hirschsprung)

Cette affection rare mais grave entraîne une constipation opiniâtre (présente souvent dès la naissance) associée à un gros ventre et à un retard de croissance. Devant ces symptômes, le médecin aura de-mandé une radiographie de l'intestin qui révélera un côlon (gros intestin) dilaté, au-dessus d'une zone rétrécie voisine de l'anus qui fait obstacle à la progression normale des matières fécales. Si cette malformation est confirmée par un prélèvement (biopsie rectale), une intervention chirurgicale est nécessaire.

Mégalérythème

Cette maladie virale, appelée également « cinquième maladie », donne lieu à une éruption qui débute au visage, particulièrement au niveau des joues qui prennent un aspect « soufflé ». Puis l'éruption s'étend aux membres, la fièvre est modérée ou absente. L'éruption est simple, sans complication, et la maladie dure une semaine environ.

Méningite

Le mot méningite fait encore peur aujourd'hui, mais, en réalité, grâce aux traitements modernes, le pronostic de la méningite s'est considérablement amélioré.

Chez le nourrisson

La fièvre, l'hypotonie brutale, associées à une fontanelle bombée et tendue, des gémissements, un refus d'alimentation, sont des symptômes évocateurs d'une atteinte méningée. Il faut d'urgence consulter le médecin ou aller à l'hôpital.

Chez le grand enfant

Les symptômes de méningite sont des vomissements abondants et faciles, en jet, une photophobie (très forte gêne à la lumière), un mal de tête intense, de la fièvre, une raideur douloureuse de la nuque ; là aussi il faut d'urgence voir le médecin.

En général l'enfant est hospitalisé. Une ponction lombaire est nécessaire à la confirmation du diagnostic. Selon les résultats de cet examen, on peut distinguer les méningites suppurées d'origine microbienne et les méningites virales.

Méningites suppurées

Les plus fréquentes de ces méningites suppurées sont les méningites à méningocoque, parfois pneumocoque. La méningite à haemophilus survient toujours avant 4 ans, et a pratiquement disparu grâce à la vaccination.

Les symptômes indiqués plus haut sont particulièrement intenses, spécialement la fièvre et la raideur de la nuque ; une éruption de *purpura cutané* (voir ce mot) est parfois présente. La ponction lombaire retire un liquide purulent contenant des microbes. D'autres germes peuvent être en cause : staphylocoque, colibacille, ou listeria chez le nouveau-né.

Grâce aux antibiotiques, l'évolution des méningites suppurées est en général favorable et sans séquelles. Il faut cependant retenir que la surdité est une séquelle encore fréquente des méningites et que celles-ci sont d'autant plus graves que l'enfant est plus jeune (particulièrement chez le nouveau-né).

Ces méningites suppurées, et plus spécialement la méningite à méningocoque, surviennent assez souvent par petites épidémies et des mesures d'hygiène doivent être prises. Pour les enfants qui sont en contact avec le malade, il n'y a pas d'éviction scolaire. Mais des prélèvements de gorge permettent de dépister les porteurs de germes. Et un traitement préventif par antibiotiques d'une durée de cinq jours sera prescrit à toutes les personnes ayant eu avec le malade des contacts proches et répétés ; la désinfection des locaux scolaires est encore habituelle, mais non leur fermeture.

Il existe un **vaccin** contre le méningocoque, qui n'est malheureusement actif que sur le type de méningocoque le moins fréquent (type C). Un vaccin anti-haemophilus est maintenant disponible et il est conseillé de le faire en même temps que les vaccins obligatoires de la première année de la vie, ainsi que le vaccin contre le pneumocoque (Prevenar).

Voir *Vaccinations*.

Méningites virales

On les appelle encore « méningites à liquide clair » ou « méningites lymphocytaires » parce que le liquide retiré par la ponction lombaire n'est pas purulent et ne contient pas de microbes. Les symptômes sont les mêmes que dans le cas de méningite suppurée, mais ils sont plus atténués. L'évolution se fait spontanément vers la guérison, en quelques jours, sans antibiotiques.

Un exemple de ces méningites est donné par celle qui vient parfois compliquer les *oreillons* (voir ce mot), mais de nombreux autres virus peuvent être en cause, dont l'identification peut être faite par la constatation d'une augmentation des anticorps qu'ils entraînent dans le sang.

Méningite tuberculeuse

Elle est devenue exceptionnelle.

Méningocèle-myéloméningocèle

Voir *Spina bifida*.

Mérycisme

Certains nourrissons et jeunes enfants font remonter leurs aliments dans la bouche et les remâchent à la manière des ruminants. Il s'agit d'un trouble du comportement, en général passager, lié dans la majorité des cas à des difficultés affectives.

Si l'enfant perd du poids, cette rumination, appelée mérycisme, peut nécessiter une prise en charge psychologique, une guidance parentale, et parfois une hospitalisation.

Microbes et virus

Les maladies infectieuses, si fréquentes chez les enfants, sont dues au développement dans le corps humain, de micro-organismes : les microbes et les virus. Il est important de connaître la différence entre les deux car les maladies qu'ils provoquent ne se traitent pas de la même façon.

Les **microbes** (ou bactéries) ont été découverts dès la fin du XIXe siècle, à partir des recherches de Louis Pasteur : visibles au microscope, ils sont facilement identifiés par des procédés de laboratoire simple. Les microbes se séparent en deux catégories : les cocci de forme arrondie (staphylo, strepto, pneumo, méningocoque) et les bacilles de forme allongée (bacille de Koch de la tuberculose, bacille du tétanos, colibacille...).

Les microbes sont responsables de nombreuses infections locales et/ou générales ; ces infections peuvent atteindre les voies respiratoires, digestives, urinaires, le système nerveux (par exemple, les méningites bactériennes), ou les os et les articulations.

Les **virus**, beaucoup plus petits, échappent au microscope conventionnel ; et de ce fait, ils ont été découverts plus tardivement. Les virus ne sont identifiés que par des techniques de laboratoire plus complexes. Mais, comme ils produisent des anticorps, on peut ainsi les identifier plus facilement.

Les virus sont responsables de nombreuses infections ORL (angine, otite), infections des voies respiratoires, du système nerveux (méningites virales), de la grippe, et également des principales maladies de l'enfance (rougeole, rubéole, varicelle, oreillons...). Les maladies virales sont plus fréquentes et plus contagieuses que les infections bactériennes ; mais à la différence des infections bactériennes, elles sont en général bénignes et de courte durée. Elles peuvent parfois se compliquer : une bronchite ou une otite peuvent guérir rapidement, mais il arrive qu'une infection bactérienne vienne s'ajouter à la maladie virale.

Nous ne parlons ici que des maladies virales courantes et fréquentes. Il en existe de plus graves comme celle due au virus du *sida* et les *hépatites virales* (voir ces mots).

Sur le plan pratique

La grande différence entre les microbes et les virus réside dans leur réaction vis à vis des antibiotiques : les microbes sont sensibles aux antibiotiques, ils sont détruits par eux ; tandis que les virus n'y sont pas sensibles. L'oubli de cette notion conduit à un usage abusif des antibiotiques compte tenu du fait qu'il y a plus d'infections virales que d'infections microbiennes.

Il n'est pas toujours facile pour le médecin de faire la différence entre une infection microbienne et une infection virale lorsqu'il n'y a pas d'autre symptôme que la fièvre. En fait, il est rarement nécessaire de donner dès le début un traitement antibiotique, particulièrement dans les affections ORL de l'enfant. La prise pendant quelques jours de médicaments destinés à faire baisser la fièvre est en général suffisante.

À noter : il existe aujourd'hui un test simple et rapide (effectué par le médecin lui-même) qui permet de faire le diagnostic de l'angine à streptocoque et de donner aussitôt le traitement approprié.

Microcéphalie ou microcrânie

On parle de microcéphalie quand le périmètre crânien (PC) est nettement au-dessous de la moyenne, ou plus précisément s'écarte de la fourchette des valeurs normales pour l'âge et le sexe (voir *Périmètre crânien*, p. 334). Plus qu'une mesure isolée, c'est l'accroissement insuffisant du PC mesuré de mois en mois, qui est significatif.

La microcrânie peut être due à une anomalie de la boîte crânienne elle-même, par exemple en cas de soudure trop rapide des os du crâne, ce qu'on appelle la *crâniosténose* (voir ce mot) : à l'intérieur, le cerveau est limité dans son développement.

Mais le plus souvent l'atteinte initiale concerne le cerveau lui-même (microcéphalie), et secondairement le crâne qui se moule sur son contenu. Les responsables sont des maladies contractées pendant la grossesse – rubéole, toxoplasmose par exemple – ou pendant la période néonatale – insuffisance d'oxygénation cérébrale, méningite. Le scanner, ou l'IRM (Imagerie par résonance magnétique), permettent de voir les lésions cérébrales.

La microcéphalie peut être également associée à une anomalie chromosomique (voir *Trisomie 21*).

Il est possible qu'aucune cause ne puisse être trouvée. Le développement de l'enfant devra être surveillé attentivement afin de dépister un retard des acquisitions ou une épilepsie.

Migraine

La migraine est la cause la plus fréquente de céphalée (mal de tête) de l'enfant. 5 à 10 % des enfants en sont atteints, et plus d'une fois sur 10 avant 6 ans.

La crise de migraine est un peu différente de celle de l'adulte : elle dure moins longtemps et surtout la douleur est frontale et bilatérale. Il y a souvent des signes digestifs associés (nausées, douleurs abdominales) ainsi qu'une phonophobie et une photophobie (gêne importante occasionnée par le bruit et la lumière). L'enfant est pâle, arrête son activité et pleure. La migraine l'oblige à manquer souvent l'école. Le sommeil est en général réparateur.

La crise peut être précédée par une « aura » : troubles visuels ou sensitifs. Elle est souvent déclenchée par une situation de stress, mais la migraine n'est pas une maladie psychologique. Dans 9 cas sur 10, on retrouve d'autres personnes de la famille qui sont ou ont été migraineuses.

La plupart des parents craignent que ces maux de tête proviennent d'une tumeur cérébrale. Un interrogatoire précis et un examen clinique complet suffisent le plus souvent à éliminer ce diagnostic et à les rassurer. Si un doute persiste, des examens spécifiques pourront être demandés (scanner, IRM).

Le **traitement** de la crise repose sur l'ibuprofène (Advil®, Nureflex®, Toprec®...), habituellement le plus efficace contre la douleur. Pour diminuer la fréquence des crises, le meilleur traitement de fond chez l'enfant est la relaxation. Dans la grande majorité des cas, les crises diminuent ou disparaissent en grandissant.

Myxoedème congénital

Voir *Thyroïde*.

Mongolisme

Voir *Trisomie 21*.

Mononucléose infectieuse
due au virus d'Epstein-Barr

C'est une maladie virale relativement peu fréquente chez l'enfant très jeune, plus fréquente chez le grand enfant et chez l'adolescent.

La mononucléose infectieuse se manifeste par une angine accompagnée de fièvre et de ganglions au niveau du cou, mais également fréquemment dans d'autres endroits (aisselles, aines). Le diagnostic est fait grâce aux examens de laboratoire : sérodiagnostic « EBV » (Epstein Barr Virus). L'évolution est toujours favorable, cependant une fatigue peut persister pendant plusieurs semaines. La mononucléose entraîne parfois une atteinte hépatique (voir *Hépatite*) et fréquemment, quand l'angine a été traitée par la pénicilline (ampicilline), une éruption vers le dixième jour.

Voir *Angine, Ganglions*.

Morsures d'animaux : chien ou chat

Les morsures ne doivent jamais être négligées, même si elles sont minimes. Les risques sont l'infection microbienne, le tétanos, la rage. Il faut d'abord nettoyer la plaie avec un antiseptique, puis montrer l'enfant au médecin qui prescrira un antibiotique et vérifiera si la vaccination antitétanique est à jour ; sinon il fera un rappel. Même si la rage est maintenant éradiquée en France, par prudence l'animal sera emmené chez le vétérinaire. Si l'animal n'a pas été correctement vacciné, ou si le propriétaire n'a pas été identifié, la vaccination antirabique sera entreprise chez l'enfant. Il existe un centre spécialisé dans chaque département. Le vaccin est devenu très simple : 3 injections, sans effet secondaire.

Un certain nombre de morsures de chien pourraient peut-être être évitées si quelques précautions étaient prises ; ne jamais laisser l'enfant seul avec l'animal (même réputé inoffensif), apprendre à l'enfant quelques règles élémentaires de cohabitation : respecter le « territoire » du chien (couche, gamelle...), ne pas le déranger quand il mange, ne pas l'importuner, reconnaître les signes d'agressivité (par exemple s'il montre ses crocs). Voir aussi p. 159.

Morsures de serpents : vipère

Contrairement à ce qu'on a longtemps pensé, les morsures de vipère ne sont pas toujours graves : 30 à 40 % restent sans symptôme et sans conséquence. Cependant, chez l'enfant, l'évolution peut être plus sévère que chez l'adulte, car la même quantité de venin se diffuse dans un organisme de poids moindre.

Les **symptômes** éventuels apparaissent dans les heures qui suivent la morsure ; s'ils sont importants, cela montre que l'atteinte est grave. La douleur est minime, elle permet de situer l'endroit de la morsure : deux points rouges séparés de 0,5 à 1 cm correspondant aux deux crochets. À cet endroit, un gonflement avec ecchymose se développe, qui peut rester localisé ou s'étendre rapidement à tout le membre. Des signes généraux peuvent alors apparaître : vomissements, douleurs abdominales, accélération cardiaque, hypotension, au pire état de choc.

Que faire en cas de morsure de vipère ?

Les gestes préconisés autrefois ne sont plus recommandés, car ils sont inefficaces et peuvent être même aggravants : garrot, glace, incision, succion, aspiration. Le sérum antivipérin lui-même est d'utilisation discutée car il est souvent mal toléré : il a des effets secondaires parfois graves.

Voici ce qu'il est aujourd'hui recommandé de faire. D'abord, garder son sang froid, et éviter toute précipitation inutile qui risquerait d'agiter et d'inquiéter l'enfant. Après un simple nettoyage de la plaie, avec du savon et un antiseptique local, l'enfant sera maintenu allongé, et sera transporté vers le centre hospitalier le plus proche. Le traitement dépendra de la gravité des symptômes.

Mort subite du nourrisson(MSN)

La mort subite du nourrisson (MSN) est le décès brutal et imprévu, généralement pendant le sommeil, d'un nourrisson en apparence bien portant, ou ne présentant que des symptômes banals et peu alarmants. Elle atteint surtout les enfants de moins de 6 mois (avec un pic de fréquence entre 2 et 4 mois), et essentiellement pendant l'hiver.

Aujourd'hui, on pense que **plusieurs facteurs** peuvent favoriser la mort subite : malformations, en particulier cardiaques ou vasculaires ; accidents ; maltraitance ; médicaments calmants dépresseurs des centres respiratoires ; infections saisonnières aiguës, virales ou bactériennes, surtout lorsqu'elles sont accompagnées d'une fièvre importante et non diagnostiquée ; reflux gastro-œsophagien ; fausses routes alimentaires.

À ces différentes causes peut s'ajouter un élément déterminant : **la manière dont le bébé est couché.** Les statistiques montrent aujourd'hui que si l'enfant est couché sur le ventre, sur un matelas mou, avec un oreiller, une couette, la mort subite est plus fréquente. En effet, ces conditions de couchage peuvent favoriser une asphyxie, une hyperthermie, ou la respiration d'un air confiné (appauvri en oxygène et riche en gaz carbonique).

Cette position sur le ventre est rarement à elle seule responsable du décès, mais elle s'avère comme particulièrement dangereuse lorsque le nourrisson est malade, ou dans une des situations énumérées au deuxième paragraphe. La position sur le ventre est donc formellement déconseillée pour le sommeil.

Quant à l'hypothèse des pauses respiratoires prolongées, associées à un ralentissement du rythme cardiaque, comme cause de la mort subite, cette hypothèse n'a jamais été démontrée scientifiquement. C'est pourquoi les enregistrements, durant le sommeil, des rythmes respiratoires et cardiaques, ne permettent pas de prévoir un risque de mort subite ; de même les techniques de surveillance à domicile (monitoring) donnant l'alarme en cas de pause respiratoire prolongée, n'ont pas réduit la fréquence de mort subite. En plus, cette surveillance donne une fausse sécurité et crée un facteur d'angoisse supplémentaire pour les parents.

Par contre, la position de couchage sur le dos a permis d'obtenir une diminution considérable de la mort subite en quelques années.

Pour prévenir la mort subite, il y a d'autres mesures pratiques à prendre : faire dormir l'enfant sur un matelas ferme, ne pas mettre d'oreiller, ne pas trop le couvrir – au lieu d'une couverture, mettre à l'enfant un surpyjama – jamais de couette, ne pas dépasser 19-20° pour la température de la chambre. Il ne faut pas fumer dans l'environnement d'un bébé, ce qui est de toute manière déconseillé. Il est également déconseillé de coucher le petit bébé dans le lit des parents, même en leur présence (voir p. 114).

Lorsque les parents se trouvent confrontés au drame de la mort subite d'un bébé, ils cherchent à connaître la cause. Les hôpitaux des grandes villes ont tous un centre d'accueil (Centre de Référence). C'est auprès du responsable d'un de ces centres que les parents peuvent s'adresser pour essayer de comprendre ce qui a provoqué la mort de leur bébé (ce qu'on ne trouve pas toujours).

Il existe aussi des **associations de parents** regroupées au sein d'une Fédération. En voici l'adresse, elle vous indiquera l'association de votre région :
Naître et Vivre
5 rue La Pérouse, 75116 Paris
Secrétariat : 01 47 23 98 22
Ligne écoutant : 01 47 23 05 08

Pour certains parents, de telles associations sont un soutien. Ils pourront y rencontrer des couples ayant vécu la même épreuve qu'eux. Les parents se sentent coupables devant la mort d'un bébé, il se reprochent souvent de ne pas avoir été assez vigilants. En parler peut les aider. Mais parfois les parents auront besoin d'une aide supplémentaire, qu'ils pourront trouver auprès d'un professionnel : les Centres de Référence ont en général un psychologue dans leur équipe.

Enfin, il a été démontré que la MSN n'était pas un phénomène héréditaire et que les couples qui ont été victimes de ce drame n'ont pas à craindre une récidive pour un autre enfant.

Mouvements rythmés

Il n'est pas rare de voir un nourrisson ou un enfant plus grand se balancer la tête pendant des heures, soit de droite à gauche, soit comme s'il saluait, ou encore balancer tout le haut du corps. D'autres bébés donnent des coups de tête contre leur lit. Ces mouvements se voient chez des enfants parfaitement normaux. Dans ces mouvements rythmés, l'enfant trouve une satisfaction du même ordre que dans les manipulations des organes génitaux.

Les mouvements rythmés de l'enfant, au moment où il va s'endormir ou lorsqu'il est fatigué, sont normaux. En revanche, lorsqu'ils deviennent envahissants, il faudra rechercher dans la vie affective de l'enfant : manque-t-il de soins, d'affection ? Est-il jaloux d'un frère ou d'une sœur ? Vous avez vu au chapitre 5 que la vie affective de l'enfant commençait bien avant qu'il ne soit capable d'exprimer ses émotions ou ses souffrances. Pourquoi ne consulteriez-vous pas un psychologue ? Les parents ne comprennent pas toujours les souffrances d'un très jeune enfant

Cela dit, il n'existe pas de traitement standard contre les mouvements rythmés. Il ne faut surtout pas vouloir lutter contre eux par la contrainte ou la menace. Les mouvements rythmés disparaissent généralement entre 2 et 4 ans. Cependant, un traitement sédatif prescrit par le médecin peut avoir de bons effets.

Mucoviscidose (ou fibrose kystique du pancréas)

Cette maladie grave est d'origine génétique (le gène a été récemment localisé et identifié). Dans cette maladie, un déficit enzymatique, au niveau du pancréas, entraîne une altération de toutes les fonctions de la sécrétion du mucus. Le mucus est une substance visqueuse chargée de retenir les poussières, microbes, etc ; il participe ainsi au « ménage » de l'intestin et des bronches. Dans la mucoviscidose, le mucus est trop visqueux et ne peut pas faire son travail. Les signes de la maladie sont donc essentiellement respiratoires et digestifs.

Il faut y penser chez un enfant qui présente des infections bronchiques répétées, surtout si elles sont associées à de la diarrhée et à un retard de croissance. Chez le nouveau-né, le méconium (les premières selles) très épais ne peut être évacué, entraînant une occlusion intestinale (iléus méconial). Cette maladie est diagnostiquée par une analyse simple de la sueur. Aujourd'hui, le **dépistage néonatal** par un test sanguin est devenu systématique.

L'évolution est variable d'un cas à l'autre : elle est la plus grave dans l'iléus méconial et dans les cas à manifestations respiratoires précoces. Une prise en charge par des équipes médicales spécialisées est nécessaire, avec kinésithérapie respiratoire quotidienne, régime hypercalorique et prise d'extraits pancréatiques. Les recherches actuelles concernent une thérapie génique de cette maladie, le but étant de remplacer le gène malade par un gène sain.
Vaincre la mucoviscidose :
181, rue de Tolbiac 75013 Paris
Tél.: 01 40 78 91 91

Muguet

Cette infection est due à un champignon microscopique (*Candida albicans*). Elle se manifeste au niveau de la bouche sous forme de petites plaques blanches ressemblant à des grumeaux de lait. L'ensemble de la muqueuse est rouge vif et douloureux au contact : le nourrisson refuse souvent de s'alimenter. Ce qui est visible au niveau de la bouche peut s'étendre sur l'ensemble du tube digestif jusqu'à l'anus.

Au traitement local, le médecin associera généralement un traitement général.

En cas d'allaitement maternel, il faut appliquer la lotion sur les mammelons après chaque tétée, pour éviter une recontamination.

Mutisme

Le mutisme, c'est la disparition de la parole chez un enfant ayant jusque-là un développement normal ; il se différencie donc totalement du retard de langage. Le mutisme est toujours d'origine psychologique. Parfois, il s'agit d'un mutisme partiel qui n'apparaît qu'en dehors du milieu familial – à l'école par exemple ; il traduit la timidité de l'enfant mais aussi un conflit familial ou socioculturel, où l'enfant se sent en grande difficulté, voire déchiré entre deux ressentis opposés. Le niveau intellectuel est normal. Le trouble s'atténue et disparaît en général avec la mise en confiance de l'enfant.

Très différent est le mutisme total apparu brusquement après un *choc émotionnel violent* ; *l'anorexie, les troubles du sommeil, l'énurésie* sont souvent associés (voir ces mots) au mutisme. En général, en quelques jours ou quelques semaines, le mutisme disparaît complètement ; un bégaiement peut cependant lui faire suite.

Un dernier cas est celui où le mutisme est associé à des troubles du comportement : indifférence, désintérêt et absence de contact avec l'environnement ; on peut alors craindre des troubles graves de la personnalité. Le médecin orientera vers une consultation spécialisée.

Myopathie

La myopathie de Duchenne de Boulogne (ou dystrophie musculaire progressive) est une maladie des cellules musculaires dont la dégénérescence progressive aboutit à l'atrophie, entraînant une faiblesse et une incapacité croissantes. Dans sa forme la plus fréquente, la myopathie est une maladie génétique qui atteint exclusivement les garçons (un risque sur deux pour chaque naissance de garçon, pas de risque pour les naissances de filles, qui, en revanche, sont transmettrices de la maladie). La maladie débute vers 4 à 5 ans, et les signes qui attirent l'attention sont la difficulté de l'enfant à se relever de la position accroupie ou assise par terre, l'existence de gros mollets et des douleurs dans les jambes à l'effort.

Le gène en a été récemment localisé. Il permet la fabrication d'une molécule nécessaire à la bonne contraction musculaire. Les soins permettent d'amoindrir les conséquences de la maladie, notamment sur la respiration et la motricité. Cependant l'évolution de la maladie reste inéluctable et aucun traitement ne permet actuellement d'arrêter la destruction musculaire progressive. Le décès survient souvent avant 30 ans. Quand la maladie est connue dans la famille, un test permet le dépistage pendant la grossesse.

Il existe d'autres formes de myopathies. Certaines sont congénitales, se manifestant dès la naissance par une faiblesse musculaire provoquant une hypotonie parfois très profonde. Il s'agit le plus souvent de maladies génétiques. Ces myopathies ne sont pas toutes aussi graves que la myopathie de Duchenne de Boulogne. Ce n'est parfois qu'à l'âge adulte que la faiblesse musculaire aura des conséquences importantes sur la motricité ou la respiration. Un diagnostic précoce dès l'enfance et des soins réguliers permettent souvent d'amoindrir les conséquences de ces maladies.
Association française contre les myopathies
1 rue de l'Internationale
BP 59
91002 Evry cedex
Tél : 01 69 47 28 28

N

Nez (objet dans le)

Si vous ne pouvez pas retirer aux premières tentatives l'objet que l'enfant a introduit dans son nez, n'insistez pas : vous risquez d'enfoncer le corps étranger plus profondément et de blesser la muqueuse fragile de l'intérieur du nez. Conduisez l'enfant chez un ORL : il dispose des instruments et de l'habilité nécessaire.

Noyade

L'enfant ne respire plus ? Sans tarder et sans essayer de faire sortir l'eau des poumons, commencez le bouche-à-bouche. Si vous êtes arrivé à temps, la respiration reviendra vite après les premiers mouvements de respiration artificielle. Si le cœur ne bat plus, pratiquez la respiration artificielle, pendant qu'une autre personne pratiquera le massage cardiaque externe (voir *Réanimation*). Alternez les compressions sur le sternum et l'insufflation. Si vous êtes seul, vous aurez à faire vous-même les deux mouvements, mais toujours en alternant.

Pendant ces opérations, il faut faire appeler les secours spécialisés : maître-nageur (plages, piscines), SAMU (15), pompiers (18).

En France, la noyade est la première cause de mortalité par accident domestique chez les enfants de 1 à 4 ans. Nous vous rappelons les règles de la prévention de la noyade : familiarisez très tôt l'enfant avec l'eau, et qu'il apprenne à nager ; ne le perdez jamais de vue quand il se baigne (même dans une baignoire) ; enfin, l'entrée dans l'eau doit être progressive, surtout après une exposition au soleil.

Voir p. 157 la règlementation des piscines privées.

O

Obésité

L'obésité est due à un excès de masse grasse qui peut avoir des conséquences néfastes chez l'enfant ou le futur adulte : complications orthopédiques, respiratoires, diabète, maladies cardio-vasculaires, cancers, mal-être psychologique.

Pendant la première année de vie, il est normal que le bébé soit rond puis l'enfant mincit quand il commence à marcher.

On dépiste précocement le risque d'obésité en surveillant la courbe de corpulence qui figure dans le carnet de santé (voir p. 335). Le médecin mesure et pèse régulièrement l'enfant pour tracer la courbe. Normalement, après avoir diminué, l'indice de corpulence augmente assez rapidement vers 6 ans, c'est ce qu'on appelle le « rebond d'adiposité ». Plus ce rebond est précoce (parfois dès 3 ans), plus le risque d'obésité ultérieur est important, même si l'enfant est encore mince. Le risque est encore plus grand si l'un des parents est lui-même en surpoids.

Les causes de l'obésité sont multiples, mal connues et probablement précoces dans la vie. On ne connaît pas encore bien l'influence des facteurs génétiques; pour le moment, on ne peut agir que sur les facteurs environnementaux, tels que l'alimentation et la sédentarité. Quant aux obésités d'origine endocrinienne (hormones), elles sont rares ; un bilan biologique sera exceptionnellement pratiqué.

Comme chez l'adulte, et plus encore, une alimentation équilibrée est la base du traitement de l'obésité de l'enfant, mais demande un apprentissage, une surveillance médicale régulière, et beaucoup de volonté et de persévérance pour obtenir le résultat escompté. Il est souvent nécessaire d'associer à la surveillance médicale et diététique une aide psychologique. La prise en charge sera plus facile si elle commence au début de la prise de poids.

La motivation de l'enfant est essentielle, ainsi que l'aide de son entourage ; l'enfant peut coopérer à partir de 5-6 ans. Pour qu'il mange mieux et bouge plus, il doit se sentir capable d'adopter peu à peu de nouvelles habitudes. La prise en charge est basée sur l'écoute, la négociation et non sur la prescription de « régime ». L'objectif n'est pas de perdre des kilos mais de grandir tout en limitant la prise de poids, ce qui revient à diminuer l'indice de corpulence.

En pratique, les conseils portent essentiellement sur :
• la suppression du grignotage entre les repas et la diminution - voire la suppression - de la consommation de boissons sucrées, y compris « light »
• le menu du goûter : préférer pain et fromage, ou pain et chocolat, ou fruit et yaourt plutôt que chips, biscuits salés ou sucrés, et autres « goûters » à haute teneur en sucre et graisses cachées ; on peut autoriser de temps en temps une exception, pour un anniversaire par exemple
• les portions servies : à 5 ans l'enfant mange moins que son frère de 10 ans ; éviter de se resservir
• la diminution du temps passé devant la télévision ou l'ordinateur (qui représente une dépense physique nulle, équivalente au sommeil)
• l'exercice physique : au minimum 1/2 heure par jour de marche, ou jeu de ballon actif, ou vélo, ou activité sportive ; 1 heure par jour le week-end. Cela en plus des activités pratiquées à l'école.

On voit que pour pouvoir suivre ces conseils, le soutien et l'exemple des parents sont déterminants.

Occlusion intestinale

C'est l'arrêt total de l'évacuation des matières et des gaz ; chez le nourrisson, l'*invagination intestinale,* la *hernie étranglée* (voir ces mots) entraînent une occlusion intestinale.

Dans les premiers jours de la vie, diverses malformations du tube digestif peuvent entraîner une occlusion : absence de développement plus ou moins complète et plus ou moins étendue d'une partie de l'intestin, ou absence de fixation entraînant une torsion (volvulus). Le premier symptôme est souvent l'apparition de vomissements bilieux : ils indiquent que l'obstacle se trouve peu après l'endroit où les voies biliaires débouchent dans l'intestin.

Dans tous les cas, il s'agit d'une urgence chirurgicale.

Voir également à *Mucoviscidose,* le cas particulier de l'*iléus méconial.*

Ongle incarné

L'ongle incarné est fréquent chez le nourrisson. En général, cela s'arrange avec la croissance. Si l'enfant a tendance à faire des *panaris,* (voir *Abcès*), il faudra une petite intervention chirurgicale.

Ongles
(enfant qui se ronge les)

Cette habitude est assez fréquente chez les enfants, surtout chez les enfants en âge scolaire.

Bien que ce geste ait été souvent interprété comme le signe d'une certaine tension nerveuse, il n'est pas seulement le fait d'enfants anxieux et renfermés. Certains enfants, apparemment bien adaptés à la vie, rongent régulièrement leurs ongles.

Ce qu'il est important de connaître à l'âge qui nous intéresse, c'est le moment où l'enfant se ronge les ongles : avant de s'endormir ? Quand il joue seul à la maison ? À l'école ? On peut alors se poser les questions qui en découlent : a-t-il du mal à s'endormir ? Est-il heureux avec la personne qui le garde ? S'ennuie-t-il à l'école ?

Il vaut mieux chercher les causes d'un geste totalement involontaire, plutôt que d'essayer de le faire disparaître à tout prix, surtout avec des moyens dont l'efficacité est douteuse (badigeonnage des ongles avec un vernis amer vendu en pharmacie...).

Lorsqu'une habitude est prise, il est difficile de la perdre. À vouloir la supprimer, on risque seulement de la «déplacer» sur un autre symptôme. Il n'est pas rare que des enfants s'arrêtent de sucer leur pouce pour faire plaisir à leurs parents et se mettent alors à se ronger les ongles.

Si vous n'attachez pas trop d'importance à cette habitude, un jour plus ou moins proche, l'enfant décidera de lui-même de faire l'effort de s'arrêter. En attendant, veillez à son équilibre, à sa santé, et soyez attentifs à ses besoins.

Oreille
(objet introduit dans l')

Si vous avez la moindre difficulté à extraire l'objet que l'enfant a introduit dans son oreille, n'insistez pas : vous risquez de blesser le conduit auditif. Conduisez l'enfant chez un oto-rhino-laryngologiste. Il dispose des instruments nécessaires.

Voir *Corps étranger.*

Oreilles décollées

Hélas ! le sparadrap ni le bonnet n'y changeront rien. En outre, vous ferez pleurer l'enfant chaque fois que vous changerez ce sparadrap collant les oreilles au crâne. Il faut vous résigner à attendre quelques années : alors, une intervention chirurgicale corrigera aisément ce défaut en cas de préjudice esthétique notable. C'est une opération bénigne qui se fait à la demande de l'enfant. Meilleur âge pour l'opération : 8-9 ans.

Oreilles percées

Les mères demandent parfois si on peut percer les oreilles d'une petite fille pour y mettre des boucles. Il n'y a pas d'inconvénient si cette petite intervention se fait dans de bonnes conditions d'asepsie, avec des instruments à usage unique, en ayant pris soin d'appliquer la pommade anésthésique Emla au moins une heure avant. Mais il faut signaler que l'allergie au nickel (un des constituants métalliques de la boucle d'oreille) est fréquente.

Oreillons

Aujourd'hui, en France, les oreillons sont devenus très rares grâce à la vaccination systématique chez les enfants.

Le **vaccin** se fait en association avec ceux contre la rougeole et la rubéole. La vaccination est encore plus efficace depuis qu'elle est proposée deux fois : d'abord dès l'âge d'un an, puis à partir de 18 mois.

Organes génitaux
(anomalies des)

Les anomalies des organes génitaux externes sont liées à des défauts de développement des organes génitaux pendant la vie intra-utérine. Dans ce cas, il peut exister une différence entre le sexe chromosomique XY (garçon) ou XX (fille) et l'aspect de « garçon » ou de « fille ».

La possibilité d'une anomalie est évoquée :
• **Chez un *nouveau-né* « garçon »** devant l'absence complète de testicule (*cryptorchidie*), ou si le pénis est trop petit (*micropénis*), ou présente un aspect anormal : par exemple une anomalie de la position du méat urétral qui se situe en dessous du gland et non pas au bout de celui-ci (on parle d'*hypospade*). Ces défauts de virilisation des garçons peuvent entraîner des difficultés lors de la déclaration du sexe de l'enfant à l'état civil. Il est aujourd'hui déconseillé de donner un prénom mixte.
• **Chez un *nouveau-né* « fille »** devant une hypertrophie importante du clitoris, ou une fusion des grandes lèvres et de la vulve. Il existe une maladie hormonale due à un défaut d'une enzyme de la glande surrénale (**hyperplasie des surrénales**) qui provoque *in utero* une

sécrétion anormale d'hormones – appelées androgènes – qui virilisent les organes génitaux des petites filles. Cette maladie peut aussi entraîner des désordres de la régulation rénale du sel et provoquer une déshydratation aiguë sévère. Le dépistage de cette maladie est fait à la naissance, en même temps que l'hypothyroïdie congénitale, la mucoviscidose et la phénylcétonurie, ce qui permet un traitement médical précoce.

La chirurgie des anomalies des organes génitaux externes est le plus souvent réalisée dans la petite enfance.

Organes génitaux (irritation des)

Vous avez remarqué que l'enfant portait fréquemment les mains à ses organes génitaux. Chez le petit garçon, le prépuce est rouge, gonflé, parfois collé par une gouttelette d'un liquide blanchâtre, appelé smegma, qui n'est pas du pus ; le *phimosis* (voir ce mot) favorise ces manifestations ; chez la petite fille, les grandes lèvres peuvent être également irritées et enflammées, et un écoulement est parfois abondant (voir *Vulvite*, à l'article *Gynécologie de la petite fille*).

Dans les deux cas, il faut éviter les vêtements serrés, la macération. Il faut aussi se méfier du sable pendant les vacances au bord de la mer. Et faire une toilette locale à l'eau et au savon, si possible 2 fois par jour, bien rincer et bien sécher. Il ne faut pas hésiter à consulter le médecin si l'irritation persiste.

Orgelet

L'orgelet est un petit furoncle situé à la base d'un cil ; il disparaît en général rapidement avec l'application locale d'une pommade antibiotique, mais il peut cependant réapparaître.

Le *chalazion* désigne l'infection d'une petite glande située au bord de la paupière.

Voir *Abcès*, *Furoncle*.

Orties (piqûres d')

Appliquez des compresses d'eau vinaigrée. Si les piqûres sont nombreuses, donnez un antihistaminique.

Ostéopathie

L'ostéopathie est une discipline basée sur le toucher et sur l'analyse des mouvements et des rythmes de tous les tissus du corps humain. Par la palpation, l'ostéopathe repère les tensions qui empêchent la mobilité des os du crâne et celle des articulations et il cherche à la rétablir. La technique s'appuie sur des connaissances très précises de l'anatomie. Elle a pu être appelée aussi « microkinésithérapie. »

C'est dans le ventre de sa mère que le bébé ressent les premières pressions, tensions ou compressions sur son crâne en formation. Les mauvaises positions dans l'utérus, en particulier des pieds (qui ne sont pas des malformations), sont également dues à des tensions ; ceci est encore plus marqué chez les jumeaux.

Au moment de l'accouchement, la tête de l'enfant peut être soumise à de fortes contraintes, et cela d'autant plus qu'un forceps a été utilisé. Ainsi, des tensions des membranes et des articulations au niveau du crâne sont retrouvées chez près de 4 bébés sur 5 au cinquième jour de vie. C'est pourquoi, certains médecins pensent qu'un contrôle ostéopathique du nouveau-né pourrait être souvent proposé (cela se fait parfois, y compris dans de grandes maternités hospitalières). En effet, plus on attend pour intervenir, plus une asymétrie du crâne risque de se fixer, et sera donc plus difficile à corriger, d'autant qu'elle est souvent associée à une *plagiocéphalie* ou à un *torticolis congénital,* (voir ces mots).

La séance d'ostéopathie comporte deux temps. Le temps exploratoire implique une palpation patiente, le développement d'un toucher sélectif qui permet de percevoir l'immobilité ou la tension excessive. Ensuite, le temps thérapeutique cherche à diminuer les tensions anormales et à rétablir la mobilité. Lors d'une séance d'ostéopathie crânienne, vous verrez les mains de l'ostéopathe se placer en douceur à des endroits précis du crâne de votre bébé. Cela va permettre un relâchement des tissus. Les membranes crâniennes vont alors retrouver leur mouvement, leur fonction normale, leur position anatomique la plus efficace, de façon à permettre une symétrie de la croissance osseuse.

Par la suite, l'ostéopathie peut être utile dans de nombreuses situations, en complément d'un traitement médical :
• Les troubles digestifs, notamment les problèmes de régurgitation ou de reflux. En effet, le nerf « vague » (qui est un nerf crânien et qui est celui qui innerve l'estomac) peut être très comprimé, ce qui provoque des reflux.
• Les troubles du sommeil, l'agitation, l'hyperexcitabilité peuvent régresser après quelques séances d'ostéophatie.
• Les problèmes ORL à répétition.
• Après un choc sur la tête, une chute, surtout si l'examen médical et la radio sont normaux, l'ostéopathie va rétablir l'équilibre.
• Dans les problèmes neurologiques graves, l'ostéopathie constitue un complément très intéressant en prévenant ou en traitant les déformations provoquées par la maladie.

L'ostéopathie est aujourd'hui une technique dont on reconnaît l'efficacité. Mais, très particulière et délicate chez le nourrisson, elle doit être pratiquée par des professionnels qualifiés et spécialisés.

Otite

L'otite est l'infection du tympan avec la présence, en cas d'otite purulente, de pus derrière le tympan. C'est une complication fréquente des rhinopharyngites. Voici pourquoi.

Il existe dans l'oreille une flore bactérienne variée, normale, où de nombreuses bactéries cohabitent en limitant la prolifération d'autres bactéries présentes. Au cours des rhino-pharyngites, l'infection virale de la muqueuse va être responsable de phénomènes inflammatoires qui vont désorganiser cette harmonie : une des bactéries normalement présente va proliférer et provoquer ce qu'on appelle l'**otite moyenne aiguë**. L'otite est douloureuse (le pus comprime le tympan) et donne le plus souvent de la fièvre.

Si rien n'est fait, le pus va percer le tympan et on observe un écoulement de pus blanchâtre assez liquide au niveau de l'entrée de l'oreille : c'est l'**otite perforée**.

L'otite est une infection bactérienne qui doit être traitée par des antibiotiques. Dans certains cas, le médecin reverra l'enfant après le traitement pour vérifier que tout est rentré dans l'ordre.

Comment savoir qu'un enfant a une otite ?

Le grand enfant sait dire qu'il a mal aux oreilles. Chez le bébé, certains signes peuvent attirer l'attention : des pleurs, des troubles digestifs - diarrhée, vomissements -, une fièvre qui traîne, un rhume. La consultation du médecin comporte l'examen systématique des tympans.

L'otite séreuse

En cas de rhinopharyngites répétées, ce qui est fréquent lorsque l'enfant va à la crèche, le fonctionnement de l'oreille peut être perturbé : alors qu'habituellement le liquide secrété en continu derrière le tympan s'évacue par la trompe d'Eustache au fond de la gorge, le liquide ne s'évacue plus en raison de l'inflammation qui bouche la trompe d'Eustache. Le liquide stagne, c'est l'otite séreuse. La présence permanente du liquide empêche le tympan de vibrer normalement, ce qui va provoquer une diminution temporaire de l'audition ; ce sera aussi un facteur favorisant des otites moyennes aiguës.

Lorsque l'otite séreuse persiste, différents traitements peuvent être envisagés pour rétablir l'évacuation du liquide. Dans un premier temps, le médecin proposera l'ablation des végétations car celles-ci peuvent aggraver l'obstruction de la trompe d'Eustache. Dans un second temps, on proposera de poser un petit tube d'évacuation à travers le tympan qui va permettre la circulation du liquide et rétablir la présence d'air de part et d'autre du tympan : c'est l'aérateur trans-tympanique (yoyo). L'aérateur est posé au cours d'une courte intervention et il restera en place plusieurs mois.

La **paracentèse** consiste à percer le tympan pour que le pus s'évacue. C'est un geste qui ne se fait pratiquement plus aujourd'hui car les antibiotiques suffisent à éliminer l'infection. Pour la même raison (le traitement par antibiotiques), la **mastoïdite** – une complication de l'otite aiguë qui n'a pas été traitée – a pratiquement disparu.

Pâleur

Le diagnostic est différent selon que la pâleur est permanente et durable ou subite et passagère ; selon que la pâleur persiste ou s'aggrave peu à peu, et plus ou moins rapidement.

Une pâleur qui persiste, même s'il faut tenir compte d'un teint clair ou mat, doit faire penser à une *anémie* (voir ce mot).

Une pâleur subite, surtout si elle s'accompagne de malaises et de troubles de conscience, est un cas d'urgence dont la cause doit être recherchée sans tarder ; il peut s'agir d'une convulsion, fébrile ou non, d'une intoxication, d'anomalies du rythme cardiaque (tachycardie paroxystique, voir ce mot) ; il peut s'agir également d'un traumatisme crânien ou abdominal entraînant une hémorragie interne ; dans ce cas, l'enfant devra être surveillé car l'hémorragie peut se manifester seulement quelques jours plus tard.

Heureusement, l'accès brutal de pâleur est souvent lié à une peur soudaine : un bruit, une chute peu grave. Certains enfants bloquent même leur respiration jusqu'au malaise, c'est le *spasme du sanglot* (voir ce mot). Dans ce cas, l'enfant peut bleuir au lieu de pâlir.

Dans tous les cas de pâleur, qu'elle soit permanente, ou fréquente, il faut en parler au médecin qui fera peut-être faire un bilan biologique.

Par contre la pâleur après un traumatisme, par exemple une chute grave (d'un chariot à roulettes, d'un vélo) devra être surveillée en milieu hospitalier.

Parasitoses

Voir *Gale, Poux, Vers intestinaux.*

Peau : irritations, rougeurs et éruptions

Vous avez remarqué un bouton, une rougeur, une ampoule sur la peau de votre enfant, et vous êtes perplexe : de quoi s'agit-il ? Que faut-il faire ?

La peau de l'enfant, surtout celle du bébé, a un épiderme très mince, qui la rend vulnérable aux atteintes venues de l'extérieur comme de l'intérieur. Avec l'âge, la fragilité de la peau diminue, mais la peau de l'enfant reste une plaque sensible où se révèlent l'allergie (urticaire, eczéma) et les fièvres éruptives (rougeole, varicelle, etc.).

Les rougeurs et éruptions de la peau peuvent donc être les symptômes de maladies très diverses, dont certaines sont difficiles à reconnaître et délicates à soigner, et d'autres sont des affections bénignes qui relèvent plus de l'hygiène que de la médecine.

Le bébé a la peau hypersensible

Certaines peaux de nourrissons sont à ce point sensibles qu'en les touchant seulement on fait apparaître une rougeur, qui s'efface peu après. Le frottement d'une étoffe, un parfum ou un colorant entrant dans une savonnette, la sueur (certains bébés transpirent plus que d'autres, sans pour cela se porter plus mal), l'eau de Cologne, même très diluée, provoquent sur de tels épidermes de l'irritation. Le tour de la taille et le cou sont les lieux de prédilection de ces irritations.

L'air et le soleil sont leur meilleur traitement. Mais attention : le soleil peut aussi faire beaucoup de mal. Voir au chapitre 3 : « Le soleil » et l'article *Coup de soleil.*

L'érythème fessier (ou *rougeurs du siège*), voir ce mot.

Dans les plis de l'aine et du cou, sous les aisselles, derrière l'oreille : l'intertrigo

La peau suinte ; elle a un aspect brillant. Des vêtements trop serrés autour du cou, des petits bourrelets difficiles d'accès, des soins de toilette insuffisants, la transpiration sont causes de cette inflammation des plis, qu'il faut guérir dès qu'elle apparaît car elle peut s'étendre. Faites une toilette soigneuse. Habillez l'enfant de vêtements en matière naturelle comme le coton ou la laine. Appliquez dans les plis infectés un antiseptique léger.

D'innombrables points rouges, ou de petits boutons blancs : les éruptions dues à la sueur

Elles se situent essentiellement sur la nuque, dans le dos, et parfois autour de la taille, chez les bébés qui portent une bande abdominale (voir *Sudamina*). Souvent, l'enfant est agité et dort mal. Évitez de trop couvrir l'enfant ou de le maintenir dans une pièce trop chaude. Localement, nettoyage à l'eau et au savon doux.

Si l'éruption persistait, voyez le médecin.

En dehors de ces bobos relevant de l'hygiène, toute anomalie sur la peau d'un nourrisson ou d'un jeune enfant doit être signalée au médecin.

Ce qu'il faut dire au médecin

Si vous téléphonez au médecin, voici quelques-uns des renseignements qu'il vous demandera : âge de l'enfant ; la fièvre a-t-elle précédé l'éruption pendant quelques jours, ou l'accompagne-t-elle ? Caractéristiques de l'éruption ? Prise de médicaments ? Allergies connues ?

Une éruption peut disparaître en quelques heures. Il est important que, avant de voir le médecin, vous vous posiez les questions suivantes :

• Taille des rougeurs : tête d'épingle, lentille.
• Couleur des taches : rose, rouge cerise, rouge violacé.
• Les rougeurs sont-elles franchement séparées les unes des autres ? Forment-elles une nappe continue ?
• S'effacent-elles à la pression ? (Voir *Purpura.*)
• Existe-t-il des vésicules (ampoules), des croûtes ? L'enfant se gratte-t-il ?
• Au toucher, la peau est-elle lisse ou rugueuse ? Présente-t-elle des saillies molles ou dures ?

Ces détails vous semblent peut-être infimes, mais ils sont utiles parce que, dans chaque fièvre éruptive, les rougeurs ont un aspect et une localisation particuliers. Néanmoins, le médecin fera plus facilement le diagnostic en voyant l'enfant. Si celui-ci n'a pas de fièvre, il n'y a pas d'urgence : l'évolution de ces éruptions est en général bénigne.

Voyez aussi les articles concernant les maladies de peau : *Eczéma, Impétigo, Urticaire.*

Pemphigus

C'est une maladie de la peau qui atteint les nouveau-nés ou les petits nourrissons. Elle débute par une tache rouge qui devient une bulle (d'où ce nom de pemphigus, qui vient du mot grec signifiant « bulle ») au contour clair, grosse comme un grain de blé. Cette bulle molle se rompt au bout de quelques heures. Il reste une surélévation, ou si vous préférez un gros bouton dont le centre est une plaque parfaitement ronde, rouge vif et suintante. La peau commence à redevenir normale huit à dix jours après. N'importe quelle partie du corps peut être touchée, sauf la paume des mains et la plante des pieds. La maladie vient par poussées successives.

Le pemphigus est très contagieux. Il survient dans les collectivités : maternités, etc. Le bébé a parfois de la température : 38°, 39° ou davantage. Il s'alimente moins bien et peut avoir des troubles intestinaux.

Le médecin donnera un antibiotique, car cette maladie due à un microbe (streptocoque ou staphylocoque) est assez tenace et peut être à l'origine de complications infectieuses plus graves.

Perte d'équilibre
(ataxie cérébelleuse)

L'ataxie cérébelleuse est un trouble de l'équilibre entraînant une démarche titubante.

La survenue de perte d'équilibre chez l'enfant peut avoir des causes différentes. Souvent il s'agit d'un trouble du cervelet, région du cerveau située à l'arrière de la tête, dans la boîte crânienne. Le plus souvent, cette ataxie survient soudainement chez l'enfant qui allait parfaitement bien jusque-là. Il s'agit dans la très grande majorité des cas d'une intoxication médicamenteuse, l'enfant ayant absorbé, à l'insu de son entourage, un médicament qui ne lui était pas destiné (somnifère, calmant). Ces médicaments (comme l'alcool) entraînent un trouble passager du fonctionnement du cervelet.

L'évolution de cette ataxie aiguë, par intoxication, est favorable, en quelques heures le plus souvent. L'ivresse par absorption d'alcool est une cause classique d'ataxie aiguë, elle est plus fréquente chez l'adulte que chez l'enfant. Dans l'un et l'autre cas (intoxication médicamenteuse et absorption d'alcool), l'enfant sera conduit rapidement au centre hospitalier le plus proche (voir *Intoxication*).

Plus rarement, l'ataxie aiguë est due à une infection virale. La varicelle, en particulier, peut se compliquer d'une ataxie aiguë qui dure parfois plusieurs jours, mais qui régresse le plus souvent sans séquelles.

Les ataxies aiguës disparaissent spontanément.

Beaucoup plus inquiétants sont les troubles de l'équilibre qui s'installent progressivement en plusieurs semaines. On redoute alors une tumeur de la région du cervelet, et il est impératif de faire des radiographies (scanner cérébral ou IRM cérébrale) pour permettre un traitement approprié dans un service hospitalier spécialisé. Voir aussi *Vertiges*.

Phénylcétonurie

C'est une maladie rare, mais sérieuse, car elle entraîne un retard mental important. Ce retard peut être évité si, la maladie étant reconnue très tôt, l'enfant est soumis à un régime alimentaire particulier qui sera poursuivi des années.

Des tests simples, pratiqués sur les urines (Phénistix) et surtout sur le sang (test de Guthrie), permettent de déceler la maladie. Ce dernier test est obligatoirement pratiqué au 3e jour de vie dans toutes les maternités.

Voir *Guthrie*..

Phimosis

C'est l'existence d'un prépuce très serré ne laissant qu'un orifice très étroit (le prépuce est le repli de peau qui recouvre le gland). Voyez l'article *Décalottage*.

Le traitement chirurgical du phimosis est justifié : avant trois ans, en cas d'infections rénales aiguës, qui se répètent, ou en cas de gêne franche à l'émission d'urine ; après trois ans, en l'absence d'efficacité du traitement médical (le traitement médical consiste en l'application quotidienne pendant deux à trois semaines sur le prépuce, simplement mis « sous tension » sans forcer, d'une crème corticoïde forte, type Betnéval®).

Photothérapie

Voir *Ictère*.

Pied-main-bouche
(syndrome)

Le syndrome pied-main-bouche est une **virose** éruptive très bénigne, due au virus coxsackie A16. Cette virose touche surtout les enfants entre 6 mois et 6 ans, et survient souvent par petites épidémies, en crèche ou à l'école maternelle, et plutôt en période estivale.

L'incubation, de 3 à 5 jours, est silencieuse ; la maladie se caractérise par la survenue de petites vésicules dans la bouche, sur la paume des mains et la plante des pieds, souvent également sur le siège, et elle est accompagnée d'une fièvre modérée.

L'éruption peut durer une dizaine de jours, et la maladie est contagieuse par contact direct avec les sécrétions du nez, de la bouche et des selles de l'enfant. Le virus peut persister plusieurs semaines dans les selles. Par précaution, il vaut mieux éviter le contact d'un enfant contaminé avec une femme enceinte ou une personne immunodéprimée. Il n'y a pas d'éviction de crèche, ni d'éviction scolaire.

Il n'y a pas de traitement autre que celui préconisé contre la fièvre et les mesures d'hygiène à observer (notamment en ce qui concerne les selles) pour éviter la dissémination de l'infection.

Pieds
Malposition à la naissance.
Pieds bots.
Metatarsus varus

Grâce à leur dépistage précoce, les malpositions congénitales des pieds guérissent dans leur grande majorité sans séquelles, si le traitement est entrepris dès les premiers jours de la vie.

Ces malpositions sont la conséquence d'une mauvaise position des pieds dans l'utérus, pour des raisons actuellement mal connues.

La plus fréquente de ces malpositions est le *metatarsus varus*, déformation en dedans de l'avant-pied.

Les autres malpositions telles le pied *varus* ou *valgus* (rotation interne ou externe) ou le pied *talus* (flexion) sont tout aussi bénignes si les articulations du pied restent souples.

En fait, les difficultés apparaissent lorsqu'à la déformation s'associent une raideur, des rétractions musculaires et/ou une luxation (pied bot, pied convexe...).

Dans ces malpositions, la mise en place, dès les premiers jours de la vie, d'une kinésithérapie faite de manipulations, d'assouplissement et de réduction, de sollicitations musculaires avec, dans l'intervalle des séances (quotidiennes au début), le maintien par un système léger de contention (adhésif), permet d'obtenir de bons résultats.

Pieds en dedans

Au début de la marche il est fréquent que les pieds tournent vers l'intérieur ; cette « anomalie » est temporaire, et se corrige spontanément en quelques mois ; elle est souvent associée et provoquée par une légère courbure de l'ensemble des membres inférieurs (voir *Jambes arquées*). Plus rarement, c'est l'avant-pied qui est seul concerné (voir *Metatarsus varus*) ; la déviation persiste à la marche si elle n'a pas été traitée dès la naissance. Le port de chaussures spéciales est alors nécessaire. Dans les cas graves, une intervention chirurgicale peut être envisagée.

Une autre anomalie, au niveau de la hanche, peut entraîner le pied en rotation interne, c'est l'exagération de l'antéversion du col du fémur. Cette anomalie se corrige également le plus souvent avec la croissance.

Pieds plats

C'est un des soucis courants des parents. Chez le jeune enfant, le pied est potelé, aussi bien dessous que dessus, ce qui fait que, lorsque l'enfant est debout, pieds nus, la plante de ses pieds, étalée par le poids du corps, adhère entièrement au sol, même à l'endroit de la voûte plantaire : en appui, le pied est plat, mais lorsque l'enfant est couché, la voussure plantaire est normale.

Ce n'est que lorsque l'enfant sera un peu plus grand qu'on pourra se rendre compte de l'état de cette voûte. D'ici là, même si vous craignez que votre enfant n'ait les pieds plats, ne lui imposez pas de semelles de soutien sans prescription médicale.

Chaussez l'enfant comme il est indiqué au chapitre 1. Faites-le marcher pieds nus ou en chaussettes ; il faut que les muscles de ses pieds travaillent, ce qui arrive lorsque les pieds s'agrippent au sol ou s'adaptent à un relief varié.

Un bon exercice, qu'il faudra lui présenter comme un jeu, consiste à saisir des objets avec les orteils. Faites-le aussi marcher sur la pointe des pieds. Quand votre enfant sera plus grand, offrez-lui une corde à sauter, et si vous le pouvez, faites-lui faire de la danse. Enfin, à bicyclette ou en tricycle, faites pédaler l'enfant avec l'avant-pied.

Pinçon

L'enfant s'est pincé le doigt dans une porte : la douleur est très vive ; pour la calmer, le froid est bon moyen (eau froide, cube de glace) ; le médecin peut éventuellement percer l'ongle, ce qui libérera la tension provoquée par l'hématome formé sous l'ongle. Si le traumatisme est important, l'ongle sera décollé ; il sera peu à peu éliminé et remplacé par un ongle nouveau.

Le doigt du jeune enfant étant fragile, il faudrait penser à une fracture si le doigt était déformé, bleu et gonflé. Montrez-le, en ce cas, à un médecin.

Piqûre

Par épingle, aiguille, piquant d'oursin, épine de rosier, de cactus, etc.

Désinfectez. Si un corps étranger est resté dans la peau, essayez de l'extraire avec une pince à épiler ou une aiguille passée dans une flamme. Faites sortir un peu de sang et désinfectez une seconde fois. Surveillez l'endroit de la piqûre les jours suivants : s'il y a enflure,

rougeur, douleur, montrez-la au médecin (voir *Abcès*). Piqûres d'orties : voir *Orties*.

Piqûres d'insectes

Abeilles, guêpes, frelons

Certains organismes sont très sensibles aux piqûres d'hyménoptères (abeilles, guêpes, frelons), d'autres moins.

Après une piqûre, il faut enlever le dard (ce qui n'est pas toujours facile) et appliquer localement de la glace et une solution vinaigrée. La zone rouge, douloureuse, persistera plusieurs jours.

Ces piqûres peuvent être graves dans certaines circonstances : piqûres multiples, piqûres localisées à des endroits tels que la gorge ou la bouche, prédisposition allergique.

À la suite de piqûres, des réactions peuvent apparaître, telles que vomissements, accélération cardiaque, gêne respiratoire. Et des troubles graves mettant la vie en danger se manifestent parfois : œdème plus ou moins généralisé, œdème du larynx, troubles importants de la circulation. Devant l'un de ces symptômes, ou devant une piqûre localisée à la gorge ou à la bouche, il faut conduire d'urgence l'enfant à l'hôpital ou téléphoner au SAMU (15).

En cas de réaction anormalement importante (symptômes indiqués plus haut), il est nécessaire d'envisager une désensibilisation spécifique qui sera pratiquée dans un centre spécialisé.

Aoûtat

À la fin de l'été, ces minuscules insectes provoquent parfois de cruelles démangeaisons aux jambes de l'enfant qui s'est promené dans l'herbe, ainsi qu'à la taille et au niveau des plis. Vous trouverez chez le pharmacien des préparations pour soigner ces irritations. Il existe aussi des pommades préventives.

Araignée

On constate localement au point de piqûre une zone gonflée, rouge et douloureuse avec parfois malaise, fièvre, mais sans signe de gravité. On se contentera d'une désinfection locale,

d'application de glace, d'un peu de paracétamol.

Moustiques

Les piqûres de moustiques, quand elles sont nombreuses, peuvent agiter l'enfant, infecter la peau par les doigts de l'enfant qui se gratte, et même, chez les nourrissons, donner de la fièvre. Nettoyer au savon acide ou à l'eau vinaigrée les points de piqûre. On trouve aussi chez le pharmacien des préparations pour calmer les démangeaisons.

Préventivement, pour éloigner les moustiques, outre les insecticides pulvérisés dans la chambre (en l'absence de l'enfant), on peut appliquer sur les parties découvertes de la peau d'un bébé de l'essence de verveine-citronnelle. Ce préventif agira pendant deux ou trois heures.

Taon

Tamponnez à l'eau vinaigrée. Si l'enfant a très mal, donnez-lui du paracétamol.

Tique

Voir ce mot.

Plagiocéphalie

Il s'agit d'un aplatissement postérieur du crâne, d'un côté ou de l'autre. La plagiocéphalie est le plus souvent d'origine posturale : elle est liée à une position prolongée sur le dos durant les premiers mois de la vie, à un âge où le crâne est extrêmement malléable. Elle est en augmentation importante depuis que l'on conseille de coucher les bébés sur le dos en prévention de la mort subite. Elle est par ailleurs plus fréquente chez les bébés prématurés et chez ceux qui ont un torticolis congénital.

Cette déformation n'a aucun retentissement sur le cerveau et donc sur le développement de l'enfant. Cependant si l'on ne fait rien de particulier, elle ne s'améliore pas et peut finir par être très inesthétique. Dans les cas les plus graves, une intervention chirurgicale peut s'avérer nécessaire.

Le **traitement préventif** est le plus efficace et doit être mis en œuvre de façon précoce. Il faut d'une part traiter tout torticolis congénital par kinésithérapie et d'autre part mettre les nourrissons sur le ventre en période d'éveil (à la sortie du bain, au moment de le changer, pour jouer). Il faut aussi limiter le temps passé dans les fauteuils inclinables et dans les sièges rigides.

Plaies

Plaie peu profonde : voir *Coupure*.

Une plaie profonde ou superficielle mais étendue (au-delà de quelques centimètres) doit être montrée au médecin en urgence pour nettoyage et suture, et tout particulièrement les plaies du visage qui pourraient entraîner des cicatrices inesthétiques.

En cas d'hémorragie (voir ce mot), même apparemment abondante, un pansement compressif est habituellement suffisant, l'usage du garrot étant de moins en moins recommandé.

Pneumopathie - Pneumonie

(Les médecins parlent plus volontiers aujourd'hui de foyer pulmonaire.) Soignée au début, la pneumopathie guérit rapidement. Aussi tout enfant dont la température s'élève rapidement, dont les joues sont rouges, la respiration rapide (quelquefois avec battement des ailes du nez), et qui tousse, doit être vu rapidement par le médecin. La radiographie confirmera l'atteinte pulmonaire et précisera son étendue. Les pneumopathies peuvent être d'origine microbienne (staphylocoque, pneumocoque, mycoplasme, *clamydia*), ou virale. Un traitement antibiotique est habituellement efficace en quelques jours.

Poliomyélite

Pendant longtemps cette maladie a été très redoutée du fait des complications respiratoires immédiates qu'elle entraîne et des séquelles qu'elle laisse, en particulier paralysies et atrophies musculaires. En fait, dans nos régions, la poliomyélite a quasiment disparu depuis l'introduction d'un vaccin très efficace et

obligatoire, fait à partir de l'âge de 2 mois, en association avec d'autres vaccins.

Le risque n'existe que dans les pays qui ont une couverture vaccinale insuffisante. Mais heureusement beaucoup de pays en voie de développement proposent des campagnes de vaccination, avec l'aide de l'Organisation Mondiale de la Santé. Il est important de faire vacciner les enfants très jeunes car la contamination se fait par l'eau au moment de baignades ou lors de sa consommation, et cela déclenche ensuite des épidémies.

Polydipsie - Polyurie

La polydipsie est une soif intense, entraînant l'absorption anormale de liquide ; la polyurie est caractérisée par l'élimination excessive d'urines. Ces deux symptômes ne doivent pas être fondés sur une simple impression, mais être vérifiés et quantifiés par la mesure des boissons ingérées et des urines éliminées par 24 heures. Le diabète sucré en est la première cause (voir *Diabète*), par insuffisance d'insuline pancréatique.

Le *diabète insipide* est une maladie différente. Elle est due au déficit en hormone antidiurétique d'origine hypophysaire, ou à l'absence de réponse du rein à cette hormone.

Enfin, il existe un trouble du comportement appelé potomanie qui entraîne une polydipsie.

Une mise en observation et des examens en milieu hospitalier précisent ces diagnostics.

Polype rectal

Le polype est une petite excroissance de chair attachée au reste de la muqueuse par une base plus fine. Il peut être à l'origine de saignements, de douleurs abdominales et de diarrhées persistantes. En cas de sang retrouvé de façon répétée dans les selles, le médecin recherchera d'abord une constipation (voir ce mot) avec fissure anale ; c'est la cause la plus fréquente de saignements. Mais si cette

recherche est négative, une fibroscopie rectale sera effectuée pour rechercher un polype.

La **fibroscopie** est un examen qui permet d'explorer certains organes qui ne peuvent être vus directement et de faire si nécessaire un prélèvement. L'examen se fait par l'intermédiaire d'une fibre optique souple et de petite taille. On peut ainsi explorer l'œsophage ou l'estomac, la gorge, la trachée et les bronches, le rectum. Cette fibroscopie est réalisée en milieu spécialisé, sous anesthésie générale ; elle permet, si l'on trouve un polype, de le retirer et de l'analyser.

Il existe des formes familiales avec polypes multiples et récidivants ; la surveillance par fibroscopie doit être alors régulière.

Pouce
(l'enfant qui suce son)
Le nourrisson

Sucer son pouce à cet âge est normal, tellement normal que la succion du pouce, on l'a constaté, commence souvent avant la naissance : des bébés naissent avec le pouce rougi parce qu'ils l'ont sucé avant de venir au monde. Sucer son pouce permet d'abord au bébé de satisfaire son besoin naturel de succion, à laquelle il trouve un grand plaisir. Ce peut être aussi pour lui – comme plus tard pour l'enfant quand il cherche à s'endormir – une manière de s'isoler.

Du sevrage à 6 ans
Deux enfants sur trois continuent à sucer leur pouce à 1, 2, 3 ou 4 ans. Ils le font notamment : à l'heure du coucher ; quand ils s'ennuient ; quand ils ne sont pas bien portants, lors d'une poussée dentaire ; lors d'un événement qui leur fait craindre d'être moins aimés : naissance d'un petit frère ou d'une petite sœur ; lorsqu'ils ont des parents trop attentionnés et anxieux ou, au contraire, souvent absents et peu tendres. Parfois, ces enfants ont été sevrés trop tôt ou trop vite.

Que faire ? Les rassurer, les entourer

de tendresse et de calme, et prendre patience. Vont-ils se déformer la mâchoire ? Très probablement non, car les dents définitives n'ont pas encore percé.

Après 6 ans

L'enfant qui continue à sucer son pouce après 6 ans ne pose pas nécessairement un problème psychologique. Il s'agit le plus souvent d'un petit rite qu'il garde pour s'endormir. Néanmoins, c'est quelquefois un signal auquel on doit être attentif. N'y aurait-il pas chez cet enfant des problèmes scolaires auxquels vous répondriez par une sévérité excessive ? S'il suce son pouce, c'est qu'il manifeste, inconsciemment, un désir de retour à la petite enfance. L'activité intellectuelle à laquelle l'astreint l'école dépasse peut-être ses possibilités présentes : c'est pourquoi il cherche refuge dans une attitude « bébé », ou plus simplement à se reposer, se détendre. Faites preuve de plus de compréhension, donnez-lui des activités mieux adaptées à son âge, il cessera de sucer son pouce.

En revanche, il peut y avoir un problème physique, celui des dents : comme c'est l'époque de la dentition définitive, et comme l'enfant suce son pouce avec toute la force de ses 6 ans, il risque de se déformer la mâchoire. Il faudra peut-être voir un orthodontiste pour réparer d'éventuels dégâts (1).

Y a-t-il un moyen d'empêcher la succion du pouce ?

Certains partisans de la manière forte n'hésitent pas à conseiller de mettre des gants à l'enfant ou d'enduire son pouce d'une substance amère. Ces moyens sont inutiles, inefficaces et risquent de perturber encore davantage l'enfant.

Poux

Il peut arriver qu'un enfant parfaitement propre attrape des poux. Vous vous en apercevrez aux démangeaisons très intenses qui le feront se gratter le cuir chevelu. En l'examinant de près, vous verrez les œufs (lentes) attachés aux cheveux : ils sont petits, ronds, gris.

Il faut pulvériser dans les cheveux une préparation que vous aura indiquée le pharmacien, puis laver et frictionner énergiquement avec un shampooing spécial. Deux semaines après, recommencer ce traitement. Laver les vêtements de l'enfant, et tout le linge qui le concerne, en particulier draps et taie d'oreiller.

Les poux sont très contagieux, un enfant les transmet à ses frères et sœurs et à ses camarades de classe, c'est ce qui explique les mesures d'hygiène régulièrement préconisées par l'école. À la maison, il est conseillé d'appliquer un traitement préventif à toute la famille.

Prolapsus rectal

C'est l'extériorisation par l'anus d'une partie du rectum (partie terminale de l'intestin). Ce prolapsus se manifeste par l'apparition d'un bourrelet rouge lors des efforts pour aller à la selle, des cris, de la toux ; il est réductible spontanément ou manuellement. Ce prolapsus rectal est le plus souvent secondaire à une constipation chronique.

La guérison est habituelle par traitement médical, l'intervention rarement nécessaire.

Pronation douloureuse

La pronation douloureuse est une petite luxation au niveau du coude ; à la suite d'une traction brusque sur l'avant-bras, l'enfant ne peut plus se servir de son membre supérieur : il a le bras pendant, il ne peut pas le plier et ne veut pas qu'on y touche. Après (ou au cours) d'une radio qui permet de contrôler l'absence de fracture, une manœuvre simple permet au médecin de remettre les choses en place.

Prurigo

L'enfant se gratte beaucoup, il est agité et il dort mal. Sur sa peau apparaissent des taches rouges. Elles ont 1 mm de diamètre et sont un peu surélevées. Elles peuvent apparaître n'im-

porte où, sauf sur le cuir chevelu. Elles grossissent et prennent une couleur rouge sombre, ou terne. Parfois, une vésicule rapidement ouverte laisse place à une petite croûte jaunâtre. Au toucher, le bouton est très dur. Il disparaît en huit ou dix jours, laissant une tache ; puis celle-ci disparaîtra à son tour.

Mais le prurigo peut reparaître : il y a souvent des rechutes à intervalles plus ou moins éloignés.

Le prurigo est considéré comme une manifestation d'allergie (voir ce mot) au même titre que l'urticaire : allergie alimentaire ou allergie à la piqûre de certains insectes.

Localement, appliquez une solution de chlorhexidine. Et surtout, armez-vous de patience : le prurigo finit toujours par disparaître.

Dans les cas sévères (par l'intensité des boutons et la fréquence des poussées) le médecin adressera probablement l'enfant à un spécialiste de l'allergie.

Purpura

Le purpura se caractérise par l'apparition sur la peau de taches rouges de dimensions variables, le plus souvent en simple pointillé, mais parfois en plaques très étendues comme des ecchymoses.

Ces taches sont faites de sang issu des petits vaisseaux sous-cutanés si bien que lorsqu'on étire la peau, la tache ne s'efface pas. Leur apparition est soit isolée, soit accompagnée de symptômes divers tels que fièvre, saignements, douleurs, etc.

Le purpura peut être lié à une diminution du nombre des « plaquettes » (cellules qui, dans le sang, participent à la coagulation). Il peut aussi être dû à une altération des petits vaisseaux eux-mêmes.

Les causes du purpura peuvent être nombreuses ; soit d'origine infectieuse : microbienne (méningocoque) ou virale (rubéole, mononucléose, etc.) ; soit d'origine toxique et la plupart des médicaments peuvent être mis en cause.

1. Les traitements orthodontiques sont remboursés par la Sécurité sociale.

Enfin le purpura peut être présent dans des maladies sanguines graves par atteinte de la moelle osseuse.

Le purpura chez le nouveau-né

Il faut signaler d'abord la fréquence de petits éléments purpuriques présents sur le visage après un accouchement difficile : il s'agit là de petites ruptures vasculaires sans gravité ; les petites hémorragies conjonctivales sont également sans gravité.

Par contre, l'existence d'un purpura avec diminution importante du nombre des plaquettes – dont on se rendra compte par une analyse du sang – est un élément qui fait craindre une infection néo-natale.

Le purpura des méningites

L'existence d'un purpura chez un enfant qui a de la fièvre doit faire penser à une atteinte méningée. C'est un cas grave, faites le 15, ou emmenez votre enfant à l'hôpital de toute urgence. Pratiquement, comme vous ne pourrez distinguer le purpura d'une éruption banale, devant toute éruption accompagnée de fièvre, il sera prudent de consulter le médecin.

Le purpura rhumatoïde

Ce purpura atteint les membres inférieurs ; lui sont associées des manifestations abdominales qui peuvent poser des problèmes chirurgicaux (invagination intestinale), et parfois une atteinte rénale qui se traduit par la présence de sang et d'albumine dans les urines. Les plaquettes sont normales en nombre. La guérison survient après une ou plusieurs rechutes.

Le purpura avec chute des plaquettes sans cause décelable

Dans ce cas, on parle de purpura essentiel ou idiopathique. La guérison survient quelques semaines après un traitement approprié.

Quotient intellectuel (QI), Quotient de développement(QD)

La capacité intellectuelle d'un adulte normal se mesure par des tests étalonnés qui permettent de classer un individu sur une échelle de **quotient intellectuel** : le QI.

La valeur 100 est donnée pour le niveau de réponse aux tests atteint par le plus grand nombre de personnes. Cette valeur 100 est donc donnée pour désigner une intelligence normale, moyenne. Tout le monde n'a pas la même intelligence, et les réponses aux tests de QI sont répartis autour de 100, pour certains un peu plus, pour d'autres un peu moins. La proportion de la population atteignant un niveau de réponse donné, diminue quand on s'éloigne de 100. Par définition, le plus grand nombre répond aux tests à 100. Le nombre de personnes ayant répondu à 90 ou 110 est moins important. Le nombre de personnes est encore moindre pour les niveaux 80 et 120.

Chez l'enfant, avant 4-5 ans, on parle plutôt de **quotient de développement** (QD) ; on évalue le développement psychomoteur, l'intelligence sensorimotrice, le langage, la sociabilité. On calcule le quotient de développement d'un enfant en comparant le niveau de ses performances aux performances moyennes d'un enfant de son âge. Son calcul, qui nous donne des indications précieuses sur l'avance, la précocité, ou l'immaturité et le retard d'un jeune enfant, est donc un outil complémentaire d'évaluation des difficultés d'un enfant afin de pouvoir mieux y répondre. Par contre, il n'a pas de valeur prédictive certaine et il nécessite l'interprétation du psychologue clinicien qui a fait passer ces tests à l'enfant.

Rachitisme

Le rachitisme est une maladie osseuse due à une carence en vitamine D ; il affecte la croissance du squelette. Cette maladie, très fréquente il y a quelques décennies, a fortement diminué chez le nourrisson grâce à l'apport systématique et quotidien de vitamine D ; en revanche, on constate aujourd'hui une forme de rachitisme chez les adolescents à cause d'une alimentation pauvre en vitamine D et d'une exposition insuffisante au soleil.

La vitamine D

Cette vitamine a deux sources de provenance : d'une part les rayons ultraviolets du soleil, qui permettent à notre corps de la fabriquer, d'autre part l'alimentation. On la trouve ainsi dans les poissons gras (saumon, maquereau) et dans l'huile de foie de morue ; et aussi, en moindre quantité, dans le beurre et les œufs. La vitamine D améliore l'absorption du calcium par l'intestin, régule les équilibres entre calcium et phosphore et favorise la minéralisation du squelette (la formation des os) : c'est donc une vitamine très importante lors des périodes de forte croissance osseuse, première enfance et adolescence.

Les symptômes

Le rachitisme se caractérise par des anomalies osseuses qui touchent le crâne et les extrémités des membres (formation de bourrelets osseux) et par des déformations du squelette, notamment du thorax et des membres inférieurs (jambes arquées). On observe aussi, dans les formes sévères, des atteintes musculaires, dentaires et neurologiques. Chez les adolescents, les signes peuvent être moins visibles mais ce manque de vitamine D pourrait aggraver les problèmes d'ostéoporose qui se manifestent parfois plus tard, surtout chez la femme.

Un apport systématique de vitamine D

Il est donc recommandé de donner de la vitamine D à tous les nourrissons et jeunes enfants. Celle-ci s'administre sous forme de gouttes données chaque jour (Uvesterol® ou ZymaD®), de la naissance jusqu'à 18 mois environ. Cet apport concerne tous les nourrissons, y compris ceux nourris au sein. Pour les bébés qui boivent du lait infantile (1er ou 2e âge), les quantités de vitamine D sont légèrement moindres que pour les bébés allaités : ces laits sont en effet un peu enrichis en vitamine D. Après 18 mois, on donne des ampoules de vitamine D deux fois pendant l'hiver, en novembre et mars par exemple, et cela jusqu'à l'âge de 6 ans ; on estime qu'après cet âge la croissance est moindre et que les enfants fabriquent de la vitamine D durant l'été grâce au soleil. Il est ensuite recommandé de donner deux ampoules de vitamine D pendant l'hiver aux adolescents au moment de leur poussée de croissance.

Le soleil

Puisque la peau fabrique de la vitamine D sous l'action des ultraviolets, il est naturel de recommander d'exposer les enfants au soleil pour éviter les carences. Cela va cependant contre la tendance actuelle de limiter l'exposition au soleil pour diminuer les risques de cancer de la peau. Pour concilier les deux recommandations : les enfants seront mis au soleil (tête, bras et jambes) lorsqu'il n'est pas trop agressif : plutôt en mai et juin ou septembre et octobre, en dehors des heures les plus chaudes de la journée ; si besoin, les enfants seront protégés par de la crème solaire : celle-ci ne semble pas gêner la fabrication de vitamine D.

Les enfants à peau foncée étant plus sujets que les autres au rachitisme (parce que la pigmentation de leur peau fait écran aux rayons ultra-violets) ont des besoins en vitamine D plus importants.

Réanimation Respiration artificielle Massage cardiaque

En cas d'asphyxie ou d'autres accidents graves, avec troubles de la conscience et de la respiration (noyade, accidents de la route...), il faut :

1. Observer l'enfant pour pouvoir agir et répondre aux questions des secours :
• Est-il conscient ? Appelez-le, stimulez-le (par exemple en le pinçant) pour voir s'il réagit.
• Respire-t-il ? Sent-on de l'air passer à travers sa bouche ou ses narines, son thorax se soulève-t-il avec les mouvements respiratoires ?
• Sa peau est-elle bien rose, ou très blanche, ou bleue (cyanose) au niveau des oreilles, des lèvres, des ongles ?

2. En cas de corps étranger dans les voies respiratoires (« fausse route »), libérer les voies aériennes supérieures et faire les manœuvres de désobstruction (Heimlich, Mofenson, p. 389).

3. Alerter le 15

4. Agir :
• L'enfant est inconscient, mais il respire : dégager les voies aériennes supérieures, mettre en position latérale de sécurité (p. 364) en respectant bien l'alignement tête-cou-tronc.
• Il est inconscient et ne respire pas : dégager les voies aériennes supérieures et alterner le massage cardiaque externe (30 compressions) et le bouche-à-bouche (2 insufflations) jusqu'à l'arrivée des secours organisés.

Respiration artificielle : ce qu'il faut faire

1. Ouvrez le col ou tout ce qui serre le cou et la poitrine.

2. Basculez la tête en arrière pour bien dégager les voies respiratoires et maintenez le menton en le tenant en avant et vers le haut, (fig. A). Autrement, la langue affaissée au fond de la gorge bloquerait l'entrée de celle-ci. Avec les doigts, ou un mouchoir, enlevez un éventuel corps étranger dans la bouche.

3. Prenez une profonde inspiration, ouvrez largement votre bouche (fig. B)

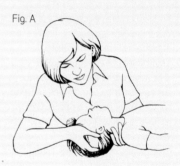

Fig. A

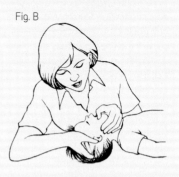

Fig. B

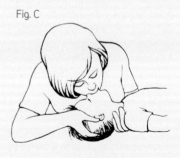

Fig. C

et appliquez-la fermement autour de la bouche ouverte en pinçant le nez (fig. C), ou autour de la bouche et du nez chez le nourrisson.

Chez l'enfant, l'insufflation doit être d'autant plus brève et plus douce que l'enfant est plus petit.

4. Redressez-vous après chaque insufflation.

5. Soufflez jusqu'à ce que vous voyiez la poitrine de l'enfant se soulever. À ce moment-là, cessez d'insuffler.

6. Maintenez la tête basculée en arrière pendant tout le temps de la respiration artificielle.

Continuez celle-ci à la cadence de 20

à 40 insufflations par minute. Continuez jusqu'à ce que la respiration soit normale.

Difficultés

Soit que la langue obstrue le fond de la gorge, soit qu'un obstacle quelconque empêche l'air de passer.

Pour remédier à l'obstruction par la langue, il suffit de renverser encore plus la tête en arrière.

Si un objet est logé dans la gorge et empêche l'insufflation, nettoyez la gorge, puis très vite reprenez l'insufflation. Si vous n'avez pas réussi à extraire l'objet, essayez de le déloger en utilisant la manœuvre de Heimlich (voyez l'article *Étouffe - L'enfant qui -*).

Signes que le bouche-à-bouche réussit :

1. L'enfant rosit.
2. La respiration reprend.

Massage du cœur (massage cardiaque externe)

Le commencer si l'enfant est inconscient et ne respire pas et faire alterner massage et bouche-à-bouche (30 compressions pour deux insufflations). Ces gestes sont à faire même si vous ne les avez jamais pratiqués. Une sage précaution consiste à les apprendre dans un cours de secourisme.

Principe du massage cardiaque externe

L'enfant étant couché sur le dos, le massage cardiaque externe consiste à exercer avec les paumes de la main de fortes pressions sur le tiers inférieur du sternum, environ 80 à 100 fois par minute. Ne pas appuyer sur les côtes : elles sont fragiles (schéma ci-dessous).

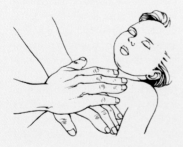

À noter

Pour le nourrisson, les pressions sont exercées par les deux pouces croisés l'un sur l'autre, les deux mains encerclant la base du thorax.

Reflux gastro-œsophagien

Le reflux gastro-œsophagien (RGO) est caractérisé par une remontée douloureuse du contenu de l'estomac dans l'œsophage. Fréquent pendant les premiers mois de vie, le reflux guérit vers 10-12 mois dans la grande majorité des cas.

Les remontées ont lieu quand l'estomac est plein et peuvent s'accompagner de régurgitations ou de vomissements. Elles ont aussi lieu quand l'estomac est vide et c'est alors le contenu acide de l'estomac qui remonte. Cette remontée acide dans l'œsophage est très douloureuse et peut, dans de rares cas, conduire à différentes complications. Ces complications peuvent être une inflammation de l'œsophage (appelée **œsophagite**), des atteintes ORL à répétition (laryngites et otites), plus rarement des atteintes pulmonaires (aggravation d'un asthme par exemple) ou des malaises graves du nourrisson.

Un diagnostic plus ou moins facile

Dans certains cas, les symptômes sont typiques : le nourrisson régurgite de façon importante après chaque biberon et présente des signes douloureux entres les biberons. D'autres fois, les crises douloureuses existent mais il n'y a pas de régurgitations ou de vomissements. Il est cependant possible qu'il existe un reflux mais que celui-ci ne remonte pas suffisamment haut pour s'accompagner de régurgitations. Dans ce cas, le diagnostic hésite entre le reflux et les crises de coliques du nourrisson qui sont également fréquentes à cet âge et qui sont elles aussi très douloureuses. S'il y a des régurgitations mais pas de signe douloureux, on parle de régurgitations simples, et non pas de reflux.

Dans certains cas de reflux persistant malgré les différents traitements,

le médecin pourra évoquer la possibilité d'une *allergie aux protéines du lait de vache* (voir ce mot).

La pHmétrie

Dans les cas sévères de reflux gastro-œsophagien, ou lorsqu'il y a un doute sur le diagnostic, il peut être utile de rechercher et de mesurer l'importance de l'acidité du reflux. On réalise alors une pHmétrie dans un milieu pédiatrique spécialisé, soit en hospitalisant l'enfant, soit le plus souvent en consultation ambulatoire (avec retour à la maison). Il faut ramener l'enfant pour ôter la sonde. Pour l'examen, on installe une petite sonde – de la taille d'une nouille – dans l'œsophage ; la sonde est fixée au niveau de la narine de l'enfant et son extrémité inférieure est située en bas de l'œsophage. Cette pose n'est pas douloureuse, mais seulement un peu désagréable. On relie ensuite cette sonde de pH à un système d'enregistrement pendant 24 heures. La sonde de pHmétrie qui est laissée en place est vite oubliée par le nourrisson, il faudra seulement veiller à ce qu'il ne la retire pas. L'analyse du tracé d'enregistrement permet ensuite de confirmer ou non l'existence d'un reflux acide et d'apprécier son importance.

Le traitement du reflux

Il repose sur différentes mesures selon l'importance du reflux. Des mesures simples s'imposent d'abord : éviter de donner de trop gros biberons, éviter de mettre le bébé dans un transat après le repas (où il est dans une position qui comprime l'estomac), éviter absolument de fumer en sa présence. En revanche il n'est pas nécessaire de surélever la tête de l'enfant et il est déconseillé de faire dormir le bébé sur le ventre.

Dans les reflux modérés, le médecin peut prescrire avant chaque biberon un médicament qui accélère l'évacuation de l'estomac (comme le Motilium® ou le Primperan®), et un gel (comme le Polysilane® ou le Gaviscon®) qui se donne après le biberon. On propose aussi des laits qui sont épaissis grâce à l'ajout d'amidon de pomme de terre ou de riz, ou bien, dans les régurgitations plus importantes, par de la caroube.

Dans les reflux très douloureux, le médecin peut décider de prescrire un médicament qui supprime l'acidité de l'estomac. Il faut signaler cependant que ces médicaments n'existent pas sous une forme adaptée aux nourrissons, il faudra donc suivre avec attention la prescription du médecin.

Enfin, dans le cadre d'une *allergie aux protéines de lait de vache* (voir ce mot), on conseillera un lait particulier.

Reflux vésico-urinaire

Il s'agit du passage de l'urine à contre-courant, qui remonte de la vessie vers le rein par un ou les deux uretères.

Si l'urine qui remonte dans l'uretère est infectée, l'infection se propage alors au rein, occasionnant une **pyélonéphrite aiguë**, dont le risque, si elle est mal traitée, est d'endommager la fonction rénale. Une pyélonéphrite est toujours une infection urinaire avec de la fièvre.

Chez le nourrisson

Les signes d'infection urinaire sont le plus souvent absents, d'où la règle de pratiquer systématiquement un ECBU (examen cytobactériologique des urines) en cas de fièvre élevée isolée, durant plus de 24 heures, surtout si cette fièvre est accompagnée de frissons.

À partir de 18 mois environ

Les signes d'infection urinaire sont manifestes :
• douleur à la miction (en faisant pipi)
• envie de faire pipi tout le temps.

La pyélonéphrite aiguë nécessite un traitement antibiotique par voie parentérale (en injections) quel que soit l'âge. Avant 1 an, ce traitement est effectué de préférence à l'hôpital. Après 1 an, il peut être fait à la maison, à raison d'1 injection d'antibiotique par jour pendant quelques jours, puis le traitement est poursuivi une dizaine de jours sous

forme de sirop ou de sachets.

Un premier épisode de pyélonéphrite aiguë impose de rechercher les conséquences éventuelles de cette infection sur le rein, et de mettre en évidence le reflux. Une échographie rénale sera toujours pratiquée, parfois complétée par d'autres investigations (cystographie rétrograde, scintigraphie rénale...)

Certains reflux vont guérir spontanément avec la croissance. On décide alors souvent un traitement prolongé avec une petite dose d'antibiotique, pour éviter les récidives d'infection urinaire, en attendant la guérison spontanée. Dans d'autres cas, les lésions sont trop importantes et un traitement chirurgical sera proposé.

Régurgitation

La régurgitation est le rejet d'une petite quantité de lait, survenant peu après le repas, en particulier au moment du « rot » (voir ce mot). Elle est fréquente et banale les premiers mois, et sans signification pathologique ; favorisée par l'alimentation liquide et la position couchée, elle disparaîtra avec l'alimentation semi-solide et l'acquisition de la position assise. L'utilisation d'un lait acide (plus vite évacué de l'estomac) et épaissi (voir *Vomissements*) peut améliorer la situation ; on évitera également l'atmosphère tabagique autour de l'enfant. Il existe des laits « antirégurgitation », encore plus épais (vendus en pharmacie).

Cependant, des régurgitations abondantes, répétées, survenant à tout moment (y compris la nuit), font penser à un *reflux gastro-œsophagien* (voir ce mot), particulièrement si elles sont associées à des « malaises », à des crises d'agitation et de pleurs, à des troubles respiratoires (toux nocturne), à un ralentissement de la croissance. Il conviendra de consulter le médecin sans attendre.

Respiration bruyante, sifflante, stridor

À moins qu'il ne s'agisse d'un enfant qui ronfle (voir *Ronflement*), toute respiration bruyante ou sifflante doit être signalée sans retard au médecin. Surtout si l'enfant est malade, avec de la fièvre. Il peut s'agir d'une simple rhinopharyngite ou d'une bronchite, mais aussi de maladies plus graves : asthme, corps étranger dans les voies respiratoires, laryngite, etc.

Certains enfants présentent dès la naissance un bruit respiratoire parfois comparé au gloussement de la poule. Il s'agit du stridor congénital qui est dû à une immaturité des cartilages du larynx et de la trachée. C'est sans gravité. Il n'y a pas de traitement particulier et ce bruit inquiétant disparaîtra peu à peu au bout de quelques mois.

Retard de développement

Les âges moyens d'acquisitions de l'enfant sont à présent bien connus et des retards dans leur apparition peuvent être décelés aujourd'hui très précocement, ce qui permet au médecin d'en rechercher les causes et d'y répondre le plus tôt possible. Les causes sont en effet très variables et peuvent être d'origine affective et émotionnelle mais aussi organique ; elles sont alors le témoin d'une déficience de l'enfant, premier signe d'un handicap futur ou d'une maladie débutante ; et plus tôt on en fera le diagnostic, mieux on pourra mettre en place les traitements adaptés. On surveille en particulier : l'acquisition du contrôle postural (la tenue de la tête autour de 3 mois ; l'appui sur la plante des pieds autour de 6 mois ; la tenue assise autonome et la station debout vers 9-10 mois) ; et la communication avec l'entourage proche (le regard dirigé, les réactions à la voix, les premiers sourires et les vocalises en réponse s'instaurant dans les premières semaines qui suivent la naissance).

Cependant, on sait également qu'il existe, et souvent dans la même fratrie, des variations individuelles importantes dans certains domaines, comme la marche, dont l'âge moyen d'acquisition peut aller de 10 à 18 mois, la propreté, le langage : l'apparition des premiers mots, la construction des phrases, l'enrichissement du vocabulaire recouvrent une longue période entre 18 mois et 3 ans (voir chapitre 4). Mais ces variations peuvent être aussi d'ordre culturel et éducatif et perçues différemment par l'entourage familial ou par le regard extérieur de la crèche, de l'assistante maternelle, et plus tard de l'école. Il est important de respecter les différences socioculturelles dans ce domaine, et d'en relativiser l'impact sur des décalages d'acquisitions ; mais il est tout aussi important de ne pas négliger d'autres facteurs et de donner à l'enfant tous les moyens de compenser les difficultés spécifiques de son propre développement.

Il est souvent rassurant d'observer un décalage dans un seul de ces domaines alors que l'enfant progresse bien dans d'autres, reste joyeux et éveillé, et si l'on est vigilant, l'enfant rattrape ce retard isolé. Dans tous les cas, si vous vous posez des questions sur un retard ou si votre entourage attire votre attention à son sujet, n'hésitez pas à demander l'avis de votre médecin ou de la consultation de PMI de votre secteur.

Voir aussi *Handicap*

Rhumatismes

Cela peut paraître étonnant de consacrer un article au rhumatisme qu'on croit généralement être une maladie d'adulte. On connaît pourtant différentes formes de rhumatisme chez l'enfant.

Le rhumatisme articulaire aigu est aujourd'hui exceptionnel. Il atteint en général plusieurs articulations simultanément, chaque articulation étant rouge, chaude, douloureuse pendant quelques jours ; la complication redoutée est l'atteinte cardiaque.

Cette maladie, due au streptocoque, pouvait survenir dans les suites d'une angine streptococcique ; mais le traitement systématique des angines par la pénicilline a fait disparaître cette complication dans les pays industrialisés.

Le rhumatisme chronique

On en connaît deux aspects chez l'enfant :

• La *maladie de Still* où les atteintes articulaires sont souvent au second plan dans un tableau associant une fièvre élevée et oscillante, une éruption cutanée et parfois un épanchement dans le péricarde. Cette forme évolue vers la guérison après quelques semaines de traitement par la cortisone.

• L'autre forme est plus proche du rhumatisme de l'adulte : les atteintes articulaires se font de manière progressive, par poussées successives, vers une ankylose et un handicap plus ou moins marqués. Elle nécessite un traitement prolongé par la cortisone ou d'autres anti-inflammatoires.

Rhume - Rhinite - Rhinopharyngite - Rhinotrachéite

Ce sont des infections virales de la muqueuse du nez (*rhinite*) ; du nez et de la gorge (*rhinopharyngite*) ; du nez, de la gorge et de la trachée (*rhinotrachéite*). La muqueuse infectée réagit en produisant de façon importante du mucus, une sécrétion d'abord claire puis plus abondante, plus épaisse, avant de jaunir/verdir, puis la muqueuse guérit.

Chez le tout-petit, cet écoulement se produit non pas en avant (par le nez) comme chez le plus grand, mais en arrière, ce qui provoque des épisodes de toux, d'abord sèche (quand l'écoulement est clair et peu important), puis plus ou moins grasse (quand l'écoulement est plus abondant et épais).

Ces infections virales **guérissent sans aucun traitement**, ni antibiotique. Il faut seulement dégager le nez du bébé qui peut être gêné par l'obstruc-tion des voies nasales au moment de boire. Voyez p. 352 *Le lavage de nez.*

Ces infections peuvent s'étendre vers les bronches (*bronchite*), les bronchioles (*bronchiolite*) ou les tympans (*otite*) mais il n'y a aucun traitement qui puisse empêcher cette évolution (voir ces mots).

Ces infections ne s'attrapent pas en « prenant froid », il est donc inutile de trop couvrir vos enfants ; en revanche, elles sont très contagieuses et se transmettent par les contacts : ainsi ne laissez pas votre grand qui a le nez qui coule et qui tousse embrasser son petit frère à peine sorti de la maternité.

Les rhinopharyngites à répétition

Les jeunes enfants étant enrhumés une bonne partie de l'hiver, les parents se demandent s'il y a des mesures de prévention à prendre, à part d'éviter les contacts avec d'autres enfants enrhumés ce qui est difficile à la crèche ou à l'école. Certains facteurs d'environnement jouent, comme un chauffage excessif et une grande sécheresse des logements ; le tabagisme passif a bien entendu un rôle nocif.

Ces rhumes à répétition peuvent aussi être considérés comme une adaptation de l'organisme aux différentes agressions virales, ils seront moins fréquents lorsque l'enfant va grandir, pour cesser vers 6-7 ans.

Rhume de hanche
Synovite aiguë transitoire de la hanche

Comme son nom l'indique, cette maladie est bénigne et de courte durée. Elle est parfois accompagnée d'une rhinopharyngite banale, avec peu ou pas de fièvre ; elle se manifeste par une boiterie douloureuse, d'apparition brusque. La radiographie montre un gonflement des tissus qui entourent l'articulation de la hanche, sans lésion osseuse. Cette maladie guérit spontanément en quelques jours, avec simplement du repos.

Voir *Boiterie.*

Ronflement

Un enfant qui ronfle a probablement des grosses amygdales ou des grosses végétations. Vous devez signaler le fait au médecin qui vous orientera vers l'oto-rhino-laryngologiste. Une intervention sera peut-être nécessaire.

Roséole
Exanthème subit du jeune enfant de moins de 3 ans

Cette maladie contagieuse, d'origine virale, survient au printemps, en automne, par petites épidémies. Elle se caractérise par une fièvre élevée, qui apparaît brusquement et qui persiste sans autre symptôme pendant plusieurs jours.

Du 4e au 5e jour, la fièvre disparaît aussi brusquement qu'elle est venue, tandis qu'apparaît une éruption sur le visage, le torse et la racine des membres, faite de toutes petits papules rouges. L'éruption est parfois très discrète et ne dure pas plus d'un jour ou deux, parfois quelques heures. Cette évolution, fièvre élevée isolée de quelques jours, suivie d'une éruption passagère, est typique de la roséole. Cette maladie est bénigne, malgré la relative fréquence des convulsions lors des accès de fièvre.

Rot

Le rot, point de mire familial et symbole de bien-être pour le nourrisson, est l'évacuation sonore de l'air dégluti et accumulé dans la partie supérieure de l'estomac, durant la tétée. En général, le rot survient dans les minutes qui suivent la tétée, l'enfant étant maintenu en position verticale. Cette quantité d'air est variable : importante chez les enfants qui boivent rapidement, elle peut être minime, surtout quand l'enfant est allaité ; dans ce cas le rot peut se faire attendre, voire être absent : ceci est sans conséquence, même si le rot survient alors que l'enfant a été recouché.

Voir *Régurgitation*.

Rougeole

C'est une maladie due à un virus.

Les premiers **symptômes** de la rougeole apparaissent, en général, dix à quinze jours après la contagion : rhume, fièvre, mais surtout une toux importante, un peu rauque, un faciès très particulier avec larmoiements qui, très souvent, feront envisager la rougeole même en l'absence de contagion connue, à plus forte raison en cas d'une épidémie.

L'**éruption** apparaît au bout de quelques jours sous forme de petites taches débutant derrière les oreilles, au visage, aux membres et s'étendant sur tout le corps. Très rapidement la fièvre tombe et, en l'absence de complications, au bout de quatre à cinq jours, l'éruption s'atténue et disparaît ; la convalescence est rapide.

Il est rare de nos jours que la rougeole se complique, mais cela reste possible en particulier chez tout enfant dont l'état général est déficient, et chez les enfants de race noire. Les otites et les foyers broncho-pulmonaires sont les plus fréquents ; l'atteinte du système nerveux (encéphalite) est très rare.

L'enfant est contagieux essentiellement avant l'apparition de l'éruption, d'autant plus qu'à ce stade, aucune précaution d'isolement n'aura été prise.

Il existe une **vaccination** contre la rougeole qui peut être administrée dès l'âge de 12 mois. Ce vaccin est en général associé au vaccin rubéole-oreillons (ROR). ; il est fait en une seule injection. Mais la persistance de rougeole laisse penser qu'un certain nombre d'enfants (5 à 10 %) ne sont pas protégés par une seule injection ; c'est pourquoi, actuellement, il est recommandé d'en faire une seconde avant 2 ans. Le vaccin peut provoquer une petite poussée de fièvre. Cette vaccination n'est pas obligatoire, mais la seule façon d'éviter une épidémie de rougeole est de vacciner le plus grand nombre possible d'enfants.

La protection apportée par le vaccin est très rapide. Il est donc possible d'empêcher la maladie s'il est fait dans les cinq jours qui suivent le contact avec un rougeoleux, le vaccin agissant plus rapidement que le virus de la rougeole lui-même.

Rubéole

Cette maladie, très bénigne pour les enfants, n'est redoutable que dans un seul cas, celui de la future maman, surtout pendant les trois premiers mois de la grossesse : durant cette période, si le virus de la rubéole atteint le fœtus, il peut causer chez lui diverses malformations (système nerveux, cœur, œil, oreille).

Un simple examen de sang (sérodiagnostic) permet de savoir si une jeune femme a eu la rubéole ; ce sérodiagnostic est fait dans le cadre de l'examen prénatal.

Rumination
Voir Mérycisme.

S

Saignement de nez

Voir à la fin de l'article *Hémorragie*. Le terme médical du saignement de nez est *épistaxis*.

Saignement des lèvres

En cas de blessure à la lèvre, stoppez l'hémorragie en comprimant, nettoyez avec du savon, puis rincez. La salive servira de désinfectant et de cicatrisant. Si la plaie est importante, consultez le médecin.

Salmonellose intestinale

Les salmonelles sont des microbes du groupe des bacilles de la typhoïde. Chez le nourrisson, ces microbes peuvent entraîner des diarrhées aiguës, survenant parfois par petites épidémies dans les crèches ou dans les familles. L'évolution peut être assez sévère avec selles nombreuses et sanglantes, déshydratation, fièvre élevée, etc.

C'est la coproculture (examen des selles) qui permet d'identifier le microbe.

Actuellement, on ne recommande pas de traitement antibiotique systématique, sauf dans les formes graves. La guérison est obtenue par simple réhydratation et régime antidiarrhéique.

Saturnisme

C'est l'intoxication par le plomb ; les victimes en sont de jeunes enfants qui portent à la bouche et avalent des particules de peintures anciennes (contenant du plomb) dans des logements vétustes et insalubres.

Les troubles sont digestifs (douleurs abdominales, constipation ou diarrhée), nerveux (instabilité, convulsions), rénaux et sanguins (anémie).

Un traitement permet d'éliminer par les urines le plomb accumulé dans l'organisme.

Scarlatine

La scarlatine est due à une variété de streptocoques (hémolytiques). Elle est aujourd'hui moins grave qu'elle ne l'était autrefois.

L'**incubation** est courte, en moyenne quatre à cinq jours, et les premiers **symptômes** apparaissent brusquement. Il s'agit d'une angine avec fièvre élevée, gonflement des ganglions du cou, souvent un état de malaise et des vomissements.

Rapidement l'éruption apparaît sur l'ensemble du corps sous forme d'une nappe rouge, avec de petits éléments granuleux. La langue a un aspect caractéristique avec une éruption rouge vif, en V, évoquant une fraise. Le diagnostic est alors facile et le traitement se fait par la pénicilline.

Après l'éruption, la peau se met souvent à desquamer : de grands lambeaux de peau se détachent au niveau des mains et des pieds.

Depuis les antibiotiques, les complications (autrefois redoutables) sont très rares : atteintes rénales et articulaires.

Actuellement, il est rare de voir de grandes scarlatines typiques, mais bien plus souvent des formes atténuées, incomplètes qui peuvent se limiter à une éruption peu intense et de courte durée, qu'il est plus difficile d'attribuer d'emblée à la scarlatine. Beaucoup de maladies virales, ainsi que des réactions d'intolérance à des médicaments, donnent lieu à une éruption « scarlatiniforme ». Les éléments suivants aideront le médecin à reconnaître la scarlatine : contagion, angine préalable, présence de streptocoque hémolytique dans un prélèvement de gorge, desquamation de la peau des extrémités. Elle peut être détectée par un test effectué au cabinet du médecin (streptotest). La scarlatine n'est plus contagieuse après deux jours de traitement par pénicilline, et l'éviction scolaire n'est que de deux jours si l'enfant est traité.

Scoliose
Déviations de la colonne vertébrale (scoliose, cyphose, cypho-scoliose, lordose)

Les positions anormales de la colonne vertébrale sont appelées : cyphose (dos rond), lordose (cambrure excessive), et scoliose (déviation dans le sens latéral). Ces anomalies étant souvent combinées entre elles, on parle alors de cypho-scoliose.

Chez le nourrisson

Dans les premiers mois, le dos est souvent rond. Peu à peu il deviendra plat jusqu'à l'acquisition de la station assise sans appui, étape importante du développement psychomoteur ; il est recommandé durant cette période de ne pas asseoir l'enfant sans soutien.

Cependant de véritables scolioses ou cypho-scolioses peuvent exister chez le nourrisson du fait de malformations vertébrales visibles sur la radiographie.

Chez l'enfant plus grand

Au moment de la marche et surtout au cours de la deuxième et de la troisième année, une lordose lombaire (cambrure excessive) est fréquente ; l'abdomen qui fait une saillie en avant témoigne bien de l'« hypotonie » musculaire habituelle à cet âge. C'est une étape transitoire qui disparaîtra progressivement au cours de l'enfance.

Les déviations de la colonne vertébrale sont aisément reconnues par l'entourage même de l'enfant : une épaule est plus basse que l'autre, la colonne a perdu sa rectitude et présente une courbure vers la droite ou la gauche ; enfin il peut exister une gibbosité (bosse) d'un côté.

Si ces anomalies disparaissent quand on fait pencher l'enfant en avant, il s'agit d'une simple attitude scoliotique qui vient souvent compenser une inégalité de longueur temporaire des membres inférieurs. Dans ce cas qui est fréquent, une simple talonnette réglera le déséquilibre à condition qu'il ne soit pas supérieur à 2 cm. D'une manière générale ces scolioses d'attitude évoluent favorablement avec un traitement simple à base de gymnastique rééducative et d'activité sportive adaptée.

Les **déformations fixées** peuvent être la conséquence de maladies neurologiques ou musculaires, mais le plus souvent elles surviennent chez les enfants tout à fait normaux, sans cause apparente, et sont beaucoup plus fréquentes chez la fille que chez le garçon.

Ces déformations fixées demandent une surveillance très attentive afin d'en apprécier le profil évolutif : stabilité ou tendance plus ou moins rapide à l'aggravation ; des examens répétés seront donc nécessaires, semestriels ou annuels, comprenant des radiographies qui permettront de faire des bilans comparatifs précis. Les scolioses peuvent être minimes dans les premières années et passer inaperçues. La période critique est à la poussée de croissance pubertaire, entre 11 et 15 ans, particulièrement chez les filles. Un corset peut alors être indiqué.

Secoué (syndrome de l'enfant secoué)

Ce syndrome a été décrit depuis quelques années devant la fréquence grandissante et la méconnaissance de ce problème. Il s'agit presque toujours d'un bébé de moins de 6 mois ; les parents ou la nourrice, sont excédés par des pleurs inconsolables, et tentent désespérément de le calmer en le secouant. (Le geste est donc intentionnel et sera considéré comme une maltraitance, même si l'adulte n'a pas conscience des conséquences de son acte)

Pourquoi est-il si grave de secouer un bébé ?

Son cerveau est fragile, sa tête est lourde et les muscles de son cou ne sont pas encore bien solides. Lors d'une secousse importante, ou bien si le bébé est soumis à de très fortes vibrations, ou reçoit un choc violent, sa tête se balance d'avant en arrière et le cerveau, qui bouge à l'intérieur du crâne, peut venir frapper contre l'os, entraînant des saignements et des lésions cérébrales.

Des signes de gravité vont se manifester très rapidement : vomissements, troubles de la conscience, convulsions, difficultés respiratoires. Il n'y a alors pas une minute à perdre : il faut emmener le bébé à l'hôpital.

Un scanner sera réalisé en urgence et l'hématome évacué chirurgicalement s'il y a lieu. Mais les séquelles peuvent être lourdes : 10 % des enfants décèdent, et les autres souffrent de retard mental, de problèmes de vue (s'il y a une hémorragie rétinienne), de paralysie, de troubles du comportement.

Le plus important reste donc la prévention : si votre bébé ne se calme pas malgré le bercement, les massages doux, le change, la musique douce.... Et si vous ne supportez plus ses pleurs, posez-le délicatement dans son lit et sortez de la pièce pour retrouver votre calme. Appelez un(e) ami(e), quelqu'un de la famille, un voisin, votre pédiatre...

Seins

Développement prématuré des seins

Chez certaines petites filles, le développement des seins survient avant l'âge de la puberté. Il faut alors vérifier qu'il ne s'agit pas d'une puberté précoce provoquée par une maladie des ovaires, des surrénales ou de l'hypophyse, ou par une exposition à des perturbateurs endocriniens. Pour le savoir, le médecin prescrira des examens biologiques (dosages hormonaux) et des examens des ovaires, de l'utérus et des glandes surrénales (échographie). Le plus souvent, le développement prématuré des seins est isolé, sans anomalie hormonale. Le volume des seins reste limité et il n'y a pas d'autres signes de puberté (pilosité). Il s'agit d'une situation bénigne, sans gravité et qui n'a aucun retentissement sur la croissance en taille, ni sur la puberté qui se fera normalement quelques années plus tard (en moyenne elle débute à 11 ans chez la fille).

Seins gonflés chez le nouveau-né : voir début de ce chapitre, p. 330.

Selles anormales

Vous avez vu au chapitre 2 à quels signes on reconnaît que les selles du nourrisson sont normales. Voyons ce qui peut rendre les selles anormales – en dehors de la *constipation* et de la *diarrhée* (voir ces mots).

Grumeaux

En petit nombre, ils n'ont aucune signification particulière chez le nourrisson, s'il n'y a pas diarrhée.

Glaires

Ce sont des filaments visqueux, blancs ou verdâtres. Une irritation des intestins, aussi bien qu'un simple rhume, peuvent en être cause.

Si l'enfant est enrhumé, la présence de glaires dans ses selles est normale ; il faut simplement soigner le rhume. Si l'enfant n'a aucune affection des voies respiratoires, les glaires sont le témoin d'une atteinte de la muqueuse intestinale elle-même (entérocolite). Ne tardez pas à en parler au médecin.

Pus

Si du pus se mêle aux glaires dans les selles, c'est qu'une infection existe quelque part dans le tube digestif : le pus est un ensemble de globules blancs du sang, de microbes et de déchets de muqueuse mêlés.

Sang

Si vous voyez une tache de sang dans les couches ou dans le pot de l'enfant, à plus forte raison si du sang s'écoule par l'anus, il est bien évident qu'il faut consulter le médecin. Une chose à ne pas oublier : garder les couches, ne pas vider le pot qui contient la selle. Il peut aussi s'agir d'un accident qui se produit quelquefois : vous avez pris la température de l'enfant ce jour-là. Sans le vouloir – et bien que le thermomètre ne soit pas brisé – vous l'avez blessé. Ce genre d'hémorragie est généralement bénin.

Autre cause possible de l'hémorragie : l'enfant est constipé (voir *Constipation*).

Si l'enfant a de la diarrhée, l'intestin, irrité, peut également saigner. Il faut soigner la diarrhée.

Enfin, une autre cause possible de cette hémorragie est l'invagination intestinale, dont nous vous parlons à l'article *Cris du nourrisson*.

Voir également *Polype rectal*.

Selles vertes. Cette couleur n'est pas forcément un signe inquiétant. Elle signale seulement une oxydation du fer contenu dans les selles, le plus souvent du fait d'un ralentissement du transit.

Selles décolorées

Le lait de vache donne souvent des selles grises au nourrisson.

Selles très décolorées, presque blanches : c'est parfois le premier symptôme d'une hépatite, d'une obstruction des voies biliaires chez le nouveau-né. Il faut en parler aussitôt au médecin.

Selles colorées

Enfin, rappelons que les épinards et les betteraves donnent leur couleur aux selles, et que les carottes s'y retrouvent en petits fragments. Le fer donne aux selles une couleur noire. Toute selle que vous jugerez anormale sera gardée pour être montrée au médecin.

Sida

Le sida (syndrome d'immuno-déficience acquise) est dû à un virus VIH (virus de l'immuno-déficience humaine) qui s'attaque au système immunitaire et entraîne un grave affaiblissement des moyens de défense de l'organisme.

Lorsqu'une personne est infectée par le virus, elle développe des anticorps spécifiques qui peuvent être décelés dans le sang par un test de laboratoire. Cette personne infectée par le virus est dite séropositive.

Le sida est une maladie qui a complètement changé de visage en France depuis l'avènement des thérapies antivirales multiples. Grâce au traitement préventif de la transmission mère-enfant durant la grossesse, seuls 10 à 20 nouveau-nés infectés sont diagnostiqués en France chaque année depuis 1999. De même les traitements antiviraux sont de mieux en mieux connus en pédiatrie ; et malgré les difficultés à faire accepter à un enfant plusieurs antiviraux (multithérapie) donnés en même temps pendant une longue période, la baisse de la mortalité et de la morbidité de l'infection est majeure : la mortalité des enfants infectés est devenue quasi nulle depuis 2 à 3 ans, au moins dans les pays industrialisés.

Le problème est bien sûr très différent dans le reste du monde : 1 500 enfants naissent infectés chaque jour en Afrique sub-saharienne et l'accès aux traitements antiviraux reste extrêmement difficile.

Sinusite

Sinusite maxillaire

Les sinus maxillaires sont des cavités qui se trouvent dans les os de la face (sous les orbites, de part et d'autre des fosses nasales). Ces sinus ne se développant pas avant 2-3 ans, leur infection n'est guère possible avant cet âge. Par la suite, la sinusite aiguë est rare.

Sinusite frontale

Elle est rare chez l'enfant car les sinus creusés dans les cavités des os du front n'ont leur complet développement qu'après 10-12 ans.

L'ethmoïdite aiguë

Est une infection de l'ethmoïde, os qui ferme en haut et en arrière les fosses nasales, et qui est creusé de cavités. Elle se traduit par une fièvre élevée et un gonflement important de la paupière supérieure débutant à l'angle interne de l'œil. Les germes les plus fréquents sont le staphylocoque, et surtout l'hémophilus ; un traitement antibiotique intensif est nécessaire, en milieu hospitalier, afin d'éviter des complications graves des yeux et du cerveau.

Smegma

Le smegma est une substance blanchâtre produite, de façon normale, par la muqueuse du gland. En cas d'adhérences du prépuce sur le gland, ces sécrétions s'accumulent sous la forme de petites boules visibles sous la peau. Il n'y a aucun risque de complication ; avec le temps, elles vont finir par se décoller et disparaître.

Sommeil (troubles du)

Tout le début du chapitre 3 (pp. 114 et suiv.) est consacré au sommeil chez l'enfant. Nous y avons longuement parlé des circonstances qui favorisent un bon sommeil et des difficultés normales pouvant survenir les premiers mois : tous les bébés ont besoin d'un peu de temps pour acquérir le rythme jour/nuit ; et certains ont également besoin d'apprendre à s'endormir et se rendormir seuls. Nous avons donné quelques conseils vous permettant, à votre bébé et à vous-même, de passer ce cap. Ici, nous voudrions évoquer ce qui peut perturber le sommeil de l'enfant.

Les troubles du sommeil sont fréquents chez le jeune enfant ; ils sont le plus souvent passagers et sans gravité. Mais, dans certains cas, par leur intensité et leur persistance, ces troubles peuvent retentir sur la santé de l'enfant et surtout sur l'équilibre de la famille.

Des causes simples, parfois minimes, peuvent perturber le sommeil de l'enfant : poussées dentaires, otite, rhino-pharyngite, gêne pour respirer ; ou bien l'enfant a trop chaud, il a besoin d'être changé ; ou encore il y a trop de lumière ou trop de bruit autour de lui.

Ces incidents pratiques éliminés, la cause habituelle des troubles du sommeil est d'ordre psychologique.

Lorsque l'anxiété empêche de dormir

À partir d'un an-un an et demi (mais cela peut aussi arriver plus tard), l'enfant fait souvent des difficultés pour aller se coucher. Pourquoi ? Parce qu'il a peur du noir, d'une obscurité où tous ses repères ont disparu ; ou bien parce que le fait d'aller dormir lui donne une impression d'abandon et de solitude. Et pour se rassurer, l'enfant réclame une présence, des objets familiers, ou exige des gestes routiniers. Ces réactions de l'enfant montrent qu'il prend conscience de son environnement, et donc qu'il fait des progrès. Au premier abord, toute nouveauté déroute l'enfant mais le fait peu à peu grandir. Voyez le chapitre 3, nous parlons des moyens d'aider l'enfant à aller se coucher.

Il n'en est pas moins vrai que si cette anxiété survient de façon inattendue, ou bien prolongée, ou excessive, c'est une sonnette d'alarme et il faut essayer de comprendre ce qui se passe.

Tel enfant refuse depuis quelques jours d'aller se coucher, et c'est chaque soir le drame. Après « enquête », les parents se rendent compte que l'enfant ne supporte plus son lit à barreaux dans lequel il se sent enfermé. Tout rentre dans l'ordre avec l'installation d'un grand lit, duquel d'ailleurs l'enfant n'éprouve plus le besoin de sortir...

Ou bien dans cette famille, pour raisons professionnelles, le père part souvent en voyage. Chaque fois la mère est angoissée, ce qui retentit sur l'enfant : il a un sommeil agité et appelle plusieurs fois au cours de la nuit. Une conversation avec le pédiatre a permis à la mère de se rendre compte que son inquiétude ne devait pas (autant que possible) se communiquer à l'enfant.

Ou encore cette maman rentre souvent tard le soir. Et l'enfant ne veut pas aller se coucher tant qu'il n'a pas vu sa mère. Il est pourtant important de respecter les besoins en sommeil de l'enfant. Il pourra peut-être faire une sieste un peu plus longue pour pouvoir attendre sa maman le soir. Ou bien la mère fera en sorte que les besoins affectifs soient comblés à un autre moment, le week-end par exemple.

Lorsque l'excitation empêche de dormir

Les causes d'excitation pouvant empêcher un enfant de dormir sont nombreuses.

Cela peut être une méconnaissance des rythmes du sommeil : tel enfant fait de trop longues siestes chez l'assistante maternelle ou commence à s'endormir chez elle. Lorsqu'il arrive chez lui, il est repris par une phase d'éveil et n'arrive plus à trouver la détente qui lui permettrait de s'endormir.

Tel autre enfant est un « couche-tôt ». Mais comme c'est seulement le soir que la famille se retrouve, les parents jouent avec l'enfant et l'excitent à une heure où il n'est plus disponible. C'est bien compréhensible qu'il n'arrive plus à s'endormir.

Ou bien l'entourage – parents ou assistante maternelle – stimule trop l'enfant pour qu'il parle ou marche ; ou bien il exige trop de l'enfant pour qu'il soit propre.

Ou encore l'enfant est trop jeune pour passer une si longue journée à l'école. Et les adultes savent bien que la fatigue peut empêcher de dormir.

Le réveil précoce

Certains enfants, spontanément, se réveillent tôt ; c'est leur rythme personnel de sommeil, ce sont des « lève-tôt ».

Pour que l'enfant attende avec patience son petit déjeuner, il faudrait qu'il ait de quoi s'occuper. Le soir, quand l'enfant sera endormi, placez près de son lit ses jouets préférés. Il prendra l'habitude de s'amuser, assis dans son lit, tout en monologuant à voix basse. Si l'enfant se réveille vraiment trop tôt, écourtez la sieste de l'après-midi, ou mettez-le au lit un peu plus tard.

Il y a aussi l'enfant qui est obligé de se lever tôt à cause des horaires de ses parents. Il faut donc le coucher plus tôt.

Des gestes simples, auxquels on ne pense pas toujours, peuvent être d'un grand secours : on donne à l'enfant dans un biberon – ou un verre – un peu d'eau ou de lait tiède, ou de tisane, par exemple de tilleul. Ce sont des calmants naturels qui peuvent apaiser l'enfant. Comme le dit le docteur Soulé, parfois le meilleur somnifère, c'est la cuillerée d'eau qu'on donne à l'enfant en lui racontant une histoire à « dormir couché »...

En conclusion, comme beaucoup d'autres troubles, l'insomnie de l'enfant n'est pas un symptôme grave. Il faut comprendre ce qui la provoque pour essayer d'y remédier. Les troubles du sommeil de l'enfant révèlent souvent des perturbations à l'intérieur de la famille ; et parfois une discussion avec un tiers (le pédiatre ou le psychologue, par exemple) pourra être très utile.

Voir aussi *Calmants, Cauchemars, Mouvements rythmés*.

Spasme du sanglot

La description du spasme du sanglot est simple et toujours la même : à l'occasion d'une contrariété, d'une peur soudaine, ou d'une douleur vive, l'enfant, habituellement entre 6 mois et 2 ans, crie, pleure, ses sanglots deviennent de plus en plus saccadés et violents, sa respiration se bloque, son visage bleuit (cyanose) : au bout de quelques secondes (qui peuvent paraître très longues à l'entourage), et

sous l'effet de stimulations telles que petites tapes, eau froide sur le visage, la respiration reprend ; si l'accès se prolonge, l'enfant peut perdre connaissance un court instant ; une variante est possible : la forme blanche où l'enfant reste très pâle.

Ce tableau impressionnant, et qui a tendance à se répéter, est cependant sans gravité réelle, dans l'immédiat ou à long terme. Un facteur psychologique intervient dans le déclenchement du spasme du sanglot : un enfant très émotif peut, consciemment ou non, provoquer ce spasme pour obtenir ce qu'il veut. Il est donc important d'avoir envers l'enfant une fermeté douce et constante, et d'éviter un comportement autoritaire et rigide.

Spasmes en flexion

Il s'agit d'un type d'épilepsie particulière au nourrisson – vers l'âge de 6 mois – qui s'accompagne d'un arrêt du développement psychomoteur et d'un changement inexpliqué du comportement. Les crises se passent habituellement de la manière suivante : des secousses brèves surviennent en série. Elles sont espacées de quelques minutes. Au cours de chaque spasme, l'enfant se ramasse sur lui-même, fléchissant brusquement la tête, le tronc et les quatre membres, puis se relâche rapidement. Parfois, c'est au contraire une extension du corps et des membres.

La cause de ces spasmes n'est pas connue, sauf dans certains cas d'anomalies congénitales du système nerveux. Le médecin sera vu sans attendre car un traitement doit être institué rapidement (voir *Épilepsie*).

Spina bifida - Méningocèle - Myéloméningocèle

Le terme de spina bifida désigne une anomalie congénitale des vertèbres. Pendant la formation de la colonne vertébrale la partie postérieure ne se soude pas et la vertèbre reste ouverte en arrière. Cette ouverture anormale laisse souvent un passage aux structures neurologiques sous-jacentes (méninges et moelle épinière), normalement contenues dans le canal rachidien. Cette malformation se produit le plus souvent à la partie inférieure de la colonne (région lombaire et sacrum), plus rarement dans les régions dorsales ou la nuque. Il s'agit de malformations majeures aux conséquences tellement graves que dès la naissance une décision doit être prise : soit celle d'une abstention de traitement, soit la décision d'un traitement neurochirurgical pour réintégrer la moelle extériorisée, avec les risques majeurs d'infection que cela comporte et des séquelles très sévères sur la motricité des membres et la continence sphinctérienne.

Actuellement, le diagnostic est le plus souvent fait pendant la grossesse, lors des échographies systématiques. C'est alors la question de l'interruption de grossesse qui se pose.

Cette malformation pourrait être liée à une insuffisance en acide folique (vitamine indispensable à l'absorption du fer dans l'organisme) chez la future maman avant le début de la grossesse. C'est pourquoi, pour éviter un récidive, on administrera de l'acide folique avant la grossesse suivante.

Sténose du pylore

C'est une malformation du tube digestif assez fréquente chez l'enfant, qui touche plus le garçon que la fille. Il s'agit de l'épaississement de l'anneau musculaire (pylore) qui sépare l'estomac de la première partie de l'intestin. Cet obstacle empêche l'estomac de s'évacuer normalement, ce qui entraîne des vomissements ; ils commencent environ trois semaines après la naissance et deviennent de plus en plus abondants et « explosifs » ; l'enfant est à la fois affamé et constipé. Un examen radiologique ou échographique permet d'identifier la malformation, et une intervention chirurgicale simple assure une guérison définitive.

Sternum

Voir *Thorax (dépression thoracique)*.

Stomatite

Elle peut être d'origine virale (voir *Herpès*), parfois microbienne (voir *Impétigo*), ou mycosique (voir *Muguet*). Dans cette affection, l'intérieur de la bouche (joues, langue, gencives) est couvert de petites ulcérations blanches qui recouvrent des plaies douloureuses. Quand la bouche est couverte de ces ulcérations, l'enfant ne peut supporter le contact des aliments, même liquides. Le seul fait d'avaler sa salive est douloureux. Cela dure quatre à cinq jours. La stomatite entraîne une salivation excessive, une haleine fétide, et de la fièvre.

Le médecin prescrira des soins locaux (badigeonnages) et éventuellement des antibiotiques et des antifongiques. Attendez-vous à des difficultés et armez-vous de patience. Vous alimenterez surtout l'enfant en lui faisant boire des boissons sucrées et glacées et en lui donnant une alimentation liquide ou mixée. Donnez-lui ce qu'il acceptera le mieux : jus de fruits, lait, glaces, etc. Il est important que l'enfant atteint d'une stomatite évite tout contact avec un autre enfant car c'est très contagieux. Voir *Aphtes* et *Herpès*.

Strabisme

Durant les deux premiers mois, il est fréquent d'observer que le nourrisson louche légèrement, et de temps en temps, parce que les mouvements des deux yeux ne sont pas encore parfaitement coordonnés : habituellement ce strabisme intermittent se corrige spontanément avant l'âge de 6 mois.

Par contre, si le strabisme est important et permanent, l'enfant doit être montré sans tarder, dès la fin du premier mois, à l'ophtalmologiste, car un traitement a d'autant plus de chance de réussir qu'il est entrepris plus tôt.

Le strabisme résulte d'un défaut de vision d'un œil, et c'est cet œil qu'il convient de rééduquer en le faisant travailler. Pour cela, on prescrira le port d'un bandage occlusif de l'œil sain. Des verres correcteurs peuvent être également prescrits.

Ce n'est que lorsque l'enfant aura retrouvé une bonne vue qu'une correction chirurgicale, dans un but esthétique, pourra être réalisée entre 2 et 4 ans.

Stridor

Voir *Respiration bruyante*.

Sudamina

C'est une éruption due à la transpiration. Elle est faite de très petits boutons rouges siégeant plus particulièrement au niveau du cou et du dos. Elle disparaît aisément si l'on prend soin de s'assurer que la peau du nourrisson reste propre et surtout sèche.

Surdité

La surdité n'est pas rare chez l'enfant, chez lequel elle a pour première conséquence, même quand elle est partielle, de gêner le développement du langage. Elle peut rester longtemps méconnue et l'on peut croire, à tort, à un retard du développement alors que l'intelligence est normale. Un enfant qui chante faux, c'est parfois un enfant qui n'entend pas bien ; faites vérifier son audition.

Le dépistage de la surdité

Il est d'autant plus difficile que l'enfant est plus jeune. Les parents doivent observer les réactions de l'enfant aux bruits habituels (voix chuchotée, radio, montre, bruits de porte, etc.). Au moindre doute, l'enfant doit être montré à des spécialistes qui utiliseront des méthodes de dépistage adaptées à son âge.

Le dépistage de la surdité fait partie de l'examen du 9e mois et du 24e mois.

Récemment, ont été introduits des tests simples qui permettent de reconnaître (ou tout au moins de présumer) la surdité profonde dès les premiers jours ou semaines de vie. Ce dépistage précoce de la surdité est maintenant souvent pratiqué dans les maternités. Il permet à des équipes spécialisées de prendre en charge très tôt la surdité et de mettre en place les mesures appropriées.

Si l'enfant semble ne pas entendre, mais que les tests d'audition sont normaux, il peut s'agir d'une anomalie du comportement, relevant d'un spécialiste (voir l'article *Psychose*).

Les causes de la surdité sont diverses

• surdité existante à la naissance, le plus souvent profonde ; cette surdité est soit héréditaire, soit liée à une infection pendant la grossesse (en particulier la rubéole)

• surdité acquise, le plus souvent partielle, après certaines maladies infectieuses, en cas d'otites séreuses persistantes, ou bien attribuée à certains antibiotiques (gentamicine). Les possibilités de traitement dépendent des lésions et sont du domaine du spécialiste.

Surrénales (hyperplasie des glandes)

Voir *Organes génitaux (anomalies)*.

Tabagisme passif

L'enfant vivant dans un environnement de fumeurs subit, par personne interposée, les effets nocifs du tabac. Quelques cigarettes par jour suffisent à entraîner des troubles.

La fumée du tabac est irritante pour les voies respiratoires de l'enfant et entraîne des lésions bronchiques (« parents fumeurs : enfants tousseurs ») d'où la fréquence des bronchites, bronchiolites, pneumopathies, rhino-pharyngites, sinusites et otites.

Le tabagisme passif est également un facteur favorisant et aggravant des maladies respiratoires de l'enfant (asthme, mucoviscidose...). Il est aussi incriminé dans la mort subite du nourrisson.

Il ne faut jamais fumer dans une pièce ni dans une voiture dans laquelle se trouve un nourrisson ou un jeune enfant.

Taches sur la peau à la naissance

Les plus fréquentes des petites anomalies de la peau que peut présenter un enfant à la naissance sont les *angiomes* (voir ce mot).

Les *nævus* sont des taches pigmentées, brunes, plus ou moins étendues, qui peuvent se trouver à n'importe quel endroit du corps. Le traitement varie avec chaque cas. Il faut consulter un médecin spécialiste qui en décidera.

Un cas particulier à signaler : la **tache mongoloïde**, ainsi appelée parce qu'elle est très fréquente chez les Asiatiques (et les Méditér-ranéens) ; elle est brun bleuté et se situe en bas du dos. La tache mongoloïde est une marque normale et s'atténue avec l'âge.

Tachycardie

C'est l'accélération du rythme cardiaque. Chez l'enfant, le rythme cardiaque normal est d'autant plus rapide que l'enfant est plus jeune (120-140 pulsations par minute dans les premiers mois, 100-110 jusqu'à 4-6 ans) ; le rythme cardiaque est très variable, accéléré par les cris, l'agitation et l'effort, les émotions, et surtout la fièvre, quelle que soit sa cause.

En dehors de ces circonstances, une tachycardie permanente dûment constatée oriente vers une atteinte cardiaque, une malformation en particulier ; mais il y a aussi des causes extracardiaques telles que l'hyperfonctionnement thyroïdien, la prise de certains médicaments (théophylline par exemple).

L'autre éventualité est celle des accès ou crises de tachycardie qu'on appelle **tachycardie paroxystique**, survenant chez le nourrisson dans les premiers mois. Elles sont dues à une anomalie de fonctionnement du système nerveux intracardiaque. Le début est brusque et le retentissement sur l'état général rapide : teint gris, agitation ou prostration. Sans intervention, en 24-28 heures, l'évolution se ferait vers une insuffisance cardiaque. Il faut hospitaliser l'enfant d'urgence pour le mettre sous contrôle d'un moniteur (fréquence cardiaque, électrocardiogramme, tension artérielle). En général, le traitement donne un résultat favorable, mais il y a cependant des possibilités de récidives dans les mois qui suivent.

Testicules

Testicules non descendus (ectopie testiculaire)

Bien souvent, l'absence d'un ou des deux testicules dans les bourses du nourrisson ou du petit garçon est sans gravité. Il suffit d'examiner l'enfant dans de bonnes conditions : soit allongé, soit dans un bain chaud, puis d'appuyer doucement sur la région des aines (au-dessus des parties génitales), pour faire descendre la glande. Nul doute que ces « testicules migrateurs » prendront un jour, avant la puberté, leur place définitive.

Cependant, dans certains cas, on ne peut « abaisser » le ou les testicules. Le médecin conseillera probablement une intervention chirurgicale entre 2 et 6 ans. En effet, un testicule non descendu après cet âge a peu de chances de descendre spontanément et est exposé à certaines complications (stérilité notamment).

Bourses volumineuses

Chez le nouveau-né, on nomme *hydrocèle* une accumulation de liquide dans les bourses, plus précisément dans l'enveloppe qui entoure les testicules.

Le *kyste du cordon* est une petite boule de liquide qui surmonte le testicule ; il est de même origine que l'hydrocèle : la persistance anormale d'un canal qui a permis la descente du testicule, d'abord situé dans l'abdomen, vers les bourses. Hydrocèle et kyste se résolvent spontanément en quelques semaines ou mois ; dans le cas contraire, après 1 an, une petite intervention chirurgicale sera nécessaire.

Torsion du testicule

Chez le nourrisson et même le nouveau-né, la torsion du testicule se traduit par l'augmentation de volume d'une bourse qui est rouge, violacée ; bien que pas toujours douloureuse et sans fièvre, ni autre trouble, c'est une urgence car sans une intervention chirurgicale, la glande risque d'être gravement lésée.

Tests sanguins de dépistage à la naissance

Certaines maladies sont dépistées dès la naissance ; le traitement qui leur est appliqué est d'autant plus efficace qu'il commence tôt.

Le prélèvement sanguin (quelques gouttes déposées sur un support cartonné) est fait avant la sortie de la maternité, ce qui permet de s'adresser à tous les nouveau-nés.

Les maladies dépistées sont la *phénylcétonurie*, l'*hypothyroïdie* et la *mucoviscidose*. Le dépistage de l'hyperplasie des *surrénales* se fait de plus en plus souvent (voir ces mots).

Tétanos

Cette redoutable maladie – le plus souvent mortelle – a heureusement donné lieu à une vaccination, obligatoire en France, efficace à 100 % (voir « Les vaccinations » au début de ce chapitre.). Veillez à faire faire régulièrement les rappels nécessaires : les bacilles et les spores qui causent le tétanos sont très répandus dans la terre, la poussière, les excréments animaux ; donc les risques sont très grands, surtout à la campagne. Le plus redoutable n'est pas la blessure profonde ou étendue – en effet, celle-ci sera forcément vue par le médecin, lequel pensera au risque de tétanos –, c'est le clou rouillé dans le pied, le barbelé dans les jambes,

l'écharde sous l'ongle : ces bobos, oubliés au bout de quelques jours et parfois négligés.

De même, une piqûre d'insecte ou une morsure de chien ou de chat peuvent être une porte d'entrée pour l'agent du tétanos.

Toute blessure, même minime, doit donc être soigneusement nettoyée et désinfectée.

Chez les enfants non-vaccinés, ou chez ceux dont la vaccination est ancienne et n'a pas été entretenue, le médecin décidera s'il faut prescrire des gamma-globulines antitétaniques, conjointement à une première injection de vaccin ou un rappel. Il faudra ensuite poursuivre la vaccination.

Tête (mal de) Céphalée

Le mal de tête est fréquent chez l'enfant. S'il s'agit d'un mal de tête subit, intense, associé à des vomissements et de la fièvre, on pense bien sûr d'abord à la méningite, et le médecin doit examiner l'enfant sans tarder. Bien souvent, il ne s'agira, heureusement, que d'une infection grippale saisonnière, ou du début d'une maladie infectieuse éruptive.

Tout autre est le problème posé par un mal de tête répétitif devenu peu à peu habituel, surtout s'il perturbe l'enfant dans ses activités et ses jeux. Voir *Migraine*.

Thorax
Dépression thoracique

Certains enfants présentent à la partie inférieure du sternum – sur le devant du thorax, en bas -, un petit enfoncement « en entonnoir » ; cette anomalie remarquée dès les premiers mois est sans conséquence sur le développement, en particulier au plan respiratoire ; elle est seulement inesthétique, mais l'indication d'une correction chirurgicale ne concerne que des cas très accentués.

Thyroïde

La glande thyroïde – qui se trouve à l'avant du cou – joue un rôle capital dans la croissance de l'enfant. Il peut arriver que cette glande soit absente ou mal développée : c'est l'hypothyroïdie ; ou au contraire qu'elle fonctionne trop : c'est l'hyperthyroïdie.

L'**hypothyroïdie congénitale** est due à l'absence, ou à l'insuffisance, de fonctionnement de la glande thyroïde. Non traitée, cette affection entraîne une arriération mentale et un retard important de la croissance en taille.

En raison de sa grande fréquence, l'hypothyroïdie est dépistée systématiquement à la naissance par un prélèvement sanguin (on procède de la même façon et en même temps que pour le test de Guthrie, voir ce mot). Le laboratoire de dépistage ne contacte les parents qu'en cas d'anomalie, ou de nécessité d'un contrôle. Si nécessaire, le traitement débute vers un mois, et évite l'apparition des troubles dus à l'hypothyroïdie.

Tics

Chez l'enfant de 3-4 ans, les tics sont rares ; ils sont fréquents vers 7-8 ans. Ce sont des mouvements anormaux, involontaires, liés à une contraction musculaire brusque et de courte durée, se répétant avec une fréquence variable, mais toujours identique à elle-même.

Les tics les plus fréquents sont les clignements de paupières, les bruits de bouche, certaines manipulations des cheveux, et des mouvements de la tête ou des épaules, etc.

Les tics témoignent d'une certaine tension et d'anxiété ; ils sont en fait surtout gênants et irritants pour l'entourage, dans la mesure où ni la persuasion et moins encore la contrainte n'ont d'effet sur eux.

Les médicaments courants sont peu actifs sur les tics. Il convient surtout de s'armer de patience et d'essayer d'affecter une relative indifférence, ce qui n'est pas toujours facile. Si les tics ne disparaissent pas spontanément, un avis médical spécialisé (pédiatre) sera nécessaire pour préciser la nature du tic et prescrire un traitement adapté (aide psychologique, médicament plus actif, selon le cas).

Tiques

Les tiques (tique de chien, tique des bois) peuvent transmettre à l'homme différentes maladies, souvent en été (on peut être piqué en marchant jambes nues dans les broussailles).

Dans le midi de la France et autour de la Méditerranée (et également en Afrique et en Inde), les tiques peuvent transmettre une fièvre boutonneuse méditerranéenne qui est une **rickett-siose** (les *rickettsi* sont des agents infectieux intermédiaires entre les bactéries et les virus). Elle associe une fièvre prolongée et une éruption généralisée à tout le corps, avec parfois une lésion visible au point d'inoculation (tache noire) ; les antibiotiques sont efficaces.

Une autre affection consécutive à la morsure de tiques est **la maladie de Lyme** qui associe des éruptions cutanées (érythème migrateur), des paralysies (faciales en particulier) et des atteintes méningées et articulaires. Cette maladie guérit par un traitement antibiotique.

Pour éviter la maladie de Lyme, il faut enlever la tique dans les 24 heures. Cela peut se faire au cabinet du médecin. La plaie sera surveillée ; l'apparition d'une lésion en cocarde (peau saine entourée d'un anneau inflammatoire) nécessite une nouvelle consultation.

Il existe aujourd'hui une autre pathologie, la **méningo-encéphalite à tique** ; elle sévit dans les forêts d'Europe centrale (Bavière, Autriche, Tchéquie) et, dans une moindre importance, dans l'est de la France (Alsace). Un vaccin existe et peut être proposé à partir de un an en cas de séjour en forêt dans les zones à risque.

Torticolis

Chez l'enfant, le torticolis peut avoir plusieurs causes : la plus fréquente est un traumatisme qui a d'ailleurs pu passer inaperçu ; une mauvaise position en dormant peut provoquer un torticolis dit positionnel ; le strabisme peut, lui, provoquer un torticolis « compensateur ». Une infection rhino-pharyngée avec ganglions cervicaux peut aussi être en cause. Enfin, certains médicaments (en particulier le Primpéran® prescrit en cas de vomissements) peuvent provoquer des spasmes musculaires du cou entraînant une attitude de torticolis.

Dans tous ces cas, en quelques jours le torticolis disparaît, sans qu'il soit nécessaire de prendre des mesures particulières.

Si le torticolis persistait au-delà de quelques jours, il faudrait faire un examen plus approfondi à la recherche d'une cause traumatique, neurologique ou rhumatismale (voir *Rhumatisme*).

Torticolis congénital

Une attitude de torticolis (tête inclinée d'un côté et menton tourné du côté opposé) peut attirer l'attention chez le nourrisson, dans les premières semaines. Le torticolis congénital est une anomalie due à une atteinte du muscle du cou (sternocléidomastoïdien).

Cette anomalie a pu être provoquée soit par la position de l'enfant pendant la grossesse, soit par l'étirement du muscle du cou au moment de l'accouchement. Dans ce cas, il n'est pas rare de palper une masse dure au sein du muscle ; cela correspond à un hématome en train de se calcifier. Le traitement se fait par kinésithérapie ; celle-ci commence dès les premiers jours après la naissance et peut durer plusieurs semaines.

L'ostéopathie crânienne, pratiquée par un ostéopathe qualifié dans cette discipline chez le nourrisson, donne de très bons résultats en 1 à 3 séances.

Plus rarement le nourrisson présente une malformation des vertèbres cervicales ; cela nécessite un avis très spécialisé.

Toux

À l'état normal, les voies respiratoires sont nettoyées en permanence grâce au mouvement des cils vibratiles qui les tapissent. La toux est un phénomène réflexe qui permet d'expulser des corps étrangers, ou des sécrétions anormales par leur abondance ou leur viscosité. En ce sens, la toux est un mécanisme de défense utile qu'il ne faut pas vouloir calmer à tout prix, surtout lorsqu'elle est efficace, « productive », c'est-à-dire lorsqu'elle évacue des sécrétions.

Pour soigner la toux, le médecin cherchera d'abord son origine, et pour cela vous posera un certain nombre de questions : date d'apparition, horaires, intensité, tonalité (sèche ou grasse). Il vous demandera si la toux est accompagnée de certains signes : fièvre, écoulement du nez, gêne respiratoire, glaires (visibles éventuellement dans les selles ou dans les vomissements), etc. Il vérifiera également une possible contagion, principalement pour la coqueluche et la bronchiolite.

On peut distinguer de nombreuses variétés de toux :

• **les toux aiguës** accompagnées de fièvre témoignent le plus souvent chez le jeune enfant d'une atteinte des voies aériennes supérieures (*rhino-pharyngite à répétition*, voir ce mot)

• **les toux chroniques** fébriles sont dues également le plus souvent à des infections plus ou moins latentes des voies respiratoires supérieures (*adénoïdite, sinusite*, etc.)

• **les toux sans fièvre** font plus penser à des phénomènes d'allergie, comme l'asthme : ici la toux est souvent sèche et spasmodique ; il peut s'agir également d'un corps étranger que l'enfant a inhalé, même si l'incident est passé inaperçu

• **la toux qui se produit la nuit** est souvent liée, chez le nourrisson enrhumé, à l'accumulation et à la stagnation des sécrétions et glaires. Pour calmer l'enfant, il faut le redresser car c'est la position horizontale qui favorise cet encombrement ; la toux nocturne est également évocatrice du reflux *gastro-œsophagien* (voir ce mot)

• **une toux rauque, aboyante**, est d'origine laryngée (voir *Laryngite*).

Un cas très particulier

Celui de la toux survenant brusquement chez un enfant, en pleine journée, sans fièvre, accès de toux éventuellement associé à une gêne respiratoire plus ou moins accentuée avec cyanose du visage ; ces circonstances doivent immédiatement faire penser à la possibilité d'inhalation d'un corps étranger. Cet incident peut être passé inaperçu, ou avoir été oublié, car il peut remonter à plusieurs semaines ou mois ; l'inhalation d'un corps étranger devra être suspectée en cas de bronchite traînante, de foyer pulmonaire à répétition, ou de crise d'asthme.

On effectuera d'abord une radio pulmonaire. Le corps étranger sera retrouvé par une bronchoscopie (fibroscopie des bronches). Cet examen consiste à introduire dans les bronches principales un tube muni d'un système optique. La bronchoscopie permet également de retirer le corps étranger (voir *Corps étranger*).

Traitement de la toux

Dans une certaine mesure, la toux grasse, « productive », doit être respectée, et elle ne nécessite pas de donner des calmants qui risquent de faire stagner les glaires. Le médecin prescrira plutôt des fluidifiants ; et, chez le jeune enfant, il prescrira éventuellement de la kinésithérapie respiratoire qui favorise le rejet des glaires.

Chez les enfants qui toussent de façon chronique le médecin recherchera s'il n'y a pas une cause allergique. Dans ce cas, il faudra être attentif à l'environnement de l'enfant : éviter les poussières, les oreillers en plumes, les atmosphères trop chaudes, trop sèches, ou les odeurs de tabac. On a parfois recours, avec succès, au traitement utilisé dans les crises d'*asthme* (voir ce mot).

Toxoplasmose

C'est une maladie due à un parasite transmis en général par de la viande peu cuite ou le contact avec les déjections du chat. Nous en avons parlé en détail dans *J'attends un enfant*, étant donné le risque majeur que constitue pour l'enfant la toxoplasmose contractée par la mère durant la grossesse (l'enfant peut naître porteur de séquelles neurologiques sévères).

À côté de cette forme dite congénitale, la toxoplasmose peut être contractée à tout âge par le nourrisson et l'enfant : c'est la toxoplasmose acquise, dont l'évolution est le plus souvent bénigne. Elle se manifeste par de la fièvre, des ganglions plus ou moins généralisés, de la fatigue, des douleurs musculaires, parfois des éruptions. Elle ne nécessite un traitement que dans les formes sévères ou prolongées.

Il est tout à fait souhaitable pour une fille d'avoir la toxoplasmose (comme la rubéole) pour être immunisée avant l'âge où elle pourra avoir un enfant. Mais la forme de la toxoplasmose est souvent si discrète que la plupart du temps, on contracte la maladie sans le savoir.

Transpiration

La transpiration est très utile et même indispensable : c'est le meilleur moyen qu'a le corps de lutter contre une chaleur excessive, qu'elle soit extérieure ou interne (fièvre).

La transpiration est très efficace car l'évaporation de l'eau au niveau de la peau consomme des calories et fait baisser la température interne. Mais si la perte d'eau est trop importante et n'est pas remplacée, il y a risque de *déshydratation* et de *coup de chaleur* (voir ces mots ; voir également *Fièvre*)

Lorsqu'un enfant transpire beaucoup, il faut :

• ne pas trop le couvrir (éviter en particulier les vêtements trop serrés, trop fermés et synthétiques)

• s'assurer que la température de la pièce ne dépasse pas 19-20° maximum

• lui proposer à boire.

Tremblements - Trémulations

Chez le nouveau-né et durant les premiers mois

Des excitations minimes peuvent entraîner des réponses excessives : brusques secousses des membres, tremblement du menton, frissons ; il en est souvent ainsi lors du bain ou des changes ; tout ceci est normal, lié à l'immaturité du système nerveux et disparaît en quelques semaines.

Un cas particulier

Dans la période néo-natale, des trémulations répétées peuvent être provoquées par des taux de glucose ou de calcium sanguins trop bas, qu'il est important de corriger d'urgence. Si ces trémulations surviennent après le retour à la maison, vous les signalerez sans tarder au médecin.

Chez l'enfant plus grand

Des réactions de tremblements peuvent persister, particulièrement sous l'influence d'émotions ; elles ne sont pas inquiétantes.

Trisomie 21

L'enfant souffrant d'une trisomie 21 est cet enfant que, hier encore, on appelait mongolien, parce qu'il présente dans son visage des traits que l'on retrouve chez certains Asiatiques. L'appellation de mongolien a été abandonnée pour le terme scientifique de trisomique 21.

Ce changement de terme est un progrès qui traduit un changement d'attitude vis-à-vis de ces enfants. On les élève avec les autres, en tenant compte de leurs difficultés : on les intègre très tôt dans une crèche, dans une halte-garderie, à l'école maternelle, et ils peuvent bénéficier d'un soutien éducatif particulier. Cette évolution est très positive ; elle aide, dans une certaine mesure, les enfants atteints de trisomie 21 à s'épanouir au mieux de leurs possibilités.

Les familles doivent demander à être conseillées et orientées le plus tôt possible ; elles peuvent s'adresser aux centres d'action médico-sociale précoce (CAMSP) – il s'en ouvre de plus en plus actuellement (les adresses sont à demander à la mairie) – à des équipes pédiatriques spécialisées, à des associations de parents d'enfants handicapés (voir *Handicap*).

La psychomotricité et l'orthophonie précoces améliorent en particulier le tonus et le mode d'expression de ces enfants, ce qui facilite considérablement leur acceptation par les autres enfants et leurs parents. Et ceci, d'autant plus que les enfants atteints de trisomie 21 sont des compagnons de jeux très sociables, gais et joyeux, dès lors qu'on pose sur eux un regard positif et stimulant.

La trisomie 21 est la plus fréquente des aberrations chromosomiques (anomalies portant sur les chromosomes). Chez l'homme, le patrimoine héréditaire est porté par 23 paires de chromosomes. L'enfant mongolien est dit trisomique 21, parce qu'il a un chromosome supplémentaire (trois au lieu de deux) dans la paire 21. Cette anomalie entraîne un retard variable du développement mental, et diverses malformations, parfois cardiaques.

La cause de ce chromosome surnuméraire fait l'objet de nombreuses recherches. On sait que l'âge de la mère, après 38 ans, en augmente considérablement la fréquence. Depuis peu, on discute de l'influence de l'âge du père dans les causes de la présence de ce chromosome supplémentaire. L'amniocentèse permet de déceler l'anomalie chromosomique avant la naissance : on étudie des cellules du fœtus recueillies par ponction du liquide amniotique.

Voir *Maladies génétiques*.

Tuberculose
(vaccin BCG)

La tuberculose est une maladie contagieuse, due à un bacille, et qui touche essentiellement le poumon. Même si la fréquence de la tuberculose diminue de façon continue depuis cent ans en France (en étroite corrélation avec l'amélioration du niveau de vie), cette maladie existe toujours, notamment en Ile de France et en Guyane.

La tuberculose est une maladie qui évolue en deux temps : après l'entrée du bacille dans l'organisme (par voie pulmonaire le plus souvent), la maladie va rester cantonnée aux ganglions pulmonaires (on parle alors de **primo-infection**) et elle peut guérir en quelques mois. Dans un petit nombre de cas (entre 5 et 20 %), si rien n'est fait, l'infection va continuer à se développer et va toucher le poumon.

Le vaccin (BCG)

Le vaccin contre la tuberculose a été inventé en France par Calmette et Guérin ; ceux-ci ont modifié un bacille de la tuberculose de la vache pour le rendre moins virulent : d'où son nom de Bacille de Calmette et Guérin (BCG). C'est un vaccin très imparfait puisqu'il n'empêche pas complètement de contracter la tuberculose ; on sait aujourd'hui qu'il peut seulement en limiter la gravité. Il est donc surtout recommandé aux personnes les plus fragiles ; les nourrissons de moins d'un an en font partie : ils sont les plus à risque de contracter une forme grave, la méningite tuberculeuse.

Le BCG n'est plus obligatoire aujourd'hui, nulle part dans le monde. En France, il est recommandé si le nourrisson est particulièrement à risque de contracter la tuberculose : s'il est né dans une région où cette maladie est encore très fréquente (Ile de France, Guyane), si ses parents sont issus de pays où la tuberculose est fréquente, s'il doit séjourner durant sa première année dans un pays à risque, etc. Le vaccin se fait par une injection très superficielle (intradermique) au niveau du bras. Le geste est un peu douloureux au moment de l'injection mais ne provoque ni fièvre ni douleur dans les jours qui suivent.

En cas de contact avec un adulte contagieux

Lorsqu'un diagnostic de tuberculose est fait chez un adulte, la DAAS (Direction des Affaires Sanitaires et Sociales) recherche les personnes ayant eu des contacts proches avec lui, et notamment les enfants (surtout les nourrissons) qui sont les plus à risque de développer une tuberculose grave. On fait alors à chacune de ces personnes un test tuberculinique et une radiographie de thorax.

Le test tuberculinique. C'est une injection intradermique de tuberculine : un mélange de différents composés, dénaturés et non virulents, de bacille de la tuberculose. On injecte une quantité donnée de ce mélange, puis on regarde la réaction locale provoquée 72 heures après l'injection.

S'il existe une zone dure (induration) au point de piqure, cela signale que l'organisme a déjà rencontré le bacille de la tuberculose. On parle alors de « réaction positive ». Si l'enfant n'a jamais été vacciné par le BCG auparavant, il ne peut s'agir que d'une infection tuberculeuse ; si l'enfant a été vacciné, il peut s'agir d'une réaction provoquée par le vaccin. On mesure alors le diamètre de l'induration : si la taille est inférieure à 5 mm, il s'agit d'une simple réaction au vaccin ; si la taille de l'induration est supérieure à 10 mm, il s'agit plus surement d'une véritable infection tuberculeuse.

La radiographie de thorax. Si elle est anormale (avec par exemple des ganglions le long de la trachée, caractéristiques de la tuberculose), il s'agit d'une tuberculose active (ou tuberculose maladie) qui sera traitée par plusieurs médicaments antituberculeux pendant au moins six mois. Si la radiographie de thorax est normale mais la réaction tuberculinique positive, il s'agit d'un simple contact : l'enfant ne sera traité que trois mois. Si la radiographie de thorax et le test tuberculinique sont négatifs, une simple surveillance suffit et un nouveau bilan sera effectué deux mois plus tard.

Turner (syndrome de)

Le syndrome de Turner est une anomalie chromosomique qui touche les chromosomes sexuels des filles : c'est la perte de la totalité ou d'une partie d'un des deux chromosomes X. Ce syndrome entraîne une petite taille, aujourd'hui traitée par l'hormone de croissance, une anomalie de développement des ovaires, qui nécessitera le plus souvent un traitement pour déclencher la puberté, et parfois une atteinte de la valve aortique du cœur et des otites fréquentes. L'intelligence est normale. À la naissance, ces bébés peuvent présenter un œdème du dos des mains et des pieds.

Ces petites filles seront suivies en consultation plusieurs fois par an dans l'enfance, puis régulièrement à l'âge adulte.

Typhoïde (fièvre)

Cette maladie est due à un microbe très virulent de la famille des salmonelloses. La contamination se fait par ingestion d'eau ou d'aliments souillés, ayant subi une contamination fécale (par les selles) d'origine humaine.

Elle se caractérise par une fièvre élevée persistante, accompagnée d'une diarrhée très liquide et d'une profonde altération de l'état général. Le traitement (antibiotique) sera débuté à l'hôpital.

Avant de partir dans un pays à risque (si les conditions d'hygiène ne sont pas satisfaisantes) vous pouvez faire vacciner votre enfant : une injection d'un vaccin spécifique, qui ne donne aucun effet secondaire et le protègera pendant au moins 3 ans.

Urgence
Qui appeler en cas d'urgence

● **Votre médecin traitant** (généraliste et/ou pédiatre). Il vous connaît bien et peut, dans la plupart des cas, apporter lui-même une réponse à votre problème par des soins et des conseils adaptés. En cas d'absence, son répondeur téléphonique vous dira qui appeler.

● Si le médecin traitant n'est pas joignable, faites le **15**. Ce service assure une écoute téléphonique, 24 h sur 24, par un médecin régulateur qui décide de la réponse à donner en fonction de la gravité et du lieu où vous habitez :
• conseil médical : que faire ? Faut-il aller aux urgences ? Ou bien est-il plus simple de se rendre au cabinet du médecin de garde ?
• envoi d'une ambulance (transporteur privé agréé) ou d'un véhicule de secours aux victimes (VSAV) des pompiers (secouristes parfois accompagnés d'une infirmière ou d'un médecin)
• envoi d'une équipe de réanimation par la route ou par hélicoptère (SMUR, Service Mobile d'Urgence et de Réanimation).

● **Les pompiers** (tél. : 18)
Pour tout événement survenant sur la voie publique : accidents de la circulation, chute d'une grande hauteur, malaises, etc. Les pompiers (18) et le SAMU (15) travaillent en collaboration.

● **Les forces de l'ordre**
(Police en ville, Gendarmerie à la campagne) sont alertées par le 17.

● **Dans tous les cas**
• Donnez calmement vos noms, adresse, numéro de téléphone.
• Décrivez ce qui se passe.
• Répondez aux questions.
• Ne raccrochez que lorsqu'on vous l'aura demandé.

Urines

(Voir aussi *Infection urinaire*, , *Reflux vésico-urinaire*.) Symptômes qui doivent vous faire penser que l'enfant est peut-être atteint d'un trouble des voies urinaires : enfant de plus de 3 ans qui se mouille régulièrement dans la journée, qui a sans cesse envie d'uriner, enfant qui a mal quand il urine, urines rouges, urines troubles. Devant l'un de ces symptômes, il faut faire examiner l'enfant.

Vous devez savoir aussi, pour ne pas vous alarmer si le cas se produit, que certaines substances colorent les urines : betteraves, rhubarbe, certains colorants entrant parfois dans la composition des bonbons ; des médicaments : le bleu de méthylène, la quinine (bleu-vert). Enfin, la fièvre donne à l'urine une couleur foncée.

Comment recueillir les urines chez le nourrisson et l'enfant ?

S'il s'agit d'un examen bactériologique (recherche d'une infection urinaire par exemple), les urines doivent être recueillies avec le maximum de soin. Tout d'abord nettoyage méticuleux de la région génito-urinaire, puis recueil pendant le jet, chez l'enfant déjà grand. Pour le petit, on doit recueillir les urines au moyen d'une poche plastique stérile. Si au bout d'une heure, il n'y a pas de résultat, il faut changer la poche (vendue en pharmacie), car elle risque d'être souillée par des selles ou simplement par le contact avec la peau.

Urticaire

Plaques rose clair sur un fond blanchâtre, légèrement surélevées, à contour irrégulier, et variables dans leur localisation d'un moment à l'autre, ressemblant à des piqûres d'orties et causant d'intenses démangeaisons.
Les **causes** de l'urticaire sont variées :
• allergiques : aliments (voir *Allergies alimentaires*), médicaments, allergies de contact (chimique, eau, froid, végétaux, piqûres d'insectes)

• virales : un certain nombre de viroses peuvent s'accompagner d'un «rash», c'est-à-dire une éruption de type urticaire

• les causes peuvent être inconnues, en particulier l'urticaire idiopathique récidivant.

Avec l'aide du médecin, vous tenterez de reconnaître l'agent responsable (pour le supprimer), afin d'éviter de nouvelles crises. C'est souvent très difficile. Pour calmer les démangeaisons, donnez une cuillère à café de sirop antihistaminique.

L'urticaire allergique est parfois associé à des œdèmes (gonflement) plus ou moins étendus (visage, organes génitaux, etc.). L'œdème du larynx peut provoquer une gêne respiratoire grave et doit être traité d'urgence.

Vaccinations
(Tableau des)

Voyez la double page suivante (p.442-443.

Varicelle

La varicelle est la plus fréquente des maladies éruptives de l'enfance : elle est pratiquement inévitable en raison de sa grande contagiosité. La **contagion** se fait par contact direct, par la salive et les lésions cutanées ; les vésicules sont très contagieuses. Après le contact, l'incubation dure 14 jours en moyenne pendant laquelle l'enfant n'est pas contagieux ; il commence à être contagieux 24 heures avant l'éruption de la première vésicule.

Parfois précédée d'un malaise général avec légère fièvre, l'**éruption** est caractéristique : elle s'étend à tout le corps, prédominant au tronc, atteignant la face, la bouche et le cuir chevelu. Elle est faite d'éléments séparés, chacun évoluant par plusieurs stades successifs dont le plus facile à reconnaître est la vésicule, petite bulle de quelques millimètres au contenu clair, qui au bout de 48 heures se dessèche pour faire place à une croûte ; celle-ci tombe après 5-6 jours, en laissant une cicatrice blanche qui pourra persister plusieurs mois.

Cette éruption évolue en plusieurs poussées à 2-3 jours d'intervalle, d'où la coexistence d'éléments d'âge et d'aspect différents. L'éruption entraîne des démangeaisons parfois intenses, l'enfant ne peut s'empêcher de se gratter et cela peut entraîner une surinfection microbienne et retarder la cicatrisation. Au total, la maladie dure une quinzaine de jours.

La varicelle est généralement bénigne. Dans quelques cas, l'éruption est intense, la fièvre est élevée pendant quelques jours mais l'évolution reste favorable.

En cas de fièvre, seul le paracétamol est autorisé. L'aspirine et l'ibuprofène sont interdits car leur administration peut être cause de graves complications (surinfection généralisée).

Une complication rare atteint le système nerveux, en particulier le cervelet : des troubles de l'équilibre apparaissent alors pendant l'éruption, mais parfois plus tardivement. La guérison demande en général quelques semaines.

Dans la forme commune de la varicelle, le **traitement** consistera simplement en mesures d'hygiène : ongles courts et propres pour éviter le grattage et la surinfection, vêtements légers et amples ; le talc est formellement déconseillé. La prescription médicale se limitera à une solution antiseptique, en applications légères sur les vésicules les plus importantes ; le médecin y ajoutera un antihistaminiques si les démangeaisons sont trop fortes et si l'enfant dort mal.

L'éviction scolaire, ou de la crèche, est d'une semaine. Un **vaccin** contre la varicelle existe aujourd'hui.

Le virus de la varicelle est identique à celui du zona. La varicelle d'un enfant peut provoquer un zona chez un adulte, particulièrement chez une personne âgée. Voir *Zona*.

Variole

D'après l'OMS (Organisation mondiale de la santé), la variole est une maladie qui a disparu. C'est grâce à la vaccination dans le monde entier, aux mesures d'isolement rigoureuses qui ont été prises dans tous les pays quand un cas était signalé, et grâce enfin à la revaccination systématique en cas de menace d'épidémie. En conséquence, la vaccination antivariolique n'est plus pratiquée nulle part.

Végétations adénoïdes

(Voir *Rhino-pharyngites à répétition*.) Il existe chez l'enfant, en plus des amygdales visibles au fond de la gorge, une troisième amygdale (appelée tissu *adénoïde*) ; elle est située dans l'arrière-fond des fosses nasales, derrière le palais, elle est invisible à l'examen direct de la gorge. Ce tissu adénoïde a pour rôle de protéger les voies respiratoires contre les agressions microbiennes et virales. À la suite d'infections successives, il arrive que ce tissu s'hypertrophie et constitue un foyer microbien persistant au carrefour nez-gorge-oreille ; il va être à la fois conséquence et cause de nouvelles rhino-pharyngites, compliquées très souvent d'otites et d'infections des voies respiratoires sous-jacentes.

Cette hypertrophie correspond à ce que l'on appelle les *végétations*, elles donnent lieu à l'*adénoïdite chronique* : nez bouché en permanence obligeant à respirer la bouche ouverte, ronflement, nasonnement, toux persistante, petite fièvre continue à 37°-38°, et parfois inversée (c'est-à-dire plus élevée le matin), ganglions cervicaux, mauvaise croissance, manque d'appétit et de tonus.

Dans ce cas, le spécialiste ORL peut proposer de supprimer les végétations (*adénoïdectomie*). Il s'agit d'une intervention simple et rapide, sans risque, ne nécessitant pas d'hospitalisation. Elle peut néanmoins difficilement se faire avant l'âge d'1 an.

Ventre
(gros ventre)

Jusqu'à l'âge de 4-5 ans, l'enfant est hypotonique, « mou », sa musculature générale est peu développée, et en particulier sa paroi abdominale est faible. Il est donc fréquent et normal de constater, en position debout, un ventre proéminent, avec souvent une saillie, voire une petite hernie de l'ombilic (voir *Hernie*). Il en est de même de la cambrure exagérée du dos (voir *Scoliose, Lordose, Genu valgum*).

La manière dont se tiendra l'enfant s'améliorera avec la croissance, et ses muscles se développeront. Mais il peut être utile de faire faire à l'enfant, dès le plus jeune âge, une petite gymnastique abdominale adaptée. Parlez-en au médecin.

Cette hypotonie générale est cependant favorisée par une alimentation trop riche en féculents, et par l'insuffisance d'apport en vitamine D.

Si le gros ventre est accompagné d'anomalies des selles, d'une insuffisance ou d'un arrêt de la croissance en poids et taille, des maladies sérieuses devront être envisagées : voir les articles *Constipation* et *Mégacôlon, Diarrhée chronique, Intolérance digestive*.

Ventre
(mal au ventre-douleurs abdominales)

Les douleurs abdominales sont une cause fréquente de consultation et le diagnostic n'est pas toujours facile à établir par le médecin. En effet des maladies très différentes peuvent se révéler par ce symptôme : de la simple colique du bébé, qui va guérir seule sans aucun traitement, à l'appendicite aiguë qui nécessite une intervention en urgence.

Chez le bébé et le jeune enfant

Des pleurs inconsolables, des manifestations digestives (gaz, gargouillis, rôts, etc.) peuvent être des signes de douleurs abdominales. Les causes les plus fréquentes de telles douleurs sont les *coliques* et le *reflux gastro-oesophagien* (voir ces mots). Parfois des troubles du transit (diarrhée ou constipation) sont associés. Une consultation médicale est nécessaire pour préciser le diagnostic, prescrire un éventuel traitement et soulager le bébé.

En cas de douleurs abdominales qui se répètent pendant plusieurs jours, outre les coliques et les troubles du transit, le médecin recherchera une *intolérance au lactose* ou une *allergie alimentaire*, notamment au lait de vache (voir ces mots).

Cas d'urgence

• Une fièvre élevée et des douleurs abdominales nécessitent une consultation en urgence, de même que la présence de vomissements importants et continus.

• Il faut également consulter en urgence un service de chirurgie en cas de douleurs abdominales du nourrisson si l'on constate une grosseur douloureuse au niveau de l'aine ou du scrotum (bourses) chez le garçon ou des grandes lèvres chez la fille : ce sont des signes d'une hernie inguinale compliquée.

• La dernière urgence chirurgicale est l'invagination intestinale aiguë : les crises surviennent brutalement, elles sont très douloureuses, avec des épisodes de pâleur, puis des vomissements.

Chez l'enfant plus grand

Il faut distinguer les douleurs aiguës récentes et les douleurs qui se répètent, ou qui sont chroniques.

• Le principal problème des douleurs aiguës récentes est l'**appendicite aiguë**. Si dans certains cas les symptômes sont très évocateurs (douleurs de la fosse iliaque droite, petite fièvre et arrêt du transit), d'autres formes sont moins évidentes et seront confirmées par des examens complémentaires (échographie ou scanner), voire seulement au cours de l'intervention chirurgicale.

En cas de fièvre importante sans autre signe digestif, le médecin recherchera l'existence d'une angine (examen de la gorge et streptotest), ou d'un foyer pulmonaire (radiographie de thorax), ou d'une infection urinaire (examen des urines). Si une diarrhée importante accompagne la fièvre, il peut s'agir de différentes causes de *gastro-entérite aiguë* (voir ce mot). Au contraire en cas de selles rares et dures, il peut s'agir de constipation.

Dans certains cas, il peut s'agir d'une parasitose (oxyures ou taenia).

• **Les douleurs abdominales qui se répètent ou chroniques** sont également d'origines variées et peuvent donc poser des problèmes de diagnostic. Certains symptômes font craindre une atteinte organique : une fatigue importante, un manque d'appétit persistant, un amaigrissement, une fièvre, des nausées et des vomissements, l'existence de sang dans les selles. Le médecin demandera différents examens, voire un avis spécialisé à l'hôpital.

Dans certains cas, les douleurs persistent pendant plusieurs mois alors que les examens restent négatifs. On parle de syndrome du côlon irritable si ces douleurs chroniques s'accompagnent de troubles du transit avec le plus souvent une alternance de périodes de constipation et de diarrhée. Mais ces symptômes ne sont pas nécessairement présents. L'origine de ces douleurs abdominales est probablement psychologique, ce qui n'empêche pas qu'elles soient réelles et parfois très gênantes. Le pédiatre conseillera peut-être une consultation psychologique.

Tableau des vaccinations

VACCINS	OBLIGATOIRE * OU RECOMMANDÉ *	ÂGE	MODE D'ADMINISTRATION
BCG contre la tuberculose	Recommandé dans certains cas	Peut être fait dès les premiers jours	Voie intra-dermique
Diphtérie Tétanos Coqueluche Poliomyélite (DTCP) Haemophilus B (méningite) Vaccin pentavalent	Diphtérie : obligatoire Tétanos : obligatoire Coqueluche : recommandé Poliomyélite : obligatoire Haemophilus B : recommandé	À partir de 2 mois	1 injection à 2, 3 et 4 mois Rappel vers 18 mois
Hépatite B	Recommandé	À partir de 2 mois (et avant l'âge de 13 ans)	1 injection à 2 et 4 mois dans la même seringue que le D-T-Coq-Po Haemophilus B Rappel entre 5 et 12 mois après l injection
Pneumococcique	Recommandé	À partir de 2 mois	1 injection à 2 et 4 mois Rappel à 12 mois
Rougeole Rubéole Oreillons	Recommandé	À partir de 12 mois (9 mois en collectivité)	1 injection à partir de 12 mois Rappel avant 24 mois
Méningite C	Recommandé	1 injection à partir de 1 an	
Rotavirus	Conseillé surtout en cas d'entrée précoce en collectivité	Avant 6 mois	3 prises d'un vaccin buvable
Varicelle	Conseillé dans certains cas	À partir de 1 an	1 injection à partir de 1 an Rappel : minimum un mois plus tar

* Les vaccins obligatoires et recommandés sont remboursés par la Sécurité sociale et ont un prix fixé
Les autres vaccins ne sont pas remboursés et ont un prix qui peut être variable selon les pharmacies

RÉACTIONS APRÈS VACCINATION	CONTRE-INDICATIONS	RAPPELS	REMARQUES PARTICULIÈRES
• Rougeur, induration, suintement 2 à 3 semaines après la vaccination • Ganglions	• Définitive : déficit immunitaire • Temporaire : eczéma	Les tests post-vaccinaux et les revaccinations sont inutiles	La vaccination n'est plus obligatoire avant l'entrée en collectivité. Elle reste cependant recommandée dans certains cas
• Douleur, induration locale • Fièvre modérée pendant 24 à 48 heures	Vaccin contre la coqueluche : contre-indications exceptionnelles en cas de problèmes neurologiques	Diphtérie, Tétanos, Poliomyélite : tous les 5 ans jusqu'à 21 ans puis tous les 10 ans Coqueluche : tous les 10 ans Haemophilus : pas de rappel après 18 mois	Le vaccin contre la coqueluche utilisé aujourd'hui (vaccin acellulaire) est mieux toléré que celui qu'on faisait auparavant
Aucune chez l'enfant	Aucune chez l'enfant	Pas de rappel supplémentaire	
• Douleur, induration locale • Fièvre modérée pendant 24 à 48 heures	Aucune	Pas de rappel supplémentaire	
Fièvre 7 à 10 jours après l'injection Parfois éruption	Déficit immunitaire		En cas d'épidémie de rougeole dans une collectivité, la vaccination est efficace si elle est pratiquée moins de 3 jours après le contact : à faire chez les enfants de plus de 9 mois
Parfois douleur locale			Si la vaccination n'a jamais été faite, elle peut se pratiquer à tout âge (jusqu'à 24 ans)
Aucune Exceptionnellement diarrhée transitoire	Aucune	Pas de rappel	
Aucune	Aucune	Pas de rappel supplémentaire	Actuellement la vaccination est effectuée sur indication particulière

Verrues

Ce sont de petites tumeurs cutanées bénignes, d'origine virale. Elles sont habituellement en relief, dures, grisâtres, de quelques millimètres d'épaisseur et de diamètre ; elles sont parfois planes ou à peine surélevées, lisses et jaunâtres. Uniques ou souvent multiples, les verrues siègent sur le dos des mains, des doigts, en fait en un point quelconque du corps (visage, front, etc.)

Un cas particulier : la verrue plantaire, étendue en profondeur, douloureuse, dont la contamination se fait par le sol et l'eau (marche pieds nus en piscine).

Le molluscum contagiosum

Est à rapprocher des verrues ; il est également d'origine virale. Il se manifeste par de petites papules, lisses, cireuses, légèrement déprimées et plus claires en leur centre. La contagiosité est importante et la dissémination par grattage peut entraîner une éruption plus ou moins étendue.

Traitement

En sachant que les verrues peuvent disparaître spontanément, le traitement fait d'abord appel à des moyens simples : par exemple des applications répétées de pommades salicylées (en protégeant la peau alentour).

L'homéopathie peut également donner de bons résultats.

Le traitement par l'azote liquide et l'ablation à la curette sont les méthodes les plus radicales. Pour que l'enfant ne souffre pas on applique, une demi-heure avant l'intervention, de la crème anesthésiante sur les verrues.

Le *molluscum contagiosum* se traite de la même manière mais parfois avec plus de difficulté en raison de la multiplicité des éléments.

Vers intestinaux

Les parasitoses intestinales sont fréquentes chez le petit enfant ; c'est bien compréhensible, il touche à tout, et porte tout à sa bouche ; de plus, ces parasitoses sont très répandues dans les collectivités d'enfants car elles se transmettent facilement.

Comment savoir qu'un enfant « a des vers » ?

Les signes sont nombreux et divers (et ne sont d'ailleurs pas propres aux parasitoses, ils peuvent être des indications d'autres troubles) : douleurs, alternance de diarrhée et de constipation, altération de l'état général (mauvais appétit) et troubles du comportement (instabilité, mauvais sommeil, etc.). La numération sanguine attire parfois l'attention (augmentation du taux des éosinophiles) ; la recherche des parasites (ou des œufs dans les selles) n'est pas toujours positive.

Les oxyures

Ils sont les plus fréquents, du fait d'une transmission facile dans le milieu familial ou scolaire, et d'une réinfestation par l'enfant lui-même. Un signe particulier est la démangeaison (prurit) surtout le soir et donc l'irritation de la région de l'anus ou de la vulve. Les vers peuvent être vus dans les selles sous forme de petits filaments blancs et mobiles, de quelques millimètres. La recherche des œufs peut être effectuée par le « scotch-test » : une cellophane adhésive est mise en place sur la région anale. Mais, en pratique, si on soupçonne la présence d'oxyures, on donne un traitement à l'enfant.

Les ascaris

Ils se transmettent par l'intermédiaire des légumes, fruits, terre, sable, etc., souillés par les déjections des chiens et des chats. L'ascaris a la particularité d'avoir, dans l'organisme, un cycle complexe : l'œuf donne une larve qui va séjourner successivement dans l'estomac et le foie puis traverser les poumons et les bronches pour finalement aboutir dans le tube digestif où il deviendra adulte. Ce cycle complet dure environ deux mois. Outre les symptômes déjà décrits, d'autres manifestations de type allergique peuvent être observées : démangeaisons, urticaire et troubles respiratoires. Les ascaris et leurs œufs sont rarement trouvés dans les selles. Ils peuvent être mis en évidence par l'examen radiologique de l'intestin ; ils peuvent être rejetés par l'anus, ou lors de vomissements.

Le tænia

Il est transmis par l'intermédiaire de la viande de bœuf ou de porc mal cuite. Les œufs sont contenus dans les anneaux qui sont évacués par l'anus, mais en dehors des selles : on les retrouvera parfois dans les vêtements et la literie. Il n'y a pas de symptôme spécifique et, en dehors de l'identification des anneaux, on n'aura souvent qu'un simple doute.

Traitement des parasites intestinaux

Il est actuellement simple et efficace, grâce à de nouveaux médicaments. Chaque parasite a son traitement particulier. Une cure unique est suffisante dans le cas de l'ascaris et du tænia. Pour les oxyures, une deuxième cure à deux semaines d'intervalle est nécessaire, et il faut surtout insister sur les mesures d'hygiène qui éviteront la réinfestation : les ongles seront coupés courts, le pyjama fermé pour éviter le grattage et le linge soigneusement lavé ; il est également indispensable que tous les membres de la même famille, adultes compris, suivent en même temps le traitement, sinon l'enfant ne guérira pas car il risque d'être sans cesse réinfesté.

Vertiges

Un des centres de l'équilibre est situé dans l'oreille interne. Chez l'enfant, des accès de vertiges peuvent se voir dans les situations suivantes.

• Accès brusques de vertiges chez l'enfant de 2-3 ans. Il se plaint que « tout tourne autour de lui ». Il s'allonge, vomit parfois. Ce phénomène passe généralement en moins d'une minute. Quand ces vertiges surviennent de façon répétée on parle de *vertige paroxystique bénin*. Le médecin consulté s'assurera qu'il s'agit d'une affection sans gravité.

• La *labyrinthite* est un vertige qui apparaît rapidement, en quelques heures, chez un enfant qui se met à vomir, ne tient plus debout, dit que « tout tourne autour de lui ». Cette labyrinthite est due à une infection virale de l'oreille interne et passe spontanément en quelques jours, sans traitement.

• Certains vertiges peuvent être d'origine psychologique.

Dans tous les cas de vertiges, il faut consulter le médecin qui en déterminera l'origine et établira le traitement approprié.

Voir aussi *Perte d'équilibre*.

Vision
(anomalies de la)

Les anomalies de la vision sont : l'**hypermétropie** (vision nette de loin), la **myopie** (vision nette de près), l'**astigmatisme** (trouble de la perception dans le sens vertical et horizontal), le **strabisme** (voir ce mot).

Potentiellement, ces défauts sont tous graves car ils entraînent rapidement une baisse de l'acuité visuelle de l'œil concerné (*amblyopie*) : en effet le cerveau, qui reçoit les images des deux yeux, et normalement les superpose et les fusionne, sélectionne et privilégie les images du bon œil, tandis que celles de l'œil atteint sont occultées, et l'œil ne travaille plus normalement.

Si le défaut est dépisté et corrigé avant 18 mois, la récupération sera complète ; entre 2 et 6 ans, elle sera plus difficile ; au-delà elle sera incertaine. C'est dire l'importance d'un dépistage précoce des anomalies de la vision, dépistage sur lequel tous les spécialistes insistent actuellement.

Le nouveau carnet de santé propose un certain nombre de tests ophtalmologiques faciles à mettre en œuvre par le médecin, même non spécialisé, qui examine l'enfant sur le plan général.

L'interrogatoire des parents est très utile pour connaître une éventuelle pathologie oculaire ou le risque de son apparition. Et pour connaître également les antécédents familiaux (mauvaise vision unilatérale, forte myopie ou

astygmatisme, strabisme) et personnels (prématurité, maladie congénitale, etc.).

Les parents et les proches sont aussi les premiers à pouvoir repérer les petites anomalies du comportement de l'enfant, qui sont autant de signes d'alerte : dans les premiers mois l'absence de fixation du regard, de poursuite oculaire, de réaction à la lumière, de reconnaissance des visages familiers ; plus tard un strabisme, une maladresse à la manipulation des objets, une marche hésitante, des petits traumatismes répétés. De même l'enfant qui se frotte les yeux, qui plisse fréquemment les paupières devra attirer l'attention.

Au moindre doute l'enfant sera adressé en consultation ophtalmologique spécialisée.

Voir *Yeux*.

Vomissements

On désigne ainsi les remontées du contenu de l'estomac dues à une contraction brutale des muscles abdominaux : cela les différencie des régurgitations qui sont souvent de moindre volume et produites sans effort.

Les vomissements sont des symptômes très fréquents chez l'enfant qui possède un reflexe nauséeux (c'est le réflexe de vomissement quand on met le doigt au fond de la gorge par exemple) très marqué : les enfants vomissent facilement et le plus souvent sans raison grave. Les tout-petits vomissent en cas de toux, d'écoulement de nez en arrière de la gorge, voire à cause d'un petit morceau de légume mal mixé dans la purée habituellement si lisse. De même les vomissements en cas de maladies ORL (angine, otite) ou bronchiques (bronchiolite ou bronchite) ne sont pas graves s'ils restent modérés.

Quand s'inquiéter et consulter sans tarder?

Il existe cependant différents cas où les vomissements doivent être pris en charge rapidement.

En cas de fièvre. Il peut s'agir :

- d'une infection digestive de type appendicite, avec douleur dans la partie inférieure droite de l'abdomen et arrêt complet du transit (c'est-à-dire de l'émission de selles)

- d'une gastro-entérite (les douleurs abdominales sont plus diffuses et associées à une diarrhée)

- d'une infection méningée (méningite) où prédominent alors les troubles du comportement : l'enfant est abattu, il craint la lumière, il est prostré, en « chien de fusil ».

En l'absence de fièvre, il faut s'inquiéter chez le nourrisson :

- lorsque les vomissements accompagnent des épisodes de douleurs abdominales brutales avec pâleur: ce sont des signes d'*invagination intestinale aiguë* (voir ce mot)

- en cas de vomissements fréquents et de diarrhée importante : il y a un risque de *déshydratation* (voir ce mot)

- si les vomissements sont systématiques à tous les repas et de plus en plus importants (signes de *sténose du pylore*, voir ce mot).

Enfin les vomissements peuvent être les premiers symptômes d'une allergie alimentaire s'ils apparaissent lors des toutes premières ingestions de cet aliment (voir *Allergie*).

Comment soigner les vomissements ?
Les médicaments habituellement proposés contre les vomissements sont peu efficaces et, pour certains, susceptibles de donner des effets secondaires gênants. Ils ne sont donc pas recommandés. Lorsque ce sont simplement des vomissements isolés, il n'y a pas de traitement particulier.

Le lavage de nez, en cas de rhume, et la kinésithérapie respiratoire, en cas de bronchiolite avec encombrement des bronches, peuvent améliorer la toux et les vomissements. Dans le cas d'une gastro-entérite, les vomissements sont des facteurs qui aggravent la déshydratation, il est nécessaire alors d'administrer une solution de réhydratation.

Voyages
La santé de l'enfant voyageur

Emmener un enfant dans un voyage lointain implique de prendre un certain nombre de précautions, en fonction non seulement du climat mais surtout de l'état sanitaire et de la fréquence de certaines maladies dans les pays concernés.

Les vaccinations

L'enfant sera à jour des vaccins obligatoires et recommandés en France. La vaccination contre l'hépatite B est importante car cette maladie sévit dans de nombreux pays et il existe même un risque de contamination entre enfants. Si nécessaire, certaines vaccinations peuvent être réalisées à un âge plus précoce que celui prévu dans le calendrier français : hépatite B dès la naissance si le risque est élevé, BCG dès la naissance si l'enfant doit séjourner au moins un mois d'affilée dans un pays à risque de tuberculose, rougeole dès 9 mois.

Selon les régions et les conditions de séjour, d'autres vaccins peuvent être conseillés. Pour tout pays à hygiène précaire : hépatite A à partir de 1 an et typhoïde à partir de 2 ans. Pour les pays à risque de fièvre jaune (zone intertropicale d'Afrique et d'Amérique du Sud) : vaccin fièvre jaune dès 9 mois et, dans des cas particuliers, vaccin méningocoque A à partir de 2 ans, vaccin rage dès l'âge de la marche.

La prévention du paludisme

Outre la prévention contre les piqûres de moustiques, un traitement préventif par un médicament est indispensable en cas de voyage dans une région où sévit le paludisme. Le type de médicament dépend du lieu de séjour et de l'âge de l'enfant. Il sera prescrit par le médecin d'après les données disponibles les plus récentes. Le traitement est commencé la veille du départ, poursuivi pendant le séjour, puis après le retour en France avec une durée variable selon le type de médicament : quatre semaines (Nivaquine® ou Paludrine®) ou une semaine (Malarone®).

La protection contre les piqûres de moustiques

Pour les enfants qui ne marchent pas, l'utilisation de moustiquaires, de préférence imprégnées d'insecticides, sur les berceaux et les poussettes reste la méthode la plus efficace. La moustiquaire imprégnée sera utilisée, quel que soit l'âge de l'enfant, lorsqu'il se repose ou lorsqu'il dort. Les moustiques qui transmettent le paludisme piquent le soir ou la nuit ; ceux qui transmettent la dengue ou le chikungunya piquent toute la journée. Selon les cas (le soir ou la journée), il faut mettre aux enfants des vêtements avec des manches longues et un pantalon. Les moustiques pouvant piquer à travers le tissu, il est recommandé d'imprégner les vêtements d'insecticide (perméthrine) dans les zones où la piqûre risque d'être particulièrement dangereuse.

L'air climatisé et l'utilisation d'un diffuseur électrique ou d'un fumigène d'insecticide réduisent le nombre de moustiques dans la pièce mais ne dispensent pas de la moustiquaire imprégnée de perméthrine. Il est déconseillé d'installer un nourrisson à proximité d'un diffuseur d'insecticide.

Il est nécessaire d'appliquer en plus un produit répulsif anti-moustique sur la peau non couverte, soit le soir au coucher du soleil (risque de paludisme) soit toute la journée (risque de dengue ou de Chikungunya). À partir de six mois un produit à base de citrodiol 20-30 % (mosiguard®), de 1 an un produit à base d'IR3535 à 20 % (prébutix®, cinq sur cinq tropic lotion®). Après 30 mois : KBR 3023 ou Icaridine à 20 % (Insect Ecran peau enfant®) Deet 20 à 35 % (Mouskito Tropic® (roller ou spray), biovectrol tropic® (sauf si antécédents de convulsions).

Il ne faut pas appliquer ces produits sur la peau abîmée, les yeux, la bouche. Ne pas les appliquer plus d'une fois par jour avant l'âge de la marche, plus de deux fois par jour entre l'âge de la marche et 12 ans. Plus de trois fois par jour après 12 ans.

Les médicaments antipaludiques, ainsi que les produits répulsifs ou insecticides doivent être gardés hors de portée des enfants, en raison de leur toxicité.

La prévention des diarrhées

• Pour les tout petits, elle repose sur les seules mesures d'hygiène, à observer rigoureusement.

- Pour laver les biberons, utiliser de l'eau désinfectée : soit par ébullition (pendant 3 minutes minimum), soit avec un filtre, soit traitée avec un produit tel que Micropur Forte® (mettre 1 comprimé dans 1 litre d'eau ; agiter et laisser reposer 1 à 2 heures avant la consommation).

- Pour boire ou préparer les biberons, utiliser de l'eau minérale en bouteille capsulée ou cette préparation. Cette préparation sera utilisée aussi pour le lavage des fruits et légumes.

- Lavage soigneux des mains des personnes s'occupant du bébé.

• Pour les plus grands, la prévention rejoint celle conseillée aux adultes :

- se laver les mains pendant au minimum 30 secondes avec du savon ou une solution hydro-alcoolique ; se laver les mains souvent, avant les repas et après être allé aux toilettes

- ne pas utiliser de glaçons, ni manger de glaces

- peler les fruits et légumes

- éviter de consommer tout aliment cru et bien cuire viande et poisson

- éviter les crustacés et coquillages crus (huîtres, moules ...).

Le traitement de toute diarrhée repose sur la prévention de la déshydratation par l'utilisation des solutés de réhydratation : il faut penser à emporter des sachets de réhydratation.

Précautions générales

-Protéger l'enfant du soleil (chapeau, vêtements, crème solaire si nécessaire).

-Pour prévenir le coup de chaleur : faire boire l'enfant (eau ou, mieux, solutés de réhydratation) lors de longs déplacements, en particulier en voiture, dans des pays très chauds.

-L'habillement doit être léger, lavable aisément, perméable (coton et tissus non synthétiques).

- Ventilateur ou climatiseur procurent de la fraîcheur : il n'y a pas de contre-indications à les utiliser (p. 40).

- Il faut éviter que les enfants marchent pieds nus, qu'ils se baignent dans les mares ou les rivières, qu'ils jouent avec des animaux.

- L'hygiène sera rigoureuse, comprenant une douche quotidienne avec savonnage, terminée par un séchage soigneux des plis.

- Enfin si vous devez louer sur place un véhicule pour circuler dans le pays, vérifiez l'existence de siège-auto adapté à l'âge de votre enfant. Sinon, emportez celui que vous utilisez tous les jours : les accidents de la circulation constituent un des principaux dangers lors des voyages à l'étranger.

Yeux

Les problèmes concernant les yeux ont été évoqués dans d'autres articles, voir *Amblyopie, Conjonctivite, Orgelet, Strabisme, Vision*, etc.

Écoulement de l'œil chez le nouveau-né

Chez le nouveau-né, dans les premiers jours, il existe très souvent un écoulement de l'œil qui est dû à une insuffisance du canal lacrymal. Cet écoulement s'améliore le plus souvent au bout de quelque temps, de quelques jours à un mois ou deux. Il se complique parfois pour devenir franchement purulent ; un traitement par un collyre antibiotique sera nécessaire. Dans certains cas, l'écoulement est du à une obstruction du canal lacrymal et le médecin demandera à l'ophtalmologue de faire un petit geste local.

Traumatismes de l'œil

Qu'il s'agisse de contusions ou de plaies du globe oculaire, elles doivent être, dans tous les cas, montrées rapidement à l'ophtalmologiste ; en effet, ces plaies peuvent entraîner des lésions graves de la cornée, du cristallin ou de la rétine, susceptibles de se révéler ultérieurement par une baisse de l'acuité visuelle.

Les mouvements anormaux des yeux doivent faire rechercher une anomalie de la vision (cécité, maladie de la rétine) ou une maladie neurologique.

Les reflets anormaux de la pupille, en particulier lorsque celle-ci est d'un blanc laiteux, témoignent du mauvais passage de la lumière jusqu'à la rétine.

Il peut s'agir d'une *cataracte*, qui est une opacification du cristallin. Le cristallin est la lentille optique de l'œil (voir le schéma ci-dessous). La cataracte doit s'opérer rapidement pour sauver l'œil. Il peut également s'agir d'une tumeur de l'œil, appelée *rétinoblastome*, qu'il faudra aussi opérer rapidement.

La recherche d'un reflet anormal est effectuée à la naissance. Mais, quel que soit l'âge de l'enfant, il faut faire pratiquer un examen ophtalmologique si l'on découvre un reflet anormal de l'œil, ou une anomalie du comportement visuel. Les parents sont souvent les premiers à remarquer un reflet anormal de l'œil ; dans ce cas, il est recommandé de le signaler aussitôt au médecin.

Schéma de l'œil

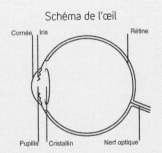

Dépistage des troubles visuels

Comme cela a déjà été dit pour les troubles de l'audition, il est important de dépister le plus tôt possible les troubles visuels chez l'enfant, non seulement le strabisme, mais les anomalies de l'acuité visuelle, de manière à débuter très tôt la rééducation.

Des tests ophtalmologiques adaptés (avec des dessins) permettent ce dépistage dès le plus jeune âge. L'enfant peut porter des lunettes très jeune, même à quelques mois.

Voir *Vision (anomalies de la)*.

Zézaiement

Les défauts de prononciation sont dus à une mauvaise position de la langue. On pensait autrefois que les dents étaient en cause. Aujourd'hui, on pense au contraire que le défaut de prononciation précède l'anomalie dentaire, qu'il en est la cause ; puis l'anomalie dentaire entretient ce défaut. Les défauts de prononciation peuvent être corrigés par un orthophoniste dès l'âge de 4-5 ans.

Zona

Le zona se manifeste par des petites vésicules dont la localisation est souvent très caractéristique : toujours d'un seul côté, en bande dans la région thoracique, c'est le zona intercostal ; ou bien regroupées au niveau du pavillon de l'oreille, ou encore du front et des paupières, c'est le *zona ophtalmique*, qui peut entraîner des lésions oculaires. Ces vésicules se dessèchent rapidement, remplacées par des petites croûtes qui tombent en une dizaine de jours. Habituellement, cette éruption provoque une sensation de brûlure, plus ou moins intense.

Le zona est dû au même virus que la varicelle ; il y a donc un rapport entre ces deux maladies et des contagions possibles.

NOTES

7

Mémento pratique

LES DROITS ET LES DEVOIRS DES PARENTS

Parents, vous avez des droits : remboursements, allocations, aides diverses. Mais vous avez aussi des obligations. Pour vous aider à vous y reconnaître dans les uns et les autres, voici, exposé aussi clairement que possible, ce que vous devez savoir sur :

- la déclaration de naissance, le congé du père après la naissance, le livret de famille, le nom de l'enfant, p. 451-452
- la Sécurité sociale (congé après l'accouchement, remboursements, etc.), p. 454
- les prestations familiales, c'est-à-dire les allocations auxquelles vous pouvez avoir droit, p. 460
- les crèches, assistantes maternelles, haltes-garderies, jeunes filles au pair, etc. p. 469
- le rôle de la PMI, p. 472
- les renseignements qui pourront vous aider si vous êtes seule, p. 473
- l'autorité parentale et la façon dont elle s'exerce lorsque les parents ne sont pas mariés ou se séparent, p. 474
- les droits de l'enfant, p. 477
- des adresses utiles, p. 479
- Les lectrices et les lecteurs belges, suisses et luxembourgeois, ainsi que ceux habitant au Québec et dans les pays du Maghreb, trouveront des informations sur la protection de la maternité dans leurs pays, pp. 481 et suivantes

La déclaration de naissance

Dès la naissance de votre enfant, le médecin ou la sage-femme vous remettra un certificat attestant cette naissance. Votre mari – ou une autre personne –, muni du livret de famille et de ce certificat, déclarera la naissance de votre enfant à la mairie de la commune où a eu lieu l'accouchement. Cette déclaration peut aussi être faite par la maternité. L'enfant sera alors inscrit sur le livret de famille.

Cette déclaration est obligatoire et doit être faite dans les trois jours qui suivent la naissance. Le jour de l'accouchement n'est pas compté dans ce délai et, si le troisième jour est férié, le délai est prolongé jusqu'au premier jour ouvrable suivant.

Si les père et mère de l'enfant, ou l'un des deux, ne sont pas désignés à l'officier d'état civil, aucune mention ne doit être faite à ce sujet sur les registres de l'état civil.

Passé ce délai, l'officier d'état civil n'a plus le droit de dresser l'acte de la naissance avant qu'un jugement du tribunal ne soit intervenu, ce qui entraîne des formalités longues et coûteuses. Une déclaration faite en retard peut, en outre, entraîner un emprisonnement de quatre jours à six mois et une amende (plus les frais).

La personne qui déclarera la naissance fera au moins quatre photocopies du livret de famille, ou de l'extrait d'acte naissance, qui seront nécessaires pour les démarches ultérieures : allocations familiales, etc.

Attention

Si vous voulez donner à votre enfant le nom double de ses deux parents, ou le nom de sa mère, vous devez faire une déclaration conjointe de nom de famille, même si vous êtes mariés (voir ci-après *Le nom de l'enfant*).

Le congé du père après la naissance

Il existe deux congés de paternité qui sont cummulables.
- Le congé de 3 jours à l'occasion de la naissance de l'enfant. Ce congé peut être pris dans les 15 jours qui précèdent la naissance.

- Le congé de paternité proprement dit dont peuvent bénéficier : les salariés; les demandeurs d'emploi lorsqu'ils sont indemnisés par l'Assedic ; les stagiaires de la formation professionnelle continue rémunérés par l'Etat ou la Région.

● Durée du congé

Elle est de 11 jours (samedis, dimanches et jours fériés compris) ; maximum 18 jours en cas de naissances multiples. Le congé peut succéder aux 3 jours ouvrables accordés par l'employeur, ou à des congés annuels, ou à des jours de RTT. Il doit débuter avant les 4 mois de l'enfant. Cependant il existe des situations exceptionnelles où il peut être reporté : en cas d'hospitalisation du nourrisson, le salarié peut demander le report à la fin de l'hospitalisation. Dans ce cas, le congé doit être pris dans les 4 mois qui suivent la fin de l'hospitalisation.

● Formalités

Le salarié doit avertir son employeur au moins un mois avant la date choisie. L'employeur remplit l'attestation de salaire pour le congé qu'il transmet, accompagné d'une copie d'un extrait d'acte de naissance ou du livret de famille, à la caisse de Sécurité sociale. Le salarié peut aussi transmettre lui-même ces documents.
• Le montant des indemnités est calculé de la même manière que celui des indemnités maternité.
• Il existe le même droit de congé pour l'enfant adopté. Voyez page 456.

Le livret de famille

S'ils ne sont pas mariés, le père et la mère peuvent avoir chacun un livret de famille lorsqu'ils reconnaissent l'enfant, ou un livret commun.

Il est possible de demander un autre livret de famille si vous l'avez perdu ou s'il vous a été volé ; en cas de divorce, séparation de fait ou mésentente, si vous n'êtes plus en possession du livret de famille, il est également possible d'en demander un autre.

Le nom de l'enfant

Si vous êtes mariés, votre enfant portera automatiquement le nom de son père.
Ou, si vous êtes d'accord, soit le nom de sa mère, soit les deux noms
Si vous n'êtes pas mariés, votre enfant portera, sauf autre choix, le nom de celui qui l'a reconnu le premier et le nom de son père si les deux parents l'ont reconnu ; si vous êtes d'accord, il pourra porter soit le nom de l'autre parent, soit les deux noms

Depuis le 1er janvier 2005 la loi sur le « nom de famille » a remplacé l'ancien régime du « nom patronymique ». Cette nouvelle dénomination marque l'appartenance de l'enfant à une famille, en remplacement du seul nom du père. C'est pour tenir compte à la fois de la volonté des personnes, liée à l'évolution des mœurs, et de la Cour européenne des droits de l'homme, au nom de l'égalité des sexes, que la loi française a – lentement – évolué. À présent, en théorie, il y a égalité entre les parents et toute discrimination a disparu : le nom de famille peut désormais être transmis par le père et par la mère.

La loi fait une distinction entre la filiation établie simultanément par les deux parents au moment de la naissance, ou par un seul parent, ou séparément dans le temps. Il n'y a plus de distinction entre les couples mariés ou non mariés.

● Nom de l'enfant dont la filiation est établie simultanément par les deux parents

Lorsque la filiation est établie simultanément, c'est-à-dire dans le cas où les parents sont mariés ou si, non mariés, ils ont reconnu l'enfant en même temps, les parents peuvent faire **une déclaration conjointe du nom de l'enfant** tel qu'il figurera dans l'acte de naissance. Ils peuvent choisir de transmettre à leur enfant :
– soit le nom du père,

– soit le nom de la mère,
– soit les deux noms accolés dans l'ordre de leur choix, dans la limite d'un seul nom par parent (sauf si le nom est formé d'un prénom composé depuis l'origine et indivisible).

Il était prévu à l'origine que ces deux noms seraient séparés par un double tiret (--) pour les distinguer d'un nom composé. Mais une décision du Conseil d'État (4 décembre 2009) a abrogé cette exigence; c'est donc le tiret simple qui est retenu, ou même le simple espace.

On peut penser que des difficultés s'annoncent pour le futur car dans quelques générations il deviendra difficile d'établir s'il s'agit d'un nom composé indivisible ou d'un double nom dont un seul peut être éventuellement transmissible…

Le choix du nom de famille est une simple possibilité ; si les parents n'ont fait aucune déclaration, ou en cas de désaccord, l'enfant portera le nom du père (qui continue ainsi de s'imposer par défaut).
• Depuis l'entrée en vigueur de la réforme, la possibilité d'accoler les deux noms est choisie dans 5 % des cas (soit 35 000 enfants sur 700 000 naissances actuelles) et ce taux est de 9 % à Paris. Ce choix concerne majoritairement les couples non mariés.

● Quel nom peut être choisi ?
Voici un exemple : Clémence Vignes et Casimir Bertou donnent

naissance à Antoine, qui pourra s'appeler Antoine Vignes ou Antoine Bertou ou Antoine Bertou-Vignes ou Antoine Vignes-Bertou. Si Antoine Bertou-Vignes a un enfant avec Cécile Martel-Delmas, l'enfant pourra s'appeler soit Bertou soit Vignes soit Martel soit Delmas soit Bertou-Martel ou Vignes-Martel ou Bertou-Delmas ou Vignes-Delmas.

L'officier d'état civil ne peut donner une appréciation sur le caractère éventuellement ridicule ou péjoratif de la composition choisie.

● À quel moment le nom est-il choisi ?

Les parents qui désirent user de cette faculté doivent faire une déclaration de choix de nom, soit au moment de la naissance de l'enfant, soit postérieurement si l'enfant, reconnu par un seul de ses parents au moment de sa naissance, n'est qu'ensuite reconnu par l'autre.

La déclaration est constituée d'un document écrit, notarié ou simple acte sur papier libre, remis aux services de l'état civil lors de la déclaration de naissance. Ce nom sera le même pour tous les enfants de la fratrie, qui ont la même filiation.

• En cas d'absence de déclaration conjointe, l'enfant portera le nom du père, que les parents soient mariés ou non.

• En cas de naissance à l'étranger (d'un enfant dont au moins l'un des parents est français), les parents qui n'ont pas usé de cette faculté de choix du nom pourront le faire lors de la demande de transcription de l'acte, au plus tard dans les 3 ans de naissance de l'enfant

● Nom de l'enfant dont la filiation n'est établie qu'à l'égard d'un seul des parents

Dans ce cas, l'enfant prend le nom de ce parent (celui de la mère si elle seule a reconnu l'enfant). Si par la suite, la filiation est établie à l'égard du père, l'enfant conserve en principe le nom de sa mère, avec un « rattrapage » possible permettant la liberté de choix : lors de la reconnaissance par le père (ou de l'établissement du lien de filiation par un acte juridique), puis durant la minorité de l'enfant et avec son accord s'il a plus de 13 ans, les parents peuvent décider que le nom de l'enfant, qui portait le nom de sa mère, pourra être remplacé par celui du père ; ou bien que l'enfant portera accolés les deux noms du père et de la mère dans l'ordre qu'ils souhaitent, dans la limite d'un nom de famille venant de chacun d'eux (voyez ci-dessus).

Ces modifications, par déclaration à l'officier d'état civil, pourront être faites quelle que soit l'année de naissance de l'enfant.

Dans un but d'unité de nom dans la fratrie, s'il existe un enfant déjà né de ces deux parents et s'ils ont déjà fait pour lui une déclaration de choix de nom, le changement de nom ne pourra être effectué que s'il a pour but de donner au second même nom que le premier.

● À noter

- Dans tous les cas, le choix de nom effectué par les parents est irrévocable et ne peut être exercé qu'une seule fois.

- L'accord de l'enfant âgé de plus de 13 ans est indispensable.

- La Cour de Cassation a eu l'occasion de rappeler (arrêt du 3 mars 2009) que lorsque les deux parents ont l'autorité parentale sur leur enfant mineur, l'un des parents ne peut adjoindre, à titre d'usage, son nom à celui de l'autre parent sans recueillir au préalable son accord. En cas de désaccord entre les parents, seul le juge peut autoriser cette adjonction.

- Nous n'avons parlé que des enfants nés après 2005, et donc bénéficiant de la nouvelle loi sur le nom de famille. Lorsqu'il y a déjà dans la fratrie un ou des enfants nés avant 2005, les règles d'attribution sont différentes et varient selon les situations que nous ne pouvons toutes envisager mais voici quelques exemples. Des parents peuvent exercer pour un 2e enfant la faculté de choix de nom s'ils n'avaient pas la possibilité de l'exercer pour le 1er enfant né avant 2005. Et dans le cas d'un couple marié ayant un enfant né avant le 1er janvier 2005, alors que ce dernier porte le nom du père, les parents peuvent donner à leur second enfant – ce qui vaudra pour tous les enfants à naître – né après le 1er janvier 2005 un nom différent : celui de la mère ou un double nom.

● En cas d'adoption

Vous venez d'adopter un enfant ou êtes en voie d'adoption. Vous vous demandez quel nom pourra porter votre enfant. Cela dépendra du mode d'adoption, simple ou plénière.

L'adoption plénière a pour effet de donner à l'enfant une filiation qui se substitue à sa filiation d'origine : elle confère à l'enfant le nom de l'adoptant.

- Si l'adoption a été demandée et obtenue par deux parents mariés, la nouvelle loi s'applique à l'enfant né après le 1er janvier 2005. Il prend le nom que ses parents adoptifs choisissent parmi les possibilités décrites plus haut. À défaut de choix déclaré, l'enfant prend le nom du père.

- Si l'adoption est demandée par une personne seule, l'enfant prend le nom de l'adoptant(e).

Si la personne qui adopte est mariée, elle pourra demander que l'enfant porte également le nom du conjoint, que ce soit l'époux ou l'épouse.

L'adoption simple laisse subsister les liens avec la famille d'origine et entraîne l'ajout du nom de l'adoptant au nom d'origine. Avec cette introduction d'un double nom, plusieurs combinaisons sont possibles dans les détails desquels il nous est impossible d'entrer ici, avec des possibilités de choix entre le nom du père ou celui de la mère aboutissant à des possibilités quadruples, et également la possibilité de noms différents au sein d'une même fratrie. Sachez que de toute façon il est impossible de conserver le seul nom d'origine.

● Pour plus de détails, voici les références de la loi sur le nom de famille : loi du 4 mars 2002 ; et sur la filiation, loi du 16 janvier 2009.
www.legifrance.gouv.fr

LA SÉCURITÉ SOCIALE

Elle vous a aidé à couvrir une grande partie des frais de la naissance ; elle va vous aider, après l'accouchement, à surveiller la santé de votre enfant, et la vôtre. Les avantages consentis font partie de l'assurance maternité, que vous connaissez bien pour en avoir déjà bénéficié pendant votre grossesse. Les avantages sont les suivants :

● **Pour la maman**
• Des indemnités journalières permettant aux femmes, personnellement assurées sociales, de se reposer pendant les 10 semaines (ou plus) qui suivent l'accouchement.
• Le remboursement de l'examen obligatoire que la maman doit passer après la naissance, dans les 8 semaines qui suivent l'accouchement.
  Les consultations supplémentaires, nécessitées par l'état de la maman, sont remboursées aux conditions ordinaires, de même que les médicaments.

● **Pour le bébé**
• Le remboursement des examens médicaux auxquels l'enfant doit être soumis, même s'il est en bonne santé. Ces examens médicaux sont au nombre de 9 au cours de la première année, de 3 au cours de la deuxième année, et de 2 par an jusqu'à 6 ans. Pour ces examens, vous recevrez le calendrier des différents examens à passer.
  Si vous avez droit aux allocations familiales, le médecin remplira également les attestations que vous envoie la CAF, pour les trois examens obligatoires : celui du 8e jour (examen néo-natal), celui du 9e mois, celui du 24e mois. Le paiement des allocations familiales dépend de l'envoi de ces attestations.
  Ces trois examens (8e jour, 9e mois, 24e mois) donnent lieu à l'établissement, par le médecin, d'un **certificat médical confidentiel** envoyé aux services de la PMI du ministère de la Santé. Ces certificats permettent de savoir si l'enfant est suivi médicalement et d'actualiser la politique médicale et sociale de la petite enfance. L'absence de ces certificats donne lieu à une enquête, faite par des assistantes sociales ou des puéricultrices, pour vérifier les conditions dans lesquelles l'enfant est élevé et pour constater son état de santé.
• La prise en charge des prématurés aux conditions définies plus loin (p. 459).
• Si votre enfant tombe malade, les visites médicales supplémentaires et les médicaments seront remboursés aux conditions ordinaires, sans contribution forfaitaire du patient s'il a moins de 18 ans.

À noter
Si un bébé tombe malade au cours de la période de 30 jours qui suit la naissance, les soins qui lui seront dispensés dans un établissement de santé seront pris en charge à 100 %, que le bébé soit hospitalisé ou non.
• **Le carnet de santé** de l'enfant est envoyé par la Sécurité sociale. Mais, assez souvent, il est remis à la sortie de la maternité.

Qui peut bénéficier de ces avantages ?

Toute personne résidant en France peut bénéficier des remboursements de la Sécurité sociale :
• soit qu'elle appartienne à un régime obligatoire par elle-même ou parce qu'elle est à la charge d'un assuré social : par mariage, filiation, concubinage, PACS ;
• soit qu'elle soit affiliée à la Couverture Maladie Universelle (CMU). Cette assurance est gérée par le régime général d'assurance des travailleurs salariés qui donne tous renseignements utiles pour y adhérer.

Comment en bénéficier ?

• En quittant la maternité, envoyez à la Caisse d'assurance maladie le certificat d'accouchement qui vous a été remis par le médecin ou la sage-femme de l'établissement dans lequel a eu lieu votre accouchement, et le certificat de santé néo-natal (c'est celui du 8e jour de l'enfant) ; envoyez à la caisse d'allocations familiales le certificat qui la concerne.
  Si vous avez droit à une indemnité de repos, vous enverrez à votre caisse l'attestation de prolongation d'arrêt de travail (attestation qui se trouve dans le carnet de maternité). Pour plus de détails sur le repos après l'accouchement, voyez plus loin.
• Passez aux dates indiquées les examens médicaux obligatoires. Les examens médicaux peuvent être passés soit chez un médecin, soit dans un centre agréé ou dans un établissement de soins agréé. L'examen postnatal doit être fait par un médecin ou une sage-femme. Le bébé peut, dès la naissance, être inscrit dans un centre de PMI : les consultations sont gratuites, et vous pourrez y amener votre bébé régulièrement pour toutes les visites (voir p. 472).

• Si vous avez **la carte vitale** et si votre praticien est informatisé, la feuille de maladie disparaît car elle est transmise électroniquement à votre caisse d'assurance maladie. Sinon, il vous faudra envoyer la feuille de maladie avec les justificatifs correspondants.
• Après chaque visite, envoyez à la Caisse d'allocations familiales le feuillet qui lui est destiné (vous verrez plus loin pourquoi).

• Si vous passez une visite supplémentaire, vous devrez payer la cotisation forfaitaire de 1 € à partir du 13e jour après l'accouchement.

Quelques informations pratiques

● **La carte famille nombreuse**
Si votre famille compte au moins 3 enfants de moins de 18 ans, vous pouvez bénéficier de la carte de famille nombreuse. Elle vous permet d'avoir droit à des réductions (RATP, RER, musées, grandes surfaces, etc.). La SNCF propose une réduction de 30 % sur le tarif des billets de seconde classe pour chacun des membres de la famille de 3 enfants. Ce taux augmente de 10 % en 10 % jusqu'au 5e enfant, il est de 75 % à partir du 6e. Par ailleurs, plus de 40 partenaires et enseignes commerciales offrent des réductions aux possesseurs de la carte famille nombreuse, dans les loisirs, habillement, hôtellerie, sport...

Pour obtenir la carte, rendez vous dans une gare ou bien consultez le site www.voyages-sncf. com, rubrique train. La carte est valable 3 ans. Son coût est de 18 €, quel que soit le nombre de cartes délivrées à l'ensemble de la famille. Le délai d'obtention est d'environ 5 semaines. Pour faire la demande, vous devez justifier soit de votre nationalité, soit de votre résidence en France, soit de votre activité en métropole et dans tous les cas, de la composition de votre famille.

La **carte Enfant Famille** est une carte de réduction SNCF. Elle concerne les familles avec 1 ou 2 enfants à charge âgés de moins de 18 ans et dont les ressources ne dépassent pas 22 321 € pour 1 enfant, 27 472 € pour 2 enfants, ajouter 5 151 € par enfant supplémentaire.

La demande se fait directement sur Internet à partir du site www.voyages-sncf.com sur la page «Carte Enfant Famille». Chaque carte est valable pour 3 ans. Les frais de dossier sont de 15 € par famille. Les enfants voyageant seuls ou accompagnés bénéficient de réductions ; pour en bénéficier, les parents doivent voyager avec leurs enfants.

● **La télé-déclaration**
Les allocataires peuvent désormais déclarer en ligne leur changement de situation dans l'espace « mon compte » du site caf.fr : grossesse, naissance, adoption, changement d'adresse ou de coordonnées bancaires. Après vous être identifié, cliquez dans la rubrique « Ma situation change/Autres changements », puis laissez-vous guider. Une fois le formulaire complété, vous envoyez à la CAF les justificatifs demandés. Ainsi, votre nouvelle situation sera actualisée plus rapidement.

LE CONGÉ
APRÈS L'ACCOUCHEMENT

La durée du congé de maternité varie en fonction du nombre d'enfants déjà nés ou à naître. Le congé postnatal est de 10 semaines au moins. Vous percevrez une indemnité journalière de la Sécurité sociale représentant 100 % du salaire journalier net de base, diminué de 0,5 % du CRDS (Contribution au Remboursement de la Dette Sociale), dans la limite du plafond de la Sécurité sociale.

● **À noter**
Certaines conventions collectives prévoient un complément d'indemnisation qui sera versé par votre employeur.

Votre repos doit être effectif, des contrôles à domicile ont lieu. Vous pouvez prendre un repos moins long, mais pour toucher les indemnités journalières de repos, il faut que vous arrêtiez votre travail 8 semaines au moins, dont 6 semaines après l'accouchement. Les indemnités journalières perçues correspondent au nombre de jours d'arrêt de travail.

Cas où le congé peut être prolongé

• En cas de naissance ayant lieu avant la date du congé prénatal théorique, et si votre enfant est hospitalisé, vous bénéficiez d'une durée de congé et d'une indemnité supplémentaires, courant entre l'accouchement et le début du congé prénatal théorique.
• En cas de naissance ayant lieu avant la date présumée d'accouchement, vous bénéficiez du report de votre congé prénatal et de votre indemnité journalière sur le congé et l'indemnité postnatale.
• Si vous étiez déja en congé pathologique, ou maladie, au moment où débute votre congé prénatal, le congé pathologique se transforme automatiquement en congé prénatal et le congé postnatal ne sera pas augmenté.
• Naissance du 3e enfant (ou plus) : le congé postnatal est de 18 semaines (ou de 16 semaines si 2 semaines supplémentaires ont été prises pour le repos prénatal). Le congé total de maternité est alors de **26 semaines.**

• Naissance de jumeaux : le congé postnatal est de 22 semaines (ou de 18 semaines si 4 semaines supplémentaires ont été prises pour le repos prénatal). Le congé total de maternité est alors de **34 semaines.**
• Naissance de triplés ou plus : le congé postnatal est de 22 semaines, le congé prénatal de 24 semaines. Le congé total de maternité est alors de **46 semaines.**
• Hospitalisation de l'enfant : si l'enfant est encore hospitalisé 6 semaines après sa naissance, la mère peut reprendre son travail et utiliser la suite de son congé lorsque l'enfant sera de retour à la maison. Mais il faut pour cela que la mère ait déjà pris un congé ininterrompu de 8 semaines, dont 6 après la naissance.
• Si votre état de santé le nécessite, il vous est possible sur prescription médicale d'obtenir une prolongation de congé indemnisé au titre de la maladie.

Les parents adoptifs

● **Durée du congé**
Elle varie en fonction du nombre d'enfants adoptés et du nombre d'enfants à charge, et selon que le congé est partagé ou non entre les parents adoptifs (tableau ci-dessous).

Lorsque le congé est partagé par les deux parents, il est augmenté de 11 jours pour l'adoption d'un enfant et de 18 jours pour deux enfants. Si le congé est pris séparément, la période la plus courte ne peut être inférieure à une durée de 11 jours. S'il est pris en même temps par les deux parents, la somme totale des deux périodes de congé ne peut pas être supérieure à la durée légale du congé d'adoption, soit par exemple 10 semaines et 11 jours pour un enfant.

Le congé d'adoption peut débuter soit le jour de l'arrivée de l'enfant dans la famille, soit 7 jours avant la date prévue de cette arrivée.

● **Formalités**
• Pour l'adoption d'un enfant en France, vous devez transmettre à la CAF l'attestation de mise en relation du service départemental de l'adoption indiquant le début de la période d'adoption ou l'attestation de placement de l'enfant.
• Pour l'adoption d'un enfant à l'étranger, vous devez transmettre la photocopie du passeport de l'enfant ou le document officiel sur lequel est présent le visa accordé par le service d'adoption internationale (SAE). La date du visa représente la date de placement de l'enfant. Ce visa est indispen-

sable pour percevoir les indemnités journalières de votre caisse d'assurance sociale.

● **Les indemnités journalières**
Pour y prétendre, le ou la salarié(e) du régime général doit remplir ces conditions : justifier de 10 mois d'immatriculation à la date présumée de l'accouchement et avoir travaillé 200 heures au cours des 3 mois qui précèdent l'arrivée de l'enfant ; ou avoir cotisé sur un salaire équivalent à 1015 fois le SMIC horaire (9 € brut) au cours des 6 derniers mois précédant la date de l'arrivée de l'enfant. Les indemnités journalières maternité sont calculées sur les salaires nets des 3 mois précédant l'interruption de travail, dans la limite du plafond de la Sécurité sociale, soit 2 946 € par mois pour l'année 2011.

En cas de chômage, ou si vous êtes saisonnier, intérimaire, artiste, vous pouvez bénéficier d'indemnités journalières dans des conditions précises : renseignez-vous auprès de vos caisses de protection sociale.

● *Congé pour adoption à l'étranger*
Tout salarié, titulaire de l'agrément d'adoption, a désormais le droit de bénéficier d'un congé lorsqu'il se rend dans les DOM, les TOM ou à l'étranger en vue d'adopter un ou plusieurs enfants. Le droit à ce congé est possible pour une durée maximum de 6 semaines par agrément. Ce congé n'est pas rémunéré.

Durée du congé d'adoption			
Enfant adopté	Enfants à charge	Enfants après adoption	Durée du congé en semaines
1	0 ou 1	1 ou 2	10
1	2	3	18
2 ou plus		2 ou plus	22

Les exploitantes agricoles

L'assurance maternité des exploitantes agricoles ne comporte pas de prestations en espèces sauf dans le cas où la maternité contraint l'exploitante à employer une personne pour la remplacer. Il s'agit alors d'une **allocation de remplacement pour maternité** perçue sous certaines conditions.

● Conditions
• Vous devez participer de manière constante à temps plein ou a temps partiel aux travaux de l'exploitation et être affiliée à la caisse de protection sociale des exploitants agricole, l'AMEXA.
• Vous devez cesser votre activité pendant au moins 2 semaines, comprises entre la période de 6 semaines avant la date d'accouchement et 10 semaines après. Sachez que vous avez la possibilité, sur avis médical, de reporter une partie du congé prénatal sur le congé postnatal dans la limite de 3 semaines.
• Vous devez effectivement être remplacée pendant au moins 2 semaines. En cas de grossesse pathologique, la durée de remplacement peut être augmentée de 2 semaines qui peuvent être prises dès la déclaration de grossesse.

● Durée d'attribution de l'allocation
Elle varie de 16 semaines à 46 semaines selon le nombre d'enfants déjà nés ou à naître.

● Montant de l'allocation
Il est égal au coût des frais engagés, c'est-à-dire :
• soit le montant du prix de journée fixé par le service de remplacement ;
• soit le montant des salaires et charges de la personne engagée dans la limite du salaire conventionnel correspondant à la qualification de l'emploi.

● Modalités
Vous devez aviser votre caisse 30 jours avant la date d'arrêt de votre activité. Celle-ci vous demandera les informations sur les modalités de votre remplacement.

Les femmes exerçant une activité indépendante

Travailleurs non salariés non agricoles : Régime Social des Indépendants (RSI)

Dans ce régime, les prestations en espèces diffèrent selon le statut de la femme, chef d'entreprise ou collaboratrice de conjoint.

● La femme chef d'entreprise
La femme chef d'entreprise, qui exerce une activité artisanale, commerciale ou libérale, peut percevoir une allocation forfaitaire de repos maternel et une indemnité journalière forfaitaire d'interruption d'activité.
• **L'allocation forfaitaire de repos maternel** est destinée à compenser la réduction d'activité. Elle est versée pour moitié à la fin du 7e mois et pour moitié après l'accouchement.
Montant : 2 946 €

En cas d'adoption, le montant est de 1 473 €. L'allocation est versée à la date d'arrivée de l'enfant au foyer.
• Les femmes qui interrompent leur activité au moins 44 jours consécutifs, dont 14 jours précédant immédiatement la date présumée de l'accouchement, ont droit à l'**indemnité journalière** forfaitaire d'interruption d'activité.
Cet arrêt peut être également prolongé par une ou deux périodes de 15 jours consécutifs. En cas de grossesse pathologique, 30 jours supplémentaires sont possibles et indemnisés.
Pour les montants, voyez le tableau ci-dessous.
• L'allocation de repos maternel et l'indemnité d'interruption d'activité sont cumulables.

Montant de l'indemnité forfaitaire d'interruption d'activité		
Grossesse simple	Grossesse pathologique	Grossesse multiple
2 130,48 € 44 jours d'arrêt	1 452,60 € 30 jours d'arrêt	1 452,60 € 30 jours non cumulables avec l'indemnité pour grossesse pathologique
2 856,78 € 59 jours d'arrêt		
3 583,08 € 74 jours d'arrêt		
En cas d'adoption 2 711,52 € pour 56 jours d'arrêt et 4 164,12 € pour 86 jours d'arrêt		

• La conjointe collaboratrice

Il existe trois statuts différents de collaboratrice de conjoint. Ainsi, si vous exercez une activité professionnelle régulière dans l'entreprise de votre conjoint, vous pouvez être :

1. conjointe associée : dans ce cas vous jouissez des mêmes droits et obligations que la femme chef d'entreprise

2. conjointe salariée, si votre conjoint vous verse un salaire ; dans ce cas, vous disposez des mêmes droits et obligations d'une femme salariée du régime général

3. conjointe collaboratrice. Seule la conjointe collaboratrice peut prétendre bénéficier sous 4 conditions (être mariée, exercer une activité professionnelle régulière dans l'entreprise, ne pas percevoir de rémunération pour cette activité et ne pas avoir la qualité d'associée) des allocations de maternité ou d'adoption, qui sont de deux types.

• L'**allocation forfaitaire de repos maternel** a pour objet de compenser partiellement la réduction de l'activité. Elle est versée en deux fois, une première moitié à la fin du 7e mois et l'autre moitié après l'accouchement. Son montant est de 2 fois 1 473 €. En cas d'adoption, elle est versée à l'arrivée de l'enfant dans le foyer. Son montant est de 1 473 €.

• L'**indemnité de remplacement** supplée partiellement aux frais engagés en cas d'arrêt d'activité et de remplacement pour les travaux professionnels ou ménagers par une personne salariée, d'au moins une semaine, comprise entre une période de 6 semaines avant la date présumée de l'accouchement et 10 semaines après.
Montant journalier : 50,99 €

• L'allocation forfaitaire de repos maternel et l'indemnité de remplacement sont cumulables.

Montant de l'indemnité de remplacement			
Grossesse simple	Grossesse pathologique	Grossesse multiple	Grossesse pathologique causée par naissances multiples
1 427,72 € pour 28 jours d'arrêt	2 141,58 € pour 42 jours d'arrêt	2 855,44 € pour 56 jours d'arrêt	3 569,30 € pour 70 jours d'arrêt
2 855, 44 € pour 56 jours d'arrêt	4 283,16 € pour 84 jours d'arrêt	5 710,88 € pour 112 jours d'arrêt	7 138,60 € pour 140 jours d'arrêt
En cas d'adoption • Un seul enfant : 713,86 € pour 14 jours et 1 427,72 € pour 28 jours d'arrêt • Plusieurs enfants : 1 427,72 € pour 28 jours et 2 855,44 € pour 56 jours d'arrêt			

Le congé parental d'éducation

Le congé parental d'éducation est accordé à tout salarié(e) qui justifie d'une ancienneté d'un an dans une entreprise à l'occasion de la naissance de son enfant ou de l'arrivée à son foyer d'un enfant adopté de moins de 16 ans. Il n'est pas rémunéré.

• Durée

Le congé peut durer 3 ans. Pendant toute la durée du congé parental d'éducation, le contrat de travail se trouve suspendu et vous conservez vos droits aux remboursements de soins.

• Formalités

Il faut demander ce congé, en précisant sa date de début, par courrier recommandé à l'employeur un mois avant la fin du congé de maternité. Dans le cas où vous avez repris votre travail après la fin de votre congé de maternité, un préavis de 2 mois doit alors être adressé à votre employeur. En cas de demande de prolongation, vous devez lui adresser un courrier en recommandé avec accusé de réception un mois avant la date de reprise prévue lors de votre précédente demande.

Protection contre le licenciement

Un employeur n'a pas le droit de licencier une femme enceinte (sauf cas particulier), ou en congé de maternité ou en congé d'adoption et pendant les 4 semaines qui suivent. Si vous faites l'objet d'un licenciement pendant votre congé d'adoption, vous devez envoyer à votre employeur une attestation délivrée par le service départemental d'aide sociale à l'enfance (ou l'œuvre d'adoption qui a procédé au placement) par lettre recommandée avec accusé de réception, dans les 15 jours qui suivent la notification du licenciement.

Les congés particuliers

• Le **congé de soutien familial** peut être demandé par tout salarié pour s'occuper d'un proche qui présente un handicap ou une perte d'autonomie d'une particulière gravité. Le salarié doit faire sa demande 2 mois avant le début du congé, fournir une déclaration sur l'honneur du lien familial avec la personne aidée.

• Le **congé pour enfant malade**. Tout salarié a droit de bénéficier d'un congé non rémunéré en cas de maladie ou d'accident, constaté par certificat médical, d'un enfant de moins de 16 ans dont il a la charge. La durée de ce congé est au maximum de 3 jours par an. Elle est portée à 5 jours si l'enfant a moins d'un an ou si le salarié assume la charge de 3 enfants ou plus. Certaines conventions collectives accordent plus de jours qui peuvent aussi être rémunérés.

Le congé journalier de présence parentale pour enfant gravement malade

Le salarié dont l'enfant à charge est atteint d'une maladie, d'un handicap ou victime d'un accident grave rendant indispensable une présence soutenue et des soins contraignants, bénéficie d'un congé de présence parentale.

Le salarié informe son employeur, à l'appui d'un certificat médical, de sa volonté de prendre ce congé au moins 15 jours avant le début du congé : soit par lettre recommandée avec accusé de réception, soit en lui remettant en main propre une lettre contre décharge. Sur le certificat médical doit être mentionné la durée du congé.

À l'issue du congé, le salarié retrouve son précédent emploi ou un emploi similaire assorti d'une rémunération au moins équivalente.

Ce congé prend la forme d'un « compte crédit jours d'absence », dans la limite de 310 jours ouvrés, à prendre sur une période maximale de 3 ans pour un même enfant et pour la même maladie, handicap ou accident.

Le salarié peut prendre son congé de manière continue ou fractionnée.

LES REMBOURSEMENTS

• **Frais d'accouchement et de séjour :** les remboursements varient suivant l'endroit où vous avez accouché.

1° À l'hôpital : l'intégralité des frais est réglée directement par la caisse à l'hôpital.

2° Dans une clinique conventionnée : ces cliniques ont passé une convention spéciale avec la caisse de Sécurité sociale suivant laquelle les frais de séjour – et dans certains cas les honoraires de l'accoucheur – sont réglés directement par la Caisse de Sécurité sociale à la clinique.

3° Dans une clinique agréée : forfait pour les honoraires de l'accoucheur et les frais pharmaceutiques ; forfait également pour les frais de séjour, la différence entre le remboursement de la Sécurité sociale et le prix effectif du séjour étant à la charge de l'assurée.

Le séjour à l'hôpital ou en clinique ne doit pas dépasser 12 jours. Si une prolongation du séjour est justifiée médicalement, les frais en sont remboursés par l'assurance maladie.

• **Consultations médicales :** si vous ne les avez pas passées gratuitement dans un centre, elles vous seront remboursées au tarif officiel de la Caisse quel que soit le prix demandé par le médecin. S'il vous a demandé une somme supérieure au tarif de la convention, ce dépassement restera à votre charge, ou pourra être pris en charge par une assurance complémentaire, si vous en avez une.

• **Médicaments :** remboursement, au tarif de la caisse, des médicaments prescrits en cas de maladie.

• **Protection sociale complémentaire :** pour être remboursée du ticket modérateur, et dans certains cas du montant des dépassements d'honoraires demandés par les médecins, vous pouvez adhérer à une mutuelle ou à une assurance complémentaire.

• **Prématurés :** les soins spéciaux nécessités par leur naissance avant terme sont remboursés à 100 %. Le lait maternel donné aux prématurés est pris en charge par la Sécurité sociale à 100 %. Certains laits médicamenteux sont remboursés.

● **La carte Vitale**

Cette carte à puce, utilisable chez le médecin, pharmacien, infirmière, kinésithérapeute, laboratoire (à condition qu'ils soient informatisés) évite de remplir les feuilles de soin et de les expédier. Dès la naissance de votre enfant, pensez à le faire enregistrer sur votre carte, ou sur celle de son père, afin qu'il bénéficie de votre assurance maladie au titre d'ayant-droit. Cette manœuvre peut être effectuée dans votre Centre de sécurité sociale, ou dans tous les établissements de santé publique où vous êtes amenés à consulter : renseignez-vous.

Précision. La carte vitale actuelle va être progressivement remplacée par la carte vitale 2 : l'assuré a sa photo sur la carte et la mémoire de cette dernière permet l'enregistrement du nom du médecin traitant déclaré et de la couverture complémentaire.

LES PRESTATIONS FAMILIALES

Pour percevoir une allocation : vous devez la demander, compléter un imprimé, fournir les justificatifs nécessaires

Les prestations familiales sont les aides en espèces allouées aux familles en raison de la charge d'un ou plusieurs enfants nés ou à naître. Il existe 9 prestations ou allocations. Elles sont principalement attribuées par les caisses d'allocations familiales et les caisses de mutualité sociale agricole.

• Pour avoir droit à une ou des prestations, il faut résider en France et avoir à sa charge un ou plusieurs enfants résidant également en France. Il existe une exception à cette condition pour les travailleurs détachés à l'étranger. Les étrangers doivent posséder un titre de séjour justifiant de la régularité de leur séjour en France.

• En cas de résidence alternée de l'enfant, il existe un partage possible des allocations familiales. Les parents peuvent les partager ou choisir celui qui les percevra en totalité.

• Les enfants ouvrent droit aux prestations familiales jusqu'à la fin de l'obligation scolaire, soit 16 ans. Ainsi que les jeunes âgés de moins de 20 ans dont la rémunération éventuelle n'excède pas un plafond (819,82 € par mois).

• Certaines prestations sont soumises à des conditions de ressources. Les ressources prises en compte sont celles des revenus nets imposables. Cette condition s'apprécie chaque année au 1er janvier.

• Les prestations familiales sont exclues des revenus imposables, elles ne sont pas non plus soumises à des cotisations sociales, ni à la CSG.

• Le règlement de chaque prestation est mensuel.

• Les montants sont revalorisés au 1er janvier de chaque année.

		PRESTATIONS	CONDITIONS À REMPLIR
AVEC CONDITIONS DE RESSOURCES	PAJE	- Prime à la naissance ou à l'adoption - Allocation de base	Faire la déclaration de grossesse avant la fin du 3e mois. Passer les examens médicaux obligatoires. Adopter ou accueillir en vue d'adoption un (ou plusieurs) enfant(s) âgé(s) de moins de 20 ans
		Complément de libre choix du mode de garde	Avoir un enfant de moins de 6 ans Employer une assistante maternelle agréée ou une garde à domicile Avoir une activité professionnelle minimum
		Complément de libre choix d'activité, ou complément optionnel	Avoir un enfant de moins de 3 ans Avoir cessé de travailler ou travailler à temps partiel Avoir exercé une activité professionnelle minimum
		Complément familial (CF)	Avoir 3 enfants à charge de plus de 3 ans
		Allocation de parent isolé (API)	Vivre seul et avoir un ou plusieurs enfants à charge ou être enceinte
		Prime de déménagement	Famille à partir du 3e enfant (du 3e mois de grossesse au dernier jour du mois qui précède ses 2 ans) Recevoir l'AL ou l'APL
		Les aides au logement (AL)	Voir détail page 464
		Allocation de rentrée scolaire	Dès le premier enfant
SANS CONDITIONS DE RESSOURCES		Allocations familiales (AF)	Avoir au moins deux enfants à charge
		Allocation de soutien familial (ASF)	L'enfant doit être à la charge d'un seul parent, orphelin ou abandonné
		Allocation journalière de présence parentale (AJPP)	Avoir un enfant malade dont l'état grave nécessite momentanément la présence d'un de ses parents auprès de lui
		Allocation d'éducation de l'enfant handicapé (AEEH)	Avoir un enfant avec un handicap de 80%, ou de plus de 50% nécessitant des soins de rééducation

Ce tableau résume les conditions à remplir pour bénéficier des différentes prestations familiales. Vous trouverez le détail de ces prestations dans les pages qui suivent.

LA PAJE
Prestation d'accueil du jeune enfant

La PAJE comprend : la prime à la naissance ou à l'adoption, l'allocation de base, le complément de libre choix d'activité, le complément de libre choix du mode de garde

La prime à la naissance ou à l'adoption

● Conditions

Avoir déclaré votre grossesse avant la fin de la 14e semaine et avoir adressé l'attestation médicale délivrée à votre Caisse de sécurité sociale et à la CAF.

En cas d'adoption, l'enfant doit avoir moins de 20 ans et avoir été confié par un organisme ou une autorité étrangère agréés.

La prime à la naissance est versée au cours du 7e mois, et autant de fois que d'enfants nés d'une même grossesse (jumeaux, triplés). Elle ne peut être perçue si la grossesse s'interrompt avant le 5e mois.

La prime à l'adoption est versée pour l'adoption d'un enfant de moins de 20 ans

Prestation d'accueil du jeune enfant (PAJE) : ressources et montants		
	Plafond de ressources	Montants
Prime à la naissance	compris entre 33 731 € et 44 576 € selon la composition du ménage et le nombre d'enfants	903,07 €
Prime à l'adoption		1 806,14 €
Allocation de base		180,62 €

L'allocation de base

● Conditions

L'enfant doit avoir moins de 3 ans, et moins de 20 ans s'il s'agit d'un enfant adopté, et il doit avoir passé les examens médicaux obligatoires des 9 et 24 mois.

Conditions de ressources : voir le tableau ci-dessus.

● Durée

Cette allocation est versée à compter du jour de naissance de l'enfant jusqu'au mois précédant son 3e anniversaire. Et pour un enfant adopté : du mois de son arrivée au foyer, et pendant 3 ans, dans la limite de l'âge de 20 ans.

● Montant

Il est de 180,62 €. Une seule allocation est versée par famille, quel que soit le nombre d'enfants. Néanmoins plusieurs allocations de base seront versées en cas de naissances multiples ou d'adoptions simultanées de plusieurs enfants.

L'allocation de base est cumulable avec l'AJPP (allocation journalière de présence parentale p. 466). En revanche, elle ne l'est pas avec le CF (complément familial p. 464).

● Formalités

• Pour la **prime de naissance**, vous devez adresser à la CAF votre déclaration de grossesse ou les photocopies des attestations concernant l'adoption ou l'accueil en vue d'adoption de l'enfant. Si vous n'êtes pas déjà allocataire, vous devez compléter le formulaire de déclaration de situation et une déclaration de ressources en y joignant tous les justificatifs demandés. Vous pouvez télécharger et imprimer les formulaires ou les demander à votre CAF.

• Pour l'**allocation de base**, vous devez adresser à la CAF la photocopie bien lisible du livret de famille ou une photocopie de l'extrait de l'acte de naissance. Vous devez demander, mais vous pouvez aussi le télécharger et l'imprimer, le formulaire PAJE à la CAF, le compléter, le signer et le remettre à votre CAF accompagné des justificatifs demandés.

• Pour l'enfant adopté, l'allocation de base vous sera versée automatiquement si vous avez bénéficié de la prime à la naissance.

Remarque : le cumul est possible avec l'ASF (voir p. 466) pour les enfants adoptés ou recueillis en vue d'adoption. Le cumul est possible avec le RSA le mois de naissance de l'enfant. Par contre, ce cumul est impossible avec le complément familial.

Le complément du libre choix du mode de garde

Votre enfant (né ou adopté) a moins de 6 ans. Vous avez peut-être droit à ce complément : si vous employez une assistante maternelle agréée ou une aide à domicile pour le garder, ou si vous avez recours à une association (agréée par la préfecture) ou une entreprise qui emploient des assistantes maternelles ou des gardes d'enfants à domicile ; celles-ci doivent être agréées par le conseil général et non subventionnées par la CAF, et la durée minimum est de 16 heures par mois..

● **Conditions**

Vous devez avoir une activité professionnelle rémunérée qui doit vous procurer un revenu minimum de 389,20 € si vous vivez seul ou de 778,40 € pour un couple. D'autre part, si vous êtes non salarié, vous devez avoir réglé vos cotisations sociales d'assurance vieillesse.

Vous devez une rémunération minimum à l'assistante maternelle, selon le contrat établi. La mensualisation est obligatoire lors d'un accueil régulier.

● **Exceptions**

Cas où il n'y a pas à justifier d'une activité minimum :
- les bénéficiaires de l'allocation adulte handicapé (AAH)
- les bénéficiaires de l'allocation d'insertion ou de l'allocation de solidarité spécifique inscrites au chômage ainsi que les titulaires d'un contrat d'insertion ou de travail ; demandeurs d'emplois ou en formation rémunérée ; les étudiants (pour un couple, les deux personnes doivent être étudiantes).

● **Formalités**

Vous devez remplir un formulaire de demande de « PAJE complément de libre choix de mode de garde » et l'adresser à votre CAF. Pour toute embauche à domicile, vous devrez compléter l'autorisation de prélèvement jointe au formulaire pour régler les charges sociales employeur.

● **Aides et montants**

Il existe trois sortes d'aides accordées aux parents qui emploient pour garder leur enfant une assistante maternelle agréée ou une employée à domicile. Ces aides comprennent :

1. L'aide au salaire, appelée « **complément du libre choix du mode de garde** ». Cette aide au salaire est plafonnée et varie selon trois niveaux de ressources des ménages et

selon le mode de garde choisi. Dans le tableau ci-dessous, les montants sont ceux qui concernent l'assistante maternelle employée directement par la famille. En cas de recours à une assistante maternelle employée par l'intermédiaire d'une association, ou pour une garde à domicile, les montants sont différents (plus élevés car les frais sont plus importants).

2. La prise en charge des cotisations sociales (salariales et patronales)

Les parents bénéficient de la prise en charge des cotisations sociales par la Caisse d'allocations familiales :
- à 100 % pour chacun des enfants en cas d'emploi direct d'une assistante maternelle agréée si sa rémunération est au plus égale à 45 € par jour
- de 50 % par famille lorsque celle-ci fait appel directement à l'aide à domicile, dans la limite d'un plafond de 419 € pour un enfant de moins de 3 ans et de 210 € pour un enfant âgé de 3 ans à 6 ans.

● **Pour en savoir plus**

Agence des services à la personne
www.servicealapersonne.gouv.fr
Fédération nationale des particuliers employeurs
www.fepem.fr
Pajemploi www.pajemploi.urssaf.fr

3. La réduction d'impôt ou le crédit d'impôt

● Les parents employeurs d'une garde d'enfant à leur domicile bénéficient d'une réduction d'impôt égale à 50 % des dépenses. Le montant de ces dépenses est pris en compte dans la limite de 15 000 € par an et par foyer, ce qui correspond à une réduction maximale de 7 500 €. Le plafond est augmenté de 1 500 € par enfant, sans toutefois pouvoir dépasser 18 000 €.

● Les parents qui font garder leur enfant par une assistante maternelle bénéficient également d'une réduction d'impôt : les dépenses concernées sont celles servant à la rétribution de l'assistante maternelle, déduites des sommes versées par la Caisse d'allocations familiales et éventuellement des sommes versées par l'employeur. Le crédit d'impôt est égal à 50 % des sommes versées dans la limite de 2 300 € par enfant ; en cas de garde alternée le plafond est de 1 150 €. Le crédit d'impôt est respectivement de 1 150 € ou de 575 € selon le type de la garde d'enfant.

Complément du libre choix du mode de garde par une assistance maternelle agréée	
Revenus annuels	Montants par mois 0 à 3 ans / 3 à 6 ans
< 20 079 € (1 enfant) ; 23 118 € (2 enfants) ; +3 647 € par enfant supplémentaire	448,25 € / 224,13 €
< 44 621 € (1 enfant) ; 51 374 € (2 enfants) ; +8 104 € par enfant supplémentaire	282,65 € / 141,35 €
> 44 621 € (1 enfant) ; 51 374 € (2 enfants) ; +8 104 € par enfant supplémentaire	169,57 € / 84,79 €

Si vous n'êtes pas imposable, ou si la somme de l'impôt est inférieure au crédit d'impôt qui peut vous êtes accordé, vous pouvez être remboursé de la partie du crédit qui n'a pu être déduite de votre impôt.

● **Formalité**
Vous devez joindre à votre déclaration d'impôt une attestation qui vous sera fournie par votre caisse d'allocation familiale précisant le montant de la prestation.

Le complément du libre choix d'activité ou optionnel
(ex allocation de congé parental)

Pour avoir droit à ce complément, vous ou votre conjoint ne devez plus exercer d'activité professionnelle, ou l'exercer à temps partiel, pour vous occuper de votre enfant.

● **Conditions**
Il faut avoir exercé une activité professionnelle minimum. Le complément prend en compte le nombre d'enfants à charge. La période d'activité de référence est :
• dans les 2 ans qui précèdent la naissance ou l'adoption (pour un enfant)
• de 2 ans d'activité dans les 4 ans qui précèdent (pour 2 enfants)
• de 2 ans d'activité dans les 5 ans qui précèdent (pour 3 enfants et plus).
Vous ne pouvez pas demander ce complément si :
• vous ne justifiez pas d'au moins 8 trimestres de cotisations vieillesse validés au titre d'une activité professionnelle
• vous percevez déja le complément optionnel libre choix d'activité
• l'allocation adulte handicapé
• une pension d'invalidité, de retraite
• des indemnités journalières maladie, maternité, paternité ou d'accident du travail
• une allocation chômage

Toutefois, vous pouvez demander à l'ASSEDIC de suspendre ces versements pour bénéficier du complément et retrouver vos droits quand le complément ne sera plus versé.

● **Montant**
Voir le tableau ci-dessous

● **Durée**
S'il s'agit du premier enfant, le complément est versé pendant 6 mois. À partir du deuxième enfant, il est versé jusqu'au mois précédent le troisième anniversaire de l'enfant. Toutefois, si vous reprenez votre activité entre le 18e mois et les 2 ans et demi de votre enfant, le complément sera maintenu pendant 2 mois.

● **Complément optionnel du libre choix d'activité (COLCA)**
Ce complément est réservé aux personnes bénéficiaires du libre choix d'activité à taux plein et qui ont au moins trois enfants. Le congé est d'un an.

À noter. Sous certaines conditions, les compléments libre choix du mode de garde et libre choix d'activité, ou optionnel, peuvent être cumulés si vous recourez pour votre enfant à une assistante maternelle plus une garde d'enfant à domicile et si vous travaillez à temps partiel.

● **Formalité**
Vous devez compléter, selon votre situation et votre choix, le formulaire de demande de PAJE complément du libre choix d'activité ou complément optionnel de libre choix d'activité.

Complément du libre choix d'activité	
Conditions	Montants
Taux plein (aucune activité exercée)	560,40 € par mois*
Taux partiel (exercice d'une activité d'une durée < 50 % de la durée légale du travail)	426,12 € par mois*
Taux partiel (exercice d'une activité d'une durée > 50 % mais < 80 % de la durée légale du travail)	322,24 € par mois*
Complément optionnel du libre choix d'activité (COLCA)	801,39 € par mois*

* Si la famille perçoit l'allocation de base de la PAJE, il faut la déduire du montant.

LES AUTRES ALLOCATIONS

Le complément familial, la prime de déménagement, les aides au logement, l'allocation de rentrée scolaire sont soumises à des conditions de ressources. Les allocations familiales, de soutien familial, d'indemnités de présence parentale, d'éducation spéciale n'ont pas de conditions de ressources.

Le complément familial (CF)

● **Qui peut en bénéficier ?**
Les personnes résidant en France, quelle que soit leur nationalité, ayant ou non une activité professionnelle.

● **Conditions**
Avoir au moins 3 enfants de 3 ans et plus, et ne pas bénéficier du complément de libre choix d'activité de la PAJE.

● **Durée de versement**
Le complément familial est versé à partir du 3e anniversaire de votre plus jeune enfant. Le versement prend fin dès qu'il vous reste à charge moins de 3 enfants âgés de plus de 3 ans ou dès que vous bénéficiez de l'allocation de base de la PAJE pour un nouvel enfant.

● **Montant**
Le montant du complément familial est de 163,71 € et il est soumis à des conditions de ressources variables selon le nombre d'enfants à charge (se renseigner auprès de sa caisse d'allocations familiales).

● **Formalité**
Vous devez fournir une attestation de ressources.

La prime de déménagement

C'est une prime à laquelle vous pouvez prétendre si vous avez la charge d'au moins 3 enfants nés ou à naître et si vous vous installez dans un nouveau logement ouvrant droit aux allocations de logement (allocation de logement familial ou APL).

Votre emménagement doit avoir lieu entre le 4e mois de grossesse et le dernier jour du mois précédant celui du 2e anniversaire de l'enfant.

● **Formalités**
Vous devez remplir un formulaire spécial et faire votre demande au plus tard 6 mois après la date du déménagement en fournissant à la CAF une facture acquittée d'un déménageur, ou des justificatifs de frais divers si vous avez effectué votre déménagement vous-même.

Prime de déménagement	Montants
3 enfants	948,10 €
4 enfants	1 027,10 €
5 enfants	1 106,11 €
Par enfant supplémentaire	79,01 €

Les aides au logement

Si vous payez un loyer, ou remboursez un prêt, ou si vous voulez accéder à la propriété pour votre résidence principale, et si vos ressources ne dépassent un certain plafond, vous pouvez bénéficier d'une des aides au logement suivantes : l'aide personnalisé au logement (APL), l'allocation logement (AL), l'allocation d'installation étudiante (Aline). Elles ne sont pas cumulables.

La plupart des conditions d'attribution sont identiques pour toutes ces prestations. L'APL est destinée à toute personne locataire d'un logement neuf ou ancien. L'AL concerne les personnes qui n'entrent pas dans le champ d'application de l'APL et qui ont des enfants (né ou à naître), ou certaines autres personnes à charge ; ou forment un ménage marié depuis moins de 5 ans, le mariage ayant eu lieu avant les 40 ans de chacun des conjoints ; ou être étudiant. Les étudiants qui bénéficient d'Aline perçoivent ensuite l'AL.

Il ne nous est pas possible de donner ici tous les renseignements sur les conditions et formalités à remplir pour bénéficier de ces allocations. Mais vous pourrez trouver tous renseignements à votre Caisse d'allocations familiales.

L'allocation de rentrée scolaire (ARS)

Cette allocation est destinée à aider les familles à faire face aux frais occasionnés par la rentrée.

● Conditions

Chaque enfant inscrit dans un établissement scolaire public ou privé, à la charge de ses parents, qui a eu 6 ans avant le 1er février de l'année suivant celle de la rentrée scolaire (ou sur présentation d'un certificat de scolarité si l'enfant à moins de 6 ans et a été admis en cours préparatoire) et qui a moins de 16 ans, ouvre droit à l'allocation.

Pour les enfants âgés de 16 à 18 ans, l'allocation est versée s'ils poursuivent des études ou s'ils sont placés en apprentissage (la rémunération ne doit pas dépasser 55 % du SMIC brut, soit 750,75 €).

Les ressources de la famille ne doivent pas dépasser un plafond de 22 970 € pour un enfant, 28 271 € pour 2 enfants, 33 572 € pour 3 enfants et 5 301 € par enfant supplémentaire.. En cas de léger dépassement, une allocation à taux réduit est versée.

● Formalité

Si vous êtes déjà allocataires, vous n'avez aucune démarche à réaliser. Dans le cas contraire, vous devez remettre à votre CAF une déclaration de ressources et une déclaration de situation des prestations familiales et de logement. Vous pouvez télécharger ces documents sur le site de la CAF.

Pour les enfants qui ont entre 16 et 18 ans, vous devez fournir un certificat de scolarité ou d'apprentissage selon la situation de votre enfant.

● Attribution

L'allocation est versée dès le mois d'août pour les enfants âgés de 6 à 16 ans, et dès la réception du certificat de scolarité ou d'apprentissage pour les jeunes de 16 à 18 ans.

● Montant

Il est modulé en fonction de l'âge de l'enfant. Voir le tableau ci-dessous.

Allocation de rentrée scolaire	Montants
entre 6 et 10 ans	284,97 €
entre 11 et 14 ans	300,66 €
entre 15 et 18 ans	311,11 €

Les allocations familiales (AF)

● Conditions

• Les allocations familiales sont versées à partir du deuxième enfant à charge.
• Ces enfants à charge doivent être soumis, s'ils ont moins de 6 ans, aux examens médicaux obligatoires.
À noter. L'enfant à charge ne doit pas être bénéficiaire, à titre personnel, d'une ou plusieurs prestations familiales, de l'allocation logement, ou de l'aide personnalisée au logement.

● Formalités

Si vous avez déclaré à votre CAF l'arrivée de votre 2e enfant, vous recevrez une déclaration de situation à compléter afin de percevoir les prestations. Si vous n'êtes pas déjà allocataire, retirez auprès de la CAF une déclaration de situation.

● Durée

Les allocations familiales sont versées à compter du mois civil qui suit la naissance ou l'accueil d'un 2e enfant. Quand vous n'avez plus qu'un seul enfant ou aucun enfant à charge, les allocations sont interrompues à la fin du mois civil précédant ce changement de situation.

Une allocation forfaitaire de 78,36 € par mois est versée pendant un an aux familles de 3 enfants ou plus dont l'aîné atteint son 20e anniversaire.

Les allocations familiales sont versées jusqu'à 20 ans si les enfants continuent leurs études.

● Montant

Voir le tableau ci-dessous.

● Majoration unique

• Pour un enfant de plus de 14 ans (à l'exception de l'aîné des familles n'ayant que 2 enfants) : 62,90 €.
• Forfait « allocations familiales », pour les familles d'au moins 3 enfants, lorsqu'un enfant a entre 20 et 21 ans : 79,54 €. Vous n'avez aucune démarche à effectuer.

Allocations familliales	Montants
2 enfants	125,78 €
3 enfants	286,94 €
4 enfants	448,10 €
5 enfants	609,26 €
Par enfant supplémentaire	161,17 €

L'allocation de soutien familial (ASF)

Cette allocation remplace l'allocation d'orphelin.

● **Qui peut en bénéficier ?**

Les personnes qui assument la charge :
• d'un enfant orphelin de père et/ou de mère
• d'un enfant dont la filiation n'est pas établie légalement à l'égard de ses parents ou de l'un d'eux
• d'un enfant dont les parents (ou l'un d'eux) ne font pas face à leurs obligations d'entretien ou de versement d'une pension alimentaire (1).

Cette allocation concerne les familles adoptives jusqu'à l'adoption plénière de l'enfant. Elle est faite pour les familles ayant un enfant à charge, ou en vue de son adoption.

1- En cas de versement partiel d'une pension alimentaire, vous pouvez recevoir une allocation de soutien familial différentielle.

● **Montant**

Il est de 117,92 € pour un enfant orphelin de père et de mère et de 88,44 € pour un enfant orphelin de père ou de mère.

L'allocation de soutien familial est cumulable avec toutes les autres prestations et avec des conditions particulières pour l'allocation de base de la PAJE (enfant adopté).

L'allocation de soutien familial est supprimée en cas de mariage, de remariage, de concubinage ou de PACS de l'allocataire. Si l'allocation est accordée pour un enfant recueilli par des tiers, elle est maintenue, que la personne qui a la charge de l'enfant vive seule ou en couple.

L'allocation journalière de présence parentale (AJPP)

Revenu de substitution, l'allocation journalière de présence parentale est indissociable du congé de présence parentale (voir p. 459).

● **Conditions**

Les salariés, les fonctionnaires, les demandeurs d'emploi indemnisés et les stagiaires rémunérés de la formation professionnelle peuvent percevoir l'AJPP, si leur enfant est atteint d'une maladie, d'un handicap ou victime d'un accident grave rendant indispensable la présence soutenue d'un parent et des soins contraignants.

● **Formalités**

Vous devez déposer auprès de votre CAF une demande d'AJPP et le certificat médical détaillé sous pli confidentiel. Selon votre situation, vous joindrez soit une attestation de votre employeur précisant la date de début du congé, soit une déclaration sur l'honneur de cessation de versement des Assedic ou de cessation de formation rémunérée.

Une fois le droit ouvert, le bénéficiaire doit adresser chaque mois une attestation de son employeur indiquant le nombre de jours de congé qui ont été pris.

● **Durée**

Il est possible de fractionner les périodes de congés et de bénéficier d'un nombre maximum de 310 jours de congés, soit 14 mois environ, au cours d'une période de 3 ans pour une même maladie, accident ou handicap. Par ailleurs, le nombre d'allocations mensuelles versées ne peut dépasser 22 allocations.

● **Montant**

Voir le tableau ci-dessous.

Un complément forfaitaire mensuel pour frais, de 105,30 €, peut s'ajouter à l'allocation. Il est soumis au même plafond de ressources que le complément familial. La demande s'effectue par une déclaration sur l'honneur en indiquant le montant des dépenses engagées en lien avec la maladie, le handicap ou l'accident.

● **Cumul**

L'AJPP n'est pas cumulable avec les indemnités pour maternité, maladie, paternité ou adoption, pas davantage avec le complément du libre choix d'activité, le complément de l'allocation d'éducation de l'enfant handicapé, l'allocation pour adulte handicapé.

Allocation journalière de présence parentale	Montants
Personne seule	49,65 €
Couple	41,79 €

L'allocation d'éducation de l'enfant handicapé (AEEH)

Les parents qui assument la charge d'un enfant souffrant d'un handicap disposent de droits et de prestations spécifiques. L'allocation d'éducation de l'enfant handicapé (AEEH) et ses compléments éventuels, ainsi que la prestation de compensation du handicap (PCH) sont des mesures de compensation soumises à une décision de la Commission des Droits et de l'Autonomie des Personnes Handicapées (CDAPH). Les cartes d'invalidité ou de priorité peuvent aussi être attribuées aux enfants.

● Conditions
L'allocation est attribuée si l'enfant a une incapacité d'au moins 80%, ou comprise entre 80% et 50%, s'il fréquente un établissement spécialisé ou si son état exige le recours à un service d'éducation spéciale ou de soins à domicile.

● Montant
Allocation de base : 126,41€.
Ce montant peut être majoré par un des six compléments qui prend en compte :
• Le coût du handicap
• La cessation ou la réduction d'activité professionnelle de l'un ou l'autre des parents
• L'embauche d'une tierce personne rémunérée.

● La Prestation de Compensation du Handicap (PCH)
Les enfants bénéficiaires de l'AEEH ouvrant droit à un complément peuvent percevoir l'élément de la PCH lié à un aménagement du logement, du véhicule, aux surcoûts résultant du transport ; ou un temps d'aide humaine qui peut être majoré de 30 heures par mois, au titre des besoins éducatifs, lorsque l'enfant est en attente d'une place dans une structure médico-sociale.
Les conditions d'attribution sont les mêmes que pour l'AEEH.

● Formalités
Un formulaire unique permet d'adresser toutes les demandes à la Maison Départementale des personnes Handicapées (MDPH). Vous pouvez télécharger le formulaire de demande ainsi que le certificat médical à joindre à la demande et leurs notices : www.cnsa.fr
Le droit est ouvert à compter du mois qui suit le dépôt de la demande.

L'assurance vieillesse de la mère de famille

● Avantages accordés aux mères salariées
• Pour les mères qui travaillent, chaque enfant élevé entre la naissance et leur 15ᵉ anniversaire leur donne une bonification d'un trimestre par année, jusqu'à un maximum de 8 trimestres par enfant.
• Pour une mère de 3 enfants, le montant de la retraite est augmenté de 10%.
Les mères qui ont obtenu un congé parental d'éducation peuvent bénéficier d'une majoration de trimestres d'assurance égale à la durée effective à ce ou ces congés.

● Allocation versée aux mères de 5 enfants qui n'ont pas été salariées
Pour les mères qui ont élevé 5 enfants pendant 9 ans au moins avant leur 16ᵉ année et qui ne dépassent pas un certain plafond de ressources (assez bas), il existe une allocation aux mères de famille. Cette allocation est versée à partir de 65 ans, ou de 60 ans en cas d'état de santé déficient. Ces mères doivent être françaises (ou appartenir à un pays ayant passé une convention avec la France).
Pour percevoir cette allocation, s'adresser à la Caisse d'assurance vieillesse de la Sécurité sociale de votre département (CNAVTS).

● À noter
Les bénéficiaires de certaines prestations familiales (allocation de base, complément du libre choix d'activité, de l'allocation journalière de présence parentale), et la personne qui assume la charge d'un enfant handicapé, sont affiliés gratuitement à l'assurance vieillesse, sous conditions de ressources.

LES PRESTATIONS DE L'AIDE SOCIALE

L'aide sociale à l'enfance (ASE)

L'aide sociale à l'enfance est un service du département. Sa mission consiste à apporter un soutien matériel, éducatif et psychologique aux enfants mineurs et à leur famille, ou à toute personne qui détient l'autorité parentale, lorsqu'ils sont confrontés à des difficultés médicales, sociales ou financière.

Chaque département organise librement son service ; c'est pourquoi celui-ci dépend d'une direction qui a une appellation différente selon les départements (direction de la Solidarité, direction de la prévention, direction de l'action sociale, etc.). Plusieurs services participent aux missions de l'aide sociale à l'enfance : le service spécifique de l'aide sociale à l'enfance, le service social départemental, la protection maternelle et infantile (PMI).

• L'aide sociale peut proposer aux femmes enceintes :

Une aide à domicile : elle comprend l'intervention d'une technicienne de l'intervention sociale et familiale (TISF) ou d'une aide ménagère.

Une aide financière attribuée à la mère ou au père dont les ressources s'avèrent insuffisantes, soit sous la forme d'un secours exceptionnel, soit d'une allocation mensuelle, à titre définitif ou remboursable.

L'accueil des enfants et des mères isolées

L'aide sociale à l'enfance peut prendre à sa charge, sur décision du Président du conseil général, l'accueil de futures mères et de mères avec jeune(s) enfant(s) dans des établissements publics ou privés conventionnés.

Le RSA (Revenu de Solidarité Active)

Le RSA, qui a remplacé le RMI, garantit un revenu minimum aux personnes privées d'emploi et apporte un complément de revenu à celles en situation d'emploi précaire et disposant de revenus trop faibles pour assurer leur charge de famille. Il permet de cumuler sans limitation de durée une partie des revenus d'activité avec les revenus de solidarité.

● **Conditions**

La personne doit être âgée de 25 ans ou assumer la charge d'un ou plusieurs enfants nés ou à naître. Elle doit, quelle que soit sa nationalité, résider de manière stable et effective en France. Les ressortissants européens doivent remplir les conditions exigées pour obtenir un titre de séjour. Les autres ressortissants étrangers doivent être en possession d'un titre de séjour d'au moins 5 ans les autorisant à travailler.

Sont exclus du dispositif :

les étudiants ou stagiaires, les personnes en congé parental, sabbatique ou sans solde, ou qui ont choisi de se mettre en disponibilité.

● **Attribution**

Le RSA relève de la compétence du département dans lequel le demandeur réside ou à élu domicile. Le dépôt de la demande peut s'effectuer auprès du département, de la mairie, de la Caisse d'allocations familiales, de la Caisse de mutualité sociale agricole, des associations agréées ou de l'agence Pôle Emploi.

● **Droits et devoirs des bénéficiaires**

Le bénéficiaire dispose d'un droit d'accompagnement social et professionnel adapté et confié à un référent unique. En retour il doit, selon sa capacité, occuper immédiatement un emploi proposé, ou rechercher un emploi, ou entreprendre les démarches nécessaires à la création de sa propre activité, ou s'engager dans des actions d'insertion.

● **Montant**

Il varie en fonction de la situation familiale. Voyez le tableau ci-dessous.

Montant du RSA		
Situation familiale	Montant mensuel	Montant mensuel après déduction du forfait logement*
Personne seule	466,99 €	410,95 €
Avec majoration pour 1 personne à charge	700,49 €	588,41 €
Couple	700,49 €	588,41 €
Couple avec 1 personne à charge	840,59 €	701,89 €
Parent isolé	599,67 €	543,63 €
Parent isolé avec 1 enfant à charge	799,56 €	687,48 €

* Le forfait logement correspond à 56,04 € pour 1 personne, et à 112,08 € pour 2 personnes

CRÈCHES, ASSISTANTES MATERNELLES, AIDES FAMILIALES, ETC.

Dans cette rubrique, vous trouverez des renseignements pratiques à propos des différents modes de garde de l'enfant : comment trouver une assistante maternelle ? Qu'est-ce qu'une crèche parentale ? Dans quel cas faire appel à une aide familiale ? Etc.

Crèches, haltes-garderies...

Les différents modes de garde collectifs ont pour mission de veiller à la santé, à la sécurité, au développement et au bien-être des enfants qui leur sont confiés. La prise en charge des enfants est assurée par une équipe pluridisciplinaire composée notamment d'éducateurs de jeunes enfants, d'auxiliaires de puériculture, sous la direction d'un médecin, d'une puéricultrice. Leur gestion relève des collectivités territoriales, principalement les communes, ou d'associations loi 1901. Pour avoir des adresses, demandez à votre mairie : elle vous indiquera les coordonnées des différents services (sociaux, PMI, associations) qui les connaissent.

• Les **crèches collectives** sont conçues et aménagées pour recevoir de façon régulière des enfants de moins de 3 ans. Elles regroupent les crèches traditionnelles de quartier et de personnel, et les crèches parentales.

• Les **crèches de quartier**, proches du domicile des parents, ont une capacité d'accueil limitée à 60 places. Elles sont ouvertes de 8 à 12 heures par jour, fermées la nuit, le dimanche et les jours fériés.

• Les **crèches de personnel**, implantées sur le lieu de travail des parents, adaptent leurs horaires à ceux de l'entreprise. Leur capacité d'accueil est identique aux précédentes.

• Les **crèches parentales** sont gérées par les parents, regroupés en association, et qui s'occupent à tour de rôle des enfants. La capacité d'accueil de la crèche est de 20 places (exceptionnellement de 25 places).

Pour connaître les crèches parentales proches de votre domicile, vous pouvez vous renseigner auprès de l'Association des Collectifs Enfant Parents Professionnels, tel : 01 44 73 85 20, ou sur leur site ACEPP.

• Les **haltes-garderies** accueillent ponctuellement les enfants de moins de 6 ans. Elles permettent d'offrir aux enfants de moins de 3 ans des temps de rencontre et d'activité communs avec d'autres enfants, les préparant progressivement à l'entrée à l'école maternelle. On distingue les haltes-garderies traditionnelles offrant au maximum 60 places et les haltes-garderies parentales de taille limitée à 20 ou 25 places.

• Les **jardins d'enfants** accueillent de façon régulière des enfants de 3 à 6 ans. Ils sont conçus comme une alternative à l'école maternelle. Ils peuvent recevoir des enfants dès l'âge de 2 ans. Leur capacité peut atteindre 80 places.

• Les **crèches familiales**, ou services d'accueil familial, regroupent des assistantes maternelles agréées qui accueillent les enfants à leur domicile. Elles sont supervisées et gérées comme les crèches collectives. Les assistantes maternelles qui y travaillent sont rémunérées par la collectivité locale ou l'organisme privé qui les emploie.

• Les **structures « multi-accueil »** proposent différents modes d'accueil des enfants de moins de 6 ans au sein d'une même structure : ce peut être des places d'accueil régulier de type crèche ou jardin d'enfants, des places d'accueil occasionnel de type halte-garderie ou des places d'accueil polyvalent utilisées tantôt à l'accueil régulier, tantôt à l'accueil occasionnel. Elles sont gérées soit par les collectivités territoriales soit par les parents.

• Un nouveau mode d'accueil : le **jardin d'éveil**. C'est une structure intermédiaire entre la famille, la crèche ou l'assistante maternelle et l'école maternelle et qui est adaptée aux enfants de 2-3 ans. La capacité d'accueil recommandée est de 24 places. Le jardin d'éveil fonctionne au moins 200 jours par an. L'accueil se fait à mi-temps et pour une durée de 9 mois, 18 mois étant une durée maximale sauf pour les enfants porteurs de handicap. L'encadrement est assuré par des éducateurs de jeunes enfants, des puéricultrices, des infirmières, des psychomotriciennes et des auxiliaires de puériculture. Les enfants peuvent ne pas être propres.

Les assistantes maternelles

Pour trouver une assistante maternelle agréée, vous devez vous adresser à votre mairie qui vous orientera vers les services compétents (sociaux, PMI, associations). Les RAM (Relais Assistantes Maternelles) pourront aussi vous guider dans cette recherche. Ce sont des lieux d'échanges et de médiation entre les parents et les assistantes maternelles. Ils offrent également aux parents de nombreuses informations, notamment d'ordre juridique.

L'assistante maternelle assure à son domicile l'accueil d'un ou plusieurs enfants âgés de 0 à 6 ans contre rétribution. Elle est agréée par le département de sa résidence. Elle a pour mission de participer à l'éveil et au développement des enfants et doit en assurer la sécurité le temps où ils lui sont confiés. Afin d'obtenir leur agrément, les assistantes maternelles doivent suivre une formation de 120 heures dont 60 avant tout accueil d'enfant. L'agrément est délivré pour une durée de 5 ans.

Le **salaire** est fixé par la convention collective du travail des assistantes maternelles du particulier employeur. Il ne peut être inférieur à 2,25 fois le SMIC horaire (9 € brut) ni supérieur à 5 fois (22,77 € brut), au risque de perdre pour les parents le bénéfice de la prestation du libre choix du mode de garde. Il faut ajouter au salaire de base, les indemnités d'entretien d'un montant de 2,86 €

par jour d'accueil. Le salaire est calculé selon le type d'accueil, régulier ou pas, à l'heure ou au mois, sur l'année complète ou incomplète. Le montant est majoré au-delà de 45 heures de garde par semaine. Si vous souhaitez trouver des exemples de rémunérations, consultez le site internet www.assistante-maternelle.biz

Vous pouvez rémunérer votre assistante maternelle au moyen du chèque emploi service universel préfinancé (CESU préfinancé). Il s'agit un mode de paiement dédié aux services à la personne à domicile et à la garde d'enfants hors domicile. Les CESU sont délivrés par l'employeur et permettent de réduire le coût de la garde, car les aides versées par l'employeur ne sont pas soumises à cotisation sociale. Pour davantage d'informations sur le CESU préfinancé, contactez le Centre de remboursement du CESU, 155 avenue Gallieni, 93170 Bagnolet, tél : 0 892 68 06 62, ou voyez le site www.cr-cesu.fr

Le **contrat de travail** doit être écrit et répond à des normes précises tant dans la présentation que dans son contenu. Afin de vous aider à sa rédaction, voyez le modèle annexé à la convention. Enfin, l'assistante maternelle doit être affiliée à la Sécurité Sociale et avoir souscrit une assurance responsabilité civile pour les dommages causés ou subis par les enfants confiés.

L'employée familiale

● La garde individuelle à domicile
Une employée familiale vient au domicile des parents afin de s'occuper, en leur présence ou pas, de leur (s) enfant (s) de moins de 10 ans. L'employée est chargée de l'enfant et de son environnement personnel. Elle effectue des tâches d'éveil et d'entretien adaptées à l'âge de l'enfant, comme l'apprentissage de la propreté, la réalisation ou l'aide à la toilette, à l'habillage. Elle peut aussi l'accompagner à l'école. Elle assure les travaux courants d'entretien, tels que le le linge, le matériel utilisés par et pour l'enfant, les pièces où vit l'enfant.

● La garde partagée à domicile
Il s'agit de la même forme de garde pour l'enfant, mais dans ce cas, les parents ont fait le choix de partager avec une autre famille l'activité de leur employée familiale. La garde s'effectue en alternance chez l'une et l'autre famille. Les tâches réalisées sont les mêmes dans chacune des maisons et adaptées à l'âge des enfants. L'avantage pour les familles est le partage par moitié du coût de l'employée familiale et pour les enfants d'être à deux plutôt que seul. Ce mode de garde exige une entente entre les deux familles, des horaires similaires et une proximité géographique.

● L'employée polyvalente
La garde de l'enfant est assurée par une employée qui a aussi en charge l'entretien de la maison de la famille.

Le métier d'employée familiale fait partie du secteur des services à la personne et relève d'une convention collective nationale qui définit les modalités du contrat de travail, de la rémunération, de la protection sociale, etc. Voyez la convention collective nationale des salariés du particulier employeur sur le site internet www.legifrance.gouv.fr Quel que soit le mode de garde choisi, la famille bénéficie d'aides financières et d'avantages fiscaux (voir p. 462).
• Pour toute question sur l'emploi direct à domicile, vous pouvez consulter www.particulieremploi.fr

● Le chèque emploi service universel
Il a pour but de faciliter la rémunération des personnes intervenant ou non à domicile, notamment pour la garde d'un enfant de moins de 6 ans. Il peut être utilisé pour la rémunération d'une assistante maternelle. Lorsque l'employeur et la salariée optent pour le chèque emploi service universel, l'employeur n'est pas tenu de délivrer un bulletin de paie. Pour toute question, appelez le : 0 820 00 23 78 ou consultez le site internet www.servicealapersonne.gouv.fr

La jeune fille au pair

La stagiaire aide familiale au pair, plus connue sous le nom de jeune fille au pair, est également une solution possible pour garder un enfant à temps partiel. La stagiaire doit avoir 18 ans minimum et 30 ans maximum. Elle doit suivre des cours de langue française dans un établissement d'enseignement. En contrepartie de 5 heures de travail et de présence, la stagiaire est logée et nourrie dans la famille. La répartition des horaires de travail se fait en accord avec la stagiaire, en fonction de ses heures de cours. La rétribution minimale ne doit pas être inférieure à 113,23 € par semaine ou 487,76 € mensuel.

Elle doit être immatriculée à la Sécurité sociale et vous devez vous faire immatriculer comme employeur à l'URSSAF. Vous aurez à verser des cotisations de Sécurité sociale et de retraite complémentaire (part patronale uniquement).

À noter

La jeune fille au pair ne permet pas la réduction d'impôt pour l'emploi d'un salarié à domicile.

Attention

Le bulletin de paie est obligatoire pour une employée au pair.

Des modes d'accueil exceptionnels

● Les **pouponnières** sont des structures d'accueil de jour et de nuit de l'enfant de moins de 3 ans.

Il existe deux types de pouponnières.

- Les pouponnières sociales ont pour fonction de suppléer les parents en difficultés et soutenus par l'aide sociale à l'enfance. L'admission s'effectue sur dossier comprenant outre les informations administratives et sanitaires, un rapport social sur la famille et l'enfant.

- Les pouponnières sanitaires ont pour fonction la prise en charge thérapeutique de l'enfant malade (prématuré, retards divers importants). L'admission ne peut se faire qu'avec un compte rendu médical détaillé justifiant le séjour.

● Lorsque les parents rencontrent des difficultés en lien avec la naissance, ils peuvent être aidés.

Les **techniciennes de l'intervention sociale et familiale** à domicile (TISF, anciennement appelées travailleuses familiales) ont pour fonction de relayer ou de seconder la mère de famille dans les tâches quotidiennes du foyer, lorsque celle-ci se trouve dans l'incapacité momentanée de les effectuer (maternité par exemple). En général l'intervention de ces personnes est limitée (1 à 2 semaines en moyenne) mais elle peut durer plus longtemps dans des cas particuliers.

Les **aides ménagères** interviennent pour assurer les travaux ménagers que la mère de famille ne peut assurer momentanément, si la situation ne justifie pas la présence d'une travailleuse familiale. Les aides ménagères viennent 1 ou 2 jours par semaine, ou par demi-journée.

Le coût de l'intervention est pris en charge, en partie, par la Caisse d'allocations familiales ; la participation familiale dépend du revenu et du nombre d'enfants.

Réponses à d'autres questions

● Frais de garde et impôts

Vous pouvez bénéficier d'un crédit d'impôt pour les frais de garde d'un enfant (voir p. 462).

● Vous allaitez votre enfant, pouvez-vous bénéficier d'une réduction horaire ?

Vous pouvez bénéficier, dans l'année qui suit la naissance, d'une réduction d'une heure par jour, non rémunérée, répartie en périodes de trente minutes le matin et trente minutes l'après-midi. Une convention ou un accord collectifs, un usage, peuvent modifier cette répartition, ou prévoir une réduction d'horaire plus importante.

● Pouvez-vous vous absenter pour soigner votre enfant malade ?

Voyez page 458 *Les congés particuliers* et page 459 *Le congé de présence parentale.*

Par ailleurs, il est possible de travailler à temps partiel, pour une durée d'un an maximum (4 mois au minimum renouvelables deux fois) : en cas de maladie, accident ou handicap graves d'un enfant à charge (et en âge d'ouvrir droit aux prestations familiales).

● En cas de garde alternée, qui va percevoir les prestations familiales ?

Depuis la mise en place de la garde alternée, il existe un partage possible des allocations familiales. Les parents peuvent, à leur choix, partager les allocations familiales ou choisir celui qui les percevra en totalité. La demande se fait au moyen d'un formulaire spécifique de la CAF, à remplir accompagné des justificatifs demandés (jugement de divorce, etc.).

Pour bénéficier de cette possibilité, il faut avoir au moins deux enfants à son foyer. Si un des parents n'a qu'un seul enfant concerné par la résidence alternée, il ne pourra obtenir le versement des allocations. Si l'autre parent a reconstitué une famille avec d'autres enfants, c'est lui qui percevra la totalité des allocations.

● www.mon-enfant.fr

Ce site, créé par la Caisse d'allocations familiales, regroupe les informations sur les solutions d'accueil du jeune enfant (crèche, micro-crèche, multi-accueil, assistante maternelle, etc.).

LA PMI
(Protection maternelle et infantile)

Dans chaque département, la PMI, comme le service d'aide sociale à l'enfance, ou la médecine scolaire, participent à la protection de l'enfance et une récente réforme insiste sur l'importance de la prévention dès la grossesse et auprès des enfants jusqu'à 6 ans.

La PMI intervient à différents moments de la vie de l'enfant. Elle organise :
- des consultations prénuptiales, prénatales et postnatales et des actions de prévention médico-sociale en faveur des enfants de moins de 6 ans, notamment dans les écoles maternelles
- des activités de planification familiale et d'éducation familiale.

En ce qui concerne la garde des enfants de moins de 6 ans, la PMI instruit les demandes d'agrément des assistantes maternelles et organise des actions de formation qui leur sont destinées. Elle surveille et contrôle les assistantes maternelles ainsi que des établissements et les services d'accueil des enfants de moins de 6 ans.

En outre, le service de la PMI participe aux actions de prévention des mauvais traitements envers les enfants.

● La composition d'une équipe de PMI

Elle est variable d'un endroit à l'autre. L'équipe de base est constituée d'un médecin, d'infirmières puéricultrices et d'auxiliaires de puériculture.

Il y a en plus des intervenants permanents ou ponctuels, comme des psychologues, des éducateurs de jeunes enfants, ou d'autres spécialistes recrutés à la suite des demandes de familles (sages-femmes, assistantes sociales, psychomotriciennes, etc.).

● Les consultations de PMI

Elles sont ouvertes à tous et elles sont gratuites. Elles ne se contentent pas de surveiller l'état médical de l'enfant.

Elles ont un rôle d'écoute, de conseil, de prise en charge si les familles le demandent. On peut se rendre à une consultation de PMI pour faire peser son bébé, pour le faire vacciner, pour parler d'un problème d'alimentation, de sommeil, pour avoir des informations sur l'hygiène quotidienne, ou bien pour faire part des difficultés, psychologiques ou autres, rencontrées avec un enfant. Si vous êtes dans l'impossibilité de vous déplacer, une puéricultrice peut se rendre à votre domicile si vous le souhaitez. Ces visites à domicile rassurent les jeunes mamans, particulièrement celles dont l'enfant présente un problème de développement, ou un handicap. Tous ces rôles sont parties intégrantes des missions de service public de la PMI.

Les membres d'une équipe de PMI peuvent intervenir auprès de petits groupes d'enfants en présence de leurs parents. Cela permet un échange entre ces familles qui sont souvent confrontées aux mêmes difficultés ; les parents peuvent relativiser ce qu'ils vivent avec leur enfant et se rendre compte qu'il n'a pas un comportement si différent de celui des autres enfants. Les parents arrivent ainsi à trouver eux-mêmes la réponse à leur questionnement. Les échanges permettent aussi aux femmes isolées de rencontrer d'autres mères ou d'autres parents.

Les consultations de PMI peuvent, dans certains endroits aider les parents à trouver un mode de garde pour leur enfant. Elles donnent les informations nécessaires pour devenir assistante maternelle, ou même pour créer son propre mode de garde avec d'autres familles. Les initiatives locales sont nombreuses, n'hésitez pas à vous renseigner.

● Vous voyez que les missions et services de la PMI sont variés. Au moment de la naissance, les parents reçoivent une information à ce sujet dont ils ne comprennent pas toujours l'utilité car ils ont effectué toutes les formalités nécessaires. Gardez cette information, elle vous servira peut-être.

SI VOUS ÊTES SEULE

La protection sociale

• Les mères seules à charge d'un assuré social (dans la limite d'âge prévue par la loi) bénéficient des prestations de Sécurité sociale comme ayants droit d'un assuré social.
• Les étudiantes bénéficient du régime des étudiants (1) ; elles ont droit aux prestations de Sécurité sociale pour elles et leurs ayants droit.
• En ce qui concerne les femmes divorcées et les veuves, les prestations de l'assurance maternité continuent à leur être versées pendant 1 an (après la transcription du divorce, ou le décès du conjoint), ou jusqu'au 3ᵉ anniversaire du dernier enfant.
• Les femmes divorcées, les veuves, les femmes vivant en concubinage (ou maritalement) sont assurées sociales sans limitation de durée si elles ont plus de 45 ans et si elles ont (ont eu) au moins trois enfants à charge. Elles bénéficient d'un statut personnel.
• En cas de mariage postérieur à la conception ou à la nais-sance du bébé, la mère bénéficiera de la Sécurité sociale à partir de la date du mariage, au titre d'ayant-droit de son conjoint.
• Si vous n'entrez dans aucune des catégories, vous devez demander votre affiliation à la CMU et à la CMU complé-mentaire si vos ressources ne dépassent pas un plafond de 9 020 € par an. Au delà une cotisation au taux de 8 % est demandée. Il en est de même pour la CMU complémentaire qui prend en charge le ticket modérateur. En cas de dépas-sement, dans la limite d'un plafond légèrement supérieur, une aide à l'acquisition d'une assurance complémentaire peut vous être attribuée.

1-Les étudiants bénéficient jusqu'à 28 ans de la Sécurité sociale étudiante, mais toutes les écoles n'y ouvrent pas droit. D'autre part, ceux qui ne peuvent bénéficier de la Sécurité sociale de leurs parents peuvent être inscrits à la Sécurité sociale des étu-diants avant 20 ans.

Prestations familiales de la CAF et de l'aide sociale

● En matière de prestations familiales de la CAF, les droits et les conditions sont identiques à ceux des femmes vivant en couple.

● En matière d'aide sociale, il existe des aides spécifiques pour les femmes ne disposant d'aucune ressource ou de ressources insuffisantes. Ainsi une allocation mensuelle peut être accordée pendant les 6 semaines qui précèdent la naissance si aucune prestation familiale n'est perçue. Le montant varie en fonction des ressources de la future mère. Cette allocation est versée à partir du jour de la demande. Pour tous renseignements, s'adresser au centre communal d'action sociale, services sociaux.
• L'allocation mensuelle peut être maintenue après l'ac-couchement ou accordée à la mère qui n'a pas assez de ressources pour vivre.

Renseignements divers pour les mères seules

• Les mères seules peuvent obtenir un livret de famille. La demande doit être faite à la mairie du lieu de naissance.
• Ce qui est dit dans ce chapitre à propos de la reconnais-sance de l'enfant, de l'exercice de l'autorité parentale et du nom de l'enfant concerne également les mères seules.
• **Aide du Pôle emploi.**
Vous pouvez bénéficier d'une aide à la garde d'enfants pour parent isolé, destinée à favoriser une reprise d'emploi rapide et durable, si vous remplissez ces deux conditions :
- être bénéficiaire d'un minima social ou non indemnisé par le régime d'assurance chômage
- élever seule au moins un enfant de moins de 10 ans.

L'aide est accordée pour une reprise d'emploi en CDD ou en CDI de 2 mois minimum, y compris à temps partiel, et pour une entrée en formation d'une durée au minimum de 40 heures.
• Une femme seule ou divorcée a droit dans sa déclaration de revenus à porter l'enfant à charge pour une part pour le premier enfant, une demie part pour le second et une part pour chacun des suivants. Une femme veuve avec enfant a droit pour elle-même à deux parts, et à une demi-part par enfant pour les deux premiers et une part pour chacun des suivants.

Maisons et hôtels maternels

Il existe deux types d'établissements qui peuvent accueillir les mères en difficulté.

● **Les maisons maternelles**

Elles reçoivent les futures mamans pendant leur grossesse et jusqu'à 3 mois après l'accouchement. Elles leur apportent un soutien moral et matériel. Les frais de séjour sont pris en charge par l'aide sociale à l'enfance.

● **Les hôtels maternels**

Ils reçoivent les mères (avec un ou plusieurs enfants) après le congé de maternité lorsqu'elles rencontrent des difficultés de logement et de ressources, pour une durée supérieure à 3 mois et, en principe, au maximum pour 1 an. Les frais de séjour sont en partie à la charge de la mère, en fonction de ses possibilités financières.

Le parrainage d'enfant

Si vous vous sentez dans une situation d'isolement avec votre enfant, sachez qu'il existe une possibilité de soutien, d'entraide : le parrainage d'enfant. Le parrainage est la rencontre entre un adulte et un enfant. Le parrain s'engage bénévolement à donner de son temps pour s'occuper d'un enfant, partager des moments avec lui, tisser des liens souples et durables. Le parrainage n'est pas une adoption ni un placement en famille d'accueil.

Tout enfant peut être parrainé, quel que soit son âge, son histoire, parce que sa famille recherche une ouverture pour son enfant, parce qu'elle souhaite agrandir son réseau relationnel autour de l'enfant ou parce qu'elle souffre d'isolement.

Le parrainage est garanti par une charte qui fait l'objet d'un arrêté publié au JO du 30 août 2005. La charte définit les principes fondamentaux du parrainage d'enfants en France.

Pour en savoir plus, vous pouvez vous adresser au secrétariat du comité national du parrainage, direction générale de l'action sociale, 14 avenue Duquesne, 75350 Paris.

L'AUTORITÉ PARENTALE

En une vingtaine d'années, les comportements familiaux se sont modifiés sous l'effet de la diminution du nombre des mariages et de l'augmentation du nombre des divorces. Le droit de la famille a dû tenir compte de ces changements et redéfinir la façon dont peut être exercée l'autorité des parents sur leur enfant. Voici quelques précisions à ce sujet.

L'autorité parentale est un ensemble de droits et de devoirs des parents ayant pour finalité **l'intérêt de l'enfant**. Cette autorité est exercée par le père et la mère jusqu'à la majorité de l'enfant.

La législation sur l'autorité parentale donne les mêmes droits à tous les parents, qu'ils soient mariés, non mariés, séparés. Elle a été complétée par de récentes mesures sur le nom de famille et la filiation, afin d'unifier le statut des enfants nés dans le mariage et hors mariage. Ainsi, depuis le 1er juillet 2006, les termes « enfant légitime » et « enfant naturel » n'existent plus.

Les parents doivent veiller à la sécurité, la santé, la moralité, l'éducation de l'enfant afin qu'il se développe dans le respect dû à sa personne. Les parents doivent associer l'enfant aux décisions qui le concernent selon son âge et son degré de maturité. Les parents peuvent prendre des décisions importantes concernant l'enfant : inscription dans une école, sortie du territoire national, décisions à propos de sa santé, son éducation religieuse, son patrimoine…

• Lorsque les parents sont mariés, l'autorité parentale est exercée en commun par les parents.

• L'autorité parentale est également exercée en commun par les deux parents, même s'ils ne sont pas mariés, même s'ils ne vivent pas ensemble ; il suffit qu'ils aient chacun reconnu l'enfant dans la première année suivant sa naissance.

• Si la reconnaissance n'a pas été faite dans ce délai, l'autorité parentale appartient au parent qui a reconnu l'enfant en premier. Il est toutefois possible aux parents d'obtenir par la suite l'exercice partagé de l'autorité parentale. Pour cela, ils doivent faire une démarche auprès du Tribunal de Grande Instance (juge aux affaires familiales).

• Une mère seule a automatiquement l'autorité parentale.

• Si un des parents décède, l'autre parent exerce seul l'autorité parentale.

En cas de séparation

• En règle générale, la séparation des parents n'a pas d'incidence sur l'exercice de l'autorité parentale. La loi précise que « chacun des père et mère doit maintenir des relations personnelles avec l'enfant et respecter les liens de celui-ci avec l'autre parent ».

• Si la séparation des parents a lieu avant la naissance de l'enfant, et que le père non-marié n'a pas encore reconnu l'enfant, il lui est recommandé d'y procéder sans tarder afin de pouvoir faire valoir ses droits dès la venue au monde du bébé.

On a parfois tendance à penser que le mariage « protège » les femmes. C'est vrai dans certains domaines (droit au logement, succession, retraite, fiscalité). Mais il est indéniable que le mariage protège les pères en ce qui concerne leurs tout premiers droits sur leurs enfants (présomption légale de paternité, autorité parentale sans nécessité d'une démarche préalable...).

• Lorsque les parents sont séparés, le **juge aux affaires familiales** joue un rôle important puisqu'il est chargé de garantir le maintien des liens entre l'enfant et chacun de ses parents. Le juge règle les questions qui lui sont soumises et qui concernent l'intérêt de l'enfant. Il peut par exemple ordonner que sur le passeport de l'enfant soit inscrite l'interdiction de sortie du territoire de l'enfant, sans l'autorisation des deux parents. Il peut aussi homologuer un accord amiable pris par les parents.

• Le juge aux affaires familiales peut, à la demande de la mère, du père, du procureur de la République, modifier les conditions de l'exercice de l'autorité parentale. Il peut par exemple l'attribuer à un seul des parents. Le parent qui n'a pas l'autorité parentale conserve néanmoins un droit de regard sur les décisions concernant son enfant, même si son accord n'a pas à être systématiquement demandé.

• Le juge aux affaires familiales détermine le montant de la pension alimentaire devant être versée à titre de contribution à l'entretien et à l'éducation de l'enfant. Le fait de ne pas payer la pension alimentaire est constitutif du délit d'abandon de famille et est passible de sanctions.

• Le juge peut également intervenir à la demande d'un parent, ou en cas de désaccord, sur le mode de résidence de l'enfant.

• Lorsque la **résidence** de l'enfant est fixée chez l'un des parents (le plus souvent la mère), l'autre parent bénéficie d'un droit de visite et d'hébergement qui s'exerce en général un week-end sur deux et la moitié des petites et des grandes vacances scolaires. Mais les juges accordent presque systématiquement aux parents qui en font la demande de pouvoir, en plus, recevoir leur enfant un ou deux jours en milieu de semaine (par exemple, deux nuits plus la journée du mercredi).

Le droit de visite et d'hébergement ne peut être suspendu, ou supprimé, que par le juge, en cas de motifs graves. Le non respect de ces dispositions par la personne qui doit présenter l'enfant est un délit ; la non représentation d'enfant est susceptible de poursuites pénales.

Le fait de ne pas exercer son droit de visite et d'hébergement en n'allant pas chercher son enfant n'est pas un délit.

• La résidence de l'enfant peut aussi être fixée en alternance au domicile de chacun des parents, au rythme variable de quelques jours, une semaine, une quinzaine sur deux, c'est la **résidence alternée.**

Cette solution présente l'avantage de l'équité : les parents participent autant l'un que l'autre à l'éducation de leurs enfants. La résidence alternée n'est envisageable qu'en cas d'entente entre eux, et à éviter en cas de conflit, même si le juge a le pouvoir de l'imposer. Elle suppose que les domiciles des parents ne soient pas éloignés entre eux, ni de l'école de leur enfant. Il faudra aussi tenir compte de l'âge de l'enfant : un tout petit a besoin de plus de stabilité qu'un plus grand. Elle présente le risque que l'enfant se sente ballotté, et finalement jamais vraiment chez lui (cette petite fille qui demandait : « une semaine je suis chez papa, une semaine je suis chez maman, mais chez moi, où c'est ? »).

Pour essayer de préserver la place de chacun des parents, tout en donnant la priorité à «l'intérêt de l'enfant », les juges prennent leurs décisions en fonction de certains critères : âge de l'enfant; habitudes de vie et rôle de chacun des parents depuis la naissance ; disponibilité vis-à-vis de l'enfant selon les occupations professionnelles ; aptitude de chacun des parents à assumer ses devoirs et à respecter les droits de l'autre parent. La Cour d'Appel de Bordeaux a ainsi estimé, dans une récente décision, que l'intérêt des enfants est de résider chez le parent qui respecte le mieux l'image parentale ; et elle a refusé la résidence alternée préconisée par le rapport d'expertise selon le motif que la mère dénigrait systématiquement le père.

• Dans toutes les décisions, le principe déterminant est l'intérêt de l'enfant.

• **Enlèvements internationaux**. Si l'un des parents (le plus souvent dans le cadre de couples binationaux) emmène l'enfant à l'étranger, il existe une procédure de rapatriement, prévue par la Convention de La Haye, qui permet le retour de l'enfant (sauf en cas de danger grave couru par ce dernier).

• Pour aider les parents à exercer ensemble l'autorité parentale, le juge peut leur proposer de rencontrer un médiateur familial (voir p. 476).

● Toutes les modalités de l'exercice de l'autorité parentale sont régies par les lois du 8 janvier 1993 et du 4 mars 2002.

Frères et sœurs, grands-parents, beaux-parents

• La loi prévoit que « l'enfant ne doit pas être séparé de ses frères et sœurs, sauf si cela n'est pas possible ou si son intérêt commande une autre solution. S'il y a lieu, le juge statue sur les relations personnelles entre les frères et les sœurs ».

• La loi reconnaît à l'enfant le droit d'entretenir des relations personnelles avec ses ascendants (grands-parents), et des tiers (par exemple un beau-parent). En cas de difficulté, c'est le juge aux affaires familiales qui fixera les modalités de ces relations. La Cour d'Appel de Versailles a rappelé que seuls des motifs graves peuvent faire obstacle à ce droit. L'existence d'un conflit entre les parents et les grands-parents ne doit pas y faire échec si les grands parents se montrent aptes à établir des relations sereines avec leurs petits enfants, malgré le conflit familial.

• Devant la multiplication des familles recomposées, il a été envisagé de prévoir un statut pour les beaux-parents, afin de conférer certains droits à ceux qui élèvent de fait des enfants avec lesquels ils n'ont aucun rapport juridique. Les projets de loi visant à leur accorder tout ou partie d'une autorité parentale se heurtent à des réticences, notamment parce que certains craignent que cela ne confère indirectement un statut légal au compagnon ou à la compagne dans le cadre de couples homosexuels.

En l'état actuel de la législation, le beau-parent, quel qu'il soit, peut éventuellement se voir attribuer par le juge, au cas par cas, une **délégation d'autorité parentale** de son conjoint, concubin ou partenaire. Le ou la délégataire pourra ainsi prendre toutes décisions concernant l'enfant en l'absence du parent, que ce soit pour une hospitalisation, une inscription, un voyage, etc.

La médiation familiale

Compte tenu du développement des conflits familiaux - ils représentent plus de la moitié des procès civils et près d'un ex-couple sur deux revient devant le juge après divorce ou séparation pour traiter des conflits tenant principalement aux enfants - la médiation familiale a été introduite dans le Code civil par les lois de 2002 sur l'autorité parentale et de 2004 sur le divorce. Devant certains tribunaux, elle est à présent institutionnalisée pour pouvoir en proposer le recours systématique aux parents qui se déchirent.

Ainsi, au cours de la procédure, le juge, qui doit s'efforcer de concilier les parties, peut ordonner une mesure de médiation : il nomme un tiers extérieur, professionnel qualifié, qui aura pour mission d'apaiser les relations, de tenter de dénouer un litige et de rechercher un accord entre les personnes concernées (parents entre eux, ou même parents et enfants s'il s'agit d'adolescents). Le médiateur rend des comptes au juge qui l'a désigné, et le jugement pourra confirmer l'accord intervenu.

Diverses mesures de médiations familiales ont été intégrées dans la loi française et peuvent être mises en place, notamment à l'occasion de conflits : exercice de l'autorité parentale, du droit de visite et d'hébergement de l'enfant, procédure de divorce.

Les avantages de la médiation sont, dans une société démocratique, de rapprocher les citoyens de la justice et de les responsabiliser. Elle permet de rétablir un dialogue dans des situations où la communication est devenue impossible.

La médiation, plus simple, plus rapide, est peu onéreuse par rapport à une procédure. Elle peut être prise en charge par l'aide juridictionnelle.

Les résultats des médiations familiales sont décevants car elles restent très marginales par rapport au nombre total des procédures. C'est pourquoi un récent rapport en préconise la généralisation. Les juges incitent plus fermement les parties à y recourir et certains professionnels demandent que les enfants puissent être entendus dans le cadre des médiations familiales les concernant.

LES DROITS DE L'ENFANT

Dans nos sociétés occidentales, l'idée selon laquelle les enfants doivent être spécialement protégés est récente : elle date du milieu du XIXᵉ siècle avec la protection des enfants au travail. Au XXᵉ siècle, un dispositif de protection médicale, sociale puis judiciaire de l'enfance, s'est mis en place progressivement : il a eu notamment pour résultat de réduire la mortalité infantile et d'améliorer les conditions de vie des familles en difficulté. Et des droits particuliers de l'enfant sont peu à peu reconnus.

La Convention internationale des droits de l'enfant
(Convention de New York du 26 janvier 1990)

Le but de cette Convention est de protéger l'enfant, jusqu'à sa majorité, dans sa dignité et dans ses droits. Elle s'impose aux tribunaux français devant lesquels elle peut être invoquée. L'enfant est reconnu comme un sujet de droit à part entière. Ce principe a été admis par l'Assemblée générale de l'Organisation des Nations unies (ONU). Cette convention, est définitivement entrée en vigueur le 6 septembre 1990 après que vingt pays membres de l'ONU l'aient signée (dont la France).

Les juridictions françaises ont encore récemment affirmé l'application directe dans notre droit du principe fondamental de « l'intérêt supérieur de l'enfant » en vertu de cette convention. Ainsi, il été jugé en 2005 par la Cour de Cassation, qui s'est expressément référée à la Convention de New York, que « dans toutes les décisions qui concernent les enfants, l'intérêt supérieur de l'enfant doit être une considération primordiale et que, lorsque le mineur capable de discernement demande à être entendu, son audition ne peut être écartée que par une décision spécialement motivée. »

C'est également en application de cette convention que les juges sont autorisés à désigner un avocat de l'enfant, chargé de porter la parole de ce dernier à l'audience, toujours au nom de « l'intérêt supérieur de l'enfant. »

Les droits de l'enfant sont énumérés dans 54 articles et peuvent être regroupés sous 3 rubriques (appelées « les 3 P ») :
• le droit à certaines prestations, telles que amour, nourriture, soins médicaux, éducation, loisirs, etc. ;
• le droit à une protection contre les atteintes à son intégrité physique ou psychologique, contre la torture ou l'exploitation, etc.
• le droit de participer aux décisions qui le concernent.

Sur ces 3 points, la France fait partie des pays qui font aux enfants un sort privilégié par rapport à bien d'autres pays, même si notre droit n'est pas exempt de contradictions ; mais il est perfectible et régulièrement adapté.
• Le 20 novembre, jour anniversaire de l'adoption par l'Organisation des Nations unies de la Convention internationale des droits de l'enfant, est désormais la **Journée nationale des droits de l'enfant.**

Les droits et les devoirs de l'enfant en France

La majorité civile est fixée à 18 ans. Avant cet âge, l'enfant, sauf émancipation (à partir de 15 ans) est toujours sous la responsabilité d'un adulte (parent ou tuteur) ou d'une institution, mais cela ne veut pas dire qu'il ne jouisse d'aucun droit.

L'enfant a droit à une famille, d'abord la sienne, à défaut une autre par adoption. En cas de défaillance parentale, un tuteur est désigné par le conseil de famille, sous le contrôle du juge des tutelles.

Les relations entre les parents et leurs enfants ont été organisées pendant longtemps par les règles de la puissance paternelle. Aujourd'hui la loi ne parle plus de puissance paternelle mais d'autorité parentale et cette autorité se définit désormais dans l'intérêt de l'enfant (voir p. 474).

Voici quelques-uns des **droits et devoirs des parents/enfants** :
• L'enfant doit être scolarisé : l'absentéisme scolaire peut être sanctionné par des poursuites pénales à l'encontre des parents.
• Chacun des parents contribue à l'entretien et à l'éducation des enfants en proportion de ses ressources, de celles de l'autre parent ainsi que des besoins de l'enfant. Cette obligation ne cesse pas de plein droit lorsque l'enfant est majeur.
• La loi du 4 mars 2007 a consacré **le droit pour l'enfant d'être entendu en justice** dans toutes les procédures le concernant, lorsqu'il en fait la demande. Un récent décret (2009) a précisé les modalités d'application (Par qui est recueillie la parole de l'enfant ? De quelle manière est transcrite cette parole ?). L'enfant sera entendu soit par le juge lui-même, soit par un tiers délégué par ce dernier (psychologue, psychiatre ou enquêteur social).

Désormais, dans chaque procédure concernant un enfant, le juge aux affaires familiales doit s'assurer que l'enfant a été informé de son droit d'être entendu et d'être assisté d'un avocat, et cette mention figure lisiblement sur les convocations adressées aux parents.

Dans le cadre de ces auditions, il n'est jamais demandé – en principe – à l'enfant ou à l'adolescent de faire lui-même un choix. Son avis est pris en considération parmi d'autres éléments pour que le juge prenne la décision qui sera guidée par l'intérêt supérieur de l'enfant, intérêt qui n'est pas nécessairement conforme à l'avis que l'enfant peut émettre. Cependant, dans la pratique, il apparaît que l'avis de l'enfant est souvent déterminant. Et certains professionnels s'émeuvent de la part trop grande qui est réservée à l'enfant dans le conflit de ses parents, en en faisant une partie prenante, ce qui peut dans certains cas lui nuire.

En effet, il est quelquefois préférable qu'un enfant sente qu'il n'a pas de part à prendre dans une décision qui vient de l'extérieur et qui sera donc neutre, alors que son avis peut conduire à certaines formes d'instrumentalisation dans lesquelles il sera placé en « conflit de loyauté ». Ainsi cette jeune fille qui avait demandé à être entendue mais qui n'avait pas osé dire qu'elle voulait aller avec son père parce que sa mère lui avait fait comprendre que dans ce cas elle perdrait sa pension.

La tâche n'est pas facile pour les juges de maintenir un équilibre entre la prise en considération de l'avis de l'enfant et une implication trop importante dans le conflit de ses parents, où il est bien souvent entraîné malgré lui.

De même, une grande souplesse est laissée à l'appréciation des juges dans la façon dont ils vont relater de manière écrite la parole de l'enfant ; celle-ci ne sera pas nécessairement relatée de façon intégrale afin que l'enfant se sente libre de s'exprimer sans craindre que l'un ou l'autre de ses parents soit informé de tous ses propos.
• Un des rôles du **juge des enfants** est de protéger les enfants qui souffrent de maltraitance. Il assiste aussi les familles, qui ont besoin d'être guidées dans leur rôle éducatif, par le biais d'équipes spécialisées : c'est ce que l'on appelle les mesures d'aide éducative à domicile (AED). Ces mesures sont mises en place dans tous les cas de mauvais traitements physiques ou psychiques, d'absence de soins, ou lorsque la moralité des enfants est en danger compte tenu du milieu dans lequel vivent les parents. Ou bien encore lorsqu'il apparaît qu'en raison des carences parentales l'enfant risque de se retrouver dans une situation d'échec scolaire inéluctable.

Si ces mesures d'assistance paraissent insuffisantes en raison de la gravité de la situation dans laquelle se trouve l'enfant, le juge peut décider de son placement. Il peut même, dans certains cas, décider de retirer l'enfant à celui des parents qui avait l'autorité parentale pour le confier à l'autre parent.

C'est le même juge des enfants qui a un rôle répressif à l'égard d'un mineur délinquant.
• L'enfant peut consulter seul un médecin ou un thérapeute, sans en référer à ses parents. C'est pour cette raison que sont délivrées, par la Sécurité sociale, des cartes Vitale individuelles aux adolescents à partir de 16 ans.
• Le consentement personnel de l'enfant de plus de 13 ans est requis dans les cas suivants :
– en cas d'adoption
– en cas de changement de nom ne résultant pas de l'établissement ou d'une modification d'un lien de filiation et en cas de changement de prénom. Par exemple si le nom, ou le prénom, ou l'association nom-prénom sont ridicules.
• L'enfant doit, autant que faire se peut, être associé aux décisions le concernant dans le domaine de la santé. Aujourd'hui, les équipes hospitalières et les médecins de famille sont formés pour donner à l'enfant, selon son âge, des informations et des explications en cas de maladie, intervention, traitements, etc.

C'est ainsi que, de plus en plus, l'enfant n'est plus traité comme « l'incapable » qu'il est au sens juridique, mais, le plus souvent possible, associé aux décisions qui le concernent.
• Les droits reconnus aux enfants ont des contreparties en terme de devoirs. Ainsi « à tout âge, l'enfant doit honneur et respect à ses père et mère » (article 371 du Code civil). Et, devenus adultes, les enfants doivent venir en aide à leur père et mère qui sont dans le besoin (article 205 du Code civil). Ils peuvent toutefois s'opposer à cette demande s'ils font état de mauvais traitements de la part de leurs parents ou d'un comportement indigne à leur égard.

Le Défenseur des droits

Parmi les missions du Défenseur des droits – nouvelle autorité mise en place en mai 2011 –, il y a celle de défendre et de promouvoir l'intérêt supérieur et les droits de l'enfant, jusque là dévolue au Défenseur des enfants. Pour l'exercice de ses attributions en matière de défense et de promotion des droits de l'enfant, il est assisté par un adjoint qui conserve la dénomination « **Défenseur des enfants** » auquel il peut déléguer une partie de ses attributions.

Le Défenseur des droits peut être saisi directement : par un enfant qui invoque la protection de ses droits ou une situation mettant en cause ses intérêts, par ses représentants légaux, les membres de sa famille, les services médicaux ou sociaux ou une association de défense des droits de l'enfant.

Il peut s'agir, par exemple, de litiges touchant la sphère familiale et ayant des conséquences sur la situation des enfants ; ou de violences, maltraitances, négligences envers eux ; ou de non-respect des droits d'un enfant sous prétexte d'un handicap physique ou mental, etc.

La réclamation peut également être adressée au Défenseur des droits via un député, un sénateur ou un représentant français au Parlement européen. Il peut enfin se saisir d'office ou être saisi des réclamations qui sont adressées directement au Défenseur des enfants.

Le Défenseur des droits peut résoudre à l'amiable ou faire toute recommandation visant à régler les différends portés à sa connaissance ou à en prévenir le renouvellement.

www.defenseurdesdroits.fr
communication@defenseurdesdroits.fr
Tel. 01 53 29 22 00.

Les services du Défenseur des enfants ne sont pas équipés pour traiter les situations d'urgence. Voici quelques numéros de téléphone à appeler en cas d'urgence. La plupart sont des numéros « verts » pour lesquels l'appel est gratuit.

- Allo Enfance maltraitée (SNATEM) :
119 (appel gratuit d'un poste fixe)
www.allo119.gouv.fr
www.bientraitance.fr
www.filsantejeunes.com
- Jeunes violence écoute : 0 800 20 22 23
- Enfance et Partage : 0 800 05 12 34
- SOS Amitié : 01 42 96 26 26
- Croix-Rouge Ecoute Enfants-Parents : 0 800 85 88 58
Le SAMU (Tel. : 15) dispose de tous les numéros d'urgence dans chaque département.

DES ADRESSES UTILES

Des informations juridiques et sociales...

Vous êtes à la recherche d'informations concernant votre travail, le droit de la famille, des questions sociales, juridiques, etc.
Voici quelques organismes à votre disposition :

• Centre national d'information et de documentation des femmes et des familles **(CNIDFF)**
7, rue du Jura. 75013 Paris.
Tel. : 01 42 17 12 00
www.infofemmes.com
Il existe de nombreuses antennes en France intitulées CIDF-CEDIFF-CIDFF.

• Le **39 39**. (0,12 € la minute)
Ce numéro de téléphone, le 39 39, permet d'obtenir une réponse à toute question administrative concernant les droits et les démarches.

• **A noter** cette adresse internet www.service-public.fr pour toute démarche qui ne nécessite pas la présence physique de l'intéressé.

• Chèque emploi service universel (CESU)
www.cesu.urssaf.fr

• **Fédérations syndicales des familles monoparentales**
53,rue Riquet. 75019 Paris.
Tél. : 01 44 89 86 81
Ce numéro vous indiquera votre antenne départementale.

• **Inter-Service-Parents** (service téléphonique de la Fédération des écoles des parents et des éducateurs).
Une équipe polyvalente, spécialiste de l'écoute, composée de juristes, conseillères scolaires, conseillères conjugales, conseillères en vacances, loisirs... vous informe, dans le respect de l'anonymat.
Paris : 01 44 93 44 89
Fil santé Jeunes (12-25 ans) : 32 24 (n° national)
www.filsantejeunes.com
www.epe-idf.com

• Santé Info Droits
Service créé et mis en œuvre par le collectif inter associatif sur la santé
Tél : 0 810 004 333 ou 01 53 62 40 30, lundi mercredi vendredi de 14h à 18 h et mardi jeudi de 14h à 20 h.
L'équipe d'écoutants est composée d'avocats et de juristes spécialisés, soumis au secret. Leur objectif est de répondre à toute question juridique ou sociale liée à la santé.

• Paris – Aide aux victimes
Cet organisme vient en aide à toutes les victimes, quelle que soit l'origine de leur détresse, physique ou psychologique (accident de la circulation, agression sexuelle, etc.). Soit cet organisme prend en charge directement les personnes, soit il les oriente vers les services à même de les aider.
12 rue Charles Fourier. 75013 Paris.
Tél. : 01 45 88 18 00
Il existe des permanences dans tous les départements. Renseignez-vous auprès de votre mairie.

• Violences conjugales
Tel. : 3919. Ce numéro national est accessible du lundi au samedi de 8 h à 22 h, les jours fériés de 10 h à 20 h.

• Les particuliers peuvent prendre contact, par simple lettre, avec le **juge aux affaires familiales** (en ce qui concerne l'autorité parentale, la pension alimentaire, le droit de visite, la résidence de l'enfant) ou avec le juge des enfants (maltraitance, assistance éducative, problèmes de délinquance). Ces juges siègent au tribunal de grande instance. En cas d'urgence, des procédures particulières sont prévues ; dans ces cas, il vaut mieux s'adresser à un avocat.

• Dans tous lesTribunaux de Grande Instance, des consultations juridiques gratuites sont organisées par les **ordres des avocats**.

Des lieux d'écoute, d'accueil, de rencontre...

• Association française des centres de consultation conjugale
44, rue Danton, 94270 Le Kremlin-Bicêtre.
Tél. : 01 46 70 88 44
Chaque centre possède un réseau de spécialistes des problèmes familiaux.

• Fédération nationale couple et famille
28, Place Saint-Georges. 75009 Paris.
Tél. : 01 42 85 25 98
Elle s'adresse à tous ceux qui ont besoin d'être écoutés et aidés : couples en difficulté, femmes en détresse, parents, adolescents, personnes seules. 40 associations en métropole.

• IRAEC
(Institut de recherche pour l'enfant et le couple)
41, rue Joseph-de-Maistre. 75018 Paris.
Tél. : 01 42 28 42 85
Vous êtes enceinte ou vous êtes déjà parent ; vous vous posez des questions, vous pouvez aller au club parents-enfants. Vous y trouverez un lieu d'accueil et de jeu. (Adhésion annuelle).

• REAAP (Réseau d'Écoute, d'Appui et d'Accompagnement des Parents)
Ces réseau de soutien à la parentalité a pour but de mettre en commun, par le dialogue et l'échange, des actions mettant en valeur les compétences et les capacités des parents. Ce réseau existe en principe dans chaque département. Vous pouvez le consulter sur www.reaap en ajoutant le numéro de votre département .com

• Allô Parents Bébé
Votre bébé pleure beaucoup, il dort mal, il a des troubles de l'alimentation... Vous êtes inquiets, fatigués, débordés. Des professionnels de la petite enfance sont là pour vous écouter, vous soutenir et, si nécessaire, vous orienter vers des structures adaptées.
Allo Parents Bébé : 0 800 00 3456 (numéro vert), du lundi au vendredi 10-15h et 17-21h.

• La Maison verte (créée par Françoise Dolto) est un lieu d'accueil pour les enfants, les parents (et futurs parents). Les enfants y viennent accompagnés d'un adulte (père, mère, personne qui les garde) et sont accueillis dans un lieu convivial, avec la présence sécurisante de leurs parents. Dans chaque région, il y a des lieux d'accueils enfant-parents. Pour en savoir plus, vous pouvez vous adresser à la Maison verte
13, rue Meilhac. 75015 Paris.
Tél. : 01 43 06 02 82

• La maison de l'École des Parents (maison ouverte)
164, boulevard Voltaire. 75011 Paris.
Tél. : 01 44 93 24 10
Ce lieu accueille les enfants de la naissance à 4 ans accompagnés de leurs parents, grands-parents, assistantes maternelles...
mouverte@epe-idf.com
L'École des Parents a créé un service pour aider les parents dans leurs questions quotidiennes : éducation, santé, droit familial, loisirs. **Le Café de l'École des Parents** est un espace chaleureux, convivial, ouvert aux parents qui souhaitent s'informer, consulter Internet, échanger et débattre autour d'une tasse de café.
162, boulevard Voltaire. 75011 Paris
Tél. : 01 43 67 54 00.
www. café-des-parents.com

• Le planning familial
4 square Saint Irénée. 75011 Paris
Tél. : 01 48 07 29 10
C'est un lieu d'information et de documentation : contraception, conseil conjugal et familial, etc.

L'environnement de votre enfant

• Projet Nesting, WECF France
1 place de l'Eglise Saint-André
74103 Annemasse Cedex
Tel : 04 50 49 97 38
www.projetnesting.fr

Un site internet qui aide les futurs parents à créer un environnement intérieur sain pour leur enfant : de la rénovation au choix du mobilier, en passant par les articles de puériculture, une foule de conseils pratiques et de gestes simples à mettre en œuvre.

BELGIQUE
LA PROTECTION DE LA MATERNITÉ

La protection sociale

En Belgique, l'assurance obligatoire des soins de santé et indemnités couvre : les soins de santé, les indemnités d'incapacité de travail et d'invalidité, l'indemnité maternité, de paternité et d'adoption. Depuis 1998, tous les assurés disposent d'une carte d'identité sociale (CIS).

● Bénéficiaires

Les travailleurs salariés, les travailleurs indépendants, les étudiants, les personnes handicapées, les résidents, ainsi que leurs ayants droit à charge.

● Conditions d'ouverture des droits

Il faut s'être affilié à un organisme assureur, ou s'inscrire à la caisse auxiliaire d'assurance maladie. Le droit à l'assurance est ouvert dès l'affiliation si le paiement des cotisations est à jour et il faut que ces cotisations aient atteint une valeur minimale. Si tel n'est pas le cas, une cotisation supplémentaire doit être payée pour conserver ses droits aux soins de santé.

● Le remboursement des soins et produits pharmaceutiques

L'assuré choisit librement son médecin. Il paie directement les honoraires au médecin et se fait ensuite rembourser par l'organisme assureur qu'il a choisi. Le taux de remboursement est fixé en moyenne à 75 % du tarif de responsabilité belge.

Pour les spécialités pharmaceutiques remboursables, la participation de l'assuré est fonction de leur utilité sociale et thérapeutique.

● L'assurance maladie et indemnités en espèces

Les salariés et les chômeurs indemnisés peuvent prétendre aux prestations en espèces de l'assurance maladie à condition d'avoir été assurés depuis au moins 6 mois et d'avoir totalisé 120 jours de travail.

● Congé de maternité

Le congé de maternité débute au plus tôt 6 semaines (8 semaines en cas de naissance multiple) avant la date présumée de l'accouchement et se termine 9 semaines après l'accouchement, soit 15 semaines (17 semaines en cas de naissance multiple).

Il donne lieu à une prestation spécifique appelée indemnité de maternité ; elle concerne tous les bénéficiaires du droit aux indemnités maladie.

● Montant de l'indemnité

Le montant est différent selon le statut de la personne.

- La personne salariée perçoit durant les 30 premiers jours 82% de son salaire non plafonné. A partir du 31e jour et en cas de prolongation, le taux se trouve réduit à 75 % de son indemnité plafonnée à 91,19 € par jour.

- La personne au chômage perçoit durant les 30 premiers jours 60% de sa rémunération plafonnée et une indemnité complémentaire plafonnée à 19,5% de sa rémunération plafonnée, soit un maximum de 96,66 € ; et à 15% à partir de 31 jours, soit 91,19 € maximum.

- Pour les salariées en incapacité de travail, l'indemnité s'élève à 79,5 % durant 30 jours, maximum 96,66 €, puis 75 % de ce montant à partir du 31e jour, soit maximum 91,19 €.

● Congé de paternité des travailleurs salariés

Il est de 10 jours et doit être pris dans les 30 jours à compter de la naissance. Pour les 3 premiers jours, le travailleur perçoit son salaire et pour les autres jours, une indemnité est payée par son organisme assureur dans la limite d'un plafond de 99,70 €.

● Congé d'adoption

Il peut être pris par le père ou la mère. Il est de 6 semaines pour l'adoption d'un enfant de moins de 3 ans et de 4 semaines pour un enfant entre 3 et 8 ans. Ces durées sont doublées si l'enfant est handicapé. Les 3 premiers jours sont à la charge de l'employeur et les autres jours sont rémunérés par l'organisme assureur. Un chômeur ne peut prétendre à cette prestation.

Le montant du congé est fixé à 82% de la rémunération. Le montant de l'allocation est de 99,70 €.

● Organisme belge de Sécurité sociale

Assurance maladie maternité
Direction et contrôle
Institut National d' Assurance Maladie Invalidité (INAMI)
Avenue de Tervueren, 211
Tél : 02 739 71 11
Fax : 02 2 739 72 91
Courriel : bib@inami.be

Les prestations familiales en Belgique

Il existe trois régimes de prestations familiales : travailleurs salariés, travailleurs indépendants, personnel du secteur public. Pour les personnes sans profession qui ont des enfants à charge, il existe un autre régime dit de prestations non contributives sous conditions de ressources.

● **Bénéficiaires**

Pour pouvoir bénéficier des prestations familiales, il doit exister un lien entre le bénéficiaire et l'enfant et celui-ci ne doit pas avoir plus 18 ans, 25 ans en cas d'apprentissage ou de poursuite d'études supérieures. Pour les apprentis, la rémunération brute mensuelle ne doit pas dépasser : 480,47 €. Par ailleurs, l'enfant doit en principe être élevé en Belgique. Si ce n'est pas le cas, se renseigner auprès de la caisse d'allocations familiales sur les différents accords existants.

● **Allocations familiales**

Elles sont versées mensuellement à partir du premier enfant et varient en fonction du nombre d'enfants.

premier enfant : 85,07 €

deuxième enfant : 157,41 €

troisième enfant et chacun des suivants : 253,03 €

Selon l'âge, différents suppléments sont prévus sous certaines conditions : se renseigner auprès de sa caisse d'allocations familiales.

- Une majoration sociale est attribuée lorsque les revenus ne dépassent pas : 2 102,22 € pour une personne seule et 2 173,88 € pour un couple.

- Enfants de pensionnés ou de personnes au chômage depuis plus de 6 mois :

premier enfant : 43,31 €

deuxième enfant : 26,85 €

troisième enfant : 4 ,71 €

- Enfants de personnes invalides ou handicapées actives :

premier enfant : 91,35 €

deuxième enfant : 26,32 €

troisième enfant : 4,62 €

- Il existe une majoration pour famille monoparentale :

premier enfant : 43,31 €

deuxième enfant : 26,85 €

troisième enfant : 21,65 €

• Une allocation supplémentaire est prévue pour :

- l'enfant handicapé de moins de 21 ans ; elle varie de 382,73 € à 447,86 € selon son degré d'autonomie ;

- un supplément pour l'enfant atteint d'une affection variable, selon la gravité de l'affection de 74,60 € à 497,36 €.

Se renseigner auprès de sa Caisse d'allocations familiales.

• Allocation orphelin

Les orphelins bénéficient d'allocations familiales majorées si le père ou la mère ne s'est pas remarié(e), ou ne vit pas en couple.

Par enfant : 386,82 €

• Allocation de naissance

première naissance : 1 152,27 €

deuxième naissance et chacune des suivantes : 867,17 €

naissance multiple (chaque enfant) : 1 152,27 €

• Prime d'adoption : 1 152,27 €

● **Adresse de l'organisme des prestations familiales**

Office National d' Allocations Familiales pour Travailleurs Salariés (ONAFTS). Cet office dispose de bureaux provinciaux.

Rue de Trèves, 70

1000 Bruxelles

Tél : 02 237 21 12

Fax : 02 237 24 70

Courriel : info.mediation@rkw-onafts.fgov.be

LUXEMBOURG
LA PROTECTION DE LA MATERNITÉ

La gestion de l'assurance maladie-maternité et de l'assurance dépendance est assurée par la Caisse nationale de santé. Elle regroupe l'ensemble des régimes de protection sociale, c'est-à-dire la caisse maladie des salariés du secteur public, la caisse maladie des salariés du secteur privé et la caisse maladie des non salariés.

Toute personne qui exerce une activité salariée est obligatoirement protégée contre les risques : maladie, maternité, dépendance, vieillesse, invalidité, survie (survivants), accident du travail, maladies professionnelles, chômage. Les étudiants qui ne sont plus bénéficiaires de l'assurance maladie de leur famille, compte tenu de leur âge, sont également assurés.

Il existe, par ailleurs, un droit à l'assistance pour les personnes qui ne disposent pas de ressources. Pour les personnes sans protection sociale, il y a des possibilités d'assurances facultatives.

● Assurance maladie

Les prestations en nature

L'assurance maladie prend en charge :

- Les frais de consultation médicale. Le malade a le libre choix de son médecin et dispose de la liberté de consulter un spécialiste. Il participe financièrement, de manière modulable, selon le nombre de visites réalisées, avec une participation minimum de 5 €, sauf pour les consultations et les visites en rapport avec une hospitalisation, qui sont prises totalement en charge.

- Les soins dentaires sont pris en charge à 95% au delà d'un montant annuel de 48,54 €.

- Les médicaments figurant sur une liste sont pris en charge selon leur classe, à 100, 80 ou 40%.

- Pour une hospitalisation, 3 classes sont prévues. Les assurés participent aux frais à raison de 12,64 € par jour d'hospitalisation en chambre de 2ᵉ classe, dans la limite de 30 jours. Il existe un forfait journalier de 4,20 € pour les médicaments.

- Les actes réalisés par les professionnels paramédicaux inscrits à la nomenclature sont pris en charge à 100%.

Les prestations sont accordées dès le 1ᵉʳ jour d'affiliation pour le régime d'assurance obligatoire. Le droit est maintenu pour le mois en cours et les 3 mois suivants en cas de cessation d'affiliation, si l'assuré bénéficiait d'une protection pendant les 6 mois immédiatement précédents.

Les prestations en espèces. Elles sont accordées dès le 1ᵉʳ jour à condition de justifier d'une affiliation antérieure de 6 mois. Les indemnités sont égales à 100% du salaire dans la limite d'un plafond ; elles sont versées pendant un an au plus sur une période de 104 semaines. En règle générale le salaire est maintenu pendant 77 semaines par l'employeur.

Pension d'orphelin. En cas de décès, si les parents remplissaient les conditions de 12 mois d'assurance dans les 3 ans qui précédèrent le décès, les enfants reçoivent une pension d'orphelin de père ou de mère jusqu'à l'âge de 18 ans, ou de 27 ans en cas de poursuite des études ou d'invalidité. L'orphelin de père et de mère a droit au cumul des deux pensions. Si pour les deux parents il existe un droit à pension d'orphelin mais d'un montant différent, c'est le montant de la pension la plus élevée qui est doublé.

● Assurance maternité

L'assurance maternité prend à sa charge les soins médicaux et les soins requis par la grossesse et l'accouchement.

Afin de bénéficier des **prestations en espèces**, la personne assurée doit justifier d'une période d'activité de 6 mois dans les 12 mois qui précédent le **congé de maternité**. La durée de ce dernier est de 8 semaines avant la date prévue de l'accouchement et de 12 semaines après.

Le **montant** de l'indemnité est identique à celui de l'indemnité maladie, soit 100% du salaire sans toutefois pouvoir dépasser 5 fois le montant du salaire social minimum. Par ailleurs, il est accordé à l'assurée dans les mêmes conditions de durée de stage et de montant, une indemnité en cas d'adoption d'un enfant non encore admis à la première année d'études primaires. Si l'assurée renonce à son droit, son conjoint peut faire valoir son droit à sa place.

Les prestations familiales au Luxembourg

Les prestations familiales sont délivrées aux familles qui résident au Luxembourg, ayant des enfants à charge âgés de moins de 18 ans, 27 ans en cas de poursuite d'études, et sans limitation si l'enfant présente un handicap.

● Les allocations familiales ordinaires

Le montant des allocations est fixé par enfant, quel que soit le nombre. Le montant de base par enfant augmente progressivement en fonction de la taille de la famille.

Les allocations sont majorées pour les enfants de plus de 6 ans (16, 17 €) et de plus de 12 ans (48, 52 €).

Nombre d'enfants	Montant
1	185,60 €
2	220,36 €
3	267,58 €
4	Majoration forfaitaire par enfant 361,82 €

● Allocation spéciale supplémentaire

Tout enfant âgé de moins de 18 ans et présentant un taux de handicap d'au moins 50% a droit à une allocation supplémentaire d'un montant mensuel de 185,60 €.

● Boni pour enfant

Le boni pour enfant est une mesure fiscale attribuée sans conditions de ressources à tout parent qui a la charge d'au moins un enfant pour lequel il perçoit des prestations familiales. Le boni est versé mensuellement, le paiement se fait indépendamment de celui des allocations familiales. Son montant est de 76,88 €.

● Allocation de maternité

Il est attribué à la future mère, ou aux parents adoptifs, une allocation de maternité d'un montant de 194,02 € en l'absence de droit aux indemnités maternité, ou en complément lorsque son montant se trouve inférieur à cette somme. Cette allocation est versée pendant 16 semaines à partir de la 8e semaine avant la date présumée de l'accouchement. En cas d'adoption, elle est accordée pendant 8 semaines à compter de la date d'arrivée de l'enfant dans la famille.

● Allocation de naissance

C'est est une prestation forfaitaire versée à toutes les familles qui résident au Luxembourg à condition que la grossesse soit surveillée médicalement ; il est versé autant d'allocations que d'enfants à naître. Elle est divisée en trois parties (prénatale, naissance, postnatale), payées individuellement et soumises à des conditions distinctes. Chaque versement est de 580,03 €

Allocation prénatale. L'assurée doit se soumettre durant la grossesse à 5 examens médicaux obligatoires et à un examen dentaire. Le 1er examen doit avoir lieu dans les 3 premiers mois de la grossesse ; par ailleurs, un seul des 4 autres examens non passé peut entraîner le non versement de l'allocation.

Allocation de naissance. L'accouchement doit avoir lieu sur le territoire luxembourgeois ; et la mère doit avoir effectué un examen postnatal dans un délai de 2 à 10 semaines après la naissance.

Allocation postnatale. L'enfant doit être élevé de façon continue sur le territoire et il doit passer les 6 examens médicaux obligatoires. Elle est versée lorsque l'enfant a deux ans.

● Allocation d'éducation

Elle est versée aux parents qui résident au Luxembourg, ou qui restent soumis à la législation luxembourgeoise bien que résidents dans un Etats membre de l'Union Européenne, et qui cessent ou diminuent leur activité pour élever leur enfant.

Le montant de l'allocation reste le même quel que soit le nombre d'enfants élevés. Il s'élève à 485,01 € à taux plein et à 242,51 € pour un maintien d'activité à mi-temps.

SUISSE
LA PROTECTION DE LA MATERNITÉ

La protection sociale

En Suisse, les assurances sociales obligatoires pour la maladie, la maternité, le chômage, la vieillesse et les survivants, l'invalidité, les accidents professionnels et non professionnels sont prévues au niveau fédéral et gérées par une pluralité d'assureurs placés sous la tutelle de l'Office Fédéral des Assurances Sociales. En ce qui concerne spécifiquement la maladie-maternité, les caisses reconnues sont les caisses maladie publiques, les caisses privées, les institutions d'assurance privées soumises à la loi du 17 décembre 2004. Enfin, il existe une institution commune qui assume les coûts afférents aux prestations légales à la place des assureurs insolvables.

● Affiliation

Toute personne résidant en Suisse doit contracter une assurance pour les soins ou être assurée par son représentant légal dans les 3 mois qui suivent la naissance ou l'installation en Suisse. L'assurance prend effet immédiatement. L'assuré a le libre choix de la caisse maladie et celle-ci est tenue d'accepter, dans la limite de son rayon d'activité territorial, tout demandeur d'assurance.

Le montant des primes des soins de santé est fixé par l'assureur et il doit être approuvé par l' Office Fédéral de Santé Publique.

La participation aux frais pour l'assuré est composée

d'une franchise annuelle de 300 FS. Il existe aussi des franchises à option. Les primes peuvent alors être réduites.

● Assurance maladie maternité

L'assurance maladie comprend l'assurance soins, qui est obligatoire, et l'assurance indemnités journalières, qui est facultative. La personne a le libre choix du médecin, du pharmacien, du laboratoire, de l'hôpital.

L'assurance soins comprend, entre autres, la maternité et couvre la grossesse, l'accouchement et la convalescence de la mère. Les prestations spécifiques de la maternité comprennent les examens de contrôle, effectués par un médecin ou une sage-femme (7 examens lors d'une grossesse normale), une contribution aux cours de préparation à l'accouchement, les frais d'accouchement à domicile, dans un hôpital ou dans une institution de soins semi-hospitalier, ainsi que l'assistance d'un médecin ou d'une sage-femme, les conseils en cas d'allaitement -le remboursement est limité à 3 séances-(art. 13 à 16 de l'OPAS). Aucune participation n'est demandée lorsque la grossesse se passe bien.

● Congé de maternité

La durée est de 16 semaines dont au moins 8 semaines après l'accouchement.

● Assurance indemnités journalières

Cette assurance est ouverte à toute personne âgée de plus de 15 ans et de moins de 65 ans, résidant en Suisse ou y exerçant une activité professionnelle.

- Le montant des primes pour les indemnités journalières peut être différent en fonction de l'âge d'entrée de l'assuré ou du canton.

- Pour ouvrir droit aux indemnités journalières de maternité, l'assurée doit, au moment de l'accouchement, avoir été assurée durant au moins 270 jours sans interruption de travail de plus de 3 mois.

● Adresse utile

Office Fédéral des Assurances Sociales (OFAS)
Effingerstrasse 20 CH- 3003 Berne
Tél : 0 31 322 90 11
 Fax: 0 31 322 78 80
Si vous souhaitez obtenir un aperçu des primes d'assurance de base pour votre canton, vous pouvez téléphoner au : 0 31 324 88 02

Les prestations familiales en Suisse

Le régime des allocations familiales est unifié depuis la loi fédérale (LAFam) du 24 mars 2006, en vigueur depuis le 1er janvier 2009. Selon la nouvelle loi, les allocations mensuelles doivent être versées pour chaque enfant dans tous les cantons.

Allocation pour enfant : 200 FS versés à partir du premier enfant jusqu'à 16 ans révolus

Allocation de formation professionnelle : 250 FS pour les enfants de 16 à 25 ans révolus.

Il s'agit d'un minimum, dans de nombreux cantons les montants versés sont plus élevés.

L'allocation de naissance et l'allocation d'adoption sont variables selon le canton.

● Bénéficiaires

- les salariés ;

- dans certains cas les personnes sans activité lucrative ayant un faible revenu ;

- dans certains cantons les personnes de conditions indépendantes.

Pour les allocations à la discrétion des cantons, la limite d'âge de l'enfant à charge varie de 16 à 18 ans révolus.

Dans certains cas, les allocations peuvent être versées lorsque l'enfant ne réside pas en Suisse.

● Conseil pratique

Toute personne qui souhaite faire valoir un droit aux allocations familiales doit en faire la demande à son employeur, qui la transmet à la caisse de compensation compétente.

● Pour plus de renseignements

Les caisses de compensation cantonales donnent volontiers les renseignements complémentaires souhaités. Leurs adresses se trouvent dans les dernières pages des annuaires téléphoniques.

Vous pouvez aussi consulter le site Internet de l'Office Fédéral des Assurances Sociales (www.ofas.admin.ch).

QUÉBEC
LA PROTECTION DE LA MATERNITÉ

Au Canada, en matière de protection sociale, l'administration fédérale intervient sur le plan législatif et financier et gère directement certains programmes. D'autres programmes sont assurés au niveau provincial ou municipal. La majorité des programmes sont aidés financièrement par le gouvernement fédéral qui verse des subventions lorsque la province respecte les obligations inscrites dans la loi canadienne sur la santé.

● Assurance maladie

 Le gouvernement québécois est responsable de l'exécution des programmes d'assurance maladie. Il relève du ministère de la santé et des services sociaux. Il est administré par la Régie d'assurance maladie du Québec (RAMQ).

L'assurance maladie est financée par l'impôt.

Affiliation

Pour bénéficier des soins de santé, il faut être considéré comme résident au Québec. La personne autorisée par la loi à demeurer au Canada, qui vit au Québec et y est ordinairement présente, est un résident du Québec. Il faut, par ailleurs, être inscrit à la RAMQ. Une fois inscrit, une carte d'assurance maladie est délivrée.

Pour bénéficier des services médicaux, il suffit de présenter au praticien sa carte d'assurance maladie valide.

Des précisions complémentaires peuvent être obtenues sur le site www.ramq.gouv.qc.ca.

Étendues de la protection

L'assurance maladie prend en charge les visites, les examens, les consultations, les traitements psychiatriques, les actes de diagnostic et thérapeutiques, la chirurgie, la radiologie et l'anesthésie, effectués par des médecins généralistes ou spécialistes, réalisés en cabinet privé, en établissement de soins ou au domicile. La plupart des services de laboratoires et certains examens très spécialisés: échographie, tomographie, etc., ne sont assurés que dans les centres hospitaliers.

● Assurance médicaments

Toutes les personnes résidant au Québec doivent bénéficier d'une couverture d'assurance médicaments, soit par le régime public administré par la RAMQ, soit auprès d'un régime privé accessible dans le cadre d'un emploi. Les personnes affiliées à la RAMQ versent une cotisation calculée sur les revenus. Le montant maximal de la cotisation est fixé à 600 $ par an. Il existe une franchise à la charge de l'assuré. Les médicaments sont gratuits pour les enfants.

● Assurance parentale

Ce régime, en vigueur depuis le 1er janvier 2006, a été mis en oeuvre afin de permettre aux parents de concilier leur vie professionnelle et leur vie familiale. C'est un régime d'assurance contributif et obligatoire. Les cotisations de l'assurance parentale couvrent les prestations maternité, paternité, parentale et d'adoption et sont perçues par le Revenu du Québec.

● Affiliation et Bénéficiaires

Pour bénéficier du RQAP, il faut être parent d'un enfant né ou adopté depuis le 1e janvier 2006, résider au Québec, avoir cessé de travailler ou avoir connu une diminution d'au moins 40% de son revenu habituel, avoir un revenu d'au moins 2 000 $ au cours des 52 dernières semaines et verser les cotisations.

Les parents peuvent choisir entre deux régimes : le régime de base et le régime particulier. Voir le tableau ci-dessous.

Les **prestations de paternité** sont versées au père à l'occasion de la naissance d'un enfant. Si le père ne les utilise pas, il ne peut pas les transférer à la mère.

En revanche, les **prestations parentales** et les **prestations d'adoption** peuvent être prises par l'un ou l'autre parent, simultanément ou successivement.

La RQAP envisage une majoration des prestations pour les familles à faible revenu (inférieur à 25 921 $).

Type de prestations	Régime de base		Régime particulier	
	Durée en semaines	% du revenu	Durée en semaines	% en revenu
Maternité	18	70%	15	75%
Paternité	5	70%	3	75%
Parentales	7	70%	25	75%
	25	55%		
Adoption	12	70%	28	75%
	25	55%		

Les prestations familiales au Québec

● La prestation de soutien aux enfants

Il s'agit d'une aide gouvernementale versée à toutes les familles qui ont des enfants à charge âgés de moins de 18 ans.

Le montant est variable d'une famille à l'autre car il tient compte du revenu familial net, du nombre d'enfants et du type de famille (monoparentale ou non).

Pour bénéficier de cette prestation, il faut avoir un enfant à charge de moins de 18 ans, résider au Québec et avoir produit une déclaration de revenus au Québec.

Le montant diminue à partir d'un seuil de revenu fixé à 32 856 $ pour les familles monoparentale et à 44 788 $ pour les autres.

● La prestation supplément pour enfant handicapé

Le supplément pour enfant handicapé est versé pour aider les familles à assumer la garde, les soins et l'éducation d'un enfant dont le handicap physique ou mental est important.

Le montant est le même pour tout enfant reconnu handicapé par la régie des rentes. Le montant de l'allocation est 174 $ par mois, il est versé quatre fois dans l'année.

● Allocation orphelin

Il existe une allocation mensuelle forfaitaire de 69,38 $ pour l'enfant à charge du conjoint survivant, jusqu'à l'âge de 18 ans.

● Des précisions complémentaires peuvent être obtenues sur www.rrq.gouv.qc.ca

LES PAYS DU MAGHREB

ALGÉRIE
La protection sociale

Les salariés, dépendent de deux caisses nationales, la Caisse Nationales des Assurances Sociales des Travailleurs Salariés (CNAS) et la Caisse Nationale de Retraite (CNR), placées sous la tutelle du Ministre chargé de la Sécurité Sociale.

La CNAS gère le recouvrement de toutes les cotisations, assure la gestion des prestations des assurances sociales et des prestations familiales. Dans chaque Wilaya, la CNAS dispose d'une agence qui fonctionne comme une annexe de la Caisse Nationale.

Les non salariés dépendent de la Caisse de Sécurité Sociale des Non Salariés (CASNOS) qui assure le recouvrement des cotisations, procède à l'immatriculation et gère les prestations des assurances sociales.

Sont obligatoirement affiliées les personnes qui exercent une activité salariée ou non, qui sont en formation professionnelle, quelle que soit leur nationalité.

● **Assurance maladie : prestations en nature et en espèces**

Conditions
Voir le tableau ci-dessous.

Bénéficiaires
- Pour les prestations en nature : le salarié et ses ayants droit
- Pour les prestations en espèces : le salarié perçoit du 1e au 15e jour d'arrêt des indemnités dont le montant est égal à 50% du salaire. A partir du 16e jour, en cas de maladie de longue durée ou d'hospitalisation, il perçoit 100% de son salaire après déduction des cotisations et des impôts. L'indemnité est versée pour chaque jour de travail, ouvrable ou non, pendant une durée maximale de 300 jours.

● **Assurance maternité**
Congé de maternité
Un congé de maternité d'une durée de 14 semaines (6 semaines avant l'accouchement et 8 semaines après) est accordé à l'assurée salariée. Les cotisations sont à la charge pour partie par l'employeur et par le salarié.

Prestations en nature
Pour bénéficier des prestations en nature, les conditions sont les mêmes qu'en maladie. Les frais de la grossesse, de l'accouchement et de ses suites, ainsi que les frais d'hospitalisation pendant une durée de 8 jours de la mère et de l'enfant, sont remboursables à 100% des tarifs fixés par voie réglementaire.

Prestations en espèces
L'assurée salariée en arrêt de maternité a droit à une indemnité journalière dont le montant est égal à 100% du salaire soumis à cotisation, après déduction des cotisations de la Sécurité sociale et des impôts.

Durée de l'arrêt de travail pour maladie	Périodes de travail exigées pour percevoir les prestations en nature et en espèces
Les 6 premiers mois	- Au moins 15 jours ou 100 heures au cours du trimestre précédant la date des soins - ou 60 Jours ou 400 heures les 12 mois précédant la date des soins.
Si prolongation au delà des 6 mois	- Au moins 60 jours ou 400 heures au cours des 12 mois précédant l'arrêt - ou au moins 180 jours ou 1200 heures au cours des 3 années qui ont précédé l'arrêt

Les prestations familiales en Algérie

Pour percevoir les prestations familiales, les enfants doivent être à la charge du travailleur. La limite d'âge est de 17 ans, et de 21 ans en cas de poursuite des études.

● **Allocations familiales**

Pour un allocataire disposant de revenus inférieurs ou égaux à 15 000 Dinars algériens

- du 1er au 5e enfant : 600 DA par mois et par enfant
- à partir du 6e enfant : 300 DA par mois

Pour un allocataire disposant de revenus supérieurs : 300 DA par mois et par enfant, quel que soit son rang.

● **Allocation de scolarité**

Il s'agit d'une allocation annuelle versée en une seule fois pour chaque enfant scolarisé à partir de 6 ans jusqu'à 21 ans.

● Pour un allocataire disposant de revenus mensuels inférieurs ou égaux à 15 000 DA

- par enfant, du 1er au 5e : 800 DA
- à partir du 6e enfant : 400 DA

● Pour un allocataire disposant de revenus mensuels supérieurs à 15 000 DA

- 400 DA par mois et par enfant quel que soit son rang.

MAROC

La protection sociale

Il existe au Maroc trois régimes de protection sociale : pour les salariés du secteur public, pour les salariés du secteur privé et le régime d'assistance médicale (RAMED).

La Caisse Nationale des Organismes de Prévoyance Sociale (CNOPS) gère les salariés du régime public, la Caisse Nationale de Sécurité Sociale (CNSS) ceux du régime privé. Le RAMED est basé sur les principes de l'assistance sociale et de la solidarité nationale des populations les plus démunies.

Les personnes économiquement faibles peuvent bénéficier des soins dans les établissements de santé et les services sanitaires publics.

● **Assurance maladie**

Depuis la loi du 1er mars 2006, les employeurs ont l'obligation de s'affilier à la CNSS au plus tard 30 jours après l'embauche de leur salarié. Une carte d'immatriculation est délivrée aux employés. La personne qui a été assuré pendant 1 080 jours et qui ne remplit plus les conditions peut s'assurer volontairement dans les 12 mois suivants sa perte de qualité d'assuré. Le financement est assuré par une contribution patronale et salariale.

Important

Pendant une période transitoire de 5 ans renouvelable, les employeurs du privé comme du public, qui assuraient au moment de l'entrée en vigueur de la loi une assurance médicale à titre facultatif, pourront continuer à assurer cette couverture à condition d'en apporter la preuve.

Prestations en nature du secteur privé

Pour bénéficier des prestations de l'assurance maladie obligatoire, une période de cotisation de 54 jours ouvrables pendant les 6 mois précédant la maladie est obligatoire. A cette première condition viennent s'ajouter le paiement effectif des cotisations par l'employeur et l'identification des membres de la famille de l'assuré auprès de la CNSS.

Etendue de la protection

Pendant les premières années de la mise en oeuvre de l'Assurance Maladie Obligatoire (AMO), il n'est pas prévu de remboursement des soins ambulatoires. Le panier de soins contient uniquement les suivis : de la maternité, de l'enfant de moins de 12 ans, des affections de longues et coûteuses, de longue durée, de l'hospitalisation.

Prestations en espèces

Pour bénéficier des prestations en espèces pour un premier arrêt de travail, le salarié doit justifier de 54 jours de cotisations au cours des 6 mois précédant l'arrêt. Les indemnités sont versées avec un délai de carence de 3 jours en cas de maladie, sans délai en cas d'accident.

Après un premier arrêt, l'assuré ne peut prétendre aux indemnités qu'après une autre période minimum de 6 jours de cotisations.

Les indemnités sont versées pendant 52 semaines au cours des 2 années consécutives qui suivent l'arrêt de travail.

Les indemnités sont égales à 66,6% du salaire de

référence, plafonné à 6 000 dirhams par mois, perçu pendant les 6 derniers mois qui ont précédé l'arrêt de travail.

● Assurance maternité

Congé de maternité

Un congé de 14 semaines est accordé à la femme enceinte, dont 6 semaines minimum après l'accouchement.

Prestations en nature

L'AMO prévoit que la femme enceinte a droit pendant toute sa grossesse à l'ensemble des prestations en nature requises par son état : visites médicales, radiographies, analyses de laboratoire, etc., avant et après l'accouchement.

Prestations en espèces

L'assurée qui justifie de 54 jours de cotisations pendant 10 mois précédant la date du début du congé prénatal bénéficie d'indemnités journalières dont le montant s'élève à 100% du salaire brut moyen plafonné à 6 000 dirhams par mois.

● Congé de paternité

Le père a droit à un congé de naissance de 3 jours qui est remboursé directement par la CNSS à l'employeur.

Les prestations familiales au Maroc

Les salariés et les titulaires de pensions de vieillesse et d'invalidité peuvent y prétendre.

● Conditions

Le salarié doit justifier de 108 jours de cotisations pendant 6 mois d'immatriculation et percevoir un salaire minimum mensuel fixé à supérieur ou égal à 60% du SMIG.

Il ne peut recevoir d'allocations que pour 6 enfants au plus.

L'âge limite des enfants est de 13 ans. Le versement est poursuivi lorsque:
- les enfants sont placés en apprentissage jusqu'à 18 ans
- s'ils poursuivent des études au Maroc ou à l'étranger jusqu'à 21 ans
- s'ils sont handicapés, sans limite d'âge.

● Montant mensuel des allocations familiales
- 200 dirhams pour les 3 premiers enfants et pour chacun
- 36 dirhams à partir du 4e enfant et pour chacun.

● Adresse utile

CNSS,649, Boulevard Mohamed V -B.P. 10726 Casablanca, Tél: 022 24 40 44

Site Web: www.cns.ma

Dans le but de faciliter les démarches, la CNSS a mis en place un portail internet gratuit permettant la télédéclaration, avec la possibilité d'échanges de formulaires ou de données et le paiement des cotisations.

TUNISIE

La protection sociale

Il existe en Tunisie quatre régimes de protection sociale: un régime général et complémentaire pour les salariés, un régime travailleurs indépendants, un régime pour les salariés agricoles, un régime pour les exploitants agricoles.

Ces différents régimes s'accompagnent de taux de cotisations différents et de prestations différentes. Compte tenu de cette spécificité, nous ne traiterons ici que la protection sociale des salariés du régime général.

La Caisse Nationale d' Assurance Maladie (CNAM) régit les assurances maladie, maternité, accidents du travail et maladies professionnelles, et la caisse nationale de sécurité sociale (CNSS) gère les assurances vieillesse, invalidité, survivants, décès, chômage et prestations familiales.

● Assurance maladie

Les employeurs sont tenus de déclarer leurs salariés dans le délai d'un mois à compter de la date d'embauche. En cas de défaillance, les salariés ont le droit de demander eux-mêmes leur immatriculation. Il s'agit d'un régime contributif à la charge de l'employeur et des salariés.

Pour bénéficier des prestations en nature et en espèces de l'assurance maladie-maternité, l'assuré doit justifier soit de 50 jours de travail pendant les 6 mois précédents ou de 96 jours pendant les 12 mois précédents. Les prestations sont servies à l'assuré et à ses ayants droit.

Les indemnités journalières sont versées à partir du 6e jour d'arrêt de maladie et dans la limite de 180 jours.

● Assurance maternité

Prestations en nature

Pour le suivi de la grossesse, le taux de prise en charge varie entre 70 % pour une consultation médicale et 85% pour l'achat de médicaments essentiels (100 % pour les médicaments vitaux).

L'assuré doit présenter et faire signer un bulletin de soins à chaque prestataire. Ces bulletins doivent être adressés à la CNAM dans les 60 jours qui suivent la date de consultation.

Pour l'accouchement, si l'assurée ou son ayant droit accouche dans une clinique privée conventionnée, le remboursement des frais médicaux et d'hébergement s'élève à 350 dinars et à 500 dinars pour une césarienne.

Un bulletin de naissance et un extrait d'acte de naissance doivent être adressés à la CNAM.

Prestations en espèces

L'assurée justifiant de 96 jours de travail pendant l'année civile précédant la date d'accouchement a droit à des indemnités journalières égales aux deux tiers du revenu journalier moyen, plafonné à 2 fois le SMIG, soit 479,65 dinars pendant 30 jours ; une prolongation est possible en cas de maladie consécutive à la grossesse ou à l'accouchement.

● **Adresse utile**

Caisse Nationale d'Assurance Maladie Takassim Ennacim, Immeuble El Kousour , Montplaisir BP 77, 1080 Tunis cedex .
Tél : (216)71952963 .

Les prestations familiales en Tunisie

Pour bénéficier des prestations familiales, les enfants doivent être à la charge du travailleur et résider à son domicile ; il s'agit des enfants légitimes, adoptés, placés en tutelle officieuse (frères et sœurs orphelins moyennant un acte notarié), donnés à titre de placement (enfant abandonné).

La limite d'âge est de 14 ans ou 16 ans pour ceux qui poursuivent leurs études, ou pour les filles qui remplacent leur mère au foyer, sans limite d'âge pour les enfants handicapés.

Les travailleurs indépendants n'ont pas droit aux prestations familiales.

● **Allocations familiales**

Le versement des allocations est limité aux 3 premiers enfants nés après le 1er janvier 1989. Le montant est dégressif avec le nombre d'enfants.

Montant

Premier enfant : 7,320 dinars par mois
Deuxième enfant : 6,506 dinars ;
Troisième enfant : 5,693 dinars

Majoration pour salaire unique

L'assuré ayant des enfants à charge qui ouvrent des droits aux allocations familiales, et dont le conjoint ne travaille pas, a droit à une majoration mensuelle versée par l'employeur en même temps que la rémunération mensuelle :

- pour 1 enfant : 3,125 dinars
- pour 2 enfants : 6,250 dinars
- pour 3 enfants ou plus : 7,825 dinars

● **Allocations pour congés de naissance**

A l'occasion de chaque naissance, le père salarié bénéficie d'un jour de congé dans les 7 jours suivant la naissance. Le financement de ce jour est remboursé à l'employeur par la CNSS.

● **Contribution aux frais de crèche**

Une prise en charge peut être octroyée aux mères exerçant une activité salariée et dont le salaire ne dépasse pas un certain montant pour 48 heures de travail hebdomadaire. Cette contribution est versée pour les enfants ouvrant droit aux prestations familiales et dont l'âge est compris entre 2 mois et 3 ans, inscrits dans une crèche agréée par la Ministère chargé de l'enfance.

● **Adresse utile**

Caisse Nationale de Sécurité Sociale
49 avenue Taïeb M'hiri 1002 Tunis belvédère.
Tél : (216) 71 796 744.
Fax: 00(216) 71 783 223
Site internet: www.cnss.nat.tn .

Nous remercions le CLEISS (Centre des Liaisons Européennes et Internationales de Sécurité sociale) qui nous a fourni la documentation et les informations nécessaires à la réalisation de ces mémentos destinés aux lecteurs belges, luxembourgeois, suisses, québécois et du Maghreb.

INDEX

INDEX

INDEX

INDEX

INDEX

INDEX

INDEX

INDEX

LE COURRIER DE
J'ÉLÈVE MON ENFANT

Avez-vous des suggestions à faire ?
Une question à poser ?
Un conseil à demander ?
Souhaitez-vous faire part de votre expérience ?
N'hésitez pas à nous écrire !

Vous êtes nombreux à le faire et, grâce à Internet, notre courrier se développe et prend plus d'ampleur. Nous vous répondons comme nous répondrions à des amis, le plus vite possible et de notre mieux. Un échange constructif et enrichissant s'instaure car vous réagissez souvent à ce que nous vous écrivons, pour ajouter un commentaire, préciser votre demande, ou tout simplement nous dire que vous avez apprécié notre conseil. Ce courrier nous fait vraiment plaisir. Ecrire un livre est un long monologue, recevoir une lettre, un courriel, le transforme en dialogue et montre qu'il a atteint son but. Ces témoignages nous permettent de répondre au mieux aux attentes de nos lectrices et lecteurs. Ils sont pour toute l'équipe de *J'élève mon enfant* un encouragement à poursuivre un travail qui chaque année s'amplifie.

Voici notre adresse mail

lpernoud@horay-editeur.fr

et notre adresse postale

Laurence Pernoud
Éditions Horay
22 bis, passage Dauphine
75006 Paris

Si vous y pensez, précisez le prénom de votre enfant, son âge,
l'endroit où vous habitez. Nous aurons l'impression de mieux vous connaître.

CREDIT

Dessins

Justine Jacquot Haméon 50 * Noëlle Herrenschmidt 28 -29 - 126 à 129 - 136 - 183 - 191 - 199 - 211 - 218 - 226-232 - 240 - 247 - 389 - 391 - 424 - 425 * Editions Horay 333 - 335 - 337 - 339 - 373 - 447 * Hubert de Lartigue 24 - 34 - 35 * Danièle Molez 146 à 149

Photographies

Balachand 214 - 283 * Banana Stock 45 - 114 (c) - 122 - 130 - 139 - 141 - 142 - 145 - 150 - 158 - 160 - 164 - 166 - 168 - 169 - 171 - 217 (g) - 309 * Digitalvision - 51 - 114 (g) - 177 - 187 - 207 - 302 - 346 - 450 * DR 329 * Fotolia 61 - 279 - 356 * Getty Karen Beard couverture / Eyewire 37 / PhotoDisc 202 - 267 (d) - 301 * Laurent Laruade 204 * Oriane Macé 193 - 276 * Osti 325 * Photo Alto 19 - 23 - 27 - 30 - 31 - 32 - 66 - 75 - 86 - 95 - 113 - 119 - 188 - 189 - 198 - 217 (d) - 223 - 239 - 245 - 253 - 255 - 257 - 267 (g) - 294 - 315 - 351 * Phovoir 88 à 91 * Elliott W. Ripley 41 * Stockbyte 21 - 114 (d) - 181 - 231 * Studio X Fath 110 - Heinemann 348 - Raith - 12 - 16 - 42 - 174 - 326 - Schäffer 103 * Winckler 228 - 262 - 332

CONCEPTION GRAPHIQUE : 'OLO
RÉALISATION : NICOLAS MARCHAND
ICONOGRAPHIE : JULIE LÉVÊQUE-HORAY

IMPRIMÉ EN FRANCE PAR JEAN LAMOUR
DÉPÔT LÉGAL 2012
N° D'ÉDITEUR : 1103